MW01001173

Biblioteca de Obras Maestras del Pensamiento

El ser y la Nada

Jean-Paul
SARTRE

Biblioteca de Obras
Maestras del Pensamiento

El ser
y la Nada

Ensayo de ontología y fenomenología

Traducción:
Juan Valmar

EDITORIAL LOSADA
Buenos Aires

Título del original francés:
L'être et le néant.
Essai d'ontologie phénoménologique
© Librairie Gallimard, 1943

1ª edición en Biblioteca de Obras
Maestras del Pensamiento: junio de 2004.

© Editorial Losada, S. A.
Moreno 3362,
Buenos Aires, 1966

Distribución:
Capital Federal: Vaccaro Sánchez, Moreno 794 - 9° piso
(1091) Buenos Aires, Argentina.
Interior: Distribuidora Bertrán, Av. Vélez Sársfield 1950
(1285) Buenos Aires, Argentina.

Composición y armado: *Taller del Sur*

ISBN: 950-03-9307-7
Queda hecho el depósito que marca la ley 11.723
Marca y características gráficas registradas en la
Oficina de Patentes y Marcas de la Nación
Impreso en Argentina
Printed in Argentina

Nota del traductor

Del presente libro existe una primera versión española, con prólogo exegético y crítico del traductor, profesor M. A. Virasoro (J. P. Sartre, *El ser y la nada*, 3 vols., Iberoamericana, Buenos Aires, 1946; 2ª ed., 1954). Como, aparte de que no puede haber traducción inmejorable, siempre hay diversos criterios con que hacerla, expondremos los que han guiado a la presente. Lo primero ha sido procurar un riguroso equivalente expresivo del original; este libro, al cual se ha calificado de "difícil y muy técnico", tiene un estilo abstruso y premioso a fuerza de precisión; no cabe esperar, pues, que la traducción le dé una elegancia y fluidez que no posee; en cambio, el traductor se ha esforzado por que el lector de habla española no tenga menos dificultades que el lector francés, pero tampoco más, y por ello se ha cuidado de evitar esa serie de pequeñas ambigüedades que la sintaxis del idioma a que se traduce introduce en un texto originariamente unívoco; es decir que, en la medida en que el traductor ha logrado su propósito, si una expresión es ambigua en la traducción lo es también en el original. Para ella, y para guardar el rigor terminológico, se han usado ciertas libertades con el idioma (galicismos, por ejemplo), prefiriéndose la precisión al purismo. En los casos en que no ha sido posible lograr un equivalente expresivo exacto, se indica al pie de página el matiz de la expresión francesa. Los términos técnicos han sido vertidos con el mayor rigor, calcándoselos en lo posible, inclusive formaciones lingüísticas aberrantes, como lo de *négatité* o *aspatial*.

No tratándose de un libro escolar, se ha creído preferible dejar las citas bibliográficas del autor tal como las da en francés. Además, se ha respetado el uso –a veces bastante singular– del original en cuanto a comillas, bastardillas y mayúsculas.

[7]

Finalmente, el traductor ha considerado preferible a una introducción explicativa (que puede hallarse en tantos libros accesibles sobre el existencialismo y sobre el propio Sartre), un índice terminológico y temático cuyas características y uso pueden verse al fin del libro.

Al Castor

Introducción en busca del ser

I

La idea de fenómeno

El pensamiento moderno ha realizado un progreso considerable al reducir el existente a la serie de las apariciones que lo manifiestan. Se apuntaba con ello a suprimir cierto número de dualismos que causaban embarazo a la filosofía, y a reemplazarlos con el monismo del fenómeno. ¿Se ha logrado hacerlo? Cierto es que se ha eliminado en primer lugar ese dualismo que opone en el existente lo interior a lo exterior. Ya no hay un exterior del existente, si se entiende por ello una piel superficial que disimule a la mirada la verdadera naturaleza del objeto. Y esta verdadera naturaleza, a su vez, si ha de ser la realidad secreta de la cosa, que puede ser presentida o supuesta pero jamás alcanzada porque es "interior" al objeto considerado, tampoco existe. Las apariciones que manifiestan al existente no son ni interiores ni exteriores: son equivalentes entre sí, y remiten todas a otras apariciones, sin que ninguna de ellas sea privilegiada. La fuerza, por ejemplo, no es un conato metafísico y de especie desconocida que se enmascare tras sus efectos (aceleraciones, desviaciones, etc.); no es sino el conjunto de estos efectos. Análogamente, la corriente eléctrica no tiene un secreto reverso: no es sino el conjunto de las acciones físicoquímicas (electrólisis, incandescencia de un filamento de carbono, desplazamiento de la aguja del galvanómetro, etc.) que la manifiestan. Ninguna de estas acciones basta para revelarla. Pero tampoco apunta hacia algo que esté detrás de ella, sino que apunta hacia sí misma y hacia la serie total. Se sigue de ello, evidentemente, que el dualismo del ser y el parecer tampoco puede encontrar derecho de ciudadanía en el campo filosófico. La apariencia remite a la serie total de las apariencias y no a una realidad oculta que haya drenado hacia sí todo el *ser* del existente. Y la apariencia, por su parte, no es una manifestación inconsistente de ese ser. Mientras ha podido creerse en las realidades numénicas, la apariencia se ha presentado como un puro negativo. Era "lo que no es el ser"; no tenía otro ser que el de la ilusión y el del error. Pero este mismo ser era un ser prestado; consistía en una falsa apariencia, y la máxima dificultad que podía encontrarse era la de mantener suficiente cohesión y existencia a la apariencia para que no se reabsorbiera por sí misma en el seno del ser no-fenoménico. Pero, si nos hemos desprendido una vez de lo que Nietzsche llamaba "la ilusión de los trasmundos", y si ya no creemos en el ser-de-tras-la-aparición, ésta se torna, al contrario, plena de positividad, y su esencia es un "parecer" que no se opone ya al ser, sino que, al contrario, es su medida. Pues el ser de un existente es, precisamente, lo que el existente *parece*. Así llegamos a la idea de *fenómeno,* tal como puede encontrarse, por ejemplo, en la "fenomenología" de Husserl o de Heidegger: el fenómeno o lo relativo-absoluto. Relativo sigue siendo el fenómeno, pues el "parecer" supone por esencia alguien a quien parecer. Pero no tiene la doble relatividad de la *Erscheinung* kantiana. El fenómeno no indica, como apuntando por sobre su hombro, un ser verdadero que tenga, él sí, carácter de absoluto. Lo que el fenómeno es, lo es absolutamente, pues se devela *como es*. El fenómeno puede ser estudiado y descrito en tanto que tal, pues es *absolutamente indicativo de sí mismo.*

Al mismo tiempo cae la dualidad de la potencia y el acto. Todo es en acto. Tras el acto no hay ni potencia, ni "*éxis*", ni virtud. Nos negaremos, por ejemplo, a entender por "genio" –en el sentido en que se dice de Proust que "tenía genio" o que "era" un genio– una potencia singular de producir ciertas obras, potencia que no se agotaría precisamente en la producción de las mismas. El genio de Proust no es ni la obra considerada aisladamente ni el poder subjetivo de producirla: es la obra considerada como el conjunto de las manifestaciones de la persona. Por eso, en fin, podemos rechazar igualmente el dualismo de la apariencia y la esencia. La apariencia no oculta la esencia, sino que la revela: *es* la esencia. La esencia de un existente no es ya una virtud enraizada en lo hueco de ese existente: es la ley manifiesta que preside a la sucesión de sus apariciones, es la razón de la serie. Al nominalismo, de Poincaré, que definía una realidad físi-ca (la corriente eléctrica, por ejemplo) como la *suma* de sus diversas manifestaciones, Duhem oponía con razón su propia teoría, según la cual el concepto es la *unidad sintética* de esas manifestaciones. Y, por cierto, la denomenología no es nada menos que nominalismo. Pero, en definitiva, la esencia como razón de la serie no es sino el nexo de las apariciones, es decir, es ella misma una aparición. Esto expli-ca que pueda haber una intuición de las esencias (la *Wesenschau* de Husserl, por ejemplo). Así, el ser fenoménico se manifiesta, mani-fiesta su esencia tanto como su existencia, y no es sino la serie bien conexa de sus manifestaciones.

¿Quiere decir que, al reducir el existente a sus manifestacio-nes, hemos logrado suprimir *todos los* dualismos? Parece, más bien, que los hayamos convertido todos en un dualismo nuevo: el de lo finito y lo infinito. El existente, en efecto, no puede reducirse a una serie *finita* de manifestaciones, puesto que cada una de ellas es una relación a un sujeto en perpetuo cambio. Aun si un *objeto* se revelara a través de una sola "abschattung", el solo hecho de ser *sujeto* implica la posibilidad de multiplicar los puntos de vista *sobre* esa "abschattung". Esto basta para multiplicar al infinito la "abschattung" considerada. Además, si la serie de apariciones fue-se finita, ello significaría que las primeras que aparecieron no tie-nen posibilidad de *reaparecer*, lo que es absurdo, o bien que pueden darse todas a la vez, lo que es más absurdo todavía. Bien com-prendemos, en efecto, que nuestra teoría del fenómeno ha reem-plazado la *realidad* de la cosa por la *objetividad* del fenómeno, y que ha fundado esta objetividad sobre un recurso al infinito. La realidad de esta taza consiste en que *está* ahí y en que ella *no es yo*. Traduciremos esto diciendo que la serie de sus apariciones está vinculada por una *razón* que no depende de mi gusto y gana. Pero la aparición, reducida a sí misma y sin recurrir a la serie de que forma parte, no sería más que una plenitud intuitiva y subjetiva: la manera en que el sujeto es afectado. Si el fenómeno ha de reve-larse *trascendente,* es necesario que el sujeto mismo trascienda la apa-rición hacia la serie total de la cual ella es miembro. Es necesario que capte *el* rojo a través de su impresión de rojo. El *rojo*, es decir, la razón de la serie; *la* corriente eléctrica a través de la electrólisis, etc. Pero, si la trascendencia del objeto se funda sobre la necesidad que tiene la aparición de hacerse trascender siempre, resulta que un objeto pone, por principio, como infinita la serie de sus apariciones. Así, la aparición, que es *finita*, se indica a sí misma en su finitud, pero exige a la vez, para ser captada como aparición-de-lo-que-aparece, ser trascendida hacia el infinito. Esta oposición nueva, la de "lo finito y lo infinito", o, mejor, de "lo infinito en lo finito", reemplaza el dualismo del ser y el parecer: lo que parece, en efecto, es sólo un *aspecto* del objeto, y el objeto está íntegramente *en* ese aspecto e íntegramente fuera de él. Integramente *dentro* en cuanto se manifiesta *en* ese aspecto: se indica a sí mismo como la estructura de la aparición, que es a la vez la razón de la serie. Íntegramente fuera, pues la serie misma no aparecerá jamás ni puede aparecer. Así, el "afuera" se opone nuevamente al "adentro", y el ser-que-no-aparece, a la aparición. Análogamente, cierta "potencia" torna a habitar el fenómeno y le confiere su trascendencia misma: la potencia de ser desarrollado en una serie de apariciones reales o posibles. El genio de Proust, aun reducido a las obras producidas, no por eso deja de equivaler a la infinitud de los puntos de vista posibles que pudieran adoptarse sobre esa obra, y esto se llamará la "inagotabilidad" de la obra proustiana. Pero tal inagotabilidad, que implica una trascendencia y un recurso al infinito, ¿no es una éxis", en el momento mismo en que se la capta en el objeto? Por último, la esencia está radicalmente escindida de la apariencia individual que la manifiesta, ya que, por principio, la esencia es lo que debe poder ser manifestado por una serie infinita de manifestaciones individuales.

Al reemplazar así una diversidad de oposiciones con un dualismo único que las funde, ¿hemos ganado o perdido? Pronto lo veremos. Por el momento, la primera consecuencia de la "teoría del fenómeno" es que la aparición no remite al ser como el fenómeno kantiano al número. Puesto que ella no tiene nada detrás y no es indicativa sino de sí misma (y de la serie total de las apariciones), no puede estar *soportada* por otro ser que el suyo propio; no puede consistir en la tenue película de nada que separa al ser-sujeto del ser-absoluto. Si la esencia de la aparición es un *parecer* que no se opone a ningún *ser,* hay ahí un legítimo problema: *el del ser de ese parecer.* Este problema nos ocupará aquí y será el punto de partida de nuestras investigaciones sobre el ser y la nada.

II

El fenómeno de ser y el ser del fenómeno

La aparición no está sostenida por ningún existente diferente de ella: tiene su *ser* propio. El ser primero que encontramos en nuestras investigaciones ontológicas es, pues, el ser de la aparición. ¿Es él mismo una aparición? De primer intento, así lo parece. El fenómeno es lo que se manifiesta y el ser se manifiesta a todo de alguna manera, puesto que podemos hablar de él y de él tenemos cierta comprensión. Así, debe haber un *fenómeno de ser,* una aparición de ser, descriptible como tal. El ser nos será develado por algunos medios de acceso inmediato; el hastío, la náusea, etc.; y la ontología será la descripción del fenómeno de ser tal como se manifiesta, es decir, sin intermediario. Empero, conviene plantear a toda ontología una cuestión previa: el fenómeno de ser, así alcanzado, ¿es idéntico al ser de los fenómenos? Es decir: el ser que se me revela y me *aparece,* ¿es de la misma naturaleza que el ser de los existentes que me aparecen? Parecería no haber dificultad: Husserl ha mostrado cómo siempre es posible una reducción eidética, es decir, cómo puede siempre el fenómeno concreto ser sobrepasado hacia su esencia; y para Heidegger la "realidad humana" es óntico-ontológica, es decir, puede siempre sobrepasar el fenómeno hacia su ser. Pero el tránsito del objeto singular a la esencia es tránsito de lo homogéneo a lo homogéneo. ¿Ocurre lo mismo con el tránsito del existente al fenómeno de ser? Trascender el existente hacia el fenómeno de ser ¿es, verdaderamente, sobrepasarlo hacia su ser, como se sobrepasa el rojo particular hacia *su* esencia? Observemos mejor.

En un objeto singular pueden siempre distinguirse cualidades, como el color, el olor, etc. Y, a partir de ellas, siempre puede encararse una esencia implicada por ellas, como el signo implica la significación. El conjunto "objeto-esencia" constituye un todo organizado: la esencia no está *en* el objeto, sino que es el sentido del objeto, la razón de la serie de apariciones que lo develan. Pero el ser no es ni una cualidad del objeto captable entre otras, ni un sentido del objeto. El objeto no remite *al* ser como a una significación: sería imposible, por ejemplo, definir el ser como una *pre-*

sencia; puesto que la *ausencia* devela también al ser, ya que no estar *ahí* es todavía ser. El objeto no *posee* al ser, y su existencia no es una participación en el ser, ni ningún otro género de relación. Decir *es* es la única manera de definir su manera de ser; pues el objeto no enmascara al ser, pero tampoco lo devela. No lo enmascara, pues sería vano tratar de apartar ciertas cualidades del existente para encontrar al ser detrás de ellas: el ser es el ser de todas por igual. No lo devela, pues sería vano dirigirse al objeto para aprehender su ser. El existente es fenómeno, es decir que se designa a sí mismo como conjunto organizado de cualidades. Designa a sí mismo, y no a su ser. El ser es simplemente la condición de toda develación: es ser-para-develar, y no ser develado. ¿Qué significa, entonces, ese sobrepasamiento hacia lo ontológico, de que habla Heidegger? Con toda seguridad, puedo sobrepasar esta mesa o esta silla hacia su ser y formular la pregunta por el ser-mesa o el ser-silla. Pero, en este instante, desvío los ojos de la mesa-fenómeno para encarar el ser-fenómeno, que no es ya la condición de toda develación, sino que es él mismo un develado, una aparición; y que, como tal, tiene a su vez necesidad de un ser fundándose en el cual pueda develarse.

Si el ser de los fenómenos no se resuelve en un fenómeno de ser, y si, con todo, no podemos *decir* nada sobre el ser sino consultando a ese fenómeno de ser, debe establecerse ante todo la relación exacta que une el fenómeno de ser con el ser del fenómeno. Podremos hacerlo más fácilmente si consideramos que el conjunto de las precedentes observaciones ha sido directamente inspirado por la intuición revelante del fenómeno de ser. Considerando *no el ser* como condición de la develación, sino el ser como aparición que puede ser fijada en conceptos, hemos comprendido ante todo que el conocimiento no podía por sí solo dar razón del ser; es decir, que el ser del fenómeno no podía reducirse al fenómeno de ser. En una palabra, el fenómeno de ser es "ontológico", en el sentido en que se llama *ontológica* a la prueba de San Anselmo y de Descartes; es un llamado al ser; exige, en tanto que fenómeno, un fundamento transfenoménico. El fenómeno de ser exige la transfenomenalidad del ser. Esto no significa que el ser se encuentre escondido tras los fenómenos (hemos visto que el fenómeno no puede enmascarar el ser), ni que el fenómeno sea una apariencia que remite a un ser distinto (pues el fenómeno es *en tanto que apariencia*, es decir, se indica a sí mismo sobre el fundamento del ser). Lo que las precedentes consideraciones implican es que el ser del fenómeno, aunque coextensivo al fenómeno, debe escapar a la condición fenoménica –que consiste en no existir algo sino en cuanto se revela–; y que, en consecuencia, desborda y funda el conocimiento que de él se tiene.

III

El cogito *prerreflexivo y el ser del* percipere

Quizá se incurra en la tentación de responder que las dificultades antes mencionadas dependen todas de cierta concepción del ser, de una manera de realismo ontológico enteramente incompatible con la noción misma de *aparición*. Lo que mide al ser de la aparición es, en efecto, el hecho de que ella *aparece*. Y, puesto que hemos limitado la realidad al fenómeno, podemos decir del fenómeno que *es* tal como *aparece*. ¿Por qué no llevar la idea hasta su límite, diciendo que el ser de la aparición es su aparecer? Esto es, simplemente, una manera de elegir palabras nuevas para revestir el viejo *esse est percipi* de Berkeley. Y, en efecto, es lo que hace un Husserl cuando, tras haber efectuado la reducción fenomenológica, considera al noema como *irreal* y declara que su *esse* es un *percipi*.

No parece que la célebre fórmula de Berkeley pueda satisfacernos. Y ello por dos razones esenciales, la una referente a la naturaleza del *percipi* y la otra a la del *percipere*.

Naturaleza del percipere. –Si toda metafísica, en efecto, supone una teoría del conocimiento, en cambio toda teoría del conocimiento supone una metafísica. Esto significa, entre otras cosas, que un idealismo empeñado en reducir el ser al conocimiento que de él se tiene debiera asegurar previamente, de alguna manera, el ser del conocimiento. Si se comienza, al contrario, por poner al conocimiento como algo dado, sin preocuparse de fundar su ser, y si se afirma en seguida que *esse est percipi*, la totalidad "percepción-percibido", al no estar sostenida por un sólido ser, se derrumba en la nada. Así, el ser del conocimiento no puede ser medido por el conocimiento: escapa al *percipi*.[1] Y así, el ser-fundamento del *percipere* y del *percipi* debe escapar al *percipi:* debe ser transfenoménico. Volvemos a nuestro punto de partida. Empero, puede concedérsenos que el *percipi* remita a un ser que escapa a las leyes de la aparición, pero sosteniendo a la vez que ese ser transfenoménico, es el ser del sujeto. Así, el *percipi* remitiría al *percipiens:* lo conocido al conocimiento, y éste al ser cognoscente en tanto que *es,* no en tanto que es conocido; es decir, a la conciencia. Es lo que ha comprendido Husserl; pues si el noema es para él un correlato irreal de la noesis, que tiene por ley ontológica el *percipi,* la noesis, al contrario, le aparece como la *realidad,* cuya principal característica es darse, a la reflexión que la *conoce,* como "habiendo estado ya ahí antes". Pues la ley de ser del sujeto cognoscente es *ser-consciente.* La conciencia no es un modo particular de conocimiento, llamado sentido interno o conocimiento de sí: es la dimensión de ser transfenoménica del sujeto.

Tratemos de comprender mejor esta dimensión de ser. Decíamos que la conciencia es el ser cognoscente en tanto que *es* y no en tanto que es conocido. Esto significa que conviene abandonar la primacía del conocimiento si queremos fundar el conocimiento mismo. Sin duda, la conciencia puede conocer y conocerse. Pero, en sí misma, es otra cosa que un conocimiento vuelto sobre sí.

Toda conciencia, como lo ha mostrado Husserl, es conciencia *de* algo. Esto significa que no hay conciencia que no sea *posición* de un objeto trascendente, o, si se prefiere, que la conciencia no tiene "contenido". Es preciso renunciar a esos "datos" neutros que, según el sistema de referencia escogido, podrían constituirse en "mundo" o en "lo psíquico". Una mesa no está *en* la conciencia, ni aun a título de representación. Una mesa está *en* el espacio, junto a la ventana, etc. La existencia de la mesa, en efecto, es un centro de opacidad para la conciencia; sería menester un pro-

---

[1] Va de suyo que toda tentativa de reemplazar el "percipere" con otra *actitud* de la realidad humana resultaría igualmente infructuosa. Si se admitiera que el ser se revela al hombre en el "hacer", sería también necesario asegurar el ser del hacer fuera de la acción.

ceso infinito para inventariar el contenido total de una cosa. Introducir esta opacidad en la conciencia sería llevar al infinito el inventario que la conciencia puede hacer de sí misma, convertirla en una cosa y rechazar el *cogito*. El primer paso de una filosofía ha de ser, pues, expulsar las cosas de la conciencia y restablecer la verdadera relación entre ésta y el mundo, a saber, la conciencia como conciencia posicional *del* mundo. Toda conciencia es posicional en cuanto que se trasciende para alcanzar un objeto, y se agota en esa posición misma: todo cuanto hay de *intención* en mi conciencia actual está dirigido hacia el exterior, hacia la mesa; todas mis actividades judicativas o prácticas, toda mi afectividad del momento, se trascienden, apuntan a la mesa y en ella se absorben. No toda conciencia es conocimiento (hay conciencias afectivas, por ejemplo); pero toda conciencia cognoscente no puede ser conocimiento sino de su objeto.

Empero, la condición necesaria y suficiente para que una conciencia cognoscente sea conocimiento *de su* objeto es que sea conciencia de sí misma como siendo ese conocimiento. Es una condición necesaria: si mi conciencia no fuera conciencia de ser conciencia de mesa, sería conciencia de esa mesa sin tener conciencia de serlo, o, si se prefiere, una conciencia ignorante de sí misma, una conciencia inconsciente; lo que es absurdo. Es una condición suficiente: basta tener yo conciencia de tener conciencia de esta mesa para que tenga efectivamente conciencia de ella. Esto no basta, por cierto, para permitirme afirmar que esta mesa existe *en sí;* pero sí que existe *para mí.*

¿Qué será esta conciencia de conciencia? Padecemos a tal punto la ilusión de la primacía del conocimiento, que estamos prontos a hacer de la conciencia de conciencia una *idea ideae* a la manera de Spinoza, es decir, un conocimiento de conocimiento. Alain, para expresar la evidencia de que "saber es tener conciencia de saber", la tradujo en estos términos: "saber es saber que se sabe". Así, habremos definido la *reflexión* o sea la conciencia posicional de la conciencia o, mejor aún, el *conocimiento* de la conciencia. Sería una conciencia completa y dirigida hacia algo que no es ella, es decir, hacia la conciencia refleja. Se trascendería, pues; y, como la conciencia posicional *del* mundo, se agotaría en el apuntar a su objeto. Sólo que este objeto sería a su vez una conciencia.

[19]

No parece que podamos aceptar esta interpretación de la conciencia de conciencia. La reducción de la conciencia al conocimiento, en efecto, implica introducir en la conciencia la dualidad sujeto-objeto, típica del conocimiento. Pero, si aceptamos la ley del par cognoscente-conocido, será necesario un tercer término para que el cognoscente se torne conocido a su vez, y nos encontraremos frente a un dilema: o detenemos en un término cualquiera de la serie conocido-cognoscente conocido-cognoscente conocido por el cognoscente, etc., y entonces la totalidad del fenómeno cae en lo desconocido, es decir, nos damos siempre, como término último, contra una reflexión no consciente de sí; o bien afirmar la necesidad de una regresión al infinito *(idea ideae ideae...,* etc.), lo que es absurdo. Así, la necesidad de fundar ontológicamente el conocimiento traería consigo una nueva necesidad: la de fundarlo epistemológicamente. ¿No será que no hay que introducir la ley del par en la conciencia? La conciencia de sí no es dualidad. Tiene que ser, si hemos de evitar la regresión al infinito, relación inmediata y no cognitiva de sí a sí.

Por otra parte, la conciencia reflexiva pone como su objeto propio la conciencia refleja: en el acto de reflexión, emito juicios sobre la conciencia refleja: me avergüenzo o me enorgullezco de ella, la acepto o la rechazo, etc. Pero mi conciencia inmediata de percibir no me permite ni juzgar, ni querer, ni avergonzarme. Ella no *conoce* mi percepción; no la *pone:* todo cuanto hay de intención en mi conciencia actual está dirigido hacia el exterior, hacia el mundo. En cambio, esa conciencia espontánea de mi percepción es *constitutiva* de mi conciencia perceptiva. En otros términos, toda conciencia posicional de objeto es a la vez conciencia no posicional de sí misma. Si cuento los cigarrillos que hay en esta cigarrera, tengo la impresión de la develación de una propiedad objetiva del grupo de cigarrillos: *son doce.* Esta propiedad aparece a mi conciencia como una propiedad existente en el mundo. Puedo muy bien no tener en absoluto conciencia posicional de contarlos. No me "conozco en cuanto contante". La prueba está en que los niños capaces de hacer espontáneamente una suma no pueden *explicar* luego cómo se las han arreglado: los tests con que Piaget lo ha demostrado constituyen una excelente refutación de la fórmula de Alain: "saber es saber que se sabe". Y, sin embargo, en el momento en que estos cigarrillos se me develan como doce, tengo una conciencia no tética de mi actividad aditiva. Si se me interroga, en efecto, si se me pregunta: "¿Qué está usted haciendo?", responderé al instante: "Estoy contando"; y esta respuesta no apunta solamente a la conciencia instantánea que puedo alcanzar por reflexión, sino a las que han transcurrido sin haber sido objeto de reflexión, a las que son para siempre *irreflexivas* en mi pasado inmediato. Así, la reflexión no tiene primacía de ninguna especie sobre la conciencia refleja: ésta no es revelada a sí misma por aquélla. Al contrario, la conciencia no-reflexiva hace posible la reflexión: hay un *cogito* prerreflexivo que es la condición del *cogito* cartesiano. A la vez, la conciencia no-tética de contar es la condición misma de mi actividad aditiva. Si fuera de otro modo, ¿cómo sería la adición el tema unificador de mis conciencias? Para que este tema presida a toda una serie de síntesis de unificaciones y recogniciones, es necesario que éste se presente a sí mismo, no como una cosa, sino como una intención operatoria que no puede existir más que como "revelante-revelada", para emplear una expresión de Heidegger. Así, para contar, es menester tener conciencia de contar.

Sin duda, se dirá; pero hay círculo. Pues ¿no es necesario que contemos *de hecho* para que podamos tener conciencia de contar? Verdad es. Empero, no hay círculo; o, si se quiere, la naturaleza misma de la conciencia es existir "en círculo". Lo cual puede expresarse en estos términos: Toda existencia consciente existe como conciencia de existir. Comprendemos ahora por qué la conciencia primera de conciencia no es posicional: se identifica con la conciencia de la que es conciencia. Se determina a la vez como conciencia de percepción y como percepción. Las necesidades de la sintaxis nos han obligado hasta ahora a hablar de "conciencia no posicional *de sí*". Pero no podemos seguir usando esta expresión, en que el *de sí* suscita aún la idea de conocimiento. (En adelante, colocaremos entre paréntesis el "de", para indicar que responde sólo a una constricción gramatical.)

Esta conciencia (de) sí no debe ser considerada como una nueva conciencia, sino como *el único modo de existencia posible para una conciencia de algo*. Así como un objeto extenso está obligado a existir según las tres dimensiones, así también una intención, un placer, un dolor no podrían existir sino como conciencia inmediata (de) sí mismos. El ser de la intención no puede ser sino conciencia; de lo contrario, la intención sería cosa en la conciencia. Así, pues, no ha de entenderse esto como si alguna causa exterior (una perturbación orgánica, una impulsión inconsciente, otra *erlebnis*) pudiera determinar la producción de un acontecimiento psíquico –un placer, por ejemplo–, ni que este acontecimiento así determinado en su estructura material se vea obligado, por otra parte, a producirse como conciencia (de) sí. Ello sería hacer de la conciencia no-tética una *cualidad* de la conciencia posicional [en el sentido en que la percepción, conciencia posicional de esta mesa, tendría por añadidura la cualidad de conciencia (de) sí], y recaer así en la ilusión de la primacía teórica del conocimiento. Sería, además, hacer del acontecimiento psíquico una cosa y *calificarlo* de consciente, como, por ejemplo, pudiera calificarse de rosado este papel secante. El placer no puede distinguirse –ni aun lógicamente– de la conciencia de placer. La conciencia (de) placer es constitutiva del placer, como el modo mismo de su existencia, como la materia de que está hecho y no como una forma que se impusiera con posterioridad a una materia hedonista. El placer no puede existir "antes" de la conciencia de placer, ni aun en la forma de virtualidad o de potencia. Un placer en potencia no podría existir sino como conciencia (de) ser en potencia; no hay virtualidades de conciencia sino como conciencia de virtualidades.

Recíprocamente, como lo señalábamos poco antes, ha de evitarse definir el placer por la conciencia que de él tengo. Sería caer en un idealismo de la conciencia que nos devolvería, por rodeos, a la primacía del conocimiento. El placer no debe desvanecerse tras la conciencia que tiene (de) sí mismo; no es una representación, sino un acontecimiento concreto, pleno y absoluto. No es *en modo alguno* una cualidad de la conciencia (de) sí, tal como la conciencia (de) sí no es una cualidad del placer. No hay *antes* una conciencia que reciba *después* la afección "placer" a la manera en que se colora un agua, así como no hay antes un placer (inconsciente o psicológico) que reciba después la cualidad de consciente, a modo de un haz de luz. Hay un ser indivisible, indisoluble; pero no una sustancia que soporta sus cualidades como seres de menor grado, sino un ser que es existencia de parte a par-

[22]

te. El placer es el ser de la conciencia (de) sí y la conciencia (de) sí es la ley de ser del placer. Es lo que muy bien expresa Heidegger cuando escribe (hablando, a decir verdad, del *Dasein* y no de la conciencia): "El 'cómo' *(essentia)* de este ser debe, en la medida en que es posible en general hablar de él, ser concebido a partir de su ser *(existentia)*". Esto significa que la conciencia no se produce como ejemplar singular de una posibilidad abstracta, sino que, surgiendo en el seno del ser, crea y sostiene su esencia, es decir, la ordenación[1] sintética de sus posibilidades.

Ello quiere decir, además, que el tipo de ser de la conciencia es a la inversa del que la prueba ontológica nos revela: como la conciencia no es *posible* antes de ser, sino que su ser es la fuente y condición de toda posibilidad, su existencia implica su esencia. Es lo que expresa felizmente Husserl hablando de su "necesidad de hecho". Para que haya una esencia del placer, es preciso que haya antes el *hecho* de una conciencia (de) ese placer. Y en vano tratarían de invocarse las pretendidas *leyes* de la conciencia, cuyo conjunto articulado constituiría la esencia de ésta: una ley es un objeto trascendente de conocimiento; puede haber conciencia de ley, pero no ley de la conciencia. Por las mismas razones, es imposible asignar a una conciencia otra motivación que sí misma. Si no, sería preciso concebir que la conciencia, en la medida en que es un efecto, es no consciente (de) sí. Sería menester que, por algún lado, fuera sin ser consciente (de) ser. Caeríamos en la ilusión, harto frecuente, que hace de la conciencia un semiinconsciente o una pasividad. Pero la conciencia es conciencia de parte a parte. No podría, pues, ser limitada sino por sí misma.

Esta determinación de la conciencia por sí misma no debe concebirse como una génesis, como un devenir, pues sería preciso suponer que la conciencia es anterior a su propia existencia. Tampoco debe concebirse esta creación de sí como un acto. Si no, en efecto, la conciencia sería conciencia (de) sí como acto, lo que no es. La conciencia es una plenitud de existencia, y esta determinación de sí por sí es una característica esencial. Hasta sería prudente no abusar de la expresión "causa de sí", que deja supo-

---

[1] *Agencement.* (N. del T.)

[23]

ner una progresión, una relación del sí-causa al sí-efecto. Sería más exacto decir, simplemente: la conciencia existe por sí. Y no ha de entenderse por ello que la conciencia se "saque de la nada". No podría haber un "nada de conciencia" *antes* de la conciencia. "Antes" de la conciencia no puede concebirse sino una plenitud de ser, ninguno de cuyos elementos puede remitir a una conciencia ausente. Para que haya nada de conciencia, es menester una conciencia que ha sido y que no es más, y una conciencia testigo que ponga la nada de la primera conciencia para una síntesis de recognición. La conciencia es anterior a la nada y "se saca" del ser.[1]

Acaso se experimente alguna dificultad para aceptar estas *conclusiones*. Pero, si se las considera mejor, parecerán perfectamente claras: la paradoja no es que haya existencias por sí, sino que no haya solo ellas. Lo que es verdaderamente impensable es la existencia pasiva, es decir, una existencia que se perpetúe sin tener la fuerza de producirse ni de conservarse. Desde este punto de vista, nada hay más ininteligible que el principio de inercia. En efecto, ¿de dónde "vendría" la conciencia, si pudiera "venir" de alguna cosa? De los limbos del inconsciente o de lo fisiológico. Pero, si se pregunta cómo pueden existir, a su vez, esos limbos, y de dónde toman su existencia, nos vemos reconducidos al concepto de existencia pasiva; es decir, que no podemos comprender ya en absoluto cómo esos datos no conscientes, que no toman su existencia de sí mismos, pueden sin embargo perpetuarla y hallar además la fuerza de producir una conciencia. El gran favor de que ha gozado la prueba *a contingentia mundi* destaca notablemente este argumento.

Así, renunciando a la primacía del conocimiento, hemos descubierto el *ser* del cognoscente y encontrado lo absoluto, ese mismo absoluto que los racionalistas del siglo XVII habían definido y constituido lógicamente como un objeto de conocimiento. Pero, precisamente porque se trata de un absoluto de existencia y no de conocimiento, escapa a la famosa objeción según la cual un

---

[1] Esto no significa en modo alguno que la conciencia sea el fundamento de su ser. Al contrario, como veremos luego, hay una contingencia plenaria del ser de la conciencia. Sólo queremos indicar: 1°, que nada es causa de la conciencia; 2°, que ella es causa de su propia manera de ser.

absoluto conocido no es más un absoluto, ya que se torna relativo al conocimiento que de él se tiene. De hecho, el absoluto es aquí no ya el resultado de una construcción lógica en el terreno del conocimiento, sino el sujeto de la más concreta de las experiencias. Y no es *relativo* a esta experiencia, porque él *es* esta experiencia misma. Así, es un absoluto no-sustancial. El error ontológico del racionalismo cartesiano consiste en no haber visto que, si lo absoluto se define por la primacía de la existencia sobre la esencia, no puede concebírselo como sustancia. La conciencia no tiene nada de sustancial, es una pura "apariencia", en el sentido de que no existe sino en la medida en que aparece. Pero precisamente por ser pura apariencia, por ser un vacío total (ya que el mundo entero está fuera de ella), precisamente por esa identidad en ella de la apariencia y la existencia, puede ser considerada como lo absoluto.

IV

El ser del percipi

Parecería que hemos llegado al término de nuestra investigación. Habíamos reducido las cosas a la totalidad conexa de sus apariencias, luego hemos comprobado que estas apariencias reclamaban un ser que no fuese ya apariencia. El *percipi* nos ha remitido a un *percipiens* cuyo ser se nos ha revelado como conciencia. Así, habríamos alcanzado el fundamento ontológico del conocimiento, el ser primero a quien todas las demás apariciones aparecen, el absoluto respecto del cual todo fenómeno es relativo. No es el sujeto, en el sentido kantiano del término, sino la subjetividad misma, la inmanencia de sí a sí. Desde ese momento, hemos escapado al idealismo: para éste el ser se mide por el conocimiento, lo que lo somete a la ley de dualidad; no hay otro ser que el ser *conocido*, así se trate del pensamiento mismo: el pensamiento no aparece a sí sino a través de sus propios productos; es decir, que no lo captamos jamás sino como la significación de los pensamientos realizados; y el filósofo en busca del pensamiento ha de interrogar a las ciencias constituidas para sacarlo de ellas, a título de condición de posibilidad de las mismas. Nosotros, al contrario, hemos captado un ser que escapa al conocimiento y que lo funda; un pensamiento que no se da como representación o como significación de los pensamientos expresados, sino que es captado directamente en tanto que es; y este modo de captación no es un fenómeno de conocimiento, sino la estructura del ser. Nos encontramos ahora en el terreno de la fenomenología husserliana, bien que el propio Husserl no siempre haya permanecido fiel a su intuición primera. ¿Estamos satisfechos? Hemos encontrado un ser transfenoménico, pero, ¿es éste el ser al cual remitía el fenómeno de ser? ¿Es realmente el ser del fenómeno? En otras palabras, ¿el ser de la conciencia basta para fundar el ser de la apariencia en tanto que apariencia? Hemos arrancado al fenómeno su ser para darlo a la conciencia, y contábamos con que ésta se lo restituiría después. Pero, ¿puede hacerlo? Es lo que nos dirá un examen de las exigencias ontológicas del *"percipi"*.

Notemos, en primer lugar, que hay un ser de la cosa percibida en tanto que percibida. Aun si quisiera reducir esta mesa a una síntesis de impresiones subjetivas, ha de advertirse por lo menos que la mesa se revela, *en tanto que mesa*, a través de esa síntesis, de la cual es el límite trascendente, la razón y el objetivo.[1] La mesa está ante el conocimiento, y no podría asimilársela al conocimiento, que de ella se tiene, pues si no sería conciencia, es decir, inmanencia pura, y desaparecería *como* mesa. Por el mismo motivo, aun si una pura distinción de razón ha de separarla de la síntesis de impresiones subjetivas a través de la que se la capta, por lo menos la mesa no puede *ser* esa síntesis: sería reducirla a una actividad sintética de conexión. Así, pues, en cuanto lo conocido no puede reabsorberse en el conocimiento, es preciso reconocerle un *ser*. Este ser, se nos dice, es el *percipi*. Reconozcamos, en primer lugar, que el ser del percipi no puede reducirse al del *percipiens* –es decir, a la conciencia–, así como la mesa no se reduce a la conexión de las representaciones. Cuando más, podría decirse que es *relativo* a este ser. Pero tal *relatividad* no dispensa de un examen del ser del *percipi*.

Ahora bien: el modo del *percipi* es el *pasivo*. Así, pues, si el

---

[1] *But.* (N. del T.)

ser del fenómeno reside en su *percipi*, este ser es pasividad. Relatividad y pasividad, tales serían las estructuras características del *esse* en tanto que éste se redujera al *percipi*. ¿Qué es la pasividad? Soy pasivo cuando recibo una modificación no originada en mí, es decir, de la cual no soy ni el fundamento ni el creador. Así, mi ser soporta una manera de ser que no tiene su fuente en él mismo. Solo que, para soportar, es menester que yo exista; y, por eso, mi existencia se sitúa siempre más allá de la pasividad. "Soportar pasivamente", por ejemplo, es una conducta que *yo tengo*, y que compromete mi libertad tanto como el "rechazar resueltamente". Si he de ser por siempre "el-que-ha-sido-ofendido", es menester que yo persevere en mi ser, es decir, que me afecte a mí mismo de existencia. Pero, por eso mismo, retomo en cierto modo por mi cuenta y asumo mi ofensa, dejando de ser pasivo respecto de ella. De donde esta alternativa: o bien no soy pasivo en mi ser, y entonces me convierto en fundamento de mis afecciones, aun cuando no hayan tenido su origen en mí; o bien soy afectado de pasividad hasta en mi existencia misma, mi ser es un ser recibido, y entonces todo cae en la nada. Así, la pasividad es un fenómeno doblemente relativo: relativo a la actividad del que actúa y a la existencia del que padece. Esto implica que la pasividad no puede atañer al ser mismo del existente pasivo: es una relación de un ser a otro ser y no de un ser a una nada. Es imposible que el *percipere* afecte de ser al *perceptum*, pues, para ser afectado, el *perceptum* necesitaría ser ya dado en cierta manera y, por lo tanto, existir antes de haber recibido el ser. Puede concebirse una *creación*, a condición de que el ser creado se retome, se arranque al creador para cerrarse inmediatamente en sí y asumir su ser: en este sentido cabe decir que un libro existe *contra* su autor. Pero, si el acto de creación ha de continuarse indefinidamente, si el ser creado está sostenido hasta en sus más ínfimas partes, si carece de toda independencia propia, si no es *en sí-mismo* sino pura nada, entonces la criatura no se distingue en modo alguno de su creador y se reabsorbe en él: se trata de una falsa trascendencia, y el creador no puede tener ni aun la ilusión de salir de su subjetividad.[1]

---

[1] Por esta razón, la doctrina cartesiana de la sustancia halla su culminación lógica en el espinosismo.

Por otra parte, la pasividad del paciente exige una igual pasividad en el agente; es lo que expresa el principio de acción y reacción: justamente porque se puede destrozar, estrechar, cortar nuestra mano, puede nuestra mano destrozar, cortar, estrechar. ¿Qué pasividad puede asignarse a la percepción, al conocimiento? Ambas son pura actividad, pura espontaneidad, justamente porque es espontaneidad pura, porque nada puede morder en ella, la conciencia no puede actuar sobre nada. Así, el *esse est percipi* exigiría que la conciencia, pura espontaneidad que no puede *actuar* sobre nada, diera el ser a una nada trascendente conservándole su nada de ser: total absurdo. Husserl intentó salvar estas objeciones introduciendo la pasividad en la *noesis*: es la *hyle* o flujo puro de lo vivido y materia de las síntesis pasivas. Pero no hizo sino agregar una dificultad suplementaria a las que hemos mencionado. En efecto, se reintroducen así esos datos neutros cuya imposibilidad acabamos de mostrar. Sin duda, no son "contenidos" de conciencia pero no resultan por ello más inteligibles. La *hyle*, efectivamente, no podría ser conciencia; si no, se desvanecería en translucidez y no podría ofrecer esa base impresional y resistente que debe ser sobrepasada hacia el objeto. Pero, si no pertenece a la conciencia, ¿de dónde toma su ser y su opacidad? ¿Cómo puede conservar a la vez la resistencia opaca de las cosas y la subjetividad del pensamiento? Su *esse* no puede venirle de un *percipi*, puesto que ella misma no es percibida, puesto que la conciencia la trasciende hacia los objetos. Pero, si lo toma de sí misma, estamos de nuevo ante el problema insoluble de la relación de la conciencia con existentes independientes de ella. Y, aun cuando se concediera a Husserl que hay en la noesis un estrato hilético, no sería concebible cómo la conciencia puede trascender esta subjetividad hacia la objetividad. Dando a la *hyle los* caracteres de la cosa y los de la conciencia, Husserl creyó facilitar el paso de la una a la otra, pero no logró sino crear un ser híbrido que la conciencia rechaza y que tampoco podría formar parte del mundo.

Pero, además, según hemos visto, el *percipi* implica que la ley de ser del *perceptum* es la relatividad. ¿Puede concebirse que el ser de lo conocido sea relativo al conocimiento? ¿Qué puede significar la relatividad de ser, para un existente, sino que este existente tiene su ser en otro que sí mismo, es decir *en un existente que él no es?* Por cierto, no sería inconcebible que un ser fuera exterior a sí, entendiendo por ello que este ser sea *su propia* exterioridad. Pero no es éste el caso aquí. El ser percibido está ante la conciencia; ésta no puede alcanzarla ni él puede penetrarla y, como está separado de ella, existe separado de su propia existencia. De nada serviría hacer de él un irreal, a la manera de Husserl; aun a título de irreal, es necesario que exista.

Así, las dos determinaciones de *relatividad* y *pasividad,* que, pueden referirse a maneras de ser, no pueden de modo alguno aplicarse al ser mismo. El *esse* del fenómeno no puede ser su *percipi.* El ser transfenoménico de la conciencia no puede fundar el ser transfenoménico del fenómeno. Se ve el error de los fenomenistas: habiendo reducido –a justo título– el objeto a la serie conexa de sus apariciones, creyeron haber reducido su ser a la sucesión de sus maneras de ser, y por ello lo explicaron por conceptos que no pueden aplicarse sino a maneras de ser, pues designan relaciones entre una pluralidad de seres ya existentes.

V

La prueba ontológica

No se da al ser lo que le es debido: creíamos hallarnos dispensados de conceder transfenomenalidad al ser del fenómeno porque habíamos descubierto la transfenomenalidad del ser de la conciencia. Veremos, al contrario, que esta transfenomenalidad misma exige la del ser del fenómeno. Hay una "prueba ontológica" derivable, no del *cogito* reflexivo, sino del ser *prerreflexivo* del *percipiens.* Es lo que ahora trataremos de exponer.

Toda conciencia es conciencia *de* algo. Esta definición de la conciencia puede tomarse en dos sentidos distintos: o bien entendemos por ella que la conciencia es constitutiva del ser de su objeto, o bien que la conciencia, en su naturaleza más profunda, es relación a un ser trascendente. Pero la primera acepción de la fórmula se destruye a sí misma: ser consciente *de* algo es estar frente a una presencia plena y concreta que *no es* la conciencia. Sin duda, se puede tener conciencia de una ausencia. Pero esta ausencia aparece necesariamente sobre un fondo de presencia. Ahora bien: según hemos visto, la conciencia es una subjetividad real y la impresión es una plenitud subjetiva. Pero esta subjetividad no puede salir de sí para poner un objeto trascendente confiriéndole la plenitud impresional. Así, pues, si se quiere a toda costa que el ser del fenómeno dependa de la conciencia, será menester que el objeto se distinga de la conciencia, no por su *presencia*, sino por su *ausencia;* no por su plenitud, sino por su nada. Si el ser pertenece a la conciencia, el objeto no es la conciencia, no en cuanto el objeto es otro ser, sino en cuanto es un no-ser. Es el recurso al infinito de que hablábamos en la primera sección de esta obra. Para Husserl, por ejemplo, la animación del núcleo hilético por las solas intenciones que pueden hallar su cumplimiento *(Erfüllung)* en esa *hyle,* no bastaría para hacernos salir de la subjetividad. Las intenciones verdaderamente objetivantes son las intenciones vacías, las que apuntan, por sobre la aparición presente y subjetiva, a la totalidad infinita de la serie de apariciones. Entendamos, además, que apuntan a la serie en cuanto las apariciones no pueden darse nunca todas a la vez. La imposibilidad de principio de que los términos, en número infinito, de la serie existan al mismo tiempo ante la conciencia, y a la vez la ausencia real de todos estos términos excepto uno, son el fundamento de la objetividad. Presentes, esas impresiones –así fuesen en número infinito– se fundirían en lo subjetivo: es su ausencia quien les da el ser objetivo. Así, el ser del objeto es un puro no-ser. Se define como una falta. Es lo que se hurta, lo que, por principio, jamás será dado, lo que se entrega por perfiles fugaces y sucesivos. Pero, ¿cómo el no-ser puede ser fundamento del ser? ¿Cómo lo subjetivo ausente y *aguardado* se torna, por eso mismo, objetivo? Una gran alegría que espero, un dolor que temo, adquieren por ese hecho cierta trascendencia; concedido. Pero esta trascendencia en la inmanencia no nos hace salir de lo subjetivo. Cierto es que las cosas se dan por perfiles; es decir, sencillamente, por apariciones. Y cierto es que cada aparición remite a otras. Pero cada una de ellas es ya, por sí misma, un *ser trascendente*, no una materia impresional subjetiva; una *plenitud de ser,* no una falta; una *presencia,* no una ausencia. Vano sería intentar un juego de prestidigitación, fundando la *realidad* del objeto sobre la plenitud subjetiva impresional, y su *objetividad* sobre el no-ser: jamás lo objetivo saldrá de lo subjetivo, ni lo trascendente de la inmanencia, ni el ser del no-ser. Pero, se dirá, Husserl define precisamente la conciencia como una transcendencia. En efecto: tal es su tesis, y su descubrimiento esencial. Pero, desde el momento que hace del noema un irreal, que es correlato de la noesis y cuyo *esse* es un *percipi*, se muestra totalmente infiel a su principio.

La conciencia es conciencia *de* algo: esto significa que la trascendencia es estructura constitutiva de la conciencia; es decir, que la conciencia nace *conducida sobre* un ser que no es ella misma. Es lo que llamamos la prueba ontológica. Se responderá, sin duda, que la exigencia de la conciencia no demuestra que esta exigencia deba satisfacerse. Pero esta objeción no puede mantenerse frente a un análisis de lo que Husserl llama intencionalidad, y cuyo carácter esencial ha desconocido. Decir que la conciencia es conciencia de algo significa que para la conciencia no hay ser, fuera de esa obligación precisa de ser intuición revelante de algo; es decir, de un ser trascendente. No sólo la subjetividad pura, si es dada previamente, no logra trascenderse para poner lo objetivo, sino que también una subjetividad "pura" se desvanecería. Lo que puede llamarse propiamente subjetividad es la conciencia (de) conciencia. Pero es menester que esta conciencia (de ser) conciencia se cualifique en cierta manera, y no puede cualificarse sino como intuición revelante; si no, no es nada. Pero una intuición revelante implica algo revelado. La subjetividad absoluta no puede constituirse sino frente a un revelado; la inmanencia no puede definirse sino en la captación de un trascendente. Se creerá encontrar aquí como un eco de la refutación kantiana del idealismo problemático. Pero más bien ha de pensarse en Descartes. Estamos aquí en el plano del ser, no en el del conocimiento; no se trata de mostrar que los fenómenos del sentido interno implican la existencia de fenómenos objetivos y espaciales, sino que la conciencia implica en su ser un ser no-consciente y trans-fenoménico. En particular, de nada serviría replicar que, efectivamente, la subjetividad implica la objetividad y se constituye a sí misma al constituir lo objetivo: hemos visto que la subjetividad es impotente para constituirlo. Decir que la conciencia es conciencia *de* algo, es decir que debe producirse como revelación-revelada de un ser que no es ella misma y que se da como ya existente cuando ello lo revela.

Así, habiendo partido de la pura apariencia, nos encontramos en medio del ser. La conciencia es un ser cuya existencia pone la esencia, e, inversamente, es conciencia de un ser cuya esencia implica la existencia, es decir, cuya apariencia exige *ser*. El ser está doquiera. Ciertamente, podríamos aplicar a la conciencia la definición que Heidegger reserva para el *Dasein*, y decir que es un ser para el cual en su ser es cuestión de su ser,[1] pero sería menester completarla y formularla más o menos así: *la conciencia es un ser para el cual en su ser es cuestión de su ser en tanto que este ser implica un ser otro que él mismo.*

Queda entendido que este ser no es otro que el ser transfenoménico de los fenómenos, y no un ser numénico que tras ellos permaneciera oculto. El ser implicado por la conciencia es el de esta mesa, el de este paquete de tabaco, el de la lámpara; más en general, el ser del mundo. La conciencia exige simplemente que el ser de lo que *aparece* no exista *solamente* en tanto que aparece. El ser transfenoménico de lo que es *para la conciencia* es él mismo *en sí*.

VI

El ser en sí

Podemos ahora dar algunas precisiones acerca del *fenómeno de ser*, al que hemos consultado para establecer nuestras precedentes observaciones. La conciencia es revelación-revelada de los existentes, y los existentes comparecen ante la conciencia sobre el fundamento, del ser que les es propio. Empero, la característica del ser de un existente es la de no develarse *a sí mismo*, en persona, a la conciencia; no se puede despojar a un existente de su ser;

---

[1] *Pour lequel il est dans son être question de son être.* "Ser cuestión de" implica a la vez que para la conciencia "se trata" de su ser, que al ser de la conciencia "le va" su propio ser, y que "cuestiona" o "pregunta por su ser". Véase el índice terminológico, s. v. *Cuestión*. (N. del T.)

el ser es el fundamento siempre presente del existente, está en él doquiera y en ninguna parte; no hay ser que no sea ser en una manera de ser y que no sea captado a través de la manera de ser que a la vez lo manifiesta y lo vela. Empero, la conciencia puede siempre sobrepasar al existente, no hacia su ser, sino hacia el *sentido* de este ser. Por eso se la puede llamar óntico-ontológica, pues una característica fundamental de su trascendencia es la de trascender lo óntico hacia lo ontológico. El sentido del ser del existente, en tanto que se devela a la conciencia, es el fenómeno de ser. Este sentido tiene a su vez un ser, que es el fundamento sobre el que se manifiesta. Desde este punto de vista puede entenderse el famoso argumento de la escolástica, según el cual había círculo vicioso en toda proposición concerniente al ser, puesto que todo juicio sobre el ser implicaba ya el ser. Pero, de hecho, no existe este círculo vicioso, pues no es necesario sobrepasar de nuevo el ser de ese sentido hacia su sentido: el sentido del ser vale para el ser de todo fenómeno, comprendido el suyo propio. El fenómeno de ser no es el ser, como ya lo hicimos notar. Pero indica al ser y lo exige; aunque, a decir verdad, la prueba ontológica a que antes nos referíamos no sea válida ni *especial* ni *únicamente* para él: hay *una* prueba ontológica válida para todo el dominio de la conciencia. Pero esa prueba basta para justificar todas las enseñanzas que podamos extraer del fenómeno de ser. El fenómeno de ser, como todo fenómeno primero, se devela inmediatamente a la conciencia. En cada instante tenemos de él lo que Heidegger llama una comprensión preontológica, es decir, no acompañada de fijación en conceptos ni de elucidación. Se trata, pues, ahora, de que consultemos a ese fenómeno y procuremos fijar por ese medio el sentido del ser. Ha de hacerse notar, sin embargo:

1° Que esta elucidación del sentido del ser sólo es válida para el ser del fenómeno. Siendo el ser de la conciencia radicalmente otro, su sentido requerirá una elucidación particular a partir de la revelación-revelada de otro tipo de ser, el ser-para-sí, que definiremos más adelante y que se opone al ser-en-sí del fenómeno;

2° Que la elucidación del sentido del ser en sí, que aquí intentaremos, no puede ser sino provisional. Los aspectos que nos serán revelados implican otras significaciones que nos será menester captar y fijar ulteriormente. En particular, las reflexiones precedentes nos han permitido distinguir dos regiones de ser absolutamente diversas y separadas: el ser del *cogito prerreflexivo* y el ser del fenómeno. Pero, aunque el concepto de ser tenga así la particularidad de escindirse en dos regiones incomunicables, es preciso, con todo, explicar cómo pueden ambas regiones ser colocadas bajo la misma rúbrica. Ello requerirá el examen de esos dos tipos de seres, y es evidente que no podremos captar verdaderamente el sentido del uno o del otro sino cuando podamos establecer sus verdaderas relaciones con la noción de ser en general, y las relaciones que los unen. En efecto, por el examen de la conciencia no posicional (de) sí, hemos establecido que el ser del fenómeno no podía en ningún caso *obrar* sobre la conciencia. Con ello descartamos una concepción *realista* de las relaciones del fenómeno con la conciencia. Pero hemos mostrado también, por el examen de la espontaneidad del *cogito* no reflexivo, que la conciencia no podía salir de su subjetividad si ésta le era previamente dada, y que no podía actuar sobre el ser trascendente ni incluir, sin contradicción, los elementos de pasividad necesarios para poder constituir partiendo de ellos un ser trascendente, y descartamos así la solución *idealista* del problema. Pareceríamos habernos cerrado todas las puertas y estar condenados a mirar el ser trascendente y la conciencia como dos totalidades cerradas, sin comunicación posible. Nos será preciso mostrar que el problema tiene otra solución, allende el realismo y el idealismo.

Empero, hay cierto número de características que pueden fijarse inmediatamente, pues en su mayoría surgen por sí mismas de lo que acabamos de decir.

La clara visión del fenómeno de ser se ha visto a menudo oscurecida por un prejuicio muy generalizado, que denominaremos "creacionismo". Como se suponía que Dios había dado el ser al mundo, el ser parecía siempre afectado de cierta pasividad. Pero una creación *ex nihilo* no puede explicar el surgimiento del ser, pues, si el ser es concebido en una subjetividad, así sea divina, queda como un modo de ser intrasubjetivo. Esa subjetividad no podría tener ni aun la *representación* de una objetividad y, en consecuencia, no podría ni aun afectarse de la *voluntad* de crear lo objetivo. Por otra parte, el ser, aun cuando fuera súbitamente puesto fuera de lo subjetivo por la fulguración de que habla Leibniz, no puede afirmarse como ser sino hacia y contra su creador, pues, de lo contrario, se funde en él: la teoría de la creación continua, quitando al ser lo que los alemanes llaman la *Selbstständigkeit*, lo hace desvanecer en la subjetividad divina. El ser, si existe frente a Dios, es su propio soporte y no conserva el menor vestigio de la creación divina. En una palabra, aun si hubiese sido creado, el ser-en-sí sería *inexplicable* por la creación, pues retorna su ser más allá de ésta. Esto equivale a decir que el ser es increado. Pero no ha de concluirse que el ser se crea a sí mismo, lo que supondría que es anterior a sí. El ser no puede ser *causa sui* a la manera de la conciencia. El ser es *sí*.[1] Esto significa que no es ni pasividad ni actividad. Estas dos nociones son *humanas* y designan conductas humanas o instrumentos de ellas. Hay actividad cuando un ser consciente dispone medios con vistas a un fin. Y llamamos pasivos a los objetos sobre los cuales nuestra actividad se ejerce, y en tanto que no apuntan espontáneamente al fin para el que los hacemos servir. En una palabra, el hombre es activo y los medios que emplea son llamados pasivos. Estos conceptos, llevados a lo absoluto, pierden toda significación. En particular, el ser no es activo: para que haya fin y medios, es preciso que haya ser. Con mayor razón, no podría ser pasivo, pues para ser pasivo es necesario ser. La consistencia-en-sí del ser está más allá de lo activo como de lo pasivo. Está, igualmente, más allá de la negación como de la afirmación. La afirmación es siempre afirmación *de* algo, es decir, que el acto afirmativo se distingue de la cosa afirmada. Pero, si suponemos una afirmación en que el afirmado llena[2] al afirmante y se confunde con él, esta afirmación no puede afirmarse, por exceso de plenitud y por inherencia inmediata del noema a la noesis. Y precisamente esto es el ser, si, para aclarar ideas, lo definimos con relación a la conciencia: es el noema en la noesis, es decir, la inherencia a sí, sin la menor distancia. Desde este punto de vista, no debiera llamárselo "inmanencia", pues la inmanencia es, pese a todo, *relación* a sí; es la distancia mínima que pueda tomarse de sí a sí. Pero

---

[1] *Soi.* "Sí" en el sentido de "sí mismo", como a veces se traducirá en adelante. (N. del T.)
[2] *Remplit;* en el sentido en que Husserl dice que se llena (*erfüllt*) una significación. Véase índice terminológico. (N. del T.)

el ser no es relación a sí; él es sí. Es una inmanencia que no puede realizarse, una afirmación que no puede afirmarse, una actividad que no puede obrar, porque el ser está empastado de sí mismo. Es como si, para liberar la afirmación *de* sí en el seno del ser, fuera necesaria una descompresión de ser. No entendamos tampoco, por otra parte, que el ser sea *una* afirmación de sí indiferenciada: la indiferenciación del en-sí está más allá de una infinidad de afirmaciones de sí, en la medida en que hay una infinidad de maneras de afirmarse. Resumiremos estos primeros resultados diciendo que *el ser es en sí.*

Pero, si el ser es en sí, ello significa que no remite a sí, como lo hace la conciencia (de) sí: el ser mismo es ese sí. Lo es hasta tal punto, que la reflexión perpetua que constituye al sí se funde en una identidad. Por eso el ser está, en el fondo, más allá del sí, y nuestra primera fórmula no puede ser sino una aproximación debida a las necesidades del lenguaje. De hecho, el ser es opaco a sí mismo precisamente porque está lleno de sí mismo. Es lo que expresaremos mejor diciendo que *el ser es lo que es.*[1] Esta fórmula, en apariencia es estrictamente analítica. De hecho, está lejos de reducirse al principio de identidad, en tanto que éste es el principio incondicionado de todos los juicios analíticos. En primer lugar, designa una región singular del ser: la del *ser en* sí. (Veremos que el ser del *para* sí se define, al contrario, como el que es lo que no es y el que no es lo que es.) Se trata, entonces, de un principio regional y, como tal, sintético. Además, es preciso oponer la fórmula: el ser en sí *es* lo que es, a la que designa al ser de la conciencia: ésta, en efecto, como veremos, *ha-de-ser* lo que es.[2] Esto nos informa sobre la acepción especial que ha de darse al "es" de la frase

---

[1] La sintaxis francesa permite diferenciar entre *"l'être est ce qu'il est"* ("el ser es lo que él mismo es") y *"l'être est ce qui est"* (= "el ser es lo que es o existe [en general]"). Fórmulas de este tipo, afirmativas o negativas ("el ser que *es lo que es,* que *es lo que no es,* que *no es lo que es",* etc.), deberán entenderse siempre en el primer sentido, sin que, gracias a esta advertencia, sea necesaria la enfadosa repetición del sujeto "él" o "él mismo", "ella misma", etc., en la traducción española. (N. del T.)

[2] "Tener de" (= *avoir à),* algo arcaico en castellano, en un sentido próximo pero no igual a "haber de", ha sido adoptado por razones de claridad y exactitud. Véase el índice terminológico. (N. del T.)

"el ser *es* lo que es . Desde el momento que existen seres que han de ser lo que son, el hecho de ser lo que se es no es en modo alguno una característica puramente axiomática: es un principio contingente del ser en sí. En este sentido, el principio de identidad, principio de los juicios analíticos, es también un principio regional sintético del ser. Designa la opacidad del ser-en-sí. Esta opacidad no depende de nuestra posición con respecto al en-sí, en el sentido de que nos veríamos obligados a *aprehenderlo* y *observarlo* por hallarnos "fuera". El ser-en-sí no tiene un *dentro* que se oponga a un *fuera* y que sea análogo a un juicio, a una ley, a una conciencia de sí. El en-sí no tiene secreto: es *macizo*. En cierto sentido, se lo puede designar como una síntesis. Pero la más indisoluble de todas: la síntesis de sí consigo mismo. Resulta, evidentemente, que el ser está aislado en su ser y no mantiene relación alguna con lo que no es él. Los tránsitos, los devenires, todo cuanto permite decir que el ser no es aún lo que será y que es ya lo que no es, todo eso le es negado por principio. Pues el ser es el ser del devenir y por eso está más allá del devenir. Es lo que es; esto significa que, por sí mismo, no podría ni aun no ser lo que no es; hemos visto, en efecto, que no implicaba ninguna negación. Es plena positividad. No conoce, pues, la *alteridad:* no se pone jamás como *otro* que otro ser; no puede mantener relación ninguna con lo otro. Es indefinidamente él mismo y se agota en siéndolo. Desde este punto de vista, veremos más tarde que escapa a la temporalidad. Es, y, cuando se derrumba, ni siquiera puede decirse que ya no es más. O, por lo menos, una conciencia puede tomar conciencia de él como no siendo ya, precisamente porque esa conciencia es temporal. Pero él mismo no existe como algo que falta allí donde antes era: la plena positividad de ser se ha rehecho sobre su derrumbe. Él era, y ahora otros seres son: eso es todo.

Por último, y será nuestra tercera característica, el ser-en-sí *es*. Esto significa que el ser no puede ni ser derivado de lo posible ni reducido a lo necesario. La necesidad concierne a la conexión de las proposiciones ideales, pero no a la de los existentes. Un existente fenoménico, en tanto que existente, no puede jamás ser derivado de otro existente. Es lo que llamaremos la *contingencia* del ser-en-sí. Pero el ser-en-sí tampoco puede ser derivado de un *posible*. Lo posible es una estructura del *para-sí*, es decir, que perte-

[37]

nece a otra región del ser. El ser-en-sí no es jamás ni posible ni imposible: simplemente *es.* Esto es lo que –en términos antropomórficos– expresará la conciencia al decir que el ser-en-sí está *de más;* o sea que ella no puede absolutamente derivarlo de *nada;* ni de otro ser, ni de un posible, ni de una ley necesaria. Increado, sin razón de ser, sin relación ninguna con otro ser, el ser-en-sí está de más por toda eternidad.

El ser es. El ser es en sí. El ser es lo que es. He aquí las tres características que el examen provisional del fenómeno de ser nos permite asignar al ser de los fenómenos. Por el momento, nos es imposible llevar más lejos nuestra investigación. No es el examen del en-sí –que no es jamás sino lo que él es– lo que nos permitirá establecer y explicar sus relaciones con el para-sí. De modo que hemos partido de las "apariciones" y nos hemos visto conducidos progresivamente a poner dos tipos de seres: el en-sí y el para-sí sobre los cuales no tenemos aún sino informes superficiales e incompletos. Una multitud de preguntas queda todavía sin respuesta: ¿Cuál es el *sentido* profundo de esos dos tipos de ser? ¿Por qué razones pertenecen uno y otro al *ser* en general? ¿Cuál es el sentido del ser, en tanto que comprende en sí esas dos regiones de ser radicalmente escindidas? Si el idealismo y el realismo fracasan ambos cuando intentan explicar las relaciones que unen de hecho esas regiones incomunicables de derecho, ¿qué otra solución puede darse a este problema? ¿Y cómo puede el ser del fenómeno ser transfenoménico? Para intentar responder a tales preguntas hemos escrito esta obra.

PRIMERA PARTE
El problema de la Nada

CAPÍTULO I

El origen de la negación

I

La interrogación

Nuestras investigaciones nos han conducido al seno del ser. Pero también han parado en un atasco, ya que no hemos podido establecer vinculación entre las dos regiones del ser que hemos descubierto. Ello se debe, sin duda, a que hemos escogido una mala perspectiva para conducir nuestra indagación. Descartes se enfrentó con un problema análogo cuando hubo de estudiar las relaciones entre el alma y el cuerpo. Aconsejaba entonces buscar la solución en el terreno de hecho en que se operaba la unión de la sustancia pensante con la sustancia extensa, es decir, en la imaginación. El consejo es precioso: por cierto, nuestra preocupación no es la misma de Descartes, y no concebimos la imaginación como él. Pero lo que se puede aprovechar es el criterio de que no conviene separar previamente los dos términos de una relación para tratar de reunirlos luego: la relación es síntesis. En consecuencia, los *resultados* del análisis no pueden coincidir con los *momentos* de esa síntesis. M. Laporte dice que se abstrae cuando se piensa como aislado aquello que no está hecho para existir aisladamente. Por oposición, lo concreto es una totalidad capaz de existir por sí sola. Husserl es de la misma opinión: para él, lo rojo es un abstracto, pues no puede existir sin la figura. Al contrario, la "cosa" espaciotemporal, con todas sus determinaciones, es un concreto. Desde este punto de vista, la conciencia es un abstracto, ya que oculta en sí misma un origen ontológico hacia el en-sí, y, recíprocamente, el fenómeno es un abstracto también, ya que debe "aparecer" ante la conciencia. Lo concreto no puede ser sino la totalidad sintética de que tanto la conciencia como el fenómeno constituyen sólo momentos. Lo concreto es el hombre en el mundo con esa unión específica del hombre con el mundo, que Heidegger, por ejemplo, llama "ser-en-el-mundo". Interrogar "a la experiencia", como Kant, acerca de sus condiciones de posibilidad, o efectuar una reducción fenomenológica, como Husserl, que reducirá al mundo al estado de correlato noemático de la conciencia, es comenzar deliberadamente por lo abstracto. Pero tampoco se logrará restituir lo concreto por la adición o la organización de los elementos que se han abstraído, así como no se puede, en el sistema de Spinoza, alcanzar la sustancia por la adición infinita de sus modos. La relación entre las regiones de ser brota de una surgente primitiva, forma parte de la estructura misma de esos seres. Y nosotros la descubrimos desde nuestra primera inspección. Basta abrir los ojos e interrogar con toda ingenuidad a esa totalidad que es el hombre-en-el-mundo. Por la descripción de dicha totalidad podremos responder a estas dos preguntas: 1°) ¿Cuál es la relación sintética a la que llamamos el ser-en-el-mundo? 2°) ¿Qué deben ser el hombre y el mundo para que la relación entre ambos sea posible? A decir verdad, ambas cuestiones rebalsan la una sobre la otra y no podemos esperar contestarlas por separado. Pero cada una de las conductas humanas, siendo conducta del hombre en el mundo, puede entregarnos a la vez el hombre, el mundo y la relación que los une, a condición de que encaremos esas conductas como realidades objetivamente captables y no como afecciones subjetivas que sólo a la mirada de la reflexión pudieran descubrirse.

No nos limitaremos al estudio de una sola conducta. Al contrario, procuraremos describir varias y penetrar, de conducta en conducta, hasta el sentido profundo de la relación "hombre-mundo". Conviene ante todo, sin embargo, escoger una conducta primera que pueda servirnos de hilo conductor en nuestra investigación.

Pero esta investigación misma nos ofrece la conducta deseada: este hombre que *soy yo*, si lo capto tal cual es en este momento en el mundo, advierto que se mantiene ante el ser en una actitud interrogativa. En el momento mismo en que pregunto: "¿Hay una conducta capaz de revelarme la relación del hombre con el mundo?", formulo una interrogación. Una interrogación que puedo considerar de manera objetiva, pues poco importa que el interrogador sea yo mismo o el lector que me lee y que interroga conmigo. Pero, por otra parte, esa interrogación no es simplemente el conjunto objetivo de las palabras trazadas sobre este papel: es indiferente a los signos que la expresan. En una palabra, es una actitud humana dotada de significación. ¿Qué nos revela esta actitud?

En toda interrogación, nos mantenemos frente a un ser al cual interrogamos. Toda interrogación supone, pues, un ser que interroga y un ser al que se interroga; no es la relación primitiva del hombre con el ser-en-sí, sino, al contrario, se mantiene en los límites de esta relación, y la supone. Por otra parte, interrogamos al ser interrogado *sobre* algo. Esto *sobre lo cual* interrogo al ser, participa de la transcendencia del ser: interrogo al ser sobre sus maneras de ser o sobre su ser. Desde este punto de vista, la interrogación es una variedad de la espera: espero una respuesta del ser interrogado. Es decir que, sobre el fondo de una familiaridad preinterrogativa con el ser, espero de este ser una develación de su ser o de su manera de ser. La respuesta será un sí o un no. La existencia de estas dos posibilidades igualmente objetivas y contradictorias distingue por principio a la interrogación de la afirmación o la negación. Existen interrogaciones que, en apariencia, no comportan respuesta negativa; como, por ejemplo, la que formulábamos antes: "¿Qué nos revela esta actitud?" Pero, de hecho, se ve que es siempre posible responder diciendo: "Nada" o "Nadie" o "Nunca" a interrogaciones de ese tipo. Así, en el momento en que pregunto: "¿Hay una conducta capaz de revelarme la relación del hombre con el mundo?", admito *por principio* la posibilidad de una respuesta negativa, como: "No; semejante conducta no existe." Esto significa que aceptamos enfrentarnos con el ser trascendente de la no-existencia de tal conducta. Se caerá quizás en la tentación de no creer en la existencia objetiva de un no-ser; se dirá, simplemente, que en ese caso el hecho me remite a mi subjetividad: el ser trascendente me enseñaría que la conducta buscada es una pura ficción. Pero, en primer lugar, llamar a esa conducta una pura ficción es enmascarar la negación, sin suprimirla. "Ser pura ficción" equivale aquí a "no ser sino una ficción". Además, destruir la realidad de la negación es hacer desvanecer la realidad de la respuesta. Esta respuesta, en efecto, me es dada por el ser mismo; éste es, pues, quien me devela la negación. Existe, pues, para el interrogador, la posibilidad permanente y objetiva de una respuesta negativa. Con respecto a esta posibilidad, el interrogador, por el hecho mismo de interrogar, se pone como en estado de no-determinación: él *no sabe si* la respuesta será afirmativa o negativa. Así, la interrogación es un puente lanzado entre dos no-seres: no-ser del saber en el hombre, posibilidad de no-ser en el ser trascendente. Por último, la interrogación implica la existencia de una verdad. Por la interrogación misma, el interrogador afirma que espera una respuesta objetiva, tal que permita decir: "Es así y no de otra manera". En una palabra, la verdad, a título de diferenciación del ser, introduce un tercer no-ser como determinante de la interrogación: el no-ser de limitación. Este triple no-ser condiciona toda interrogación y, en particular, la interrogación metafísica, que es *nuestra* interrogación. _

Habíamos partido en busca del ser y nos parecía habernos visto conducidos al seno del ser por la serie de nuestras interrogaciones. Y he aquí que una ojeada a la interrogación misma, en el momento en que creíamos alcanzar la meta, nos revela de pronto que estamos rodeados de nada. La posibilidad permanente del no-ser, fuera de nosotros y en nosotros, condiciona nuestras interrogaciones sobre el ser. Y el mismo no-ser circunscribirá la respuesta: lo que el ser *será* se recortará necesariamente sobre el fondo de lo que el ser *no es*. Cualquiera que sea esta respuesta, podrá formularse así: "El ser es *eso* y, fuera de eso, *nada*".

Así, acaba de aparecérsenos un nuevo componente de lo real: el no-ser. Con ello, nuestro problema se complica, pues ya no tenemos que tratar solamente las relaciones del ser humano con el ser en sí, sino también las relaciones del ser con el no-ser y las del no-ser humano con el no-ser trascendente. Pero veámoslo mejor.

II

Las negaciones

Se nos objetará que el ser en sí no podría dar respuestas negativas. ¿No decíamos nosotros mismos que el ser en sí está más allá tanto de la afirmación como de la negación? Por otra parte, la experiencia trivial reducida a sí misma no parece develarnos ningún no-ser. Pienso que hay mil quinientos francos en mi billetera y no encuentro más que mil trescientos: esto no significa en absoluto, se nos dirá, que la experiencia me haya descubierto el no-ser de mil quinientos francos, sino simplemente que he contado trece billetes de cien francos. La negación propiamente dicha es imputable a mí: aparecería sólo al nivel de un acto judicativo por el cual yo establecería una comparación entre el resultado esperado y el resultado obtenido. Así, la negación sería simplemente una cualidad del juicio y la espera del interrogador sería una espera del juicio-respuesta.

En cuanto a la Nada, tendría su origen en los juicios negativos; sería un concepto por el cual se establece la unidad trascendente de todos esos juicios, una función proposicional del tipo: "x no es". Se ve adónde conduce esta teoría: se nos hace notar que el ser-en-sí es plena positividad y no contiene en sí mismo ninguna negación. Ese juicio negativo, por otra parte, a título de acto subjetivo, es asimilado rigurosamente al juicio afirmativo: no se ve que Kant, por ejemplo, haya distinguido en su textura interna el acto judicativo negativo del acto afirmativo; en ambos casos se opera una síntesis de conceptos; simplemente, esta síntesis, que es un acaecimiento concreto y pleno de la vida psíquica, se opera en un caso por medio de la cópula "es" y en el otro por medio de la cópula "no es"; de la misma manera, la operación manual del cribaje (separación) y la operación manual de la recolección (unión) son dos conductas objetivas que poseen la misma realidad de hecho. Así, la negación estaría "al cabo" del acto judicativo, sin estar por eso "en" el ser. Es como un irreal encerrado entre dos realidades plenas, ninguna de las cuales lo reivindica como suyo: el ser-en-sí, interrogado sobre la negación, remite al juicio, ya que él no es sino lo que es; y el juicio, cabal positividad psíquica, remite al ser, ya que formula una negación concerniente al ser y, por ende, trascendente. La negación, resultado de operaciones psíquicas concretas, sostenida en la existencia por estas operaciones mismas, incapaz de existir por sí, tiene la existencia de un correlato noemático: su *esse* reside exactamente en su *percipi*. Y la Nada, unidad conceptual de los juicios negativos, no tiene la menor realidad, si no es la que los estoicos conferían a su "lecton". ¿Podemos aceptar tal concepción?

La cuestión puede plantearse en estos términos: si la negación, como estructura de la proposición judicativa, está en el origen de la nada, o si, al contrario, esta nada, como estructura de lo real, es el origen y fundamento de la negación. Así, el problema del ser nos ha remitido al de la interrogación como actitud humana, y el problema de la interrogación nos remite al del ser de la negación.

Es evidente que el no-ser aparece siempre en los límites de una espera humana. Precisamente porque yo esperaba encontrar mil quinientos francos, *no* encuentro *sino* mil trescientos; y porque el físico *espera* tal o cual verificación de su hipótesis, la naturaleza puede decirle no. Sería vano, pues, negar que la negación aparece sobre el fondo primitivo de una relación entre el hombre y el mundo; el mundo no descubre sus no-seres a quien no los ha puesto previamente como posibilidades. Pero, ¿significa esto que esos no-seres han de reducirse a la pura subjetividad? ¿Significa que ha de dárseles la importancia y el tipo de existencia del "lecton" estoico, del noema husserliano? No lo creemos así.

En primer término, no es verdad que la negación sea solamente una cualidad del juicio: la interrogación se formula con un juicio interrogativo, pero no es juicio: es una conducta prejudicativa; puedo interrogar con la mirada, con el gesto; por medio de la interrogación, me mantengo de cierta manera frente al ser, y esta relación con el ser es una relación de ser, de la cual el jucio no es sino una expresión facultativa. De igual manera, el que interroga por el ser no interroga necesariamente a un *hombre:* esta concepción de la interrogación, al hacer de ella un fenómeno intersubjetivo, la despega del ser al cual ella se adhiere y la deja en el aire, como pura modalidad de diálogo. Ha de comprenderse que, al contrario, la interrogación dialogada es una especie particular del género "interrogación" y que el ser interrogado no es en primer término un ser pensante: si mi auto sufre una *panne,* interrogaré *al carburador, a las bujías,* etcétera; si mi reloj se para, puedo interrogar al relojero sobre las causas de esa detención, pero el relojero, a su vez, formulará interrogaciones a los diferentes mecanismos del aparato. Lo que espero del carburador, lo que el relojero espera de los engranajes del reloj, no es un juicio, sino una develación de ser sobre el fundamento de la cual pueda emitirse un juicio. Y si *espero* una develación de ser, quiere decir que estoy a la vez preparado para la eventualidad de la develación de un no-ser. Si interrogo al carburador, quiere decir que considero como posible que en el carburador *no haya nada*. Así, mi interrogación involucra, por naturaleza, cierta comprensión prejudicativa del no-ser; ella es, en sí misma, una relación de ser con el no-ser, sobre el fondo de la trascendencia original; es decir, una relación de ser con el ser.

—Por otra parte, si la naturaleza propia de la interrogación se ve oscurecida por el hecho de que las interrogaciones se formulan con frecuencia por un hombre a otros hombres, conviene empero hacer notar aquí que muchas conductas no judicativas presentan en pureza original esa comprensión inmediata del no-ser sobre fondo de ser. Si encaramos, por ejemplo, la *destrucción*, hemos de reconocer que es una *actividad* la cual podrá, sin duda, utilizar el juicio como instrumento, pero que no puede definirse como únicamente ni aun principalmente judicativa. Ahora bien: esa actividad presenta la misma estructura que la interrogación. En un sentido, por cierto, el hombre es el único ser por el cual puede ser cumplida una destrucción. Un pliegue geológico, una tempestad, no destruyen; o, por lo menos, no destruyen *directamente*: modifican, simplemente, la distribución de las masas de seres. Después de la tempestad, no hay *menos* que antes: hay *otra cosa*. Y aun esta expresión es impropia, ya que, para poner la alteridad, hace falta un testigo que pueda retener de alguna manera el pasado y compararlo con el presente en la forma del *ya no*. En ausencia de este testigo, hay ser, antes como después de la tempestad: eso es todo. Y si el ciclón puede traer consigo la muerte de ciertos seres vivos, esta muerte no será destrucción a menos que sea vivida como tal. Para que haya destrucción, es menester primeramente una relación entre el hombre y el ser, es decir, una trascendencia; y, en los límites de esta relación, es menester que el hombre capte *un* ser como destructible. Esto supone el recorte limitativo de un ser en el ser, lo cual —como hemos visto a propósito de la verdad— es ya nihilización. El ser considerado es *eso* y, fuera de eso, *nada*. El artillero a quien se asigna un objetivo cuida apuntar su cañón según la dirección indicada, *con exclusión*

[47]

de todas las demás. Pero esto nada sería aún, si el ser no fuera descubierto como *frágil*. ¿Y qué es la fragilidad, sino cierta probabilidad de no-ser para un ser dado en circunstancias determinadas? Un ser es frágil si porta en su ser una posibilidad definida de no-ser. Pero, una vez más, la fragilidad *llega* al ser por intermedio del hombre, pues la limitación individualizadora que hace poco mencionábamos es condición de la fragilidad: es frágil *un* ser y no *todo* el ser, que se encuentra más allá de toda destrucción posible. Así, la relación de limitación individualizadora que el hombre mantiene con *un* ser, sobre el fondo primero de su relación con el ser, hace llegar a ese ser la fragilidad como aparición de una posibilidad permanente de no-ser. Pero esto no es todo: para que haya destructibilidad, es preciso que el hombre, frente a esa posibilidad de no-ser, se determine sea positiva, sea negativamente; es preciso que tome las medidas necesarias para realizarla (destrucción propiamente dicha) o, por una negación del no-ser, para mantenerla siempre al nivel de simple posibilidad (medidas de protección). Así, el hombre es quien hace destructibles las ciudades, precisamente porque las pone como frágiles y como preciosas, y porque toma respecto de ellas un conjunto de medidas de protección. Sólo a causa de este conjunto de medidas un sismo o una erupción volcánica puede *destruir* esas ciudades o esas construcciones humanas. Y el sentido primero y la razón final de la guerra están contenidos aun en la menor de las edificaciones del hombre. Es preciso, pues, reconocer que la destrucción es cosa esencialmente humana, y que *el hombre mismo* destruye sus ciudades por intermedio de los sismos o directamente, y destruye sus barcos por intermedio de los ciclones o directamente. Pero, a la vez, ha de confesarse que la destrucción supone una comprensión prejudicativa de la nada en tanto que tal y una conducta *frente* a la nada. Además, la destrucción, aunque llega al ser por medio del hombre, es un *hecho objetivo* y no un pensamiento. La fragilidad se ha impreso en el ser mismo de este potiche, y su destrucción sería un acaecimiento irreversible y absoluto, que yo no podría hacer sino comprobar. Hay una transfenomenalidad del no-ser, como la hay del ser. El examen de la conducta "destrucción" nos lleva, pues, a los mismos resultados que el examen de la conducta interrogativa.

Pero, si queremos decidir con seguridad, no hay más que considerar en sí mismo un juicio negativo y preguntarnos si hace aparecer al no-ser en el seno del ser o si se limita a fijar un descubrimiento anterior. Tengo cita con Pedro a las cuatro. Llego con un cuarto de hora de retraso; Pedro es siempre puntual: ¿me habrá esperado? Miro el salón, a los parroquianos y digo: "No está aquí". ¿Hay una intuición de la ausencia de Pedro, o bien la negación no interviene sino con el juicio? A primera vista, parece absurdo hablar en este caso de intuición, ya que, precisamente, no podría haber una intuición de *nada*, y la ausencia de Pedro es ese "nada". Empero, la conciencia popular da testimonio de esa intuición. ¿No se dice, por ejemplo: "En seguida vi que no estaba"? ¿Se trata de un simple desplazamiento de la negación? Veámoslo más de cerca.

Es cierto que el café, por sí mismo, con sus parroquianos, sus mesas, sus butacas, sus vasos, su luz, su atmósfera fumosa y los ruidos de voces, de platillos entrechocándose, de pasos que lo colman, es una plenitud de ser. Y todas las intuiciones de detalle que puedo tener están plenas de esos olores, colores y sonidos, fenómenos todos dotados de un ser transfenoménico. Análogamente, la presencia actual de Pedro en un lugar que yo no conozco es también plenitud de ser. Parece como si encontráramos en todas partes la plenitud. Pero es menester observar que, en la percepción, se da siempre la constitución de una forma sobre un fondo. Ningún objeto, ningún grupo de objetos está especialmente designado para organizarse en fondo o en forma: todo depende de la dirección de mi atención. Cuando entro en ese café para buscar a Pedro, todos los objetos del café asumen una organización sintética de fondo sobre el cual Pedro está dado como debiendo aparecer. Y esta organización del café en fondo es una primera nihilización. Cada elemento de la pieza: persona, mesa, silla, intenta aislarse, destacarse sobre el fondo constituido por la totalidad de los demás objetos, y recae en la indiferenciación de ese fondo, se diluye en ese fondo. Pues el fondo es lo que no se ve sino por añadidura, lo que es objeto de una atención puramente marginal. Así, esa nihilización primera de todas las formas, que aparecen y se sumergen en la total equivalencia de un *fondo*, es la condición necesaria para la aparición de la forma principal, que en este caso es la persona de Pedro. Y esa nihilización se da a mi intuición; soy testigo del sucesivo desvanecimiento de todos los objetos que miro, y en particular de los rostros que por un instante me retienen ("¿no es Pedro ése?") y que se descomponen al momento, precisamente porque "no son" el rostro de Pedro. Empero, si finalmente descubriera a Pedro, mi intuición se llenaría con un elemento sólido; me quedaría de pronto fascinado por su rostro, y todo el café en torno de él se organizaría como presencia discreta. Pero, precisamente, Pedro no está. Esto no significa que yo descubra su ausencia en algún lugar preciso del establecimiento. En realidad, Pedro está ausente de *todo* el café; su ausencia fija al café en su evanescencia; el café permanece como *fondo,* persiste en ofrecerse como totalidad indiferenciada a mi atención marginal únicamente; se desliza hacia atrás, continúa su nihilización. Sólo se hace fondo para una forma determinada: la lleva por doquier delante de sí, me la presenta doquiera, y esa forma que se desliza constantemente entre mi mirada y los objetos sólidos y reales del café es precisamente un perpetuo desvanecerse, es Pedro que se destaca como nada sobre el fondo de nihilización del café. De modo que lo ofrecido a la intuición es una como brillazón de nada, es la nada del fondo, cuya nihilización llama, evoca la aparición de la forma, y es la forma "nada", que como un nada se desliza a la superficie del fondo. Así, pues, lo que sirve de fundamento al juicio: "Pedro no está" es la captación intuitiva de una doble nihilización. Y, en verdad, la ausencia de Pedro supone una relación primera entre este café y yo; hay una infinidad de personas que carecen de toda relación con el café, por falta de una espera real que las verifique como ausentes. Pero, precisamente, yo esperaba ver a Pedro, y mi espera ha hecho *llegar* la ausencia de Pedro como un acaecimiento real concerniente a este café; ahora, es un hecho objetivo que he *descubierto* esta ausencia y que ella se presenta como una relación sintética entre Pedro y el salón en que lo busco; Pedro ausente *infesta* este café y él es la condición de su organización nihilizadora como *fondo.* En cambio, los juicios que puedo formular luego por entretenimiento, como "Wellington no está en este café; Paul Valéry tampoco está", etcétera, son puras significaciones abstractas, puras aplicaciones del principio de negación, sin fundamento real ni eficacia, y no logran establecer una relación *real* entre el café y Wellington o Valéry; en estos casos, la relación "no está": es simplemente *pensada.* Esto basta para mostrar que el no-ser no viene a las cosas por el juicio de negación: al contrario, el juicio de negación está condicionado y sostenido por el no-ser.

¿Y cómo podría ser de otro modo? ¿Cómo podríamos ni aun concebir la forma negativa del juicio, si todo fuera plenitud de ser y positividad? Por un instante, habíamos creído que la negación podía surgir de la comparación establecida entre el resultado con que contábamos y el resultado que obtenemos. Pero veamos esta comparación: he aquí un primer juicio, acto psíquico concreto y positivo, que comprueba un hecho: "Hay mil trescientos francos en mi billetera"; y he aquí otro, que tampoco es otra cosa sino una comprobación de hecho y una afirmación: "Esperaba encontrar mil quinientos francos". He aquí, pues, hechos reales y objetivos, acaecimientos psíquicos positivos, juicios afirmativos. ¿Dónde podría encontrar sitio la negación? ¿Se la cree la aplicación pura y simple de una categoría? ¿Y se pretende que la mente posea en sí misma el *no* como forma de discriminación y de separación? Pero, en tal caso, se quita a la negación hasta el menor asomo de negatividad. Si se admite que la categoría del no, categoría existente *de hecho* en la mente, procedimiento positivo y concreto para manipular[1] y sistematizar nuestros conocimientos, es desencadenada de súbito por la presencia en nosotros de ciertos juicios afirmativos y viene de súbito a marcar con su sello ciertos pensamientos resultantes de esos juicios, se habrá despojado cuidadosamente a la negación de toda función negativa. Pues la negación es denegación de existencia. Por ella, un ser (o un modo de ser) es primero puesto y luego rechazado a la nada. Si la negación es categoría, si no es más que un matasellos indiferentemente aplicado a ciertos juicios, ¿de dónde se sacará su posibilidad de nihilar un ser, de hacerlo surgir de pronto y nombrarlo, para rechazarlo al no-ser? Si los juicios anteriores son comprobaciones de hecho, como las que habíamos tomado por ejemplo, es necesario que la negación sea como una invención libre; es necesario que nos arran-

---

[1] *Brasser:* idea de manipular mezclando, como en cervecería *(brasserie).* (N. del T.)

que a ese muro de positividad que nos encierra: es una brusca solución de continuidad que no puede en ningún caso *resultar* de las afirmaciones anteriores: un acaecimiento original e irreductible. Pero estamos aquí en la esfera de la conciencia. Y la conciencia no puede producir una negación sino en la forma de conciencia de negación. Ninguna categoría puede "habitar" la conciencia y residir en ella a la manera de una cosa. El *no*, como brusco descubrimiento intuitivo, aparece como conciencia (de ser) conciencia del no. En una palabra, si el ser está doquiera, entonces ya no sólo es inconcebible la Nada, como lo quiere Bergson: del ser no se derivará jamás la negación. La condición necesaria para que sea posible decir *no* es que el no-ser sea una presencia perpetua, en nosotros y fuera de nosotros; es que la nada *infeste* el ser. Pero, ¿de dónde viene la nada? Y, si ella es la condición primera de la conducta interrogativa y, en general, de toda indagación filosófica o científica, ¿cuál es la relación primera entre el ser humano y la nada, cuál es la primera conducta nihilizadora?

III

La concepción dialéctica de la Nada

Es demasiado pronto para que pretendamos poder extraer ya el *sentido* de esa nada frente a la cual nos ha arrojado de pronto la interrogación. Pero hay ciertas precisiones que podemos dar desde ahora mismo. No estaría mal, particularmente, fijar las relaciones del ser con el no-ser que lo infesta. Hemos comprobado, en efecto, cierto paralelismo entre las conductas humanas frente al ser y las que el hombre adopta frente a la Nada; y caemos en seguida en la tentación de considerar al ser y al no-ser como dos componentes complementarios de lo real, al modo de la sombra y la luz: se trataría, en suma, de dos nociones rigurosamente contemporáneas, que se unirían de tal manera en la producción de los existentes, que sería vano considerarlas aisladas. El ser puro y el no-ser puro serían dos abstracciones, sólo cuya reunión estaría en la base de realidades concretas.

Tal es, ciertamente, el punto de vista de Hegel. En efecto: él estudia en la Lógica las relaciones entre el Ser y el No-ser, y llama a esa Lógica "el sistema de las determinaciones puras del pensamiento". Y, precisando su definición, dice:[1] "Los pensamientos, tales como ordinariamente se los representa, no son pensamientos puros, pues se entiende por ser pensado un ser cuyo contenido es un contenido empírico. En la lógica, los pensamientos se captan de tal manera que no tienen otro contenido sino el del pensamiento puro, contenido engendrado por éste". Por cierto, esas determinaciones son "lo que hay de más: íntimo en las cosas", pero, a la vez, cuando se las considera "en sí y por sí mismas", se las deduce del propio pensamiento y se descubre en ellas mismas su propia verdad. Sin embargo, el esfuerzo de la lógica hegeliana aspirará a "poner en evidencia el carácter incompleto de las nociones (que ella) considera vez por vez, y la obligación de elevarse, para entenderlas, a una noción más completa, que las trasciende integrándolas".[2] Cabe aplicar a Hegel lo que dice Le Senne de la filosofía de Hamelin: "Cada uno de los términos inferiores depende del término superior, como lo abstracto de lo concreto que le es necesario para realizarlo." Lo verdaderamente concreto, para Hegel, es el Existente, con su esencia; es la Totalidad producida por la integración sintética de todos los momentos abstractos que quedan trascendidos en ella, al exigir complemento. En este sentido, el Ser será la abstracción más abstracta y más pobre, si lo consideramos en sí mismo, es decir, escindiéndolo de su trascender hacia la Esencia. En efecto: "El Ser se refiere a la Esencia como lo inmediato a lo mediato. Las cosas, en general, 'son' pero su ser consiste en manifestar su esencia. El Ser pasa a la Esencia; esto podría expresarse diciendo: 'El ser presupone la Esencia'. Aunque la Esencia aparezca, en relación con el Ser, como mediada, la esencia es empero el verdadero origen. El Ser retorna a su fundamento; el Ser se trasciende en la esencia".[3]

Así, el Ser, escindido de la Esencia que es su fundamento, se

[1] Introducción, v. P. c. 2 ed. E. § XXIV, citado por Lefebvre, *Morceaux choisis*.

[2] Laporte, *Le problème de l'Abstraction*, Presses Universitaires, París, 1940, pág. 25.

[3] *Esquema de la lógica*, escrito por Hegel entre 1808 y 1811, para servir de base a sus cursos en el gimnasio de Nüremberg.

convierte en "la simple inmediatez vacía". Y, en efecto, así lo define la Fenomenología del Espíritu, que presenta al Ser puro, "desde el punto de vista de la verdad", como lo inmediato. Si el comienzo de la lógica ha de ser inmediato, encontraremos, entonces, el comienzo en *el Ser*, que es "la indeterminación que precede a toda determinación, lo indeterminado como punto de partida absoluto".

Pero, en seguida, el Ser así indeterminado "pasa a" su contrario. "Ese Ser puro –escribe Hegel en la *Lógica Menor*– es la abstracción pura y, por consiguiente, la negación absoluta, la cual, tomada también en su momento inmediato, es el no-ser." La nada ¿no es, en efecto, simple identidad consigo misma, vacío completo, ausencia de determinaciones y de contenido? El ser puro y la nada pura son, pues, la misma cosa. O, más bien, es verdad que difieren. Pero "como aquí la diferencia no es aún una diferencia determinada, pues el ser y el no-ser constituyen el momento inmediato, esa diferencia, tal cual está en ellos, no puede nombrarse: no es sino pura opinión".[1] Eso significa concretamente que *"nada hay en el cielo y en la tierra que no contenga en sí el ser y la nada".*[2]

Es demasiado pronto aún para discutir en sí misma la concepción hegeliana: sólo el conjunto de los resultados de nuestra investigación nos permitirá tomar posición respecto de ella. Conviene únicamente hacer notar que el ser se reduce, para Hegel, a una significación del existente. El ser está involucrado por la esencia, que es su fundamento y origen. Toda la teoría de Hegel se funda en la idea de que es necesario un trámite filosófico para recobrar, al comienzo de la lógica, lo inmediato a partir de lo mediatizado, lo abstracto a partir de lo concreto que lo funda. Pero ya hemos hecho notar que el ser no está con respecto al fenómeno como lo abstracto con respecto a lo concreto. El ser no es una "estructura entre otras", un momento del objeto: es la condición misma de todas las estructuras y de todos los momentos, el fundamento sobre el cual se manifestarán los caracteres del fenómeno. Y, análogamente, no es admisible que el ser de las cosas "consista en manifestar la esencia de ellas". Pues, entonces, sería menester

---

[1] Hegel, P. c. - E. 988.
[2] Hegel, *Lógica mayor*, cap. I.

un ser de ese ser. Por otra parte, si el ser de las cosas "consistiera" en manifestar, no se ve cómo podría fijar Hegel un momento puro del Ser en que no halláramos ni rastro de esa estructura primera. Cierto es que el ser puro está fijado por el entendimiento; aislado y fijado en sus determinaciones mismas. Pero, si el trascender hacia la esencia constituye el carácter primero del ser, y si el entendimiento se limita a "determinar y perseverar en las determinaciones", no se ve cómo, precisamente, no determina al ser como "consistente en manifestar". Se dirá que, para Hegel, toda determinación es negación. Pero el entendimiento, en este sentido, se limita a negar a su objeto el ser *otro* que lo que es. Esto basta, sin duda, para impedir todo trámite dialéctico, pero no debiera bastar para hacer desaparecer hasta los gérmenes del trascender. En tanto que el ser se trasciende en *otra cosa*, escapa a las determinaciones del entendimiento; pero, en tanto que *él mismo* se trasciende –o sea que, en lo más profundo de sí, es el origen de su propio trascender–, no puede sino aparecer tal cual *es* ante el entendimiento que lo fija en sus determinaciones propias. Afirmar que el ser no es sino lo que es, sería por lo menos dejar el ser intacto en tanto que él *es* su trascender. En esto radica la ambigüedad de la noción del "trascender" hegeliano, que ora parece consistir en un surgimiento de lo más profundo del ser considerado, ora en un movimiento externo por el cual aquel ser se ve arrastrado. No basta afirmar que el entendimiento no encuentra en el ser sino lo que el ser es; hace falta además explicar cómo el-ser, que es lo que es, puede no ser *sino eso*. Esa explicación se legitimaría por la consideración del fenómeno de ser en tanto que tal y no de los procedimientos negadores del entendimiento.

Pero lo que conviene examinar aquí es sobre todo la afirmación de Hegel según la cual el ser y la nada constituyen dos contrarios cuya diferencia, al nivel de abstracción considerado, no es más que una simple "opinión".

Oponer el ser a la nada como la tesis a la antítesis, al modo del entendimiento hegeliano, es suponer entre ambos una contemporaneidad lógica. Así, dos contrarios surgen al mismo tiempo como los dos términos-límite de una serie lógica. Pero aquí ha de hacerse la prevención de que sólo los contrarios pueden gozar de esa simultaneidad porque son igualmente positivos (o igualmente negativos). Empero, el no-ser no es el contrario del ser: es su contradictorio. Esto implica una posterioridad lógica de la nada respecto del ser, ya que el ser es primero puesto y negado luego. No es posible, pues, que el ser y el no-ser sean conceptos de igual contenido, ya que, al contrario, el no-ser supone un trámite irreductible del espíritu: cualquiera que sea la indiferenciación primitiva del ser, el no-ser es esa misma indiferenciación *negada*. Lo que permite a Hegel "hacer pasar" el ser a la nada es el haber introducido implícitamente la negación en su propia definición del ser. Esto va de suyo, ya que una definición es negativa, y ya que Hegel nos ha dicho, recogiendo una fórmula de Spinoza, que *omnis determinatio est negatio*. ¿Y no escribe él mismo: "Ninguna determinación ni contenido alguno que distinguiera al ser de otra cosa, que pusiera en él un contenido, permitiría mantenerlo en su pureza. El ser es la pura indeterminación y el vacío. No se puede aprehender *nada* en él..."? Así, es el propio Hegel quien introduce en el ser esa negación que encontrará luego, cuando lo haga pasar al no-ser. Sólo que hay en ello un juego de palabras sobre la noción misma de negación. Pues si niego al ser toda determinación y no todo contenido, no puedo hacerlo sino afirmando que el ser, por lo menos, *es*. Así, niéguese del ser todo lo que se quiera, no se puede hacer que *no sea* por el hecho de que se niegue que sea esto o aquello. La negación no puede alcanzar al núcleo de ser del ser, que es plenitud absoluta y entera positividad. Al contrario, el no-ser es una negación que toca a ese núcleo mismo de densidad plenaria. El no-ser se niega en su propio meollo. Cuando Hegel escribe:[1] "(El ser y la nada) son abstracciones vacías y la una es tan vacía como la otra", olvida que el vacío es vacío *de* algo.[2] Y el ser es vacío *de* toda determinación otra que la identidad consigo mismo; pero el no-ser es vacío *de ser*. En una palabra, lo que aquí ha de recordarse, contra Hegel, es que el ser *es* y la nada *no es*.

Así, aun cuando el ser no fuera el soporte de ninguna cuali-

---

[1] P. c. 2 ed. E. § LXXXVII.

[2] Cosa tanto más extraña, cuanto que Hegel fue el primero en advertir que "toda negación es negación determinada", es decir, recae sobre un contenido.

dad diferenciada, la nada sería lógicamente posterior, ya que supone al ser para negarlo; ya que la cualidad irreductible del *no* viene a sobreagregarse a esa masa indiferenciada de ser para liberarla. Esto significa no sólo que hemos de negarnos a poner *ser* y *no-ser* en el mismo plano, sino también que hemos de cuidarnos mucho de poner a la nada como un abismo originario para hacer surgir de él al ser. El empleo que damos a la noción de nada en su forma familiar supone siempre una previa especificación del ser. Es notable, a este respecto, que el idioma nos ofrezca una nada de cosas *("nada")* y una nada de seres humanos *("nadie")*. Pero la especificación se lleva todavía más lejos en la mayoría de los casos: se dice, designando una colección particular de objetos: "No toques *nada"*, o sea, muy precisamente, nada de esta colección. Análogamente, el que es interrogado sobre acaecimientos bien determinados de la vida pública o privada, responde: "No sé *nada";* y este nada comporta el conjunto de los hechos sobre los cuales se lo ha interrogado. El propio Sócrates, con su frase famosa: "Yo sólo sé que nada sé", designa precisamente, con ese *nada,* la totalidad del ser considerada en tanto que Verdad. Si, adoptando por un instante el punto de vista de las cosmogonías ingenuas, tratáramos de preguntarnos qué "había" antes que hubiera un mundo, y respondiéramos *"nada",* nos veríamos ciertamente obligados a reconocer que ese "antes", lo mismo que ese "nada", tendrían efecto retroactivo. Lo que negamos *hoy, nosotros* que estamos instalados en el ser, es que hubiera ser antes de este ser. La negación emana aquí de una conciencia que se vuelve hacia los orígenes. Si quitáramos a ese vacío original su carácter de ser vacío *de este mundo* y de todo conjunto que hubiera tomado forma de mundo, así como también su carácter de *antes,* que presupone un *después* respecto al cual lo constituyo como "antes", entonces la negación misma se desvanecería dejando lugar a una indeterminación total que sería imposible concebir, aun –y sobre todo– a título de nada. Así, invirtiendo la fórmula de Spinoza, podríamos decir que toda negación es determinación. Lo cual significa que el ser es anterior a la nada, y la funda. Esto ha de entenderse no sólo en el sentido de que el ser tiene sobre la nada una precedencia lógica, sino también de que la nada toma su eficacia, concretamente, del ser. Es lo que expresábamos al decir que *la nada infesta al ser.* Esto signifi-

ca que el ser no tiene necesidad alguna de la nada para concebirse, y que se puede examinar exhaustivamente su noción sin hallar
en ella el menor rastro de la nada. Pero, en cambio, la nada, que
no es, no puede tener sino una existencia prestada: toma su ser
del ser; su nada de ser no se encuentra sino dentro de los límites del
ser, y la desaparición total del ser no constituiría el advenimiento
del reino del no-ser, sino, al contrario, el concomitante desvanecimiento de la nada: *no hay no-ser sino en la superficie del ser.*

IV

La concepción fenomenológica de la Nada

Es verdad que se puede concebir de otra manera la complementaridad del ser y la nada. Se puede ver en uno y en otra dos
componentes igualmente necesarios de lo real, pero sin "hacer
pasar" el ser a la nada, como Hegel, ni insistir, como nosotros
intentábamos, sobre la posterioridad de la nada: al contrario, se
pondrá el acento sobre las fuerzas recíprocas de expulsión que el
ser y el no-ser ejercerían mutuamente, y lo real sería, en cierto
modo, la tensión resultante de esas fuerzas antagónicas. Hacia
esta nueva concepción se orienta Heidegger.[1]

No lleva mucho tiempo advertir el progreso que su teoría de
la Nada representa con respecto a la de Hegel. En primer lugar, el
ser y el no-ser no son ya abstracciones vacías. Heidegger, en su obra
principal, ha mostrado la legitimidad de la interrogación sobre el
ser: éste no tiene ya ese carácter de universal escolástico que conservaba aún en Hegel; hay un sentido del ser que es necesario
elucidar; hay una "comprensión preontológica" del ser, que está
involucrada en cada una de las conductas de la "realidad humana", es decir en cada uno de sus proyectos. De la misma manera, las
aporías que es costumbre plantear desde que un filósofo toca al
problema de la Nada, se revelan carentes de todo alcance: no tienen valor sino en cuanto que limitan el uso del entendimiento y

---

[1] Heidegger, *¿Qué es metafísica?* (trad. francesa de Corbin, N. R. F., 1938).

muestran simplemente que ese problema no pertenece *al orden del entendimiento*. Existen, al contrario, numerosas actitudes de la "realidad humana" que implican una "comprensión" de la nada: el odio, la prohibición, el pesar, etcétera. Hasta hay para el *Dasein* una posibilidad permanente de encontrarse "frente a" la nada y descubrirla como fenómeno: es la angustia. Empero, Heidegger, aun estableciendo las posibilidades de una captación concreta de la Nada, no cae en el error de Hegel y no conserva al No-ser un ser, así fuera abstracto: la Nada no es: se *nihiliza*. Está sostenida y condicionada por la transcendencia. Sabido es que, para Heidegger, el ser de la realidad humana se define como "ser-en-el-mundo". Y el mundo es el complejo sintético de las realidades amanuales en tanto que mutuamente indicativas según círculos de más en más amplios, y en tanto que el hombre, a partir de este complejo, se hace anunciar lo que él mismo es. Esto significa a la vez que la "realidad humana" surge en tanto que está *investida* por el ser, en tanto que "se encuentra" *(sich befinden)* en el ser; y, a la vez, que ella hace disponerse en torno suyo, en forma de mundo, a ese ser que la asedia. Pero la realidad humana no puede hacer aparecer al ser como totalidad organizada en el mundo sino trascendiéndolo. Toda determinación, para Heidegger, es un trascender, ya que supone retroceso, toma de perspectiva. Este trascender el mundo, condición de la surrección misma del mundo como tal, es operado por el *Dasein hacia sí mismo*. La característica de la ipseidad *(Selbstheit)*, en efecto, es que el hombre está siempre separado de lo que él es por toda la amplitud del ser que él no es. El hombre se anuncia a sí mismo del otro lado del mundo, y retorna a interiorizarse hacia sí mismo, a partir del horizonte: el hombre es "un ser de alejamientos". El ser surge y se organiza como mundo en el movimiento de interiorización que atraviesa todo el ser, sin que haya prioridad del movimiento sobre el mundo ni del mundo sobre el movimiento. Pero esta aparición del sí-mismo allende el mundo, es decir, allende la totalidad de lo real, es una emergencia de la "realidad humana" en la nada. Sólo en la nada puede ser trascendido el ser. A la vez, el ser se organiza en el mundo desde el punto de vista de lo transmundano, lo que significa, por una parte, que la realidad humana surge como emergencia del ser en el no-ser; y, por otra, que el mundo está "suspendido" en la nada. La angustia es el descubrimiento de esta doble y perpetua nihilización. Y a partir de esta trascendencia del mundo, el *Dasein* captará la contingencia del mundo, es decir, formulará la pregunta: "¿Por qué hay ente, y no más bien nada?" La contingencia del mundo se aparece, pues, a la realidad humana en tanto que ésta se ha instalado en la nada para captarla. He aquí, pues, que la nada se cierne en torno al ser por todas partes, y, a la vez, es expulsada del ser; he aquí que la nada se da como aquello por lo cual el mundo recibe sus contornos de mundo. ¿Puede satisfacernos esta solución?

Por cierto, no puede negarse que la aprehensión del mundo como mundo es nihilizadora. Desde que el mundo aparece como mundo, se da como *no siendo sino eso*. La contraparte necesaria de esta aprehensión es, pues, en efecto, la emergencia de la "realidad humana" en la nada. Pero, ¿de dónde viene el poder que tiene la "realidad humana" de emerger así en el no-ser? Sin duda alguna, Heidegger tiene razón al insistir en el hecho de que la negación se funda en la nada. Pero, si la nada funda la negación, ello se debe a que involucra en sí, como su estructura esencial, el *no*. En otras palabras, la nada no funda la negación como siendo un vacío indiferenciado, o una alteridad que no se pone como alteridad.[1] La nada está en el origen del juicio negativo porque ella misma es negación. Funda la negación como *acto* porque ella es la negación como *ser*. La nada no puede ser nada a menos que se nihilice expresamente como nada del mundo; es decir, a menos que, en su nihilización, se dirija expresamente hacia este mundo para constituirse como denegación del mundo. La nada lleva el ser en su propio meollo. Pero la emergencia, ¿en qué da razón de esta denegación nihilizadora? La trascendencia, que es "proyecto de sí allende...", está lejos de poder fundar la nada; al contrario, ésta se halla en el seno mismo de la trascendencia y la condiciona. Pero la característica de la filosofía heideggeriana es utilizar, para describir el *Dasein*, términos positivos todos los cuales enmascaran negaciones implícitas. El *Dasein* está "fuera de sí, en el mundo"; es "un ser de alejamientos"; es "cura"; es "sus propias posibilidades"; etcétera. Todo lo cual viene a decir que el Dasein

---

[1] Lo que Hegel llamaría "alteridad inmediata".

"no es" en sí; que *"no está"* a una proximidad inmediata de sí mismo; y que "trasciende" el mundo en cuanto se pone a sí mismo como *no siendo en sí* y como *no siendo el mundo*. En este sentido, Hegel tiene razón, contra Heidegger, cuando declara que el Espíritu es lo negativo. Sólo que puede plantearse a uno y a otro la misma cuestión en forma apenas diferente; ha de decirse a Hegel: "No basta poner el espíritu como la mediación y lo negativo; debe mostrarse la negatividad como estructura del ser del espíritu. ¿Qué debe ser el espíritu para poder constituirse como negativo?" Y puede preguntarse a Heidegger: "Si la negación es la estructura primera de la trascendencia; ¿qué debe ser la estructura primera de la 'realidad humana' para que ésta pueda trascender el mundo?" En ambos casos se nos muestra una actividad negadora sin preocuparse por fundar esta actividad en un ser negativo. Y Heidegger, además, hace de la Nada una especie de correlato intencional de la trascendencia, sin ver que la ha insertado ya en la trascendencia misma como su estructura original.

Pero, además, ¿de qué sirve afirmar que la Nada funda la negación si con ello se hace después una teoría del no-ser que, por hipótesis, escinde a la Nada de toda negación concreta? Si emerjo en la nada *allende* el mundo, ¿cómo puede esa nada extramundana fundar estos pequeños lagos de no-ser que a cada instante encontramos en el seno del ser? Digo que "Pedro no está ahí", que "No tengo más dinero", etc. Realmente, ¿es necesario trascender el mundo hacia la nada y retornar luego hasta el ser, para fundar esos juicios cotidianos? ¿Y cómo puede efectuarse la operación? No se trata en modo alguno de hacer que el mundo se deslice a la nada, sino, simplemente, de negar, manteniéndose en los límites del ser, un atributo a un sujeto. ¿Se dirá que cada atributo denegado, cada ser que se niega, son atrapados por una misma y única nada extramundana; que el no-ser es como la plenitud de lo que no es; que el mundo está en suspenso en el no-ser como lo real en el seno de los posibles? En tal caso, sería menester que cada negación tuviera por origen un trascender particular: el trascender del ser hacia lo otro. Pero, ¿qué es este trascender, sino pura y simplemente la mediación hegeliana? ¿Y no hemos ya preguntado, en vano, a Hegel el fundamento nihilizador de la mediación? Por otra parte, aun si la explicación fuera válida para las

[61]

negaciones radicales y simples que deniegan a un objeto determinado toda especie de presencia en el seno del ser ("El centauro *no existe"; "No hay* razón para que se retrase"; "Los antiguos griegos *no practicaban* la poligamia"), las cuales, en rigor, pueden contribuir a constituir la Nada como una suerte de lugar geométrico de todos los proyectos fallidos, de todas las representaciones inexactas, de todos los seres desaparecidos o cuya idea sólo es forjada, tal interpretación del no-ser no sería válida ya para cierto tipo de realidades –en verdad, las más frecuentes– que incluyen en su propio ser al no-ser. En efecto: ¿cómo admitir que una parte de ellas esté en el universo y otra parte esté enteramente fuera, en la nada extramundana?

Tomemos, por ejemplo, la noción de distancia, que condiciona la determinación de un sitio, la localización de un punto. Es fácil ver que esa noción posee un momento negativo: dos puntos distan entre sí cuando se hallan *separados* por cierta longitud. Es decir que la longitud, atributo positivo de un segmento de recta, interviene aquí a título de negación de una proximidad absoluta e indiferenciada. Se querrá acaso reducir la distancia a *no ser sino* la longitud del segmento cuyos límites son los dos puntos, A y B, considerados. Pero ¿no se ve que en tal caso se ha mudado la dirección de la atención y que, encubriéndose bajo una misma palabra, se ha dado a la intuición un objeto diferente? El complejo organizado constituido por el segmento de recta con sus dos términos límites puede ofrecer, en efecto, dos objetos diversos al conocimiento. En efecto, puede darse *el segmento* como objeto inmediato de la intuición; en tal caso, ese segmento representa una tensión plena y concreta, cuya longitud es un atributo positivo y en que los dos puntos A y B no aparecen sino como un momento del conjunto, es decir, en tanto que están implicados por el segmento mismo como tales límites: entonces la negación, expulsada del segmento y de su longitud, se refugia en los dos *límites:* decir que el punto B es límite del segmento es decir que el segmento *no se extiende* más allá de ese punto. La negación es aquí la estructura secundaria del objeto. Al contrario, si la atención se dirige a los dos puntos A y B, éstos se destacan como objetos inmediatos de la intuición sobre fondo de espacio. El segmento se desvanece como objeto pleno y concreto: se lo capta, a partir de los dos puntos, como el vacío, lo negativo que los separa: la negación escapa de los puntos, que dejan de ser *límites*, para impregnar la longitud misma del segmento, a título de *distancia*. Así, la forma total constituida por el segmento y sus dos términos con la negación intraestructural es susceptible de dejarse captar de dos maneras. O, más bien, hay dos formas, y la condición de la aparición de la una es la desagregación de la otra, exactamente como, en la percepción, se constituye tal objeto como *forma* rechazando tal otro objeto hasta reducirlo a *fondo*, y recíprocamente. En ambos casos encontramos la misma cantidad de negación, que se traslada ora a la noción de límites, ora a la noción de distancia, pero que en ningún caso puede suprimirse. ¿Se dirá que la idea de distancia es psicológica y que designa simplemente la extensión que es necesario *franquear* para ir del punto A al punto B? Responderemos que la misma negación está incluida en ese *"franquear"*, ya que esta noción expresa justamente la resistencia pasiva del alejamiento. Admitiremos, con Heidegger, que la "realidad humana" es "des-alejadora", es decir, que surge en el mundo como lo que a la vez crea y hace desvanecer las distancias (ent-fernend). Pero tal des-alejamiento, aun siendo la condición necesaria para "que haya" en general alejamiento, involucra en sí mismo al alejamiento como la estructura negativa que ha de superarse. Vano será intentar reducir la distancia al simple resultado de una *medida*: en el curso de la precedente descripción ha aparecido el hecho de que los dos puntos y el segmento comprendido entre ambos tienen la unidad indisoluble de lo que llaman los alemanes una "Gestalt". La negación es el cimiento que realiza esa unidad: define, precisamente, la relación inmediata que pone en conexión esos dos puntos y que los presenta a la intuición como la unidad indisoluble de la distancia. Querer reducir la distancia a la medida de una longitud es solamente encubrir la negación, pues ésta es *la razón de ser* de esa medida.

Lo que acabamos de mostrar por el examen de la *distancia* habríamos podido hacerlo ver igualmente describiendo realidades como la ausencia, la alteración, la alteridad, la repulsión, el pesar, la distracción, etc. Existe una cantidad infinita de realidades que no son sólo objetos de juicio sino experimentadas, combatidas, temidas, etc., por el ser humano y que en su intraestructura están habitadas por la negación como por una condición necesaria de existencia. Las llamaremos *negatidades*. Kant había entrevisto ya su alcance cuando hablaba de conceptos *limitativos* (inmortalidad del alma), especies de síntesis entre lo negativo y lo positivo, en que la negación es condición de positividad. La función de la negación varía según la naturaleza del objeto considerado: entre las realidades plenamente positivas (que, empero, retienen la negación como condición de la nitidez de sus contornos, como lo que las mantiene en lo que son) y las realidades cuya positividad no es sino una apariencia la cual disimula un agujero de nada, todos los intermediarios son posibles. Se hace imposible, en todo caso, relegar esas negaciones a una nada extramundana, ya que están dispersas en el ser, sostenidas por el ser, y son condiciones de la realidad. La nada ultramundana da razón de la negación absoluta; pero acabamos de descubrir una pululación de seres ultramundanos que poseen tanta realidad y eficiencia como los demás seres, pero que encierran en sí un no-ser. Requieren una explicación que permanezca en los límites de lo real. La nada, si no está sostenida por el ser, se disipa *en tanto que nada*, y recaemos en el ser. La nada no puede nihilizarse sino sobre fondo de ser; si puede darse una nada, ello no es ni antes ni después del ser ni, de modo general, fuera del ser, sino en el seno mismo del ser, en su meollo, como un gusano.

V

El origen de la Nada

Conviene ahora echar una ojeada retrospectiva y medir el camino recorrido. Hemos planteado primeramente la cuestión del ser. Luego, volviéndonos sobre esta cuestión misma concebida como un tipo de *conducta* humana, la hemos interrogado a su vez. Debimos entonces reconocer que, si la negación no existiera, no podría formularse pregunta alguna, ni, en particular, la del ser. Pero esa negación misma, vista más de cerca, nos ha remitido a la Nada como a su origen y fundamento: para que haya negación en el mundo y, por consiguiente, para que podamos interrogarnos sobre el Ser, es preciso que la Nada se dé de alguna manera. Hemos advertido entonces que no se podía concebir la Nada *fuera* del ser, ni como noción complementaria y abstracta, ni como medio infinito en que el ser estuviera en suspenso. Es menester que la Nada se dé en el meollo mismo del Ser para que podamos captar ese tipo particular de realidades que hemos llamado Negatidades. Pero esa Nada intramundana no puede ser producida por el Ser-en-sí: la noción de Ser como plena positividad no contiene la Nada como una de sus estructuras. Ni siquiera puede decirse que la Nada sea excluyente del Ser: carece de toda relación con él. De ahí la cuestión que se nos plantea ahora con particular urgencia: si la Nada no puede concebirse ni fuera del Ser ni a partir del Ser y si, por otra parte, siendo no-ser, no puede sacar de sí misma la fuerza necesaria para "nihilizarse", *la Nada ¿de dónde viene?*

Si se quiere ceñir el problema, es preciso reconocer primeramente que no podemos conceder a la nada la propiedad de "nihilizarse". Pues, aunque el verbo "nihilizarse" haya sido acuñado para quitar a la Nada hasta la mínima apariencia de ser, ha de reconocerse que sólo *el Ser* puede nihilizarse, ya que, como quiera que fuere, para nihilizarse es necesario ser. Pero la Nada *no es*. Podemos hablar de ella sólo porque posee una apariencia de ser, un ser prestado, como hemos advertido anteriormente. La Nada no es; la Nada *"es sida"*; la Nada no se nihiliza, la Nada *"es nihilizada"*. Resulta, pues, que debe existir un Ser –que no podría ser el Ser-en-sí–, el cual tenga por propiedad nihilizar la Nada, soportarla con su propio ser, desplegarla perpetuamente desde su propia existencia: *un ser por el cual la Nada advenga a las cosas.* Pero ¿cómo ha de ser este Ser con respecto a la Nada para que, por medio de él, la Nada advenga a las cosas? Debe observarse, en primer lugar, que dicho ser no puede ser pasivo con respecto a la Nada: no puede recibirla; la Nada no podría *advenir* a ese ser sino por medio de otro Ser, lo que nos obligaría a una regresión al infinito. Pero, por otra parte, el Ser por el cual la Nada llega al mundo no puede *producir* la Nada permaneciendo indiferente a esta producción, como la causa estoica produce su efecto sin alterarse. Sería inconcebible que un Ser que fuese plena positividad mantuviera y creara fuera de sí una Nada de ser transcendente, pues no habría nada en el Ser por medio de lo cual el Ser pudiera trascenderse hacia el No-Ser. El Ser por el cual la Nada adviene al mundo debe nihilizar la Nada en su Ser y, aun así, correría el riesgo de establecer la Nada como un trascendente en el meollo mismo de la inmanencia, si no nihilizara la Nada en su ser *a raíz de su ser*. El Ser por el cual la Nada adviene al mundo es un ser para el cual, en su Ser, es cuestión de la Nada de su Ser: *el ser por el cual la Nada adviene al mundo debe ser su propia Nada.* Y ha de entenderse por esto no un acto nihilizador, que requeriría a su vez un fundamento en el Ser, sino una característica ontológica del Ser requerido. Falta averiguar en qué delicada y exquisita región del Ser encontraremos ese Ser que es su propia Nada.

Nos ayudará en nuestra investigación un examen más completo de la conducta que nos ha servido de punto de partida. Es preciso, pues, volver a la interrogación. Hemos visto –se recordará– que toda interrogación pone, por esencia, la posibilidad de una respuesta negativa. En la pregunta se interroga a su ser sobre su ser o sobre su modo de ser. Y este modo de ser o ese ser está velado: queda siempre abierta una posibilidad de que se devele como una Nada. Pero, por lo mismo que se encara el hecho de que un Existente pueda siempre develarse como un *nada*, toda interrogación supone que se realiza un retroceso[1] nihilizador con respecto a lo dado, y éste se convierte en una simple *presentación*, que oscila entre el ser y la Nada. Importa, pues, que el interrogador tenga la posibilidad permanente de desprenderse de las series causales que constituyen el ser y que no pueden producir sino un ser. En efecto: si admitiéramos que la interrogación está determinada en el interrogador por el determinismo universal, ella cesaría de ser no solamente inteligible sino aun concebible. En efecto, una causa real produce un efecto real, y el ser causado está íntegramente comprometido por la causa en la positividad: en la medida en que depende en su ser de la causa, no podría haber en él el menor germen de nada; en tanto que el interrogador debe poder operar, con relación al interrogado, una especie de retroceso nihilizador, escapa al orden causal del mundo, se despega del Ser. Esto significa que, por un doble movimiento de nihi-

---

[1] *Recul*: retroceso como para "tomar distancia". (N. del T.)

lización, nihiliza respecto de sí al interrogado, colocándolo en un estado *neutro*, entre el ser y el-no ser; y que él mismo se nihiliza respecto del interrogado arrancándose al ser para poder extraer de sí la posibilidad de un no-ser. Así, con la interrogación, se introduce en el mundo cierta dosis de negatidad: vemos a la Nada irisar el mundo, tornasolar sobre las cosas. Pero, a la vez, la interrogación emana de un interrogador que se mueve en su propio ser como preguntante, despegándose del ser. La interrogación es pues, por definición, un proceso humano. El hombre se presenta, por ende, al menos en este caso, como un ser que hace surgir y desplegarse la Nada en el mundo, en tanto que, con ese fin, se afecta a sí mismo de no-ser.

Estas observaciones pueden servirnos de hilo conductor para examinar las negatidades de que antes hablábamos. Sin duda alguna, son realidades trascendentes: la distancia, por ejemplo, se nos impone como algo que hay que tener en cuenta, que hay que franquear con esfuerzo. Empero, esas realidades son de naturaleza muy particular: todas ellas señalan inmediatamente una relación esencial de la realidad humana con el mundo. Tienen origen en un acto del ser humano, sea en una espera, sea en un proyecto; todas ellas señalan un aspecto del ser en tanto que éste aparece al ser humano que se compromete en el mundo. Y las relaciones entre el hombre y el mundo indicadas por las negatidades no tienen nada en común con las relaciones *a posteriori* que se desprenden de nuestra actividad empírica. No se trata tampoco de esas relaciones de *utensilidad* por las cuales los objetos del mundo se descubren, según Heidegger, a la "realidad humana". Toda negatidad aparece más bien como una de las condiciones esenciales de esa relación de utensilidad. Para que la totalidad del ser se ordene en torno nuestro en forma de utensilios, despedazándose en complejos diferenciados que remiten los unos a los otros y que pueden *servir*, es menester que la negación surja, no como una cosa entre otras cosas, sino como una rúbrica categorial que presida a la ordenación y a la repartición de las grandes masas de ser en forma de cosas. Así, la surrección del hombre en medio del ser que "lo inviste" hace que se descubra un mundo. Pero el momento esencial y primordial de esa surrección es la negación. Así, hemos alcanzado el término primero de este estudio: el hombre

[67]

es el ser por el cual la nada adviene al mundo. Pero esta interrogación provoca en seguida otra: ¿qué debe ser el hombre en su ser para que por él la nada advenga al ser?

El ser no puede engendrar sino al ser y, si el hombre está englobado en ese proceso de generación, de él no saldrá sino ser. Si ha de poder interrogar sobre este proceso, es decir, cuestionarlo, es menester que pueda tenerlo bajo sus ojos como un conjunto, o sea ponerse él mismo *fuera del ser* y, en el mismo acto, debilitar la estructura de ser del ser. Empero no es dado a la "realidad humana" aniquilar, ni aun provisionalmente, la masa de ser que está puesta frente a ella. Lo que puede modificar es su *relación* con ese ser. Para ella, poner fuera de circuito a un existente particular es ponerse a sí misma fuera de circuito con relación a ese existente. En tal caso, ella le escapa, está fuera de su alcance, no puede recibir su acción, se ha retirado *allende una nada*. A esta posibilidad que tiene la realidad humana de segregar una nada que la aísla, Descartes, siguiendo a los estoicos, le dio un nombre: es la *libertad*. Pero la libertad no es aquí más que una palabra. Si queremos penetrar más en la cuestión, no debemos contentarnos con esa respuesta, y hemos de preguntarnos ahora: ¿Qué debe ser la libertad humana si la nada debe advenir al mundo por ella?

No nos es posible todavía tratar en toda su amplitud el problema de la libertad.[1] En efecto, los pasos que hasta ahora hemos dado muestran a las claras que la libertad no es una facultad del alma humana que pueda encararse y describirse aisladamente. Lo que tratamos de definir es el ser del hombre en tanto que condiciona la aparición de la nada, y ese ser se nos ha aparecido como libertad. Así, la libertad, como condición requerida para la nihilización de la nada, no es una *propiedad* que pertenezca entre otras a la esencia del ser humano. Ya hemos hecho notar, por otra parte, que la relación entre existencia y esencia no es semejante en el hombre y en las cosas del mundo. La libertad humana precede a la esencia del hombre y la hace posible; la esencia del ser humano está en suspenso en su libertad. Lo que llamamos libertad es, pues, indistinguible del ser de la "realidad humana". El hombre no es *primeramente* para ser libre después: no hay diferencia entre el ser del

---

[1] Cf. cuarta parte, cap. I.

hombre y su *"ser-libre"*. No se trata, pues, de abordar aquí de frente una cuestión que no podrá ser tratada exhaustivamente sino a la luz de una elucidación rigurosa del ser humano; pero hemos de tratar la libertad en conexión con el problema de la nada y en la estricta medida en que condiciona la aparición de ésta. Aparece con evidencia, en primer lugar, que la realidad humana no puede sustraerse al mundo –en la interrogación, la duda metódica, la duda escéptica, la ἐποχή, etc.– a menos de ser, por naturaleza, arrancamiento a sí misma. Es lo que habían visto Descartes, quien funda la duda sobre la libertad, reclamando para nosotros la posibilidad de suspender nuestros juicios, y, siguiendo a Descartes, Alain. También en este sentido afirma Hegel la libertad del espíritu, en la medida en que el espíritu es la mediación, es decir, lo Negativo. Y, por otra parte, una de las direcciones de la filosofía contemporánea es la de ver en la conciencia humana una especie de escaparse de sí: tal es el sentido de la trascendencia heideggeriana; la intencionalidad de Husserl y de Brentano tiene también, en más de un respecto, el carácter de arrancamiento a sí misma. Pero todavía no encararemos la libertad como intraestructura de la conciencia: por el momento nos faltan los instrumentos y la técnica... que nos permitirán llevar a bien esa empresa. Lo que por ahora nos interesa es una operación temporal, ya que la interrogación es, al igual que la duda, una conducta: supone que el ser humano reposa primero en el seno del ser y se arranca luego a él por un retroceso nihilizador. Así, pues, encaramos aquí, como condición de la nihilización, una relación consigo mismo en el curso de un proceso temporal. Queremos mostrar simplemente que, asimilando la conciencia a una secuencia causal indefinidamente continuada, se la transmuta en una plenitud de ser y de este modo se la reincorpora a la totalidad ilimitada del ser, como bien lo señala la inanidad de los esfuerzos realizados por el determinismo psicológico para disociarse del determinismo universal y constituirse como una serie aparte. El cuarto del ausente, los libros que hojeaba, los objetos que tocaba no son, por sí mismos, otra cosa que *unos libros, unos objetos,* es decir, actualidades plenas: las mismas huellas que el ausente ha dejado no pueden descifrarse como huellas suyas sino dentro de una situación en que está ya puesto como ausente; el libro

[69]

marcado con orejas y de hojas gastadas, no es por sí mismo un libro que Pedro ha hojeado y que ya no hojea más: es un volumen de páginas dobladas, fatigadas, y no puede remitir sino a sí mismo o a objetos presentes –a la luz que lo alumbra, a la mesa que lo soporta– si se lo considera como la motivación presente y trascendente de mi percepción o inclusive como el flujo sintético y regulado de mis impresiones sensibles. De nada serviría invocar una asociación por contigüidad, como en el *Fedón* platónico, que haga aparecer una imagen del ausente al margen de la percepción de la lira o la cítara que él tocaba. Esta imagen, si se la considera en sí misma y en el espíritu de las teorías clásicas, es una determinada plenitud, es un hecho psíquico concreto y positivo. Por consiguiente, será menester formular sobre ella un juicio negativo de doble faz: subjetivamente, para significar que la imagen *no es* una percepción; y objetivamente, para negar de ese Pedro, cuya imagen me formo, que *esté ahí* presente. Es el famoso problema de las características de la imagen verdadera, que a tantos psicólogos ha preocupado, desde Taine hasta Spaier. La asociación, como se ve, no suprime el problema: lo desplaza al nivel reflexivo. Pero, de todos modos, reclama una negación, es decir, cuando menos un retroceso nihilizador de la conciencia con respecto a la imagen captada como fenómeno subjetivo, para ponerla, precisamente, como no más que un fenómeno subjetivo. Ahora bien: he intentado mostrar en otro lugar[1] que, si ponemos *primero* la imagen como una percepción renaciente, es radicalmente imposible distinguirla *después* de las percepciones actuales. La imagen debe encerrar en su propia estructura una tesis nihilizadora. Se constituye como imagen poniendo su objeto como existente *en otra parte* o como *no* existente. Lleva en sí una doble negación: es primeramente nihilización del mundo (en tanto que no es el mundo quien presenta a título de objeto actual de percepción el objeto captado como imagen); luego, nihilización del objeto de la imagen (en tanto que puesto como no actual) y, a la vez, nihilización de sí misma (en tanto que ella no es un proceso psíquico concreto y pleno). En vano se invocarán, para explicar el hecho de que yo capte la ausencia de

[1] *L'imagination*, París, Alcan, 1936.

[70]

Pedro en la cámara, esas famosas "intenciones vacías" de Husserl, que son, en gran parte, constitutivas de la percepción. Hay, en efecto, entre las diferentes intenciones perceptivas, relaciones de *motivación* (pero motivación no es causación) y, entre esas intenciones, las unas son plenas, es decir, llenadas por aquello a que apuntan, y las otras, vacías. Pero, como precisamente la materia que debiera llenar las intenciones vacías *no es,* no puede ser ella quien las motive en sus respectivas estructuras. Y, como las demás intenciones son plenas, ellas tampoco pueden motivar las intenciones vacías en tanto que vacías. Por otra parte, esas intenciones son naturalezas psíquicas, y sería erróneo encararlas a la manera de cosas, es decir, de recipientes dados de antemano, que pudieran ser, según los casos, llenos o vacíos y que sean por naturaleza indiferentes a su estado de plenitud o de vaciedad. Parece que Husserl no escapó siempre a esta ilusión cosista. Para que una intención sea vacía, es menester que sea consciente de sí misma como vacía, y precisamente como vacía *de* la materia precisa a que apunta. Una intención vacía se constituye a sí misma como vacía en la medida exacta en que pone su materia como inexistente o ausente. En una palabra: una intención vacía es una conciencia de negación que se trasciende ella misma hacia un objeto al cual pone como ausente o no existente. Así, cualquiera que sea la explicación que demos de ello, la ausencia de Pedro requiere, para ser verificada o sentida, un momento negativo por el cual la conciencia, en ausencia de toda determinación anterior, se constituye a sí misma como negación. Al concebir, a partir de mis percepciones del cuarto que habitó, al que ya no está en el cuarto, me veo inducido, de toda necesidad, a realizar un acto de pensamiento que ningún estado anterior puede determinar ni motivar; en suma, a operar en mí mismo una ruptura con el ser. Y, en tanto que uso continuamente negatidades para aislar y determinar a los existentes, es decir, para pensarlos, la sucesión de mis "conciencias" es un perpetuo desenganche del efecto con respecto a la causa, ya que todo proceso nihilizador exige tener en sí mismo su propia fuente. En tanto que mi estado presente fuera una prolongación de mi estado anterior, quedaría enteramente tapada toda fisura por la cual la negación pudiera deslizarse. Todo proceso psíquico de nihilización implica, pues, una escisión entre el pasado psíquico inmediato y el presente. Esa escisión es precisamente la nada. Al menos –se dirá– queda la posibilidad de implicación sucesiva entre los procesos nihilizadores. Mi verificación de la ausencia de Pedro podría aún ser determinante de mi pesar por no verlo; no se ha excluido la posibilidad de un determinismo de nihilizaciones. Pero, aparte de que la primera nihilización de la serie debe ser desenganchada necesariamente de los procesos positivos anteriores, ¿qué significado tiene una motivación de la nada por la nada misma? Un ser bien puede *nihilizarse* perpetuamente, pero, en la medida en que se nihiliza, renuncia a ser el origen de otro fenómeno, así fuera de una segunda nihilización.

Falta explicar cuál es esa separación, ese despegue de las conciencias, que condiciona a toda negación. Si consideramos la conciencia anterior encarada como motivación, vemos en seguida con evidencia que *nada* ha venido a deslizarse entre ese estado y el estado presente. No ha habido solución de continuidad en el flujo del despliegue temporal: si no, volveríamos a la inadmisible concepción de la divisibilidad infinita del tiempo, y del punto temporal o instante como límite de la división. Tampoco ha habido intercalación brusca de un elemento opaco que haya separado la anterior de lo posterior, como la hoja de un cuchillo parte en dos una fruta. Ni tampoco *debilitamiento* de la fuerza motivadora de la conciencia anterior: ella sigue siendo lo que es, no pierde nada de su urgencia. Lo que separa lo anterior de lo posterior es precisamente *nada*. Y este nada es absolutamente infranqueable, justamente porque no es nada; pues en todo obstáculo que ha de franquearse hay algo positivo que se da como lo que debe ser franqueado. Pero, en el caso que nos ocupa, en vano buscaríase una resistencia que quebrantar... un obstáculo que franquear. La conciencia anterior siempre está *ahí* (bien que con la modificación de "preteridad") y mantiene siempre una relación de interpretación con la conciencia presente; pero, sobre el fondo de esa relación existencial, está puesta fuera de juego, fuera de circuito, entre paréntesis, exactamente como lo está, a los ojos del que practica la "ἐποχή" fenomenológica, el mundo en él y fuera de él. Así, la condición para que la realidad humana pueda negar el mundo en todo o en parte, es que ella lleve en sí la nada como ese *nada* que separa su presente de todo su pasado. Pero no es eso todo; pues este *nada* así encarado no tendría todavía el sentido de la nada: una suspensión del ser que permanecería innominada, que no sería conciencia de suspender el ser, vendría desde fuera de la conciencia y tendría por efecto escindirla en dos, reintroduciendo la opacidad en el seno de esa lucidez absoluta.[1] Además, ese nada no sería negativo en modo alguno. La nada, como antes hemos visto, es fundamento de la negación porque la lleva oculta en sí misma: porque es la negación como ser. Es necesario, pues, que el ser consciente se constituya a sí mismo con respecto a su pasado como separado de ese pasado por una nada; es necesario que sea conciencia de esta escisión de ser, pero no como un fenómeno por él padecido, sino como una estructura conciencial que él es. La libertad es el ser humano en cuanto pone su pasado fuera de juego, segregando su propia nada. Entendamos bien que esta necesidad primera de ser su propia nada no aparece a la conciencia de modo intermitente y con ocasión de negaciones singulares: no hay momento de la vida psíquica en que no aparezcan, a título por lo menos de estructuras secundarias, conductas negativas o interrogativas; y la conciencia se vive a sí misma de modo continuo como nihilización de su ser pasado.

Pero, sin duda, se creerá poder devolvernos aquí una objeción de que nos hemos servido frecuentemente: si la conciencia nihilizadora no existe sino como conciencia de nihilización, se debería poder definir y describir un modo perpetuo de conciencia, presente *como* conciencia, el cual sería conciencia de nihilización. ¿Existe esta conciencia? He aquí, pues, la nueva cuestión que se plantea: si la libertad es el ser de la conciencia, la conciencia debe ser como conciencia de libertad. ¿Cuál es la forma que toma esta conciencia de libertad? En la libertad, el ser humano *es* su propio pasado (así como también su propio porvenir) en forma de nihilización. Si nuestros análisis no nos han extraviado, debe existir para el ser humano, en tanto que es consciente de ser, cierta manera de situarse frente a su pasado y su porvenir como siendo a la vez ese pasado y ese porvenir y como no siéndolos. Podremos dar a esta cuestión una respuesta inmediata: el hombre toma conciencia de su libertad en la angustia, o, si se prefiere, la angustia es el modo de ser de

---

[1] Véase Introducción, III.

la libertad como conciencia de ser, y en la angustia la libertad está en su ser cuestionándose a sí misma.

Kierkegaard, al describir la angustia antes de la culpa, la caracteriza como angustia ante la libertad. Pero Heidegger, que, como es sabido, ha sufrido profundamente la influencia de Kierkegaard,[1] considera al contrario a la angustia como la captación de la nada. Estas dos descripciones de la angustia no nos parecen contradictorias: al contrario, se implican mutuamente.

En primer lugar, ha de darse la razón a Kierkegaard: la angustia se distingue del miedo en que el miedo es miedo de los seres del mundo mientras que la angustia es angustia ante mí mismo. El vértigo es angustia en la medida en que temo, no caer en el precipicio, sino arrojarme a él. Una situación que provoca el miedo en tanto que amenaza modificar desde fuera mi vida y mi ser, provoca la angustia en la medida en que desconfío de mis reacciones apropiadas para la situación. El zafarrancho de artillería que precede al ataque puede provocar miedo en el soldado que sufre el bombardeo, pero comenzará la angustia en él cuando intente prever las conductas que ha de oponer al bombardeo, cuando se pregunte si podrá "aguantar". Análogamente, el movilizado que se incorpora a su campamento al comienzo de la guerra puede, en ciertos casos, tener miedo de la muerte; pero, mucho más a menudo, tiene "miedo de tener miedo", es decir, se angustia ante sí mismo. Casi siempre las situaciones peligrosas o amenazantes tienen facetas: se las aprehenderá a través de un sentimiento de miedo o de un sentimiento de angustia según se encare la situación como actuante sobre el hombre o al hombre como actuante sobre la situación. El individuo que acaba de recibir "un rudo golpe", que ha perdido en una quiebra gran parte de sus recursos, puede tener miedo de la pobreza que lo amenaza. Se angustiará un instante después, cuando, retorciéndose nerviosamente las manos (reacción simbólica ante la acción que se impone pero que permanece aún enteramente indeterminada), exclama: "¿Qué voy a hacer? Pero ¿qué voy a hacer?" En este sentido, el miedo y la angustia son mutuamente excluyentes, ya que el miedo es aprehensión irreflexiva de lo trascendente y la angustia es aprehen-

[1] J. Wahl, "Kierkegaard et Heidegger", en *Études kierkegaardiennes*.

sión reflexiva del sí-mismo; la una nace de la destrucción de la otra, y el proceso normal, en el caso que acabo de citar, es un tránsito constante de la una a la otra. Pero existen también situaciones en que la angustia aparece pura, es decir, sin estar jamás precedida ni seguida del miedo. Si, por ejemplo, se me ha elevado a una nueva dignidad y se me ha encargado una misión delicada y halagadora, puedo angustiarme ante la idea de que acaso no seré capaz de cumplirla, sin tener pizca de miedo por las consecuencias de mi posible fracaso.

¿Qué significa la angustia, en los diversos ejemplos que acabo de dar? Retomemos el ejemplo del vértigo. El vértigo se anuncia por el miedo: ando por un sendero angosto y sin parapeto que va bordeando un precipicio. El precipicio se me da como *vitando*, representa un peligro de muerte. A la vez, concibo cierto número de causas dependientes del determinismo universal, que pueden transformar esa amenaza de muerte en realidad: puedo resbalar sobre una piedra y caer en el abismo; la tierra desunida del sendero puede hundirse bajo mis pasos. A través de estas diferentes previsiones, estoy dado a mí mismo como una cosa, soy pasivo con respecto a esas posibilidades: éstas acuden a mí desde fuera; en tanto que yo soy *también* un objeto del mundo, sometido a la atracción universal, no son *mis* posibilidades. En ese momento aparece el *miedo*, que es captación de mí mismo, a partir de la situación, como trascendente destructible en medio de los trascendentes, como objeto que no tiene en sí el origen de su futura desaparición. La reacción será de orden reflexivo: "prestaré atención" a las piedras del camino, me mantendré lo más lejos posible del borde del sendero. Me realizo como apartando con todas mis fuerzas la situación amenazadora y proyecto ante mí cierto número de conductas futuras destinadas a alejar de mí las amenazas del mundo. Estas conductas son *mis* posibilidades. Escapo al miedo por el hecho mismo de situarme en un plano donde *mis* posibilidades propias sustituyen a probabilidades trascendentes en que la actividad humana no tenía ningún lugar. Pero esas conductas, precisamente por ser *mis* posibilidades, no se me aparecen como determinadas por causas ajenas a mí. No sólo no es rigurosamente cierto que hayan de ser eficaces, sino que, sobre todo, no es rigurosamente cierto que hayan de ser mantenidas, pues no tienen existencia suficiente por sí; se podría decir, abusando de la expresión de Berkeley, que su "ser es un ser-mantenido" y que su "posibilidad de ser no es sino un deber-ser-mantenido".[1] Por esta razón, su posibilidad tiene por condición necesaria la posibilidad de conductas contradictorias (*no* prestar atención a las piedras del camino, correr, prestar atención a otra cosa) y la posibilidad de las conductas contrarias (ir a arrojarme al precipicio). El posible al que convierto en *mi* posible concreto no puede aparecer como mi posible sino destacándose sobre el fondo del conjunto de los posibles lógicos que la situación comporta. Pero estos posibles denegados no tienen, a su vez, otro ser que su "ser-mantenidos"; yo soy quien los mantiene en el ser e, inversamente, su no-ser presente es un "no-deber-ser-mantenidos". Ninguna causa exterior los apartará. Sólo yo soy la fuente permanente de su no-ser, me comprometo en ellos: para hacer aparecer *mi* posible, pongo los demás posibles con el fin de nihilizarlos. Esto no produciría angustia si pudiera captarme a *mí* mismo en mis relaciones con esos posibles como una causa que produce sus efectos. En este caso, el efecto definido como mi posible estaría rigurosamente determinado. Pero cesaría entonces de ser *posible*: se convertiría simplemente en por-venir. Así, pues, si quisiera evitar la angustia y el vértigo, bastaría que pudiera considerar los motivos (instinto de conservación, miedo anterior, etc.) que me hacen denegar la situación encarada como *determinante* de mi conducta anterior, a la manera en que la presencia de una masa determinada en un punto dado es determinante con respecto a los trayectos efectuados por otras masas: bastaría que captase en mí un riguroso determinismo psicológico. Pero precisamente me angustio porque mis conductas no son sino *posibles,* y esto significa justamente que dichos motivos, aunque constituyendo un conjunto de motivos *para* apartar esa situación, son captados por mí al mismo tiempo como insuficientemente eficaces. En el mismo momento en que me capto como siendo *horror* del precipicio, tengo conciencia de este horror como *no determinante* con respecto a mi conducta posible. En un sentido, ese horror reclama una conducta de prudencia y es en sí mismo esbozo de esta conducta; en

[1] Volveremos sobre los posibles en la segunda parte de la obra.

otro sentido, no pone sino como posibles los desarrollos ulteriores de esa conducta, precisamente porque yo no lo capto como *causa* de tales desarrollos ulteriores, sino como exigencia, reclamo, etc., etc. Pero hemos visto que la conciencia de ser es el ser de la conciencia. No se trata aquí, pues, de una contemplación del horror ya constituido, que pudiera yo efectuar con posterioridad: el ser mismo del horror es aparecerse a sí mismo como *no siendo causa* de la conducta que él mismo reclama. En una palabra: para evitar el miedo, que me presenta un porvenir trascendente rigurosamente determinado, me refugio en la reflexión, pero ésta no tiene otra cosa que ofrecerme sino un indeterminado porvenir. Esto significa que, al constituir cierta conducta como *posible,* me doy cuenta, precisamente porque ella es *mi* posible, de que *nada* puede obligarme a mantener esa conducta. Empero, yo estoy, por cierto, allí en el porvenir; por cierto, tiendo con todas mis fuerzas hacia aquel que seré dentro de un momento, al doblar ese recodo; y, en este sentido, hay ya una relación entre mi ser futuro y mi ser presente. Pero, en el seno de esta relación, se ha deslizado una nada: yo no *soy* aquel que seré. En primer lugar, no lo soy porque el tiempo me separa de ello. Después, porque lo que yo soy no es el fundamento de lo que seré. Por último, porque ningún existente actual puede determinar rigurosamente lo que voy a ser. Como, sin embargo, soy ya lo que seré (si no, no estaría interesado en ser tal o cual), *yo soy el que seré, en el modo del no serlo.* Soy llevado hacia el porvenir a través de mi horror, y éste se nihiliza en cuanto que constituye al porvenir como posible. Llamaremos *angustia,* precisamente, a la conciencia de ser uno su propio porvenir en el modo del no serlo. Y precisamente la nihilización del horror como *motivo* que tiene por efecto reforzar el horror como *estado,* tiene por contrapartida positiva la aparición de las demás conductas (en particular la de la consistente en arrojarme al precipicio) como *mis posibles* posibles. Si *nada* me constriñe a salvar mi vida, *nada* me impide precipitarme al abismo. La conducta decisiva emanará de un yo que todavía no soy. Así, el yo que soy depende en sí mismo, del yo que no soy todavía, en la medida exacta en que el yo que no soy todavía no depende del yo que soy. Y el vértigo aparece como la captación de esa dependencia. Me acerco al abismo y mis miradas me buscan en su fondo a mí. Desde este momento juego con mis posibles. Mis ojos, al recorrer el precipicio de arriba abajo, personifican[1] mi caída posible y la realizan simbólicamente: al mismo tiempo, la conducta de suicida, por el hecho de convertirse en "mi posible" posible hace aparecer a su vez motivos posibles para adoptarla (el suicidio hará cesar la angustia).

Felizmente, estos motivos, a su vez, por el solo hecho de ser motivos de un posible, se dan como ineficientes, como no-determinantes: no pueden *producir* el suicidio, así como tampoco mi horror a la caída puede *determinarme* a evitarla. En general, esta contra-angustia hace cesar la angustia transmutándola en indecisión. La indecisión, a su vez, llama a la decisión: uno se aleja bruscamente del borde del precipicio y retoma el camino.

El ejemplo que acabamos de analizar nos ha mostrado lo que podríamos llamar "angustia ante el porvenir". Existe otra, la angustia ante el pasado. Es la del jugador que ha decidido libre y sinceramente no jugar más y que, cuando se aproxima al "tapete verde", ve de pronto "naufragar" todas sus resoluciones. A menudo se ha descrito este fenómeno como si la visión de la mesa de juego despertara en nosotros una tendencia que entra en conflicto con nuestra resolución anterior y acaba por arrastrarnos pese a ésta. Aparte de que semejante descripción está hecha en términos cosistas y puebla la mente de fuerzas antagónicas –es, por ejemplo, la harto famosa "lucha de la razón contra las pasiones", de los moralistas–, no da razón de los hechos. En realidad –y ahí están las cartas de Dostoievsky para atestiguarlo–, nada hay en nosotros que se parezca a un *debate* interior, como si hubiéramos de pesar motivos y móviles antes de decidirnos. La resolución anterior de "no jugar más" está siempre *ahí*, y, en la mayoría de los casos, el jugador puesto en presencia de la mesa de juego se vuelve hacia ella para pedirle auxilio: pues no quiere jugar más o, más bien, habiendo tomado la víspera su resolución se piensa aún como no queriendo jugar más; cree en una eficacia de esa resolución. Pero lo que capta entonces con angustia es precisamente la total ineficacia de la resolución pasada. Ésta está ahí, sin duda, pero congelada, ineficaz, *trascendida* por el hecho mismo de que tengo conciencia de ella. Yo soy todavía esa resolución, en la medida

---

[1] *Mimer:* personificar, representar como un actor o mimo. (N. del T.)

en que realizo perpetuamente mi identidad conmigo mismo a través del flujo temporal; pero *yo* no la soy ya por el hecho de que ella es *para* mi conciencia. Me le escapo; ella fracasa en la misión que yo le habla confiado, también aquí, yo la *soy* en el modo del no-serla. Lo que el jugador capta en este instante es, una vez más, la ruptura permanente del determinismo, la nada que lo separa de sí: ¡Hubiera querido tanto no jugar!; ayer mismo tuve una aprehensión sintética de la situación (ruina que me amenaza, desesperación de mis allegados) como *vedándome* jugar. Me parecía así haber constituido como una *barrera real* entre el juego y yo, y he aquí que –lo percibo de súbito– esa aprehensión sintética no es más que el recuerdo de una idea, el recuerdo de un sentimiento: para que acuda a ayudarme nuevamente *es necesario que la rehaga ex nihilo y libremente;* ya no es más que uno de mis posibles, ni más ni menos que como el hecho de jugar es otro. Ese temor de desolar a mi familia, me es necesario *recobrarlo,* recrearlo como temor vivido; se mantiene tras de mí, como un fantasma sin huesos; de mí solo depende que le preste mi carne o no. Estoy solo y desnudo como la víspera ante la tentación y, tras haber edificado pacientemente barreras y muros, tras haberme encerrado en el círculo mágico de una resolución, percibo con angustia que *nada* me impide jugar. Y la angustia *soy yo,* puesto que, por el solo hecho de que me transporto a la existencia como conciencia de ser, me hago *dejar de ser* ese pasado de buenas resoluciones *que soy.*

Sería vano objetar que esa angustia tiene por única condición la ignorancia del determinismo psicológico subyacente: me sentiría ansioso a causa de que desconozco los móviles reales y eficaces que, en la sombra del inconsciente, determinan mi acción. Responderemos, en primer lugar, que la angustia no se nos ha aparecido como una *prueba* de la libertad humana: ésta se nos ha dado como la condición necesaria de la interrogación. Queríamos solamente mostrar que existe una conciencia específica de libertad y que esta conciencia era la angustia. Esto significa que hemos querido establecer la angustia en su estructura esencial como conciencia de libertad. Y, desde este punto de vista, la existencia de un determinismo psicológico no podría invalidar los resultados de nuestra descripción. En efecto: o bien la angustia es ignorancia ignorada de ese determinismo, y entonces se capta, efectivamente, como libertad; o bien se pretende que la angustia es conciencia de ignorar las causas reales de nuestros actos: la angustia provendría, entonces, de que presentimos, agazapados en el fondo de nosotros mismos, motivos monstruosos que desencadenan de pronto actos culpables; pero, en este caso, nos apareceríamos de pronto a nosotros mismos como *cosas del mundo*, seríamos nuestra propia situación trascendente, y la angustia se desvanecería para dejar su lugar al *temor*, pues el temor es aprehensión sintética de lo transcendente como temible.

Esa libertad que se nos descubre en la angustia puede caracterizarse por la existencia de aquel *nada* que se insinúa entre los motivos y el acto. Mi acto no escapa a la determinación de los motivos *porque* yo sea libre, sino que, al contrario, la estructura de los motivos como ineficientes es condición de mi libertad. Y si se pregunta cuál es ese *nada* que funda la libertad, responderemos que no se lo puede describir, puesto que *no es;* pero que se puede al menos dar su sentido, en cuanto ese nada *es sido* por el ser humano en sus relaciones consigo mismo. Corresponde a la necesidad que el motivo tiene de no aparecer como motivo sino en cuanto correlación de una conciencia *de* motivo. En una palabra: desde el momento que renunciamos a la hipótesis de los contenidos de conciencia, hemos de reconocer que no hay jamás motivo *en* la conciencia: no lo hay sino *para* la conciencia. Y por el hecho mismo de que el motivo sólo puede surgir como aparición, se constituye a sí mismo como ineficaz. Sin duda, no tiene la exterioridad de la cosa espaciotemporal: pertenece siempre a la subjetividad y es captado como *mío;* pero es, por naturaleza, trascendencia en la inmanencia, y la conciencia escapa a él por el hecho mismo de ponerlo, ya que a ella incumbe entonces conferirle su significación y su importancia. Así, el *nada* que separa al motivo de la conciencia se caracteriza como transcendencia en la inmanencia; al producirse a sí misma como inmanencia, la conciencia nihiliza el nada que la hace existir para sí misma como trascendencia. Pero se ve que esa nada que es condición de toda negación transcendente no puede elucidarse sino partiendo de otras dos nihilizaciones primordiales: 1°, la conciencia *no es* su propio motivo en tanto que es *vacía* de todo contenido, y esto nos remite a una estructura nihilizadora del *cogito* prerreflexivo; 2°, la conciencia está frente a un sí-mismo que ella es en el modo del no serlo, y esto nos remite a una estructura nihilizadora de la temporalidad. No podemos tratar aún de elucidar estos dos tipos de nihilización: no disponemos, por el momento, de las técnicas necesarias. Basta hacer notar que la explicación definitiva de la negación no podrá darse sino en el marco de una descripción de la conciencia (de) sí y de la temporalidad.

Lo que conviene advertir aquí es que la libertad que se manifiesta por la angustia se caracteriza por una obligación perpetuamente renovada de rehacer el Yo que designa al ser libre. En efecto: cuando mostrábamos, hace poco, que mis posibles eran angustiosos porque mantenerlos en su existencia dependía sólo de *mí*, ello no quería decir que derivaran de un *yo* que –él sí, al menos– estuviera dado previamente y pasara, en el flujo temporal, de una conciencia a otra. El jugador que debe realizar de nuevo la apercepción sintética de una *situación* que le veda jugar, debe reinventar al mismo tiempo el *yo* que puede apreciar esa situación, que "está en situación". Ese yo, con su contenido *a priori* e histórico, es la *esencia* del hombre. Y la angustia como manifestación de la libertad frente a sí mismo significa que el hombre está siempre separado de su esencia por una nada. Ha de retomarse aquí la frase de Hegel: "Wesen ist was gewesen ist", "La esencia es lo que ha sido". La esencia es todo cuanto puede indicarse del ser humano por medio de las palabras: eso *es*. Por ello, es la totalidad de los caracteres que *explican* el acto. Pero el acto está siempre allende esa esencia; no es acto humano sino en cuanto trasciende toda explicación que se le dé, precisamente porque todo cuanto puede designarse en el hombre por la fórmula: eso es, por ese mismo hecho ya *ha sido*. El hombre lleva consigo continuamente una comprehensión prejudicativa de su esencia, pero por eso mismo está separado de ella por una nada. La esencia es todo cuanto la realidad humana capta de sí misma como *habiendo sido*. Y aquí aparece la angustia como captación del sí mismo en cuanto éste existe como modo perpetuo de arrancamiento a aquello-que-es; o, mejor aún, en cuanto se hace existir como tal. Pues jamás podemos captar una vivencia como una consecuencia viviente de esa *naturaleza* que es la nuestra. El flujo de nuestra conciencia constituye, en su transcurso, esa naturaleza; pero ésta permanece siempre a nuestra zaga y nos infesta como el objeto permanente de nuestra comprensión retrospectiva. Esta naturaleza, en tanto que es exigencia sin ser recurso, es captada como angustiosa. En la angustia, la libertad se angustia ante sí misma en tanto que *nada* la solicita ni la traba jamás. Pero queda en pie, se dirá, el hecho de que la libertad acaba de ser definida como una estructura permanente del ser humano: si la angustia la manifiesta, ésta debería ser un estado permanente de mi afectividad; pero, al contrario, es completamente excepcional. ¿Cómo explicar la rareza del fenómeno de la angustia?

Ha de notarse, en primer lugar, que las situaciones más corrientes de nuestra vida, aquellas en que captamos nuestros posibles como tales en y por la realización activa de estos posibles, no se nos manifiestan por la angustia porque por su estructura misma excluyen la aprehensión angustiada. La angustia, en efecto, es el reconocimiento de una posibilidad como *mi posibilidad*, es decir, que se constituye cuando la conciencia se ve escindida de su esencia por la nada o separada del futuro por su libertad misma. Esto significa que un nada nihilizador me quita toda excusa y que, a la vez, lo que proyecto como mi ser futuro está siempre nihilizado y reducido a la categoría de simple posibilidad porque el futuro que yo soy queda fuera de mi alcance. Pero conviene notar que, en estos diferentes casos, se trata de una forma temporal por la cual me espero en el futuro, por la cual "me doy cita del otro lado de esta hora, de este día o de este mes". La angustia es el temor de no encontrarme en esa cita, de ni siquiera querer acudir a ella. Pero puedo también encontrarme comprometido en actos que me revelan mis posibilidades en el instante mismo en que las realizan. En el acto de encender este cigarrillo reconozco mi posibilidad concreta o, si se quiere, mi deseo de fumar; por el acto mismo de acercar a mí este papel y esta pluma me doy como mi posibilidad más inmediata la acción de trabajar en esta obra: heme aquí comprometido en ella, y la descubro en el momento mismo en que ya a ella me lanzo. En ese instante, ciertamente, sigue siendo mi posibilidad, ya que puedo a cada instante apartarme de mi trabajo, rechazar el cuaderno, cerrar con el capuchón mi estilográfica. Pero esta posibilidad de interrumpir la acción es rechazada a segundo plano por el hecho de que la acción que se me descubre a través de mi acto tiende a cristalizarse como forma transcendente y relativamente independiente. La conciencia del hombre *en acción* es conciencia irreflexiva. Es conciencia *de* algo, y lo transcendente que a ella se descubre es de una naturaleza particular: es una *estructura de exigencia* del mundo, que descubre correlativamente en ella relaciones complejas de utensilidad. En el acto de trazar las letras que trazo, la frase total, inconclusa aún, se revela como exigencia pasiva de ser trazada. La frase es el sentido mismo de las letras que formo y su reclamo no está cuestionado, ya que, justamente, no puedo trazar las palabras sin trascenderlas hacia ella, y la descubro como condición necesaria del sentido de las palabras que trazo. A la vez, y en el cuadro mismo del acto, un complejo indicativo de utensilios se revela y se organiza (pluma-tinta-papel-líneas-margen, etc.), complejo que no puede ser captado por sí mismo sino que surge en el seno de la trascendencia que me es descubierta por la frase que he de escribir, como exigencia pasiva. Así, en la cuasi-generalidad de los actos cotidianos, estoy comprometido, he apostado ya y descubro mis posibles realizándolas, y en el acto mismo de realizarlas como exigencias, apremios, utensilidades. Y, sin duda, en todo acto de esta especie permanece la posibilidad de cuestionar tal acto, en tanto que éste remite a fines más lejanos y más esenciales como a sus significaciones últimas y a mis posibilidades esenciales. Por ejemplo, la frase que escribo es la significación de las letras que trazo, pero la obra íntegra que quiero producir es la significación de la frase. Y esta obra es una posibilidad acerca de la cual puedo sentir angustia: es verdaderamente mi posible, y no sé si mañana la proseguiré; mañana, con relación a ella, mi libertad puede ejercer su poder nihilizador. Sólo que esta angustia implica la captación de la obra en tanto que tal como *mi* posibilidad; es menester que me coloque directamente frente a la obra y que capte vivencialmente mi relación con ella. Esto significa que no sólo debo plantear a su respecto preguntas objetivas del tipo: "¿Hace falta escribir esta obra?", pues estas preguntas me remiten simplemente a significaciones objetivas más amplias, como: "¿Es oportuno escribirla *en este momento*?" "¿No está todo ya dicho en otro libro?" "¿Es su materia de suficiente interés?" "¿Ha sido suficientemente meditada?", etc.; significaciones todas que permanecen transcendentes y se dan como una multitud de exigencias del mundo. Para que mi libertad se angustie acerca del libro que escribo, es menester que este libro aparezca en su relación conmigo; es decir, es menester que yo descubra, por una parte, mi *esencia* en tanto que *lo que he sido* (yo he sido un "querer escribir este libro", lo he concebido, he creído que podía ser interesante escribirlo y me he constituido de tal suerte que ya no se puede *comprenderme* sin tomar en cuenta que este libro *ha sido* mi posible esencial); por otra parte, la nada que separa a mi libertad de esta esencia (*yo he sido* un "querer escribirlo", pero *nada,* ni aun lo que yo he sido, puede constreñirme a escribirlo); por último, la nada que me separa de lo que seré (descubro la posibilidad permanente de abandonarlo, como la condición misma de la posibilidad de escribirlo y como el propia sentido de mi libertad). Es menester que, en la constitución misma del libro como mi posible, capte mi libertad, en tanto que posible destructora, en el presente y en el porvenir, de aquello que soy. Es decir, que me es preciso colocarme en el plano de la reflexión. Mientras permanezco en el plano del acto, el libro que he de escribir no es sino la significación remota y presupuesta del acto que me revela mis posibles: el libro no es sino la implicación de ese acto, no está tematizado y puesto para sí, no "plantea cuestión": no es concebido ni como necesario ni como contingente, no es sino el sentido permanente y lejano a partir del cual puedo comprender lo que escribo en este momento y, por esto mismo, es concebido como *ser:* es decir, que sólo al ponerlo como el *fondo existente* sobre el cual emerge mi frase presente y existente puedo conferir a mi frase un sentido determinado. Ahora bien: a cada instante estamos arrojados en el mundo y comprometidos. Esto significa que actuamos antes de poner nuestros posibles, y que estos posibles que se descubren como realizados o en vías de realizarse remiten a sentidos que harían necesarios actos especiales para ser puestos en cuestión. El despertador que suena por la mañana remite a la posibilidad de ir a mi trabajo, que es *mi* posibilidad. Pero captar el llamado del despertador como llamado, es levantarse. El acto mismo de levantarse es, pues, tranquilizador, pues elude la pregunta: "¿Es el trabajo *mi* posibilidad?" y, en consecuencia, no me pone en condiciones de captar la posibilidad del quietismo, de la denegación del trabajo y, en última instancia, de la denegación del mundo, y de la muerte. En una palabra, en la medida en que captar el sentido de la campanilla es estar ya de pie a su llamado, esa captación me garantiza contra la intuición angustiosa de ser yo quien confiere su exigencia al despertador: yo y sólo yo. De la misma manera, lo que podría llamarse la moralidad cotidiana excluye la angustia ética. Hay angustia ética cuando me considero en mi relación original con los valores. Éstos, en efecto, son exigencias que reclaman un fundamento. Pero este fundamento no podría ser en ningún caso el *ser*, pues todo valor que fundara sobre su propio ser su naturaleza ideal dejaría por eso mismo de ser valor y realizaría la heteronomía de mi voluntad. El valor toma su ser de su exigencia, y no su exigencia de su ser. Así, pues, el valor no se entrega a una intuición contemplativa que lo capte como *siendo* valor y que, por eso mismo, le quite sus derechos sobre mi libertad. Al contrario, el valor no puede develarse sino a una libertad activa que lo hace existir como valor por el solo hecho de reconocerlo por tal. Se sigue de ello que mi libertad es el único fundamento de los valores y que *nada*, absolutamente nada me justifica en mi adopción de tal o cual valor, de tal o cual escala de valores. En tanto que ser por el cual los valores existen, soy injustificable. Y mi libertad se angustia de ser el fundamento sin fundamento de los valores. Se angustia, además, porque los valores, por revelarse por esencia a una libertad, no pueden revelarse sin ser al mismo tiempo "cuestionados", ya que la posibilidad de invertir la escala de valores aparece complementariamente como *mi* posibilidad. Precisamente la angustia ante los valores es reconocimiento de la idealidad de los mismos.

Pero, de ordinario, mi actitud respecto de los valores es eminentemente tranquilizadora. Pues, en efecto, estoy comprometido en un mundo de valores. La apercepción angustiada de los valores como sostenidos en el ser por mi libertad es un fenómeno posterior y mediatizado. Lo inmediato es el mundo con su apremio y, en este mundo en que me comprometo, mis actos hacen levantarse valores como perdices: por mi indignación me es dado el antivalor "ruindad"; por mi admiración me es dado el valor "grandeza". Y, sobre todo, mi obediencia a una multitud de tabúes, que es real, me descubre esos tabúes como existentes de hecho. Los burgueses que se llaman a sí mismos "la gente honesta" no son honestos después de una contemplación de los valores morales; sino que, desde que surgen al mundo, están arrojados a una conducta cuyo sentido es la honestidad. Así, la honestidad adquiere un ser, y no es cuestionada; los valores están sembrados en mi camino en la forma de mil menudas exigencias reales semejantes a los cartelitos que prohíben pisar el césped.

Así, en lo que llamaremos el mundo de lo inmediato, que se entrega a nuestra conciencia irreflexiva, no nos aparecemos *primero* para ser arrojados *después* a tales o cuales empresas; sino que nuestro ser está inmediatamente "en situación", es decir, que *surge* en medio de esas empresas y se conoce primeramente en tanto que en ellas se refleja. Nos descubrimos, pues, en un mundo poblado de exigencias, en el seno de proyectos "en curso de realización": escribo, voy a fumar, tengo cita esta noche con Pedro, no debo olvidarme de responder a Simón, no tengo derecho de ocultar por más tiempo la verdad a Claudio. Todas estas menudas expectaciones pasivas de lo real, todos esos valores triviales y cotidianos cobran su sentido, a decir verdad, de un primer proyecto mío que es como mi elección de mí mismo en el mundo. Pero, precisamente, ese proyecto mío hacia una posibilidad primera, que hace que haya valores, llamados, expectaciones y, en general, un mundo, no se me aparece sino más allá del mundo, como el sentido y la significación abstractos y lógicos de mis empresas. Por lo demás, hay, concretamente, despertadores, cartelitos, formularios de impuestos, agentes de policía; otras tantas barandillas contra la angustia. Pero, en cuanto la empresa se aleja de mí, en cuanto soy remitido a mí mismo porque debo aguardarme en el porvenir, me descubro de pronto como aquel que da al despertador su sentido, como aquel que se prohíbe a sí mismo, con motivo de su cartel, andar por un cantero o por el césped, como aquel que confiere apremio a la orden del jefe, como aquel que decide sobre el interés del libro que está escribiendo; como aquel, en fin, que hace existir valores cuyas exigencias le determinen su acción. Emerjo solo y, en la angustia frente al proyecto único y primero que constituye mi ser, todas las barreras, todas las barandillas se derrumban, nihilizadas por la conciencia de mi libertad: no tengo ni puedo tener valor a que recurrir contra el hecho de ser yo quien mantiene a los valores en el ser; nada puede tranquilizarme con respecto a mí mismo; escindido del mundo y de mi esencia por esa nada que *soy*, tengo que realizar el sentido del mundo y de mi esencia: yo decido sobre ello, yo, solo, injustificable y sin excusa.

La angustia es, pues, la captación reflexiva de la libertad por ella misma; en este sentido es mediación, pues, aunque conciencia inmediata de sí, surge de la negación de los llamados del mundo; aparece desde que me desprendo del mundo en que me había comprometido, para aprehenderme a mí mismo como conciencia dotada de una comprensión preontológica de su esencia y un sentido prejudicativo de sus posibles; se opone a la seriedad, que capta los valores a partir del mundo y que reside en la sustantificación tranquilizadora y cosista de los valores. En la seriedad, me defino a partir del objeto, dejando a un lado *a priori* como imposibles todas las empresas que no voy a emprender y captando como proveniente del mundo y constitutivo de mis obligaciones y de mi ser el sentido que mi libertad ha dado al mundo. En la angustia, me capto a la vez como totalmente libre y como incapaz de no hacer que el sentido del mundo le provenga de mí.

Empero, no ha de creerse que baste trasladarse al plano reflexivo y encarar los posibles lejanos o inmediatos de uno, para captarse en una *pura* angustia. En cada caso de reflexión, la angustia nace como estructura de la conciencia reflexiva en tanto que ésta considera a la conciencia refleja; pero sigue en pie el hecho de que puedo adoptar conductas respecto de mi propia angustia; en particular, conductas de huida. Todo ocurre, en efecto, como si nuestra conducta esencial e inmediata con respecto a la angustia fuera la huida. El determinismo psicológico, antes de ser concepción teórica, es primeramente una conducta de excusa o, si se quiere, el fundamento de todas las conductas de excusa. Es una conducta reflexiva respecto de la angustia; afirma que existen en nosotros fuerzas antagonistas cuyo tipo de existencia es comparable al de las cosas; intenta llenar los vacíos que nos rodean, restablecer los vínculos entre pasado y presente, entre presente y futuro; nos provee de una *naturaleza* productora de nuestros actos y de estos actos mismos hace entidades trascendentes, los dota de una inercia y de una exterioridad que les asignan su fundamento en otra cosa que ellos mismos y que son eminentemente tranquilizadoras porque constituyen un juego permanente de *excusas;* niega esa trascendencia de la realidad humana que la hace emerger en la angustia allende su propia esencia; al mismo tiempo, al reducirnos *a no ser jamás sino lo que somos,* reintroduce en nosotros la positividad absoluta del ser en sí y, de este modo, nos reintegra al seno del ser.

Pero ese determinismo, defensa reflexiva contra la angustia, no se da como una *intuición* reflexiva. No puede nada contra la *evidencia* de la libertad, y por eso se da como creencia de refugio, como el término ideal hacia el cual podemos huir de la angustia. Esto se manifiesta, en el terreno filosófico, por el hecho de que los psicólogos deterministas no pretenden fundar su tesis sobre los puros datos de la observación interna. La presentan como una hipótesis satisfactoria, cuyo valor proviene de que da razón de los hechos, o como un postulado necesario para el establecimiento de toda psicología. Admiten la existencia de una conciencia inmediata de libertad, que sus adversarios les oponen con el nombre de "prueba por la intuición del sentido íntimo". Simplemente, hacen recaer el debate sobre el *valor* de esta revelación interna. Así, la intuición que nos hace captarnos como causa primera de nuestros estados y actos no es discutida por nadie. Queda en pie el hecho de que está al alcance de cada uno de nosotros intentar mediatizar la angustia elevándose sobre ella y *juzgándola* como una ilusión procedente de la ignorancia en que estamos acerca de las causas reales de nuestros actos. El problema que se planteará entonces será el del grado de creencia en esa mediación. Una angustia juzgada, ¿es una angustia desarmada? Evidentemente, no; empero, nace aquí un fenómeno nuevo, un proceso de distracción con respecto a la angustia, que, una vez más, supone en él un poder nihilizador.

Por sí solo, el determinismo, ya que no es sino un postulado o una hipótesis, no bastaría para fundar esa distracción. Es un esfuerzo de huida más concreto, que se opera en el terreno mismo de la reflexión. En primer lugar, es una tentativa de distracción con respecto a los posibles contrarios de *mi* posible. Cuando me constituyo como comprensión de un posible en cuanto *mío,* es menester que reconozca su existencia al cabo de mi proyecto y que lo capte como siendo yo mismo, allá, aguardándome en el porvenir, separado de mí por una nada. En este sentido, me capto como origen primero de mi posible, y esto es lo que se llama ordinariamente la conciencia de libertad; esta estructura de la conciencia y sólo ella es lo que tienen en vista los partidarios del libre albedrío cuando hablan de la intuición del sentido íntimo. Pero ocurre que, al mismo tiempo, me esfuerzo, por *distraerme* de la constitución de los otros posibles que contradicen al *mío*. No puedo, a decir verdad, dejar de poner la existencia de ellos por el mismo movimiento que engendra como mío al posible elegido; no puedo impedirme constituirlos como posibles *vivientes*, es decir, como *dotados de la posibilidad de llegar a ser mis posibles*. Pero me esfuerzo por verlos como dotados de un ser trascendente y puramente lógico; en suma, como cosas. Si encaro en el plano reflexivo la posibilidad de escribir este libro como posibilidad *mía*, hago surgir entre esta posibilidad y mi conciencia una nada de ser que la constituye como posibilidad y que yo capto precisamente en la posibilidad permanente de que la posibilidad de no escribirlo sea *mi* posibilidad. Pero intento comportarme con respecto a esa posibilidad de no escribirlo como respecto de un objeto observable, y me compenetro de aquello que quiero ver en él: trato de captarla como algo que debe mencionarse sólo por no omitirla, como algo que no me concierne. Es preciso que ella sea posibilidad externa con respecto a mí, como el movimiento con respecto a esta bola inmóvil. Si pudiera lograrlo, los posibles antagonistas del posible *mío*, constituidos como entidades lógicas, perderían su eficacia; no serían ya amenazadores, ya que serían *exterioridades*, ya que rodearían mi posible como eventualidades puramente *concebibles*, es decir, en el fondo, concebibles *por* otro, o como *posibles de otro que se encontrara en igual caso*. Pertenecerían a la situación objetiva como una estructura trascendente; o, si se prefiere, y para utilizar la terminología de Heidegger: *yo* escribiré este libro, pero también *se* podría no escribirlo. Así me disimularía que esos posibles son *yo mismo* y condiciones inmanentes de la posibilidad de imposible. Conservarían apenas el ser suficiente para conservar a mi posible su carácter de gratuidad, de libre posibilidad de un ser libre, pero quedarían desarmados de su carácter amenazador: no me *inte-*

resarían; el posible elegido aparecería, por el hecho de la elección, como mi único posible concreto y, en consecuencia, la nada que me separa de él y que le confiere justamente su posibilidad quedaría colmada.

Pero la huida ante la angustia no es solamente esfuerzo de distracción ante el porvenir; intenta, además, desarmar la amenaza del pasado. Lo que intento rehuir, en este caso, es mi trascendencia misma, en tanto que ella sostiene y trasciende mi esencia. Afirmo que *soy* mi esencia en el modo de ser del en-sí. Al mismo tiempo, empero, me niego a considerar esa esencia como históricamente constituida y como implicando entonces el acto al modo en que el círculo implica sus propiedades. La capto o, por lo menos, trato de captarla, como el comienzo primero de mi posible y no admito que ella misma tenga en sí un comienzo; afirmo entonces que un acto es libre cuando refleja exactamente mi esencia. Pero, además, esa libertad, que me inquietaría si fuera libertad *frente* al Yo, trato de reconducirla al seno de mi esencia, es decir, de mi Yo. Se trata de encarar el Yo como un pequeño Dios que me habite y que posea mi libertad como una virtud metafísica. Ya no sería que mi ser es libre en tanto que ser, sino que mi Yo sería libre en el seno de mi conciencia. Ficción eminentemente tranquilizadora, ya que la libertad ha sido enclavada en el seno de un ser opaco: en la medida en que mi esencia no es translucidez, en que es trascendente en la inmanencia, en esa medida la libertad se tornaría una de sus propiedades. En una palabra: se trata de captar mi libertad en mi Yo como la libertad *de un prójimo*.[1] Se ven los temas principales de esta ficción: mi Yo se convierte en origen de sus actos como el prójimo de los suyos, a título de persona ya constituida. Por cierto, vive y se transforma; hasta se concederá que cada uno de sus actos pueda contribuir a transformarlo. Pero estas transformaciones armoniosas y continuas se conciben según ese tipo biológico. Se parecen a las que puedo comprobar en mi amigo Pedro cuando vuelvo a verlo después de una separación. A estas exigencias tranquilizadoras ha satisfecho expresamente Bergson cuando concibió su teoría del Yo profundo, que dura y se organiza, que es constantemente contemporáneo de la

[1] Cf. tercera parte, cap. I.

conciencia que de él adquiero y que no puede ser trascendido por ella; que se encuentra en el origen de nuestros actos, no como un poder cataclísmico sino como un padre engendra sus hijos, de modo que el acto, sin fluir de la esencia como una consecuencia rigurosa, sin siquiera ser previsible, mantiene con ella una relación tranquilizadora, una semejanza de familia: va más lejos que ella, pero en la misma vía; conserva, ciertamente, una indudable irreductibilidad, pero nos reconocemos y nos conocemos en él como un padre puede reconocerse y conocerse en el hijo continuador de su obra. Así, por una proyección de la libertad –que captamos en nosotros– en un objeto psíquico que es el Yo, Bergson ha contribuido a enmascarar nuestra angustia, pero sólo a expensas de la conciencia misma. Lo que ha constituido y descrito de esa suerte no es nuestra libertad tal como se aparece a sí misma: es *la libertad del prójimo.*

Tal, pues, el conjunto de procesos por los cuales tratamos de enmascararnos la angustia: captamos nuestro posible evitando considerar los otros posibles, de los que hacemos los posibles de un prójimo indiferenciado: no queremos ver ese posible como sostenido en el ser por una pura libertad nihilizadora, sino que intentamos captarlo como engendrado por un objeto ya constituido, que no es otro que nuestro Yo, encarado y descrito como *la persona* de un prójimo. Quisiéramos conservar de la intuición primera lo que ella nos entrega como nuestra independencia y nuestra responsabilidad, pero procuramos dejar en la sombra todo cuanto hay en ella de nihilización original; siempre listos, por lo demás, para refugiarnos en la creencia en el determinismo si esa libertad nos pesa o si necesitamos de una excusa. Así, rehuimos la angustia intentando captarnos *desde fuera como un prójimo* o como *una cosa.* Lo que es costumbre llamar revelación del sentido íntimo o intuición primera de nuestra libertad no tiene nada de originario: es un proceso ya construido, expresamente destinado a enmascararnos la angustia, verdadero "dato inmediato" de nuestra libertad.

¿Logramos, por esas diferentes construcciones, sofocar o disimular nuestra angustia? Cierto es que no podríamos suprimirla, ya que *somos* angustia. En lo que se refiere a velarla, aparte de que la naturaleza misma de la conciencia y su translucidez nos vedan tomar la expresión al pie de la letra, ha de advertirse el tipo particular de conducta que significamos con ello: podemos enmascarar un objeto externo porque existe independientemente de nosotros; por la misma razón, podemos apartar nuestra mirada o nuestra atención de ese objeto, es decir, simplemente, fijar los ojos en otro; desde ese momento, cada realidad –la mía y la del objeto– recobra su vida propia, y la relación accidental que unía la conciencia a la cosa desaparece sin alterar por ello una ni otra existencia. Pero, si lo que quiero velar *soy yo*, la cosa toma muy distinto cariz: en efecto, no puedo querer "no, ver" cierto aspecto de mi ser a menos de estar precisamente al corriente de ese aspecto que no quiero ver. Lo que significa que me es necesario indicarlo en mi ser para poder apartarme de él; más aún, es necesario que piense en él constantemente para guardarme de pensar en él. Por ello no ha de entenderse sólo que debo necesariamente llevar a perpetuidad conmigo aquello mismo que quiero rehuir, sino también que debo encarar el objeto de mi huida para rehuirlo, lo que significa que la angustia, un enfoque intencional de la angustia, y una huida desde la angustia hacia los mitos tranquilizadores, deben ser dados en la unidad de una misma conciencia. En una palabra, huyo para ignorar, pero no puedo ignorar que huyo, y la huida de la angustia no es sino un modo de tomar conciencia de la angustia. Así, ésta no puede ser, propiamente hablando, ni enmascarada ni evitada. Empero, huir la angustia y ser la angustia no pueden ser exactamente la misma cosa: si soy mi angustia para huirla, esto supone que puedo descentrarme con respecto a lo que soy, que puedo ser la angustia en la forma del "no serla", que puedo disponer de un poder nihilizador en el seno de la angustia misma. Este poder nihilizador nihíla la angustia en tanto que yo la rehúyo y se aniquila a sí mismo en tanto que *yo la soy para huirla*. Es lo que se llama la *mala fe*. No se trata, pues, de expulsar la angustia de la conciencia ni de constituirla en fenómeno psíquico inconsciente; sino, pura y simplemente, puedo volverme de mala fe en la aprehensión de la angustia que soy, y esta mala fe, destinada a colmar la nada que *soy* en mi relación conmigo mismo, implica precisamente esa nada que ella suprime.

Henos al término de nuestra primera descripción. El examen de la negación no puede conducirnos más lejos. Nos ha revelado la existencia de un tipo particular de conducta: la conducta frente al no-ser, la cual supone una trascendencia especial que conviene estudiar aparte. Nos encontramos, pues, en presencia de dos ék-stasis humanos: el ék-stasis que nos arroja al ser-en-sí y el ék-stasis que nos compromete en el no-ser. Parece que nuestro primer problema, que concernía sólo a las relaciones entre el hombre y el ser, se ha complicado considerablemente; pero no es imposible tampoco que, llevando hasta el fin nuestro análisis de la trascendencia hacia el no-ser, obtengamos informaciones preciosas para la comprensión de *toda* transcendencia. Y, por otra parte, el problema de la nada no puede excluirse de nuestra indagación: si el hombre se *comporta* frente al ser-en-sí —y nuestra interrogación filosófica es un tipo de ese comportamiento—, ello implica que él *no es* ese ser. De nuevo encontramos, pues, el no-ser como condición de la trascendencia hacia el ser. Nos es, pues, necesario aferrarnos al problema de la nada y no soltarlo antes de su elucidación completa.

Sólo que el examen de la interrogación y de la negación ha dado todo lo que podía. Nos vimos remitidos de allí a la libertad empírica como nihilización del hombre en el seno de la temporalidad y como condición necesaria de la aprehensión trascendente de las negatidades. Falta fundar esa libertad empírica misma. Ella no puede ser la nihilización primera y el fundamento de toda nihilización. En efecto, contribuye a constituir trascendencias en la inmanencia, que condicionan todas las trascendencias negativas. Pero el hecho mismo de que las trascendencias de la libertad empírica se constituyen en la inmanencia *como trascendencias* nos muestra que se trata de nihilizaciones secundarias que suponen la existencia de una nada original: no son sino un estadio en la regresión analítica que nos lleva desde las trascendencias llamadas "negatidades" hasta el ser que es él mismo su propia nada. Es menester, evidentemente, encontrar el fundamento de toda negación en una nihilización que se ejerza *en el seno mismo de la inmanencia;* en la inmanencia absoluta, en la subjetividad pura del *cogito* instantáneo debemos descubrir el acto original por el cual el hombre es para sí mismo su propia nada. ¿Qué ha de ser la conciencia en su ser para que el hombre en ella y a partir de ella surja en el mundo como el ser que es su propia nada y por quien la nada viene al mundo?

Parece aquí faltarnos el instrumento que nos haya de permitir resolver este nuevo problema: la negación no compromete directamente sino a la libertad. Conviene encontrar en la libertad misma la conducta que nos permita avanzar más lejos. Y esta conducta que haya de conducirnos hasta el umbral de la inmanencia y que permanezca, sin embargo, suficientemente objetiva para que podamos desprender objetivamente sus condiciones de posibilidad, ya la hemos encontrado. ¿No señalábamos poco ha que en la mala fe nosotros *éramos*-la-angustia-*para-huirla*, en la unidad de una misma conciencia? Si la mala fe ha de ser posible, es menester, pues, que podamos encontrar en una misma conciencia la unidad del ser y del no-ser, el ser-para-no-ser. Así, la mala fe será ahora el objeto de nuestra interrogación. Para que el hombre pueda interrogar, es preciso que pueda ser su propia nada; es decir: el hombre no puede estar en el origen del no-ser en el ser a menos que su ser se haya transido en sí mismo, por sí mismo, de nada: así aparecen las trascendencias del pasado y del futuro en el ser temporal de la realidad humana. Pero la mala fe es instantánea. ¿Qué ha de ser, pues, la conciencia en la instantaneidad del *cogito* prerreflexivo, si el hombre ha de poder ser de mala fe?

CAPÍTULO II

La mala fe

I

Mala fe y mentira

El ser humano no es solamente el ser por el cual se develan negatidades en el mundo; es también aquel que puede tomar actitudes negativas respecto de sí. En nuestra introducción, definimos la conciencia como "un ser para el cual en su ser es cuestión de su ser en tanto que este ser implica un ser otro que él mismo". Pero, después de la elucidación de la conducta interrogativa, sabemos ahora que esa fórmula puede escribirse también: "La conciencia es un ser para el cual está en su ser ser conciencia de la nada de su ser." En la prohibición o veto, por ejemplo, el ser humano niega una trascendencia futura. Pero esta negación no es verificativa.[1] Mi conciencia no se limita a *encarar* una negatidad; se constituye ella misma, en su carne, como nihilización de una posibilidad que otra realidad humana proyecta como *su* posibilidad. Para ello, ella debe surgir en el mundo como un *No*, y, en efecto, como un No capta primeramente el esclavo a su amo, o el prisionero que intenta evadirse al centinela que lo vigila. Hasta hay hombres (guardianes, vigilantes, carceleros, etc.) cuya realidad social es únicamente la del No, que vivirán y morirán sin haber sido jamás otra cosa que un No sobre la tierra. Otros, por llevar el No en su subjetividad misma, se constituyen igualmente, en tanto que persona humana, en negación perpetua: el sentido y la función de lo que Scheler llama "el hombre de resentimientos" es el No. Pero existen conductas más sutiles, cuya descripción nos introduciría más hondo en la intimidad de la conciencia: la ironía está entre ellas. En la

---

[1] *Constatative.* (N. del T.)

ironía, el hombre aniquila, en la unidad de un mismo acto, aquello mismo que pone; afirma para negar y niega para afirmar; crea un objeto positivo, pero que no tiene otro ser que su nada. Así, las actitudes de negación respecto de sí permiten formular una nueva pregunta. ¿Qué ha de ser el hombre en su ser, para que le sea posible negarse? Pero no se trata de tomar en su universalidad la actitud de "negación de sí". Las conductas que pueden incluirse en este rótulo son demasiado diversas, y correríamos el riesgo de no retener de ellas sino la forma abstracta. Conviene escoger y examinar una actitud determinada que, a la vez, sea esencial a la realidad humana y tal que la conciencia, en lugar de dirigir su negación hacia afuera, la vuelva hacia sí misma. Esta actitud nos ha parecido que debía ser la *mala fe*.

A menudo se la asimila a la mentira. Se dice indiferentemente de una persona que da pruebas de mala fe o que se miente a sí misma. Aceptaremos que la mala fe sea mentirse a sí mismo, a condición de distinguir inmediatamente el mentirse a sí mismo de la mentira a secas. Se admitirá que la mentira es una actitud negativa. Pero esta negación no recae sobre la conciencia misma, no apunta sino a lo trascendente. La esencia de la mentira implica, en efecto, que el mentiroso esté completamente al corriente de la verdad que oculta. No se miente sobre lo que se ignora; no se miente cuando se difunde un error de que uno mismo es víctima; no miente el que se equivoca. El ideal del mentiroso sería, pues, una conciencia cínica, que afirmara en sí la verdad negándola en sus palabras y negando para sí misma esta negación. Pero esta doble actitud negativa recae sobre un trascendente: el hecho enunciado es trascendente, ya que no existe, y la primera negación recae sobre una *verdad*, es decir, sobre un tipo particular de trascendencia. En cuanto a la negación íntima que opero correlativamente a la afirmación para mí de la verdad, recae sobre *palabras*, es decir, sobre un acaecimiento del mundo. Además, la disposición íntima del mentiroso es positiva: podría ser objeto de un juicio afirmativo: el mentiroso tiene la intención de engañar y no trata de disimularse esta intención ni de enmascarar la translucidez de la conciencia; al contrario, a ella se refiere cuando se trata de decidir conductas secundarias; ella ejerce explícitamente un control regulador sobre todas las actitudes. En cuanto a la intención fingida de decir la verdad ("No quisiera engañar a usted, es verdad, lo juro", etc.), sin duda es objeto de una negación íntima, pero tampoco es reconocida por el mentiroso como *su* intención. Es fingida, imitada, es la intención del personaje que él representa a los ojos de su interlocutor; pero ese personaje, precisamente porque *no es*, es un trascendente. Así, la mentira no pone en juego la intraestructura de la conciencia presente; todas las negaciones que la constituyen recaen sobre objetos que, por ese hecho, son expulsados de la conciencia; no requiere, pues, fundamento ontológico especial, y las explicaciones que requiere la existencia de la negación en general son válidas sin cambio en el caso del engaño a otro. Sin duda, hemos definido la mentira ideal; sin duda, ocurre harto a menudo que el mentiroso sea más o menos víctima de su mentira, que se persuada de ella a medias: pero estas formas corrientes y vulgares de la mentira son también aspectos bastardeados de ella, representan intermedios entre la mentira y la mala fe. La mentira es una conducta de trascendencia.

Porque la mentira es un fenómeno normal de lo que Heidegger llama el *mit-sein.* Supone *mi* existencia, la existencia del *otro,* mi existencia *para* el otro y la existencia del otro *para* mí. Así, no hay dificultad alguna en concebir que el mentiroso deba hacer con toda lucidez el proyecto de la mentira y que deba poseer una entera comprensión de la mentira y de la verdad que altera. Basta que una opacidad de principio enmascare sus intenciones al *otro,* basta que el otro pueda tomar la mentira por verdad. Por la mentira, la conciencia afirma que existe por naturaleza como *oculta al prójimo;* utiliza en provecho propio la dualidad ontológica del yo y del yo del prójimo.

No puede ser lo mismo en el caso de la mala fe, si ésta, como hemos dicho, es en efecto mentirse *a sí mismo.* Por cierto, para quien practica la mala fe, se trata de enmascarar una verdad desagradable o de presentar como verdad un error agradable. La mala fe tiene, pues, en apariencia, la estructura de la mentira. Sólo que –y esto lo cambia todo– en la mala fe yo mismo me enmascaro la verdad. Así, la dualidad del engañador y del engañado no existe en este caso. La mala fe implica por esencia la unidad de *una* conciencia. Esto no significa que no pueda estar condicionada por el *mit-sein,* como, por lo demás, todos los fenómenos de la realidad humana; pero el *mit-sein* no puede sino solicitar la mala fe presentándose como una *situación* que la mala fe permite trascender; la mala fe no viene de afuera a la realidad humana. Uno no padece su mala fe, no está uno infectado por ella: no es un *estado;* sino que la conciencia se afecta a sí misma de mala fe. Es necesaria una intención primera y un proyecto de mala fe; este proyecto implica una comprensión de la mala fe como tal y una captación prerreflexiva (de) la conciencia como efectuándose de mala fe. Se sigue, primeramente, que aquel a quien se miente y aquel que miente son una sola y misma persona, lo que significa que yo, en tanto que engañador, debo saber la verdad que me es enmascarada en tanto que engañado. Mejor aún: debo saber muy precisamente esta verdad *para* ocultármela más cuidadosamente; y esto no en dos momentos diferentes de la temporalidad –lo que permitiría, en rigor, restablecer una apariencia de dualidad–, sino en la estructura unitaria de un mismo proyecto. ¿Cómo, pues, puede subsistir la mentira si está suprimida la dualidad que la condiciona? A esta dificultad se agrega otra que deriva de la total translucidez de la conciencia. Aquel que se afecta de mala fe debe tener conciencia (de) su mala fe, ya que el ser de la conciencia es conciencia de ser. Parece, pues, que debo ser de buena fe, por lo menos en el hecho de que soy consciente de mi mala fe. Pero entonces todo el sistema psíquico se aniquila. Se admitirá, en efecto, que, si trato deliberada y cínicamente de mentirme, fracaso completamente en tal empresa: la mentira retrocede y se desmorona ante la mirada; queda arruinada, *por detrás,* por la conciencia misma de mentirme que se constituye implacablemente más acá de mi proyecto, como su condición misma. Se trata de un fenómeno *evanescente,* que no existe sino en su propia distinción y por ella. Por cierto, estos fenómenos son frecuentes y veremos que hay, en efecto, una "evanescencia" de la mala fe; es evidente que ésta oscila perpetuamente entre la buena fe y el cinismo. Empero, si la existencia de la mala fe es harto precaria, si pertenece a ese género de estructuras psíquicas que podrían llamarse "metaestables", no por ello presenta menos una forma autónoma y duradera; hasta puede ser el aspecto normal de la vida para gran número de personas. Se puede *vivir* en la mala fe, lo cual no quiere decir que no se tengan bruscos despertares de cinismo o de buena fe, pero sí implica un estilo de vida constante y particular. Nuestra perplejidad parece, pues, extrema, ya que no podemos ni rechazar ni comprender la mala fe.

Para escapar a estas dificultades, suele recurrirse al inconsciente. En la interpretación psicoanalítica, por ejemplo, se utilizará la hipótesis de una censura, concebida como una línea de demarcación con aduana, servicio de pasaportes, control de divisas, etc., para establecer la dualidad del engañador y el engañado. El instinto –o, si se prefiere, las tendencias primeras y los complejos de tendencias constituidos por nuestra historia individual– figura aquí la *realidad*. El instinto no es ni *verdadero* ni falso, ya que no existe *para sí*. Simplemente *es*, exactamente como esta mesa, que no es ni verdadera ni falsa *en sí*, sino simplemente *real*. En cuanto a las simbolizaciones conscientes del instinto, no deben ser tomadas por apariencias sino por hechos psíquicos reales. La fobia, el lapsus, el sueño existen realmente a título de hechos de conciencia concretos, de la misma manera que las palabras y las actitudes del mentiroso son conductas concretas y realmente existentes. Simplemente, el sujeto está ante estos fenómenos como el engañado ante las conductas del engañador. Las verifica en su realidad y debe interpretarlas. Hay una *verdad* de las conductas del engañador: si el engañado pudiera vincularlas a la situación en que se encuentra el engañador y a su proyecto de mentira, se tornarían partes integrantes de la verdad, a título de conductas mentirosas. Análogamente, hay una verdad de los actos simbólicos: es la que descubre el psicoanalista cuando los vincula a la situación histórica del enfermo, a los complejos inconscientes que expresan, al obstáculo que pone la censura. Así, el sujeto se engaña sobre el *sentido* de sus conductas, las capta en su existencia concreta pero no en su *verdad*, por no poder derivarlas de una situación primera y de una constitución psíquica que permanecen extrañas para él. Pues, en efecto, por la distinción del "ello" y del "yo", Freud escindió en dos la masa psíquica. Yo soy *yo*, pero no soy *ello*. No tengo posición privilegiada con respecto a mi psiquismo no consciente. Yo *soy* mis propios fenómenos psíquicos en tanto que los verifico en su realidad consciente: por ejemplo, soy este impulso de robar tal o cual libro de ese anaquel, formo cuerpo con ese impulso, lo ilumino y me determino en función de él a cometer el robo. Pero no *soy* esos hechos psíquicos, en tanto que los recibo pasivamente y que estoy obligado a construir hipótesis sobre su origen y su significación verdadera, exactamente como el científico conjetura sobre la naturaleza y la esencia de un fenómeno exterior: ese robo, por ejemplo, que yo interpreto como un impulso inmediato determinado por la rareza, el interés o el precio del volumen que voy a hurtar, es en *verdad* un proceso derivado de autocastigo, más o menos directamente vinculado a un complejo de Edipo. Hay, pues, una verdad del impulso al robo, que no puede alcanzarse sino por hipótesis más o menos probables. El criterio de esta verdad será la extensión de los hechos psíquicos conscientes que logre explicar; será también, desde un punto de vista más pragmático, el éxito de la cura psiquiátrica que permita. Finalmente, el descubrimiento de esa verdad necesitará del concurso del psicoanalista, quien aparece como el *mediador* entre mis tendencias inconscientes y mi vida consciente. Sólo *un prójimo* aparece como capaz de efectuar la síntesis entre la tesis inconsciente y la antítesis consciente. Yo no puedo conocerme sino por intermedio de un prójimo, lo que quiere decir que estoy, con respecto a *mi* "ello", en la posición de *un prójimo*. Si tengo algunas nociones de psicoanálisis, puedo ensayar, en circunstancias particularmente favorables, psicoanalizarme a mí mismo. Pero esta tentativa no podrá tener buen éxito a menos que desconfíe de toda especie de intuición; a menos que aplique a mi caso, *desde fuera*, esquemas abstractos y reglas aprendidas. En cuanto a los resultados, ya se obtengan por mi solo esfuerzo o con el concurso de un técnico, jamás tendrán la certidumbre que la intuición confiere; poseerán simplemente la probabilidad siempre creciente de las hipótesis científicas. La hipótesis del complejo de Edipo, como la hipótesis atómica, no es sino una "idea experimental"; no se distingue, como dice Pierce, del conjunto de las experiencias que permite realizar y de los efectos que permite prever. Así, el psicoanálisis sustituye la noción de mala fe con la idea de una mentira sin mentiroso; permite comprender cómo puedo no mentirme sino *ser mentido*, ya que me coloca con respecto a mí mismo en la situación del prójimo frente a mí, reemplaza la dualidad de engañador y engañado, condición esencial de la mentira, por la del "ello" y el "yo", e introduce en mi subjetividad más profunda la estructura intersubjetiva del *mit-sein*. ¿Podemos contentarnos con estas explicaciones?

Considerada más de cerca, la teoría psicoanalítica no es tan simple como lo parece a primera vista. No es exacto que el "ello" se presente como una cosa con respecto a la hipótesis del psicoanalista, pues la cosa es indiferente a las conjeturas que se hagan sobre ella, y el "ello", al contrario, es *tocado* por aquéllas cuando se aproximan a la verdad. Freud, en efecto, señala resistencias cuando, al término del primer período, el médico se acerca a la verdad. Tales resistencias son conductas objetivas y captadas desde fuera: el enfermo da muestras de desconfianza, se niega a hablar, da informes fantasiosos de sus sueños, a veces hasta se hurta enteramente a la cura psicoanalítica. Cabe, empero, preguntarse qué parte de él mismo puede resistir así. No puede ser el "Yo" encarado como conjunto psíquico de los hechos de conciencia: éste no podría sospechar, en efecto, que el psiquiatra se acerca a la meta ya que está situado ante el *sentido* de sus propias reacciones exactamente como el psiquiatra mismo. Cuando más, le es posible apreciar objetivamente, como podría hacerlo un testigo de ese psicoanálisis, el grado de probabilidad de las hipótesis emitidas, según la extensión de los hechos subjetivos explicables por ellas. Por otra parte, cuando esa probabilidad le pareciera confinar en la certeza, no podría afligirse por eso, ya que, casi siempre, él mismo es quien, por una decisión *consciente,* se ha comprometido en la vía de la terapéutica psicoanalítica. ¿Se dirá que el enfermo se inquieta por las revelaciones cotidianas que le hace el analista y que trata de hurtarse a ellas a la vez que finge ante sus propios ojos querer proseguir la cura? En tal caso, ya no es posible recurrir al inconsciente para explicar la mala fe: ésta está ahí, en plena conciencia, con todas sus contradicciones. Pero no es así, por otra parte, como el psicoanalista entiende explicar esas resistencias: para él, son sordas y profundas, vienen de lejos, tienen sus raíces en la cosa misma que se quiere elucidar.

Empero, no podrían emanar tampoco del complejo que es preciso sacar a luz. En tanto que tal, este complejo sería más bien el colaborador del psicoanalista, ya que tiende a expresarse en la conciencia clara, ya que usa astucias para con la censura y trata de eludirla. El único plano en que podemos situar el rechazo del sujeto es el de la censura. Sólo ella puede captar las preguntas o las revelaciones del psicoanalista como más o menos próximas a las tendencias reales que ella se aplica a reprimir; sólo ella, porque ella sola *sabe* lo que reprime.

En efecto; si rechazamos el lenguaje y la mitología cosista del psicoanálisis, advertimos que la censura, para aplicar su actividad con discernimiento, debe conocer lo que ella reprime. Si, en efecto, renunciamos a todas las metáforas que representan la represión como un choque de fuerzas ciegas, forzoso es admitir que la censura ha de *elegir* y, para elegir, ha de *representarse*. ¿De dónde provendría, si no, el que deje pasar los impulsos sexuales lícitos, que tolere a las necesidades (hambre, sed, sueño) expresarse en la conciencia clara? ¿Y cómo explicar que pueda *relajar* su vigilancia, que hasta puede ser *engañada* por los disfraces del instinto? Pero no basta que discierna las tendencia malditas; es menester, además, que las capte como algo *que debe reprimirse*, lo que implica en ella, por lo menos, una representación de su propia actividad. En una palabra, ¿cómo podría discernir la censura los impulsos reprimibles sin tener conciencia de discernirlos? ¿Cabe concebir un saber que sea ignorancia de sí? Saber es saber que se sabe, decía Alain. Digamos más bien: todo saber es conciencia de saber. Así, las resistencias del enfermo implican, al nivel de la censura, una representación de lo reprimido en tanto que tal, una comprensión de la meta hacia la cual tienden las preguntas del analista y un acto de conexión sintética por el cual compare la *verdad* del complejo reprimido a la hipótesis psicoanalítica que lo encara. Y estas diversas operaciones, a su vez, implican que la censura es consciente (de) sí. Pero, ¿de qué tipo puede ser la conciencia (de) sí de la censura? Es preciso que sea conciencia (de) ser conciencia de la tendencia a reprimir, pero precisamente *para no ser conciencia de eso*. ¿Qué significa esto, sino que la censura debe ser de mala fe? El psicoanálisis no nos ha hecho ganar nada, pues, para suprimir la mala fe, ha establecido entre el inconsciente y la conciencia una conciencia autónoma y de mala fe. Sus esfuerzos por establecer una verdadera dualidad –y hasta una trinidad (Es, Ich, Ueberich que se expresa por la censura)– no han concluido sino en una terminología verbal. La esencia misma de la idea reflexiva de "disimular*se*" alguna cosa implica la unidad de un mismo psiquismo y, por consiguiente, una doble actividad en el seno de la unidad, tendiente, por una parte, a mantener y señalar lo que ha de ocultarse y, por otra parte, a rechazarlo y velarlo; cada uno de los dos aspectos de esa actividad es complementario del otro, es decir, que lo implica en su ser. Separando por la censura lo consciente de lo inconsciente, el psicoanálisis no ha logrado disociar las dos fases del acto, ya que la libido es un conato ciego hacia la expresión consciente y el fenómeno consciente es un resultado pasivo y falaz: simplemente, ha localizado esa doble actividad de repulsión y de atracción al nivel de la censura. Falta, por otra parte, para dar cuenta de la unidad del fenómeno total (represión de la tendencia que se disfraza y "pasa" bajo forma simbólica), establecer conexiones comprensibles entre sus diversos momentos. ¿Cómo puede "disfrazarse" la tendencia reprimida, si no implica: 1° la conciencia de ser reprimida; 2° la conciencia de haber sido rechazada por ser lo que es; 3° un proyecto de disfraz? Ninguna teoría mecánica de la condensación o de la transferencia puede explicar esas modificaciones cuya tendencia es afectada por sí misma, pues la descripción del proceso de disfraz implica recurrir veladamente a la finalidad. Y, análogamente, ¿cómo dar cuenta del placer o de la angustia que acompañan a la gratificación simbólica y consciente de la tendencia, si la conciencia no incluye, más allá de la censura, una oscura comprensión de la meta en cuanto simultáneamente deseada y prohibida? Por haber rechazado la unidad consciente de lo psíquico, Freud se ve obligado a sobrentender por doquiera una unidad mágica que vincula los fenómenos a distancia y por encima de los obstáculos, como la participación primitiva une a la persona embrujada con la figurilla de cera conformada a su imagen. El "Trieb"[1] inconsciente está afectado, por participación, del carácter de "reprimido" o "maldito" que se extiende a través de él, lo colora y provoca mágicamente sus simbolizaciones. Análogamente, el fenómeno consciente está íntegramente coloreado por su sentido simbólico, bien que no pueda aprehender este sentido por sí mismo y en la conciencia clara. Pero, aparte su inferioridad de principio, la explicación por la magia no suprime la coexistencia –al nivel inconsciente, al nivel de la censura y al de la conciencia– de dos estructuras contradictorias y complementarias, que se implican y se destruyen recíprocamente. Se ha hipostasiado y "cosificado", pero no evitado, la mala fe. Esto ha

---

[1] Pulsión instintiva. En el original: "La Triebe" (?). (N. del T.)

inclinado a un psiquiatra vienés, Steckel, a separarse de la obediencia psicoanalítica y a escribir, en *La mujer frígida*:[1] "Cada vez que
he podido llevar suficientemente lejos mis investigaciones, he comprobado que el núcleo de la psicosis era consciente". Por lo demás,
los casos que refiere en esta obra atestiguan una mala fe patológica
de que el freudismo sería incapaz de dar razón. Se tratará, por
ejemplo, de mujeres a quienes una decepción conyugal ha vuelto frígidas, es decir, que logran enmascararse el goce que el acto sexual
les procura. Se advertirá, en primer término, que no se trata de
disimularse ante ellas mismas complejos profundamente hundidos
en tinieblas semifisiológicas, sino conductas objetivamente verificables que ellas no pueden no registrar en el momento mismo en
que las ejercen: a menudo, en efecto, el marido revela a Steckel
que su mujer ha dado señales objetivas de placer, y, la mujer, inte-
rrogada, se empeña con toda vehemencia en negar precisamente esas
señales. Se trata de una actividad de *distracción*. Del mismo modo, las
confesiones que Steckel sabe provocar nos enseñan que esas mujeres patológicamente frígidas se aplican a distraerse de antemano de
ese placer que temen: muchas, por ejemplo, en el momento del
acto sexual, desvían sus pensamientos hacia sus ocupaciones cotidianas, hacen las cuentas domésticas. ¿Quién va a hablar aquí de
inconsciente? Empero, si la mujer frígida *distrae* así su conciencia del
placer que experimenta no es de modo cínico y en pleno acuerdo
consigo misma, sino *para demostrarse* que es frígida. Estamos, efectivamente, ante un fenómeno de mala fe, puesto que los esfuerzos
intentados para no adherirse al placer experimentado implican el
reconocimiento de que se ha experimentado el placer y, precisamente, lo implican *para negarlo*. Pero no estamos ya en el campo
del psicoanálisis. Así, por una parte, la explicación por lo inconsciente, por el hecho de que rompe la unidad psíquica, no puede
dar razón de los fenómenos que, a primera vista, parecen pertene-
cerle. Y, por otra parte, existe una infinidad de conductas de mala
fe que rechazan explícitamente ese tipo de explicación, porque por
esencia implican que no pueden aparecer sino en la translucidez
de la conciencia. Encontramos nuevamente, intacto, el problema
que habíamos intentado eludir.

[1]   [Trad. fr.] Nouvelle Revue Française.

II

Las conductas de mala fe

Si queremos salir de nuestra perplejidad, conviene examinar más de cerca las conductas de mala fe e intentar una descripción, que nos permitirá quizá fijar con mayor nitidez las condiciones de posibilidad de esa mala fe, es decir, responder a nuestra pregunta del comienzo: "¿Qué ha de ser el hombre en su ser, si ha de poder ser de mala fe?"

He aquí, por ejemplo, una mujer que ha acudido a una primera cita. Sabe muy bien las intenciones que el hombre que le habla abriga respecto de ella. Sabe también que, tarde o temprano, deberá tomar una decisión. Pero no quiere sentir la urgencia de ello: se atiene sólo a lo que ofrece de respetuoso y de discreto la actitud de su pareja. No capta esta conducta como una tentativa de establecer lo que se llama "los primeros contactos", es decir, no quiere ver las posibilidades de desarrollo temporal que esa conducta presenta: limita ese comportamiento a lo que es en el presente; no quiere leer en las frases que se le dirigen otra cosa que su sentido explícito, y si se le dice: "Tengo tanta admiración por usted...", ella desarma esta frase de su trasfondo sexual; adjudica a los discursos y a la conducta de su interlocutor significaciones inmediatas, que encara como cualidades objetivas. El hombre que le habla le parece sincero y respetuoso como la mesa es redonda o cuadrada, como el tapizado de la pared es gris o azul. Y las cualidades así adjudicadas a la persona a quien escucha se han fijado entonces en una permanencia cosista que no es sino la proyección del estricto presente en el flujo temporal. Pues ella no se da entera a lo que desea: es profundamente sensible al deseo que inspira, pero el deseo liso y llano la humillaría y le causaría horror. Empero, no hallaría encanto alguno en un respeto que fuera respeto únicamente. Para satisfacerla, es menester un sentimiento que se dirija por entero a su *persona*, es decir, a su libertad plenaria, y que sea un reconocimiento de su libertad. Pero es preciso, a la vez, que ese sentimiento sea íntegramente deseo, es decir, que se dirija a su cuerpo en tanto que objeto. Esta vez, pues, se niega a captar el deseo como lo que es, no le da ni siquiera nombre, no lo reconoce sino en la medida en que el deseo se transciende hacia la admiración, la estima, el respeto, y en que se absorbe enteramente en las formas más elevadas producidas por él, hasta el punto de no figurar en ellas ya sino como una especie de calidez y densidad. Pero he aquí que le cogen la mano. Este acto de su interlocutor arriesga mudar la situación, provocando una decisión inmediata: abandonar la mano es consentir por sí misma al flirt, es comprometerse; retirarla es romper la armonía tórbida e inestable que constituye el encanto de esa hora. Se trata de retrasar lo más posible el instante de la decisión. Sabido es lo que se produce entonces: la joven abandona su mano, pero *no percibe* que la abandona. No lo percibe porque, casualmente, ella es en ese instante puro espíritu: arrastra a su interlocutor hasta las regiones más elevadas de la especulación sentimental; habla de la vida, de su vida, se muestra en su aspecto esencial: una persona, una conciencia. Y, entre tanto, se ha cumplido el divorcio del cuerpo y del alma: la mano reposa inerte entre las manos cálidas de su pareja: ni consentidora ni resistente: una cosa.

Diremos que esa mujer es de mala fe. Pero vemos en seguida que para mantenerse en esa mala fe usa diferentes procedimientos. Ha desarmado las conductas de su pareja reduciéndolas a no ser sino lo que son, es decir, a existir en el modo del en-sí. Pero se permite disfrutar del deseo de él, en la medida en que lo capte como no siendo lo que es, es decir, en que le reconocerá su trascendencia. Por último, sin dejar de sentir profundamente la presencia de su propio cuerpo –quizás hasta el punto de turbarse–, se realiza como *no siendo* su propio cuerpo, y lo contempla desde arriba, como un objeto pasivo al cual pueden *acaecer* sucesos pero que es incapaz de provocarlos ni evitarlos porque todos sus posibles están fuera de él. ¿Qué unidad encontramos en esos diferentes aspectos de la mala fe? Es cierto arte de formar conceptos contradictorios, es decir, que unen en sí una idea y la negación de esta idea. El concepto de base así engendrado utiliza la doble propiedad del ser humano, de ser una *facticidad y una trascendencia*. Estos dos aspectos de la realidad humana, en verdad, son y deben ser susceptibles de una coordinación válida. Pero la mala fe no quiere ni coordinarlos ni superarlos en una síntesis. Para ella se trata de afirmar la identidad de ambos conservándoles sus diferencias. Es preciso afirmar la facticidad como *siendo* la trans-cendencia y la transcendencia como *siendo* la facticidad, de mane-ra que se pueda, en el instante en que se capta la una, encontrarse bruscamente frente a la otra. El prototipo de las fórmulas de mala fe nos será dado por ciertas frases célebres que han sido concebi-das justamente, para producir todo su efecto, con un espíritu de mala fe. Es conocido, por ejemplo, este título de una obra de Jacques Chardonne: *L'amour, c'est beacoup plus que l'amour. [El amor es mucho más que amor].* Se advierte aquí cómo se realiza la unidad entre el amor *presente* en su facticidad, "contacto de dos epidermis", sensualidad, egoísmo, mecanismo proustiano de los celos, lucha adleriana de los sexos, etc., y el amor como *trascendencia*, el "río de fuego" de Mauriac, el llamado del infinito, el eros platónico, la sorda intuición cósmica de Lawrence, etc. Aquí se parte de la fac-ticidad para encontrarse de súbito, allende el presente y la condi-ción de hecho del hombre, allende lo psicológico, en plena metafísica. Al contrario, este título de una pieza de Sarment: *Je suis trop grand pour moi [Soy demasiado grande para mí],* que presen-ta también los caracteres de la mala fe nos arroja primero en ple-na trascendencia para aprisionarnos de súbito en los estrechos límites de nuestra esencia de hecho. Se encuentran las mismas estructuras en la frase célebre: "Se ha convertido en lo que era", o en su anverso, no menos famoso: "Tel qu'en lui même enfin l'é-ternité le change" [Como la eternidad lo convierte en él mismo].[1] Por supuesto, esas diversas fórmulas no tienen sino la *apariencia* de la mala fe, han sido concebidas explícitamente con esa forma paradójica para sorprender el ánimo y desconcertarlo con un enig-ma. Pero precisamente esa apariencia es lo que nos importa. Lo que cuenta aquí es que esas fórmulas no constituyen nociones nuevas y sólidamente estructuradas; al contrario, están construidas de manera de permanecer en desagregación perpetua, para hacer posible un perpetuo deslizamiento del presente naturalista a la tras-cendencia, y viceversa. Se ve, en efecto, el uso que la mala fe pue-de hacer de todos esos juicios tendientes a establecer que yo no soy lo que soy. Si yo no fuera sino lo que *soy*, podría, por ejem-plo, encarar seriamente ese reproche que se me formula, interro-

---

[1] Verso de Mallarmé. (N. del T.)

garme con escrúpulo, y acaso me vería obligado de reconocer su verdad. Pero, precisamente, por la trascendencia me hurto a todo lo que soy. Ni siquiera tengo que discutir si el reproche está bien o mal fundado, en el sentido en que Susana dice a Fígaro: "Demostrar que tengo razón sería reconocer que puedo estar equivocada". Estoy en un plano en que ningún reproche puede alcanzarme, puesto que lo que yo verdaderamente *soy* es mi trascendencia; huyo, me escapo, dejo mi harapo entre las manos del sermoneador. Sólo que la ambigüedad necesaria para la mala fe procede de afirmar que *soy* mi transcendencia en el modo de ser de la cosa. Y sólo así, en efecto, puedo sentirme evadido de todos esos reproches. En este sentido, nuestra joven purifica al deseo de todo cuanto tiene de humillante, al no querer considerar sino su pura trascendencia, que hasta le evita el tener que nombrarlo. Pero, inversamente, el "je suis trop grand pour moi", al mostramos la trascendencia mudada en facticidad, es la fuente de una infinidad de excusas para nuestros fracasos o debilidades. Análogamente, la joven coqueta mantiene la trascendencia en la medida en que el respeto y la estima manifestados por las conductas de su pretendiente están ya en el plano de lo trascendente. Pero ella detiene esa trascendencia ahí, la empasta con toda la facticidad del presente: el respeto no es otra cosa que respeto, es un trascender fijado, que no se trasciende ya hacia nada.

Pero este concepto metaestable de "trascendencia-facticidad", si bien es uno de los instrumentos de base de la mala fe, no es único en su género. Se utilizará igualmente otra duplicidad de la realidad humana, que expresaremos en grueso diciendo que su ser-para-sí implica complementariamente un ser-para-otro. En una cualquiera de mis conductas siempre me es posible hacer convergir dos miradas, la mía y la del prójimo. Y, precisamente, la conducta no presentará la misma estructura en un caso y en el otro. Pero, como veremos más tarde, y como cada cual lo siente, no hay entre esos dos aspectos de mi ser una diferencia de apariencia a ser, como si yo fuera para mí mismo la verdad de mí mismo y como si el prójimo no poseyera de mí sino una imagen deformada. La igual dignidad de ser de mi ser para el prójimo y de mi ser para mí mismo permite una síntesis perpetuamente desagregativa y un juego de evasión perpetua del para-sí al para-otro y del para-otro al para-sí. Se ha visto también el empleo que hacía aquella joven de nuestro ser-en-medio-del-mundo, es decir, de nuestra presencia inerte de objeto pasivo entre otros objetos, para descargarse de pronto de las funciones de su ser-en-el-mundo, es decir, del ser que, proyectándose allende el mundo hacia sus propias posibilidades, hace que haya un mundo. Señalemos, por último, las síntesis confusionales que juegan con la ambigüedad nihilizadora de los tres ék-stasis temporales, afirmando a la vez que soy lo que he sido (el hombre que *se detiene* deliberadamente en un período de su vida y se niega a tomar en consideración los cambios ulteriores) y que no soy lo que he sido (el hombre que, frente a los reproches o al rencor, se desolidariza totalmente de su pasado insistiendo en su libertad y en su *re*-creación perpetua). En todos estos conceptos, que no tienen sino un papel transitivo en los razonamientos y que son eliminados de la conclusión, como los imaginarios en el cálculo de los físicos, encontramos siempre la misma estructura: se trata de constituir la realidad humana como un ser que es lo que no es y que no es lo que es.

Pero ¿qué es menester precisamente para que estos conceptos de desagregación puedan recibir hasta una falsa apariencia de existencia, para que puedan aparecer a la conciencia un instante, así sea en un proceso de evanescencia? Un rápido examen de la idea de sinceridad, la antítesis de la mala fe, será muy instructivo a ese respecto. En efecto, la sinceridad se presenta como una exigencia y, por lo tanto, no es un *estado*. Pero ¿cuál es el ideal que se procura alcanzar en ese caso? Es menester que el hombre no sea *para él mismo* sino lo que *es*; en una palabra, que sea plena y únicamente lo que *es*. Pero, ¿no es ésta, precisamente, la definición del en-sí, o, si se prefiere, el principio de identidad? Poner como ideal el ser de las cosas, ¿no es confesar a la vez que ese ser no pertenece a la realidad humana y que el principio de identidad, lejos de ser un axioma universalmente universal, no es sino un principio sintético que goza de una universalidad simplemente regional? Así, para que los conceptos de mala fe puedan, siquiera un instante, crearnos una ilusión; para que la franqueza de los "corazones puros" (Gide, Kessel) pueda valer para la realidad humana como ideal, es menester que el principio de identidad no represente un principio constitutivo de la realidad humana; es menester que la realidad humana no sea necesariamente lo que es, y pueda ser lo que no es. ¿Qué significa esto?

Si el hombre es lo que es, la mala fe es para siempre jamás imposible y la franqueza deja de ser su ideal para convertirse en su ser; pero, ¿el hombre es lo que es?; y, de manera general: ¿cómo se puede *ser* lo que se es, cuando se es como conciencia de ser? Si la franqueza o sinceridad es un valor universal, cae de su peso que su máxima: "es preciso ser lo que se es", no sirve únicamente de principio regulador para los juicios y los conceptos por los cuales expreso lo que soy. Esa máxima no formula simplemente un ideal del conocer sino un ideal de *ser;* nos propone una adecuación absoluta del ser consigo mismo como prototipo de ser. En este sentido, es preciso que nos *hagamos ser* lo que somos. Pero, ¿qué *somos*, pues, si tenemos la obligación constante de hacernos ser lo que somos, si somos en el modo de ser del deber ser lo que somos? Consideremos a ese mozo de café. Tiene el gesto vivo y marcado, algo demasiado exacto, algo demasiado rápido; acude hacia los parroquianos con paso un poco demasiado vivo, se inclina con presteza algo excesiva; su voz, sus ojos expresan un interés quizá excesivamente lleno de solicitud por el encargo del cliente; en fin, he aquí que vuelve, queriendo imitar en su actitud el rigor inflexible de quién sabe qué autómata, no sin sostener su bandeja con una suerte de temeridad de funámbulo, poniéndola en un equilibrio perpetuamente inestable, perpetuamente roto y perpetuamente restablecido con un leve movimiento del brazo y de la mano. Toda su conducta nos parece un juego. Se aplica a engranar sus movimientos como si fuesen mecanismos regidos los unos por los otros, su mímica y su voz mismas parecen mecanismos; se imparte la presteza y la rapidez inexorable de las cosas. Juega, se divierte. Pero, ¿a qué juega? No hay que observarlo mucho para darse cuenta: juega *a ser* mozo de café. No hay en ello de qué sorprenderse: el juego es una especie de demarcamiento e investigación. El niño juega con su cuerpo para explorarlo, para inventariarlo; el mozo de café juega con su condición para *realizarla.* Esta obligación no difiere de la que se impone a todos los comerciantes: su condición está hecha de pura ceremonia, el público reclama de ellos que la realicen como ceremonia; existe la danza del almacenero, del sastre, del tasador, por la cual se esfuerzan por persuadir a sus clientelas de que no son nada más que un almacenero, un tasador, un sastre. Un almacenero perdido en sueños es ofensivo para el comprador, pues no es ya completamente almacenero. La cortesía exige que se circunscriba a su función de almacenero, como el soldado que presenta armas y se hace cosa-soldado con una mirada directa pero que no ve, que no está hecha ya para ver, pues el reglamento y no el interés momentáneo determina el punto en que debe fijarla (la mirada "fija a diez pasos de distancia"). ¡Cuántas precauciones para aprisionar al hombre en lo que es! Como si viviéramos con el perpetuo temor de que se escape, de que desborde y eluda de repente su condición. Pero lo que ocurre es que, paralelamente, el mozo de café no puede ser mozo de café desde dentro e inmediatamente, en el sentido de que este tintero *es* tintero, o el vidrio *es* vidrio. No es que no pueda formar juicios reflexivos o conceptos sobre su condición. Él sabe bien lo que ésta "significa": la obligación de levantarse a las cinco, de barrer el piso del despacho antes de abrir, de poner en marcha la cafetera, etc. Conoce los derechos que ella importa: el derecho a la propina, los derechos sindicales, etc. Pero todos estos conceptos, todos estos juicios, remiten a lo transcendente. Se trata de posibilidades abstractas, de derechos y deberes conferidos a un "sujeto de derecho". Y precisamente es éste el sujeto que yo *debo-de-ser* y que no soy. No que yo no quiera serlo ni que sea otro. Más bien, no hay medida común entre su ser y el mío. Él es una "representación" para los otros y para mí mismo, lo que significa que no puedo serlo sino *en representación*. Pero, precisamente, si me lo represento, no lo soy; estoy separado de él como el objeto del sujeto, separado *por nada*, pero este *nada* me aísla de él, yo no puedo serlo, no puedo sino *jugar a serlo*, es decir, imaginarme que lo soy. Y, por eso mismo, lo afecto de nada. Por mucho que cumpla mis funciones de mozo de café, no puedo serlo sino en el modo neutralizado, como el actor es Hamlet, haciendo mecánicamente los *gestos típicos* de mi estado y encarándome como mozo de café imaginario a través de esos gestos tomados como "análogon".[1] Lo que intento realizar es un ser-en-sí del mozo de café,

---

[1] Cf. *L'imaginaire*, 1939; Conclusión.

como si no estuviera justamente en mi poder conferir a mis deberes y derechos de estado su valor y su vigencia, como si no fuera de mi libre elección el levantarme todas las mañanas a las cinco o quedarme en la cama, a riesgo de hacerme despedir. Como si, por el hecho mismo de que mantengo en existencia ese papel, no lo transcendiera de parte a parte, no me constituyera como un *más allá* de mi condición. Empero, no cabe duda de que *soy* en cierto sentido un mozo de café; si no, ¿no podría llamarme igualmente diplomático o periodista? Pero, si lo soy, no puede ser en el modo del ser-en-sí. Lo soy en el modo de *ser lo que no soy.* No se trata solamente, por otra parte, de las condiciones sociales; no soy jamás ninguna de mis actitudes, ninguna de mis conductas. El locuaz es el que *juega* a la locuacidad porque no puede *ser elocuente;* el alumno atento que quiere *ser* atento, los ojos clavados en el maestro y todo orejas, se agota hasta tal punto en jugar a la atención que acaba por no escuchar nada. Perpetuamente ausente de mi cuerpo, de mis actos, soy, a despecho de mí mismo, esa "divina ausencia" de que habla Valéry. No puedo decir ni que *soy* el que está aquí ni que no lo *soy*, en el sentido en que se dice: "lo que está sobre esa mesa *es* una caja de fósforos"; ni que *soy* el que está de pie ni el que está sentado; sería confundir mi cuerpo con la totalidad idiosincrática de la cual mi cuerpo no es sino una de las estructuras. Por todas partes escapo al ser y, sin embargo, soy.

Pero he aquí un modo de ser que no concierne más que a mí: en este momento soy un hombre triste. Esta tristeza que soy, ¿no la soy en el modo de ser lo que soy? Empero, ¿qué es ella, sino la unidad intencional que viene a reunir y animar al conjunto de mis conductas? Es el sentido de este mirar empañado que lanzo sobre el mundo, de estos hombros agobiados, de esta cabeza que agacho, de esta flojedad de mi cuerpo todo. Pero, ¿acaso no sé, en el momento mismo en que ejerzo cada una de estas conductas, que podría no ejercerla? Si de pronto apareciera un extraño, yo erguiría la cabeza, retomaría mi aire activo y vivaz; ¿qué quedaría de mi tristeza, sino el haberle dado complacientemente cita para dentro de un rato, después que se haya ido el visitante? Esa tristeza misma, ¿no es, por otra parte, una *conducta*? ¿No es la conciencia que se afecta a sí misma de tristeza como recurso mágico contra una situación demasiado urgente?.[1] Y, aun en este caso, sentirse triste, ¿no es, ante todo, hacerse triste? Bien, se dirá; pero, darse *el ser* de la tristeza, ¿no es, a pesar de todo, *recibir* ese ser? Poco importa, al fin y al cabo, de dónde lo reciba. El hecho es que una conciencia que se afecta de tristeza es triste, precisamente a causa de ello. Pero es comprender mal la naturaleza de la conciencia: el ser-triste no es un ser ya hecho que me doy, como puedo dar este libro a mi amigo. No tengo cualificación para *afectarme de ser.* Si me hago triste, debo hacerme triste de un extremo a otro de mi tristeza; no puedo aprovechar el impulso adquirido y dejar seguir andando a mi tristeza sin recrearla ni sostenerla, a modo de un cuerpo inerte que prosigue su movimiento después del choque inicial: no hay inercia alguna en la conciencia. Si me hago triste, eso significa que no lo *soy*: el ser de la tristeza me escapa por el acto y en el acto mismo por el cual me afecto de él. El ser-en-sí de la tristeza infesta perpetuamente mi conciencia (de) ser triste, peso como un valor que no puedo realizar, como un sentido regulador de mi tristeza, no como su modalidad constitutiva.

¿Se dirá que mi conciencia, por lo menos, *es*, cualquiera que sea el objeto o el estado de que se haga conciencia? Pero, ¿cómo distinguir de la tristeza mi conciencia (de) ser triste? ¿No es todo uno? Cierto que, en cierta manera, mi conciencia *es*, si se entiende por ello que mi conciencia forma parte para el prójimo de la totalidad de ser sobre la cual pueden formularse juicios. Pero ha de hacerse notar, como bien lo ha visto Husserl, que mi conciencia aparece originariamente al prójimo como una ausencia... Es el objeto siempre presente como *sentido* de todas mis actividades y conductas, y siempre ausente, pues se da a la intuición ajena como una perpetua cuestión o, mejor aún, como una perpetua libertad. Cuando Pedro me mira, sé, sin duda, que me mira; sus ojos –cosas del mundo– están fijos en mi cuerpo –cosa del mundo–; he aquí el hecho objetivo, del cual puedo decir que *es*. Pero es también un hecho *del mundo*. El sentido de esta mirada no lo es: y eso es lo que me desasosiega: por mucho que haga –sonrisas, promesas, amenazas–, nada puede *disparar* la aprobación, el libre juicio que estoy buscando; sé que está siempre más allá, lo

---

[1] *Esquisse d'une théorie des émotions*, Herman Paul, París.

siento en mis propias conductas, las cuales no tienen ya el carácter *operario* que mantienen respecto de las cosas; las cuales no son ya para mí mismo, en la medida en que las refiero a un prójimo, sino simples *presentaciones*, y aguardan ser constituidas en agraciadas o desgraciadas, sinceras o insinceras, etc., por una aprehensión que está siempre más allá de todos mis esfuerzos por provocarla, que no será jamás provocada por esos esfuerzos a menos que ella, por sí misma, les preste su fuerza; que no es sino en tanto que ella misma se haga provocar por el exterior; *que es como su propia mediadora con lo trascendente.* Así, el hecho objetivo del ser-en-sí de la conciencia ajena se pone para desvanecerse en negatividad y libertad: la conciencia ajena *es* como no siendo; su ser-en-sí de "aquí" y de ahora consiste en no ser.

La conciencia del prójimo es lo que no es.

Y, por otra parte, mi propia conciencia no se me aparece en su ser como la conciencia ajena. Mi conciencia es porque se hace, ya que su ser es conciencia de ser. Pero esto significa que el hacer sostiene al ser; la conciencia debe-de-ser su propio ser; no está nunca sostenida por el ser, pues ella sostiene al ser en el seno de la subjetividad; lo que significa, una vez más, que está habitada por el ser pero que no es el ser: *ella no es lo que es.*

En estas condiciones, ¿qué significa el ideal de sinceridad sino una tarea irrealizable, cuyo sentido mismo está en contradicción con la estructura de mi conciencia? Ser sincero, decíamos, es ser lo que se es. Esto supone que no soy originariamente lo que soy. Pero aquí, naturalmente, está sobrentendido el "debes, por lo tanto, puedes" de Kant. Puedo *llegar a ser* sincero: he aquí lo que implican mi deber y mi esfuerzo de sinceridad. Pero, precisamente, comprobamos que la estructura original del "no ser lo que se es" hace imposible de antemano todo devenir hacia el ser en sí o "ser lo que se es". Y esta imposibilidad no queda enmascarada a la conciencia; al contrario, esa imposibilidad es el material mismo de la conciencia; es el desasosiego constante que experimentamos, es nuestra incapacidad misma de reconocernos, de constituirnos como siendo lo que somos: es esa necesidad por la cual, desde que nos ponemos como un cierto ser por un juicio legítimo fundado sobre la experiencia interna o correctamente deducido de premisas *a priori* o empíricas, por esa posición misma trascendemos ese ser,: y lo trascendemos no hacia otro ser, sino hacia el vacío, hacia el *nada*. ¿Cómo, entonces, podemos reprochar al prójimo no ser sincero, o complacernos en nuestra sinceridad, puesto que esta sinceridad nos aparece a la vez como imposible? ¿Cómo podemos ni aun esbozar, en el discurso, en la confesión, en el examen de conciencia, un esfuerzo de sinceridad, ya que este esfuerzo estará destinado por esencia al fracaso y, al mismo tiempo que lo anunciamos, tenemos una comprensión prejudicativa de su inanidad? En efecto, cuando me examino se trata de que determine exactamente lo que soy, para resolverme a serlo sin rodeos; tal vez para ponerme, después, en busca de los medios aptos para cambiarme. Pero ¿qué significa esto, sino que se trata de que me constituya como una cosa? ¿Determinaré el conjunto de motivos y móviles que me han llevado a realizar tal o cual acción? Pero es ya postular un determinismo causal que constituye al flujo de mis conciencias como una serie de estados físicos. ¿Descubriré en mí "tendencias", así sea para confesármelas avergonzado? Pero ¿no es olvidar deliberadamente que esas tendencias se realizan con mi concurso, que no son fuerzas de la naturaleza sino que yo les presto su eficacia por una perpetua decisión sobre su valor? ¿Formularé un juicio sobre mi carácter, sobre mi naturaleza? ¿No es ello ocultarme en el mismo instante lo que, por lo demás, ya sé: que juzgo así un pasado al cual mi presente escapa por definición? La prueba está en que el mismo individuo que, en la sinceridad, pone que él es lo que de hecho era, se indigna contra el rencor ajeno y trata de desarmarlo afirmando que no será más en adelante lo que ha sido. Admira y aflige que las sanciones del tribunal caigan sobre un hombre que, en su nueva libertad, *no es más* el culpable que era; pero, a la vez, se exige de ese hombre que se reconozca como *siendo* ese culpable. ¿Qué es, entonces, la sinceridad, sino precisamente un fenómeno de mala fe? ¿No hemos mostrado, en efecto, que en la mala fe se trata de constituir la realidad humana como un ser que es lo que no es y no es lo que es?

Un homosexual tiene a menudo un intolerable sentimiento de culpabilidad, y su existencia entera se determina con relación a ese sentimiento. Uno tenderá a augurar que es de mala fe. Y, en efecto, con frecuencia ocurre que ese hombre, sin dejar de reconocer su inclinación homosexual, sin dejar de confesar una a una cada falta singular que ha cometido, se niega con todas sus fuerzas a considerarse como un *pederasta*. Su caso es siempre "aparte", singular; intervienen elementos de juego, de azar, de mala suerte; son errores pasados; se explican por cierta concepción de la belleza que no pueden satisfacer las mujeres; ha de verse en ello más bien los efectos de una inquieta búsqueda que las manifestaciones de una tendencia profundamente arraigada, etc., etc. He ahí, ciertamente, un hombre cuya mala fe frisa en lo cómico, ya que, reconociendo todos los hechos que se le imputan, se niega a sacar la consecuencia que se impone. Así, su amigo, que es su más severo censor, se irrita por semejante duplicidad: el censor no pide sino una cosa, y acaso entonces se mostrará indulgente: que el culpable se reconozca culpable, que el homosexual declare sin rodeos –no importa si humilde o reivindicativo–: *Soy un pederasta*. Ahora preguntamos: ¿Quién es de mala fe: el homosexual o el campeón de la sinceridad? El homosexual reconoce sus faltas, pero lucha con todas sus fuerzas contra la aplastante perspectiva de que sus errores le constituyan un *destino*. No quiere dejarse considerar como una cosa; tiene la oscura y fuerte comprensión de que un homosexual no es homosexual como esta mesa es mesa o como este pelirrojo es pelirrojo. Le parece escapar a todo error una vez que pone el error y lo reconoce; más aún: que la curación psíquica, por sí misma, lo lava de cada falta, le constituye un porvenir indeterminado, lo hace renacer como nuevo. ¿Yerra? ¿No reconoce, por sí mismo, el carácter singular e irreductible de la realidad humana? Su actitud encierra, pues, una innegable comprensión de la verdad. Pero, a la vez, tiene necesidad de ese perpetuo renacer, de esa constante evasión, para vivir: le es preciso ponerse constantemente fuera de alcance para evitar el terrible juicio de la colectividad. Así, juega con la palabra ser. En efecto, tendría razón si esta frase: "Yo no soy pederasta", la entendiera en el sentido de "Yo no soy lo que soy"; es decir, si declarara: "En la medida en que una serie de conductas se definen como conductas de pederasta, y en que yo he asumido esas conductas, soy un pederasta. En la medida en que la realidad escapa a toda definición por conductas, no lo soy". Pero se desliza solapadamente hacia otra acepción de la palabra "ser", en el sentido de "no ser en sí".

Declara "no ser pederasta" en el sentido en que esta mesa *no es* un tintero. Y, así, es de mala fe.

Pero el campeón de la sinceridad no ignora la trascendencia de la realidad humana y sabe, si es preciso, reivindicarla en provecho propio. Hasta usa de ella y la pone en su exigencia presente: ¿no quiere, acaso, en nombre de la sinceridad –por lo tanto, de la libertad–, que el homosexual se vuelva sobre sí mismo y se reconozca homosexual? ¿No da a entender que tal confesión le atraerá la indulgencia? ¿Y qué significa esto, sino que el hombre que se reconozca homosexual no será más *el mismo* que el homosexual que reconoce ser y se evadirá a la región de la libertad y de la buena voluntad? Le exige, pues, ser lo que es para no ser más lo que es. Tal el sentido profundo de la frase: "Pecado confesado, medio perdonado". Reclama del culpable que se constituya como una cosa, precisamente, para no tratarlo más como cosa. Y esta contradicción es constitutiva de la exigencia de sinceridad. En efecto: ¿quién no ve lo que hay de ofensivo para el prójimo y de tranquilizador para mí, en una frase como: "¡Bah! Es un pederasta", que cancela de un plumazo una inquietante libertad y, desde ese momento, tiende a constituir todos los actos del prójimo como consecuencias que fluyen rigurosamente de su esencia? He ahí, empero, lo que el censor exige de su víctima: que se constituya a sí misma como cosa, que le entregue en feudo su libertad, para que él se la devuelva en seguida como un soberano a su vasallo. El campeón de la sinceridad, en la medida en que quiere en verdad tranquilizarse cuando pretende juzgar, en la medida en que exige a una libertad constituirse, en tanto que libertad, como cosa, es de mala fe. Se trata aquí sólo de un episodio de esa lucha a muerte de las conciencias que Hegel denomina "la relación de amo a esclavo". Uno se dirige a una conciencia para exigirle, en nombre de su naturaleza de conciencia, destruirse radicalmente como conciencia, haciéndole esperar, más allá de esta destrucción, un renacer.

Sea, se dirá. Pero nuestro hombre abusa de la sinceridad para hacer de ella un arma contra el prójimo. No hay que ir en busca de la sinceridad en las relaciones del *mit-sein*, sino allí donde se da pura, en las relaciones de uno consigo mismo. Pero, ¿quién no ve que la sinceridad objetiva se constituye de la misma manera?

¿Quién no ve que el hombre sincero se constituye como una cosa, precisamente, para escapar a esta condición de cosa por el acto mismo de sinceridad? El hombre que se confiesa ser malvado ha trocado su inquietante "libertad-para-el-mal" por un carácter inanimado de malvado: él *es* malvado, se adhiere a sí, es lo que es. Pero, al mismo tiempo, se evade de esta *cosa*, ya que es él quien la contempla, ya que de él depende mantenerla bajo su mirada o dejarla desmoronarse en una infinidad de actos particulares. Se hace un *mérito* de su sinceridad, y el hombre meritorio no es el malvado en tanto que malvado, sino en tanto que está más allá de su maldad. A la vez, la maldad queda desarmada, ya que no es nada excepto en el plano del determinismo y ya que, al confesarla, pongo mi libertad frente a ella; mi porvenir es virgen, todo me está permitido. Así, la estructura esencial de la sinceridad no difiere de la de la mala fe, ya que el hombre sincero se constituye como lo que es *para no serlo*. Esto explica la verdad, reconocida por todos, de que se puede llegar a ser de mala fe a fuerza de ser sincero. Sería, dice Valéry, el caso de Stendhal. La sinceridad total y constante como constante esfuerzo por adherirse a sí mismo es, por naturaleza, un constante esfuerzo por desolidarizarse de consigo mismo; uno se libera de sí por el acto mismo por el cual se hace objeto para sí. Inventariar perpetuamente lo que se es es renegar constantemente de sí y refugiarse en una esfera en que no se es ya nada más que una pura y libre mirada. La mala fe, decíamos, tiene por objetivo ponerse fuera de alcance; es una huida. Verificamos ahora que es menester utilizar los mismos términos para definir la sinceridad. ¿Y entonces?

Lo que ocurre es que, en última instancia, el objetivo de la sinceridad y el de la mala fe no son tan diferentes. Por cierto, hay una sinceridad que se refiere al pasado y que aquí no nos interesa: soy sincero si confieso *haber tenido* tal o cual placer o tal o cual intención. Veremos que, si esta sinceridad es posible, ello se debe a que, en su caída al pasado, el ser del hombre se constituye como un ser en sí. Pero sólo nos interesa ahora la sinceridad que se encara a sí misma en la inmanencia presente. ¿Cuál es su objetivo? Hacer que me confiese lo que soy para coincidir finalmente con mi ser; en una palabra, hacerme ser en el modo del en-sí lo que soy en el modo del "no ser lo que soy". Y su postulado es que soy ya, en el fondo, en el modo del en-sí, lo que he de ser. Así, encontramos en el fondo de la sinceridad un incesante juego de espejo y de reflejo, un perpetuo tránsito del ser que es lo que es al ser que no es lo que es e, inversamente, del ser que no es lo que es al ser que es lo que es. ¿Y cuál es el objetivo de la mala fe? Hacerme ser lo que soy en el modo del "no ser lo que se es" o no ser lo que soy en el modo del "ser lo que se es". Encontramos aquí el mismo juego de espejos. Pues, en efecto, para que haya intención de sinceridad, es menester que en el origen, a la vez, yo sea y no sea lo que soy. La sinceridad no me asigna una manera de ser o cualidad particular, sino que, con motivo de esta cualidad, tiende a hacerme pasar de un modo de ser a otro modo de ser. Este segundo modo de ser, ideal de la sinceridad, me está vedado, por naturaleza, alcanzarlo; y, en el momento mismo en que me esfuerzo por alcanzarlo, tengo la comprensión oscura y prejudicativa de que no lo alcanzaré. Pero, igualmente, para poder siquiera concebir una intención de mala fe, es preciso que, por naturaleza, me escape de mi ser en mi ser. Si yo fuera un hombre triste o cobarde a la manera en que este tintero es tintero, la posibilidad de la mala fe no podría siquiera concebirse. No sólo no podría escapar de mi ser, sino que ni aun podría imaginar poder escaparle. Pero, si la mala fe es posible, a título de simple proyecto, ello se debe a que, justamente, no hay una diferencia tan tajante entre ser y no ser, cuando se trata de mi ser. La mala fe no es posible sino porque la sinceridad es consciente de marrar su objetivo por naturaleza. No puedo estar tentado de captarme como *no siendo cobarde* siéndolo, a menos que este "ser cobarde" esté él mismo "puesto en cuestión" en el mismo momento en que es; a menos que sea él mismo *una* cuestión; a menos que, en el momento mismo en que quiero captarlo, se me escape por todas partes y se aniquile. La condición para poder intentar un esfuerzo de mala fe es que, en cierto sentido, yo *no sea* ese cobarde que no quiero ser. Pero, si *yo no fuera* cobarde en el modo simple del no-ser-lo-que-no-se-es, sería "de buena fe" al declarar que no soy cobarde. Así, es preciso, además, que yo sea de alguna manera ese cobarde incaptable y evanescente que no soy. Y no se entienda con esto que yo deba ser "un poco" cobarde, en el sentido en que "un poco" significa "en cierta medida cobarde y no-cobarde en cierta medida". No: debo ser y no ser a la vez totalmente cobarde y en todos los aspectos. Así, en este caso, la mala fe exige que yo no sea lo que soy, es decir, que haya una diferencia imponderable que separe al ser del no-ser en el modo de ser de la realidad humana. Pero la mala fe no se limita a denegar las cualidades que poseo, a no ver el ser que soy: intenta también constituirme como siendo lo que no soy. Me capta positivamente como valeroso, no siéndolo. Y esto no es posible, una vez más, a menos que yo sea lo que no soy, es decir, a menos que el no-ser, en mí, no tenga el ser ni siquiera a título de no-ser. Sin duda, es necesario que yo *no sea* valeroso; si no, la mala fe no sería ya fe *mala*. Pero es menester, además, que mi esfuerzo de mala fe incluya la comprensión ontológica de que, aun en el modo ordinario de mi ser, lo que *soy* no lo soy verdaderamente, y de que no hay tal diferencia entre el ser de "ser-triste", por ejemplo –lo que yo *soy* en el modo del no ser lo que soy–, y el "no-ser" del no-ser-valeroso que quiero disimularme. Es preciso, además y sobre todo, que la propia negación de ser sea ella misma objeto de una perpetua nihilización; que el propio sentido del "no-ser" esté perpetuamente cuestionado en la realidad humana. Si yo *no fuera* valeroso, a la manera en que este tintero no es mesa, es decir, si estuviera aislado en mi cobardía, clavado en ella, incapaz de ponerla en relación con su contrario; si yo no fuera capaz de *determinarme* como cobarde, es decir, de *negar* de mí la valentía y así escapar a mi cobardía en el momento mismo en que la pongo,; si no me fuera, por principio, *imposible* coincidir con mi *no-ser valeroso* tanto como con mi *ser-cobarde,* todo proyecto de mala fe me estaría vedado. Así, para que la mala fe sea posible, es menester que la sinceridad misma sea de mala fe. La condición de posibilidad de la mala fe es que la realidad humana, en su ser más inmediato, en la intraestructura del *cogito* prerreflexivo, sea lo que no es y no sea lo que es.

II

La "fe" de la mala fe

Pero, por el momento, no hemos indicado sino las condiciones que hacen concebible la mala fe, las estructuras de ser que permiten formar conceptos de mala fe. No podríamos limitarnos a esas consideraciones: no hemos distinguido aún la mala fe de la mentira; los conceptos anfibológicos que hemos descrito podrían, sin duda, ser utilizados por un mentiroso para desconcertar a su interlocutor, bien que la anfibología de los mismos, estando fundada sobre el ser del hombre y no sobre alguna circunstancia empírica, pueda y deba patentizarse a todos. El verdadero problema de la mala fe procede, evidentemente, de que la mala fe es *fe*. No puede ser ni mentira cínica ni evidencia, si evidencia es posesión intuitiva del objeto. Pero, si llamamos creencia a la adhesión del ser a su objeto cuando el objeto no está dado o lo está indistintamente, entonces la mala fe es creencia, y el problema esencial de la mala fe es un problema de creencia. ¿Cómo creer de mala fe en los conceptos que uno forja expresamente para persuadirse? Ha de advertirse, en efecto, que el proyecto de mala fe debe ser él mismo de mala fe; no soy de mala fe solamente al término de mi esfuerzo, una vez que he construido mis conceptos anfibológicos y me he persuadido de ellos. A decir verdad, no me he persuadido: en la medida en que podía estarlo, lo he estado siempre. Y ha sido menester que, en el momento mismo en que me disponía a hacerme de mala fe, fuera de mala fe con respecto a esas disposiciones mismas. Representármelas como de mala fe, hubiera sido cinismo; creerlas sinceramente inocentes, hubiera sido buena fe. La decisión de ser de mala fe no se atreve a decir su nombre; se cree y no se cree de mala fe; se cree y no se cree de buena fe. Y ella misma, desde el surgimiento de la mala fe, decide sobre toda la actitud ulterior y, en cierto modo, sobre la *Weltanschauung* de la mala fe. Pues la mala fe no conserva las normas y criterios de la verdad tal como los acepta el pensamiento crítico de buena fe. En efecto: lo que ella decide primeramente es la naturaleza de la verdad. Con la mala fe aparecen una verdad, un método de pensar, un tipo de ser de los objetos; y este mundo de mala fe de que el sujeto se rodea de pronto tiene por característica ontológica que en él el ser es lo que no es y no es lo que es. En consecuencia, aparece un tipo singular de evidencia: la evidencia *no persuasiva*. La mala fe capta evidencias, pero está resignada de antemano a no ser llenada por esas evidencias, a no ser persuadida y transformada en buena fe: se hace humilde y modesta, no ignora –dice– que la fe es decisión y que, después de cada intuición, es preciso decidir y *querer aquello que es.* Así, la mala fe, en su proyecto primitivo y desde su surgimiento, decide sobre la naturaleza exacta de sus exigencias, se dibuja toda entera en la resolución que toma de *no pedir demasiado,* de darse por satisfecha cuando esté mal persuadida, de forzar por decisión sus adhesiones a verdades inciertas. Este proyecto primero de mala fe es una decisión de mala fe sobre la naturaleza de la fe. Comprendamos bien que no se trata de una decisión reflexiva y voluntaria, sino de una espontánea determinación de nuestro ser. Uno *se pone* de mala fe como quien se duerme, y se es de mala fe como quien sueña. Una vez realizado este modo de ser, es tan difícil salir de él como despertarse: pues la mala fe es un tipo de ser en el mundo, al igual que la vigilia o el sueño, que tiende por sí mismo a perpetuarse, bien que su estructura sea del tipo *metaestable.* Pero la mala fe es consciente de su estructura y ha tomado sus precauciones, decidiendo que la estructura metaestable era la estructura del ser y que la no-persuasión era la estructura de todas las convicciones. Resulta, pues, que si la mala fe es fe e implica en su proyecto primero su propia negación (se determina a estar mal convencida para convencerse de que soy lo que no soy), es preciso que, en el origen, sea posible una fe que quiere estar mal convencida. ¿Cuáles son las condiciones de posibilidad de tal fe?

Creo que mi amigo Pedro siente amistad por mí. Lo creo *de buena fe.* Lo creo y no tengo de ello intuición acompañada de evidencia, pues el objeto mismo, por naturaleza, no se presta a la intuición. Yo *lo creo,* es decir, que me dejo llevar por impulsiones de confianza; que decido creer en ellas y atenerme a esta decisión; que me conduzco, por último, como si estuviera cierto de ello; y todo esto en la unidad sintética de una misma actitud. Lo que defino así como buena fe es lo que Hegel denominaría lo *inmediato,* la fe del carbonero. Hegel mostraría en seguida que lo inmediato llama la mediación y que la creencia, al hacerse *creencia para sí,* pasa al estado de no-creencia. *Si creo* que mi amigo Pedro me quiere bien, esto significa que su amistad se me aparece como el sentido de todos sus actos. La creencia es una conciencia particular *del sentido* de los actos de Pedro. Pero si yo sé que creo, la creencia se me aparece como pura determinación subjetiva, sin correlato exterior. Es lo que hace de la propia palabra "creer" un término indiferentemente utilizado para indicar la inquebrantable firmeza de la creencia ("Mi Dios, yo creo en ti") y su carácter inerme y estrictamente subjetivo ("Pedro, ¿es mi amigo? No sé: creo que sí"). Pero la naturaleza de la conciencia es tal que en ella lo mediato y lo inmediato son un solo y mismo ser. Creer es saber que se cree y saber que se cree es no creer ya. Así, creer es no creer ya, porque no es sino creer esto en la unidad de una misma conciencia no tética (de) sí. Por cierto, hemos forzado aquí la descripción del fenómeno al designarlo con la palabra *saber:* la conciencia no tética no es *saber:* pero, por su misma translucidez, está en el origen de todo saber. Así, la conciencia no tética (de) creer es destructora de la creencia. Pero, a la vez, la ley misma del *cogito* prerreflexivo implica que el ser del creer debe ser la conciencia de creer. Así, la creencia es un ser que se pone en cuestión en su propio ser, que no puede realizarse sino en su destrucción, que no puede manifestarse a sí sino negándose: es un ser para el cual ser es parecer, y parecer es negarse. Creer es no creer. La razón de ello es clara: el ser de la conciencia consiste en existir por sí, y, por ende, hacerse ser y, con ello, superarse. En este sentido, la conciencia es perpetuamente huida de sí; la creencia se convierte en no-creencia, lo inmediato en mediación, lo absoluto en relativo y lo relativo en absoluto. El ideal de la buena fe (creer lo que se cree) es, como el de la sinceridad (ser lo que es), un ideal de ser-en-sí. Toda creencia es creencia insuficiente; no se cree jamás en aquello que se cree. Y, por consiguiente, el proyecto primitivo de la mala fe no es sino la utilización de esta autodestrucción del hecho de conciencia. Si toda creencia de buena fe es una imposible creencia, hay lugar ahora para toda creencia imposible. Mi incapacidad de *creer* que soy valeroso no me repugnará ya, puesto que, justamente, ninguna creencia puede creer jamás lo bastante. Definiré entonces como *mi* creencia esa creencia imposible. En verdad, no podría disimularme que creo para no creer y que no creo *para* creer. Pero la sutil y total aniquilación de la mala fe por ella misma no podría sorprenderme: es algo que existe en el fondo de toda fe. ¿Y entonces? ¿En el momento en que quiero *creerme* valeroso, yo *sé* que soy cobarde? ¿Y esta certidumbre vendría a destruir mi creencia? Pero, *primeramente,* no *soy* más valeroso que cobarde, si ha de entendérselo en el modo de ser del en-sí. En segundo lugar, no sé que soy valeroso; semejante captación de mí no puede acompañarse sino de *creencia,* pues sobrepasa la pura certidumbre reflexiva. En tercer lugar, es muy cierto que la mala fe no llega a creer lo que quiere creer. Pero, precisamente en tanto que aceptación de no creer lo que cree, es mala fe. La buena fe quiere rehuir el "no-creer-lo-que-se-cree" refugiándose en el ser; la mala fe rehúye el ser refugiándose en el "no-creer-lo-que-se-cree". La mala fe ha desarmado de antemano toda creencia: las que quisiera adquirir y, al mismo tiempo, las demás, las que quiere rehuir. Al *querer* esta autodestrucción de la creencia, destrucción de que la ciencia se evade hacia la evidencia, la mala fe arruina las creencias que se le oponen, que se revelan también como *no siendo sino* creencia. Así podemos comprender mejor el fenómeno primero de la mala fe.

En la mala fe, no hay mentira cínica ni sabia preparación de conceptos engañosos. El acto primero de mala fe es para rehuir lo que no se puede rehuir, para rehuir lo que se es. El proyecto mismo de huida revela a la mala fe una íntima desagregación en el seno del ser; y esta desagregación es lo que ella quiere ser. Pues, a decir verdad, las dos actitudes inmediatas que podemos adoptar frente a nuestro ser están condicionadas por la naturaleza misma de este ser y por su relación inmediata con el en-sí. La buena fe procura rehuir la desagregación íntima de mi ser yendo hacia el en-sí que ella debiera ser y no es. La mala fe procura rehuir el en-sí refugiándose en la desagregación íntima de mi ser. Pero esta misma desagregación es negada por ella, tal como niega de sí misma ser mala fe. Al rehuir por el "no-ser-lo-que-se-es" el en-sí que no soy en el modo de ser lo que no se es, la mala fe, que reniega de sí en cuanto mala fe, apunta al en-sí que no soy en el modo del "no-ser-lo-que-no-se-es".[1] Si la mala fe es posible, ello se debe a que constituye la amenaza inmediata y permanente de todo proyecto del ser humano; a que la conciencia esconde en su ser un riesgo

---

[1]   Si bien es indiferente ser de buena o de mala fe, porque la mala fe alcanza a la buena fe y se desliza en el origen mismo de su proyecto, ello no significa que no se pueda escapar radicalmente a la mala fe. Pero esto supone una reasunción del ser podrido por sí mismo, reasunción a la que llamaremos autenticidad y cuya descripción no cabe aquí.

permanente de mala fe. Y el origen de este riesgo es que la conciencia, a la vez y en su ser, es lo que no es y no es lo que es. A la luz de estas observaciones, podemos abordar ahora el estudio ontológico de la conciencia, en tanto que es no la totalidad del ser humano, sino el núcleo instantáneo de este ser.

—

—

SEGUNDA PARTE

El ser-para-sí

CAPÍTULO I

Las estructuras inmediatas del para-sí

I

La presencia a sí

La negación nos ha remitido a la libertad, ésta a la mala fe, y la mala fe al ser de la conciencia como su condición de posibilidad. Conviene, pues, retomar, a la luz de las exigencias que hemos establecido en los precedentes capítulos, la descripción que habíamos intentado en la introducción de esta obra; es decir, que es necesario volver al terreno del *cogito* prerreflexivo. Pero el *cogito* no entrega jamás sino lo que se le pide que entregue. Descartes lo había interrogado sobre su aspecto funcional: *"Dudo, pienso"*, y, por haber querido pasar sin hilo conductor de este aspecto funcional a la dialéctica existencial, cayó en el terror sustancialista. Husserl, instruido por este error, permaneció temerosamente en el plano de la descripción funcional. Por eso no sobrepasó nunca la pura descripción de la apariencia en tanto que tal, se encerró en el *cogito*, y merece ser llamado, pese a sus protestas, fenomenista más bien que fenomenólogo; además, su fenomenismo frisa a cada instante en el idealismo kantiano. Heidegger, queriendo evitar este fenomenismo de la descripción, que conduce al aislamiento megárico y antidialéctico de las esencias, aborda directamente la analítica existencial sin pasar por el *cogito*. Pero el *Dasein*, por haber sido privado desde el origen de la dimensión de la conciencia, no podrá reconquistar jamás esa dimensión. Heidegger dota a la realidad humana de una comprensión de sí a la que define como un "pro-yecto ek-stático" de sus propias posibilidades. Y no entra en nuestras intenciones negar la existencia de este proyecto. Pero, ¿qué sería una comprensión que, en sí misma, no fuera conciencia (de) ser comprensión? Este carácter ek-stático de la realidad humana recae en un en-sí cosista y ciego si no surge de la conciencia de ek-stasis. A decir verdad, es menester partir del *cogito*, pero de éste cabe decir, parodiando una fórmula célebre, que conduce a todo con tal que se salga de él. Nuestras indagaciones precedentes, que recaían sobre las condiciones de posibilidad de ciertas conductas, no tenían otro objeto que ponernos en condiciones de interrogar al *cogito* sobre su ser y proveernos del instrumental dialéctico que nos permitiera encontrar en el propio *cogito* el medio de evadirnos de la instantaneidad hacia la totalidad de ser que la realidad humana constituye. Volvamos, pues, a la descripción de la conciencia no-tética (de) sí, examinemos sus resultados y preguntémonos qué significa, para la conciencia, la necesidad de ser lo que no es y de no ser lo que es.

"El ser de la conciencia, escribíamos en la Introducción, es un ser para el cual en su ser es cuestión de su ser." Esto significa que el ser de la conciencia no coincide consigo mismo en una adecuación plena. Esta adecuación, que es la del en-sí, se expresa por esta simple fórmula: el ser es lo que es. No hay en el en-sí una parcela de ser que no sea sin distancia con respecto a sí misma. No hay en el ser así concebido el menor esbozo de dualidad; es lo que expresaremos diciendo que la densidad de ser del en-sí es infinita. Es lo pleno. El principio de identidad puede llamarse sintético, no sólo porque limita su alcance a una región de ser definida, sino, sobre todo, porque reúne en sí el infinito de la densidad. A es A significa: A existe bajo una compresión infinita, a una densidad infinita. La identidad es el concepto límite de la unificación; no es verdad que el en-sí necesite de una unificación sintética de su ser: en el límite extremo de sí misma, la unidad se esfuma y pasa a identidad. Lo idéntico es el ideal del uno, y el uno llega al mundo por la realidad humana. El en-sí está pleno de sí mismo, y no cabe imaginar plenitud más total, adecuación más perfecta del contenido al continente: no hay el menor vacío en el ser, la menor fisura por la que pudiera deslizarse la nada.

La característica de la conciencia, al contrario, está en que es una descompresión de ser. Es imposible, en efecto, definirla como coincidencia consigo misma. De esta mesa, puedo decir que es pura y simplemente *esta* mesa. Pero de mi creencia, no puedo limitarme a decir que es creencia: mi creencia es conciencia (de)

[130]

creencia. A menudo se ha dicho que la mirada reflexiva altera el hecho de conciencia sobre el cual se dirige. Husserl mismo confiesa que el hecho de "ser vista" trae aparejada para cada vivencia una modificación total. Pero creemos haber mostrado que la condición primera de toda reflexividad es un *cogito* prerreflexivo. Este *cogito*, ciertamente, no pone objeto alguno; permanece intraconsciencial. Pero no por eso deja de ser homólogo al *cogito* reflexivo, en cuanto aparece como la necesidad primera, para la conciencia irreflexiva, de ser vista por ella misma; comporta, pues, originalmente, ese carácter dirimente de existir para un testigo, bien que este testigo para el cual la conciencia existe sea ella misma. Así, por el simple hecho de que mi creencia es captada como creencia, *ya no es sólo creencia;* es decir, ya no es más creencia: es creencia perturbada. Así, el juicio ontológico: "la creencia es conciencia (de) creencia" no puede tomarse en ningún caso como un juicio de identidad: el sujeto y el atributo son radicalmente diferentes, y esto, sin embargo, en la unidad indisoluble de un mismo ser.

Muy bien, se dirá; pero, por lo menos, ha de decirse que la conciencia (de) creencia es conciencia (de) creencia. Volvemos a encontrar a este nivel la identidad del en-sí. Se trataba sólo de elegir de modo conveniente el plano en que captaríamos nuestro objeto. Pero no es verdad: afirmar que la conciencia (de) creencia es conciencia (de) creencia es desolidarizar conciencia y creencia, suprimir el paréntesis y hacer de la creencia un objeto para la conciencia; es dar un brusco salto al plano de la reflexividad. En efecto, una conciencia (de) creencia que no fuera sino conciencia (de) creencia debería tomar conciencia (de) sí misma como conciencia (de) creencia. La creencia se convertiría en pura cualificación trascendente y noemática de la conciencia; la conciencia tendría libertad de determinarse como le pluguiera con respecto a esa creencia; se parecería a esa mirada impasible que la conciencia de Victor Cousin lanza sobre los fenómenos psíquicos para irlos iluminando uno por uno. Pero el análisis de la duda metódica intentado por Husserl ha puesto claramente de relieve el hecho de que sólo la conciencia reflexiva puede desolidarizarse de lo que pone la conciencia refleja. Sólo en el nivel reflexivo se puede intentar una ἐποχή, un poner entre paréntesis, y se puede rehusar lo que Husserl llama el *mitmachen*. La conciencia (de) creencia, a la vez que altera irreparablemente la creencia, es, sin embargo, indistinguible de ella; está *para* hacer el acto de fe. Así, nos vemos obligados a confesar que la conciencia (de) creencia es creencia. Y así captamos en su origen ese doble juego de remisión: la conciencia (de) creencia es creencia y la creencia es conciencia (de) creencia. En ningún caso podemos decir que la conciencia es conciencia y que la creencia es creencia. Cada uno de estos términos remite al otro y pasa al otro, y, sin embargo, es diferente de él. Como hemos visto, ni la creencia ni el placer ni la alegría pueden existir *antes* de ser conscientes; la conciencia les da la medida de su ser; pero no es menos verdad que la creencia, por el hecho mismo de no poder existir sino como *perturbada,* existe desde el origen como hurtándose a sí misma, como quebrando la unidad de todos los conceptos en que pueda querer encerrársela.

Así, conciencia (de) creencia y creencia son un solo y mismo ser, cuya característica es la inanencia absoluta. Pero desde que se quiere captar ese ser, se desliza por entre los dedos y nos encontramos ante un esbozo de dualidad, ante un juego de reflejos, pues la conciencia es reflejo, pero justamente, en tanto que reflejo, ella es el reflejante; y, si intentamos captarla como reflejante, se desvanece y recaemos en el reflejo. Esta estructura del reflejo-reflejante ha desconcertado a los filósofos, que han querido explicarla por un recurso al infinito, sea, como Spinoza, postulando una *idea-ideae* que reclama una *idea-ideae-ideae,* etc., sea definiendo, a la manera de Hegel, la reversión sobre sí mismo como el verdadero infinito. Pero la introducción del infinito en la conciencia, aparte de que deja al fenómeno fijado y oscurecido, no es sino una teoría explicativa expresamente destinada a reducir el ser de la conciencia al ser del en-sí. La existencia objetiva del reflejo-reflejante, si la aceptamos tal como se da, nos obliga, al contrario, a concebir un modo de ser diferente del en-sí: no una unidad que contenga una dualidad, no una síntesis que trascienda y recoja los momentos abstractos de la tesis y la antítesis, sino una dualidad que *es* unidad, un reflejo que *es* su propia reflexión. Si, en efecto, procuramos alcanzar el fenómeno total, es decir, la unidad de esa dualidad o conciencia (de) creencia, aquél nos remite en seguida a uno de los términos, y este término a su vez nos remite a la organización unitaria de la inmanencia. Pero si, al contrario, queremos partir de la dualidad como tal y postular la conciencia y la creencia como un par, encontramos de nuevo la *idea-ideae* de Spinoza y no damos con el fenómeno prerreflexivo que queríamos estudiar. Pues la conciencia prerreflexiva es conciencia (de) sí. Y esta noción misma de sí es lo que debe estudiarse, pues define el ser mismo de la conciencia.

Observarnos, ante todo, que el término de en-sí, que hemos tomado de la tradición para designar al ser trascendente, es impropio. En el límite de la conciencia consigo mismo, en efecto, el sí se desvanece para dejar su lugar al ser idéntico. El *sí* no puede ser una propiedad del ser-en-sí. Por naturaleza, es un *reflexivo*, como lo indica suficientemente la sintaxis y, en particular, el rigor lógico de la sintaxis latina y las distinciones estrictas que la gramática establece entre el uso del *eius* y el del *sui*. El sí remite, pero remite precisamente al *sujeto*. Indica una relación del sujeto consigo mismo y esta relación es precisamente una dualidad, pero una dualidad particular, ya que exige símbolos verbales particulares. Por otra parte, el sí no designa al ser ni en tanto que sujeto ni en tanto que complemento. En efecto: si considero el "se" de "él se aburre", por ejemplo, compruebo que se entreabre para dejar aparecer detrás al sujeto mismo. El "se" no es el sujeto, ya que el sujeto sin relación a sí se condensaría en la identidad del en-sí; tampoco es una articulación consistente de la realidad, ya que deja aparecer detrás el sujeto. De hecho, el sí no puede ser captado como un existente real: el sujeto no puede *ser* sí, pues la coincidencia consigo mismo hace, según hemos visto, que el sí desaparezca. Pero tampoco puede *no ser* sí, ya que el sí es indicación del sujeto mismo. El *sí* representa, pues, una distancia ideal en la imnanencia del sujeto con relación a él mismo; una manera de *no ser su propia coincidencia*, de hurtarse a la identidad al mismo tiempo que la pone como unidad; en suma, una manera de ser en equilibrio perpetuamente inestable entre la identidad como cohesión absoluta sin traza de diversidad, y la unidad como síntesis de una multiplicidad. Es lo que llamamos la *presencia a sí*. La ley de ser del *para-sí*, como fundamento ontológico de la conciencia, consiste en ser él mismo en la forma de presencia a sí.

Esta presencia a sí ha sido tomada a menudo por una plenitud de existencia, y un prejuicio muy difundido entre los filósofos hace atribuir a la conciencia la más alta dignidad de ser. Pero este postulado no puede mantenerse después de una descripción más avanzada de la noción de presencia. En efecto, toda *presencia a* implica dualidad, y por lo tanto, separación, por lo menos virtual. La presencia del ser a sí mismo implica un despegue del ser con respecto a sí. La coincidencia de lo idéntico es la verdadera plenitud de ser, precisamente porque en esa coincidencia no se deja lugar a negatividad alguna. Sin duda, el principio de identidad puede llamar al principio de no-contradicción, como lo ha visto Hegel. El ser que es lo que es debe poder ser el ser que no es lo que no es. Pero, ante todo, esta negación, como todas las demás, llega a la superficie del ser por medio de la realidad humana, como lo hemos mostrado y no por una dialéctica propia del ser mismo. Además, ese principio no puede denotar sino las relaciones del ser con el *exterior,* ya que, justamente, rige las relaciones del ser con lo que él no es. Se trata, pues, de un principio constitutivo de las *relaciones externas,* tales como pueden aparecer a una realidad humana presente al ser-en-sí y comprometida en el mundo; no concierne a las relaciones internas del ser; estas relaciones, en tanto que pondrían una alteridad, no existen. El principio de identidad es la negación de toda especie de relación en el seno del ser-en-sí. Al contrario, la presencia a sí supone que en el ser se ha deslizado una fisura impalpable. Si es presente a sí, significa que no es enteramente sí. La presencia es una degradación inmediata de la coincidencia, ya que supone la separación. Pero, si nos preguntamos ahora: ¿*qué es* lo que separa al sujeto de sí mismo?, nos vemos obligados a confesar que no es *nada.* Lo que separa, de ordinario, es una distancia en el espacio, un lapso temporal, un diferendo psicológico o simplemente la individualidad de dos co-presentes; en suma, una realidad *cualificada.* Pero, en el caso que nos ocupa, *nada* puede separar la conciencia (de) creencia de la creencia, ya que la creencia no es *nada más* que la conciencia (de) creencia. Introducir en la unidad de un *cogito* prerreflexivo un elemento cualificado exterior a ese *cogito* sería quebrar su unidad, destruir su translucidez; habría entonces en la conciencia algo de lo cual ella no sería conciencia y que no existiría en sí-mismo como conciencia. La separación que separa la creencia de sí misma no se deja ni captar ni aun concebir aparte. Si se procura descubrirla, se esfuma: nos encontramos con la creencia como pura inmanencia. Pero, al contrario, si se quiere captar la creencia como tal, entonces ahí está la fisura, que aparece cuando no se la quiera ver y desaparece en cuanto se procura contemplarla. Esa fisura es, pues, lo negativo puro. La distancia, el lapso temporal, el diferendo psicológico pueden ser captados en sí mismos y encierran, como tales, elementos de positividad; tienen una simple *función* negativa. Pero la fisura intraconsciencial es, fuera de lo que ella niega, un nada, y no puede tener ser sino en tanto que no se la ve. Eso negativo que es nada de ser y poder nihilizador conjuntamente, es la *nada*. En ninguna parte podríamos captarla con semejante pureza. En cualquier otra parte es preciso, de una u otra manera, conferirle el ser-en-sí en tanto que nada. Pero la nada que surge en el meollo de la conciencia *no es: es sida*. La creencia, por ejemplo, no es contigüidad de un ser con otro ser; es *su propia* presencia a sí, su propia descompresión de ser. Si no, la unidad del para-sí se desmoronaría en dualidad de dos en-sí. De este modo, el para-sí debe ser su propia nada. El ser de la conciencia en tanto que conciencia consiste en existir *a distancia de sí* como presencia a sí, y esa distancia nula que el ser lleva en su ser es la Nada. Luego, para que exista un *sí*, es menester que la unidad de este ser comporte su propia nada como nihilización de lo idéntico. Pues la nada que se desliza en la creencia es *su* nada, la nada de la creencia como creencia en sí, como creencia ciega y plena, como "fe del carbonero". El para-sí es el ser que se determina a sí mismo a existir en tanto que no puede coincidir consigo mismo.

Es comprensible, entonces, que, al interrogar sin hilo conductor a ese *cogito* prerreflexivo, no hayamos *encontrado* en ninguna parte la nada. No se *encuentra*, no se *devela* la nada a la manera en que se puede encontrar, develar un ser. La nada es siempre un *en-otra-parte*. Es obligación para el para-sí no existir jamás sino en la forma de un en-otra-parte con respecto a sí mismo, existir como un ser que se afecta perpetuamente de una inconsistencia de ser. Esta inconsistencia no remite, por otra parte, a otro ser; no es sino una perpetua remisión de sí a sí, del reflejo al reflejante, del reflejante al reflejo. Empero, esta remisión no provoca en el seno del para-sí un movimiento infinito; está dada en la unidad de un mismo acto: el movimiento infinito no pertenece sino a la mirada reflexiva que quiere captar el fenómeno como totalidad y que se ve remitida del reflejo al reflejante y del reflejante al reflejo sin poder detenerse nunca. Así, la nada es ese agujero de ser, esa caída del en-sí hacia el sí por la cual se constituye el para-sí. Pero esa nada no puede "ser sida" a menos que su existencia prestada sea correlativa a un acto nihilizador del ser. Este acto perpetuo por el cual el en-sí se degrada en presencia a sí es lo que llamaremos acto ontológico. La nada es el acto por el cual el ser pone en cuestión al ser, es decir, justamente, la conciencia o para-sí. Es un acaecimiento absoluto que viene al ser por el ser y que, sin tener el ser, está perpetuamente sostenido por el ser. Estando el ser en sí aislado de su ser por su total positividad, ningún ser puede producir ser y nada puede llegar al ser por el ser, salvo la nada. La nada es la posibilidad propia del ser y su única posibilidad. Y aun esta posibilidad original no aparece sino en el acto absoluto que la realiza. La nada, siendo nada de ser, no puede venir al ser sino por el ser mismo. Sin duda, viene al ser por un ser singular, que es la realidad humana. Pero este ser se constituye como realidad humana en tanto que no es nada más que el proyecto original de su propia nada. La realidad humana es el ser en tanto que, en su ser y por su ser, es fundamento único de la nada en el seno del ser.

II

La facticidad del para-sí

Empero, el para-sí *es*. Es, se dirá, aunque más no sea a título de ser que no es lo que es y que es lo que no es. Es, ya que, cualesquiera que fueren los obstáculos que vengan a hacerla naufragar, el proyecto de la sinceridad es al menos concebible. Es, a título de acaecimiento, en el sentido en que puedo decir que Felipe II *ha sido*, que mi amigo Pedro es, existe; es, en tanto que aparece en una condición que no ha elegido él, en tanto que Pedro es burgués francés de 1942 y que Schmitt *era* obrero berlinés de 1870; *es*, en tanto que está arrojado a un mundo, en una "situación"; es, en tanto que es pura contingencia, en tanto que para él, como para las cosas del mundo, como para esta pared, este árbol, esta taza, puede plantearse la pregunta original: "¿Por qué este ser es tal y no de otra manera?" Es en tanto que hay en él algo de que él no es fundamento: su *presencia al mundo*.

Esta captación del ser por sí mismo como no siendo su propio fundamento está en el fondo de todo *cogito*. Es notable, a este respecto, que ella se descubra inmediatamente en el *cogito reflexivo* de Descartes. En efecto: cuando Descartes quiere sacar provecho de su descubrimiento, se capta a sí mismo como un ser imperfecto, «ya que duda". Pero, en este ser imperfecto, comprueba la presencia de la idea de perfección. Aprehende, pues, un desnivel entre el tipo de ser al que puede concebir y el ser que él es. Este desnivel o falta de ser está en el origen de la segunda prueba de la existencia de Dios. Si se descarta, en efecto, la terminología escolástica, ¿qué queda de esta prueba? El sentido muy neto de que el ser que posee en sí la idea de perfección no puede ser su propio fundamento, pues, si no, se habría producido a sí mismo conforme con esa idea. En otros términos: un ser que fuera su propio fundamento, no podría consentir el menor desnivel entre lo que él es y lo que concibe, pues se produciría a sí mismo conforme a su comprensión del ser y no podría concebir sino lo que él es. Pero esta aprehensión del ser como falta de ser frente al ser es ante todo una captación por el *cogito* de su propia contingencia. Pienso, luego soy. ¿Qué soy? Un ser que no es su propio fundamento; que, en tanto que ser, podría ser otro que el que es, en la medida en que no explica su ser. Esta intuición primera de nuestra propia contingencia es lo que dará Heidegger como la motivación primera del paso de lo auténtico a lo auténtico. Ella es inquietud, llamado de la conciencia *(Ruf des Gewissens)*, sentimiento de culpabilidad. A decir verdad, la descripción de Heidegger deja aparecer demasiado claramente el cuidado de fundar ontológicamente una Ética de la que pretende no preocuparse, así como de conciliar su humanismo con el sentido religioso de lo trascendente. La intuición de nuestra contingencia no es asimilable a un sentimiento de culpabilidad. No por eso es menos verdad que en nuestra aprehensión de nosotros mismos nos aparecemos con los caracteres de un hecho injustificable.

[137]

Pero, ¿no acabábamos de captarnos[1] como conciencia, es decir, como un "ser que existe por sí"? ¿Cómo podemos ser, en la unidad de un mismo surgimiento al ser, ese ser que existe por sí como no siendo el fundamento de su ser? O, en otros términos, ¿cómo el para-sí, que, en tanto que *es*, no es su propio ser en el sentido en "ser su propio fundamento", podría ser, en tanto que es para-sí, fundamento de su propia nada? La respuesta está en la pregunta misma

En efecto; si el ser es el fundamento de la nada en tanto que nihilización de su propio ser, ello no significa que sea el fundamento de su ser. Para fundar su propio ser, le sería necesario existir a distancia de sí, y ello implicaría cierta nihilización del ser fundado como del ser fundante, una dualidad que fuera unidad: recaeríamos en el caso del para-sí. En una palabra, todo esfuerzo para concebir la idea de un ser que fuera fundamento de su ser concluye, a su pesar, formando la idea de un ser que, contingente en tanto que ser-en-sí, fuera fundamento de su propia nada. El acto de causación por el cual Dios es *causa sui* es un acto nihilizador, como toda reasunción de sí por sí mismo, en la exacta medida en que la relación primera de necesidad es una reversión sobre *sí*, una reflexividad. Y esta necesidad original, a su vez, aparece sobre el fundamento de un ser contingente; aquel, justamente, que *es* *para* ser causa de sí.

En cuanto al esfuerzo de Leibniz por definir lo necesario a partir de lo posible –definición retomada por Kant–, se concibe desde el punto de vista del conocimiento y no desde el punto de vista del ser. El paso de lo posible al ser, tal como Leibniz lo concibe (lo necesario es un ser cuya posibilidad implica existencia), señala el tránsito de nuestra ignorancia al conocimiento. En efecto: aquí la posibilidad no puede ser posibilidad sino a los ojos de nuestro pensamiento, ya que ella precede a la existencia. Es posibilidad externa con respecto al ser de que es posibilidad, ya que el ser deriva de ella como una consecuencia de un principio. Pero hemos señalado antes que la noción de posibilidad podía ser considerada en dos aspectos. Se puede hacer de ella, en efecto, una indicación subjetiva (es posible que Pedro esté muerto significa la

[1] Cf. poco antes, Introducción, parágrafo III.

ignorancia en que me encuentro acerca de la suerte de Pedro) y en este caso es el testigo quien decide de lo posible en presencia del mundo; el ser tiene su posibilidad fuera de sí, en la pura mirada que conjetura sus oportunidades de ser; la posibilidad bien puede ser-*nos* dada antes del ser, pero es dada *a nosotros* y no es posibilidad *de* ese ser; no pertenece a la posibilidad de la bola de billar que rueda por el tapiz ser desviada por un pliegue del paño; la posibi-lidad de desviación no pertenece tampoco al tapiz; no puede ser sino establecida sintéticamente por el testigo como una relación externa. Pero la posibilidad puede aparecérsenos también como estructura ontológica de la realidad: entonces pertenece a ciertos seres como posibilidad *suya*; es la posibilidad que ellos *son*, que ellos tienen-de-ser. En este caso, el ser mantiene en el ser sus pro-pias posibilidades, es el fundamento de ellas y no cabe, pues, derivar de la posibilidad del ser su necesidad. En una palabra: Dios, si existe, es contingente.

Así, el ser de la conciencia, en tanto que este ser es en sí *para* nihilizarse en para-sí, permanece contingente, es decir, no perte-nece a la conciencia el dárselo a sí misma, ni tampoco el recibirlo de los otros. En efecto, aparte de que la prueba ontológica, como la prueba cosmológica, fracasa en el intento de constituir un ser necesario, la explicación y el fundamento de mi ser en tanto que soy *tal* ser no podrían buscarse en el ser necesario. Las premisas: "Todo lo que es contingente debe hallar un fundamento en un ser necesario; y yo soy contingente", señalan un deseo de fundar y no la vinculación explicativa con un fundamento real. Ella no podría dar razón en modo alguno, en efecto, de *esta* contingen-cia, sino sólo de la idea abstracta de contingencia en general. Además, se trata de valor y no de hecho.[1] Pero, si el ser en sí es contingente, se reasume a sí mismo degradándose en para-sí. Está para perderse en para-sí. En una palabra, el ser *es* y no puede sino ser. Pero la posibilidad propia del ser –la que se revela en el acto nihiliza-dor– es ser fundamento de sí como conciencia por el acto sacrifi-cial que lo nihíla; el para-sí es el en-sí que se pierde como en-sí para fundarse como conciencia. Así, la conciencia obtiene de sí

---

[1] Ese razonamiento se basa explícitamente, en efecto, en las *exigencias de la razón*.

misma su ser-consciente y no puede remitir sino a sí misma en tanto que es su propia nihilización; pero *lo que* se aniquila en conciencia, sin poder llamárselo fundamento de la conciencia, es el en-sí contingente. El en-sí no puede fundar nada; se funda a sí mismo al darse la modificación del para-sí. Es fundamento de sí mismo en tanto que *no es ya* en-sí: y encontramos aquí el origen de todo fundamento. Si el ser en-sí no puede ser ni su propio fundamento ni el de los demás seres, el fundamento en general viene al mundo por medio del para-sí. No sólo el para-sí, como en-sí nihilizado, se funda a sí mismo, sino que con él aparece el fundamento por primera vez.

Queda en firme que este en-sí, devorado y nihilizado en el acaecimiento absoluto que es la aparición del fundamento o surgimiento del para-sí, permanece en el seno del para-sí como su contingencia original. La conciencia es su propio fundamento, pero sigue siendo contingente *el que haya* una conciencia más bien que un puro y simple en-sí al infinito. El acaecimiento absoluto o para-sí es contingente en su ser mismo. Si descifro los datos del *cogito* prerreflexivo, compruebo, ciertamente, que el para-sí remite a sí. Sea éste lo que fuere, lo es en el modo de conciencia de ser. La sed remite a la conciencia de ser que ella *es* como a su fundamento, e inversamente. Pero la totalidad "reflejo-reflejante", si pudiera ser dada, sería contingencia y en-sí. Sólo que esta totalidad es inalcanzable, puesto que no puedo decir ni que la conciencia de sed es conciencia de sed, ni que la sed es sed. Está ahí, como totalidad nihilizada, como unidad evanescente del fenómeno. Si capto el fenómeno como pluralidad, esta pluralidad se indica a sí misma como unidad totalitaria y, por ende, su sentido es la contingencia; es decir, que puedo preguntarme: ¿por qué soy sed, por qué soy conciencia de este vaso, de este Yo? Pero, desde que considero esta totalidad en sí misma, se nihíla a mi mirada, ella *no es*; ella es para no ser, y yo retorno al para-sí captado en su esbozo de dualidad como fundamento de sí: tengo esta cólera porque yo me produzco como conciencia de cólera: suprimid esta causación de sí que constituye el ser del para-sí y no encontraréis ya nada, ni siquiera la "cólera-en-sí", pues la cólera existe por naturaleza como para-sí. Así, pues, el para-sí está sostenido por una perpetua contingencia, que él retoma por su cuenta y se asimila sin poder suprimirla jamás. Esta contingencia perpetuamente evanescente del en-sí, que infesta al para-sí y lo liga al ser-en-sí sin dejarse captar nunca, es lo que llamaremos la *facticidad* del para-sí. Esta facticidad es lo que permite decir que él *es, existe*, aunque no podamos nunca *realizarla* y la captemos siempre a través del para-sí. Señalábamos anteriormente que no podemos ser nada sin jugar a serlo.[1] "Si soy mozo de café, escribíamos, no puede ser sino en el modo del *no serlo*." Y es verdad: si yo pudiera *ser* mozo de café, me constituiría de súbito como un bloque contingente de identidad. Y no hay tal: este ser contingente y en sí se me hurta siempre. Pero, para que yo pueda dar libremente un sentido a las obligaciones que comporta mi estado, es preciso que, en cierto sentido, en el seno del para-sí como totalidad perpetuamente evanescente, sea dado el ser-en-sí como contingencia evanescente de mi *situación*. Esto surge claramente del hecho de que, si he de *jugar a ser* mozo de café para serlo, en todo caso sería inútil que jugara al diplomático o al marino: no lo sería. Este incaptable *hecho* de mi condición, esta impalpable diferencia que separa la comedia realizadora de la comedia pura y simple, es lo que hace que el para-sí, a la vez que elige el *sentido* de su situación constituyéndose como fundamento de sí mismo en situación, *no elija* su posición. A esto se debe que me capte a la vez como totalmente responsable de mi ser, en tanto que yo soy su fundamento, y, a la vez, como totalmente injustificable. Sin la facticidad, la conciencia podría elegir sus vinculaciones con el mundo, a la manera en que las almas, en la "República", eligen su condición: podría determinarme a "nacer obrero" o a "nacer burgués". Pero, por otra parte, la facticidad no puede constituirse como *siendo* burgués o *siendo* obrero. Ella ni siquiera es, propiamente hablando, una *resistencia* del hecho, pues yo le conferiría su sentido y su resistencia al reasumirla en la infraestructura del *cogito prerreflexivo*. Ella no es sino una indicación que me doy a mí mismo del ser que debo alcanzar para ser lo que soy. Es imposible captarla en su bruta desnudez, pues todo lo que de ella encontraremos está ya reasumido y libremente construido. El simple *hecho* de "ser ahí", junto a esta mesa, en esta habitación, es ya el puro obje-

---

[1] Parte I, cap. II, sección 2ª: las conductas de mala fe.

to de un concepto-límite y no se lo puede alcanzar en tanto que tal. Y, sin embargo, está contenido en mi "conciencia de ser ahí", como su contingencia plenaria, como el en-sí nihilizado sobre fondo del cual el para-sí se produce a sí mismo como conciencia de ser ahí. El para-sí, al ahondar en sí mismo como conciencia de ser ahí, no descubrirá jamás en sí sino *motivaciones*, es decir, que será perpetuamente remitido a sí mismo y a su libertad constante (estoy ahí para... etc.). Pero la contingencia de que están transidas estas motivaciones, en la medida misma en que se fundan totalmente a sí mismas, es la facticidad del para-sí. La relación entre el para-sí, que es su propio fundamento en tanto que para-sí, y la facticidad, puede ser correctamente denominada: necesidad de hecho. Y, en efecto, esta necesidad de hecho es lo que Descartes y Husserl captan como constituyendo la evidencia del *cogito*. El para-sí es necesario en tanto que se funda a sí mismo. Y por eso es el objeto reflexo de una intuición apodíctica: no puedo dudar de que soy. Pero, en tanto que este para-sí, tal cual es, podría no ser, tiene toda la contingencia del hecho. Así como mi libertad nihilizadora se capta a sí misma por la angustia, el para-sí es consciente de su facticidad: tiene el sentimiento de su gratuidad total, se capta como siendo ahí *para nada*, como estando *de más*.

No ha de confundirse la facticidad con esa sustancia cartesiana cuyo atributo es el pensamiento. Por cierto, la sustancia pensante no existe sino en tanto que piensa y, siendo cosa creada, participa de la contingencia del *ens creatum*. Pero ella *es*. Conserva el carácter de en-sí en su integridad, aunque el para-sí sea su atributo. Es lo que se llama la ilusión sustancialista de Descartes. Para nosotros, al contrario, la aparición del para-sí o acaecimiento absoluto remite ciertamente al esfuerzo de un en-sí para fundarse; corresponde a una tentativa del ser para eliminar la contingencia de su ser. Pero esta tentativa termina en la nihilización del en-sí, porque el en-sí no puede fundarse sin introducir el sí o remisión reflexiva y nihilizadora en la identidad absoluta de su ser y, por consiguiente, sin degradarse en *para-sí*. El para-sí corresponde, pues, a una desestructuración descompresora del en-sí y el en-sí se anihíla y se absorbe en su tentativa de fundarse. No es, pues, una sustancia que tenga como atributo el para-sí y que produzca el pensamiento sin agotarse en esta producción misma. Rueda simplemente en el para-sí como un recuerdo de ser, como su injustificable *presencia al mundo.* El ser-en-sí puede fundar su nada pero no su ser; en su descompresión, se anihíla en un para-sí que se hace, en tanto que para-sí, su propio fundamento: pero su contingencia de en-sí permanece inasible. Es lo que *resta* del en-sí en el para-sí como facticidad, y es lo que hace que el para-sí no tenga sino una necesidad de hecho; es decir, que es el fundamento de su *ser-conciencia* o *existencia,* pero no puede en ningún caso fundar su *presencia.* Así, la conciencia no puede en ningún caso impedirse a sí misma ser, y empero es totalmente responsable de su ser.

III

El para-sí y el ser del valor

Un estudio de la realidad humana debe comenzar por el *cogito.* Pero el "Yo pienso" cartesiano está concebido en una perspectiva instantaneísta de la temporalidad. ¿Puede encontrarse en el seno del *cogito* un medio de trascender esa instantaneidad? Si la realidad humana se limitara al ser del Yo pienso, no tendría sino una verdad de instante. Y muy cierto es que, en Descartes se trata de una totalidad instantánea, ya que por sí misma no erige ningruna pretensión acerca del porvenir: ya que es necesario un acto de "creación" continua para hacerla pasar de un instante al otro. Pero ¿puede concebirse siquiera una verdad del instante? Y el *cogito,* ¿no compromete a su manera el pasado y el porvenir? Heidegger está a tal punto persuadido de que el "Yo pienso" de Husserl es una viscosa y fascinante trampa para alondras, que ha evitado totalmente recurrir a la conciencia en su descripción del *Dasein.* Su propósito es mostrarlo inmediatamente como *cuidado* o cura, es decir, como escapando de sí mismo en el proyecto de sí hacia las posibilidades que él *es.* Y llama "comprensión" *(Verstand)* a este proyecto de sí fuera de sí, lo que le permite establecer la realidad-humana como "revelante-revelada". Pero esta tentativa de mostrar *primeramente* el escapar a sí del *Dasein* hallará a su vez dificultades insuperables, no se puede suprimir *primera-*

mente la dimensión "conciencia", así sea para restituirla en seguida. La comprensión no tiene sentido a menos que sea conciencia de comprensión. Mi posibilidad no puede existir como *mi* posibilidad a menos que mi conciencia sea la que escape de sí misma hacia aquélla. Si no, todo el sistema del ser y de sus posibilidades caería en lo inconsciente, es decir, en el en-sí. Hemos sido lanzados de vuelta hacia el *cogito*. Es necesario partir de él. ¿Se lo puede ampliar sin perder los beneficios de la evidencia reflexiva? ¿Qué nos ha revelado la descripción del para-sí?

Hemos encontrado primero una nihilización con que el ser del para-sí se afecta en su ser. Y esta revelación de la nada no nos ha parecido sobrepasar los límites del *cogito*. Pero veámoslo mejor.

El para-sí no puede sostener la nihilización sin determinarse a sí mismo como un *defecto de ser*. Esto significa que la nihilización no coincide con una simple introducción del vacío en la conciencia. El en-sí no ha sido expulsado de la conciencia por un ser exterior, sino que el propio para-sí se determina perpetuamente a sí mismo a *no ser* el en-sí. Esto significa que no puede fundarse a sí mismo sino a partir del en-sí y contra el en-sí. De este modo, la nihilización, siendo nihilización del ser, representa la vinculación original entre el ser del para-sí y el ser del en-sí. El en-sí concreto y real está enteramente presente en el meollo de la conciencia como lo que ella misma se determina a no ser. El *cogito* ha de llevarnos necesariamente a descubrir esta presencia total e inalcanzable del en-sí. Y, sin duda, el hecho de esta presencia será la trascendencia misma del para-sí. Pero, precisamente, la nihilización es el origen de la trascendencia concebida como vínculo original del para-sí con el en-sí. De este modo, entrevemos un medio de salir del *cogito*. Y veremos más adelante, en efecto, que el sentido profundo del *cogito* es, por esencia, rechazar fuera de sí. Pero no es tiempo aún de describir esta característica del para-sí. Lo que la descripción ontológica ha hecho aparecer inmediatamente es que ese ser es fundamento de sí como defecto de ser; es decir, que se hace determinar en su ser por un ser que no es él.

Empero, hay muchas maneras de no ser y algunas de ellas no tocan a la naturaleza íntima del ser que no es lo que no es. Si, por ejemplo, digo de un tintero que no es un pájaro, el tintero y el pájaro quedan inafectados por la negación. Ésta es una relación externa que no puede ser establecida sino por una realidad-humana testigo. Al contrario, hay un tipo de negación que establece una relación interna entre lo que se niega y aquella de lo cual se lo niega.[1] De todas las negaciones internas, la que penetra más profundamente en el ser, la que constituye *en su ser* al ser *del cual* niega con el ser *al cual* niega, es la *falta de*. Esta falta no pertenece a la naturaleza del en-sí, que es todo positividad. No aparece en el mundo sino con el surgimiento de la realidad humana. Sólo en el mundo humano puede haber faltas. Una falta supone una trinidad: aquello que falta, o *lo faltante;* aquel que está falto de aquello que falta, o el existente; y una totalidad que ha sido desagregada por la falta y que sería restaurada por la síntesis de lo faltante y el existente: es *lo fallido*. El ser que se da a la intuición de la realidad humana es siempre *aquel a quien le falta*, o existente. Por ejemplo, si digo que la luna no está llena y que le falta un cuarto, formulo este juicio sobre una intuición plena de un cuarto creciente o menguante. Así, lo que se da a la intuición es un en-sí, que, en sí mismo, no es ni completo ni incompleto, sino que *es* simplemente lo que *es,* sin relación con otros seres. Para que este en-sí sea captado como cuarto de luna, es menester que una realidad humana trascienda lo dado hacia el proyecto de la totalidad realizada —en este caso, el disco de la luna llena— y vuelva luego hacia lo dado para constituirlo como cuarto de luna; es decir, para realizarlo en su ser a partir de la totalidad, que se convierte en fundamento de él. Y en ese mismo trascender, *lo faltante* será puesto como aquello cuya adición sintética al existente reconstituirá la totalidad sintética de lo fallido. En este sentido, *lo faltante* es de la misma naturaleza que el existente; bastaría invertir la situación para que se convirtiera en un existente al cual le falta lo faltante, mientras que el existente se convertiría en lo faltante, a su vez. Lo faltante, como complementario del existente está determinado en su ser por la totalidad sintética de lo fallido. Así, *en el mundo humano,* el ser incompleto que se da a la intuición como lo faltante es constituido en su ser por

[1] A este tipo de negación pertenece la oposición hegeliana. Pero esta oposición misma debe fundarse sobre la negación interna primitiva, es decir, sobre la falta. Por ejemplo, si lo inesencial se hace a su vez lo esencial, ello se debe a que se lo siente como una falta en el seno de lo esencial.

lo fallido, es decir, por aquello que él no es; la luna llena confiere al cuarto de luna su ser de tal; lo que no es determina a lo que es; está en el ser del existente, como correlato de una trascendencia humana, el conducir fuera de sí hacia el ser que él no es, como hacia su *sentido*. La realidad humana, por la cual la falta aparece en el mundo, debe ser a su vez una falta. Pues la falta no puede venir del ser sino por la falta; el en-sí no puede ser ocasión de falta para el en-sí. En otros términos, para que el ser sea lo faltante o lo fallido, es menester que un ser se constituya en su propia falta; sólo un ser falto puede trascender el ser hacia lo fallido.

Que la realidad humana sea falta, bastaría para probarlo la existencia del deseo como hecho humano. En efecto: ¿cómo explicar el deseo si quiere verse en él un *estado* psíquico, es decir, un ser cuya naturaleza es ser lo que es? Un ser que es lo que es, en la medida en que se lo considera como siendo lo que es, no solicita nada para completarse. Un círculo inconcluso no solicita cierre sino en cuanto es trascendido por la trascendencia humana. En sí, es completo y perfectamente positivo como curva abierta. Un estado psíquico que existiera con la suficiencia de esta curva, no podría poseer por añadidura ninguna "solicitud" de otra cosa; sería él mismo, sin relación alguna con lo que no es él; para constituirlo como hambre o sed, sería menester una trascendencia exterior que lo trascendiera hacia la totalidad "hambre saciada", como trasciende el cuarto de luna hacia la luna llena. No se resolverá la cuestión haciendo del deseo un *conatus* concebido a imagen de una fuerza física. Pues tampoco el *conatus,* aun si se le concede la eficiencia de una causa, podría poseer en sí mismo los caracteres de un apetito hacia otro estado. El *conatus* como *productor* de estados no podría identificarse con el deseo como *solicitud* de estado. Recurrir al paralelismo psicofisiológico tampoco permitiría eliminar esas dificultades: la sed como fenómeno orgánico, como necesidad "fisiológica" de agua, no existe. El organismo privado de agua presenta ciertos fenómenos positivos, por ejemplo, cierto espesamiento coagulescente del líquido sanguíneo, lo cual provoca a su vez otros fenómenos. El conjunto es un estado positivo del organismo, que no remite sino a sí propio, exactamente como el espesamiento de una solución cuya agua se evapora no puede ser considerado en sí mismo como un deseo de agua por parte de la solución. Si se supone una exacta correspondencia entre lo mental y lo fisiológico, esta correspondencia sólo puede establecerse sobre fondo de identidad ontológica, como lo vio Spinoza. En consecuencia, el ser de la sed psíquica será el ser en sí de un *estado*, y nos vemos reconducidos a una trascendencia testigo. Pero entonces la sed será deseo *para* esta trascendencia, no para sí misma: será deseo a los ojos de otro. Si el deseo ha de poder ser deseo, para sí mismo, es menester que él mismo sea la trascendencia, es decir, que sea por naturaleza un escapar de sí hacia el objeto deseado. En otros términos, es menester que sea una falta; pero no una falta objeto, una falta padecida, creada por un trascender distinto de ella: es menester que sea su propia falta de... El deseo es falta de ser; está infestado en su ser más íntimo por el ser del cual es deseo. Así, testimonia la existencia de la falta en el ser de la realidad humana. Pero, si la realidad humana es falta, por ella surge en el ser la trinidad del existente, lo faltante y lo fallido. ¿Cuáles son, exactamente, los tres términos de esta trinidad?

Lo que en ella desempeña el papel de existente es lo que se da al *cogito* como lo inmediato del deseo: por ejemplo, es ese para-sí que hemos captado como no siendo lo que es y siendo lo que no es. Pero, ¿qué puede ser lo fallido?

Para responder a esta pregunta, hemos de volver a la idea de falta y determinar mejor el vínculo que une al existente con lo faltante. Este vínculo no puede ser de simple contigüidad. Si aquello que falta está tan profundamente presente, en su ausencia misma, en el meollo del existente, ello se debe a que el existente y lo faltante son a un tiempo mismo captados y trascendidos en la unidad de una misma totalidad. Y lo que se constituye a sí mismo como falta no puede hacerlo sino trascendiéndose hacia una forma mayor desagregada. Así, la falta es aparición sobre el fondo de una totalidad. Poco importa, por lo demás, que esta totalidad haya sido originariamente dada y esté desagregada actualmente ("a la Venus de Milo le *faltan* los brazos...") o que no haya sido jamás realizada aún ("le falta coraje"). Lo que importa es sólo que lo faltante y el existente se dan o son captados como debiendo aniquilarse en la unidad de una totalidad fallida.

Lo faltante falta siempre *a... para...* Y lo que se da en la unidad de un surgimiento primitivo es el *para*, concebido como no siendo aún o no siendo ya, ausencia hacia la cual se trasciende o es trascendido el existente trunco, que se constituye por eso mismo como trunco. ¿Cuál es el *para* de la realidad humana?

El para-sí, como fundamento de sí, es el surgimiento de la negación. Se funda en tanto que niega *de* sí cierto ser o manera de ser. Lo que él niega o nihiliza es, como lo sabemos, el ser-en-sí. Pero no cualquier ser-en-sí: la realidad humana es, ante todo, su propia nada. Lo que ella niega o nihiliza de sí como para-sí no puede ser sino el *sí*. Y, como está constituida en su sentido por esta nihilización y esta presencia en sí misma de lo que ella nihiliza, a título de nihilizado, resulta que el sentido de la realidad humana está constituido por el *sí como ser-en-sí* fallido. En tanto que, en su relación primitiva consigo, la realidad humana no es lo que ella es, su relación consigo no es primitiva y no puede tomar su sentido sino de una relación primera que es la *relación nula* o identidad. Lo que permite captar el para-sí como no siendo lo que es, es el sí concebido como siendo lo que es; la relación negada en la definición del para-sí –la que, como tal, ha de ser puesta primero– es una relación dada como perpetuamente ausente del para-sí a sí mismo en el modo de la identidad. El sentido de esa sutil perturbación por la cual la sed se escapa y no es ya sed, en tanto que es conciencia de sed, es una sed que pudiera ser sed y que la infesta. Lo que falta al para-sí es el sí, o el sí-mismo como en-sí.

No debería confundirse, sin embargo, este en-sí fallido con el de la facticidad. El en-sí de la facticidad, al fracasar en su tentativa de fundarse, se ha reabsorbido en pura presencia del para-sí al mundo. El en-sí fallido, al contrario, es pura ausencia. El fracaso del acto fundante, además, ha hecho surgir del en-sí el para-sí como fundamento de su propia nada. Pero el sentido del acto fundante fallido queda como trascendente. El para-sí en su ser es fracaso, porque no es fundamento *sino* de sí-mismo en tanto que nada. A decir verdad, este fracaso es su ser mismo; pero el para-sí no tiene sentido a menos que se capte a sí mismo como fracaso *en presencia* del ser que es objeto del fracaso: es decir, del ser que sería fundamento de su ser y no ya sólo fundamento de su nada; esto es, que sería su propio fundamento *en tanto que* coincidencia consigo mismo. Por naturaleza, el *cogito* remite a aquello que le falta y a lo por él fallido, ya que es *cogito* infestado por el ser, como bien lo vio Descartes; y tal es el origen de la transcendencia: la realidad humana es su propio trascender hacia aquello de que es falta; se trasciende hacia el ser particular que ella sería si fuera lo que es. La realidad humana no es algo que existiera primero para estar falta posteriormente de esto o de aquello: existe primeramente como falta, y en vinculación sintética inmediata con lo por ella fallido. Así, el acontecimiento puro por el cual la realidad humana surge como presencia al mundo es captación de ella por sí misma como *su propia falta*. La realidad humana se capta en su venida a la existencia como ser incompleto. Se capta como siendo en tanto que no es, en presencia de la totalidad singular de la que es falta, que ella es en la forma de no serlo y que es lo que es. La realidad humana es perpetuo trascender hacia una coincidencia consigo misma que no se da jamás. Si el *cogito tiende* hacia el ser, ello se debe a que por su propia resurrección se trasciende hacia el ser cualificándose en su ser como el ser al cual falta la coincidencia consigo mismo para ser lo que es. El *cogito* está indisolublemente ligado al ser-en-sí, no como un pensamiento a su objeto –lo cual relativizaría al en-sí–, sino como una falta a aquello que define su falta. En este sentido, la segunda prueba cartesiana es rigurosa: el ser imperfecto se trasciende hacia el ser perfecto; el ser que no es fundamento sino de su nada le trasciende hacia el ser que es fundamento de su ser. Pero el ser hacia el cual la realidad humana se trasciende no es un Dios trascendente: está en su propio meollo y no es sino ella misma como totalidad.

Pues, en efecto, esta totalidad no es el puro y simple en-sí contingente de lo trascendente. Lo que la conciencia capta como el ser hacia el cual ella se trasciende coincidiría, si fuera puro en-sí, con la aniquilación de la conciencia. Pero la conciencia no se trasciende en modo alguno hacia su aniquilación; no quiere perderse en el en-sí de identidad en el límite de su trascender. El para-sí reivindica el ser-en-sí para el para-sí en tanto que tal.

Así, este ser perpetuamente ausente que infesta al para-sí es él mismo fijado en en-sí. Es la imposible síntesis del para-sí y del en-sí: él sería su propio fundamento no en tanto que nada sino en tanto que ser y mantendría en sí mismo la translucidez necesaria de la conciencia a la vez que la coincidencia consigo mismo del ser-en-sí. Conservaría esa reversión sobre sí que condiciona toda necesidad y todo fundamento. Pero esta reversión sobre sí se cumpliría sin distancia; no sería presencia a sí, sino identidad consigo mismo. En suma, ese ser sería justamente el sí, del cual hemos mostrado que no puede existir sino como relación perpetuamente evanescente; pero lo sería en tanto que ser sustancial. Así, la realidad humana surge como tal en presencia de su propia totalidad o sí como falta de esta totalidad. Y esta totalidad no puede ser dada por naturaleza, ya que reúne en sí los caracteres incompatibles del en-sí y del para-sí. Y no se nos tache de inventar a capricho un ser de tal especie: cuando esta totalidad cuyo ser es la ausencia absoluta es hipostasiada como trascendencia allende el mundo por un movimiento ulterior de la meditación, toma el nombre de Dios. Dios, ¿no es a la vez un ser que es lo que es, en tanto que es todo positividad y el fundamento del mundo, y un ser que no es lo que es y que es lo que no es, en tanto que conciencia de sí y fundamento necesario de sí mismo? La realidad humana es padeciente en su ser, porque surge al ser como perpetuamente infestada por una totalidad que ella es sin poder serla, ya que justamente no podría alcanzar el en-sí sin perderse como para-sí. Es, pues, por naturaleza, conciencia infeliz, sin trascender posible de ese estado de infelicidad.

Pero, ¿qué es exactamente en su ser este ser hacia el cual se trasciende la conciencia infeliz? ¿Diremos que no existe? Estas contradicciones que advertimos en él prueban sólo que ese ser no puede ser *realizado*. Y nada puede valer contra esta verdad de evidencia: la conciencia no puede existir sino *comprometida* en ese ser que la cierne por todas partes y de cuya presencia fantasmal está transida; ese ser que ella es y que, sin embargo, no es ella. ¿Diremos que es un ser *relativo* a la conciencia? Sería confundirlo con el objeto de una *tesis*. Ese ser no está puesto por la conciencia y ante ella; no hay conciencia *de* ese ser, ya que él infesta la conciencia no tética (de) sí, la marca como su sentido de ser, y ella no es conciencia *de* él, tal como no es tampoco conciencia *de* sí. Sin embargo, ese ser tampoco podría escaparse a la conciencia: en tanto que ella se dirige al ser como conciencia (de) ser, él está ahí. Y precisamente no es la conciencia quien confiere su ser a ese ser, como lo confiere a este tintero o a ese lápiz; pero, sin ese ser que ella es en la forma del no serlo, la conciencia no sería conciencia, es decir, falta: al contrario, la conciencia toma de él para ella misma su significación de conciencia. Surge, al mismo tiempo que ella, a la vez en su meollo y fuera de ella; él es la absoluta trascendencia en la inmanencia absoluta; no hay prioridad ni de él sobre la conciencia ni de la conciencia sobre él: *forman pareja*. Sin duda, ese ser no podría existir sin el para-sí, pero éste tampoco podría existir sin aquél. Con relación a ese ser, la conciencia se mantiene en el modo de *ser* ese ser, pues él es ella misma, pero como un ser que ella no puede ser. Él es ella, en el meollo de ella misma y fuera de su alcance, como una ausencia y un irrealizable, y su naturaleza consiste en encerrar en sí su propia contradicción; su relación con el para-sí es una inmanencia total que culmina en total trascendencia.

Por otra parte, no ha de concebirse este ser como presente a la conciencia con sólo los caracteres abstractos que nuestras investigaciones han establecido. La conciencia concreta surge en situación, y es conciencia singular e individualizada *de* esa situación y (de) sí misma en situación. A esta conciencia concreta está presente el sí, y todos los caracteres concretos de la conciencia tienen sus correlatos en la totalidad del sí. El sí es individual, e infesta al para-sí como su pleno cumplimiento individual. Un sentimiento, por ejemplo, es sentimiento en presencia de una norma, es decir, de un sentimiento del mismo tipo pero que fuera lo que es. Esta norma o totalidad del sí afectivo está directamente presente como falta *padecida* en el meollo mismo del sufrimiento padecido. Se sufre, y se sufre por no sufrir bastante. El sufrimiento de que *hablamos* no es jamás enteramente el que sentimos. Lo que llamamos el sufrimiento "bello" o "bueno" o "verdadero", que nos conmueve, es el sufrimiento que leemos en el rostro de los demás o, mejor aún, en los retratos, en la faz de una estatua, en una máscara trágica. Es un sufrimiento que tiene *ser*. Se nos ofrece como un todo compacto y objetivo, que no esperaba nuestra llegada para ser, y que rebalsa la conciencia que de él tomamos; está ahí, en medio del mundo, impenetrable y denso, como este árbol o esa piedra, durando; por último, es lo que es; de él podemos decir: ese sufrimiento, que se expresa en ese rictus, en ese ceño. Está sostenido y ofrecido por la fisonomía, pero no creado. Se ha posado en ella, está más allá tanto de la pasividad como de la actividad, de la negación como de la afirmación: simplemente es. Y, empero, no puede ser sino como conciencia de sí. Bien sabemos que esa máscara no expresa la mueca inconsciente de alguien que duerme, ni el rictus de un muerto: remite a posibilidades, a una situación en el mundo. El sufrimiento es la relación consciente con esas posibilidades, con esa situación; pero solidificada, moldeada en el bronce del ser; y en tanto que tal nos fascina: es como una aproximación degradada a ese sufrimiento-en-sí que infesta a nuestro propio sufrimiento. El sufrimiento que siento *yo*, al contrario, no es nunca sufrimiento bastante, por el hecho de que se nihiliza como en-sí con el acto mismo por el cual se funda. Como sufrimiento, escapa hacia la conciencia de sufrir. No puedo jamás ser *sorprendido* por él, pues sólo es en la exacta medida en que ya lo siento. Su translucidez le quita toda profundidad. No puedo observarlo, como observo el de la estatua, puesto que yo lo hago y sé de él. Si es preciso sufrir, quisiera yo que mi sufrimiento me captara y desbordara como una tempestad; pero es menester, al contrario, que yo lo eleve a la existencia en mi libre espontaneidad. Quisiera a la vez serlo y padecerlo, pero ese sufrimiento enorme y opaco que me transportaría fuera de mí me roza constantemente con su ala y no puedo captarlo, no me encuentro sino conmigo mismo; conmigo, que me lamento y gimo; conmigo, que debo, para realizar ese sufrimiento que soy, representar sin tregua la comedia de sufrir. Me retuerzo los brazos, grito, para que seres en sí –sonidos, gestos– recorran el mundo, cabalgados por el sufrimiento en sí que yo no puedo ser. Cada lamento, cada fisonomía del que sufre aspira a esculpir una estatua en sí del sufrimiento. Pero esta estatua no existirá jamás sino por los otros y para los otros. Mi sufrimiento sufre por ser lo que no es, por no ser lo que es; a punto de reunirse consigo, se hurta, separado de sí mismo por nada, por esa nada de que él mismo es fundamento. Por no ser bastante, se hace verboso; pero su ideal es el silencio. El silencio de la estatua, del hombre agobiado que baja la frente y se cubre el rostro sin decir nada. Pero este hombre silencioso sólo calla *para mí;* en sí mismo parlotea inagotablemente, pues las palabras del lenguaje interior son como esbozos del "sí" del sufrimiento. Sólo a mis ojos ese hombre está "aplastado" por el sufrimiento: en sí mismo, se siente responsable de ese dolor que quiere sin quererlo y que no quiere queriéndolo, y está infestado por una perpetua ausencia, la del sufrimiento inmóvil y mudo que es el *sí*, la totalidad concreta e inalcanzable del para-sí que sufre, el *para* de la Realidad-humana sufriente. Como se ve, este sufrimiento-sí que visita a mi sufrimiento no es jamás puesto por éste. Y mi sufrimiento real no es un *esfuerzo* por alcanzar el sí: no puede *ser* sufrimiento sino como conciencia (de) *no ser suficientemente* sufrimiento en presencia de ese sufrimiento pleno y ausente.

Podemos ahora determinar con más nitidez lo que es el ser del sí: es el valor. El valor, en efecto, está afectado por el doble carácter, muy incompletamente explicado por los moralistas, de ser incondicionalmente y de no ser. En tanto que valor, en efecto, el valor tiene ser; pero este existente normativo no tiene ser, precisamente, en tanto que realidad. Su ser es ser valor, es decir, no ser ser. Así, el ser del valor en tanto que valor es el ser de lo que no tiene ser. El valor, pues, parece incaptable: de tomárselo como ser, se corre el riesgo de desconocer totalmente su irrealidad y hacer de él, como los sociólogos, una exigencia de hecho entre otros hechos. En este caso, la contingencia del ser mata al valor. Pero, a la inversa, si no se tienen ojos sino para la idealidad de los valores, se les quitará el ser; y, faltos de ser, se desmoronan. Sin duda, puedo, como lo ha mostrado Scheler, alcanzar la intuición de los valores a partir de ejemplificaciones concretas: puedo captar la nobleza a partir de un acto noble. Pero el valor así aprehendido no se da como situado en el ser al mismo nivel que el acto al cual valoriza; al modo, por ejemplo, de la esencia "rojo" con relación al rojo singular. Se da como un más allá de los actos considerados; como, por ejemplo, el límite de la progresión infinita de los actos nobles. El valor está allende el ser. Empero, si no queremos quedarnos en palabras, hemos de reconocer que ese ser que está allende el ser posee el ser por lo menos de alguna manera. Estas consideraciones bastan para hacernos admitir que la realidad humana es aquello por lo cual el valor llega al mundo. Pero el valor tiene por sentido ser aquello hacia lo cual un ser trasciende su ser: todo acto valorizado es arrancamiento del propio ser hacia... El valor, siendo siempre y doquiera el allende de todos los trascenderes, puede ser considerado como la unidad incondicionada de todos los trascendentes de ser. Y de este modo forma pareja con la realidad que originariamente trasciende su ser y por la cual el trascender viene al ser, es decir, con la realidad humana. Se ve también que el valor, siendo el más allá incondicionado de todos los trascenderes, debe ser originariamente el más allá del ser mismo que opera el trascender, pues es la única manera en que puede ser el más allá original de todos los trascenderes posibles. Si todo trascender ha de poder trascenderse, en efecto, es menester que el ser que opera el trascender sea *a priori* trascendido *en tanto que* es la fuente misma de los trascenderes; así, el valor tomado en su origen, o valor supremo, es el más allá y el *para* de la trascendencia. Es el más allá que trasciende y funda todos mis trascenderes, pero hacia el cual no puedo yo trascenderme jamás, ya que precisamente mis trascenderes lo suponen. Es lo *fallido* de todas las faltas, no lo faltante. El valor es el sí en tanto que infesta el meollo del para-sí como aquello para lo cual es. El valor supremo hacia el cual la conciencia se trasciende a cada instante por su ser mismo es el ser absoluto del sí, con sus caracteres de identidad, pureza, permanencia, etc., y en tanto que es fundamento de sí. Es lo que nos permite concebir por qué el valor puede a la vez ser y no ser. Es como el sentido y el más allá de todo trascender, es como el en-sí ausente que infesta al ser para sí. Pero, desde que se lo considera, se ve que es él mismo un trascender ese ser-en-sí, ya que *se lo da* él mismo a sí mismo. Está más allá de su propio ser porque, siendo su ser del tipo de la coincidencia consigo mismo, trasciende inmediatamente este ser, su permanencia, su pureza, su consistencia, su identidad, su silencio, reclamando estas cualidades a título de presencia a sí. Y, recíprocamente, si se comienza por considerarlo como presencia a sí, esta presencia queda en seguida solidificada, fijada en en-sí. Además, el valor es en su ser la totalidad fallida hacia la cual un ser se hace ser. Surge para un ser no en tanto que este ser es lo que es, en plena contingencia, sino en tanto que este ser es fundamento de su propia nihilización. En este sentido, el valor infesta al ser en tanto que éste se funda, no en tanto que es: infesta a la *libertad*. Esto significa que la relación entre el valor y el para-sí es muy particular: es el ser que éste ha de ser en tanto que es fundamento de su propia nada de ser. Y, si el para-sí ha de ser este ser, ello no ocurre por una coerción externa, ni porque el valor, como el primer motor de Aristóteles, ejerza sobre él una atracción de hecho, ni en virtud de un carácter recibido de su ser; sino porque se hace ser en su ser como habiendo de ser ese ser. En una palabra, el sí, el para-sí y su mutua relación se mantienen en los límites de una libertad incondicionada –en el sentido de que *nada* hace existir al valor, sino esa libertad que al mismo tiempo me hace existir a mí– y a la vez en los límites de la facticidad concreta, en tanto que, fundamento de su nada, el para-sí no puede ser fundamento de su ser. Hay, pues, una total contingencia del *ser-para-el-valor,* que recaerá inmediatamente sobre toda la moral para transirla y relativizarla; y, al mismo tiempo, una libre y absoluta necesidad.[1]

El valor en su surgimiento original no es *puesta* por el para-sí: es consustancial a éste, hasta tal punto que no hay conciencia que no esté infestada por *su* valor y que la realidad humana, en sentido amplio, incluye al para-sí y al valor. Si el valor infesta al para-sí sin ser puesto por él, ello se debe a que el valor no es objeto de una tesis: en efecto, para ello sería menester que el para-sí fuese para sí mismo objeto de posición, ya que valor y para-sí no pueden surgir sino en la unidad consustancial de una pareja. Así, el para-sí como conciencia no-tética (de) sí no existe *frente* al valor, en el sentido en que, para Leibniz, la mónada existe "sola frente a Dios". El valor no es, pues, *conocido* en este estadio, ya que el conocimiento pone al objeto frente a la conciencia. El valor es sólo dado con la translucidez no-tética del para-sí, que se hace ser como conciencia de ser, está doquiera y en ninguna parte, en el

---

1 Se incurrirá tal vez en la tentación de traducir en términos hegelianos la trinidad aquí encarada, haciendo del en-sí la tesis, del para-sí la antítesis y del en-sí-para-sí o Valor la síntesis. Pero ha de observarse que, si al Para-sí le *falta* el En-sí, al En-sí no le falta el Para-sí. No hay, pues, reciprocidad en la oposición. En una palabra, el Para-sí permanece inesencial y contingente con respecto al En-sí, y esta inesencialidad es lo que llamábamos antes su facticidad. Además, la síntesis o Valor sería ciertamente un retorno a la tesis y, por ende, un retorno a sí, pero como aquél es totalidad irrealizable, el Para-sí no es un momento que pueda ser trascendido. Como tal, su naturaleza lo aproxima mucho más a las realidades "ambiguas" de Kierkegaard. Además, encontramos aquí un doble juego de oposiciones unilaterales: al Para-sí, en un sentido, le falta el En-sí, al cual en cambio no le falta aquél; pero, en otro sentido, le falta su posible (el Para-sí faltante), el cual tampoco está falto de él.

meollo de la relación nihilizadora "reflejo-reflejante", presente e inalcanzable, vivida simplemente como el sentido concreto de esa falta que constituye mi ser presente. Para que el valor se convierta en objeto de una tesis, es menester que el para-sí al cual infesta comparezca ante la mirada de la reflexión. La conciencia reflexiva, en efecto, pone la vivencia refleja en su naturaleza de falta y desentraña al mismo tiempo el valor como el sentido inalcanzable de lo fallido. Así, la conciencia reflexiva puede ser llamada, propiamente hablando, conciencia moral, ya que no puede surgir sin develar al mismo tiempo los valores. Va de suyo que quedo libre, en mi conciencia reflexiva, para dirigir mi atención a los valores o para pasarlos por alto, exactamente como de mí depende mirar más particularmente, en la superficie de esta mesa, mi estilográfica o mi paquete de tabaco. Pero, sean o no objeto de una atención circunstanciada, los valores *son*.

No ha de concluirse de ello, empero, que la mirada reflexiva sea la única capaz de hacer aparecer el valor, ni que proyectemos por analogía los valores de nuestro para-sí al mundo de la trascendencia. Si el objeto de la intuición es un fenómeno de la realidad humana, pero trascendente, se entrega inmediatamente con su valor, pues el para-sí del prójimo no es un fenómeno escondido que se dé sólo como la conclusión de un razonamiento por analogía. Se manifiesta originariamente a mi para-sí y, como lo veremos, su presencia como para-otro es hasta la condición necesaria para la constitución del para-sí como tal. Y en este surgimiento del para-otro el valor es dado como en el surgimiento del para-sí, aunque en un modo de ser diferente. Pero no podemos tratar sobre el encuentro objetivo de los valores en el mundo mientras no hayamos elucidado la naturaleza del para-otro. Postergamos, pues, el examen de esta cuestión hasta la tercera parte del presente libro.

IV

El para-sí y el ser de los posibles

Hemos visto que la realidad humana era una falta y que, en tanto que para-sí, le faltaba cierta coincidencia consigo misma.

Concretamente, cada para-sí (vivencia) particular está falto de cierta realidad particular y concreta cuya asimilación sintética lo transformaría en *sí*. Está falto *de... para...*, como el disco recortado de la luna está falto *de* lo que necesitaría *para* completarse y transformarse en luna llena. Así, lo faltante surge en el proceso de trascendencia y se determina por un retorno hacia el existente a partir de lo fallido. Lo faltante así definido es trascendente y complementario con respecto al existente. Es, pues, de la misma naturaleza: lo que falta al cuarto de luna para ser luna es, precisamente, un fragmento de luna; lo que falta al ángulo obtuso ABC para formar dos rectos es el ángulo agudo CBD. Lo que falta, pues, al para-sí para integrarse al sí, es para-sí. Pero no puede tratarse en modo alguno de un para-sí ajeno, es decir, de un para-sí que yo no soy. En efecto: puesto que el ideal surgido es la coincidencia del sí, el para-sí faltante es un para-sí que yo *soy*. Pero, por otra parte, si yo lo fuera en el modo de la identidad, el conjunto se haría en-sí. Yo soy el para-sí faltante en el modo de tener-de-ser el para-sí que no soy, para identificarme a él en la unidad del sí. De este modo, la relación trascendente original del para-sí con el sí esboza perpetuamente un como proyecto de identificación del para-sí con un para-sí ausente que él *es* y que le *falta*. Lo que se da como *lo faltante propio* de cada para-sí y se define rigurosamente como lo faltante a ese para-sí preciso y a ningún otro, es el posible del para-sí. El posible surge sobre el fondo de nihilización del para-sí. No es concebido temáticamente *con posterioridad* como medio de reconstituir el sí; sino que el surgimiento del para-sí como nihilización del en-sí y descompresión de ser hace surgir al posible como uno de los aspectos de esa descompresión de ser; es decir, como una manera de ser a distancia de sí lo que se es. De este modo, el para-sí no puede aparecer sin estar infestado por el valor y proyectado hacia sus posibles propios. Sin embargo, desde que nos remite a sus posibles, el *cogito* nos expulsa del instante hacia lo que él es en el modo de no serlo.

Pero, para comprender mejor cómo la realidad humana es y no es a la vez sus propias posibilidades, hemos de volver sobre la noción de *posible* y tratar de elucidarla.

Ocurre con el posible como con el valor: hay la mayor dificultad en comprender su ser, pues se da como anterior al ser del cual es posibilidad pura, y, empero, en tanto que posible al menos, es necesario que tenga ser. ¿No se dice: "*Es* posible que venga"? Desde Leibniz, suele llamarse "posible" a un suceso que no se halla incluido en una serie causal existente tal que se lo pueda determinar con seguridad, y que no implica contradicción alguna ni consigo mismo ni con el sistema considerado. Así definido, el posible no es posible sino a los ojos del conocimiento, ya que no estamos en condiciones ni de afirmar ni de negar el posible considerado. De ahí dos actitudes frente al posible: se puede considerar, como Spinoza, que no existe sino con respecto a nuestra ignorancia y que se desvanece cuando ella se desvanece. En este caso, el posible no es sino un estadio subjetivo en el camino del conocimiento perfecto: no tiene otra realidad que la de un modo psíquico; tiene un ser concreto, en tanto que pensamiento confuso o trunco, pero no en tanto que propiedad del mundo. Pero cabe también hacer de la infinidad de los posibles el objeto de los pensamientos del entendimiento divino, a la manera de Leibniz, lo que les confiere una manera de realidad absoluta, reservándose a la *voluntad* divina el poder de realizar el mejor sistema de entre ellos. En este caso, aunque el encadenamiento de percepciones de la mónada esté rigurosamente determinado y un ser omnisciente pueda establecer con certeza la decisión de Adán a partir de la fórmula misma de su sustancia, no es absurdo decir: "Es posible que Adán no coja la manzana". Esto significa solamente que existe, a título de pensamiento en el entendimiento divino, otro sistema de composibles, tal que Adán figura en él como no habiendo comido el fruto del árbol de la Ciencia. Pero ¿esta concepción difiere tanto de la de Spinoza? Lo hecho, la realidad del posible es únicamente la del *pensamiento* divino. Esto significa que el posible tiene el ser como pensamiento que no ha sido realizado. Sin duda, la idea de subjetividad ha sido aquí llevada al límite, pues se trata de la conciencia divina, no de la mía; y si de entrada se ha tomado la precaución de confundir subjetividad y finitud, la subjetividad se desvanece cuando el entendimiento se torna infinito. No por ello es menos cierto que el posible es un pensamiento que *no es sino pensamiento*. El propio Leibniz parece haber querido conferir una autonomía y una especie de pesantez propia a los posibles, ya que varios de los fragmentos metafísicos publicados por Couturat nos muestran a los posibles organizándose en sistemas de composibles, y al más pleno y más rico tendiendo por sí mismo a realizarse, Pero no hay en ello sino un esbozo de doctrina, y Lebiniz no lo desarrolló, sin duda porque no podía ser desarrollado: dar a los posibles una tendencia hacia el ser significa o bien que el posible es ya ser pleno y tiene el mismo tipo de ser que el ser –en el sentido en que se puede dar al pimpollo una tendencia a hacerse flor–, o bien que el posible, en el seno del entendimiento divino, es ya una idea-fuerza, y el máximo de ideas-fuerzas organizado en sistema desencadena automáticamente la voluntad divina. Pero, en este último caso, no salimos de lo subjetivo. Así, pues, si se define el posible como no contradictorio, no puede tener ser sino como pensamiento de un ser anterior al mundo real o anterior al conocimiento puro del mundo tal cual es. En ambos casos, el posible pierde su naturaleza de posible y se reabsorbe en el ser subjetivo de la representación.

Pero este ser-representado del posible no podría dar razón de su naturaleza, ya que, al contrario, la destruye. No captamos en modo alguno el posible, en el uso corriente que de él hacemos, como un aspecto de nuestra ignorancia, ni tampoco como una estructura no contradictoria perteneciente a un mundo no realizado y al margen de este mundo. El posible se nos aparece como una propiedad de los seres. Sólo después de echar una ojeada al cielo decretaré: "Es posible que llueva", y no entiendo aquí "posible" como "sin contradicción con el presente estado del cielo". Esta posibilidad pertenece al cielo como una amenaza; representa un trascender las nubes que percibo hacia la lluvia, y este trascender es portado por las nubes en sí mismas, lo que no significa que será realizado, sino sólo que la estructura de ser de la nube es trascendencia hacia la lluvia. La posibilidad se da aquí como pertenencia a un ser particular, del cual es un *poder,* como suficientemente lo señala el hecho de que digamos indiferentemente de un amigo al que esperamos: "Es posible que venga" o *"Puede* venir". Así, el posible no puede reducirse a una realidad subjetiva. Tampoco es anterior a lo real o a lo verdadero, sino que es una propiedad concreta de realidades ya existentes. Para que la lluvia sea posible, es menester que haya nubes en el cielo. Suprimir el ser para establecer al posible en su pureza es una tentativa absurda; la procesión, a menudo citada, que va del no-ser al ser pasando por el posible, no corresponde a lo real. Ciertamente, el estado posible todavía no es; pero es el estado posible de cierto existente, que sostiene con su ser la posibilidad y el no-ser de su estado futuro.

En verdad, estas observaciones arriesgan conducirnos a la "potencia" aristotélica. Y sería caer de Caribdis en Escila evitar la concepción puramente *lógica* del posible para caer en una concepción *mágica*. El ser-en-sí no puede "ser en potencia" ni "tener potencias". En sí, es lo que es en la plenitud absoluta de su identidad. La nube no es "lluvia en potencia"; es, en sí, cierta cantidad de valor de agua que, para una temperatura y una presión dadas, es rigurosamente lo que es. El en-sí es en acto. Pero se puede concebir con suficiente claridad cómo la mirada científica, en su tentativa de deshumanizar el mundo, ha reencontrado los posibles como *potencias* y se desembarazó de ellos convirtiéndolos en los puros resultados subjetivos de nuestro cálculo lógico y de nuestra ignorancia. El primer paso científico es correcto: el posible viene al mundo por medio de la realidad humana. Esas nubes no pueden mudarse en lluvia si yo no las trasciendo hacia la lluvia, así como al disco quebrado de la luna no le falta una parte a menos que yo lo trascienda hacia la luna llena. Pero ¿era menester después hacer del posible un simple dato de nuestra subjetividad psíquica? Así como en el mundo no podría haber falta si ésta no viniera al mundo por un ser que es su propia falta, así tampoco podría haber en el mundo posibilidad si no viniera por un ser que es para sí mismo su propia posibilidad. Pero, precisamente, la posibilidad no puede, por esencia, coincidir con el puro *pensamiento* de las posibilidades. En efecto: si la posibilidad no se da primeramente como estructura objetiva de los seres o de un ser particular, el pensamiento, como quiera que se lo encare, no podría encerrar en sí al posible como su contenido de pensamiento. En efecto: si consideramos los posibles en el seno del entendimiento divino, como contenido del pensamiento divino, se convierten pura y simplemente en *representaciones concretas,* Admitamos por pura hipótesis –aunque no se pueda comprender de dónde vendría a un ser enteramente positivo este poder negativo que Dios tenga el poder de negar, es decir, de formular juicios negativos sobre sus representaciones: no se comprendería por eso cómo transformaría esas representaciones en *posibles*. Cuando mucho, la negación tendría por efecto constituirlos como "sin correspondencia real". Pero decir que el Centauro no existe no es en modo alguno decir que es posible. Ni la afirmación ni la negación pueden conferir a una representación el carácter de posibilidad. Y si se pretende que este carácter puede ser dado por una síntesis de negación y afirmación, ha de hacerse notar todavía que una síntesis no es una suma, y que sería menester dar razón de esa síntesis a título de totalidad orgánica dotada de una significación propia, y no a partir de los elementos de los que es síntesis. Análogamente, la pura comprobación subjetiva y negativa de nuestra ignorancia respecto de la relación de una de nuestras ideas con la realidad no podría dar razón del carácter de posibilidad de esa representación: sólo podría ponernos en estado de indiferencia con respecto a ella, pero no conferirle ese *derecho* sobre la realidad, que es la estructura fundamental del posible. Si se agrega que ciertas tendencias me llevan a aguardar con preferencia esto o aquello, diremos que estas tendencias, lejos de explicar la trascendencia, al contrario, la suponen: es menester, como hemos visto, que ellas existan como falta. Además, si el posible no es dado en cierta manera, esas tendencias podrían incitarnos a *desear* que mi representación corresponda adecuadamente a la realidad, pero no conferirme un derecho sobre ésta. En una palabra, la captación del posible como tal supone un trascender original. Todo esfuerzo por establecer el posible a partir de una subjetividad que fuera lo que ella es, es decir, que estuviera cerrada en sí misma, está por principio destinado al fracaso.

Pero, si es verdad que el posible es una opición sobre el ser, y si es verdad que el posible no puede venir al mundo sino por un ser que es su propia posibilidad, ello implica para la realidad humana la necesidad de ser su ser en forma de opción sobre su ser. Hay posibilidad cuando, en lugar de ser pura y simplemente lo que soy, soy como el Derecho de ser lo que soy. Pero este mismo derecho me separa de lo que tengo el derecho de ser. El derecho de propiedad no aparece sino cuando se me disputa mi propiedad; cuando ya, de hecho, en algún sentido dejó de ser mía. El goce tranquilo de lo que poseo es un hecho puro y simple, no un derecho. Así, para que haya posible, es menester que la realidad humana, en tanto que es ella misma, sea otra cosa que ella misma. Este posible es ese elemento del Para-sí que le escapa por naturaleza en tanto que es Para-sí. El posible es un nuevo aspecto de la nihilización del En-sí en Para-sí.

En efecto: si el posible no puede venir al mundo sino por un ser que es su propia posibilidad, ello resulta de que el en-sí, siendo por naturaleza lo que es, no puede "tener" posibles. Su relación con una posibilidad no puede establecerse sino desde el exterior, por un ser que esté frente a las posibilidades mismas. La posibilidad de ser detenida por un pliegue del tapizado no pertenece ni al tapizado ni a la bola que rueda: no puede surgir sino en la organización en sistema de la bola y del tapiz, por un ser que tiene una comprensión de los posibles. Pero esta comprensión no puede venirle ni *de afuera*, es decir, del en-sí, ni limitarse a no ser sino un pensamiento como modo subjetivo de la conciencia; debe, pues, coincidir con la estructura objetiva del ser que comprende los posibles. Comprender la posibilidad en tanto que posibilidad o ser sus propias posibilidades es una sola y misma necesidad para el ser en quien, en su ser, es cuestión de su ser. Pero precisamente ser su propia posibilidad, es decir, definirse por ella, es definirse por esa parte de sí mismo que no se es; es definirse como un escaparse a sí mismo hacia... En una palabra, desde el momento en que quiero dar razón de mi ser inmediato en tanto que simplemente es lo que no es y no es lo que es, me veo arrojado fuera de él hacia un sentido que se halla fuera de alcance y que no podría confundirse en modo alguno con una representación subjetiva inmanente. Descartes, al captarse por el *cogito* como *duda*, no puede esperar definir esta duda como duda metódica o como duda simplemente, si se limita a lo que capta la pura mirada instantánea. La duda no puede entenderse sino a partir de la posibilidad siempre abierta para él que una evidencia le "suscita"; no puede captarse como duda sino en cuanto remite a posibilidades de ἐποχή aún no realizadas pero siempre abiertas. Ningún hecho de conciencia es, propiamente hablando, *esta* conciencia; aun si, como Husserl, haya de dotarse a esta conciencia, de modo bastante artificial, con protensiones intraestructurales que, no teniendo en su ser medio alguno de trascender la conciencia de que son una estructura, se agotan lamentablemente sobre sí mismas, asemejándose a moscas que se dan de nariz en la ventana sin poder franquear el vidrio; aun en tal caso, una conciencia, desde que se la quiere definir como duda, percepción, ser, etc., nos remite a la nada de lo que aún no es. La conciencia (de) leer no es conciencia (de) leer esta letra, ni esta palabra, ni esta frase, ni siquiera este párrafo, sino conciencia (de) leer *este libro*, lo que me remite a todas las página aún no leídas, a todas las páginas leídas ya: lo que, por definición, arranca la conciencia a sí misma. Una conciencia que no fuera sino conciencia de lo que es, se vería obligada a deletrear.

Concretamente, cada *para-sí* es falta de cierta coincidencia consigo mismo. Esto significa que está ínfestado por la presencia de aquello con lo cual debiera coincidir para ser *sí mismo*. Pero, como esta coincidencia en Sí es también conciencia con el Sí, lo que al Para-sí le falta como el ser cuya asimilación lo haría ser Sí es igualmente el Para-sí. Hemos visto que el Para-sí era "presencia a sí"; lo que falta a la presencia a sí no puede faltarle sino como presencia a sí. La relación determinante del para-sí con su posible es un relajamiento nihilizador del nexo de presencia a sí; ese relajamiento llega hasta la trascendencia, ya que la presencia a sí que le falta al Para-sí es presencia a sí que *no es*. De este modo, el Para-sí en tanto que no es *sí mismo,* es una presencia a sí a la que falta cierta presencia a sí, y justamente el Para-sí es presencia a sí en tanto que falta de esta presencia. Toda conciencia está *falta de... para.* Pero ha de comprenderse bien que la falta no se viene de afuera, como la del fragmento de luna a la luna. La falta del para-sí es una falta que es él. Lo que constituye el ser del para-sí como fundamento de su propia nada es el esbozo de una presencia a sí como lo que falta al para-sí. El posible es una ausencia constitutiva de la conciencia en tanto que ésta se hace a sí misma. Una sed, por ejemplo, no es nunca suficientemente sed en tanto que se hace sed:, está infestada por la presencia del Sí o Sed-sí. Pero, en tanto que infestada por este valor concreto, se pone en cuestión en su ser como faltándole cierto Para-sí que la realizaría como *ser colmada* y que le conferiría el ser-en-sí. Este Para-sí faltante es el Posible. No es exacto, en efecto, que una Sed tienda hacia su aniquilación en cuanto sed: no hay ninguna conciencia que tienda a su supresión en cuanto tal. Empero, la sed es una falta, como lo hemos advertido antes. En tanto que sed, quiere *colmarse,* pero esta sed colmada, que se realizaría por la asimilación sintética, en un acto de coincidencia, del Para-sí-deseo o Sed con el Para-sí-reflexión o acto de beber, no se encara como supresión de sed; al contrario: es la sed llegada a la plenitud de ser, la sed que capta y se incorpora la repleción, como la forma aristotélica capta y transforma la materia; se convierte en la sed eterna. Es un punto de vista muy posterior y reflexivo el del hombre que bebe para librarse de su sed, como el del hombre que va a las casas públicas para librarse de su deseo sexual. La sed, el deseo sexual, en el estado irreflexivo e ingenuo, quieren gozar de sí mismos, buscan esa coincidencia consigo mismos que es la saciedad, en que la sed se conoce como sed al tiempo mismo en que el beber la colma; en que, por el hecho mismo de saciarse, pierde su carácter de falta a la vez que se hace ser sed en y por la satisfacción. Así, Epicuro está a la vez en lo cierto y equivocado: por sí mismo, en efecto, el deseo es un vacío. Pero ningún proyecto irreflexivo tiende simplemente a suprimir ese vacío. El deseo por sí mismo tiende a perpetuarse; el hombre se apega encarnizadamente a sus deseos. Lo que el deseo quiere ser, es un vacío colmado, pero que informe a su repleción como el molde informa al bronce que se le ha vertido dentro. El posible de la conciencia de sed es la conciencia de beber. Sabido es, por lo demás, que la coincidencia del sí es imposible, pues el para-sí alcanzado por la realización del Posible se hará ser como para-sí, es decir, con otro horizonte de posibles. De ahí la decepción constante que acompaña a la repleción, el famoso: "¿No era más que eso?", que no apunta al placer concreto dado por la satisfacción sino la evanescencia de la coincidencia consigo mismo. Por aquí entrevemos el origen de la temporalidad, ya que la sed es su posible al mismo tiempo que no *lo es*. Esta nada que separa a la realidad humana de sí misma está en la fuente del tiempo. Pero ya volveremos sobre esto. Lo que ha de notarse es que el Para-sí está separado de la Presencia a sí que le falta y que es su posible propio, en un sentido, por *Nada,* y en otro sentido por la totalidad del existente en el mundo en tanto que el Para-sí faltante o posible es Para-sí como *presencia a* cierto estado del mundo. En este sentido, el ser allende el cual el Para-sí proyecta la coincidencia consigo mismo es el mundo o distancia de ser infinita allende la cual el hombre debe reunirse con su posible. Llamaremos *circuito de la ipseidad* a la relación entre el para-sí y el posible que él es, y *mundo* a la totalidad del ser en tanto que atravesada por el circuito de la ipseidad.

Podemos ahora esclarecer el modo de ser del posible. El posible es aquello *de que* está falto el Para-sí *para* ser sí mismo. No conviene decir, en consecuencia, que el posible es en tanto que posible. A menos que se entienda por ser el de un existente que *es sido* en tanto que no es sido, o, si se quiere, la aparición a distancia de lo que soy. No existe como una pura representación, así sea negada, sino como una real falta de ser, la que, a título de falta, está allende el ser. Tiene el ser de una falta, y, como falta, le falta el ser. El Posible no es: el posible se posibiliza; en la exacta medida en que el Para-sí se hace ser, el Posible determina por esbozo esquemático una ubicación de nada que el Para-sí es más allá de sí mismo. Naturalmente, no está temáticamente puesto de modo previo: se esboza allende el mundo y da su sentido a mi percepción presente, en tanto que ésta es captación del mundo en el circuito de ipseidad. Pero tampoco es ignorado o inconsciente: esboza los límites de la conciencia no tética (de) sí en tanto que conciencia no tética. La conciencia irreflexiva (de) ser es captación *del* vaso de agua como deseable, sin posición centrípeta del Sí como objeto final del deseo. Pero la repleción posible aparece como correlato no posicional de la conciencia no tética (de) sí, en el horizonte del vaso-en-medio-del-mundo.

V

El yo y el circuito de la ipseidad

Hemos tratado de mostrar, en un artículo de las "Recherches philosophiques", que el Ego no pertenecía al dominio del para-sí. No volveremos sobre la cuestión. Notemos sólo la razón de la trascendencia del Ego: como polo unificador de las vivencias, el Ego es en-sí, no para- sí. Si fuera "de la conciencia", en efecto, sería a sí mismo su propio fundamento en la translucidez de lo inmediato. Pero entonces sería lo que no sería y no sería lo que sería, lo que no es en absoluto el modo de ser del Yo. En efecto, mi conciencia del Yo no lo agota jamás y tampoco es ella quien lo hace venir a la existencia: el Yo se da siempre como *habiendo sido* ahí antes que ella, y a la vez como poseedor de profundidades que han de develarse poco a poco. Así, el Ego aparece a la conciencia como un en-sí trascendente, como un existente del mundo humano, no como *de la* conciencia. Pero no ha de concluirse que el para-sí sea una pura y simple contemplación "impersonal". Simplemente, lejos de ser el Ego el polo personalizante de una conciencia que, sin él, permanecería en el estadio impersonal, es, al contrario, la conciencia en su ipseidad fundamental quien permite la aparición del Ego, en ciertas condiciones, como el fenómeno trascendente de esa ipseidad. En efecto: hemos visto que es imposible decir del en-sí que sea *sí*: simplemente *es*. Y, en este sentido, del Yo, del cual se ha hecho, muy erróneamente, el habitante de la conciencia, se dirá que es el "yo" de la conciencia, pero no que sea su propio *sí*. De este modo, por haber hipostasiado el ser-reflexo del para-sí en un en-sí, se fija y destruye el movimiento de reflexión sobre sí: la conciencia sería pura remisión al Ego como a su propio *sí*, pero el Ego no remite ya a nada; se ha transformado la relación de reflexividad en una simple relación centrípeta, siendo el centro, por otra parte, un nudo de opacidad. Hemos mostrado, al contrario, que el sí, por principio, no podía habitar la conciencia. El sí es, si se quiere, *la razón* del movimiento infinito por el cual el reflejo remite al reflejante y éste al reflejo; por definición, es un ideal, un límite. Y lo que lo hace surgir como límite es la realidad nihilizadora de la presencia del ser al ser en la unidad del ser como tipo de ser. Así, la conciencia, desde que surge, por el puro movimiento nihilizador de la reflexión, se hace *personal:* pues lo que confiere a un ser la existencia personal no es la posición de un Ego –que no es sino el *signo* de la personalidad–, sino el hecho de existir para sí como presencia a sí. Pero, además, este primer movimiento reflexivo trae aparejado un segundo movimiento o ipseidad. En la ipseidad, mi posible se refleja sobre mi conciencia y la determina como lo que ella es. La ipseidad representa un grado de nihilización más avanzado que la pura presencia a sí del *cogito* prerreflexivo, en el sentido de que el posible que soy no es pura presencia al para-sí como el reflejo al reflejante, sino que es *presencia-ausente*. Pero, por esto mismo, la existencia de la *remisión* como estructura de ser del para-sí queda más netamente señalada todavía. El para-sí es sí mismo *allá*, fuera de alcance, en las lejanías de sus posibilidades. Y esta libre necesidad de ser allá lo que se es en la forma de falta constituye la ipseidad o segundo aspecto esencial de la persona. ¿Cómo definir, en efecto, la persona, sino como libre relación consigo? En cuanto al mundo, es decir, la totalidad de los seres en tanto que existen en el interior del circuito de ipseidad, no podría ser sino aquello que la realidad humana trasciende hacia sí; o, para tomar su definición a Heidegger: "Aquello a partir de lo cual la realidad humana se hace anunciar lo que ella es".[1] En efecto, el posible que es *mi* posible es para-sí posible y, como tal, presencia al en-sí como conciencia *del* en-sí. Lo que busco frente al mundo es la coincidencia con un para-sí que soy y que es conciencia *del* mundo. Pero este posible que está presente-ausente *no téticamente* a la conciencia presente, no está presente a título de objeto de una conciencia posicional; si no, sería reflexo. La sed colmada que infesta mi sed actual no es conciencia (de) sí como sed colmada; es conciencia tética *del vaso-que-es-bebido* y conciencia no posicional (de) sí. Se hace, pues, trascender hacia el vaso *del cual es* conciencia; y, como correlato de esta conciencia posible no tética, el vaso-bebido infesta al vaso pleno como su posible y lo constituye como vaso de-beber. Así el mundo, por naturaleza, es *mío* en tanto que es correlato en-sí de la nada, es decir, del obstáculo necesario allende el cual me reencuentro como lo que soy en la forma de "tener-de-serlo". Sin mundo no hay ipseidad ni persona; sin la ipseidad, sin la persona, no hay mundo. Pero esta pertenencia del mundo a la persona no es jamás *puesta* en el plano del *cogito* prerreflexivo. Será absurdo decir que el mundo, en tanto que es conocido, es conocido como mío. Empero, esta "miidad" del mundo es una estructura fugitiva y siempre presente *vivida* por mí. El mundo *(es)* mío porque está infestado por posibles de los cuales son conciencias las conciencias posibles (de) sí que *yo* soy, y esos posibles, en tanto que tales, le dan su unidad y su sentido de mundo.

---

[1] Veremos en el capítulo III de esta misma parte lo que esta definición, que adoptamos provisionalmente, tiene de insuficiente y de erróneo.

El examen de las conductas negativas y de la mala fe nos ha permitido abordar el estudio ontológico del *cogito*, y el ser del *cogito* se nos apareció como siendo el ser-para-sí. Este ser se ha trascendido a nuestros ojos hacia el valor y los posibles; no hemos podido contenerlo en los límites sustancialistas de la instantaneidad del *cogito* cartesiano. Pero, precisamente por eso, no podemos contentarnos con los resultados que acabamos de obtener: si el *cogito* rehúsa la instantaneidad y se trasciende hacia sus posibles, esto no puede ser sino en el trascender temporal. Es "en el tiempo" donde el para-sí es sus propios posibles en el modo del "no ser"; y en el tiempo aparecen mis posibles en el horizonte del mundo al que hacen mío. Así, pues, si la realidad humana se capta a sí misma como temporal y si el sentido de su trascendencia es su temporalidad, no podemos esperar que el ser del para-sí sea elucidado antes que hayamos descrito y fijado la significación de lo Temporal. Sólo entonces podremos abordar el estudio del problema que nos ocupa: el de la relación originaria entre la conciencia y el ser.

CAPÍTULO II

La temporalidad

I

Fenomenología de las tres dimensiones temporales

La temporalidad es, evidentemente, una estructura organizada y esos tres pretendidos "elementos" del tiempo: pasado, presente, futuro, no deben encararse como una colección de "data" cuya suma haya de efectuarse –por ejemplo, como una serie infinita de "ahoras" de los cuales unos no son aún y otros no son ya–, sino como momentos estructurados de una síntesis original. Si no, encontraríamos ante todo esta paradoja: el pasado no es ya, el futuro no es aún; en cuanto al presente instantáneo, nadie ignora que no es en absoluto: es el límite de una división infinita, como el punto sin dimensión. Así, toda la serie se aniquila, y ello doblemente, ya que el "ahora" futuro, por ejemplo, es una nada en tanto que futuro y se realizará en nada cuando pase al estado de "ahora" presente. El único método posible para estudiar la temporalidad es abordarla como una totalidad que domina sus estructuras secundarias y les confiere significación. Nunca perderemos esto de vista. Empero, no podemos lanzarnos a un examen del ser del tiempo sin elucidar previamente por una descripción preontológica y fenomenológica el sentido, harto a menudo oscuro, de sus tres dimensiones. Sólo que será preciso considerar esta descripción fenomenológica como una labor provisional, cuya finalidad es únicamente darnos acceso a una intuición de la temporalidad global. Y, sobre todo, debe hacerse aparecer cada dimensión *sobre el fondo* de la totalidad temporal, teniendo siempre presente en la memoria la *unselbständigkeit* de cada dimensión.

A) *El Pasado*

Toda teoría sobre la memoria implica una presuposición sobre el ser del pasado. Estas presuposiciones, aunque nunca elucidadas, han oscurecido el problema del recuerdo y el de la temporalidad en general. Es preciso, entonces, plantear de una buena vez la pregunta: ¿cuál es *el ser* de un ser pasado? El sentido común oscila entre dos concepciones igualmente vagas: el pasado, se dice, no es más. Desde este punto de vista, parece que quiere atribuirse el ser sólo al presente. Esta presuposición ontológica ha engendrado la famosa teoría de las trazas cerebrales: ya que el pasado no es más, ya que se ha desmoronado en la nada, si el recuerdo sigue existiendo es menester que sea a título de modificación *presente* de nuestro ser: por ejemplo, será una huella marcada ahora en un grupo de células cerebrales. Así, todo es presente: el cuerpo, la percepción presente y el pasado como traza presente en el cuerpo; todo es *en acto:* pues la traza mnémica no tiene una existencia virtual *en tanto que re*cuerdo: es íntegramente traza *actual.* Si el recuerdo resurge, lo hace en el presente, a consecuencia de un proceso presente, es decir, como ruptura de un equilibrio protoplasmático en la agrupación celular, considerada. Ahí está el paralelismo psicofisiológico, que es instantáneo y extratemporal, para explicar cómo ese proceso fisiológico es correlativo de un fenómeno estrictamente psíquico pero igualmente presente la aparición en la conciencia de la imagen-recuerdo. La noción, más reciente, de *engrama* no hace otra cosa que adornar esa teoría con una terminología seudocientífica. Pero, si todo es presente, ¿cómo explicar la *pasividad* del recuerdo, es decir, el hecho de que, en su intención, una conciencia que se rememora trasciende el presente para apuntar al acontecimiento allí donde *fue?* Hemos señalado en otro lugar que no hay medio alguno de distinguir entre percepción e imagen, si se ha empezado por hacer de ésta una percepción renaciente.[1] Encontramos aquí las mismas imposibilidades. Pero, además, nos privamos del medio de distinguir imagen y recuerdo; ni la "debilidad" del recuerdo, ni su palidez, ni su carácter incompleto, ni las contradicciones que ofrece con los

---

[1] *L'imagination*, Alcan, París, 1936.

datos de la percepción pueden distinguirlo de la imagen-ficción, ya que ésta ofrece los mismos caracteres; y, por otra parte, estos caracteres, siendo cualidades *presentes* del recuerdo, no podrían hacernos salir del presente para dirigirnos al pasado. En vano se invocará la pertenencia al yo, o "miidad", del recuerdo, como Claparède; o su "intimidad", como James. Pues, o bien estos caracteres manifiestan sólo una atmósfera presente que envuelve al recuerdo, y entonces permanecen presentes y remiten al presente; o bien son ya una relación con el pasado en tanto que tal, y entonces presuponen lo que se quiere explicar. Se ha creído poder desembarazarse fácilmente del problema reduciendo el reconocimiento a un esbozo de localización y ésta a un conjunto de operaciones intelectuales facilitadas por la existencia de "marcos sociales de la memoria". Estas operaciones existen, sin duda alguna, y deben ser objeto de un estudio psicológico. Pero, si la relación con el pasado no es dada de alguna manera, aquéllas tampoco podrían crearla. En una palabra: si se ha empezado por hacer del hombre un insular encerrado en el islote instantáneo de su presente, y si todos sus modos de ser, en cuanto aparecen, están destinados por esencia a un perpetuo presente, se han suprimido radicalmente todos los medios de comprender su relación originaria con el pasado. Así como los "genetistas" no han logrado constituir la extensión con elementos inextensos, así tampoco lograremos constituir la dimensión "pasado" con elementos tomados exclusivamente al presente.

La conciencia popular, por otra parte, encuentra tanta dificultad para negar existencia real al pasado que admite, a la vez que esa primera tesis, otra concepción igualmente imprecisa, según la cual el pasado tendría una especie de existencia honoraria. Para un suceso, ser pasado sería simplemente estar en retirada, perder la eficiencia sin perder el ser. La filosofía bergsoniana ha retomado esta idea: al entrar en el pasado, un suceso no deja de ser; deja de actuar, simplemente, pero permanece "en su lugar", en su fecha, para la eternidad. Así, hemos restituido el ser al pasado, y está muy bien; hasta afirmamos que la duración es multiplicidad de interpenetración y que el pasado se organiza continuamente con el presente. Pero con ello no hemos dado razón de esta organización ni de esa interpenetración: no hemos explicado que el pasado pueda "renacer", infestarnos; en suma: existir *para nosotros*. Si es inconsciente, como lo quiere Bergson, y si el inconsciente es lo no actuante, ¿cómo puede insertarse en la trama de nuestra conciencia presente? ¿Tendrá una fuerza propia? Pero esta fuerza, entonces, es presente, ya que actúa sobre el presente, ¿y cómo emana del pasado en tanto que tal? ¿Invertiremos entonces la cuestión, como Husserl, y mostraremos en la conciencia presente un juego de "retenciones" que enganchan a las conciencias de antaño, las mantienen en su fecha y les impiden aniquilarse? Pero, si el *cogito* husserliano se da previamente como instantáneo, no hay medio alguno de salir de él. En el capítulo anterior, hemos visto a las protensiones darse en vano de nariz contra los vidrios del presente, sin poder romperlos. Lo mismo ocurre con las retenciones. Husserl, a lo largo de toda su carrera filosófica, estuvo obsesionado por la idea de la trascendencia. Pero los instrumentos filosóficos de que disponía, en particular su concepción idealista de la existencia, le privaban de los medios de dar razón de esa trascendencia; su intencionalidad no es sino la caricatura de ella. La conciencia husserliana no puede, en realidad, trascenderse ni hacia el mundo, ni hacia el futuro, ni hacia el pasado.

Así, no hemos ganado nada con otorgar al pasado el ser, pues, en los términos de esa concesión, debiera ser para nosotros como no siendo. Que el pasado *sea*, como lo quieren Bergson y Husserl, o que *no sea ya*, como lo quiere Descartes, carece de importancia si se ha empezado por cortar los puentes entre él y nuestro presente.

En efecto, si conferimos al presente un privilegio como "presencia al mundo", nos colocamos, para abordar el problema del pasado, en la perspectiva del ser intramundano. Nos consideramos existir primeramente como contemporáneos de esta silla o de esta mesa, nos hacemos indicar por el mundo la significación de lo temporal. Pero, si nos colocamos en medio del mundo, perdemos toda posibilidad de distinguir lo que *no es ya* de lo que *no es*. Sin embargo, se dirá, lo que no es ya por lo menos ha sido, mientras que lo que no es no tiene nexo de ninguna especie con el ser. Es verdad. Pero la ley de ser del instante intramundano, como lo hemos visto, puede expresarse en estas sencillas palabras: "El ser es", que indican una plenitud maciza de positividades, en que nada de lo que *no es* puede ser representado de ninguna manera, ni siquiera por una traza, un vacío, una señal, una "histéresis". El ser que es se agota íntegramente en el acto de ser; con lo que es, con lo que no es ya, no tiene nada que hacer. Ninguna negación, sea radical, sea suavizada en "no... ya" puede hallar lugar en esa densidad absoluta. Sentado esto, el pasado bien puede existir a su manera: los puentes están cortados. El ser ni siquiera ha "olvidado" su pasado: sería aún una manera de conexión. El pasado se le ha deslizado como un sueño.

Si la concepción de Descartes y la de Bergson pueden ser despachadas espalda contra espalda, ello se debe a que ambas caen bajo un mismo reproche. Trátese de aniquilar el pasado o de conservarle la existencia de un dios lar, esos autores han encarado su suerte *aparte*, aislándolo del presente; y, cualquiera que fuera su concepción de la conciencia, confirieron a ésta la existencia del en-sí; la consideraron como siendo lo que era. No cabe admirarse, después, de que hayan fracasado en su tentativa de revincular el pasado y el presente, ya que el presente así concebido negará con todas sus fuerzas al pasado, Si hubiesen considerado el fenómeno temporal en su totalidad, habrían visto que "mí" pasado es ante todo *mío*, es decir, que existe en función de cierto ser que *soy yo*. El pasado no es *nada*, tampoco es el presente; sino que pertenece a su fuente misma como vinculado con cierto presente y cierto futuro. Ésta "miida" de que hablaba Claparède no es un matiz subjetivo que viene a quebrar al recuerdo: es una relación ontológica que une el pasado al presente. Mi pasado no aparece jamás en el aislamiento de su "preteridad"; sería hasta absurdo considerar que pudiera *existir* como tal: es originariamente pasado *de este* presente. Y esto es lo que previamente ha de elucidarse.

Escribo que Pablo, en 1920, era alumno de la Escuela Politécnica. ¿*Quién* es el que "era"? Pablo, evidentemente; pero, ¿qué Pablo? ¿El joven de 1920? Pero el único tiempo del verbo ser que conviene a Pablo considerado en 1920 es el presente. En tanto que fue, era menester decir de él: "es". Si el que ha sido alumno de la Politécnica es un Pablo vuelto pasado, toda relación con el presente queda rota: el hombre que sustentaba esa cualificación, el sujeto, ha quedado allá, con su atributo, en 1920.

Si queremos mantener la posibilidad de una rememoración, será menester, en esa hipótesis, admitir una síntesis recognitiva que venga del presente para ir a mantener el contacto con el pasado. Síntesis imposible de concebir si no es un modo de ser originario. A falta de semejante síntesis, nos será menester abandonar el pasado a su altivo aislamiento. ¿Qué significaría, por otra parte, semejante escisión de la personalidad? Proust admite, sin duda, la pluralidad sucesiva de los Yoes, pero esta concepción, tomada a la letra, nos hace recaer en las dificultades insuperables que encontraron, en su tiempo, los asociacionistas. Se sugerirá quizás la hipótesis de una permanencia en el cambio: aquel que fue alumno de la Politécnica es este mismo Pablo que existía en 1920 y que existe en la actualidad. Es aquel de quien, tras haber dicho: *"es* alumno de la Politécnica", se dice ahora: *"es* ex alumno de la Politécnica". Pero este recurso a la permanencia no nos saca de apuros: si no hay nada que tome a contrapelo el fluir de los "ahoras" para constituir la serie temporal y, en esta serie, caracteres permanentes, la permanencia no es nada más que cierto contenido instantáneo y sin espesor de cada "ahora" individual. Es menester que haya un pasado y, por consiguiente, algo o alguien que *era* ese pasado, para que haya una permanencia; lejos de que ésta pueda ayudar a constituir el tiempo, lo supone para develarse en él y develar consigo el cambio. Volvemos, pues, a lo que entreveíamos antes: si la remanencia existencial del ser en forma de pasado no surge originariamente de mi presente actual; si mi pasado de ayer no es como una trascendencia a la zaga de mi presente de hoy, hemos perdido toda esperanza de revincular el pasado con el presente. Así, pues, si digo de Pablo que *fue* o que *era* alumno de la Politécnica, lo digo de este mismo Pablo que actualmente *es* y del cual digo también que *es* cuadragenario. No es el adolescente el que *era* alumno; de éste, en tanto que fue, se debía decir: *es.* El cuadragenario lo *era.* A decir verdad, el hombre de treinta años lo *era* también. Pero ¿qué sería el hombre de treinta años, a su vez, sin el cuadragenario que lo fue? Y el propio cuadragenario *era* alumno de la Politécnica en el extremo ápice de su presente. Y, finalmente, es el ser mismo de la vivencia el que tiene la misión de ser cuadragenario, hombre de treinta años, adolescente, en el modo del *haber-sido.* De esta vivencia decimos hoy que *es;* del cuadragenario[1] y del adolescente también se ha dicho, a su tiempo, que *son*; hoy forman parte del pasado y el pasado mismo *es* en el sentido de que, actualmente, *es* el pasado de Pablo o de esta vivencia. Así, los tiempos particulares del perfecto designan seres que existen todos realmente, aunque en modos de ser diversos, pero de los cuales uno *es* y a la vez *era el otro;* el pasado se caracteriza como pasado *de* algo o de alguien; se *tiene* un pasado. Este utensilio, esta sociedad, este hombre son los que *tienen* su pasado. No hay primero un pasado universal que se particularice después en pasados concretos. Al contrario, lo que primero encontramos son *pasados.* Y el verdadero problema –que abordaremos en el capítulo siguiente– será captar por qué proceso pueden unirse esos pasados individuales para formar *el* pasado.

Se objetará acaso que nos hemos facilitado las cosas al escoger un ejemplo en que el sujeto que "era" sigue existiendo actualmente. Se nos citarán otros casos. Por ejemplo, de Pedro, que ha muerto, puedo decir: "amaba la música". En este caso, tanto el sujeto como el atributo son pasados. Y no hay Pedro actual a partir del cual pueda surgir ese ser-pasado. Convenimos en ello. Convenimos incluso hasta el punto de reconocer que el gusto de la música jamás ha sido *pasado* para Pedro. Pedro ha sido siempre contemporáneo de ese gusto que era gusto *suyo;* su personalidad viva no le ha sobrevivido, ni él a ella. En consecuencia, aquí lo pasado es Pedro-amante-de-la-música. Y puedo formular la pregunta que formulaba poco ha: *¿de quién* es Pasado este Pedro-pasado? No podría serlo con relación a un presente universal que es pura afirmación de ser; es, pues, el pasado de mi actualidad. Y, por este hecho, Pedro ha sido para-mí y yo he sido para-él. Como veremos, la existencia de Pedro me ha alcanzado hasta la médula; ha formado parte de un presente "en-el-mundo, para-mí y para-otro" que era *mi* presente en vida de Pedro; un presente que yo he sido. Así, los objetos concretos desaparecidos son pasados en tanto que forman parte del pasado concreto de un superviviente. "Lo que hay de terrible en la Muerte –dice Malraux– es que trueca la vida en Destino." Ha de entenderse con ello que la muerte reduce el para-sí-para-otro al estado de simple para-otro. Del ser

---

[1] *Sic.* Se esperaría más bien: "del hombre de treinta años…" (N. del T.)

de Pedro muerto, yo soy hoy el solo responsable, en mi libertad. Y los muertos que no han podido ser salvados y transportados a bordo del pasado concreto de un superviviente no son *pasados*, sino que sus pasados y ellos están aniquilados.

Hay, pues, seres que "tienen" pasados. Hace poco citábamos indiferentemente un instrumento, una sociedad, un hombre. ¿Estábamos en lo cierto? ¿Puede atribuirse originariamente un pasado a todos los existentes finitos, o sólo a ciertas categorías de ellos? Podremos determinarlo más fácilmente si examinamos más de cerca esa noción tan particular de "tener" un pasado. No se puede "tener" un pasado como se "tiene" un automóvil o una caballeriza. Es decir, que el pasado no puede ser poseído por un ser presente que le permanezca estrictamente exterior, como yo permanezco, por ejemplo, exterior a mi estilográfica. En una palabra, en el sentido en que la posesión expresa ordinariamente una relación *externa* del poseedor a lo poseído, la expresión de posesión es insuficiente: las relaciones externas disimularían un abismo infranqueable entre pasado y presente, que serían dos datos de hecho sin comunicación real. Tampoco la interpenetración absoluta del presente por el pasado, tal como Bergson la concibe, resuelve la dificultad, pues esa interpenetración, que es organización del pasado con el presente, viene, en el fondo, del pasado mismo y no es sino una relación *de habitación*. El pasado bien puede concebirse, entonces, como siendo *en* el presente; pero nos hemos privado de los medios de presentar esta inmanencia de otro modo que como la de una piedra en el fondo del río. El pasado bien puede infestar al presente, pero no puedo *serlo*; es el presente el que *es* su pasado. Así, pues, si se estudian las relaciones entre el pasado y el presente a partir del pasado, no se podrán establecer nunca entre ambos relaciones *internas*. Un en-sí, por consiguiente, cuyo presente es lo que es, no podría "tener" pasado. Los ejemplos citados por Chevallier en apoyo de su tesis, en particular los hechos de histéresis, no permiten establecer una acción del pasado de la materia sobre su estado presente. No hay, en efecto, ninguno de ellos que no pueda interpretarse por los medios ordinarios del determinismo mecanicista. De estos dos clavos, nos dice Chevallier, uno acaba de ser fabricado y no ha servido jamás; el otro ha sido torcido y luego enderezado a martillazos: ofrecen un aspecto rigurosamente semejante. Empero, al primer golpe el primero se clavará derecho en la pared, mientras el segundo volverá a torcerse: acción del pasado. A nuestro modo de ver, es preciso ser un poco de mala fe para ver en ello la acción del pasado; esta explicación ininteligible del ser que es densidad es fácil de sustituir por la única explicación posible: las apariencias exteriores de ambos clavos son semejantes, pero sus estructuras moleculares presentes difieren de modo sensible. Y el estado molecular presente es a cada instante el efecto riguroso del estado molecular anterior, lo que no significa en modo alguno, para el científico, que haya "tránsito" de un instante al otro con permanencia del pasado, sino sólo conexión irreversible entre los contenidos de dos instantes del tiempo físico. Dar como prueba de esa permanencia del pasado la remanencia de la imantación en un trozo de hierro dulce no es demostrar mucha mayor seriedad: se trata, en efecto, de un fenómeno que supervive a su causa, no de una subsistencia de la causa en tanto que causa *en estado pasado*. Hace rato que la piedra que atravesó el agua ha encontrado el fondo de la laguna, y todavía recorren la superficie ondas concéntricas; no se recurre a quién sabe qué acción del pasado para explicar este fenómeno: el mecanismo es casi visible. No parece que los hechos de histéresis o de remanencia necesiten una explicación de tipo diferente. De hecho, está bien claro que la expresión *"tener* un pasado", que deja suponer un modo de posesión en que el poseedor pudiera ser pasivo, y que, como tal, no choca, aplicada a la materia debe ser reemplazada con la de *ser* su propio pasado. No hay pasado sino para un presente que no puede existir sin ser allá, detrás de sí, su pasado; es decir, sólo tienen un pasado los seres tales que en su ser es cuestión de su ser pasado, que *tienen-de-ser su pasado.* Estas observaciones nos permiten negar *a priori el pasado* al en-sí (lo que no significa tampoco que hemos de arrinconarlo en el presente). No zanjaremos la cuestión del pasado de los *seres vivos.* Haremos notar sólo que si fuera menester –lo que no es de ningún modo seguro– conceder un pasado a la vida, no podría ser sino después de demostrar que el ser de la vida es tal que comporte un pasado. En una palabra, sería necesario demostrar previamente que la materia viva es *otra cosa* que un sistema físicoquímico. El esfuerzo inverso –que es el de Chevallier–, consistente en dar un apremio más fuerte del pasado como lo constitutivo de la originalidad de la vida, es un ὕστηρον πρότηρον totalmente desprovisto de significación. Sólo para la Realidad Humana es manifiesta la existencia de un pasado, porque se ha establecido que ella *tiene-de-ser lo que es*. El pasado llega al mundo por el para-sí, porque su "Yo soy" es en la forma de un "Yo *me* soy".

¿Qué significa, pues, "era"? Vemos, primeramente, que es un transitivo. Si digo: "Pablo está cansado", se puede discutir acaso que la cópula tenga valor ontológico; quizá se quiera no ver en ella sino una indicación de inherencia. Pero, cuando decimos "Pablo *estaba* cansado", la significación esencial del pretérito salta a la vista: Pablo presente es actualmente responsable de haber tenido ese cansancio en el pasado. Si él no sostuviera ese cansancio con su ser, no habría ni siquiera olvido de aquel estado, sino que habría un "no-ser-ya" rigurosamente idéntico a un "no-ser". El cansancio quedaría *perdido*. El ser presente es, pues, el fundamento de su propio pasado: y es este carácter de fundamento lo que el "era" o "estaba" manifiesta. Pero no ha de entenderse que lo funde en el modo de la indiferencia y sin ser profundamente modificado por ello: "era" significa que el ser presente tiene-de-ser en su ser el fundamento de su pasado *siendo* él mismo ese pasado. ¿Qué significa esto? ¿Cómo el presente puede *ser* el pasado?

El nudo de la cuestión reside, evidentemente, en el término "era", que, sirviendo de intermediario entre el presente y el pasado, no es él mismo ni enteramente pasado ni enteramente presente. En efecto, no puede ser ni uno ni otro, ya que, en tal caso, estaría contenido en el interior del tiempo que denotaría su ser. El término "era" designa, pues, el saldo ontológico del presente al pasado y representa una síntesis original de esos dos modos de temporalidad. ¿Cómo ha de entenderse esta síntesis?

Ante todo, veo que el término "era" es un modo de ser. En este sentido, yo *soy* mi pasado. No lo tengo, lo soy: lo que se me dice acerca de un acto que he realizado ayer, de un talante que he tenido, no me deja indiferente: me siento herido o halagado, me encrespo o dejo que digan, la cosa me toca hasta la médula. No me desolidarizo de mi pasado. Sin duda, a la larga, puedo intentar esa desolidarización, puedo declarar que "no soy más el que era", argüir un cambio, un progreso. Pero se trata de una reacción secundaria, que se da como tal. Negar mi solidaridad de ser con mi pasado sobre tal o cual punto particular es afirmarla para el conjunto de mi vida. En el límite, en el instante infinitesimal de mi muerte, no seré ya más que mi pasado. Él solo me definirá. Es lo que Sófocles entendía expresar cuando, en *Las Traquinias*, pone en boca de Deyanira: "Antiguo es el refrán que anda en boga entre los hombres: 'hasta que uno se haya muerto, nadie sabe si su vida ha resultado buena o ha resultado mala'". Es también el sentido de la frase de Malraux antes citada: "La muerte trueca la vida en destino." Y es, por último, lo que aterra al creyente cuando comprende que, en el momento de morir la suerte está echada y ya no queda carta que jugar. La muerte nos reúne con nosotros mismos, tales como en nosotros mismos la eternidad nos ha cambiado. En el momento de la muerte, *somos*, es decir, somos sin defensa ante los juicios del prójimo; se puede decidir *en verdad* acerca de lo que somos; no tenemos ya oportunidad alguna de escapar a la cuenta que una inteligencia omnisciente podría cerrar. Y el arrepentimiento de la última hora es un esfuerzo total para resquebrajar todo ese ser que se ha ido lentamente prendiendo y solidificando *sobre nosotros;* un sobresalto último para desolidarizarnos de lo que *somos*. En vano: la muerte fija con todo lo demás ese sobresalto, que no hace sino entrar en composición con lo que lo ha precedido, como un factor entre otros, como una determinación singular que sólo se entiende a partir de la totalidad. Por la muerte, el para-sí se trueca para siempre en en-sí en la medida en que se ha deslizado íntegramente al pasado. Así, el pasado es la totalidad siempre creciente del en-sí que somos. Empero, en tanto que no hemos muerto, no somos aún ese en-sí en el modo de la identidad. *Tenemos-de-serlo.* El rencor cesa, de ordinario, con la muerte: porque el hombre se ha reunido con su pasado, *es* su pasado, sin por ello ser responsable de él. Mientras vive, es objeto de mi rencor; es decir, que le reprocho su pasado no sólo en tanto que él *lo es* sino también en tanto que lo reasume a cada instante y lo sostiene en el ser; en tanto que es *responsable* de él. No es verdad que el rencor fije al hombre en lo que era; si no, sobreviviría a la muerte: se dirige al hombre vivo, que es libremente en su ser aquello que era. Soy mi pasado, y, si yo no fuera, mi pasado no existiría tampoco ni *para* mí ni para *nadie:* no tendría ya ninguna relación con el presente. Esto no significa en modo alguno que mi pasado no sería, sino sólo que su ser sería indescubrible. Yo soy aquel por quien mi pasado llega a este mundo. Pero ha de entenderse bien que no le *doy yo* el ser. Dicho de otro modo, mi pasado no existe a título de "mi" representación. Mi pasado no existe porque yo me lo "represente"; sino que, porque *yo soy* mi pasado, éste entra en el mundo, y a partir de su ser-en-el-mundo puedo yo, según cierto proceso psicológico, representármelo. Mi pasado es lo que tengo-de-ser; pero sin embargo difiere por naturaleza de mis posibles. El posible, que también tengo-de-ser, permanece, en cuanto posible concreto mío, como aquello cuyo contrario es igualmente posible, aunque en grado menor. Al contrario, el pasado es aquello que es sin ninguna posibilidad de ninguna clase, aquello que ha consumido sus posibilidades. *Tengo-de-ser* lo que no depende ya en modo alguno de mi poder-ser, lo que es ya en sí todo lo que puede ser. El pasado que soy, tengo-de-serlo sin ninguna posibilidad de no serlo. Asumo su total responsabilidad como si pudiera cambiarlo, y, sin embargo, no puedo ser otra cosa que él. Veremos más adelante que conservamos continuamente la posibilidad de cambiar la *significación* del pasado, en tanto que éste es un ex presente *que ha tenido un futuro.* Pero al contenido del pasado en tanto que tal nada puedo quitarle ni agregarle. En otros términos, el pasado que yo *era* es lo que es; es un en-sí, como las cosas del mundo. Y la relación de ser que tengo de sostener con el pasado es una relación del tipo del en-sí. Es decir, de la identificación consigo mismo.

Pero, por otra parte, no soy mi pasado. No lo *soy*, ya que lo *era*. El rencor ajeno me sorprende y me indigna siempre: ¿cómo puede odiarse, en aquel que *soy*, a aquel que *era*? La sabiduría antigua ha insistido mucho en este hecho: nada puedo enunciar sobre mí que no se haya vuelto falso ya cuando lo enuncio. Hegel no ha desdeñado utilizar este argumento. Cualquier cosa que haga o que diga, en el momento en que quiero *serlo*, ya lo *hacía* o lo *decía*. Pero examinemos mejor este aforismo: viene a decir que todo juicio que formule sobre mí mismo es falso ya cuando lo formulo, es decir, que me he convertido en *otra cosa*. Pero, ¿qué ha de entenderse por *otra cosa*? Si entendemos por ello un modo de la realidad humana que goce del mismo tipo existencial que aquel al cual se niega la existencia presente, equivale a declarar que hemos cometido un error en la atribución del predicado al sujeto y que quedaba otro predicado atribuible: sólo habría sido menester apuntarlo al futuro inmediato. Del mismo modo, un cazador que apunta a un ave *allí donde la ve* le yerra, porque el ave ya no está en ese lugar cuando llega el proyectil. La alcanzará, al contrario, si apunta un poco hacia adelante, a un punto al que el volátil no ha llegado aún. Si el ave ya no está en ese lugar, es porque *ya está* en otro; de cualquier manera, *está* en algún lugar. Pero veremos que esta concepción eleática del movimiento es profundamente errónea: si verdaderamente puede decirse que la flecha *está* en AB, entonces el movimiento es una sucesión de inmovilidades. Análogamente, si se concibe que ha habido un instante infinitesimal, que ya no es, en que he sido lo que ya no soy, se me constituye con una serie de estados fijos que se suceden como las imágenes de una linterna mágica. Si no lo *soy*, no es a causa de un ligero desnivel entre el pensamiento judicativo y el ser, a causa de un retardo entre el juicio y el hecho; sino que, por principio, en mi ser inmediato, en presencia de mi presente, no lo *soy*. En una palabra: la causa por la cual no *soy* lo que era no es un cambio, un devenir concebido como paso a lo heterogéneo en la homogeneidad del ser; sino que, al contrario, si puede haber un devenir, se debe a que, por principio, mi ser es heterogéneo a mis maneras de ser. La explicación del mundo por el devenir, concebido como síntesis de ser y de no-ser, es fácil darla. Pero, ¿se ha reflexionado en que el ser en devenir no podía ser esa síntesis a menos de serla de sí mismo, en un acto que fundara su propia nada? Si yo no soy ya lo que era, es menester, con todo, que tenga-de-serlo en la unidad de una síntesis nihilizadora a la que yo mismo sostengo en el ser; si no, yo no tendría relación de ninguna clase con lo que ya no soy, y mi plena positividad excluiría el no-ser, esencial al devenir. El devenir no puede ser un *dato*, un modo de ser inmediato del ser, pues si concebimos un ser semejante, en su meollo el ser y el no-ser no podrían estar sino yuxtapuestos, y ninguna estructura impuesta o *externa* puede fundirlos uno en otro. La conexión entre el ser y el no-ser no puede ser sino interna: el no-ser debe surgir en el ser en tanto que ser; el ser debe despuntar en el no ser. Y esto no podría ser un hecho, una ley natural, sino un surgimiento del ser que es su propia nada de ser. Así, pues, si no *soy* mi propio pasado, ello no puede ser en el modo originario del devenir, sino en tanto que *tengo-de-serlo para no serlo* y que *tengo-de-no-serlo para serlo.* Esto ha de esclarecernos la naturaleza del modo *"era"*: si no soy lo que era, ello no se debe a que he cambiado ya; lo que supondría el tiempo como ya dado; sino a que soy, con relación a mi ser, en el modo de conexión interna del *no serlo*.

Así, sólo en tanto que *soy* mi pasado puedo no serlo; y esta necesidad de ser mi pasado es, incluso, el único fundamento posible del hecho de que no lo soy. Si no, a cada instante, yo ni lo sería ni no lo sería, salvo a los ojos de un testigo rigurosamente externo, que, a su vez, por otra parte, tendría-de-ser él mismo su pasado en el modo del *no serlo*.

Estas observaciones pueden hacernos comprender lo que hay de inexacto en el escepticismo de origen heracliteo, que insiste únicamente en que no soy ya lo que digo ser. Sin duda, todo lo que puede decirse que soy, no lo soy. Pero está mal decir que no lo soy *ya,* pues no lo he sido nunca, si se entiende por ello "ser en sí"; y, por otra parte, no se sigue tampoco que me equivoque diciendo serlo, ya que es menester que lo sea para no serlo: lo soy en el modo del *era*.

Así, todo cuanto puede decirse que *soy* en el sentido de serlo en sí, con plena densidad compacta (es colérico, funcionario, descontento), es siempre *mi pasado*. Sólo en el pasado soy lo que soy. Pero, por otro lado, aquella densa plenitud de ser está a mi zaga, hay una distancia absoluta que la separa de mí y la deja caer fuera de mi alcance, sin contacto, sin adherencias. Si era o si he sido dichoso, es que no lo soy. Pero esto no quiere decir que *sea* desdichado: simplemente, no puedo *ser* dichoso sino en el pasado: llevo así mi ser a mi zaga, no *porque* tengo un pasado, sino que el pasado, precisamente, no es *más que* esa estructura ontológica que me obliga a ser lo que soy *a la zaga*. Esto es lo que significa el "era". Por definición, el para-sí existe con obligación de asumir su ser y no puede ser nada más que para sí. Pero precisamente no puede asumir su ser sino por una reasunción de este ser, que lo pone *a distancia* de este ser. Por la misma afirmación de que *soy* en el modo del en-sí escapo a esta afirmación, pues ella implica una negación en su propia naturaleza. Así, el para-sí es siempre allende lo que es, por el solo hecho de que lo es para-sí y que tiene-de-serlo. Pero, a la vez, es ciertamente *su* ser y no otro ser el que permanece a su zaga. Así comprendemos el sentido del "era", que caracteriza simplemente el tipo de ser del para-sí, es decir, la relación del para-sí con su ser. El pasado es el en-sí que soy en tanto que *preterido-trascendido*.[1]

Falta estudiar la manera en que el para-sí "era" su propio pasado. Sabido es que el para-sí aparece en el acto originario por el cual el en-sí se nihiliza para fundarse. El para-sí es su propio fundamento en tanto que él se hace el fracaso del en-sí para ser el suyo. Pero no por eso ha llegado a librarse del en-sí. El en-sí preterido-trascendido permanece y lo infesta como su contingencia original. El para-sí no puede alcanzarlo jamás, ni captarse nunca como *siendo* esto o aquello; pero tampoco puede evitar ser a distancia de sí lo que es. Esta contingencia, esta pesantez a distancia del para-sí, que él *no es* jamás pero que tiene-de-serla como pesantez preterida-trascendida y a la vez conservada en la preterición misma, es la *facticidad,* pero es también el pasado. Facticidad y pasado son dos palabras para designar una y la misma cosa. El Pasado, en efecto, como la Facticidad, es la contingencia invulnerable del en-sí que tengo de ser sin ninguna posibilidad de no serlo. Es lo inevitable de la necesidad de hecho, no a título de necesidad sino a titulo de hecho. Es el ser de hecho que no puede determinar el contenido de mis motivaciones, sino que las deja transidas de su contingencia, porque aquéllas no pueden suprimirlo ni cambiarlo: al contrario, lo llevan necesariamente consigo para modificarlo, lo conservan para rehuirlo, lo tienen-de-ser en su propio esfuerzo por no serlo; es aquello a partir de lo cual ellas se hacen lo que son. A eso se debe que a cada instante yo *no sea* diplomático y marino, que sea profesor, aunque no puedo sino jugar a ser este ser sin poder nunca reunírmele. Si no puedo retornar al pasado, no es por alguna virtud mágica que me lo ponga fuera de alcance, sino simplemente porque mi pasado es en-sí y yo soy para-sí: el pasado es lo que soy sin poder vivirlo. El pasado es la sustancia.

---

[1] Aquí y en adelante, el término *dépassé* se traducirá por la expresión "preterido-trascendido" cuando importe destacar su connotación de "pasado". Véase Índice terminológico. (N. del T.)

En este sentido, el *cogito* cartesiano debería formularse más bien: "Pienso, por lo tanto era." Lo que engaña es la aparente homogeneidad del pasado y del presente. Pues esa vergüenza que he experimentado ayer era un para-sí mientras la experimentaba. Se cree, entonces, que ha permanecido para-sí hoy, y se concluye erróneamente que, si no puedo retornar a ella, se debe a que *no es ya*. Pero es menester invertir la relación para alcanzar la verdad: entre el pasado y el presente hay una heterogeneidad absoluta; si no puedo retornar a él, se debe a que el pasado *es*, y la única manera en que yo podría serlo es ser yo mismo en-sí para perderme en él en la forma de la identificación, lo que me es negado por esencia. En efecto, esa vergüenza que he experimentado ayer y que era vergüenza para sí, es siempre vergüenza actualmente y, por su esencia, puede describirse todavía como para-sí. Pero *no es* ya para sí en su ser, pues no es ya como reflejo-reflejante. Descriptible como para-sí, simplemente *es*. El pasado se da como para-sí *devenido* en-sí. Esa vergüenza, en tanto que la vivo, no es lo que es. En el momento presente yo la *era*, y puedo decir entonces: *era* una vergüenza; ella se ha hecho lo que era, detrás de mí; tiene la permanencia y la constancia del en-sí, es eterna en su fecha, tiene la total pertenencia del en-sí a sí mismo. En cierto sentido, pues, el pasado, que es a la vez para-sí y en-sí, *se asemeja* al valor o sí-mismo, que hemos descrito en el capítulo precedente; como éste, representa cierta síntesis entre el ser que es lo que no es y no es lo que es, y el ser que es lo que es. En este sentido puede hablarse de un valor evanescente del pasado. De ahí que el recuerdo nos presenta al ser que éramos con una plenitud de ser que le confiere una especie de poesía. Ese dolor que *teníamos*, al fijarse en pasado no deja de presentar el sentido de un para-sí, y sin embargo existe en sí mismo, con la fijeza silenciosa de un dolor ajeno, de un dolor de estatua. Ya no necesita comparecer ante sí para hacerse existir. Ahora es; y, al contrario, su carácter de para-sí, lejos de ser el modo de ser de su ser, se convierte simplemente en una manera de ser, en una cualidad. Los psicólogos, por haber contemplado lo psíquico *en pasado,* han pretendido que la conciencia era una cualidad que podía o no afectarlo, sin modificarlo en su ser. Lo psíquico pasado *primeramente es* y es para-sí después, tal como Pedro es rubio o como este árbol es un roble.

Pero, precisamente por eso, el pasado, que *se asemeja* al valor, *no es* el valor. En el valor, el para-sí deviene sí trascendiendo y fundando su ser; hay una reasunción del en-sí por el sí; por este hecho, la contingencia del ser deja su lugar a la necesidad. El pasado, al contrario, es primeramente en-sí. El para-sí está sostenido en el ser por el en-sí; su razón de ser no es ya ser para-sí: se ha convertido en en-sí y por ello nos aparece en su pura contingencia. No hay ninguna *razón* para que nuestro pasado sea tal o cual: aparece, en la totalidad de su serie, como el hecho puro que ha de tenerse en cuenta en tanto que hecho; como *lo gratuito*. Es, en suma, el valor invertido, el para-sí reasumido y fijado por el en-sí, penetrado y cegado por la densidad plenaria del en-sí, espesado por el en-sí hasta el punto de no poder existir ya como reflejo para el reflejante ni como reflejante para el reflejo, sino simplemente como una indicación en-sí del par reflejo-reflejante. Por eso el pasado puede, en rigor, ser el objeto al que apunte un para-sí que quiere *realizar* el valor y rehuir la angustia que le da la perpetua ausencia del sí. Pero es radicalmente distinto, por esencia, del valor: es precisamente el indicativo de que ningún imperativo puede deducirse; es el hecho propio de cada para-sí, el hecho contingente e inalterable que yo *era*.

Así, el Pasado es un Para-sí recapturado y anegado por el En-sí. ¿Cómo puede ocurrir esto? Hemos descrito lo que significa *ser pasado* para un suceso, y *tener un pasado* para una realidad humana. Hemos visto que el Pasado es una ley ontológica del Para-sí, esto es, que todo lo que puede ser un Para-sí debe serlo allá, a su propia zaga, fuera de alcance. En este sentido podemos aceptar la frase de Hegel: *"Wesen ist was gewesen ist."* Mi esencia está en pasado, es la ley de su ser. Pero no hemos explicado por qué un suceso concreto del Para-sí *deviene* pasado. ¿Cómo un Para-sí que *era* su pasado se convierte en el Pasado que un nuevo-Para-sí tiene-de-ser? El tránsito al pasado es modificación de ser. ¿Cuál es esta modificación? Para comprenderlo, es menester captar antes la relación entre el Para-sí *presente* y el ser. Así, como podíamos augurarlo, el estudio del Pasado nos remite al del Presente.

B) *El Presente*

A diferencia del Pasado, que es en-sí, el Presente es para-sí. ¿Cuál es su ser? Hay una antinomia propia del Presente: por una parte, suele definírselo por el *ser;* es presente lo que es, por oposición al futuro, que no es aún, y al pasado, que no es ya. Pero, por otra parte, un análisis riguroso, que pretenda desembarazar al presente de todo lo que no sea él, es decir, del pasado y del futuro inmediato, no encontraría de hecho sino un instante infinitesimal, esto es, como lo hace notar Husserl en sus *Lecciones sobre la conciencia interna del Tiempo*, el término ideal de una división llevada al infinito: la nada. Así, como cada vez que abordamos el estudio de la realidad humana desde un punto de vista nuevo, encontramos ese par indisoluble: el Ser y la Nada.

¿Cuál es la significación primera del Presente? Está claro que lo que existe en presente se distingue de toda otra existencia por su carácter de *presencia*. Cuando se pasa lista, el soldado o el alumno responde: "¡Presente!", en el sentido de *"adsum"*. Y *presente* se opone a *ausente* tanto como a *pasado*. Así, el sentido del *presente* es la presencia a... Conviene, pues, preguntarnos presencia *a qué* es el presente, y *quién* es presente. Esto nos llevará sin duda a elucidar luego el ser mismo del presente.

Mi presente consiste en ser presente. ¿Presente a qué? A esta mesa, a este cuarto, a París, al mundo; en suma, al ser-en-sí. Pero, a la inversa, ¿el ser-en-sí es presente *a mí* y al ser-en-sí que él no es? Si así fuera, el presente sería una relación recíproca de presencias. Pero es fácil advertir que no hay tal. La Presencia a... es una relación interna del ser que es presente con los seres a los cuales es presente. En ningún caso puede tratarse de la simple relación externa de contigüidad. Presencia a... significa existencia fuera de sí junto a... Lo que puede ser presente a... debe ser tal en su ser que haya en éste una relación de ser con los demás seres. No puedo ser presente a esta silla a menos de estar unido a ella en una relación ontológica de síntesis, a menos de ser allá, en el ser de esa silla, como *no siendo* esa silla. El ser que es presente a... no puede ser, pues, *en-sí* en reposo; el en-sí no puede ser presente, así como no puede ser pasado: pura y simplemente, *es*. No puede tratarse de simultaneidad alguna entre un en-sí y otro en-sí, excepto desde el punto de vista de un ser que fuera copresente a ambos en-síes y que tuviera en sí mismo el poder de presencia. El Presente, pues, no puede ser sino presencia del Para-sí al ser-en-sí. Y esta presencia no podría ser efecto de un accidente, de una concomitancia; al contrario, está supuesta por toda concomitancia y debe ser una estructura ontológica del Para-sí. Esta mesa debe ser presente a esta silla en un mundo que la realidad humana infesta como una presencia. Dicho de otro modo, no podría concebirse un tipo de existente que fuera *primeramente* Para-sí para ser *después* presente al ser: el Para-sí se hace presencia al ser haciéndose ser Para-sí, y deja de ser presencia al dejar de ser para-sí. Este Para-sí se define como presencia al ser.

¿A qué ser se hace presencia el Para-sí? La respuesta es clara: el Para- sí es presencia a todo el ser-en-sí. O, más bien, la presencia del Para-sí es lo que hace que haya una totalidad del ser-en-sí. Pues, por este mismo modo de presencia al ser en tanto que ser, queda descartada toda posibilidad de que el Para-sí sea *más presente* a un ser privilegiado que a los demás seres. Aun si la facticidad de su existencia hace que sea *ahí* más bien que en otra parte, ser *ahí* no es ser *presente*. El *ser-ahí* determina sólo la perspectiva según la cual se realiza la presencia a la totalidad del en-sí. De este modo, el Para-sí hace que los seres sean *para* una misma presencia. Los seres se develan como copresentes en un mundo en que el Para-sí los une con su propia sangre por ese total sacrificio ek-stático de sí que se denomina la presencia. "Antes" del sacrificio del Para-sí hubiera sido imposible decir que los seres existiesen ni juntos ni separados. Pero el Para-sí es el ser por el cual el presente entra en el mundo; los seres del mundo son copresentes, en efecto, en tanto que un mismo para-sí les es a la vez presente a todos. Así, lo que llama ordinariamente Presente, para los en-sí, se distingue netamente del ser de éstos, aunque no sea *nada más:* es sólo su copresencia en tanto que un Para-sí les es presente.

Sabemos ahora *quién es presente* y *a qué* es presente el presente. Pero, ¿qué es la presencia?

Hemos visto que no podría ser la pura coexistencia de dos existentes, concebida como una simple relación de exterioridad, pues exigiría un tercer término para establecer dicha coexistencia. Este tercer término existe en el caso de la coexistencia de las cosas en medio del mundo: es el Para-sí quien establece esa coexistencia haciéndose copresente a todas ellas. Pero, en el caso de la Presencia, del Para-sí al ser-en-sí, no podría haber tercer término. Ningún testigo, así fuera Dios, podría *establecer* esa presencia; el propio Para-sí no puede conocerla si esa presencia no *es ya*. Empero, ella no podría ser en el modo del en-sí. Esto significa que originariamente el Para-sí es presencia al ser en tanto que es a sí mismo su propio testigo de coexistencia. ¿Cómo hemos de entenderlo? Sabido es que el Para-sí es el ser que existe en forma de testigo de su ser. Pero el Para-sí es presente al ser si está intencionalmente dirigido fuera de sí hacia ese ser. Y debe adherirse al ser lo más estrechamente que sea posible sin identificación. Esta adherencia, como veremos en el capítulo próximo, es realista, por el hecho de que el Para-sí nace a sí en una conexión originaria con el ser: es a sí mismo testigo de sí como *no siendo* ese ser. Y por ello es fuera de sí, hacia el ser y en el ser, como no siendo este ser. Es lo que podíamos deducir, por otra parte, de la significación misma de la Presencia: la Presencia a un ser implica que se está en conexión con este ser por un nexo de interioridad; si no, ninguna conexión del Presente con el ser sería posible; pero ese nexo de interioridad es un negativo: niega del ser presente que sea el ser al cual es presente. Si no, el nexo de interioridad se desvanecería en pura y simple identificación. Así, la Presencia del Para-sí al ser implica que el Para-sí es testigo de sí en presencia del ser como no siendo el ser; la presencia al ser es presencia del Para-sí en tanto que éste no es. Pues la negación no recae sobre una diferencia de manera de ser que distinga al Para-sí del ser, sino sobre una diferencia de ser. Es lo que se expresa brevemente diciendo que el Presente *no es*.

¿Qué significa este no-ser del Presente y del Para-sí? Para captarlo, es menester volver al Para-sí, a su modo de existir, y esbozar brevemente una descripción de su relación ontológica con el ser. Del Para-sí en tanto que tal, jamás podría decirse: *es,* en el sentido en que se dice, por ejemplo: *es* la una de la tarde; o sea en el sentido de la total adecuación del ser consigo mismo, que pone y suprime el sí y da los exteriores de la pasividad. Pues el Para-sí tiene la existencia de una apariencia acoplada con el testigo de un reflejo que remite a un reflejante, sin que haya objeto alguno de que el reflejo sea reflejo. El Para-sí no tiene ser, porque su ser es siempre a distancia: es allá en el reflejante, si uno considera la apariencia, que no es apariencia o reflejo sino *para* el reflejante; y es allá en el reflejo, si uno considera el reflejante, que en sí no es más que pura función de reflejar *ese* reflejo. Pero, además, en sí mismo, el Para-sí no es el ser, pues él se hace ser explícitamente para-sí como no siendo el ser. El Para-sí es conciencia de... como negación íntima de... La estructura de base de la intencionalidad y de la ipseidad es la negación, como relación *interna* entre el Para-sí y la cosa; el Para-sí se constituye fuera, a partir de la cosa, como negación de esta cosa; así, su primera relación con el ser en sí es negación; él "es" en el modo del Para-sí, o sea como existente disperso en tanto que se revela a sí mismo como no siendo el ser. Escapa doblemente al ser, por desagregación íntima y negación expresa. Y el presente es precisamente esta negación del ser, esa evasión del ser en tanto que el ser es *ahí* como aquello que es evadido. El Para-sí es presente al ser en forma de huida; el Presente es una huida perpetua frente al ser. Así, hemos determinado el sentido primero del Presente: el Presente *no es;* el instante presente emana de una concepción realizante y cosista del Para-sí; esta concepción es la que conduce a denotar al Para-sí por medio de lo que *es* y de aquello a que es presente, por ejemplo, por medio de esta aguja sobre el cuadrante. En este sentido, sería absurdo decir que es la una de la tarde para el Para-sí; pero el Para-sí puede ser presente a una aguja que señala la una. Lo que falsamente se llama Presente es el ser al cual el presente es presencia. Es imposible captar al Presente en forma de instante, pues el instante sería el momento en que el Presente *es;* pero el presente no es, sino que se presentifica en forma de huida.

Pero el presente no es sólo no-ser presentificante del Para-sí; en tanto que Para-sí, tiene su ser fuera de sí, delante y detrás. Detrás, *era* su pasado, y delante, *será* su futuro. Es huida fuera del ser co-presente y del ser que era, hacia el ser que será. En tanto que presente, no es lo que es (pasado) y es lo que no es (futuro). Henos, pues, remitidos al Futuro:

C) *El Futuro*

Advertimos, ante todo, que el en-sí no puede ser futuro ni contener una parte de futuro. La luna llena no es futura, cuando miro el cuarto creciente, sino "en el mundo" que se revela a la realidad humana; por la realidad humana llega al mundo el Futuro. En sí, el cuarto creciente es lo que es. Nada hay en él en potencia; es acto. No hay, pues, ni pasado ni futuro como fenómeno de temporalidad originario del ser-en-sí. El futuro del en-sí, si existiera, existiría *en-sí*, escindido del ser como el pasado. Aun cuando se admitiera, como Laplace, un determinismo total que permitiera *prever* un estado futuro, sería menester aún que esta circunstancia futura se perfilara sobre un develamiento previo del porvenir en tanto que tal, sobre un ser-por-venir del mundo; o si no, el tiempo es una ilusión y lo cronológico disimula un orden estrictamente lógico de deductibilidad. Si el porvenir se perfila en el horizonte del mundo, no puede sino por un ser que *es* su propio porvenir, o sea que es por-venir para-sí mismo; cuyo ser está constituido por un venir-a-sí de su ser. Encontramos aquí estructuras ek-státicas análogas a las que hemos descrito para el Pasado. Sólo un ser que tiene-de-ser su ser, en lugar de serlo simplemente, puede tener un porvenir.

Pero, ¿qué es, exactamente, ser uno su porvenir? ¿Y qué tipo de ser posee el Porvenir? Es preciso renunciar primeramente a la idea de que el porvenir exista como *representación*. En primer lugar, el porvenir es rara vez "representado". Y, cuando lo es, como dice Heidegger, está tematizado y deja de ser *mi* porvenir, para convertirse en el objeto indiferente de mi representación. Además aunque sea representado, no puede ser el "contenido" de mi representación, pues este contenido, si lo hubiera, debería ser presente. ¿Se dirá que este contenido presente está animado por una intención "futurante"? Ello carecería de sentido. Aun si esta intención existiera, sería menester que fuera ella misma presente, y entonces el problema del porvenir no admite solución alguna; o bien que trascendiera el presente hacia el porvenir y entonces el ser de esa intención es por-venir, y habrá de reconocerse al porvenir un ser diferente del simple "percipi". Por otra parte, si el Para-sí estuviera limitado a su presente, ¿cómo podría representarse el porvenir? ¿Cómo podría tener conocimiento o presentimiento de él? Ninguna idea forjada podría proveerlo de un equivalente. Si se ha comenzado por confinar al Presente en el Presente, va de suyo que no saldrá jamás. De nada serviría darlo como "preñado de futuro". Pues o bien esta expresión nada significa, o bien designa una eficiencia actual del presente, o bien indica la ley de ser del Para-sí como lo que es a sí mismo futuro; y, en este último caso, indica solamente lo que es menester describir y explicar. El Para-sí no puede estar 'preñado de futuro" ni ser "espera del porvenir" ni "conocimiento del porvenir", sino sobre el fondo de una relación originaria y prejudicativa de sí a sí: no se podrá concebir para el Para-sí la menor posibilidad de una previsión temática, así fuera la de los estados determinados del universo científico, a menos que él sea el ser que viene a sí mismo a partir del porvenir, el ser que se hace existir a sí mismo como teniendo su ser fuera de sí, en el porvenir. Tomemos un ejemplo sencillo: esta posición que adopto vivamente en el campo de juego no tiene sentido sino por el gesto que haré en seguida con mi raqueta para devolver la pelota por encima de la red. Pero no obedezco a la "clara representación" del gesto futuro ni a la "firme voluntad" de realizarlo: representaciones y voliciones son ídolos inventados por los psicólogos. Es el gesto futuro el que, sin siquiera ser temáticamente puesto, se revierte sobre las posiciones que adopto para iluminarlas, vincularlas y modificarlas. En el campo de juego, estoy devolviendo la pelota de un trazo continuo, allá, como faltando de mí; las posiciones intermedias que adopto no son sino medios de acercarme a ese estado futuro para fundirme en él, y cada una de ellas sólo recibe un sentido *por* ese estado futuro. No hay momento de mi conciencia que no esté análogamente definido por una relación interna con un futuro; ora escriba, ora fume, ora beba o repose, el sentido de mis conciencias está siempre a distancia, allá afuera. En este sentido, Heidegger está en lo cierto al decir que el *Dasein* es "siempre infinitamente más que lo que sería si se lo limitara a su puro presente". Mejor aún: esta limitación sería imposible, pues se haría entonces del Presente un En-sí. Por eso se ha dicho con razón que la finalidad es la causalidad invertida, es decir, la eficiencia del estado futuro. Pero harto a menudo se ha olvidado tomar esta fórmula al pie de la letra.

No ha de entenderse por futuro un "ahora" que aún no es: recaeríamos en el en-sí y, sobre todo, deberíamos encarar el tiempo como un continente dado y estático. El futuro es *lo que tengo-de-ser* en tanto que puedo no serlo. Recordemos que el Para-sí se presentifica ante el ser como no siendo ese ser y habiendo sido su ser en pasado. Esta presencia es huida. No se trata de una presencia demorada y en reposo junto al ser, sino de una evasión fuera del ser hacia... Y esta huida es doble; la Presencia, al huir del ser que ella no es, huye del ser que ella era. ¿Y hacia *qué* huye? No olvidemos que el Para-sí, en tanto que se presentifica al ser para huirle, es falta. El Posible es aquello *de que* está falto el Para-sí para ser sí-mismo; o, si se prefiere, es la aparición a distancia de aquello que soy. Se comprende entonces el sentido de la huida que es Presencia: es huida hacia *su ser*, es decir, hacia el sí-mismo que ella será por coincidencia con lo que le falta. El Futuro es la falta que la arranca, en tanto que falta, al en-sí de la Presencia. Si ella no estuviera falta de nada, recaería en el ser y perdería hasta la *presencia al ser* para adquirir, en cambio, el aislamiento de la completa identidad. Lo que le permite ser presencia es la falta en tanto que tal; porque está fuera de sí misma, hacia un faltante que está más allá del mundo, la Presencia puede ser fuera de sí misma como presencia a un en-sí que ella no es. El Futuro es el ser determinante que el Para-sí tiene de ser allende el ser. Hay un Futuro porque el Para-sí tiene-de-ser su ser, en vez de ser pura y simplemente. Este ser que el Para-sí tiene-de-ser no puede ser a la manera de los en-síes copresentes; si no, sería sin tener-de-ser sido; no cabe, pues, imaginarlo como un estado completamente definido al cual faltara sólo la presencia, a la manera en que dice Kant que la existencia no agrega nada al objeto del concepto. Pero tampoco puede no existir; si no, el Para-sí no sería sino un *dato*. Es aquello que el Para-sí se hace ser a sí mismo captándose perpetuamente para-sí como inconcluso con relación a él. Es lo que infesta a distancia a la pareja reflejo-reflejante, y lo que hace que el reflejo sea captado por el reflejante (y recíprocamente) como un *Aún-no*. Pero precisamente es menester que ese faltante se dé en la unidad de un solo surgimiento con el Para-sí que falta; si no, no habría nada con respecto a lo cual el Para-sí se captara como aún-no. El Futuro es revelado al Para-sí como lo que el Para-sí no es aún, en tanto que el Para-sí se constituye no téticamente para sí como un aún-no en la perspectiva de esta revelación y se hace ser como un proyecto de sí mismo fuera del Presente hacia lo que él no es aún. Por cierto, el Futuro no puede ser sin esta revelación. Y esta revelación exige a su vez ser revelada a sí, es decir, exige la revelación del Para-sí a sí-mismo; si no, el conjunto Revelación-revelado caería, en lo inconsciente, es decir, en el En-sí. De este modo, sólo un ser que es a sí mismo su revelado, es decir, cuyo ser está en cuestión para sí, puede tener un Futuro. Pero, recíprocamente, tal ser no puede ser para sí sino en la perspectiva de un Aún-no, pues se capta a sí mismo como una nada, es decir, como un ser cuyo complemento de ser está a distancia de sí. A distancia, es decir, allende el ser. Así, todo lo que el Para sí es allende el ser es el Futuro.

¿Qué significa este "allende"? Para captarlo, ha de advertirse que el Futuro tiene una característica esencial del Para-sí: es presencia (futura) al ser; pero Presencia de *este* Para-sí y no de otro: del Para-sí del que es futuro. Cuando digo: "*yo* seré feliz", es este Para-sí presente quien será feliz; es la vivencia actual, con todo lo que ella *era* y arrastra tras de sí. Y ella lo será como presencia al ser, es decir, como Presencia futura del Para-sí a un ser cofuturo. De suerte que lo que me es dado como el sentido del Para-sí presente es de ordinario el ser cofuturo en tanto que se develará al Parasí futuro como aquello a lo cual este Para-sí será presente. Pues el Para-sí es conciencia tética *del* mundo en forma de presencia, y no conciencia tética *de* sí. Entonces, lo que se devela de ordinario a la conciencia es el *mundo futuro*, sin que ella advierta que es el mundo en tanto que aparecerá a una conciencia, el mundo en tanto que puesto como futuro por la presencia de un Para-sí por venir. Este mundo no tiene sentido como futuro sino en tanto que soy presente a él como *otro* que *seré*, en otra posición física, afectiva, social, etc. Empero, es él el que está al cabo de mi Parasí presente y allende el ser-en-sí, y por eso tenemos la tendencia de presentar primeramente el futuro como un estado del mundo, y de hacernos luego aparecer nosotros mismos sobre ese fondo de mundo. Si escribo, tengo conciencia *de* las palabras como escritas y como debiendo ser escritas. Sólo las palabras parecen el futuro que me espera. Pero el solo hecho de que aparezcan como *de-escribir* implica que escribir como conciencia no tética (de) sí es la posibilidad que soy yo. Así el Futuro, como presencia futura de un Para-sí a un ser, arrastra consigo al ser-en-sí hacia el futuro. Este ser al cual será presente es el sentido del en-sí copresente al

Para-sí presente, como el futuro es el sentido del Para-sí. El Futuro es presencia a un ser cofuturo porque el Para-sí no puede existir sino fuera de sí junto al ser, y porque el futuro es un Para-sí futuro. Pero así, por el Futuro, un porvenir llega al mundo, es decir, que el Para-sí *es* su sentido como Presencia a un ser que está allende el ser. Por el Para-sí, se devela un allende del ser junto al cual aquél tiene-de-ser lo que es. Según la fórmula célebre, debo cambiar para "llegar a ser el que era"; pero debo cambiar en un mundo *cambiado* también: en un mundo cambiado *a partir* de lo que ahora es. Esto significa que yo doy al mundo posibilidades propias a partir del estado que capto en él; el determinismo aparece sobre el fondo del proyecto futurante de mí mismo. Así, el futuro se distinguirá de lo imaginario, pues en este último también soy lo que no soy, también encuentro mi sentido en un ser que tengo-de-ser, pero este Para-sí que tengo-de-ser emerge del fondo de nihilización del mundo *al lado* del mundo del ser.

Pero el Futuro no es únicamente presencia del Para-sí a un ser situado allende el ser. Es algo que aguarda al Para-sí que soy. Ese algo soy yo mismo; cuando digo que *yo* seré feliz, se entiende que quien será feliz es mi yo presente, con su Pasado a rastras. Así, el Futuro soy yo en tanto que me aguardo como presencia a un ser allende el ser. Me proyecto hacia el Futuro para fundirme en él con aquello que me falta, es decir, con aquello cuya adjunción sintética a mi Presente me haría ser lo que soy. Así, lo que el Para-sí tiene de ser como presencia al ser allende el ser, es su propia posibilidad. El Futuro es el punto ideal en que la comprensión súbita e infinita de la facticidad (Pasado), del Para-sí (Presente) y de su posible (Porvenir) haría surgir por fin el *Sí* como existencia en sí del Para-sí. Y el proyecto del Para-sí hacia el futuro que él *es* es un proyecto hacia el En-sí. En este sentido, el Para-sí tiene-de-ser su futuro, porque no puede ser el fundamento de lo que él es sino ante sí y allende el ser: la naturaleza misma del para-sí consiste en deber ser *un creux toujours futur*.[1] Por eso, nunca habrá *llegado a ser* (en presente) lo que tenía-de-ser (en futuro). El futuro íntegro del Para-sí presente cae al Pasado como futuro con este mismo Para-sí. Será futuro pasado de cierto Para-sí o futuro anterior. Este

---

[1] "Hueco siempre futuro", hemistiquio de Valéry. (N. del T.)

futuro no se *realiza*. Lo que se realiza es un Para-sí *designado* por el Futuro, en conexión con el cual se constituye. Por ejemplo, mi posición final en el campo de juego ha determinado, desde el fondo del porvenir, todas mis posiciones intermedias y, finalmente, ha sido alcanzada por una posición última idéntica a lo que era en el porvenir como sentido de mis movimientos. Pero, precisamente, ese "alcanzar" es puramente ideal; no se opera realmente: el futuro no se deja alcanzar: se desliza al Pasado como ex futuro y el Para-sí presente se devela en toda su facticidad, como fundamento de su propia nada, y, una vez más, como falta de un nuevo futuro. De ahí esa decepción ontológica que aguarda al Para-sí cada vez que desemboca en el futuro: "¡Qué bella era la República bajo el Imperio!" Aun si mi presente es rigurosamente idéntico en su contenido al futuro hacia el cual me proyectaba allende el ser, yo no me proyectaba hacia *este* presente, sino hacia el futuro en tanto que futuro; es decir, en tanto que punto de reunión con mi ser, en tanto que lugar de surgimiento del *Sí*.

Ahora estamos en mejores condiciones para interrogar al Futuro sobre su ser, ya que este Futuro que tengo de ser es simplemente mi *posibilidad* de presencia al ser allende el ser. En este sentido, el Futuro se opone rigurosamente al pasado. El Pasado es, en efecto, el ser que soy fuera de mí, pero es el ser que soy sin posibilidad de no serlo. Es lo que hemos llamado: ser mi pasado *a la zaga* de mí. El Futuro que tengo de ser, el contrario, es tal en su ser que solamente *puedo* serlo: pues mi libertad lo roe por debajo en su ser. Esto significa que el Futuro constituye el sentido de mi Para-sí presente, como el proyecto de su posibilidad, pero que no predetermina en modo alguno mi Para-sí por venir, ya que el Para-sí está siempre ahí arrojado en esa obligación nihilizadora de ser el fundamento de su nada. El Futuro no hace sino preesbozar el marco en el cual el Para-sí se hará ser a sí mismo como huida presentificante desde el ser hacia otro futuro. Es lo que yo sería si no fuera libre, y lo que no puedo *tener-de-ser* sino porque soy libre. El Futuro, al mismo tiempo que aparece en el horizonte para anunciarme lo que soy a partir de lo que seré ("¿Qué haces? *Estoy* clavando este tapizado, colgando este cuadro en la pared") por su naturaleza de futuro presente-para-sí se desarma, ya que el Para-sí que será, será en el modo de determinarse a sí mismo a ser, y el Futuro, convertido en futuro pasado como preesbozo de este para-sí, no podrá sino solicitarle, a título de pasado, que sea lo que él se hace ser. En una palabra, soy mi Futuro en la perspectiva constante de la posibilidad de no serlo. De ahí esa angustia que describíamos antes, y que proviene de no ser yo suficientemente ese futuro que tengo-de-ser y que da su sentido a mi presente: pues soy un ser cuyo sentido es siempre problemático. En vano quisiera el Para-sí encadenarse a su Posible, como al ser que él es fuera de sí mismo pero que, por lo menos, lo es *con seguridad:* el Para-sí no puede ser jamás sino problemáticamente su Futuro, pues está separado de éste por una Nada que él es; en una palabra, es libre, y su libertad es el propio límite de sí misma. Ser libre es estar condenado a ser libre. Así, el Futuro, no tiene ser en tanto que Futuro. No es *en sí* y tampoco es en el modo de ser del Para-sí, ya que es el *sentido* del Para-sí. El Futuro no es: se *posibiliza*. El Futuro es la posibilización continua de los Posibles como el sentido del Para-sí presente, en tanto que este sentido es problemático y escapa radicalmente, como tal, al Para-sí presente.

El Futuro así descrito no corresponde a una serie homogénea y cronológicamente ordenada de instantes por venir. Por cierto, hay una jerarquía de mis posibles. Pero esta jerarquía no corresponde al orden de la Temporalidad universal tal cual se establecerá sobre las bases de la Temporalidad originaria. *Soy* una infinidad de posibilidades, pues el sentido del Para-sí es complejo y no puede contenerse en una fórmula. Pero tal o cual posibilidad es más determinante, para el sentido del Para-sí presente, que tal o cual otra que se halla más próxima en el tiempo universal. Por ejemplo, esta posibilidad de ir a las dos a ver a un amigo a quien hace dos años que no veo, es verdaderamente un Posible que yo *soy;* pero los posibles más próximos –posibilidades de ir en taxi, en ómnibus, en subterráneo, a pie– siguen actualmente indeterminados: *no soy* ninguna de estas posibilidades. Se llenarán los huecos, en el orden del conocimiento, por la constitución de un tiempo homogéneo y sin lagunas; y, en el orden de la acción, por la voluntad, vale, decir por la elección racional y tematizadora, en función de mis posibilidades, de posibilidades que no son, que no serán jamás *mis* posibilidades, y que serán realizadas por mí en el modo de la total indiferencia, *para alcanzar* un posible que soy.

II

Ontología de la temporalidad

A) *La temporalidad estática.*

Nuestra descripción fenomenológica de los tres ék-stasis temporales ha de permitirnos abordar ahora la temporalidad como estructura totalitaria que organiza en sí las estructuras ek-státicas secundarias. Pero este nuevo estudio debe realizarse desde dos puntos de vista diferentes.

La temporalidad es considerada a menudo como un indefinible. Todos admiten, empero, que es ante todo sucesión. Y la sucesión, a su vez, puede definirse como un orden cuyo principio ordenador es la relación antes-después. Una multiplicidad ordenada según el antes y el después; tal es la multiplicidad temporal. Conviene, entonces, para empezar, encarar la constitución y las exigencias de los términos *antes* y *después*. Llamaremos a esto la *estática* temporal, ya que estas nociones de antes y después pueden encararse en su aspecto estrictamente ordinal e independientemente del cambio propiamente dicho. Pero el tiempo no es sólo un orden fijo, para una multiplicidad determinada: observando mejor la temporalidad, comprobamos el *hecho* de la sucesión, es decir, el hecho de que este después *se cambia* en un antes, que el Presente se *cambia* en pasado, y el futuro en futuro-anterior. Convendrá examinar esto en segundo término, con el nombre de *dinámica* temporal. Sin duda alguna, el secreto de la constitución estática del tiempo ha de buscarse en la dinámica temporal, pero es preferible dividir las dificultades. En cierto sentido, en efecto, puede decirse que la estática temporal puede encararse aparte como cierta estructura formal de la temporalidad –lo que llama Kant el *orden* del tiempo–, y que la dinámica corresponde al fluir temporal o, según la terminología kantiana, al *curso* del tiempo. Interesa, pues, encarar el orden y el curso de modo sucesivo.

El orden "antes-después" se define, ante todo, por la irreversibilidad. Se llamará sucesiva una serie tal que no puedan considerarse los términos sino uno por uno y en un solo sentido. Pero se ha querido ver en el *antes* y el *después* –precisamente porque los términos de la serie se develan *uno por uno* y cada uno excluye a los demás– formas de separación. Y, en efecto, es cierto que el tiempo me separa, por ejemplo, de la realización de mis deseos. Estoy obligado a esperar su realización, porque ésta está situada *después* de otros sucesos. Sin la sucesión de los "después", yo sería *en seguida* lo que quiero ser; no habría ya distancia entre mí y mí, ni separación entre la acción y el sueño. Los novelistas y poetas han insistido esencialmente sobre esta virtud separadora del tiempo, así como sobre una idea vecina, que pertenece, por otra parte, a la dinámica temporal: la de que todo "ahora" está destinado a cambiarse en un "otrora". El tiempo roe y socava, separa, huye. E igualmente a título de separador –separando al hombre de su pena o del objeto de su pena–, también cura.

Laisse faire le temps [Deja obrar al tiempo], dice el rey a don Rodrigo. De modo general, ha llamado la atención, sobre todo, la necesidad de que todo ser se descuartice en una dispersión infinita de *después* sucesivos. Aun los *permanentes,* aun esta mesa que permanece invariable mientras yo cambio, debe exponer y refractar su ser en la dispersión temporal. El tiempo me separa de mí mismo; de lo que he sido, de lo que quiero ser, de lo que quiero hacer, de las cosas y del prójimo. Y se escoge el tiempo como medida práctica de la distancia: estamos a media hora de tal ciudad, a una hora de tal otra; hacen falta tres días para terminar este trabajo, etc. Resulta de estas premisas que una visión temporal del mundo y del hombre se desmigajará en una polvareda de antes y después. La unidad de esta pulverización, el átomo temporal será el *instante,* que tiene su lugar *antes* de ciertos instantes determinados y *después* de otros instantes, sin comportar ni antes ni después en el interior de su forma propia. El instante es insecable e intemporal, ya que la temporalidad es sucesión; pero el mundo se disuelve en una polvareda infinita de instantes, y es un problema para Descartes, por ejemplo, el de saber *cómo* puede haber tránsito de un instante a otro: pues los instantes están yuxtapuestos, es decir, separados por *nada*, y sin embargo sin comunicación. Análogamente, Proust se pregunta cómo su Yo puede pasar de un instante a otro; cómo reencuentra, por ejemplo, tras una noche de sueño, su Yo de la víspera y no otro cualquiera; y, más radicalmente, los empiristas, tras negar la permanencia del Yo, intentan en vano establecer una apariencia de unidad transversal a través de los instantes de la vida psíquica. Así, cuando se considera aisladamente el poder disolvente de la temporalidad, es fuerza confesar que el hecho de haber existido en un instante dado no constituye un derecho para existir al instante siguiente, ni siquiera una hipoteca o una opción sobre el porvenir. Y el problema radica entonces en explicar que haya un mundo, es decir, cambios conexos y permanencias en el tiempo.

Empero, la Temporalidad no es únicamente, ni siquiera primariamente, separación. Basta para advertirlo considerar con más rigor la noción de *antes* y *después*. Decimos que A está *después* de B. Acabamos de establecer una relación expresa de *orden* entre A y B, lo que supone su unificación en el seno de ese orden. Si entre A y B no existiera otra relación que ésa, bastaría por lo menos para asegurar su conexión, pues permitiría al pensamiento ir de uno al otro y unirlos en un juicio de sucesión. Así, pues, si el tiempo es separación, por lo menos es una separación de tipo especial: una división que reúne. Sea, se dirá; pero esta relación unificadora es por excelencia una relación externa. Cuando los asociacionistas quisieron establecer que las impresiones mentales no estaban unidas las unas a las otras sino por vínculos puramente externos, ¿no redujeron finalmente todos los nexos asociativos a la relación antes-después, concebida como simple "contigüidad"?

Sin duda. Pero, ¿no ha mostrado Kant que era menester la unidad de la experiencia y, por ende, la unificación de lo diverso temporal, para que el mínimo nexo de asociación empírica fuera concebible siquiera? Consideremos mejor la teoría asociacionista. Va acompañada de una concepción monista del ser como siendo doquiera el ser-en-sí. Cada impresión psíquica es en sí misma lo que es; se aísla en su plenitud presente, no comporta ningún rastro del porvenir, ninguna falta. Hume, cuando lanza su célebre desafío, se preocupa de establecer esta ley, que pretende tomada de la experiencia: se puede examinar como se quiera una impresión fuerte o débil sin que en ella se encuentre nunca otra cosa que ella misma, de suerte que toda conexión entre un antecedente y un consecuente, por constante que pueda ser, permanece ininteligible. Supongamos, pues, un contenido temporal A que existe como un ser en sí, y un contenido temporal B, posterior al primero y con el mismo modo de existencia, es decir, el de la pertenencia a sí mismo de la identidad. Ha de hacerse notar, ante todo, que esta identidad consigo mismo obliga a existir a cada uno de ellos sin separación ninguna de sí, ni aun temporal, y, por lo tanto, en la eternidad o en el instante, que viene a ser lo mismo, ya que el instante, no estando definido interiormente por la conexión antes-después, es intemporal. En estas condiciones, uno se pregunta cómo el estado A puede ser *anterior* al estado B. De nada serviría responder que no son los *estados* los anteriores o posteriores, sino los *instantes* que los contienen: pues los instantes son *en sí* por hipótesis, como los estados. Pero la anterioridad de A respecto de B supone en la naturaleza misma de A (instante o estado) una incompletez que apunta hacia B. Si A es anterior a B, sólo *en B* puede recibir esta determinación. Si no, ni el surgimiento ni la aniquilación de B aislado en su instante podría conferir a A, aislado en el suyo, la menor *cualidad particular*. En una palabra: si A ha de ser anterior a B, es menester que sea en su ser mismo *en B* como futuro respecto de sí. Y, recíprocamente, si B ha de ser posterior a A, debe estar a la zaga de sí mismo en A, que le conferirá su sentido de posterioridad. Entonces, si concedemos *a priori* el ser en sí a A y a B, es imposible establecer entre ellos el menor nexo de sucesión. Este nexo sería, en efecto, una relación puramente externa y, como tal, habría de admitirse que queda en el aire, privada de sustrato, sin poder hincar diente en A ni en B, en una especie de nada intemporal.

Queda la posibilidad de que esa relación antes-después no pueda existir sino para un testigo que la establezca. Sólo que, si este testigo puede estar *a la vez* en A y en B, ha de ser él mismo temporal, y el problema se replanteará a su respecto. O bien, al contrario, puede trascender el tiempo por un don de ubicuidad temporal que equivale a la intemporalidad. Es la solución con que se han quedado igualmente Descartes y Kant: para ellos, la unidad temporal en cuyo seno se devela la relación sintética antes-después es conferida a la multiplicidad de los instantes por un ser que escapa a la temporalidad. Parten ambos de la presuposición de un tiempo que sería forma de división y que se disuelve en pura multiplicidad. Como la unidad del tiempo no puede ser dada por el tiempo mismo, la atribuyen a un ser extratemporal: Dios y su creación continúa en Descartes, el Yo pienso, y sus formas de unidad sintética en Kant. Sólo que, en el primero, el tiempo es unificado por su contenido material, mantenido en existencia por una perpetua creación *ex nihilo*, y en el segundo, al contrario, los conceptos del entendimiento puro se aplicarán a la forma misma del tiempo. En todo caso, siempre un *intemporal* (Dios o el Yo pienso) está encargado de dotar a los *intemporales* (los instantes) de su temporalidad. La temporalidad se convierte en una simple relación externa y abstracta entre sustancias intemporales; se la quiere reconstruir íntegramente con materiales a-temporales. Es evidente que semejante reconstrucción hecha de entrada contra el tiempo no puede conducir luego a lo temporal. Pues, en efecto: o bien temporalizaremos implícita y subrepticiamente al intemporal, o bien, si le mantenemos escrupulosamente su intemporalidad, el tiempo se convertirá en pura ilusión humana, en sueño. Si el tiempo es *real*, en efecto, Dios tiene que "esperar que maduren las uvas"; es preciso que esté allá en el porvenir y ayer en el pasado para operar la conexión de los momentos, pues es necesario que vaya a tomarlos donde están. Así, su seudo-intemporalidad disimula otros conceptos: el de la infinidad temporal y el de la ubicuidad temporal. Pero éstos no pueden tener sentido sino para una forma sintética de arrancamiento a sí, que no corresponde ya en modo alguno al ser en sí. Si, al contrario, se apoya, por ejemplo, la omnisciencia de Dios en su extratemporalidad, entonces no tiene necesidad alguna de esperar que las uvas maduren para *ver* que madurarán. Pero entonces la necesidad de aguardar y, por consiguiente, la temporalidad, no pueden representar sino una ilusión resultante de la finitud humana; y el orden cronológico no es sino la percepción confusa de un orden lógico y eterno. El mismo argumento puede aplicarse sin modificación alguna al "Yo pienso" kantiano. Y de nada serviría objetar que, en Kant, el tiempo posee una unidad en tanto que tal, ya que surge, como forma *a priori*, de lo intemporal; pues se trata de dar razón menos de la unidad total de su surgimiento que de las conexiones intratemporales del antes y el después. ¿Se hablará de una temporalidad virtual que la unificación ha hecho pasar al acto? Pero esta sucesión virtual es menos comprensible aún que la sucesión real a que nos referíamos. ¿Qué es una sucesión que aguarda la unificación para llegar a ser sucesión? ¿A quién o a qué pertenecerá? Y sin embargo, si no está ya dada en alguna parte, ¿cómo podría lo intemporal segregarla sin perder en ello toda intemporalidad?; ¿ni cómo podría siquiera la temporalidad emanar de lo intemporal sin quebrantarlo? Por otra parte, la idea misma de unificación es en este caso perfectamente incomprensible. Hemos supuesto, en efecto, dos en-síes aislados en su lugar, en su fecha. ¿Cómo se podría unificarlos? ¿Se trata de una unificación *real?* En este caso, o bien nos quedamos en palabras, y la unificación no hará presa en dos en-síes aislados en su identidad y su completez respectivas, o bien será menester constituir una unidad de tipo nuevo, precisamente la unidad ek-stática: cada ser será fuera de sí, allá, para ser *antes* o *después* del otro. Sólo que habrá sido necesario quebrarles su ser, descomprimirlo; en una palabra, temporalizarlo, y no solamente poner en contacto al uno con el otro. Pero, ¿cómo la unidad intemporal del Yo Pienso, como simple facultad de pensar, será susceptible de operar esa descompresión del ser? ¿Diremos que la unificación es *virtual*, o sea que se ha proyectado, allende las impresiones, un tipo de unidad bastante semejante al noema husserliano? Pero un intemporal que haya de unir intemporales, ¿cómo concebirá una unificación del tipo de la sucesión? Y si, como será necesario admitir entonces, el *esse* del tiempo es un *percipi,* ¿cómo se constituye el *percipitur?;* en una palabra, ¿cómo un ser de estructura a-temporal podría aprehender como temporales (o intencionar como tales) a en-síes aislados en su propia intemporalidad? Así, la temporalidad, en tanto que es a la vez forma de separación y forma de síntesis, no se deja ni derivar de un intemporal ni imponer *desde fuera* a otros intemporales.

Leibniz, en reacción contra Descartes, y Bergson, en reacción contra Kant, no han querido ver a su vez en la temporalidad sino una pura relación de cohesión e inmanencia. Leibniz considera el problema del tránsito de un instante a otro, y su solución, la creación continua, como un falso problema con una solución inútil: Descartes, según él, habría olvidado la *continuidad* del tiempo. Al afirmar la continuidad del tiempo, nos está vedado concebirlo como formado de instantes; y, si no hay instantes, no hay tampoco relación de antes y después entre ellos. El tiempo es una vasta continuidad de fluencia, a la cual no cabe asignar en modo alguno elementos primeros existentes en-sí.

Esto es olvidar que el antes-después es también una forma que separa. Si el tiempo es una continuidad *dada* con una innegable tendencia a la separación, la pregunta de Descartes puede plantearse en otra forma: ¿de dónde viene la potencia cohesiva de la continuidad? Sin duda, no hay elementos primeros yuxtapuestos en un continuo; pero, precisamente, porque es *ante todo* unificación. Como dice Kant, la línea recta es otra cosa que un punteado infinito, porque la trazo realizándola en la unidad de un solo acto. Entonces, ¿quién *traza* el tiempo? Esta continuidad, en una palabra, es un *hecho* que ha de tenerse en cuenta; no podría tomarse como solución. Recuérdese, por otra parte, la famosa definición de Poincaré: una serie *a, b, c* –dice–, es continua cuando puede escribirse $a = b, b = c, a \div c$. Esta definición es excelente por cuanto nos hace presentir, precisamente, un tipo de ser que es lo que no es y que no es lo que es: en virtud de un axioma, es $a = c$; en virtud de la continuidad misma, es $a \div c$. Así *a* es y no es equivalente a *c*. Y *b,* igual a *a* e igual a c, es diferente de sí mismo en tanto que *a* no es igual a *c*. Pero esta ingeniosa definición no pasa de ser un puro juego de ingenio en tanto que la encaramos en la perspectiva del en-sí. Y si nos ofrece un tipo de ser que a la vez es y no es, no nos ofrece ni los principios ni el fundamento de él. Todo está por hacerse. En el estudio de la temporalidad, en particular, se comprende qué servicios puede prestarnos la continuidad, intercalando entre el instante *a* y el instante *c*, por próximos que estén, un intermediario *b* tal que, según la fórmula $a = b, b = c, a \div c$, sea a la vez indiscernible de *a* e indiscernible de *c*, que son perfectamente discernibles uno de otro. Ese intermediario realizará la relación de antes y después; pues será antes de sí mismo, en cuanto indiscernible de *a* y de *c*. Enhorabuena. Pero, ¿cómo puede existir un ser así? ¿De dónde le viene su naturaleza ek-stática? ¿Cómo queda inconclusa esa escisión que en él se esboza? ¿Cómo no estalla escindiéndose en dos términos, uno que se funda con *a* y otro con *c*? ¿Cómo no ver que su unidad plantea un problema? Quizás un examen más profundizado de las condiciones de posibilidad de ese ser nos habría enseñado que sólo el Para-sí podría existir de ese modo en la unidad ek-stática de sí. Pero precisamente no se intentó ese examen, y la cohesión temporal, en Leibniz, disimula en el fondo la cohesión por inmanencia absoluta del lógico, es decir, la identidad. Pero, precisamente, si el orden cronológico es continuo, no puede simbolizarse con el orden de identidad, pues lo continuo no es compatible con lo idéntico.

Análogamente, Bergson, con su duración que es organización metódica y multiplicidad de interpretación, no parece ver que una organización de multiplicidad supone un acto organizador. Tiene razón, contra Descartes, cuando suprime el *instante;* pero Kant tiene razón, contra él, cuando afirma que no hay síntesis *dada.* Ese pasado bergsoniano, que se adhiere al presente y hasta lo presenta, es poco más que una figura de retórica. Bien lo indican las dificultades que encontró Bergson en su teoría de la memoria. Pues si el Pasado, como él afirma, es lo no actuante, no puede sino quedarse atrás; jamás volverá para penetrar el presente en forma de recuerdo, a menos que un ser presente haya asumido la tarea de existir además ek-státicamente en el Pasado. Sin duda, en Bergson, el que dura es un solo y mismo ser; pero precisamente ello sólo hace sentir con más urgencia la necesidad de esclarecimientos ontológicos. Pues, para terminar, no sabemos si el ser dura o si la duración es el ser. Y, si la duración *es* el ser, entonces debería decírsenos cuál es la estructura ontológica de la duración; pero si, al contrario, el ser dura, debería mostrársenos qué es lo que en su ser le permite durar.

¿Qué podemos concluir, al término de esta exposición? Ante todo, esto: la temporalidad es una fuerza disolvente, pero en el seno de un acto unificador; es menos una multiplicidad real –que no podría recibir luego ninguna unidad y, por ende, no existiría ni siquiera como multiplicidad– que una cuasi-multiplicidad, un esbozo de disociación en el seno de la unidad. No ha de tratarse de considerar aparte uno u otro de estos dos aspectos: de ponerse primero la unidad temporal, corremos el riesgo de no comprender ya la sucesión irreversible como *sentido* de esta unidad; pero, de considerar la sucesión desagregadora como el carácter original del tiempo, arriesgamos no poder ni siquiera comprender que haya *un* tiempo. Así, pues, si no hay prioridad alguna de la unidad sobre la multiplicidad ni de la multiplicidad sobre la unidad, es menester concebir la temporalidad como una unidad que se multiplica, es decir, que la temporalidad no puede ser sino una relación de ser en el seno del ser mismo. No podemos considerarla como un continente cuyo ser sea *dado,* pues sería renunciar para siempre a comprender cómo ese ser en-sí pueda fragmentarse en multiplicidad, o cómo el en-sí de los continentes mínimos o instantes pueda reunirse en la unidad de *un* tiempo. La temporalidad *no es.* Sólo un ser de cierta estructura de ser puede ser temporal en la unidad de su ser. El antes y el después no son inteligibles, según hemos advertido, sino como relación interna. El antes se hace determinar como antes allá, en el después; y recíprocamente. En suma, el antes no es inteligible a menos que sea el ser que es *antes* que sí mismo. Es decir, que la temporalidad no puede sino designar el modo de ser de un ser que es sí-mismo fuera de sí. La temporalidad debe tener la estructura de la ipseidad. En efecto, sólo porque el sí es sí allá fuera de sí, en su ser, puede ser antes o después de sí, puede tener, en general, un antes y un después. No hay temporalidad sino como intraestructura de un ser que tiene-de-ser su ser; es decir, como intraestructura del Para-sí. No es que el Para-sí tenga prioridad ontológica sobre la Temporalidad; sino que la Temporalidad es el ser del Para-sí en tanto que éste tiene-de-serlo ek-státicamente. La temporalidad no es; pero el Para-sí se temporaliza existiendo.

Recíprocamente, nuestro estudio fenomenológico del Pasado, el Presente y el Futuro nos permite mostrar que el Para-sí no puede ser sino en la forma temporal.

El Para-sí, surgiendo en el ser como nihilización del En-sí, se constituye a la vez en todas las dimensiones posibles de nihilización. Cualquiera que sea el lado por el que se lo considere, es el ser que se tiene a sí mismo apenas por un hilo, o, más precisamente, es el ser que, siendo, hace existir todas las dimensiones posibles de su nihilización. En el mundo antiguo se designaba la cohesión profunda y la dispersión del pueblo judío con el nombre de "diáspora". Esta palabra nos servirá para designar el modo de ser del Para-sí: es diaspórico. El ser-en-sí no tiene sino una dimensión de ser; pero la aparición de la nada como lo que *es sido* en el corazón del ser complica la estructura existencial haciendo aparecer el espejismo ontológico del Sí. Veremos más tarde que la reflexión, la trascendencia y el ser-en-el-mundo, el ser-para-otro, representan diversas dimensiones de la nihilización, o, si se prefiere, diversas relaciones originarias del ser consigo mismo. Así, la nada introduce la cuasi-multiplicidad en el seno del ser. Esta cuasi-multiplicidad es el fundamento de todas las multiplicidades intramundanas, pues una multiplicidad supone una unidad primera en cuyo seno se esboza la multiplicidad. En este sentido, no es verdad, como sostiene Meyerson, que haya un escándalo de lo diverso, y que la responsabilidad de este escándalo incumba a lo real. El en-sí no es diverso, no es multiplicidad; y para que reciba la multiplicidad como característica de su ser-en-medio-del-mundo, es menester el surgimiento de un ser que sea presente a la vez a cada en-sí aislado en su identidad. Por la realidad humana viene al mundo la multiplicidad; la cuasi-multiplicidad en el seno del ser-para-sí hace que el número se devele en el mundo. Pero, ¿cuál es el sentido de esas dimensiones múltiples o cuasi-múltiples del Para-sí? Son sus diferentes relaciones con su propio ser. Cuando se es lo que se es, pura y simplemente, no hay sino una manera de ser el propio ser. Pero, desde el momento en que no es ya el propio ser, surgen simultáneamente diferentes maneras de serlo no siéndolo. El Para-sí, para atenernos a los primeros ék-stasis –los que, a la vez, señalan el sentido originario de la nihilización y representan la nihilización *mínima*–, puede y debe a la vez: 1º, no ser lo que es; 2º, ser lo que no es; 3º, en la unidad de una perpetua remisión, ser lo que no es y no ser lo que es. Se trata ciertamente de tres dimensiones ek-státicas, siendo el sentido del ek-stasis la distancia de sí. Es imposible concebir una conciencia que no exista según estas tres dimensiones. Y si el Cogito descubre primeramente una de ellas, eso no significa que sea primera, sino sólo que se devela con más facilidad. Pero, por sí sola, es *unselbständig* y deja ver en seguida las demás. El Para-sí es un ser que debe existir a la vez en todas sus dimensiones. Aquí, la *distancia*, concebida como distancia de sí, no es nada real, nada que *sea* de manera general como en sí: es simplemente una nada, la nada que *es sida* como separación. Cada dimensión es una manera de proyectarse en vano hacia el Sí, de ser lo que se es, más allá de una nada; una manera diferente de ser ese vencimiento[1] de ser, esa frustración de ser que el Para-sí tiene-de-ser. Consideremos aisladamente cada una.

[1] *Fléchissement*: acción de plegarse, doblegarse, como algo que se vence. (N. del T.)

En la primera, el Para-sí tiene-de-ser su ser a la zaga de sí, como lo que es sin ser fundamento de ello. Su ser está allá, contra él, pero separado de él por una nada, la nada de la facticidad. El Para-sí como fundamento de su nada –y, como tal, necesario– está separado de su contingencia originaria en cuanto no puede ni suprimirla ni fundirse en ella. Es para sí mismo, pero en el modo de lo irremediable y lo gratuito. Su ser es para él, pero él no es para ese ser, pues precisamente esta reciprocidad del reflejo-reflejante haría desaparecer la contingencia originaria de aquello que *es*. Precisamente porque el Para-sí se capta en la forma del ser, está a distancia, como un juego de reflejo-reflejante que se ha deslizado en el en-sí, y en el cual ya ni el reflejo hace existir al reflejante ni el reflejante al reflejo. Este ser que el Para-sí tiene-de-ser se da por eso como algo sobre lo cual no es posible volver más, precisamente porque el Para-sí no puede fundarlo en el modo del reflejo-reflejante sino en tanto que funda sólo la conexión de ese ser consigo mismo. El Para-sí no funda el ser de ese ser, sino sólo el hecho de que ese ser pueda-ser *dado*. Se trata de una necesidad incondicional: cualquiera que fuere el Para-sí considerado, *es* en cierto sentido; es, ya que puede ser nombrado, ya que pueden afirmarse o negarse de él ciertos caracteres; pero, en tanto que es Para-sí, no es nunca lo que es. Lo que él es, está a su zaga, como lo perpetuamente *preterido-trascendido*. Precisamente esta facticidad preterida-trascendida es lo que llamamos el Pasado. El Pasado es, pues, una estructura necesaria del Para-sí, pues el Para-sí no puede existir sino como un trascender nihilizador, y este trascender implica un trascendido. Es imposible, pues, captar un Para-sí, cualquiera que sea el momento en que lo consideremos, como *aún-no-teniendo* Pasado. No ha de creerse que el Para-sí existe primero y surja al mundo en la absoluta novedad de un ser sin pasado, para constituirse después y poco a poco un Pasado. Sino que, cualquiera que sea la surrexión del Para-sí en el mundo, viene al mundo en la unidad ek-stática de una relación con su Pasado: no hay un comienzo absoluto que se convierta en pasado sin tener pasado; sino que, como el Para-sí, en tanto que Para-sí, tiene-de-ser su pasado, viene al mundo *con* un Pasado. Estas observaciones permiten considerar a una luz algo nueva el problema del nacimiento. En efecto, parece escandaloso que la conciencia "aparezca" en algún momento, que venga a "habitar" al embrión; en suma, que haya un momento en que el viviente en formación sea sin conciencia, y un momento en que se aprisione en él una conciencia sin pasado. Pero el escándalo cesará si resulta que no puede haber conciencia sin pasado. Esto no quiere decir, empero, que toda conciencia suponga una conciencia anterior fijada en el En-sí. Esa relación entre el Para-sí presente y el Para-sí *vuelto* En-sí nos enmascara la relación primitiva de Preteridad, que es una relación entre el Para-sí y el En-sí puro. En efecto: el Para-sí surge en el mundo en tanto que nihilización del En-sí, y por este acontecimiento absoluto se constituye el Pasado en tanto que tal como relación originaria y nihilizadora entre el Para-sí y el En-sí. Lo que constituye originariamente el ser del Para-sí es esa relación con un ser que *no es* conciencia, que existe en la noche total de la identidad, y tal que el Para-sí está, empero, obligado a serlo, fuera de sí, a la zaga de sí. Con ese ser, al cual en ningún caso puede *reducirse* el Para-sí y con respecto al cual el Para-sí representa una novedad absoluta, el Para-sí siente una profunda solidaridad de ser, que se señala por la palabra *antes:* el En-sí es lo que el Para-sí era *antes.* En este sentido, se comprende muy bien que nuestro pasado no se nos aparezca como limitado por un trazo neto y sin rebabas –lo que se produciría si la conciencia pudiera surgir en el mundo *antes* de tener un pasado–, sino que, al contrario, se pierda, en un oscurecimiento progresivo, hasta unas tinieblas que, empero son también *nosotros mismos;* se comprende el sentido ontológico de esa chocante solidaridad con el feto, solidaridad que no podemos ni negar ni comprender. Pues, en suma, ese feto *era yo;* representa el límite de hecho de mi memoria, pero no el límite de derecho de mi pasado. Hay un problema metafísico del nacimiento, en la medida en que puedo inquietarme por saber cómo de *tal* embrión nací *yo;* y este problema es quizás insoluble. Pero no hay en ello problema ontológico: no tenemos que preguntarnos por qué puede haber un nacimiento de las conciencias, pues la conciencia no puede aparecerse a sí misma sino como nihilización de en-sí, es decir, como *siendo ya nacida.* El nacimiento, como relación de ser ek-stática con el En-sí que ella no es y como constitución *a priori* de la preteridad, es una ley de ser del Para-sí. Ser Para-sí es *ser nacido.* Pero no cabe plantear después cuestiones *metafísicas* sobre el En-sí de donde ha nacido el Para-sí, tales como

[208]

éstas: "¿Cómo había un En-sí *antes* del nacimiento del Para-sí? ¿Cómo nació el Para-sí de *este* En-sí más bien que de tal otro?", etc. Todas estas cuestiones no tienen en cuenta que el Pasado en general sólo puede existir por el Para-sí. Si hay un *antes*, se debe a que el Para-sí ha surgido en el mundo, y sólo puede establecérselo a partir del Para-sí. En la medida en que el En-sí es hecho copresente al Para-sí, aparece un *mundo* en lugar de los aislamientos del En-sí. Y en este mundo es posible operar una designación y decir: *este* objeto, *ese* objeto. En tal sentido, el Para-sí, en tanto que su surgimiento al ser hace que exista un mundo de copresencias, hace aparecer también su "antes" como copresente a unos en-síes en un mundo, o, si se prefiere, en un estado del mundo que ha pasado. De suerte que, en cierto sentido, el Para-sí aparece como nacido *del* mundo, pues el En-sí de que ha nacido está en medio del mundo como copresente pasado entre copresentes pasados: hay surgimiento en el mundo y a partir del mundo, de un Para-sí que no era antes y que es nacido. Pero, en otro sentido, es el Para-sí quien hace que exista un antes de manera general, y, en ese antes, copresentes unidos en la unidad de un mundo pasado y tales que se pueda *designar* a uno u otro de ellos diciendo: *ese* objeto. No hay *primeramente* un tiempo universal en que aparezca de súbito un Para-sí aún carente de Pasado. Sino que, a partir del *nacimiento* como ley de ser originaria y *a priori* del Para-sí, se devela un mundo con un tiempo universal en el cual pueden designarse un momento en que el Parasí no era aún, y un momento en que el Para-sí aparece; seres *de los cuales* no ha nacido, y un ser *del cual* ha nacido. El nacimiento es el surgimiento de la relación absoluta de Preteridad como ser ek-stático del Para-sí en el En-sí. Por el nacimiento aparece un Pasado del Mundo. Volveremos sobre ello. Bástenos por ahora notar que la conciencia o para-sí es un ser que surge al ser por sobre un irreparable que es él, y que este irreparable, en tanto que está a la zaga del Para-sí, en medio del mundo, es el Pasado. El pasado, como ser irreparable que tengo-de-ser sin ninguna posibilidad de no serlo, no entra en la unidad "reflejo-reflejante" de la vivencia: está fuera de ella. Empero, no es tampoco como aquello *de que* hay conciencia, en el sentido de que, por ejemplo, la silla percibida es aquello de que hay conciencia perceptiva. En el caso de la percepción de la silla, hay tesis, es decir, captación y afirmación de la

[209]

silla como el en-sí que la conciencia no es. Lo que la conciencia tiene-de-ser en el modo de ser del para-sí es el no-ser-silla. Pues su "no-ser-silla", como veremos, es en la forma de conciencia (de) no ser, es decir, apariencia de no-ser para un testigo que está ahí sólo para dar testimonio de ese no-ser. La negación, pues, es explícita y constituye el nexo de ser entre el objeto percibido y el para-sí. El Para-sí no es sino ese Nada translúcido que es negación de la cosa percibida. Pero, aunque el Pasado esté *fuera,* el nexo no es aquí del mismo tipo, pues el Para-sí se da como siendo el Pasado. Por ello, no puede haber *tesis* del Pasado, pues uno no pone sino lo que uno no es. Así, en la percepción del objeto, el Para-sí se asume para sí como no siendo el objeto, mientras que, en la revelación del Pasado, el Para-sí se asume como *siendo* el Pasado y sólo está separado de él por su naturaleza de Para-sí, que no puede ser nada. Así, no hay *tesis* del Pasado, y sin embargo el Pasado no es inmanente al Para-sí: infesta al Para-sí en el momento mismo en que el Para-sí se asume como no siendo tal o cual cosa particular. No es objeto de la *mirada* del Para-sí. Esta mirada, translúcida a sí misma, se dirige, allende la cosa, hacia el porvenir. El Pasado en tanto que cosa que uno *es* sin ponerla, en tanto que es aquello que infesta sin ser notado, está detrás del Para-sí, fuera de su campo temático, que está ante él como aquello a lo cual ilumina. El Pasado es "puesto contra" el Para-sí, asumido como lo que éste tiene-de-ser, sin poder ser ni afirmado, ni negado ni tematizado ni absorbido por él. No, ciertamente, que el Pasado no pueda ser objeto de tesis para mí, ni que no sea a menudo tematizado; pero en tal caso es objeto de una indagación explícita, y entonces el Para-sí se afirma como *no siendo* ese Pasado puesto por él. El Pasado no está ya *detrás:* no deja de ser pasado, pero yo ceso de *serlo:* en el modo primario, yo era mi Pasado sin conocerlo (pero no sin tener conciencia de él); en el modo secundario, conozco mi pasado pero ya no lo era. ¿Cómo puede ser, se dirá, que tenga conciencia de mi Pasado sino en el modo tético? Empero, el Pasado está *allá,* constantemente; es el sentido mismo del objeto que miro y que ya he visto, de los rostros familiares que me rodean; es el comienzo de ese movimiento que en este momento continúa, y que yo no podría llamar circular de no haber sido yo mismo en el Pasado el testigo de su comienzo; es el origen y trampolín de todas mis acciones; es ese espesor del mundo, constantemente dado, que me permite orientarme y ubicarme; es yo mismo en tanto que me vivo como una persona (hay también una estructura por-venir del Ego); en suma, es mi nexo contingente y gratuito con el mundo y conmigo mismo en tanto que lo vivo continuamente como derelicción total. Los psicólogos lo llaman *saber*. Pero, aparte de que, por este mismo término, lo "psicologizan", se privan del medio de dar razón de él. Pues el Saber está doquiera y condiciona todo, hasta la memoria; en una palabra, la memoria intelectual supone el saber; y ese saber, si ha de entenderse por él un hecho presente, ¿qué es sino una memoria intelectual? Ese saber flexible, insinuante, cambiante que teje la trama de todos nuestros pensamientos y que se compone de mil indicaciones vacías, de mil designaciones que apuntan hacia atrás, sin imagen, sin palabras, sin tesis, es mi Pasado concreto en tanto que yo lo era, en tanto que irreparable profundidad-por-detrás de todos mis pensamientos y sentimientos.

En su segunda dimensión de nihilización, el Para-sí se capta como cierta falta de... *Es* esta falta y es también lo *faltante,* pues tiene-de-ser lo que es. Beber o ser bebiente significa no haber terminado nunca de beber, tener-de-ser todavía bebiente allende el bebiente que soy. Y cuando "he terminado de beber", *he bebido:* el conjunto se desliza al pasado. Bebiendo actualmente soy, pues, el bebiente que tengo-de-ser y que no soy; toda designación de mí mismo se me escapa hacia el Pasado si ha de ser ponderosa y plena, si ha de tener la densidad de lo idéntico. Y si me alcanza en el Presente, es porque se descuartiza a sí misma en el Aún-no, porque me designa como totalidad inconclusa que no puede concluirse. Ese Aún-no está roído por la libertad nihilizadora del Para-sí. No es solamente ser-a-distancia: es atenuación[1] de ser. Aquí el Para-sí, que era delante de sí en la primera dimensión de nihilización, es detrás de sí. Delante o detrás de sí: jamás *sí.* Es el sentido mismo de los dos ék-stasis, Pasado y Futuro, y por eso el valor en sí es por naturaleza el reposo en sí, la intemporalidad. La eternidad que el hombre busca no es la infinitud de la duración, de esta vana carrera en pos de sí de que yo mismo soy el respon-

---

[1] *Amenuisement*: "atenuación" en sentido etimológico = "volverse tenue". (N. del T.)

sable: es el reposo en sí, la atemporalidad de la coincidencia absoluta consigo mismo.

Por último, en la tercera dimensión, el Para-sí disperso en el juego perpetuo del reflejo-reflejante se hurta a sí mismo en la unidad de una misma huida. Aquí, el ser está doquiera y en ninguna parte: dondequiera se trate de captarlo, está enfrente, se ha evadido. Este *Chassé-croisé*[1] en el seno del Para-sí es *la Presencia* al ser.

Siendo Presente, Pasado y Futuro *a la vez,* dispersando su ser en tres dimensiones, el Para-sí, por el solo hecho de nihilizarse, es temporal. Ninguna de esas dimensiones tiene prioridad ontológica sobre las demás; ninguna de ellas puede existir sin las otras dos. Empero, conviene poner el acento en el ék-stasis presente –y no, como Heidegger, en el ék-stasis futuro–, porque el Para-sí *es* su Pasado en tanto que revelación a sí mismo, como lo que tiene-de-ser-para-sí en un trascender nihilizador; y como revelación a sí mismo es falta y está infestado por su futuro, es decir, por lo que él es para sí, allá, a distancia. El Presente no es ontológicamente "anterior" al Pasado y al Futuro: está condicionado por ellos en la misma medida en que los condiciona; pero es el hueco de no-ser indispensable para la forma sintética total de la Temporalidad.

Así, la Temporalidad no es un tiempo universal que contenga todos los seres y, en particular, las realidades humanas. No es tampoco una ley de desarrollo que se imponga al ser desde fuera. Tampoco es el ser; sino que es la intraestructura del ser que es su propia nihilización, es decir, *el modo de ser* propio del ser-para-sí. El Para-sí es el ser que tiene-de-ser su ser en la forma diaspórica de la Temporalidad.

B) *Dinámica de la temporalidad.*

El hecho de que el surgimiento del Para-sí se opere necesariamente según las tres dimensiones de la temporalidad no nos enseña nada sobre el problema de la *duración,* que pertenece a la

---

[1] Paso de ballet en que cada uno de los danzarines ocupa sucesivamente el lugar en que estaba el otro frente a él, como buscándose sin encontrarse. (N. del T.)

dinámica del tiempo. A primera vista, el problema parece doble: ¿por qué el Para-sí padece esa modificación de su ser que lo hace *volverse* Pasado? ¿Y por qué un nuevo Para-sí surge *ex nihilo* para volverse el Presente de ese Pasado?

Este problema ha sido enmascarado mucho tiempo por una concepción del ser humano como *en-sí*. El nervio de la refutación kantiana del idealismo de Berkeley, y un argumento favorito de Leibniz, es que el cambio implica de por sí la permanencia. Si suponemos entonces cierta permanencia intemporal que permanezca *a través* del tiempo, la temporalidad se reduce a no ser más que la medida y el orden del cambio. Sin cambio no hay temporalidad, ya que el tiempo no puede hacer presa en lo permanente y lo idéntico. Si, por otra parte, como en Leibniz, el cambio mismo es dado como la explicación lógica de una relación de consecuencia a premisas, es decir, como el desarrollo de los atributos de un sujeto permanente, entonces ya no hay temporalidad real.

Pero esta concepción reposa sobre bastantes errores En primer lugar, la subsistencia de un elemento permanente *junto a* lo que cambia no puede permitir al cambio constituirse como tal, salvo a los ojos de un testigo que fuera él mismo unidad de lo que cambia y de lo que permanece. En una palabra, la *unidad* del cambio y de lo permanente es necesaria para la constitución del cambio como tal. Pero este término mismo de unidad, de que Leibniz y Kant han abusado, no significa aquí gran cosa. ¿Qué quiere decirse con esa unidad de elementos dispares? ¿No es sino una vinculación puramente exterior? Entonces, carece de sentido. Es menester que sea unidad de *ser*. Pero esta unidad de ser importa exigir que lo permanente *sea* lo que cambia; y, de ahí, es ante todo ek-stática y remite al Para-sí en tanto que éste es el ser ek-stático por esencia; además, es destructora del carácter de *en-sí* de la permanencia y del cambio. Y no se diga que permanencia y cambio se toman allí como fenómenos y no tienen más que un ser *relativo:* el En-sí no se opone a los fenómenos como lo hace el número. Un fenómeno es en sí, en los términos mismos de nuestra definición, cuando es lo que es, así sea en relación con un sujeto o con otro fenómeno. Y, por otra parte, la aparición de la *relación* como determinando los fenómenos unos respecto de otros, supone anteriormente el surgimiento de un ser ek-stático que pueda ser lo que no es para fundar el "en otra parte" y el "respecto de".

Recurrir a la permanencia para fundar el cambio es, además, perfectamente inútil. Lo que quiere mostrarse es que un cambio absoluto no es ya cambio propiamente hablando, puesto que no queda *nada* que cambie o con respecto a lo cual haya cambio. Pero, de hecho, basta que lo que cambie *sea* en el modo pasado su estado anterior para que la permanencia se torne superflua; en este caso, el cambio puede ser absoluto, puede tratarse de una metamorfosis que afecte al ser íntegro: no dejará, por eso, de constituirse como cambio con respecto a un estado anterior, siendo él este estado en el Pasado en el modo del *era*. Este nexo con el pasado reemplaza a la seudo-necesidad de la permanencia, y el problema de la duración puede y debe plantearse a propósito de cambios absolutos. Por otra parte, no hay otros, ni aun "en el mundo": hasta cierto umbral, son inexistentes; pasado este umbral, se extienden a la forma total, como lo han mostrado las experiencias de los gestaltistas.

Pero, además, cuando se trata de una realidad humana, lo necesario es el cambio puro y absoluto, que muy bien puede ser, por otra parte, cambio sin *nada* que cambie, y que es la duración misma. Aun si admitimos, por ejemplo, la presencia absolutamente vacía de un Para-sí a un En-sí permanente, como simple conciencia de este Para-sí, la sola existencia de la conciencia implicaría la temporalidad, ya que ella tendría-de-ser, sin cambio, lo que es, en la forma del "haber sido". No habría, pues, eternidad, sino necesidad constante, para el Para-sí presente, de volverse Pasado de un nuevo Presente, y ello en virtud del ser mismo de la conciencia. Y si se nos dijera que este perpetuo retomar del Presente al Pasado por un nuevo Presente implica un cambio interno del Para-sí, responderíamos que entonces la temporalidad del Para-sí es el fundamento del cambio, y no el cambio el fundamento de la temporalidad. Nada puede, pues, enmascararnos estos problemas que parecen a primera vista insolubles: ¿por qué el Presente se *vuelve* Pasado? ¿Cuál es este nuevo Presente que surge entonces? ¿De dónde viene y por qué sobreviene? Y notemos bien, como lo muestra nuestra hipótesis de una conciencia "vacía", que lo que está en cuestión aquí no es la necesidad de que una permanencia salte de instante en instante manteniéndose como permanencia; sino la necesidad de que el ser, cualquiera que fuere, se metamorfosee íntegramente, a la vez, en forma y contenido, se abisme en el pasado y a la vez se produzca, *ex nihilo,* hacia el futuro.

Pero, ¿hay dos problemas? Examinémoslo mejor: el Presente no podría *pasar* sino convirtiéndose en el *antes* de un Para-sí que se constituya como el *después.* No hay, pues, sino un solo fenómeno: surgimiento de un nuevo Presente que preterifica al Presente que él *era,* y Preterificación de un Presente, que entraña la aparición de un Para-sí para el cual ese Presente se convertirá en pasado. El fenómeno del devenir temporal es una modificación global, ya que un Pasado que no fuera Pasado *de* nada no sería ya un Pasado, puesto que un Presente debe ser necesariamente Presente *de* ese Pasado. Esta metamorfosis, por otra parte, no alcanza sólo al Presente puro: el Pasado anterior y el Futuro son alcanzados igualmente. El Pasado del Presente que ha sufrido la modificación de Preteridad se vuelve Pasado de un Pasado, o Pluscuamperfecto. En lo que le concierne, queda suprimida de una vez la heterogeneidad del Presente y del Pasado, ya que lo que se distinguía del Pasado como Presente se convirtió en Pasado. En el curso de la metamorfosis, el Presente sigue siendo Presente de este Pasado, pero se convierte en Presente pasado de ese Pasado. Ello significa, en primer término, que es homogéneo a la serie del Pasado que se remonta de él hasta el nacimiento; y además, que ya no es un Pasado en la forma del tener-de-serlo, sino en el modo del haber-tenido-de-serlo. El nexo entre Pasado y Pluscuamperfecto es un nexo que es en el modo del En-sí; y este nexo aparece sobre el fundamento del Para-sí presente. Éste sostiene la serie del Pasado y de los pluscuamperfectos, soldados en un solo bloque.

El Futuro, por otra parte, aunque alcanzado análogamente por la metamorfosis, no deja de ser futuro, es decir, de permanecer fuera del Para-sí, delante, allende el ser; pero se convierte en futuro de un pasado, o futuro anterior. Puede mantener dos clases de relaciones con el Presente nuevo, según se trate del Futuro inmediato a del Futuro remoto. En el primer caso, el Presente se da como *siendo* ese Futuro con respecto al Pasado: "Es lo que yo esperaba: helo aquí". Es el Presente de su Pasado en el modo del Futuro anterior de ese Pasado. Pero, a la vez que es Para-sí como el Futuro de ese Pasado, se realiza como Para-sí, y por lo tanto como no siendo la que el Futuro prometía ser. Hay desdoblamiento: el Presente se convierte en Futuro anterior del Pasado, al tiempo que niega ser *ese* Futuro. Y el Futuro primitivo no es realizado para nada: ya no es futuro con respecto al Presente, sin dejar de ser futuro con respecto al Pasado. Se convierte en el Copresente irrealizable del Presente y conserva una *idealidad* total: "¿Y es esto lo que yo esperaba?" Sigue siendo futuro idealmente copresente del Presente, como Futuro irrealizado del Pasado de este Presente.

En el caso en que el Futuro es remoto, sigue siendo futuro con respecto al nuevo Presente, pero, si el presente no se constituye a sí mismo como falta de *ese* Futuro, pierde su carácter de posibilidad. En este caso, el Futuro anterior se convierte en posible indiferente con respecto al nuevo Presente, y no en *su* Posible. En tal sentido, no se posibiliza más, pero recibe al ser-en-sí en tanto que posible. Se convierte en Posible *dado,* es decir, en Posible en sí de un Para-sí convertido en En-sí. Ayer, ha sido posible –como mi Posible– que me marchara al campo el lunes próximo. Hoy, ese Posible ya no es más *mi* Posible; sigue siendo el objeto tematizado de mi contemplación a título del Posible siempre futuro que *he sido.* Pero su único nexo con mi Presente consiste en que tengo de ser en el modo del "era" ese Presente convertido en un Pasado del cual no ha dejado de ser, allende mi Presente, el Posible. Pero Futuro y Presente pasado se han solidificado en En-sí sobre el fundamento de Mi Presente. Así, el Futuro, en el curso del proceso temporal, pasa al en-sí sin perder nunca su carácter de Futuro. Mientras no sea alcanzado por el Presente, se convierte simplemente en Futuro dado. Cuando es alcanzado, queda afectado por el carácter de *idealidad:* pero esta idealidad es idealidad *en sí,* pues se presenta como falta *dada* de un pasado *dado* y no como el faltante que un Para-sí presente tiene-de-ser en el modo del *no ser.* Cuando el Futuro es preterido-trascendido, permanece para siempre, al margen de la serie de los Pasados, como Futuro anterior: Futuro anterior de tal o cual Pasado convertido en Pluscuamperfecto, Futuro ideal dado como copresente a un Presente convertido en Pasado.

Falta examinar la metamorfosis del Para-sí presente en Pasado con surgimiento conexo de un nuevo Presente. El error estaría en creer que haya abolición del Presente anterior con surgimiento de un Presente *en- sí* que retuviera una *imagen* del Presente desaparecido. En cierto sentido, convendría casi invertir los términos para hallar la verdad; pues la preterificación del ex presente es paso al en-sí, mientras que la aparición de un nuevo presente es nihilización *de* ese en-sí. El Presente no es un nuevo En-sí; es lo que no es, lo que es allende el ser; es aquello del que no pude decir "es" sino en Pasado; el Pasado no es en absoluto abolido, es lo que se ha convertido en lo que era, es el Ser del Presente. Por último, como lo hemos señalado suficientemente, la relación entre Presente y Pasado es una relación de ser y no de representación.

De suerte que el primer carácter que nos llama la atención es la recuperación del Para-sí por el Ser, como si aquél ya no tuviera fuerzas para sostener su propia nada. La fisura profunda que el Para-sí tiene de ser queda rellenada; la Nada que debe "ser sida" deja de serlo, es expulsada, en la medida en que el Ser-Para-sí preterificado se convierte en una *cualidad* del En-sí. Si he experimentado tal o cual tristeza en el pasado, no es ya en tanto que me he hecho experimentarla; esa tristeza no tiene ya la exacta medida de ser que puede tener una apariencia que se hace su propio testigo; ella es porque ha sido, el ser le viene casi como una necesidad externa. El Pasado es una fatalidad al revés: el Para-sí puede hacerse lo que quiera, pero no puede escapar a la necesidad de ser irremediablemente para un nuevo Para-sí lo que ha querido ser. Por eso, el Pasado es un Para-sí que ha cesado de ser presencia trascendente al En-sí. Siendo él mismo en sí, ha caído *en medio del mundo*. Lo que tengo de ser, lo soy como presencia al mundo que no soy, pero lo que yo *era*, lo era en medio del mundo, a la manera de las cosas, a título de existente intramundano. Empero, este mundo en el cual el Para-sí tiene-de-ser lo que era no puede ser aquel mismo al cual es actualmente presente. Así se constituye el Pasado del Para-sí como presencia pasada a un estado pasado del mundo. Aun si el mundo no ha sufrido ninguna variación mientras el Para-sí "pasaba" del Presente al Pasado, es captado, por lo menos, como habiendo sufrido el mismo cambio formal que acabamos de describir en el seno del ser-para-sí. Cambio que no es sino un reflejo del verdadero cambio interno de la conciencia. Dicho de otro modo, el Para-sí que cae en el Pasado como ex presencia al ser convertida en en-sí, se convierte en un ser "en-medio-del-mundo", y el mundo es *retenido* en la dimensión pasada como aquello en medio de lo cual el Para-sí pasado es en sí. Como la Sirena, cuyo cuerpo humano termina en cola de pez, el Para-sí extramundano termina tras de sí en *cosa en el mundo*. Estoy encolerizado, melancólico; tengo el complejo de Edipo o el complejo de inferioridad, para siempre; pero en el pasado, en la forma del "era", en medio del mundo, como soy funcionario, o manco, o proletario. En el pasado, el mundo me enclaustra y me pierdo en el determinismo universal; pero trasciendo radicalmente mi pasado hacia el porvenir, en la medida misma en que yo "lo era".

Un Para-sí que ha exprimido toda su nada, que ha sido recobrado por el En-sí y que se diluye en el mundo; tal es el Pasado que tengo de ser, tal es la vicisitud del Para-sí. Pero esta vicisitud se produce en unidad con la aparición de un Para-sí que se nihiliza como Presencia al mundo y que tiene de ser el Pasado que él trasciende. ¿Cuál es el sentido de este surgimiento? Nos cuidaremos de ver en él la aparición de un ser nuevo. Todo ocurre como si el Presente fuera un perpetuo agujero de ser, rellenado en seguida y perpetuamente renaciente; como si el Presente fuera una perpetua fuga ante la amenaza de ser enviscado en "en-sí", hasta la victoria final del en-sí que lo arrastrará a un Pasado que no es ya pasado de ningún Para-sí. Esta victoria es la de la muerte, pues la muerte es la detención radical de la Temporalidad por preterificación de todo el sistema, o, si se prefiere, recuperación de la Totalidad humana por el En-sí.

¿Cómo podemos *explicar* este carácter dinámico de la temporalidad? Si ésta no es –como esperamos haberlo mostrado– una cualidad contingente que se agrega al ser del para-sí, será menester poder mostrar que su dinámica es una estructura esencial del-para-sí concebido como el ser que tiene-de-ser su propia nada. Volveremos a encontrarnos, al parecer, en nuestro punto de partida.

Pero, en verdad, no hay problema. Si hemos creído encontrar uno, se debe a que, pese a nuestros esfuerzos por pensar al Para-sí como tal, no hemos podido evitar fijarlo en en-sí. En efecto: sólo si partimos del en-sí puede constituir un problema la aparición del cambio; si el en-sí es lo que es, ¿cómo puede no serlo más? Pero si se parte, al contrario, de una comprensión adecuada del para-sí, lo que habría que explicar no sería ya el cambio, sino más bien la permanencia, si ésta pudiera existir. Si, en efecto, consideramos nuestra descripción del *orden* del tiempo, fuera de todo lo que pudiera provenirle de su curso, aparece claramente que una temporalidad reducida a su orden se convertiría al punto en temporalidad *en-sí*. El carácter ek-stático del ser temporal no cambiaría en nada, ya que este carácter se encuentra también en el pasado, no como constitutivo del para-sí sino como cualidad soportada por el en-sí. En efecto, si encaramos un Futuro en tanto que es pura y simplemente Futuro de un para-sí, el cual es para-sí de cierto pasado, y si consideramos que el cambio es un problema nuevo con respecto a la descripción de la temporalidad como tal, entonces conferimos al Futuro, concebido como *este* Futuro, una inmovilidad instantánea; hacemos del para-sí una cualidad fijada, a la que puede designarse; el conjunto, finalmente, se convierte en totalidad *hecha;* el futuro y el pasado limitan al para-sí constituyéndole límites dados. El conjunto, como temporalidad que *es,* se encuentra petrificado en torno de un núcleo sólido que es el instante presente del para-sí, y el problema, entonces, consiste en explicar cómo de este instante puede surgir otro instante con su cortejo de pasado y de futuro. Hemos escapado al instantaneísmo, en la medida en que el instante sería la única realidad en-sí limitada por una nada de porvenir y una nada de pasado, pero hemos recaído en él al admitir implícitamente una sucesión de totalidades temporales, cada una de las cuales estaría centrada en torno de un instante. En una palabra, hemos dotado al instante de dimensiones ek-státicas, pero no por eso lo hemos suprimido, lo que significa que hacemos soportar la totalidad temporal por lo intemporal; el tiempo, si *es,* torna a convertirse en un sueño.

Pero el cambio pertenece naturalmente al para-sí en tanto que este para-sí es espontaneidad. Una espontaneidad de la cual pudiera decirse: *es* o, simplemente, *esta* espontaneidad, debería dejarse definir por ella misma, esto es, que sería fundamento no sólo de su nada de ser sino también de su ser, y que, simultáneamente, el ser la recuperaría para fijarla en algo dado. Una espontaneidad que se pone en tanto que espontaneidad está obligada, por ese mismo hecho, a denegar lo que ella pone; si no, su ser se convertiría en algo adquirido, y en virtud de lo adquirido se perpetuaría en el ser. Y esa misma denegación es algo adquirido que ella debe denegar so pena de enviscarse en una prolongación inerte de su existencia. Se dirá que estas nociones de prolongación y adquisición suponen ya la temporalidad, y es cierto. Pero la espontaneidad constituye ella misma lo adquirido por medio del denegar, y el denegar por medio de lo adquirido, pues ella no puede ser sin temporalizarse. Su naturaleza propia consiste en no aprovechar lo adquirido que ella constituye al realizarse como espontaneidad. Es imposible concebir la espontaneidad de otro modo, a menos de contraerla a un instante y, así, fijarla en en-sí, es decir, suponer un tiempo trascendente. Sería vano objetar que no podemos pensar nada sino bajo la forma temporal y que nuestra exposición contiene una petición de principio, ya que temporalizamos al ser para luego hacer surgir de él el tiempo; en vano se recordarían los pasajes de la *Crítica* en que Kant muestra que una espontaneidad intemporal es inconcebible pero no contradictoria. Nos parece, al contrario, que una espontaneidad que no se evadiera de ella misma y que no se evadiera de esta evasión misma; una espontaneidad de la que pudiera decirse: *es* esto, y que se dejara encerrar en una denominación inmutable, sería precisamente una contradicción y equivaldría finalmente a una esencia particular afirmativa, eterno sujeto que no es nunca predicado. Y precisamente su carácter de espontaneidad constituye la irreversibilidad misma de sus evasiones, puesto que, precisamente, desde que aparece, aparece para denegar, y el orden "posición-denegación" no es reversible. La posición misma, en efecto, se realiza en denegación sin alcanzar jamás la plenitud afirmativa; si no, se agotaría en un en-sí instantáneo; y sólo a título de *denegada* pasa al ser en la totalidad de su realización. La serie unitaria de lo "adquirido-denegado" tiene, por otra parte, una prioridad ontológica sobre el cambio, ya que éste es simplemente la relación entre los contenidos materiales de la serie. Y hemos mostrado la irreversibilidad misma de la temporalización como necesaria para la forma enteramente vacía y *a priori* de una espontaneidad.

Hemos expuesto nuestra tesis utilizando el concepto de espontaneidad, que nos ha parecido más familiar a nuestros lectores. Pero podemos ahora retomar esas ideas en la perspectiva del para-sí y con nuestra terminología propia. Un para-sí que no durara, permanecería sin duda como negación del en-sí trascendente y como nihilización de su propio ser en la forma del "reflejo-reflejante". Pero esta nihilización se convertiría en algo *dado,* es decir, adquiriría la contingencia del en-sí, y el para-sí dejaría de ser el fundamento de su propia nada; no sería ya nada como teniendo-de-serlo, sino que, en la unidad nihilizadora de la pareja reflejo-reflejante, *sería.* La huida del para-sí es denegación de la contingencia, por el acto mismo que lo constituye como siendo fundamento de su nada. Pero esta huida constituye precisamente como contingencia a lo que es rehuido: el para-sí rehuido es dejado en el lugar. No podría aniquilarse, ya que yo lo *soy*; pero tampoco podría ser como fundamento de su propia nada, ya que no puede serlo sino en la huida: el para-sí está *cumplido.* La que vale para el para-sí como presencia a... conviene también, naturalmente, a la totalidad de la temporalización. Esta totalidad no *es* nunca acabadamente; es totalidad que se deniega y que se huye; es arrancamiento a sí en la unidad de un mismo surgimiento, totalidad inaferrable, que, en el momento de darse, está ya más allá de ese don de sí.

Así, el tiempo de la conciencia es la realidad humana que se temporaliza como totalidad que es para sí misma su propia inconclusión; es la nada que se desliza en una totalidad como fermento destotalizador. Esta totalidad que corre en pos de sí y se deniega a la vez, que no podría encontrar en sí misma término alguno a su trascender, porque ella es su propio trascender y se trasciende hacia sí misma, no podría existir en ningún caso en los límites de un instante. Jamás hay instante en que se pueda afirmar que el para-sí es, porque, precisamente, el para-sí no es jamás. Y la temporalidad, al contrario, se temporaliza enteramente como denegación del instante.

III

Temporalidad original y temporalidad psíquica: la reflexión

El para-sí dura en forma de conciencia no-tética, (de) durar. Pero puedo "sentir correr el tiempo" y captarme a mí mismo como unidad de sucesión. En este caso, tengo conciencia de durar.

Esta conciencia es tética y se parece mucho a un conocimiento, exactamente como la duración que se temporaliza bajo mis miradas está muy próxima a un objeto de conocimiento. ¿Qué relación puede existir entre la temporalidad original y esta temporalidad psíquica que encuentro desde que me capto a mí mismo "durando"? Este problema nos conduce al punto a otro, pues la conciencia *de* duración es conciencia de una conciencia que dura; por consiguiente, plantear la cuestión de la naturaleza y de los derechos de esta conciencia tética de duración equivale a plantear la de la naturaleza y los derechos de la reflexión. En efecto: la temporalidad aparece a la reflexión en forma de duración psíquica, y todos los procesos de duración psíquica pertenecen a la conciencia refleja. Así, pues, antes de preguntarnos cómo una duración psíquica puede constituirse en objeto inmanente de reflexión, debemos tratar de responder a esta cuestión previa: ¿cómo es posible la reflexión para un ser que no puede ser sino en pasado? La reflexión es dada por Descartes y por Husserl como un tipo de intuición privilegiada porque capta la conciencia en un acto de inmanencia presente e instantáneo. ¿Mantendrá su certeza si el ser al cual ha de conocer es *pasado* con respecto a ella? Y, como toda nuestra ontología tiene su fundamento en una experiencia refleja, ¿no corre el riesgo de perder todos sus derechos? Pero, en realidad, ¿debe ser efectivamente el ser pasado el objeto de las conciencias reflexivas? Y la propia reflexión, si es para-sí, ¿debe limitarse a una existencia y a una certeza instantáneas? No podemos decidir sobre ello sin volver sobre el fenómeno reflexivo para determinar su estructura.

La reflexión es el para-sí consciente *de* sí-mismo. Como el para-sí es ya conciencia no tética (de) sí, se acostumbra representar la reflexión como una conciencia nueva, bruscamente aparecida, asestada sobre la conciencia refleja y en simbiosis con ella. Se reconoce ahí la vieja *idea ideae* de Spinoza.

Pero, aparte de que es difícil explicar el surgimiento *ex nihilo* de la conciencia reflexiva, resulta enteramente imposible dar cuenta de su unidad absoluta con la conciencia refleja, unidad merced sólo a la cual se tornan concebibles los derechos y la certeza de la intuición reflexiva. No podríamos, en efecto, definir aquí el *esse* de lo reflexo como un *percipi,* puesto que, precisamente, su ser es

tal que no necesita ser percibido para existir. Y su relación primera con la reflexión no puede ser la relación unitaria de una representación con un sujeto pensante. Si el existente conocido debe
tener la misma dignidad de ser que el existente cognoscente, la relación entre ambos existentes debe describirse, en suma, en la perspectiva del realismo ingenuo. Pero, precisamente, encontraremos
entonces la dificultad máxima del realismo: ¿cómo dos todos aislados, independientes y provistos de esa suficiencia de ser que los
alemanes llaman *Selbstständigkeit,* pueden mantener relaciones entre
sí, y particularmente ese tipo de relaciones internas que se denomina conocimiento? Si concebimos *primeramente* la reflexión como
una conciencia autónoma, *jamás* podremos reunirla después con la
conciencia refleja. Ambas serán siempre dos, y si, por un imposible, la conciencia reflexiva pudiera ser conciencia *de* la conciencia
refleja, no podría tratarse sino de un nexo *exterior* entre ambas
conciencias; cuando mucho, podríamos imaginar que la reflexión, aislada en sí, posee como una imagen de la conciencia refleja, y recaeríamos en el idealismo: el conocimiento reflexivo y, en
particular, el *cogito,* perderían su certeza y no obtendrían en cambio sino cierta probabilidad, mal definible por otra parte.
Conviene, pues, que la reflexión se una a lo reflexo por un nexo
de ser; que la conciencia reflexiva *sea* la conciencia refleja.

Pero, por otra parte, no podría tratarse aquí de una identificación total entre lo reflexivo y lo reflexo, que suprimiría de un trazo el fenómeno de reflexión sin dejar subsistir otra cosa que la
dualidad fantasma "reflejo-reflejante". Encontramos aquí, una vez
más, ese tipo de ser que define al para-sí: la reflexión exige, si ha
de ser evidencia apodíctica, que lo reflexico *sea* lo reflexo. Pero, en
la medida en que la reflexión es *conocimiento,* es menester que lo
reflexo sea *objeto* para lo reflexivo, lo que implica separación de ser.
Así, es necesario a la vez que lo reflexivo sea y no sea lo reflexo.
Esta estructura ontológica la hemos descubierto ya en el meollo mismo del para sí. Pero entonces no tenía enteramente la misma significación. En efecto, suponía en los dos términos, "reflejo y
reflejante", de la dualidad esbozada, una *unselbstständigkeit* radical,
es decir, una incapacidad tal de ponerse separadamente, que la
dualidad permanecía perpetuamente evanescente y que cada término, al ponerse para el otro, *se convertía* en el otro. Pero, en el

caso de la reflexión, ocurre de modo algo diferente, pues el "reflejo-reflejante" reflexo, existe para un "reflejo-reflejante" reflexivo. Dicho de otro modo, lo reflexo es *apariencia* para lo reflexivo, sin dejar de ser por eso testigo (de) sí, y lo reflexivo es *testigo* de lo reflexo sin dejar por eso de ser para sí mismo apariencia. Y hasta ocurre que lo reflexo es apariencia para lo reflexivo, *en tanto que* se refleja en sí; y que lo reflexivo no puede ser testigo sino en tanto que es conciencia (de) serlo, es decir, en la exacta medida en que este testigo que él es es un reflejo para un reflejante que es él también. Lo reflexo y lo reflexivo tienden, pues, cada uno a la *Selbstständigkeit*, y el *nada* que los separa los divide más profundamente de lo que la nada del para-sí separa al reflejo del reflejante. Sólo que ha de notarse: 1º que lo reflexivo como testigo no puede tener su ser de testigo sino en y por la apariencia; es decir, que está profundamente tocado en su ser por su reflexividad y que, en tanto que tal, no puede nunca alcanzar la *selbstständigkeit* a que apunta, ya que toma su ser de su función, y su función del para-sí reflexo; 2º que lo reflexo está profundamente alterado por la reflexión, en el sentido de que es conciencia (de) sí como conciencia refleja *de* tal o cual fenómeno trascendente. Se sabe mirado; no podría compárarselo mejor, para utilizar una imagen sensible, que a un hombre que escribe, inclinado sobre una mesa, y que, mientras está escribiendo, se sabe observado por alguien, a su espalda. Tiene ya, pues, en cierto modo, conciencia (de) sí mismo como un *afuera* o, más bien, el esbozo de un *afuera*; es decir, que se hace a sí mismo objeto para…, de modo que su sentido de ser lo reflexo es inseparable, de lo reflexivo, y existe allá, a distancia de él, en la conciencia que lo refleja. En este sentido, posee tan poca *selbstständigkeit* como lo reflexivo mismo. Husserl nos dice que lo reflexo "se da como habiendo sido antes de la reflexión". Pero no debemos engañarnos: *la selbstständigkeit* de lo irreflexivo en tanto que irreflexivo, con respecto a toda reflexión posible, no pasa al fenómeno de reflexión, puesto que, precisamente, el fenómeno pierde su carácter de irreflexivo. Hacerse refleja, para una conciencia, es sufrir una modificación profunda en su ser y perder precisamente la *selbstständigkeit* que poseían en tanto que cuasi-totalidad "reflejada-reflejante". Por último, en la medida en que una nada separa lo reflexo de lo reflexivo, esa nada, que no puede sacar su ser de sí misma, debe "ser sida". Entendamos por ello que sólo una estructura de ser unitaria puede ser su propia nada, en forma de *tener-de-serlo*. Ni lo reflexivo ni lo reflexo, en efecto, pueden decretar esa nada separadora. Pero la reflexión es *un ser*, lo mismo que el para-sí irreflexivo; no una adición de ser; *un ser que tiene-de-ser su propia nada:* no es la aparición de una conciencia nueva dirigida sobre el para-sí; es una modificación intraestructural que el para-sí realiza en sí; en una palabra, es el mismo para-sí que se hace existir en el modo reflexivo-reflexo en vez de ser simplemente en el modo reflejo-reflejante; y ese nuevo modo de ser deja subsistir, por otra parte, el modo reflejo-reflejante, a título de estructura interna primaria. Quien reflexiona sobre mí no es no sé qué pura mirada intemporal; soy yo, yo que duro, comprometido en el circuito de mi ipseidad, en peligro en el mundo, con mi historicidad. Simplemente, esta historicidad y ese ser en el mundo y aquel circuito de ipseidad son vividos en el modo del desdoblamiento reflexivo por el para-sí que soy yo.

Como hemos visto, lo reflexivo está separado de lo reflexo por una nada. Así, el fenómeno de reflexión es una nihilización del para-sí que no le viene de afuera, sino que él *tiene-de-ser*. ¿De dónde puede venir esa nihilización más avanzada? ¿Cuál puede ser su motivación?

En el surgimiento del para-sí como presencia al ser, hay una dispersión original: el para-sí se pierde afuera, junto al en-sí y en los tres ék-stasis temporales. Está fuera de sí mismo y, en lo más íntimo de sí, ese ser-para-sí es ek-stático, ya que debe buscar su ser en otra parte, en el reflejante que se hace reflejo, en el reflejo que se pone como reflejante. El surgimiento del para-sí ratifica el fracaso del en-sí que no ha podido ser su propio fundamento. La reflexión queda como una posibilidad permanente del para-sí, tentativa de recuperación de ser. Por la reflexión, el para-sí que se pierde fuera de sí intenta interiorizarse en su ser; es un segundo esfuerzo para fundarse; se trata, para él, *de ser para sí-mismo lo que él es.* En efecto: si la cuasi-dualidad reflejo-reflejante fuera reunida en una totalidad por un testigo idéntico a ella misma, ella sería a sus propios ojos lo que es. Se trata, en suma, de sobrepasar al ser que huye de sí-siendo lo que es en el modo de no serlo, que transcurre siendo su propio transcurrir y que huye de entre sus propios dedos, para hacer de él un algo *dado*, algo dado que, por fin, *sea lo que es;* se trata de reunir en la unidad de una mirada esa totalidad inconclusa que no es inconclusa sino porque ella es para sí misma su propia inconclusión; de escapar de la esfera de la perpetua remisión que tiene de ser para sí misma remisión; y, precisamente porque se han rehuido así las mallas de esa remisión, *hacerla ser* como remisión *vista*, es decir, como remisión que es lo que es. Pero, al mismo tiempo, es preciso que ese ser que se recupera y se funda como dado, es decir, que se confiere la contingencia del ser para salvarla fundándola, sea él mismo lo que recupera y funda, lo que él salva de la disgregación ek-stática. La motivación de la reflexión consiste en una doble tentativa simultánea de objetivación y de interiorización. Ser para sí mismo como el objeto-en-sí en la unidad absoluta de la interiorización, he ahí lo que el ser-reflexión tiene de ser.

Este esfuerzo por ser para sí-mismo su propio fundamento, por recobrar y dominar su propia huida en interioridad, por *ser* finalmente esa huida, en vez de temporalizarla como huida que huye de sí misma, debe terminar en un fracaso; y este fracaso, precisamente, es la reflexión. En efecto; ese ser que se pierde, es *él mismo* quien tiene-de-recuperarlo, y él debe ser esta recuperación en el modo de ser que es el suyo, es decir, en el modo del para-sí, y, por ende, de la huida. *En tanto que para-sí*, el para-sí intentará ser lo que es, o, si se prefiere, será *para sí* lo que él es-para-sí. De este modo, la reflexión, o tentativa de recobrar el para-sí por reversión sobre sí, culmina en la aparición del para-sí para el para-sí. El ser que quiere fundar en el ser no es él mismo fundamento sino de su propia nada. El conjunto permanece, pues, como en-sí nihilizado. Y, al mismo tiempo, la reversión del ser sobre sí no puede sino hacer aparecer una *distancia* entre lo que se revierte sobre sí y aquello sobre lo que se opera esa reversión. Esta reversión sobre sí es arrancamiento a sí para revertirse. Y la reversión sobre sí hace aparecer la nada reflexiva. Pues la necesidad de estructura del para-sí exige que no pueda ser recuperado en su ser sino por un ser que exista en forma de para sí.[1] De este modo, el ser que opera la recuperación debe constituirse en el modo

---

[1] En el original, parece evidente que por errata, se lee: "sin forma de para sí". (N. del T.)

del para-sí y el ser que ha de ser recuperado debe existir como para-sí. Y estos dos seres deben ser *el mismo-ser;* pero precisamente, en tanto que *se* recupera, hace existir entre sí mismo y sí mismo, en la unidad del ser, una distancia absoluta. Este fenómeno de reflexión es una posibilidad permanente del para-sí, porque la escisiparidad reflexiva está en potencia en el para-sí reflexo: basta, en efecto, que el para-sí reflejante se ponga *para sí* como testigo *del* reflejo, y que el para-sí reflejo se ponga *para sí* como reflejo de ese reflejante. Así, la reflexión, como esfuerzo de recuperación de un para-sí por un para-sí que es él mismo en el modo del no serlo, es un estadio de nihilización intermediario entre la existencia del para-sí puro y simple y la existencia *para otro* como acto de recuperación de un para-sí por un para-sí que él no es en el modo del no serlo.[1]

La reflexión así descrita ¿puede ser limitada en su alcance y sus derechos por el hecho de que el para-sí se temporalice? No lo creemos.

Conviene distinguir dos especies de reflexión, si queremos captar el fenómeno reflexivo en sus relaciones con la temporalidad: la reflexión puede ser pura o impura. La reflexión pura, simple presencia del para-sí reflexivo al para-sí reflejo, es a la vez la forma originaria de la reflexión, y su forma ideal; aquella sobre el fundamento de la cual aparece la reflexión impura, y también aquella que jamás es previamente *dada*, aquella que es menester alcanzar por una especie de catarsis. La reflexión impura o cómplice, de que hablaremos más adelante, implica la reflexión pura, pero la trasciende porque extiende más lejos sus pretensiones.

¿Cuáles son los títulos y derechos de la reflexión pura a la evidencia? Evidentemente, consisten en que lo reflexivo *es* lo reflexo. Si salimos de esto, no tendremos medio alguno de legitimar la reflexión. Pero lo reflexivo *es* lo reflexo en plena inmanencia, aunque en la forma del "no-ser-en-sí". Esto lo muestra a las claras el hecho

---

[1] Encontramos aquí esa "escisión del igual a sí mismo" que Hegel considera lo propio de la conciencia. Pero esta escisión, en lugar de conducir, como en la *Fenomenología del espíritu*, a una integración más alta, no hace sino cavar más profunda e irremediablemente la nada que separa la conciencia de sí. La conciencia es hegeliana, pero es su máxima ilusión.

de que lo reflexo no es enteramente objeto, sino *cuasi-objeto* para la reflexión. En efecto, la conciencia refleja no se entrega aún como un *afuera* a la reflexión, es decir, como un ser sobre el cual puede "adoptarse un punto de vista", con respecto al cual pueda tomarse distancia, pueda aumentarse o disminuirse la distancia que lo separa. Para que la conciencia refleja sea "vista desde afuera" y para que la reflexión pueda orientarse con respecto a ella, sería menester que lo reflexivo no fuera lo reflexo, en el modo de no ser lo que no es; esta escisiparidad no será realizada sino en la existencia *para otro*. La reflexión es un conocimiento, no cabe duda; está provista de un carácter posicional; afirma a la conciencia refleja. Pero toda afirmación, como pronto veremos, está condicionada por una negación: afirmar *este* objeto es simultáneamente negar que yo sea este objeto. Conocer es *hacerse* otro. Y precisamente lo reflexivo no puede hacerse enteramente otro que lo reflexo, ya que él *es-para-ser* lo reflexo. Su afirmación queda parada en el camino, porque su negación no se realiza enteramente. Así, pues, lo reflexivo no se desprende enteramente de lo reflexo y no puede abarcarlo "desde un punto de vista". Su conocimiento es totalitario, es una intuición fulgurante y sin relieve, sin punto de partida ni de llegada. Todo es dado a la vez en una suerte de proximidad absoluta. Lo que llamamos comúnmente *conocer* supone relieves, planos, un orden, una jerarquía. Aun las esencias matemáticas se nos descubren con una orientación con respecto a otras verdades, a ciertas consecuencias; no se develan jamás con todas sus características a la vez. Pero la reflexión que nos entrega lo reflexo no como algo dado sino como el ser que tenemos-de-ser, en una indistinción sin punto de vista, es un conocimiento rebalsado por sí mismo y sin explicación. A la vez, es un conocimiento jamás sorprendido por sí mismo; no nos *enseña* nada; simplemente, *pone*. En el conocimiento de un objeto transcendente, en efecto, hay *develación* del objeto, y el objeto develado puede decepcionarnos o asombrarnos. Pero en la develación reflexiva hay posición de un ser que era ya develación en su ser. La reflexión se limita a hacer existir para sí esa develación; el ser develado no se revela como algo dado, sino con el carácter de un "ya develado". La reflexión es *reconocimiento* más bien que conocimiento. Implica una comprensión prerreflexiva de lo que ella quiere recuperar, como motivación original de la recuperación.

Pero, si lo reflexivo *es* lo reflexo, si esta unidad de ser funda y limita los derechos de la reflexión, conviene agregar que lo reflexo mismo *es* su pasado y su porvenir. No cabe duda, pues, de que lo reflexivo aunque perpetuamente rebalsado por la totalidad de lo reflexo que él es en el modo del no serlo, extiende sus derechos de apodicticidad a esa totalidad misma que él es. Así, la conquista reflexiva de Descartes, el *cogito,* no debe ser limitada al instante infinitesimal. Esto mismo podría concluirse, por otra parte, partiendo del hecho de que el *pensamiento* es un acto que compromete al pasado y se hace preesbozar por el porvenir. *Dudo,* por lo tanto soy, dice Descartes. Pero ¿qué quedaría de la duda metódica si se la pudiera limitar al instante? Una suspensión de juicio, quizá. Pero una suspensión de juicio no es una duda; no es sino una estructura necesaria para la duda. Para que haya duda, es menester que esa suspensión sea motivada por la insuficiencia de las razones para afirmar o negar –lo que remite el pasado–, y que sea deliberadamente mantenida hasta la intervención de elementos nuevos, lo que es ya proyecto del porvenir. La duda aparece sobre el fondo de una comprensión preontológica del *conocer* y de exigencias concernientes a la verdad. Esa comprensión y esas exigencias que confieren a la duda toda su significación comprometen la totalidad de la realidad humana y su ser en el mundo; suponen la existencia de un *objeto* de conocimiento y de duda, es decir, de una permanencia trascendente en el tiempo universal; así, pues, la duda es una *conducta* ligada, una conducta que representa uno de los modos de ser-en-el-mundo de la realidad humana. Descubrirse dudando es ya estar por delante de sí mismo en el futuro que oculta el objetivo: la cesación y la significación de esa duda; estar a la zaga de sí, en el pasado que oculta las motivaciones constituyentes de la duda y sus fases; y estar fuera de sí, en el mundo, como presencia al objeto de que se duda. Las mismas observaciones se aplicarían a cualquier comprobación reflexiva: leo, sueño, percibo, actúo. Esas observaciones o bien deberán conducimos a negar evidencia apodíctica a la reflexión, y entonces el conocimiento originario que de mí intento se desmorona en lo probable, y mi existencia misma no es sino una probabilidad, pues mi ser-en-el-instante no es un ser; o bien deberán extenderse los derechos de la reflexión a la totalidad humana, es decir, al pasado, al porvenir, a la presencia, al objeto. Y, si hemos visto con justeza, la reflexión es el para-sí que trata de recuperarse a sí mismo como totalidad en perpetua irrealización. Es la afirmación de la develación del ser que es para sí mismo su propia develación. Como el para-sí se temporaliza, resulta de ello: 1° que la reflexión, como modo de ser del para-sí, debe ser como temporalización, y que ella misma es su pasado y su porvenir; 2° que, por naturaleza, extiende sus derechos y su certeza hasta las posibilidades que yo *soy* y hasta el pasado que yo *era*. Lo reflexivo no es captación de algo reflexo, instantáneo, pero tampoco es él mismo instantaneidad. Ello no significa que lo reflexivo conozca *con* su futuro el futuro de la reflexo, o *con* su pasado el pasado de la conciencia por conocer. Al contrario, lo reflexivo y lo reflexo se distinguen en la unidad de su ser común por el futuro y el pasado. El futuro de lo reflexivo, en efecto, es el conjunto de las posibilidades propias que lo reflexivo tiene de ser como reflexivo. En tanto que tal, no podría implicar una conciencia del futuro reflexo. Las mismas observaciones valdrían para el pasado reflexivo, aun cuando éste se funde, finalmente, en el pasado del para-sí originario. Pero la reflexión, si toma su significación de su porvenir y de su pasado, está ya, en tanto que presencia que huye a una huida, ek-státicamente todo a lo largo de esta huida. Dicho de otro modo, el para-sí que se hace existir en el modo del desdoblamiento reflexivo, en tanto que para-sí, toma su sentido de sus posibilidades y de su porvenir; en este sentido, la reflexión es un fenómeno diaspórico; pero, en tanto que *presencia a sí,* es presencia presente a todas sus dimensiones ek-státicas. Falta explicar, se dirá, por qué esa reflexión, que se pretende apodíctica, puede cometer tantos errores acerca precisamente de ese pasado que usted le otorga derecho a conocer. Respondo que no comete error alguno, en la medida exacta en que capta el pasado como aquello que infesta al presente en forma no temática. Cuando digo: "Leo, dudo, espero, etc." –ya lo hemos mostrado–, rebalso con mucho mi presente hacia el pasado. Y en ninguno de estos casos puedo engañarme. La apodicticidad de la reflexión no admite dudas, en la medida en que capta el pasado exactamente como es para la conciencia refleja que tiene-de-serlo. Si, por otra parte, puedo cometer muchos errores al recordar, en el modo reflexivo, mis sentimientos o ideas pasados, se debe ello a que estoy entonces en el plano de la memoria: en ese momento, no *soy* ya mi pasado, sino que lo tematizo. No estamos ya entonces en el acto reflexivo.

Así, la reflexión es conciencia *de las tres* dimensiones ek-státicas. Es conciencia no tética (de) fluir y conciencia tética *de* duración. Para ella, el pasado y el presente de lo reflexo se ponen a existir como *cuasi-afueras,* en el sentido de que no son retenidos solamente en la unidad de un para-sí que los agota en su ser teniendo-de-serlo, sino también *para* un para-sí que está separado de ellos por una nada; para un para-sí que, aunque existente con ellos en la unidad de un ser, no tiene-de-ser el ser de ellos. Por ella también, el fluir tiende a *ser* como un afuera esbozado en la inmanencia. Pero la reflexión pura no descubre aún la temporalidad sino en su no-sustancialidad originaria; en su denegación de ser en-sí, descubre las posibilidades *en tanto que posibles,* aligeradas por la libertad del para-sí, devela el presente como trascendente, y, si el pasado le aparece como en-sí, es, empero, sobre el fundamento de la presencia. Por último, descubre el para-sí en su totalidad destotalizada en tanto que esa individualidad incomparable que es *ella misma* en el modo de tener-de-serlo; lo descubre como *lo* "reflexo" por excelencia, el ser que no es nunca sino como *sí-mismo,* y que es siempre ese "sí-mismo" a distancia de sí, en el porvenir, en el pasado, en el mundo. La reflexión, pues, capta la temporalidad en tanto que ésta se revela como el modo de ser único e incomparable de una ipseidad, es decir, como historicidad.

Pero la duración psicológica que conocemos y de que hacemos uso cotidiano, en tanto que sucesión de formas temporales organizadas, está en los antípodas de la historicidad. En efecto, es el tejido concreto de unidades psíquicas de fluencia. Esta alegría, por ejemplo, es una forma organizada que aparece después de una tristeza, y antes ha habido aquella humillación que he sufrido ayer. Las relaciones de antes y después se establecen comúnmente entre estas unidades de fluencia, cualidades, estados, actos; y estas unidades pueden, hasta servir para *datar.* Así, la conciencia reflexiva del hombre-en-el-mundo se encuentra, en su existencia cotidiana, frente a objetos psíquicos que son lo que son, que aparecen en la trama continua de nuestra temporalidad como diseños y motivos en su tapiz, y que se suceden a la manera de las cosas del mundo en el tiempo universal, es decir, reemplazándose mutuamente sin mantener entre sí otras relaciones que las puramente externas de sucesión. Se habla de una alegría que *tengo o que he tenido;* se dice que es *mi* alegría, como si yo fuera su soporte, y ella se destacara de mí, como los modos finitos de Spinoza se destacan del fondo del atributo. Hasta se dice que *experimento* esta alegría, como si viniera a imprimirse a manera de un sello sobre el tejido de mi temporalización; o, mejor aún, como si la presencia en mí de esos sentimientos, ideas o estados fuera una suerte de *visitación.* No podríamos llamar ilusión a esta duración psíquica constituida por el fluir concreto de organizaciones autónomas, es decir, en suma, por la sucesión de *hechos* psíquicos, de *hechos* de conciencia: su realidad, en efecto, constituye el objeto de la psicología; prácticamente, las relaciones concretas entre los hombres –reivindicaciones, celos, rencores, sugestiones, luchas, ardides– se establecen al nivel del hecho psíquico. Empero, no es concebible que el para-sí irreflexivo que se historializa en su surgimiento *sea él mismo* esas cualidades, esos estados y esos actos. Su unidad de ser se desmoronaría en multiplicidad de existentes exteriores los unos a los otros; el problema ontológico de la temporalidad reaparecería, y, esta vez, nos veríamos privados de los medios para resolverlo; pues, si es posible para el para-sí ser su propio pasado, sería absurdo exigir a mi alegría que fuera la tristeza que la ha precedido, aun en el modo del "no ser". Los psicólogos dan una representación degradada de esta existencia ek-stática cuando afirman que los hechos psíquicos son relativos unos a otros y que el trueno oído después de un largo silencio es captado *como* "trueno-después-de-un-largo-silencio". Es fácil sentarlo así; pero de este modo les queda vedado explicar esta relatividad en la sucesión, pues se le ha quitado todo fundamento ontológico. De hecho, si se capta el para-sí en su historicidad, la duración psíquica se desvanece; los estados, cualidades y actos desaparecen para dejar lugar al ser-para-sí en tanto que tal, que no es sino como la individualidad única de la cual es indivisible el proceso de historialización. Él es quien fluye, quien se invoca desde el fondo del porvenir, quien se carga del pasado que era; él es quien historializa su ipseidad, y sabemos que es, en el modo primario o irreflexivo, conciencia del mundo y no *de sí.* De este modo, las cualidades o los estados no pueden ser seres en su ser (en el sentido en que la unidad de fluencia *alegría* sea un "contenido" o "hecho" de conciencia); no existen de él sino coloraciones internas no posicionales, que no son otras que él mismo en tanto que él es para-sí, y que no pueden ser captadas fuera de él.

Henos, pues, en presencia de dos temporalidades: la temporalidad originaria, de que nosotros *somos* temporalización, y la temporalidad psíquica que aparece a la vez como incompatible con el modo de ser de nuestro ser y como una realidad intersubjetiva, objeto de ciencia, objetivo de las acciones humanas (en el sentido, por ejemplo, en que hago de todo para "hacerme amar" de Anny, para *"inspirarle amor* por mí"). Esta temporalidad psíquica, evidentemente *derivada,* no puede proceder directamente de la temporalidad originaria; ésta no constituye nada más que a sí misma. En cuanto a la temporalidad psíquica, es incapaz de constituir*se*, pues no es sino un orden sucesivo de hechos. Por otra parte, la temporalidad psíquica no podría aparecer al para-sí irreflexivo, que es para presencia ek-stática al mundo: se devela a la reflexión, y la reflexión debe constituirla. Pero, ¿cómo puede hacerlo la reflexión, si es puro y simple descubrimiento de la historicidad que ella es?

Aquí, es menester distinguir la reflexión pura de la reflexión impura o constituyente: pues la reflexión impura es quien constituye la sucesión de hechos psíquicos o *psique.* Y lo que se da primeramente en la vida cotidiana es la reflexión impura o constituyente, aunque incluye en sí la reflexión pura como su estructura original. Pero ésta no puede ser alcanzada sino a raíz de una modificación que ella opera sobre sí misma, y que es en forma de catarsis. No es éste el lugar de describir la motivación y la estructura de esta catarsis. Lo que nos importa es la descripción de la reflexión impura en tanto que es constitución y develación de la temporalidad psíquica.

La reflexión, como hemos visto, es un tipo de ser en que el para-sí es para ser para sí mismo lo que es. La reflexión no es, pues, un surgimiento caprichoso en la pura indiferencia de ser, sino que se produce en la perspectiva de un *para.* Hemos visto, en efecto, que el para-sí es el ser que, en su ser, es fundamento de un *para.* La significación de la reflexión es, pues, su ser-para. En particular, lo reflexivo es lo reflexo que se nihiliza a sí mismo *para* recuperarse. En este sentido, lo reflexivo, en tanto que tiene de ser lo reflexo, escapa al para-sí que él es como reflexivo en forma de "tener-de-serlo". Pero, si fuera sólo para ser lo reflexo que él tiene-de-ser, escaparía al para-sí para volver a encontrarlo; en todas partes, y de cualquier manera que se afecte, el para-sí está condenado a ser-para-sí. Esto es, en efecto, lo que descubre la reflexión pura. Pero la reflexión impura, que es el movimiento reflexivo primero y espontáneo (pero no *originario),* es para-ser lo reflexo como en-sí. Su motivación está en ella misma, en un doble movimiento que hemos descrito: de interiorización y de objetivación: captar lo reflexo como en-sí para hacerse ser este en-sí que es captado. La reflexión impura no es, pues, captación de lo reflexo como tal sino en un circuito de ipseidad donde se mantiene en relación inmediata con un en-sí que ella tiene-de-ser. Pero, por otra parte, este en-sí que ella tiene-de-ser es lo *reflexo* en tanto que lo reflexivo intenta aprehenderlo como siendo en-sí. Esto significa que existen tres formas en la reflexión impura: lo reflexivo, lo reflexo y un en-sí que lo reflexivo tiene-de-ser en tanto que este en-sí sería lo reflexo, y que no es sino el *Para* del fenómeno reflexivo. Este en-sí está preesbozado tras lo reflexo para-sí por una reflexión que atraviesa lo reflexo para retomarlo y fundarlo; es como la proyección en el en-sí de lo reflexo-para-sí, en tanto que significación; su ser no consiste en ser sino en *ser-sido,* como la nada. Es lo reflexo en tanto que objeto puro para lo reflexivo. Desde que la reflexión adopta un punto de vista sobre lo reflexivo, desde que sale de esa intuición fulgurante y sin relieve en que lo reflexo se da a lo reflexivo sin punto de vista, desde que se pone como *no siendo* lo reflexo y determina lo que *éste es,* la reflexión hace aparecer un en-sí susceptible de ser determinado, cualificado detrás de lo reflexo. Este en-sí trascendente o sombra proyectada de lo reflexo en el ser es lo que lo reflexivo *tiene-de-ser* en tanto que él es lo que lo reflexo *es.* No se confunde en modo alguno con el *valor* de lo reflexo, que se da a la reflexión en la intuición totalitaria e indiferenciada, ni con el *valor* que infesta a lo reflexivo como ausencia no tética y como el Para de la conciencia reflexiva, en tanto que ésta es conciencia no posicional (de) sí. Es el objeto necesario de toda reflexión; para que surja, basta que la reflexión encare lo reflexo como objeto: la decisión misma por la cual la reflexión se determina a considerar lo reflexo como objeto hace aparecer al en-sí como objetivación trascendente de lo reflexo. Y el acto por el cual la reflexión se determina a tomar lo reflexo como objeto es, en sí mismo: 1° posición de lo reflexivo como *no siendo* lo reflexo; 2° adopción de un punto de vista con respecto a lo reflexo. En realidad, por otra parte, estos dos momentos son uno, puesto que la negación concreta que lo reflexivo se hace ser con respecto a lo reflexo, se manifiesta precisamente *en* y *por* el hecho de adoptar un punto de vista. El acto objetivamente está, como se ve, en la estricta prolongación del desdoblamiento reflexivo, ya que este desdoblamiento se realiza por profundización de la nada que separa al reflexo del reflejante. La objetivación retorna el movimiento reflexivo como no siendo lo reflexo para que lo reflexo aparezca como objeto para lo reflexivo. Sólo que esta reflexión es de mala fe, pues, si parece cortar el nexo que une lo reflexo a lo reflexivo, si parece declarar que lo reflexivo *no es* lo reflexo en el modo de no ser lo que no se es, mientras que en el surgimiento reflexivo originario lo reflexivo no es lo reflexo en el modo de no ser lo que se es, lo hace *para* retomar en seguida la afirmación de identidad y afirmar de este en-sí que "yo *lo soy*". En una palabra, la reflexión es de mala fe en tanto que se constituye como revelación del *objeto que yo me soy*. Pero, en segundo lugar, esta nihilización más radical no es un acaecimiento real y metafísico: el acaecimiento real, el tercer proceso de nihilización, es el *para-otro*. La reflexión impura es un esfuerzo abortado del para-sí, para *ser otro permaneciendo sí mismo*. El objeto trascendente que ha aparecido detrás del para-sí reflexo es el único ser del cual lo reflexivo pueda, en este sentido, decir que *él no lo es*. Pero es una sombra de ser: es sido, y lo reflexivo tiene de serlo para no serlo. Esta sombra de ser, correlato necesario y constante de la reflexión impura, es lo que el psicólogo estudia con el nombre de *hecho psíquico*. El hecho psíquico es, pues, la sombra de lo reflexo en tanto que lo reflexivo tiene de serlo ek-státicamente en el modo del no serlo. Así, la reflexión es impura cuando se da como "intuición del para-sí en en-sí"; lo que se le devela no es la historicidad temporal y no sustancial de lo reflexo; es, allende este reflexo, la sustancialidad misma de formas organizadas de fluencia. La unidad de estos seres virtuales se llama la *vida psíquica* o *psique,* en-sí virtual y trascendente que sub-tiende a la temporalización del parasí. La reflexión pura no es nunca sino un cuasi-conocimiento; sólo de la Psique puede haber conocimiento reflexivo. Se encontrarán, naturalmente, en cada objeto psíquico, los caracteres de lo reflexo real, pero degradados en En-sí. Una breve descripción *a priori* de la Psique nos permitirá darnos cuenta de ello.

1° Por Psique entendemos el *Ego,* sus estados, sus cualidades y sus actos. El *Ego,* bajo la doble forma gramatical del Yo y del Mí, representa a nuestra *persona,* en tanto que unidad psíquica trascendente. La hemos descrito en otra parte. En tanto que *Ego,* somos sujetos de hecho y sujetos de derecho, activos y pasivos, agentes voluntarios, objetos posibles de un juicio de valor o de responsabilidad.

Las cualidades del *Ego* representan el conjunto de las virtualidades, latencias, potencias que constituyen nuestro carácter y nuestros hábitos (en el sentido griego de ἕξις). Ser irritable, trabajador, celoso, ambicioso, sensual, etc., son "cualidades". Pero han de reconocerse también cualidades de otra especie, que tienen por origen nuestra historia y a las que llamaremos *hábitos:* puedo estar *envejecido, cansado, agriado, disminuido, en progreso;* puedo aparecer ante mí mismo como "habiendo adquirido seguridad a raíz de un éxito", o, al contrario, como "habiendo contraído poco a poco gastos y hábitos, una sexualidad de enfermo" (a raíz de una larga enfermedad).

Los *estados* se dan, en oposición a las cualidades, que existen "en potencia", como existiendo en acto. El odio, el amor, los celos, son estados. Una enfermedad, en tanto que es captada por el enfermo como realidad psicofisiológica, es un estado. Del mismo modo, muchas características que se adhieren a mi persona desde el exterior pueden, en tanto que las vivo, convertirse en *estados:* la ausencia (con respecto a determinada persona), el exilio, el deshonor, el triunfo, son estados. Se ve ya lo que distingue a la cualidad del estado: después de mi cólera de ayer, mi "irascibilidad" sobrevive como una simple disposición latente a encolerizarme. Al contrario, después de la acción de Pedro y del resentimiento que me ha producido, mi odio sobrevive como una realidad *actual,* aunque mi pensamiento esté en este momento ocupado en otro objeto. La cualidad, además, es una disposición de ánimo innata o adquirida que contribuye a *cualificar* mi persona. El estado, al contrario, es mucho más accidental y contingente: es *algo que me ocurre*. Existen, empero, intermediarios entre estados y cualidades: por ejemplo, el odio de Pozzo di Borgo hacia Napoleón, aunque existe de hecho y representando una relación afectiva contingente entre Pozzo y Napoleón I, era constitutivo de la *persona* Pozzo.

Por *actos* ha de entenderse toda actividad sintética de la persona, es decir, toda disposición de medios en vista de fines, no en tanto que el para-sí es sus propias posibilidades, sino en tanto que el acto representa una síntesis psíquica trascendente que él debe vivir. Por ejemplo, el entrenamiento del boxeador es un acto, porque rebalsa y sostiene al Para-sí, que, por otra parte, se realiza en y por ese entrenamiento. Lo mismo ocurre con la indagación del científico, con el trabajo del artista, con la campaña electoral del político. En todos estos casos, el acto como ser psíquico representa una existencia trascendente, y la faz objetiva de la relación entre el Para-sí y el mundo.

2º Lo "Psíquico" se da únicamente a una categoría especial de actos cognoscitivos: los actos del Para-sí reflexivo. En el plano irreflexivo, en efecto, el Para-sí es sus propias posibilidades en el modo no tético, y como sus posibilidades son presencias posibles al mundo allende el estado dado del mundo, lo que se revela tética pero no temáticamente a través de ellas es un estado del mundo sintéticamente conexo con el estado dado. En consecuencia, las modificaciones que han de aportarse al mundo se dan téticamente en las cosas presentes como potencialidades objetivas que tienen-de realizarse tomando nuestro cuerpo como instrumento de su realización. Así, el hombre encolerizado ve en el rostro de su interlocutor la cualidad objetiva de invitar al puñetazo. De donde expresiones como "una cara que llama las bofetadas", etc., etc. Nuestro cuerpo aparece ahí sólo como un médium en trance. Por medio de él tiene-de realizarse cierta potencialidad de las cosas (bebida-que-ha-de-beberse, socorro-que-ha-de-aportarse, bestia-dañina-que-debe-aplastarse, etc.); la reflexión que surge a raíz de ello capta la relación ontológica entre el Para-sí y sus posibles, pero en tanto que *objeto*. Así surge el *acto*, como objeto virtual de la conciencia reflexiva. Me es, pues, imposible tener al mismo tiempo y en el mismo plano conciencia *de* Pedro y *de* mi amistad hacia él: estas dos existencias están siempre separadas por un espesor de Para-sí. Y este Para-sí es además una realidad escondida: en el caso de la conciencia no reflexiva, es, pero no téticamente, y se borra ante el objeto del mundo y sus potencialidades. En el caso del surgimiento reflexivo, ese Para-sí es trascendido hacia el objeto virtual que lo reflexivo tiene-de-ser. Sólo una conciencia reflexiva *pura* puede descubrir el Para-sí reflexivo en su realidad. Llamamos *Psique* a la totalidad organizada de esos existentes virtuales y trascendentes que constituyen un cortejo permanente de la reflexión impura y que son el objeto natural de las investigaciones *psicológicas*.

3° Los objetos, aunque virtuales, no son abstractos; no son encarados en el vacío por lo reflexivo, sitio que se dan como el en-sí concreto que lo reflexivo tiene de ser allende lo reflejo. Llamaremos *evidencia* la presencia inmediata y "en persona" del odio, del exilio, de la duda metódica, al Para-sí reflexivo. Basta, para convencerse de que esta presencia existe, recordar los casos de nuestra experiencia personal en que hemos intentado rememorar un amor muerto, una cierta atmósfera intelectual que hemos vivido otrora. En estos diferentes casos teníamos neta conciencia de apuntar *en vacío* a esos diversos objetos. Podíamos formarnos de ellos conceptos particulares, intentar una descripción literaria, pero sabíamos que no estaban allí. Análogamente, hay períodos de intermitencia para un amor viviente, durante los cuales *sabemos* que amamos pero no lo *sentimos*. Estas "intermitencias del corazón" han sido muy bien descritas por Proust. En cambio, es posible captar en pleno un amor y contemplarlo. Pero para ello es menester un modo de ser particular del Para-sí reflejo: puedo captar mi amistad hacia Pedro *a través* de mi simpatía del momento convertida en lo reflexo de una conciencia reflexiva. En una palabra, no hay otro medio de presentificar esas cualidades, estados o actos que aprehenderlos a través de una conciencia refleja de la cual son la sombra proyectada y la objetivación en el en-sí.

Pero esta posibilidad de presentificar un amor prueba, mejor que ningún otro argumento, la trascendencia de lo psíquico. Cuando descubro bruscamente, cuando *veo* mi amor, capto a la vez que está *ante* la conciencia. Puedo adoptar sobre él puntos de vista, puedo juzgarlo; no estoy comprometido en él como lo reflexivo en lo reflexo. Por este mismo hecho, lo aprehendo como *no siendo un Para-sí*. Es infinitamente más denso, más opaco, más consistente que esa transparencia absoluta. Por eso la *evidencia* con la cual lo psíquico se da a la intuición de la reflexión impura no es apodíctica. Hay, en efecto, un desnivel entre el futuro del Para-sí reflexo, constantemente roído y lijado por mi libertad, y el futuro denso y amenazante de mi amor, que le da precisamente su sentido de *amor*. En efecto, si yo no captara en el objeto psíquico su futuro de amor como algo detenido, ¿sería aún un amor? ¿No caería en el nivel del *capricho*? Y el propio capricho, ¿no compromete al porvenir en la medida en que se da como habiendo de permanecer capricho y de no mudarse jamás en amor? Así, el futuro siempre nihilizado del Para-sí impide toda determinación en sí del Para-sí como Para-sí que ama o que odia; y la sombra proyectada del Para-sí reflexo posee, naturalmente, un futuro degradado en-sí, que forma cuerpo con ella determinando su sentido. Pero, en correlación con la nihilización continua de Futuros reflexivos, el conjunto psíquico organizado con su futuro permanece sólo *probable*. Y no ha de entenderse por ello una cualidad externa proveniente de una relación con mi conocimiento y capaz de transformarse eventualmente en certeza, sino una característica ontológica.

4° El objeto psíquico, siendo la sombra proyectada del Para-sí reflexo, posee en forma degradada los caracteres de la conciencia. En particular, aparece como una totalidad conclusa y probable allí donde el Para-sí se hace existir en la unidad diaspórica de una totalidad destotalizada. Esto significa que lo Psíquico aprehendido a través de las tres dimensiones ek-státicas de la temporalidad aparece como constituido por la síntesis de un Pasado, de un Presente y de un Porvenir. Un amor, una empresa, es la unidad organizada de esas tres dimensiones. No basta decir, en efecto, que un amor "tiene" un porvenir, como si el futuro fuese exterior al objeto al que caracteriza: sino que el porvenir es parte integrante de la forma organizada de fluencia "amor", pues lo que da al amor su sentido de amor es su ser en el futuro. Pero, por el hecho de que lo psíquico es en-sí, su presente no podría ser fuga ni su porvenir posibilidad pura. Hay, en estas formas de fluencia, una prioridad esencial del Pasado, que es lo que el Para-sí *era* y que supone ya la transformación del Para-sí en En-sí. Lo reflexivo proyecta lo psíquico dotado de las tres dimensiones temporales, pero constituye estas tres dimensiones únicamente con lo que lo reflexo *era*. El Futuro *es* ya: si no, ¿cómo sería amor mi amor? Sólo que no es *dado* aún: es un "ahora" que no está aún develado. Pierde, pues, su carácter de *posibilidad-que-tengo-de-ser:* mi amor, mi alegría, *no tienen-de-ser* su futuro; lo *son* en la tranquila indiferencia de la yuxtaposición, como esta estilográfica es a la vez pluma y allá atrás capuchón. El Presente, de modo análogo, es captado en su cualidad real de *ser-ahí*. Sólo que este ser-ahí está constituido en habiendo-sido-ahí. El Presente está ya constituido íntegramente y armado de punta en blanco; es un "ahora" que el instante trae y se lleva como un traje de confección; es un naipe que sale del juego y vuelve a él. El tránsito de un "ahora" del futuro al presente y del presente al pasado no le hace sufrir modificación alguna, pues, de todos modos, futuro o no, es pasado ya. Esto lo manifiesta a las claras el recurso ingenuo con que los psicólogos apelan al inconsciente para distinguir los tres "ahoras" de lo psíquico: se llamará *presente*, en efecto, el ahora que está presente a la conciencia. Aquellos que han pasado al futuro tienen exactamente los mismos caracteres, pero esperan en los limbos del inconsciente, y, de tomárselos en este medio indiferenciado, nos sería imposible discernir en ellos el pasado del futuro: un recuerdo que sobrevive en lo inconsciente es un "ahora" futuro. Así, la forma psíquica no es *de-ser*, es *ya hecha:* está ya toda íntegra, pasada, presente y futura, en el modo del *ha sido*. No se trata ya, para los "ahoras" que la componen, sino de sufrir uno a uno, antes de retornar al pasado, el bautismo de la conciencia.

Resulta de todo esto que en la forma psíquica coexisten dos modalidades de ser contradictorias, ya que ella es *ya hecha* y aparece en la unidad cohesiva de un organismo, y, a la vez, no puede existir sino por una sucesión de "ahoras" que tienden cada uno a aislarse en en-sí. Esta alegría, por ejemplo, pasa de un instante al otro porque su futuro existe ya como objetivo terminal y sentido *dado* de su desarrollo, no como lo que ella tiene-de-ser, sino como lo que ella "ha sido" ya en el porvenir.

En efecto, la cohesión íntima de lo psíquico no es sino la unidad de ser del Para-sí hipostasiada en el en-sí. Un odio no tiene partes: no_es una suma de conductas y de conciencias, sino que se da a través de las conductas y las conciencias como la unidad temporal sin partes de las apariciones de las mismas. Sólo que la unidad de ser del Para-sí se explica por el carácter ek-stático de su ser: tiene-de-ser en plena espontaneidad lo que será. Lo psíquico, al contrario, "es sido". Esto significa que es incapaz de determinarse por sí a la existencia. Está sostenido, frente a lo reflexivo, por una suerte de inercia; y los psicólogos han insistido con frecuencia en su carácter "patológico". En este sentido, Descartes puede hablar de las "pasiones del alma"; esta inercia hace que lo psíquico, aunque no está en el mismo plano de ser que los existentes del mundo, pueda ser aprehendido como en relación con esos existentes. Un amor es dado como "provocado" por el objeto que se ama. Por consiguiente, la cohesión total de la forma psíquica se hace ininteligible, ya que no tiene-*de-ser* esa cohesión, ya que ella no es su propia síntesis, ya que su unidad tiene el carácter de algo dado. En la medida en que un odio es una sucesión dada de "ahoras" ya hechos e inertes, encontramos en él el germen de una divisibilidad al infinito. Empero, esta divisibilidad está enmascarada, negada, en tanto que lo psíquico es la objetivación de la unidad ontológica del Para-sí. De ahí una especie de cohesión *mágica* entre los "ahoras" sucesivos del odio, que no se dan como *partes* sino para negar en seguida su mutua exterioridad. La teoría de Bergson sobre la conciencia que_dura y que es "multiplicidad de interpenetración" pone a la luz esa ambigüedad. Lo que Bergson alcanza es lo psíquico, no la conciencia-concebida como Para-sí. En efecto, ¿qué significa "interpenetración"? No la ausencia de derecho de toda divisibilidad. En efecto, para que haya interpenetración, es menester que haya partes que se interpenetran. Sólo que estas partes, que, de derecho, deberían recaer en su aislamiento, se deslizan las unas en las otras por una cohesión mágica y totalmente inexplicada; y esa fusión total desafía ahora todo análisis. Bergson no piensa en absoluto en fundar sobre una estructura absoluta del Para-sí esa propiedad de lo psíquico: la comprueba como algo dado; una simple "intuición" le revela que lo psíquico es una multiplicidad interiorizada. Lo que acentúa aún más su carácter de inercia, de *datum* pasivo, es el hecho de que exista sin *ser para* una conciencia, tética o no. Es sin ser conciencia (de) ser, ya que, en la actitud natural, el hombre la desconoce enteramente y le es preciso recurrir a la intuición para captarla. Así, un objeto del mundo puede existir sin ser visto y develarse después, cuando hemos forjado los instrumentos necesarios para descubrirlo. Los caracteres de la duración psíquica son, para Bergson, un puro hecho contingente de experiencia: son así porque así se los encuentra, y esto es todo. Así, la temporalidad psíquica es un *datum* inerte, harto próximo a la duración bergsoniana, que *padece* su cohesión íntima sin hacerla, que es perpetuamente temporalizada sin temporaliza*rse*; en que la interpenetración de hecho, irracional y mágica, de elementos que no *son* unidos por una relación ek-stática de ser, no puede compararse sino a la acción mágica de hechizamiento a distancia, y disimula una multiplicidad de "ahoras" ya hechos y derechos. Y estos caracteres no provienen de un error de psicólogos, de un defecto de conocimiento: son constitutivos de la temporalidad psíquica, hipóstasis de la temporalidad originaria. La unidad absoluta de lo psíquico es, en efecto, la proyección de la unidad ontológica y ek-stática del para-sí. Pero, como esta proyección se hace en el en-sí, que es lo que es en la proximidad sin distancia de la identidad, la unidad ek-stática se fragmenta en una infinidad de "ahoras" que son lo que son y que, precisamente a causa de ello, tienden a aislarse en sus identidades-en-sí. De este modo, participando a la vez del en-sí y del para-sí, la temporalidad psíquica oculta una contradicción que no se salva. Y esto no debe asombrarnos: producida por la reflexión impura, es natural que ella *sea sida* lo que ella no es, y que no sea lo que "es sida".

Lo hará aún más claro un examen de las relaciones que las formas psíquicas sostienen entre sí en el seno del tiempo psíquico. Notemos ante todo que es efectivamente la interpenetración la que rige la conexión de los sentimientos, por ejemplo, en el seno de una forma psíquica compleja. Todo el mundo conoce esos sentimientos de amistad "matizados" de envidia, esos odios "penetrados", no obstante, de estima; esas camaraderías amorosas que los novelistas han descrito con frecuencia. Es cierto también que captamos una amistad matizada de envidia a la manera de una taza de café con una nube de leche. Sin duda, esta aproximación es burda; empero, lo cierto es que la amistad amorosa no se da como una simple especificación del género amistad, al modo en que el triángulo isósceles es una especificación del género triángulo. La amistad se da como penetrada íntegramente por el amor íntegro, y empero no es amor, no "se hace" amor: si no, perdería su autonomía de amistad. En cambio, se constituye un objeto inerte y en-sí que el lenguaje encuentra difícil nombrar, y en que el amor en-sí y autónomo se extiende mágicamente a través de toda la amistad, como la pierna se extiende a través de todo el mar en la σύγχυσις estoica.

Pero los procesos psíquicos implican también la acción a distancia de formas anteriores sobre formas posteriores. No podríamos concebir esta acción a distancia al modo de la causalidad simple que se encuentra, por ejemplo, en la mecánica clásica, y que supone la existencia totalmente inerte de un móvil encerrado en un instante; ni tampoco al modo de la causalidad física concebida a la manera de Stuart Mill, la que se define por la sucesión constante e incondicionada de dos estados cada uno de los cuales, en su ser propio, excluye al otro. En tanto que lo psíquico es objetivación del para-sí, posee una espontaneidad degradada, captada como cualidad interna y dada de su forma y, por otra parte, inseparable de su fuerza cohesiva. No podría darse, pues, rigurosamente, como *producido* por la forma anterior. Pero, por otra parte, esa espontaneidad tampoco podría determinarse a sí misma a existir, ya que no es captada sino como una determinación entre otras de un existente dado. Se sigue de ello que la forma anterior tiene-de hacer nacer a distancia una forma de la misma naturaleza, que se organiza espontáneamente como forma de transcurso. No hay aquí ser que *tenga-de-ser* su futuro y su pasado, sino sólo sucesiones de formas pasadas, presentes y futuras, pero que existen todas en el modo del "habiéndolo sido" y que se influyen mutuamente a distancia. Esta influencia se manifestará, sea por penetración, sea por motivación. En el primer caso, lo reflexivo aprehende como un solo objeto dos objetos psíquicos que habían sido dados previamente de modo separado. Resulta de ello, sea un objeto psíquico nuevo cada una de cuyas características será la síntesis de otras dos, sea un objeto en sí mismo ininteligible, que se da a la vez como íntegramente uno e íntegramente el otro, sin que haya alteración de uno ni de otro. En la motivación, al contrario, ambos objetos permanecen en sus respectivos lugares. Pero un objeto psíquico, siendo forma organizada y multiplicidad de interpenetración, no puede actuar sino íntegramente y a la vez sobre otro objeto íntegro. Se sigue de aquí una acción total y a distancia por influencia mágica de uno sobre el otro. Por ejemplo, mi humillación de ayer motiva íntegramente mi humor de esta mañana, etc. Que esta acción a distancia sea totalmente mágica e irracional, lo prueban, mejor que ningún análisis, los vanos esfuerzos de los psicólogos intelectualistas por reducirla, permaneciendo en el plano psíquico, a una causalidad inteligible por medio de un análisis intelectual. Así, Proust busca perpetuamente descubrir por descomposición intelectualista, en la sucesión temporal de los estados psíquicos, nexos de causalidad racional entre esos estados. Pero, al término de tales análisis, no puede ofrecernos sino resultados semejantes a éste:

"Tan pronto como Swann podía representarse (a Odette) sin horror, tan pronto como veía nuevamente la bondad en su sonrisa *y los celos no agregaban ya a su amor el deseo de arrancarla a los otros,* ese amor *tornaba a ser* un gusto por las sensaciones que le daba la persona de Odette, por el placer que le producía admirar como un espectáculo o interrogar como un fenómeno el alzarse de una mirada suya, la formación de una de sus sonrisas, la emisión de una entonación de su voz. Y este placer, diferente de todos los demás, *había acabado por crear en él una necesidad de ella,* que ella sola podía saciar por su presencia o sus cartas... Así, *por la propia química de su mal,* después de haber *hecho celos con su amor,* recomenzaba *a fabricar ternura,* piedad hacia Odette."[1]

Este texto concierne, evidentemente, a lo psíquico. En efecto, se ven sentimientos individualizados y separados por naturaleza actuar los unos sobre los otros. Pero Proust trata de esclarecer sus acciones y clasificarlas, esperando hacer inteligibles así las alternativas por las que ha de pasar Swann. No se limita a descri-

[1] *Du côté de chez Swann,* 37ª edición, II, pág. 82. Subrayado nuestro.

bir las comprobaciones que él mismo pudo hacer (el tránsito por "oscilación", de los celos y el odio al amor y la ternura); quiere explicarlas.

¿Cuáles son los resultados de este análisis? ¿Queda suprimida la ininteligibilidad de lo psíquico? Es fácil ver que esa reducción algo arbitraria de las formas psíquicas mayores a elementos más simples acentúa, al contrario, la irracionalidad mágica de las relaciones que los objetos psíquicos sostienen entre sí. ¿Cómo pueden los celos "agregar" al amor el "deseo de arrancarla a los otros"? ¿Y cómo este deseo, una vez adicionado al amor (siempre la imagen de la nube de leche "agregada" al café), puede impedirle *tornar a* ser "un gusto" por las sensaciones que le daba la persona de Odette? ¿Y cómo el placer puede *crear* una necesidad? Y el amor, ¿cómo puede *fabricar* esos celos que, en cambio, le *agregarán* el deseo de arrancar a Odette de los otros? ¿Y cómo, liberado de este deseo, podrá *fabricar* de nuevo ternura? Proust trata de constituir allí una "química" simbólica... pero las imágenes químicas de que se sirve son aptas, simplemente, para enmascarar motivaciones y acciones irracionales. Se trata de arrastrarnos hacia una interpretación mecanicista de lo psíquico, la que... sin ser más inteligible, deformaría completamente su naturaleza. Empero, es inevitable mostrarnos entre los estados extrañas relaciones casi interhumanas (crear, fabricar, agregar), que dejarían casi suponer que esos objetos psíquicos son agentes animados. En las descripciones de Proust, el análisis intelectualista muestra a cada paso sus límites: no puede operar sus descomposiciones y clasificaciones sino en la superficie, sobre un fondo de irracionalidad total. Es preciso renunciar a reducir lo irracional de la causalidad psíquica: esta causalidad es la degradación a lo mágico, de un parasí ek-stático que es su ser a distancia de sí en un en-sí que es lo que es en su sitio. La acción mágica a distancia y por influencia es el resultado necesario de esa relajación de los nexos de ser. El psicólogo debe describir esos nexos irracionales y tomarlos como datos primeros del mundo psíquico.

Así, la conciencia reflexiva se constituye como conciencia *de* duración y, de este modo, la duración psíquica aparece a la conciencia. Esta temporalidad psíquica, como proyección en el en-sí de la temporalidad originaria, es un ser virtual cuyo flujo fantasma no cesa de acompañar a la temporalización ek-stática del para-sí, en tanto que ésta es captada por la reflexión. Pero desaparece totalmente si el para-sí permanece en el plano irreflexivo, o si la reflexión impura se purifica. La temporalidad psíquica es semejante a la temporalidad originaria en lo de aparecer como un modo de ser de objetos concretos y no como un marco o una regla preestablecida. El tiempo psíquico no es sino la colección conexa de los objetos temporales. Pero su diferencia esencial con la temporalidad originaria reside en que aquél *es*, mientras que ésta se temporaliza. En tanto que tal, el tiempo psíquico no puede ser constituido sino con pasado, y el futuro no puede ser sino un pasado que venga después del pasado presente; es decir, que la forma vacía antes-después es hipostasiada y ordena las relaciones entre objetos igualmente pasados. A la vez, esta duración psíquica que no puede ser por sí debe perpetuamente *ser sida*. Perpetuamente oscilante entre la multiplicidad de yuxtaposición y la cohesión absoluta del para-sí ek-stático, esa temporalidad está compuesta de "ahoras" que han sido, que permanecen en el sitio a ellos asignado, pero que se influyen a distancia en su totalidad: y esto la asemeja bastante a la duración mágica del bergsonismo. Desde que nos colocamos en el plano de la reflexión impura, es decir, de la reflexión que busca determinar el ser que soy, aparece un mundo entero que puebla esa temporalidad. Ese mundo, presencia virtual, objeto probable de mi intención reflexiva, es el mundo psíquico o psique. En cierto sentido, su existencia es puramente ideal; en otro sentido, ese mundo es, ya que *es-sido*, ya que se descubre a la conciencia; es "mi sombra", es lo que se me descubre cuando quiero *verme;* como, además, puede ser aquello a partir de lo cual el para-sí se determina a ser lo que tiene-de-ser (no iré a ver a fulano o mengano "a causa" de la antipatía que le tengo; me decido a tal o cual acción teniendo en cuenta mi amor o mi odio; me niego a discutir de política, porque conozco mi temperamento colérico y no quiero correr el riesgo de irritarme), ese mundo fantasma existe como *situación real* del para-sí. Con ese mundo trascendente que se aloja en el porvenir infinito de indiferencia antihistórica, se constituye precisamente como unidad virtual de ser la temporalidad llamada "interna" o "cualitativa", que es la objetivación en en-sí de la temporalidad originaria. Hay en ello el primer esbozo de un "afuera"; el para-sí se ve casi conferir un afuera a sus propios ojos: pero este afuera es puramente virtual. Veremos más adelante al ser-para-otro *realizar* el esbozo de ese "afuera".

CAPÍTULO III

La trascendencia

Para llegar a una descripción lo más completa posible del para-sí, habíamos escogido como hilo conductor el examen de las conductas negativas. En efecto: según habíamos visto, la posibilidad permanente del no-ser, fuera de nosotros y en nosotros mismos, condiciona las preguntas que podemos plantear y las respuestas que podemos darles. Pero nuestro primer objeto no era sólo develar las estructuras negativas del para-sí. En nuestra Introducción habíamos encontrado un problema, y este problema queríamos resolver: cuál es la relación original de la realidad humana con el ser de los fenómenos o ser-en-sí. Desde nuestra Introducción, en efecto, hemos debido rechazar la solución realista y la idealista. Nos parecía, a la vez, que el ser trascendente no podía actuar en modo alguno sobre la conciencia, y que la conciencia no podía "construir" lo trascendente objetivando elementos tomados a su subjetividad. Más tarde, comprendimos que la relación original con el ser no podía ser la relación externa que uniera dos sustancias primitivamente aisladas. "La relación entre las regiones de ser es un surgimiento primitivo —escribíamos— que forma parte de la estructura misma de esos seres." Lo concreto se nos descubrió como la totalidad sintética de la cual tanto la conciencia como el fenómeno constituyen sólo articulaciones. Pero si, en cierto sentido, la conciencia considerada en su aislamiento es una abstracción; si los fenómenos —y aun el fenómeno de ser— son igualmente abstractos, en tanto que no pueden existir como fenómenos sin *aparecer* a una conciencia, el ser de los fenómenos, como en-sí que es lo que es, no podría considerarse como una abstracción. Para existir, no necesita sino de sí mismo; no remite sino a sí mismo solamente. Por otra parte, nuestra descripción del para-sí nos lo ha mostrado, al contrario, como lo más alejado posible de una sustancia y del en-sí; hemos visto que él era su propia nihilización y que no podía ser sino en la unidad ontológica de sus ék-stasis. Así, pues, si la relación entre el para-sí y el en-sí ha de ser originariamente constitutiva del ser mismo que se pone en relación, no ha de entenderse empero que esa relación pueda ser constitutiva del en-sí, sino del para-sí. Sólo en el para-sí ha de buscarse la clave de esa relación respecto del ser que se llama, por ejemplo, conocimiento. El para-sí es responsable en su ser de su relación con el en-sí, o, si se prefiere, se produce originariamente sobre el fundamento de una relación con el en-sí. Es lo que ya presentíamos cuando definíamos la conciencia como "un ser para el cual en su ser es cuestión de su ser, en tanto que este ser implica un ser otro que él". Pero, desde el momento en que formulamos esa definición hasta ahora, hemos adquirido conocimientos nuevos. En particular, hemos captado el sentido profundo del para-sí como fundamento de su propia nada. ¿No es tiempo, ahora, de utilizar estos conocimientos para determinar y explicar aquella relación ek-stática entre el para-sí y el en-sí sobre el fundamento de la cual pueden aparecer en general *el conocer* y el *actuar*? ¿No estamos en condiciones de responder a nuestra pregunta primera? Para ser conciencia no tética (de) sí, la conciencia ha de ser conciencia tética *de* algo, según hemos señalado. Pero lo que hemos estudiado hasta ahora es el para-sí como modo de ser original de la conciencia no tética (de) sí. ¿No nos vemos llevados de ahí a describir el para-sí en sus relaciones mismas con el en-sí, en tanto que éstas son constitutivas de su ser? ¿No podemos desde luego encontrar una respuesta a preguntas del tipo de éstas: siendo el en-sí lo que es, cómo y por qué el para-sí tiene-de-ser en su ser conocimiento del en-sí; y: qué es el conocimiento en general?

I

El conocimiento como tipo de relación entre el para-sí y el en-sí

No hay conocimiento sino intuitivo. La deducción y el discurso, impropiamente llamados conocimientos, no son sino instrumentos que conducen a la intuición. Cuando ésta se alcanza, los medios utilizados para alcanzarla se borran ante ella; en el caso en que no puede alcanzársela, el razonamiento y el discurso quedan como marcas indicadoras que apuntan hacia una intuición fuera de alcance; si, por último, se la ha alcanzado pero no es un modo presente de mi conciencia, las máximas de que me sirvo quedan como resultados de operaciones anteriormente efectuadas, lo que llamaba Descartes "recuerdos de ideas". Y, si se pregunta qué es la intuición, Husserl responderá, de acuerdo con la mayoría de los filósofos, que es la presencia de la "cosa" *(Sache)* en persona a la conciencia. El conocimiento pertenece, pues, al tipo de ser que describíamos en el capítulo anterior con el nombre de "presencia a..." Pero hemos establecido, justamente, que el en-sí no podía jamás ser *presencia* por sí mismo. El ser-presente, en efecto, es un modo de ser ek-stático del para-sí. Nos vemos, pues, obligados a invertir los términos de nuestra definición: la intuición es la presencia de la conciencia a la cosa. Debemos volver, pues, sobre la naturaleza y el sentido de esta presencia del para-sí al ser.

Hemos establecido en nuestra Introducción, sirviéndonos del concepto no elucidado de "conciencia", la necesidad que tiene la conciencia de ser conciencia *de* algo. En efecto, sólo por aquello de que es conciencia, ésta se distingue a sus propios ojos y puede ser conciencia (de) sí; una conciencia que no fuera conciencia *de* algo no sería conciencia (de) nada. Pero ahora tenemos elucidado el sentido ontológico de la conciencia, o para-sí. Podemos, pues, plantear el problema en términos más precisos y preguntarnos: ¿qué puede significar esa necesidad que tiene la conciencia de ser conciencia *de* algo, si se la encara en el plano ontológico, es decir, en la perspectiva del ser-para-sí? Sabido es que el para-sí es fundamento de su propia nada en forma de la díada fantasma reflejo-reflejante. El reflejante no es sino para reflejar el reflejo y el reflejo no es reflejo sino en tanto que remite al reflejante. Así, los dos términos esbozados de la díada apuntan uno al otro, y cada uno compromete su ser en el ser del otro. Pero, si el reflejante no es nada más que reflejante de *ese* reflejo, y si el reflejo no puede caracterizarse sino por su *"ser-para* reflejarse en *ese* reflejante", ambos términos de la cuasi díada, recostando sus dos nadas la una contra la otra, se nihilizan conjuntamente. Es preciso que el reflejante refleje *algo* para que el conjunto no se desmorone en nada. Pero si el reflejo, por otra parte, fuese *algo* independientemente de su ser-para-reflejarse, sería menester que fuera cualificado, no en tanto que reflejo, sino en-sí. Sería introducir la opacidad en el sistema "reflejo-reflejante", y, sobre todo, completar la escisiparidad esbozada. Pues, en el para-sí, el reflejo *es también* el reflejante. Pero si el reflejo es cualificado, se separa del reflejante y su apariencia se separa de su realidad; el cogito se torna imposible. El reflejo no puede ser a la vez "algo de-reflejar" y *nada,* a menos que se haga cualificar por otro que él, o, si se prefiere, a menos que se refleje en cuanto relación con un afuera que no es él. Lo que define al reflejo para el reflejante es siempre aquello *a lo cual el reflejo es presencia.* Aun una alegría, captada en el plano de lo irreflexivo, no es sino la presencia "reflejada" a un mundo riente y abierto, pleno de felices perspectivas. Pero las líneas que preceden nos han hecho prever ya que el *no ser...* es estructura esencial de la presencia. La presencia implica una negación radical como presencia a aquello que no se es. Es presente a mí lo que yo no soy. Se notará, por otra parte, que ese "no ser..." está implicado *a priori* por toda teoría del conocimiento. Es imposible construir la noción de objeto si no tenemos originariamente una relación negativa que designe al objeto como aquello que *no es* la conciencia. Esto estaba bien expresado por el término de "no-yo", un tiempo de moda, sin que se pudiera descubrir en aquellos que lo empleaban el menor cuidado del fundamentar ese *no* que cualificaba originariamente al mundo exterior. De hecho, ni el nexo de las representaciones, ni la necesidad de ciertos conjuntos subjetivos, ni la irreversibilidad temporal, ni el recurso al infinito, podrían servir para constituir el objeto como tal, es decir, para servir de fundamento a una negación ulterior que recortara al no-yo y lo opusiera al yo como tal, si precisamente esa negación no fuera dada *previamente* y no fuera el fundamento *a priori* de toda experiencia. La cosa es, antes de toda comparación, antes de toda construcción, lo que está presente a la conciencia como *no siendo* conciencia. La relación originaria de presencia, como fundamento del conocimiento, es negativa. Pero, como la negación viene al mundo por medio del para-sí y la cosa es lo que es, en la indiferencia absoluta de la identidad, la cosa no puede ponerse como no siendo el para-sí. La negación viene del propio para-sí. No ha de concebirse esta negación según el tipo de un juicio que recayera sobre la cosa misma y negara de ella ser el para-sí: este tipo de negación sólo sería concebible si el para-sí fuese una sustancia hecha y derecha, y, aun en este caso, no podría emanar sino de un tercer término que estableciera desde afuera una relación negativa entre dos seres. Pero, por la negación original, es el para-sí quien se constituye como *no siendo* la cosa. De suerte que la definición que hace poco dábamos de la conciencia puede enunciarse como sigue, en la perspectiva del para-sí: "El para-sí es un ser para el cual en su ser es cuestión de su ser, en tanto que este ser es esencialmente una determinada manera de *no ser* un ser que se pone a la vez como otro que él." El conocimiento aparece, pues, como un modo de ser. El conocer no es ni una relación establecida posteriormente entre dos seres, ni una actividad de uno de estos dos seres, ni una cualidad, propiedad o virtud. Es el ser mismo del para-sí en tanto que presencia a...; es decir, en tanto que tiene-de-ser su ser haciéndose no ser cierto ser al cual es presente. Esto significa que el para-sí no puede ser sino en el modo de un reflejo que se hace reflejar como no siendo determinado ser. El "algo" que debe cualificar al reflejado para que la pareja "reflejo-reflejante" no se desmorone en la nada, es negación pura. El reflejado se hace cualificar *afuera,* junto a determinado ser, como *no siendo* ese ser; es precisamente lo que se llama ser conciencia *de* algo.

Pero hemos de precisar lo que entendemos por esa negación originaria. Conviene, en efecto, distinguir dos tipos de negación: la externa y la interna. La primera aparece como un puro nexo de exterioridad establecido entre dos seres por un testigo. Cuando digo, por ejemplo: "La mesa no es el tintero", es harto evidente que el fundamento de esta negación no está ni en el tintero ni en la mesa. Ambos objetos son lo que son, eso es todo. La negación es como un nexo categorial e ideal que establezco entre ellos sin modificarlos en absoluto, sin enriquecerlos ni empobrecerlos en cualidad: esa síntesis negativa ni siquiera los roza, y, como no sirve ni para enriquecerlos ni para constituirlos, permanece estrictamente externa. Pero puede ya adivinarse el sentido de la otra negación, si se consideran frases como "No soy rico" o "No soy apuesto". Pronunciadas con cierta melancolía, no significan solamente que se deniega cierta cualidad, sino que la propia denegación viene a influir en su estructura interna al ser positivo a quien se la deniega. Cuando digo: "No soy apuesto", no me limito a negar de mí, tomado como un todo concreto, cierta virtud que por ese hecho pasa a la nada dejando intacta la totalidad positiva de mi ser (como cuando digo: "El vaso no es blanco, es gris..." "El tintero no está en la mesa, sino sobre la chimenea"): entiendo significar que "no ser apuesto" es cierta virtud negativa de mi ser, que me caracteriza desde adentro y, en tanto que negatividad, el no ser apuesto es una cualidad real de mí mismo, cualidad negativa que explicará tanto mi melancolía, por ejemplo, como mis fracasos mundanos. Por negación interna entendemos una relación tal entre dos seres que aquel que es negado del otro cualifica a éste, por su ausencia misma, en el meollo de su esencia. La negación se convierte entonces en un nexo de ser esencial, ya que uno por lo menos de los seres sobre los cuales recae es tal que señala hacia el otro, que porta al otro en su meollo como una ausencia. Es claro, empero, que este tipo de negación no es aplicable al ser-en-sí. Pertenece por naturaleza al para-sí. Sólo el para-sí puede ser determinado en su ser por un ser que no es él. Y si la negación interna puede aparecer en el mundo –como cuando se dice de una perla que es falsa, de una fruta que no está madura, de un huevo que no es fresco, etc.– viene al mundo por el para-sí, como toda negación en general. Entonces, si el conocer pertenece sólo al para-sí, ello se debe a que sólo es propio del para-sí aparecerse como no siendo aquello que él conoce. Y como aquí apariencia y ser son una sola y misma cosa –ya que el para-sí tiene el ser de su apariencia–, ha de concebirse que el para-sí incluye en su ser el ser del objeto que él no es, en tanto que en su ser es cuestión de su ser como no siendo *ese* ser.

Es preciso desprenderse aquí de una ilusión que podría formularse de este modo: para constituirse a sí mismo como *no siendo* tal o cual ser, es menester previamente tener, de cualquier manera que sea, un conocimiento de ese ser, pues no puedo juzgar de mis diferencias con respecto a un ser del cual no sé nada. Es cierto que en nuestra existencia empírica no podemos saber en qué diferimos de un japonés o de un inglés, de un obrero o de un soberano, antes de poseer alguna noción de esos diversos seres. Pero estas distinciones empíricas no podrían servirnos de base aquí, pues abordamos el estudio de una relación ontológica que haga posible toda experiencia y que tiende a establecer cómo un objeto en general puede existir para la conciencia. No me es posible, pues, tener experiencia del objeto como objeto distinto de mí antes de constituirlo como objeto: al contrario, lo que hace posible toda experiencia es un surgimiento *a priori* del objeto para el sujeto, o, puesto que el surgimiento es el hecho original del para-sí, un surgimiento original del para-sí como presencia al objeto que él no es. Conviene, pues, invertir los términos de la fórmula precedente: la relación fundamental por la cual el para-sí tiene-de-ser como no siendo *tal* ser particular al cual es presente, es el fundamento de todo conocimiento de ese ser. Pero es menester describir mejor esta primera relación si queremos hacerla comprensible.

Lo que queda como verdadero en el enunciado de la ilusión intelectualista que denunciábamos en el parágrafo anterior es el hecho de que no puedo determinarme a no ser un objeto que esté originariamente escindido de todo nexo conmigo. No puedo negar que yo sea *tal o cual* ser, *a distancia* de ese ser. Si concibo un ser enteramente cerrado en sí, este ser en sí mismo será unitivamente lo que es, y, por ello, no se encontrará en él lugar ni para una negación ni para un conocimiento. De hecho, un ser sólo puede *hacerse anunciar* lo que él no es a partir del ser que él no es. Lo que significa, en el caso de la negación interna, que el para-sí se aparece como no siendo lo que él no es, allá, en y sobre el ser que él no es. En este sentido, la negación interna es un nexo ontológico concreto. No se trata de una de esas negaciones empíricas en que las cualidades negadas se distinguen primeramente por su ausencia o aun por su no-ser. En la negación interna, el para-sí se aplasta sobre aquello que niega. Las cualidades negadas son precisamente lo que hay de más presente al para-sí; de ellas toma él su fuerza negativa y la renueva perpetuamente. En este sentido, es menester verlas como un factor constitutivo del ser del para-sí, pues éste debe estar allá, fuera de sí, sobre ellas; debe ser *ellas* para negar que las sea. En una palabra, el término origen de la negación interna es el en-sí, la cosa que *está ahí*; y fuera de ella no hay nada, sino un vacío, una nada que no se distingue de la cosa sino por una pura negación cuyo contenido está provisto por *esa* cosa misma. La dificultad que encuentra el materialismo para derivar del objeto el conocimiento proviene de que quiere producir una sustancia a partir de otra sustancia. Pero esta dificultad no puede detenernos, pues afirmamos que no hay, fuera del en-sí, *nada,* sino un reflejo de este nada, que es a su vez polarizado y definido por el en-sí, en tanto que es precisamente la nada de *ese* en-sí, el nada individualizado que no es nada sino porque *no es* el en-sí. De este modo, en esa relación ek-stática que es constitutiva de la negación interna y del conocimiento, el en-sí en persona es polo concreto en su plenitud, y el para-sí no es sino el vacío en que resalta el en-sí. El para-sí está fuera de sí mismo en el en-sí, ya que se hace definir por lo que él no es; el nexo primero entre el en-sí y el para-sí es, pues, un nexo de ser. Pero este nexo no es ni una *falta* ni una *ausencia.* En el caso de la ausencia, en efecto, me hago determinar por un ser que no soy yo y que no es, o no es ahí: es decir, que lo que me determina es como un hueco en medio de lo que llamaré mi plenitud empírica. Al contrario, en el conocimiento, tomado como nexo de ser ontológico, el ser que yo no soy representa la plenitud absoluta del en-sí. Y yo soy, al contrario, la nada, ausencia que se determina a existir a partir de esa plenitud. Lo que significa que en ese tipo de ser que se llama conocimiento, el único *ser* que pueda encontrarse y que está perpetuamente *ahí* es lo *conocido.* El cognoscente no es, no es captable. No es sino aquello que hace que haya un *ser-ahí* de lo conocido, una presencia; pues, por sí mismo, lo conocido no es ni presente ni ausente, simplemente es. Pero esta presencia de lo conocido es presencia *a nada,* ya que el cognoscente es puro reflejo de un no ser...; ella parece, pues, a través de la translucidez total del cognoscente conocido, presencia *absoluta.* La ejemplificación psicológica y empírica de esta relación originaria nos está dada por los casos de *fascinación.* En estos casos, en efecto, que representan el hecho inmediato del conocer, el cognoscente no es absolutamente nada más que una pura negación, no se encuentra ni se recupera en ninguna parte, *no es;* la única cualificación de que pueda ser soporte es la de que él *no es,* precisamente, tal objeto fascinante. En la fascinación no hay nada más que un objeto gigante en un mundo desierto. Empero, la intuición fascinada no es en modo alguno *fusión* con el objeto. Pues la condición para que haya fascinación es que el objeto se destaque con relieve absoluto sobre un fondo de vacío, es decir, que yo sea precisamente negación inmediata del objeto y nada más que eso. Es la misma negación pura que encontramos en la base de las intuiciones panteísticas descritas a veces por Rousseau como acaecimientos psíquicos concretos de su historia. Nos declara entonces que "se fundía" con el universo, que sólo el mundo se encontraba de pronto presente, como presencia absoluta y totalidad incondicionada. Ciertamente, podemos comprender esta presencia total y desierta del mundo, su puro "ser-ahí"; ciertamente, admitimos muy bien que en ese momento privilegiado no haya habido nada más que el mundo. Pero esto no significa, como Rousseau quiere admitirlo, que haya fusión de la conciencia con el mundo. Esta fusión significaría la solidificación del para-sí en en-sí y, a la vez, la desaparición del mundo y del en-sí como presencia. Verdad que no hay nada más que el mundo, en la intención panteística, salvo aquello que hace que el en-sí esté presente como mundo; es decir, una negación pura que es conciencia no tética (de) sí como negación. Y, precisamente porque el conocimiento no es *ausencia* sino *pre-*

sencia, no hay *nada* que separe al cognoscente del conocido. A menudo se ha definido la intuición como presencia inmediata de lo conocido al cognoscente, pero rara vez se ha reflexionado sobre las exigencias de la noción de *inmediatez.* La inmediatez es la ausencia de todo mediador: y esto va de suyo pues, si no, sólo sería conocido el mediador y no el mediatizado. Pero, si no podemos dar por puesto intermediario alguno, es menester que rechacemos a la vez la continuidad y la discontinuidad como tipo de presencia del cognoscente a lo conocido. No admitiremos, en efecto, que haya continuidad entre el cognoscente y lo conocido, pues ella supone un término intermedio que sea a la vez conocido y cognoscente, lo que suprime la autonomía del cognoscente respecto de lo conocido, comprometiendo al ser del cognoscente en el ser de lo conocido. Entonces desaparece la estructura del objeto, ya que el objeto exige ser negado absolutamente por el para-sí en tanto que ser del para-sí. Pero tampoco podemos considerar la relación originaria del para-sí con el en-sí como una relación de *discontinuidad.* Ciertamente, la separación entre dos elementos discontinuos es un vacío, es decir, *nada,* pero un nada *realizado,* es decir, *en sí.* Este nada sustancializado es como tal un espesor no conductor; destruye la inmediatez de la presencia, pues se ha convertido en *algo* en tanto que nada. La presencia del para-sí al en-sí, al no poder expresarse ni en términos de continuidad ni en términos de discontinuidad, es pura *identidad negada.* Para hacerla captar mejor, usemos de una comparación: cuando dos curvas son tangentes entre sí, ofrecen un tipo de presencia sin intermediarios. Pero entonces el ojo no capta sino *una sola línea* todo a lo largo de la mutua tangencia. Aun si se enmascaran ambas curvas y sólo fuera dado ver la longitud AB en que son tangentes, resultaría imposible distinguirlas. Pues, en efecto, lo que las separa es *nada:* no hay continuidad ni discontinuidad, sino pura identidad. Desenmascaremos de pronto ambas figuras, y las captaremos nuevamente como siendo dos en toda su longitud respectiva: y esto no proviene de una brusca separación de hecho realizada súbitamente entre ellas, sino de que los dos movimientos por los cuales *trazamos* las dos curvas para percibirlas implican cada uno una negación como acto constitutivo. Así, lo que separa ambas curvas en el lugar mismo de su tangencia no es *nada*, ni siquiera una distancia: es una pura negatividad como contraparte de una síntesis constituyente. Esta imagen nos hará captar mejor la relación de inmediatez que une originariamente al cognoscente y lo conocido. Ocurre de ordinario, en efecto, que una negación recae sobre un "algo" que preexiste a la negación y constituye su materia: si digo, por ejemplo, que el tintero no es la mesa, mesa y tintero son objetos ya constituidos cuyo ser en-sí constituirá el soporte del juicio negativo. Pero, en el caso de la relación "cognoscente-conocido", no hay nada de parte del cognoscente que pueda constituirse en soporte de la negación: "no hay" ninguna diferencia, ningún principio de distinción, para separar *en-sí* cognoscente y conocido. Pero, en la indistinción total del ser, no hay nada más que una negación que ni siquiera es, que *tiene de* ser, que ni aun se pone como negación. De suerte que, finalmente, el conocimiento y el propio cognoscente no son nada sino el hecho de que "hay" ser, de que el ser en sí se *da* y se destaca en relieve sobre el fondo de ese nada. En tal sentido, podemos llamar al conocimiento la pura soledad de lo conocido. Es decir, con suficiente claridad, que el fenómeno original de conocimiento *no agrega* nada al ser y nada crea. Por él, el ser no es enriquecido, pues el conocimiento es pura negatividad: hace solamente *que haya* ser. Pero este hecho de "que haya" ser no es una determinación interna del ser –que es lo que es–, sino de la negatividad. En este sentido, toda develación de un carácter positivo del ser es la contraparte de una determinación ontológica del para-sí en su ser como negatividad pura. Por ejemplo, como luego veremos, la develación de la espacialidad del ser constituye una sola y misma cosa con la aprehensión no posicional del para-sí por sí mismo, como *inextenso*. Y el carácter inextenso del para-sí no es una misteriosa virtud positiva de espiritualidad que se enmascare bajo una denominación negativa: es una relación ek-stática por naturaleza, pues en la extensión y por la extensión del en-sí trascendente el para-sí se hace anunciar y realiza su propia inextensión. El para-sí no podría ser inextenso primero para entrar después en relación con un ser extenso, pues, como quiera que lo consideremos, el concepto de inextensión no puede tener sentido por sí mismo; no es nada más que negación de la extensión. Si, por un imposible, se pudiera suprimir la extensión de las determinaciones develadas del en-sí, el para-sí no quedaría *espacial;* no sería ni extenso ni inextenso y resultaría imposible caracterizarlo de ninguna manera con respecto a la extensión. En este sentido, la extensión es una determinación trascendente que el para-sí tiene de aprehender en la medida exacta en que se niega a sí mismo como extenso. Por eso el término que mejor nos parece significar esa relación interna entre conocer y ser es la palabra *realizar* que utilizábamos poco ha, con su doble sentido ontológico y gnóstico. Realizo un proyecto en tanto que le doy el ser, pero *realizo* también mi situación en tanto que la vivo, que la hago ser con mi ser; "realizo" la magnitud de una catástrofe, la dificultad de una empresa. Conocer es *realizar* en ambos sentidos del término. Es hacer que haya ser teniendo-de-ser la negación reflejada de este ser: lo *real* es *realización.* Llamaremos trascendencia a esta negación interna y realizante que, determinando *al* para-sí en su ser, devela al en-sí.

II

De la determinación como negación

¿A *cuál* ser es presencia el para-sí? Notemos, ante todo, que la cuestión está mal planteada: el ser es lo que es, no puede poseer en sí mismo la determinación "éste" que responde a la pregunta "¿cuál?" En una palabra, la pregunta no tiene sentido salvo si se plantea en un mundo. Por consiguiente, el para-sí no puede ser presente a *esto* más que a *aquello,* ya que su presencia es lo que hace que *haya* un "esto" más bien que un "aquello". Nuestros ejemplos nos han mostrado, sin embargo, un para-sí que niega concretamente ser *tal o cual* ser singular. Pero era porque describíamos la relación de conocimiento cuidando, ante todo, sacar a luz su estructura de negatividad. En este sentido, por el hecho mismo de ser develada con ejemplos, esa negatividad era ya secundaria. La negatividad como trascendencia originaria no se determina a partir de un *esto,* sino que ella hace que un *esto* exista. La presencia originaria del para-sí es *presencia* al ser. ¿Diremos, pues, que es presencia a *todo* el ser? Recaeríamos entonces en nuestro error precedente. Pues la totalidad no puede venir al ser sino por medio del para-sí. Una totalidad, en efecto, supone una relación interna de ser entre los términos de una cuasi-multiplicidad, del mismo modo que una multiplicidad supone, para serlo, una relación interna totalizadora entre sus elementos; en este sentido, la adición misma es un acto sintético. La totalidad no puede venir a los seres sino por medio de un ser que tiene-de-ser en presencia de ellos su propia totalidad. Es, precisamente, el caso del para-sí, totalidad destotalizada que se temporaliza en una inconclusión perpetua. El para-sí, en su presencia al ser, hace que exista *todo el ser.* Entendamos bien, en efecto, que *este* ser determinado no puede ser denominado como *esto* sino sobre fondo de presencia de *todo* el ser. Ello no significa que *un* ser tenga necesidad de *todo* el ser para existir, sino que el para-sí se realiza como presencia realizante a ese ser, sobre fondo original de una presencia realizante *a todo.* Pero, recíprocamente, la totalidad, siendo relación ontológica interna de los "estos", no puede develarse sino en y por los *estos* singulares. Lo que significa que el para-sí se realiza como presencia realizante a todo el ser, en tanto que presencia realizante a los "estos"; y como presencia realizante a los "estos" singulares en tanto que presencia realizante a todo el ser. En otros términos, la presencia del para-sí al *mundo* no puede realizarse sino por su presencia a una o varias cosas particulares; y, recíprocamente, su presencia a una cosa particular no puede realizarse sino sobre el fondo de una presencia al mundo. La percepción no se articula sino sobre fondo ontológico de la presencia al mundo, y el mundo se devela concretamente como fondo de cada percepción singular. Falta explicar cómo el surgimiento del para-sí al ser puede hacer que haya un *todo* y haya los *estos.*

La presencia del para-sí al ser *como totalidad* proviene de que el para-sí tiene-de-ser, en el modo de ser lo que no es y de no ser lo que es, su propia totalidad como totalidad destotalizada. En efecto: en tanto que se hace ser en la unidad de un mismo surgimiento como *todo* aquello que no es el ser, el ser se mantiene ante él como *todo* lo que el para-sí no es. La negación originaria, en efecto, es *negación radical*. El para-sí, que se mantiene ante el ser como su propia totalidad, siendo él mismo el todo de la negación, es negación del todo. Así, la totalidad conclusa o mundo se devela como constitutiva del ser de la totalidad inconclusa por la cual el ser de la totalidad surge al ser. Por medio del *mundo,* el para-sí se hace anunciar a sí mismo como totalidad destotalizada, lo que significa que, por su propio surgimiento, el para-sí es develación del ser como totalidad, en tanto que el para-sí tiene-de-ser su propia totalidad en el modo destotalizado. Así, el sentido mismo del para-sí está afuera, en el ser; pero por medio del para-sí aparece el sentido del ser. Esta totalización del ser *no agrega nada* al ser; no es nada más que la manera en que el ser se devela como no siendo el para-sí, la manera en que *hay* ser; esa totalización aparece *fuera del para-sí,* hurtándose a todo alcance, como lo que determina al para-sí en su ser. Pero el hecho de develar al ser como totalidad no es alcanzar al ser, así como el hecho de contar *dos* tazas sobre la mesa no alcanza a ninguna de las tazas ni en su existencia ni en su naturaleza. No se trata, empero, de una pura modificación subjetiva del para-sí, ya que, al contrario, sólo por éste es posible toda subjetividad. Pero, si el para-sí ha de ser la nada por la cual "hay" ser, no puede haber ser originariamente sino como totalidad. Así, pues, el conocimiento es *el mundo*; para hablar como Heidegger: el mundo y, fuera de eso, *nada.* Sólo que este "nada" no es originariamente aquello en que emerge la realidad humana. Este "nada" es la realidad humana misma, como la negación radical por la cual el mundo se devela. Ciertamente la sola aprehensión del mundo como totalidad hace aparecer *del lado del mundo* una nada que sostiene y encuadra a *esa* totalidad. Y esta nada es, inclusive, aquello que determina a la totalidad como tal, en tanto que el nada absoluto dejado fuera de la totalidad; por eso precisamente la totalización no agrega nada al ser ya que es sólo el resultado de la aparición de la nada como límite del ser. Pero esta nada *no es* nada, sino la realidad humana captándose a sí misma como excluida del ser y perpetuamente allende *el* ser, en comercio con el nada. Tanto da decir: la realidad humana *es* aquello por lo cual el ser se devela como totalidad, o: la realidad humana es aquello que hace que *no haya* nada fuera del ser. Este nada como posibilidad de que haya un allende el mundo, en tanto que: 1° esta posibilidad devela al ser como mundo, y 2° la realidad humana tiene-de-ser esa posibilidad constituye, con la presencia originaria al ser, el circuito de la ipseidad.

Pero la realidad humana no se hace totalidad inconclusa de las negaciones sino en cuanto rebalsa una negación concreta que ella tiene-de-ser como presencia actual al ser. En efecto: si la realidad humana fuera pura conciencia (de) ser negación sincrética e indiferenciada, no podría determinarse a sí misma, y no podría, por consiguiente, ser totalidad concreta aunque destotalizada por sus determinaciones. No es totalidad sino en tanto que escapa, por todas sus otras negaciones, a la negación concreta que ella es actualmente: su ser no puede *ser* su propia totalidad sino en la medida en que es un trascender la estructura parcial que él es hacia el todo que él tiene-de-ser. Si no, sería aquello que simplemente es, y no podría ser considerado en modo alguno como totalidad o como no-totalidad. Así, pues, en el sentido en que una estructura negativa parcial debe aparecer sobre el fondo de las negaciones indiferenciadas que yo soy –y de las cuales ella forma parte–, me hago anunciar por el ser-en-sí una cierta realidad concreta que yo tengo-de-no-ser. El ser que *no soy* actualmente, en tanto que aparece sobre el fondo de la totalidad del ser, es el *esto*. El esto es lo que yo no *soy* actualmente, en tanto que tengo-de-no-ser nada del ser; es lo que se revela sobre fondo indiferenciado de ser, para anunciarme la negación concreta que tengo-de-ser sobre el fondo totalizador de mis negaciones. Esta relación originaria del todo y del "esto" está en la fuente de la relación que la *gestalttheorie* ha puesto en claro entre el fondo y la forma. El "esto" aparece siempre sobre un fondo, es decir, sobre la totalidad indiferenciada del ser en tanto que el Para-sí es negación radical y sincrética de ella. Pero siempre puede diluirse en esta totalidad indiferenciada, cuando surja otro esto. Pero la aparición del esto, o de la forma sobre el fondo, siendo correlativa de la aparición de mi propia negación concreta sobre el fondo sincrético de una negación radical, implica que yo soy y no soy a la vez esa negación totalitaria, o, si se prefiere, que yo la soy en el modo del "no ser... ", que yo no la soy en el modo del ser. Sólo así, en efecto, la negación presente aparecerá sobre el fondo de la negación radical que ella es. Si no, en efecto, estaría enteramente escindida de ella, o bien se fundiría con ella. La aparición del *esto* sobre el *todo* es correlativa de cierta manera que tiene el para-sí de ser negación de sí mismo. Hay un *esto* porque yo no soy aún mis negaciones futuras Y no soy ya mis negaciones pasadas. La develación del *esto* supone que "se ponga el acento" sobre cierta negación, con retroceso de las otras en el desvanecimiento sincrético del fondo; es decir, que el para-sí no pueda existir sino como una negación que se constituya sobre el retroceso en totalidad de la negatividad radical. El Para-sí *no es* el mundo, la espacialidad, la permanencia, la materia; en suma, el en-sí en general: sino que su manera de no-serlos es el tener-de-no-ser esta mesa, este vaso, esta pieza, sobre el fondo total de negatividad. El *esto* supone, pues, una negación de la negación; pero una negación tal que tiene-de-ser la negación radical que ella niega, que no cesa de vincularse a ella por un hilo ontológico y que permanece presta a fundirse en ella por surgimiento de otro esto. En tal sentido, el "esto" se devela como esto por "retroceso al fondo del mundo" de todos los demás "estos"; su determinación –que es el origen de *todas* las determinaciones– es una negación. Entendamos bien que esta negación –vista por el lado del esto– es enteramente ideal. No agrega nada al ser y nada le quita. El ser encarado como "esto" es lo que es y no deja de serlo; no deviene. En tanto que tal, no puede ser fuera de sí mismo *en* el todo como estructura del todo, ni tampoco estar fuera de sí mismo en el todo para negar de sí mismo su identidad con el todo. La negación no puede venirle al *esto* sino por un ser que tiene-de-ser a la vez presencia al todo del ser y al esto, es decir, por un ser ek-stático. La negación constitutiva del *esto,* como deja al *esto* intacto en tanto que ser en sí, como no opera una síntesis real de todos los estos en totalidad, es una negación de tipo *externo,* y la relación entre el esto y el todo es una relación de exterioridad. Así, vemos aparecer la determinación como negación externa correlativa de la negación interna, radical y ek-stática que *yo* soy. Esto explica el carácter ambiguo del *mundo,* que se devela a la vez como totalidad sintética y como colección puramente aditiva de todos los "estos". En efecto: en tanto que el mundo es totalidad que se devela como aquello sobre lo cual el Para-sí tiene-de-ser radicalmente su propia nada, el mundo se ofrece como sincretismo de indiferenciación. Pero, en tanto que esta nihilización radical está siempre *a* allende una nihilización concreta y presente, el mundo parece siempre presto a abrirse como una caja para dejar aparecer uno o varios *estos,* que *eran ya,* en el seno de la indiferenciación del fondo, lo que son ahora como forma diferenciada. Así, al acercarnos progresivamente a un paisaje que se nos daba en grandes masas, vemos aparecer objetos que se dan como habiendo sido ya ahí a título de elementos de una colección discontinua de *estos;* así también, en las experiencias de la *gestalttheorie,* el fondo continuo, cuando se lo aprehende como forma, se quiebra en multiplicidad de elementos discontinuos. Así el mundo, como correlato de una totalidad destotalizada, aparece como totalidad evanescente, en el sentido de que no es nunca síntesis real, sino limitación ideal de una colección de *estos* por el nada. Así, el *continuo* como cualidad formal del fondo deja aparecer a lo discontinuo como tipo de la relación externa entre el *esto* y la totalidad. Precisamente esta perpetua evanescencia de la totalidad en colección, de lo continuo en discontinuo, recibe el nombre de *espacio.* El espacio, en efecto, no puede ser un *ser.* Es una relación móvil entre seres que no tienen entre sí relación alguna. Es la total independencia de los en-síes, en tanto que ésta se devela a un ser que es presencia a "todo" el en-sí como independencia *de los unos respecto de los otros;* es la manera única en que pueden revelarse seres como carentes de toda relación entre sí, al ser por el cual la relación viene al mundo; es decir, la exterioridad pura. Y como esta exterioridad no puede pertenecer ni a uno ni a otro de los *estos* considerados, y, por otra parte, en tanto que negatividad puramente local es destructiva de sí misma, no puede ni ser por sí misma ni "ser sida". El ser espacializador es el Para-sí en tanto que copresente al todo y al esto; el espacio no es el mundo sino la inestabilidad del mundo captado como totalidad, un tanto que puede siempre desagregarse en multiplicidad externa. El espacio no es el fondo ni la forma, sino la idealidad del fondo un tanto que puede siempre desagregarse en formas; no es ni lo continuo ni lo discontinuo, sino el tránsito permanente de lo continuo a lo discontinuo La existencia del espacio es la prueba de que el Para-sí al hacer *que haya* ser no añade *nada* al ser; es la idealidad de la síntesis. En este sentido, es a la vez totalidad, en la medida en que toma del mundo su origen, y *nada*, en tanto que termina en una pululación de *estos*. No se deja aprehender por la intuición concreta, pues no es, sino que es continuamente espacializado. Depende de la temporalidad y aparece en la temporalidad en tanto que no puede venir al mundo sino por un ser cuyo modo de ser es la temporalización, pues es la manera en que este ser se pierde ek-státicamente para realizar el ser. La característica espacial del *esto* no se le agrega sintéticamente, sino que es solamente su *sitio*, es decir, su relación de exterioridad con el fondo, en tanto que esta relación puede desmoronarse en multiplicidad de relaciones externas con otros *estos* cuando el fondo mismo se desagrega en multiplicidad de formas. En este sentido, vano sería concebir el espacio como una forma impuesta a los fenómenos por la estructura *a priori* de nuestra sensibilidad: el espacio no podría ser una forma, pues no es *nada*: es, al contrario, la señal de que nada sino la negación –y ello sólo como tipo de relación externa que deja intacto lo por ella unido– puede venir al en-sí por medio del Para-sí. En cuanto al Para-sí, si no es el espacio, es lo que se aprehende precisamente como no siendo el-en-sí en tanto que el en-sí se le devela en el modo de exterioridad llamado extensión. Precisamente en tanto que niega de sí mismo la exterioridad al captarse como ek-stático, espacializa al espacio. Pues el Para-sí no está con el en-sí en una relación de yuxtaposición o de exterioridad indiferente: su relación con el en-sí como fundamento de todas las relaciones es la negación interna; y él es, al contrario, aquello por lo cual el ser-en-sí viene a la exterioridad indiferente con respecto a otros seres existentes en un mundo. Cuando la exterioridad de indiferencia es hipostasiada como sustancia existente en sí y por sí –lo que no puede producirse sino en un estadio inferior del conocimiento–, es objeto de un tipo particular de estudios con el nombre de geometría, y se convierte en una pura especificación de la teoría abstracta de las multiplicidades.

Queda por determinar qué tipo de ser es el de la negación externa en tanto que ésta viene al mundo por el Para-sí. Sabemos que no pertenece al *esto*: este diario no niega por sí mismo ser la mesa sobre la cual se destaca; si no, sería ek-státicamente fuera de sí en la mesa a la cual negara, y su relación con ella sería una negación interna: cesaría, por eso mismo, de ser en-sí para convertirse en para-sí. La relación determinativa del *esto* no puede pertenecer, pues, ni al *esto* ni al *aquello*; los cierne sin tocarlos, sin conferirles el menor carácter nuevo; los deja por lo que son. En este sentido debemos modificar la célebre fórmula de Spinoza: *"Omnis determinatio est negatio"*, cuya riqueza Hegel proclamaba infinita, y declarar más bien que toda determinación que no pertenezca al ser que tiene-de-ser sus propias determinaciones es negación ideal. Por otra parte, sería inconcebible que fuera de otro modo. Aun si consideráramos las cosas, a la manera de un psicologismo empiriocriticista, como contenidos puramente subjetivos, no se podría concebir que el sujeto realizara negaciones sintéticas internas entre esos contenidos, a menos de *serlos* en una inmanencia ek-stática radical que quitaría toda esperanza de un tránsito a la objetividad. Con mayor razón, nos es imposible imaginar que el Para-sí opere negaciones sintéticas deformantes entre trascendentes que él no es. En este sentido, la negación externa constitutiva del esto no puede parecer un carácter *objetivo* de la cosa, si entendemos por objetivo lo que pertenece por naturaleza al en-sí, o lo que de una manera o de otra, constituye *realmente* al objeto como es. Pero no debemos concluir de aquí que la negación externa tenga una existencia subjetiva como puro modo de ser del Para-sí. Este tipo de existencia del Para-sí es pura negación interna; la existencia de una negación externa en él sería dirimente con respecto a su existencia misma. La negación externa no puede ser, por consiguiente, una manera de disponer y clasificar los fenómenos en tanto que éstos fueran sólo fantasmas subjetivos; tampoco puede "subjetivizar" al ser, en tanto que su develación es constitutiva del Para-sí. Su exterioridad misma exige, pues que permanezca "en el aire", *exterior* tanto al Para-sí como al En-sí. Pero, por otra parte, precisamente porque es exterioridad, ella no puede ser por sí; deniega todos los soportes; es *unselbstständig* por naturaleza y, por ende, no puede referirse a sustancia alguna. Es un *nada*. Precisamente porque el tintero no es la mesa –ni tampoco la pipa, ni el vaso, etc.–, podemos captarlo como tintero. Y, empero, si digo: el tintero no es la mesa, no *pienso nada*. Así, la determinación es un *nada* que no pertenece a título de estructura interna ni a la cosa ni a la conciencia, sino que su ser es *ser-citado* por el Para-sí a través de un sistema de negaciones internas en las cuales el en-sí se devela en su indiferencia a todo lo que es él mismo. En tanto que el Para-sí se hace anunciar por el En-sí aquello que no es él, en el modo de la negación interna, la indiferencia del En-sí en tanto que indiferencia que el Para-sí tiene-de-ser se revela en el mundo como determinación.

III

Cualidad y cantidad, potencialidad, utensilidad

La cualidad no es sino el ser del *esto* cuando se lo considera fuera de toda relación externa con el mundo o con otros *esto*. Se la ha concebido harto a menudo como una simple determinación subjetiva, y su ser-cualidad ha sido confundido entonces con la subjetividad de lo psíquico. El problema pareció estar entonces, sobre todo, en explicar la constitución de un polo-objeto, concebido como la unidad trascendente de las cualidades. Hemos mostrado que este problema es insoluble. Una cualidad no se objetiva si es subjetiva. De suponer que hayamos proyectado la unidad de un polo-objeto allende las cualidades, cada una de éstas, cuando mucho, se daría directamente como el efecto subjetivo de la acción de las cosas sobre nosotros. Pero lo amarillo del limón no es un modo subjetivo de aprehensión del limón: *es* el limón. No es cierto tampoco que el *x*-objeto aparezca como la forma vacía que retiene juntas cualidades dispares. De hecho, el limón está íntegramente extendido a través de sus cualidades, y cada una de éstas está extendida a través de todas las demás. La acidez del limón es amarilla, lo amarillo del limón es ácido; se come el color de un postre, y el gusto de este postre es el instrumento que devela su forma y su color a lo que llamaremos la intuición alimentaria; recíprocamente, si sumerjo el dedo en un frasco de mermelada, el frío pringoso de la mermelada es la revelación a mis dedos de su gusto azucarado. La fluidez, la tibieza, el color azulado, la movilidad ondulante del agua de una piscina se dan juntas las unas a través de las otras, y esta interpenetración total es lo que se llama el *esto*. Así lo han mostrado claramente las experiencias de los pintores, y de Cézanne en particular: no es cierto, como cree Husserl, que una necesidad sintética una incondicionalmente el color y la forma, sino que la forma es color y luz; si el pintor hace variar uno cualquiera de esos factores, los otros varían también, no porque estén ligados por quién sabe qué ley, sino porque en el fondo son un solo y mismo ser. En este sentido, toda cualidad del ser es todo el ser; es la presencia de su absoluta contingencia, es su irreductibilidad de indiferencia; la captación de la cualidad no agrega nada al ser, sino el hecho de *que haya ser* como *esto*. En tal sentido, la cualidad no es un aspecto exterior del ser; pues el ser, no teniendo un "adentro", no puede tener un "afuera". Simplemente, para que haya cualidad, es menester que *haya* ser para una nada que por naturaleza *no sea* el ser. Empero, el ser no es *en sí* cualidad, aunque no sea nada más ni nada menos. Sólo que la cualidad es el *ser íntegro* en cuanto se devela en los límites del "hay". No es el *afuera* del ser; es todo el ser en tanto que no puede haber ser *para* el ser sino solamente para aquel que se hace no ser él. La relación entre el Para-sí y la cualidad es relación ontológica. La intuición de la cualidad no es la contemplación pasiva de algo dado, y la mente no es un En-sí que permanezca lo que es en esa contemplación, es decir, que permanezca en el modo de la indiferencia con respecto al *esto* contemplado. Sino que el Para-sí se hace anunciar por la cualidad lo que él no es. Percibir lo rojo como color de este cuaderno es reflejarse uno mismo como negación interna de esta cualidad. Es decir, que la aprehensión de la cualidad no es "repleción" *(Erfühlung)*, como lo quiere Husserl, sino información de un vacío como vacío determinado *de* esa cualidad. En este sentido, la cualidad es presencia perpetuamente fuera de alcance. Las descripciones del conocimiento son harto frecuentemente alimentarias. Queda aún mucho de prelogismo en la filosofía epistemológica, y no nos hemos desembarazado aún de la ilusión primitiva (de que daremos cuenta luego) según la cual conocer es comer, es decir, ingerir el objeto conocido, llenarse de él *(Erfühlung)* y digerirlo ("asimilación"). Nos daremos cuenta mejor del fenómeno originario de la percepción insistiendo en el hecho de que la cualidad se mantiene, con respecto a nosotros, en una relación de proximidad absoluta –es *ahí,* nos infesta– sin darse ni denegarse; pero hemos de agregar que esta proximidad implica una distancia. La cualidad es lo inmediatamente fuera de alcance; lo que, por definición, nos indica a nosotros mismos como vacío; aquello cuya contemplación no puede sino acrecentar nuestra sed de ser, como la vista de los alimentos fuera de alcance aumentaba el hambre de Tántalo. La cualidad es la indicación de lo que nosotros no somos y del modo de ser que nos es denegado. La percepción de lo blanco es conciencia de la imposibilidad de principio de que el Para-sí exista como color, es decir, como siendo lo que es. En este sentido, no sólo el ser no se distingue de sus cualidades, sino también toda aprehensión de cualidad es aprehensión de un *esto;* la cualidad, cualquiera que fuere, se nos devela como un ser. El olor que aspiro de pronto con los ojos cerrados, aun antes de entrar yo en relación con un objeto oloroso, es ya un *ser-olor* y no una impresión subjetiva; la luz que hiere mis ojos por la mañana, a través de mis párpados es ya un ser-luz. Esto resultará evidente a poco que se reflexione en que la cualidad *es.* En tanto que ser que es lo que es, bien puede *aparecer* a una subjetividad, pero no puede insertarse en la trama de esta subjetividad, que es lo que no es y no es lo que es. Decir que la cualidad es un ser-cualidad no significa en modo alguno dotarla de un soporte misterioso análogo a la sustan-

cia; es simplemente hacer notar que su modo de ser es radicalmente diverso del modo de ser "para-sí". El ser de la blancura
o de la acidez, en efecto no podría ser captado en modo alguno como ek-stático. Si se pregunta ahora cómo es posible que
el "esto" tenga "tales" cualidades, responderemos que, de
hecho, el *esto* se libera como totalidad sobre fondo de mundo
y que se da como unidad indiferenciada. Sólo el para-sí puede
negarse desde diferentes puntos de vista frente al *esto* y devela
la cualidad como un nuevo *esto* sobre fondo de cosa. A cada
acto negador por el cual la libertad del Para-sí constituye espontáneamente su ser, corresponde una develación total del ser "por
un perfil". Este perfil no es nada más que una relación entre la
cosa y el Para-sí realizada por el propio Para-sí. Es la determinación absoluta de la negatividad: pues no basta que el para-
sí, por una negación originaria, no *sea* el ser, ni que no sea
este ser: es menester aún, para que su determinación como
nada de ser sea plenaria, que se realice como cierta manera
irremplazable de no ser *este* ser: y tal determinación absoluta
que es determinación de la cualidad como perfil del esto, pertenece a la libertad del Para-sí, ella *no es:* ella es como "de-
ser": cada cual puede darse cuenta de ello considerando hasta
qué punto la develación de *una* cualidad de la cosa aparece
siempre como una gratuidad de hecho captada *a través* de tira
libertad: no puedo hacer que esta corteza no sea verde, pero
yo soy quien me hago captarla como verde-rugoso o como rugo-
sidad-verde. Sólo que la relación forma-fondo es aquí bastante
diferente de la relación entre *esto* y mundo. Pues la forma, en vez
de aparecer sobre un fondo indiferenciado, está enteramente
penetrada por el fondo, lo retiene en sí como su propia densidad
indiferenciada. Si capto la corteza como verde, su "luminosi-
dad-rugosidad" se devela como fondo interno indiferenciado
y plenitud de ser del verde. No hay aquí abstracción alguna,
en el sentido en que la abstracción separa lo que está unido, pues
el ser aparece siempre íntegro en su perfil. Pero la realización
de este ser condiciona la abstracción, pues la abstracción no es
la aprehensión de una cualidad "en el aire", sino de una cuali-
dad-esto en que la indiferenciación del fondo interno tiende al
equilibrio absoluto. El verde abstracto no pierde su densidad

de ser –si no, no sería ya nada más que un modo subjetivo del para-sí–, sino que la luminosidad, la forma, la rugosidad, etc., que se dan a través de él se funden en el equilibrio nihilizador de la pura y simple *masividad*. La abstracción es, empero, un fenómeno de presencia al ser, ya que el ser abstracto conserva su trascendencia. Pero no podría realizarse sino como presencia al ser allende el ser: es un trascender. Esta presencia del ser no puede ser realizada sino al nivel de la posibilidad y en tanto que el Para-sí tiene de ser sus propias posibilidades. Lo abstracto se devela como el sentido que la cualidad tiene de ser en tanto que copresente a la presencia de un para-sí por venir. Así, el verde abstracto es el sentido-por-venir del *esto* concreto en tanto que éste se me revela por su perfil "verde-luminoso-rugoso"; es la posibilidad propia de este-perfil en tanto que ésta se revela a través de las posibilidades que soy, es decir, en tanto que *es sida*. Pero esto nos remite a la utensilidad y a la temporalidad del mundo: volveremos sobre ello. Bástenos decir por el momento que lo abstracto infesta a lo concreto como una posibilidad fijada en el en-sí que lo concreto tiene-de-ser. Cualquiera que fuere nuestra percepción, como contacto original con el ser, lo abstracto está siempre *ahí* pero *por venir*, y lo capto en el porvenir y con mi porvenir: es correlativo de la posibilidad propia de mi negación presente y concreta en tanto que posibilidad de *no ser más que* esta negación. Lo abstracto es el sentido de *esto* en tanto que se revela al porvenir a través de mi posibilidad de fijar en en-sí la negación que tengo-de-ser. Si se nos recuerdan las aporías clásicas de la abstracción, responderemos que provienen de haber supuesto distintos la constitución del esto y el acto de abstracción. No cabe duda de que si el *esto* no comporta sus propios abstractos, no hay posibilidad ninguna de extraerlos luego de él. Pero la abstracción, como revelación del perfil a mi porvenir, se opera en la constitución misma del *esto* como *esto*. El Para-sí es "abstractor" no porque pueda realizar una operación psicológica de abstracción, sino porque surge como presencia al ser con un porvenir, es decir, con un allende el ser. En-sí, el ser no es ni concreto ni abstracto, ni presente ni futuro: es lo que es. Empero, la abstracción no lo enriquece: no es sino la develación de una nada de ser allende el ser. Pero desafiamos a formular las objeciones clásicas contra la abstracción sin derivarlas implícitamente de la consideración del ser como un *esto*.

La relación originaria de los *estos* entre sí no podría ser ni la interacción, ni la causalidad ni aun el surgimiento sobre el mismo fondo de mundo. Si, en efecto, suponemos al Para-sí presente a un *esto*, los demás estos existen al mismo tiempo "en el mundo", pero a título indiferenciado: constituyen el fondo sobre el cual el *esto* considerado se destaca en relieve. Para que una relación cualquiera se establezca entre un *esto* y *otro esto*, es menester que el segundo esto se devele surgiendo del fondo del mundo con ocasión de una negación expresa que el Para-sí tiene-de-ser. Pero conviene, al mismo tiempo, que cada *esto* sea mantenido a distancia del otro *como no siendo* el otro, por una negación de tipo puramente externo. Así, la relación originaria entre *esto* y *aquello* es una negación externa. *Aquello* aparece como no siento *esto*. Y tal negación externa se devela al Para-sí como un trascendente; está afuera, es *en-sí*. ¿Cómo debemos comprenderla?

La aparición del *esto-aquello* no puede producirse, ante todo, sino como totalidad. La relación primera es aquí la unidad de una totalidad desagregable; el Para-sí se determina en bloque a no ser "esto-aquello" sobre fondo de mundo. El "esto-aquello" es mi habitación entera en tanto que yo le estoy presente. Esta negación concreta no desaparecerá con la desagregación del bloque concreto en esto y aquello. Al contrario, ella es la condición misma de la desagregación. Pero sobre ese fondo de presencia y por ese fondo de presencia, el ser hace aparecer su exterioridad de indiferencia; ésta se me devela en cuanto que la negación que yo soy es una unidad-multiplicidad más bien que una totalidad indiferenciada. Mi surgimiento negativo al ser se fragmenta en negaciones independientes que no tienen entre sí otro nexo que el de ser negaciones que tengo-de-ser, es decir, que toman su unidad interna de mí y no del ser. Soy presente a esta mesa, a estas sillas, y como tal me constituyo sintéticamente como negación polivalente; pero esta negación puramente interna, en tanto que es negación *del* ser, está transida por zonas de nada; ella se nihiliza a título de negación, es la negación destotalizada. A través de estas estrías de nada que tengo-de-ser como mi propia nada de negación, aparece la indiferencia del ser. Pero esta indiferencia tengo-de realizarla por esa nada de negación que tengo-de-ser, no en tanto que soy originariamente presente al esto, sino en tanto que soy presente también al aquello. En mi presencia y por mi presencia a la mesa realizo la indiferencia de la silla –la cual, precisamente, también tengo-de-no-ser– como una ausencia de trampolín, como una detención de mi impulso hacia no ser..., como una ruptura de circuito. *Aquello* aparece junto a esto, en el seno de una develación totalitaria, como aquello de que no puedo aprovecharme en absoluto para determinarme a no ser esto. Así, el clivaje proviene del ser, pero *no hay* clivaje y separación sino por la presencia del Para-sí a todo el ser. La negación de la unidad de las negaciones en tanto que es develación de la indiferencia del ser y capta la indiferencia del esto sobre el aquello y la del aquello sobre el *esto,* es develación de la relación originaria de los *estos* como negación externa. El esto no es aquello. Esta negación externa en la unidad de una totalidad desagregable se expresa por la palabra "y". "Esto no es aquello" se escribe "esto y aquello". La negación externa tiene el doble carácter de ser-en-sí y de ser idealidad pura. Es en-sí, en cuanto que no pertenece en modo alguno al Para-sí; y hasta ocurre que el Para-sí descubre la indiferencia del ser como exterioridad a través de la interioridad absoluta de su negación propia (ya que, en la intuición estética, aprehendo un objeto imaginario). No se trata en modo alguno, por otra parte, de una negación que el ser tenga-de-ser: ella no pertenece a ninguno de los *estos* considerados, sino que pura y simplemente *es;* es lo que es. Pero, a la vez, no es en modo alguno un carácter del *esto,* no es como una de sus cualidades. Hasta es totalmente independiente de los *estos,* precisamente porque no es ni del uno ni del otro. Pues la indiferencia del ser no es *nada;* no podemos ni pensarla, ni siquiera percibirla. Significa pura y simplemente que la aniquilación o las variaciones del *aquello* no pueden comprometer en absoluto a los *estos;* en tal sentido, esa negación es sólo una *nada* en-sí que separa los estos, y esta nada es la única manera en que la conciencia puede realizar la cohesión de identidad que caracteriza al ser. Esta nada ideal y en-sí es la *cantidad*. La cantidad, en efecto, es exterioridad pura; no depende en modo alguno de los términos adicionados, y no es sino la afirmación de la independencia de los mismos. Contar es hacer una discriminación ideal en el interior de una totalidad desagregable ya dada. El número obtenido por la adición no pertenece a ninguno de los *estos* contados, ni tampoco a la totalidad desagregable en tanto que se devela como totalidad. Si cuento esos tres hombres que hablan ahí delante, no lo hago en tanto que los capto de entrada como "grupo en conversación"; y el hecho de contarlos como *tres* deja perfectamente intacta la unidad concreta del grupo. Ser "grupo de tres" no es una propiedad concreta del grupo. Pero tampoco es una propiedad de sus miembros. De ninguno de ellos puede decirse que sea tres, ni aun que sea *tercero*, pues la cualidad de tercero no es sino un reflejo de la libertad del para-sí que cuenta: cada uno de ellos puede ser tercero, y ninguno lo es. La relación de cantidad es, pues, una relación en-sí, pero puramente negativa, de exterioridad. Y precisamente porque no pertenece ni a las cosas ni a las totalidades, se aísla y se destaca en la superficie del mundo como un reflejo de nada sobre el ser. Siendo pura relación de exterioridad entre los estos, es ella misma exterior a los estos y, para concluir, exterior a sí misma. Es la incaptable indiferencia del ser, que no puede aparecer excepto *si hay* ser, y que, aunque perteneciente al ser, no puede venirle sino de un para-sí, en tanto que esa indiferencia no puede develarse sino por la exteriorización al infinito de una relación de exterioridad que debe ser exterior al ser y a sí misma. Así, pues, espacio y cantidad no son sino un solo y mismo tipo de negación. Por el solo hecho de que *esto* y *aquello* se develan como no teniendo ninguna relación conmigo, que soy mi propia relación, el espacio y la cantidad vienen al mundo, pues uno y otra son la relación de las cosas que no tienen ninguna relación, o, si se prefiere, la nada de relación captada como relación por el ser que es su propia relación. Por eso mismo, puede verse que lo que con Husserl se llaman las *categorías* (unidad-multiplicidad-relación de todo a parte; más y menos; en torno de; junto a; luego de; primero, segundo, etc.; uno, dos, tres, etc.; en y fuera de; etc., etc.) no son sino tejemanejes[1] ideales de las cosas, que las dejan enteramente intactas, sin enriquecerlas o empobrecerlas ni jota, y que indican solamente la infinita diversidad de maneras en que la libertad del para-sí puede realizar la indiferencia del ser.

Hemos tratado el problema de la relación original entre el para-sí y el ser como si el para-sí fuese una simple conciencia instantánea, tal como puede revelarse al *cogito* cartesiano. A decir verdad, ya hemos encontrado la huida a sí del para-sí en tanto que condición necesaria de la aparición de los *estos* y de los abstractos. Pero el carácter ek-stático del para-sí no estaba aún sino implícito. Si hemos debido proceder de ese modo para claridad de exposición, no ha de concluirse por ello que el ser se revela a un ser que sea primeramente presencia para constituirse después un futuro: el ser-en-sí se devela a un ser que surge como porvenir para sí mismo. Esto significa que la negación que el para-sí se hace ser en presencia del ser tiene una dimensión ek-stática de porvenir: en tanto que no soy lo que soy (relación ek-stática con mis propias posibilidades), tengo-de-no-ser el ser-en-sí como realización develadora del *esto*. Ello significa que soy presencia al esto en la inconclusión de una totalidad destotalizada. ¿Qué resulta de aquí para la develación del *esto*?

En tanto que soy siempre allende lo que soy, por-venir de mí mismo, el esto al cual soy presente se me aparece como algo que trasciendo hacia mí mismo. Lo percibido es originariamente lo trascendido; es como un conductor del circuito de la ipseidad, y aparece en los límites de este circuito. En la medida en que me hago ser negación del *esto*, huyo de esta negación hacia una negación complementaria cuya fusión con la primera deberá hacer aparecer al en-sí que soy; y esta negación posible está en conexión de ser con la primera; no es una negación cualquiera, sino precisamente la negación complementaria de mi presencia a la cosa. Pero, como el para-sí se constituye, en tanto que presencia, como conciencia no-posicional *(de)* sí, se

---

[1] *Brassages*, literalmente, "acción de mezclar batiendo o meneando, como para fabricar cerveza", y de ahí los sentidos metafóricos. (N. del T.)

hace anunciar fuera de sí, por el ser, lo que él no es; recupera su ser afuera, en el modo "reflejo-reflejante"; la negación complementaria que él es como su posibilidad propia es, pues, negación-presencia; es decir, que el para-sí tiene-de-ser la como conciencia no-tética (de) sí y como conciencia tética del ser-allende-el-ser. Y el ser-allende-el-ser está vinculado al *esto* presente, no por una relación cualquiera de exterioridad, sino por un nexo preciso de complementaridad que se mantiene en exacta correlación con la relación entre el para-sí y su porvenir. Y, ante todo, el *esto* se devela en la negación de un ser que se hace no ser esto, no a título de simple presencia, sino como negación por-venir a sí misma, que es su propia posibilidad allende su presente. Y esta posibilidad que infesta a la pura presencia como su sentido fuera de alcance y como aquello que le falta para ser *en sí,* es ante todo como una proyección de la negación presente a título de comprometimiento. En efecto, toda negación que no tuviera allende sí misma, en lo futuro, como posibilidad que viene a ella y hacia la cual ella se huye, el sentido de un comprometimiento, perdería toda significación de negación. Lo que el para-sí niega, lo niega "con dimensión de porvenir", ya se trate de una negación externa: esto no es aquello, esta silla no es una mesa, ya de una negación interna referida a sí mismo. Decir que "esto, no es aquello" es poner la exterioridad del esto con respecto al aquello, sea para ahora y para el porvenir, sea en el estricto "ahora"; pero entonces la negación tiene un carácter *provisional* que constituye al por venir como pura exterioridad con respecto a la determinación presente "esto y aquello". En ambos casos, el sentido viene a la negación a partir del futuro; toda negación es ekstática. En tanto que el para-sí se niega en el porvenir, el *esto* de que se hace negación se devela como viniendo a él mismo del porvenir. La posibilidad que la conciencia es no téticamente como conciencia (de) poder no ser esto se devela como *potencialidad* del esto de ser lo que es. La primera potencialidad del objeto, como correlato del comprometimiento, estructura ontológica de la negación, es la *permanencia,* que viene perpetuamente a él del fondo del porvenir. La develación de la mesa como mesa exige una permanencia *de* la mesa que le viene del futuro y que no es un *dato* puramente verificado, sino una potencialidad. Esa permanencia, por otra parte, no le viene a la mesa desde un futuro situado en el infinito temporal: el tiempo infinito no existe aún; la mesa no se devela como teniendo la posibilidad de ser indefinidamente mesa. El tiempo de que aquí se trata no es ni finito ni infinito: simplemente, la potencialidad hace aparecer la dimensión del futuro.

Pero el sentido por-venir de la negación es ser lo que falta a la negación del para-sí para convertirse en negación *en sí*. En tal sentido, la negación es, en el futuro, precisión de la negación presente. En el futuro se devela el sentido exacto de lo que tengo de-no-ser, como correlato de la negación exacta que tengo-de-ser. La negación polimorfa del *esto* en que el verde está formado por una totalidad "rugosidad-luz" no cobra su sentido a menos que ella tenga de ser negación *del* verde, es decir, de un ser-verde cuyo fondo tiende hacia el equilibrio de indiferenciación: en una palabra, el sentido-ausente de mi negación polimorfa es la prieta[1] negación de un verde más puramente verde sobre fondo indiferenciado. Así, el verde puro viene al "verde-rugosidad-luz" desde el fondo del porvenir como su sentido. Captamos aquí el sentido de lo que hemos llamado *abstracción*. El existente no *posee* su esencia como una cualidad presente. Hasta es negación de la esencia: el verde *no es jamás* verde. La esencia viene al existente desde el fondo del porvenir, como un sentido que nunca es dado y que lo infesta siempre. Es el puro correlato de la idealidad pura de mi negación. En este sentido, nunca hay operación abstractiva, entendiendo por tal un acto psicológico y afirmativo de selección operado por una mente constituida. Lejos de que se abstraigan ciertas cualidades partiendo de las cosas, ha de verse, al contrario, que la abstracción como modo de ser originario del para-sí es necesaria para que haya en general cosas y un mundo. Lo abstracto es una estructura del mundo necesaria para el surgimiento de lo concreto, y lo concreto no es concreto sino en tanto que va hacia su abstracto, en tanto que se hace anunciar por lo abstracto lo que él es: el para-sí es develante-abstrayente en su ser. Se ve que, desde este punto de vista, la permanencia y

---

[1] *Une négation resserrée.* (N. del T.)

lo abstracto son uno y lo mismo. La mesa, en tanto que mesa, tiene una potencialidad de permanencia en la medida en que tiene-de-ser mesa. La permanencia es pura posibilidad para un "esto" de ser conforme a su esencia.

Hemos visto, en la segunda parte de esta obra, que el posible, que soy y el presente que hubo están entre sí en la relación de lo faltante con lo falto. La fusión ideal de lo faltante con aquello a quien falta lo faltante, como totalidad irrealizable, infesta al para-sí y lo constituye en su ser mismo como nada de ser. Es, decíamos, el en-sí-para-sí o el *valor*. Pero este valor no es, en el plano irreflexivo captado téticamente por el para-sí; es sólo condición de ser. Si nuestras deducciones son exactas, esta indicación perpetua de una fusión irrealizable debe aparecerse no como estructura de la conciencia irreflexiva, sino como indicación trascendente de una estructura ideal del objeto. Esta estructura puede develarse fácilmente; correlativamente a la indicación de una fusión de la negación polimorfa con la negación abstracta que es su sentido, debe develarse una indicación trascendente e ideal: la de una fusión del esto existente con su esencia por-venir. Y esta fusión debe ser tal que lo abstracto sea fundamento de lo concreto y, simultáneamente, lo concreto fundamento de lo abstracto; en otros términos, la existencia concreta "en carne y hueso" debe ser la esencia, la esencia debe producirse a sí misma como concreción total, es decir, con la plena riqueza de lo concreto, sin que, empero, podamos encontrar en ella otra cosa que ella misma en su total pureza. O, si se prefiere, la forma debe ser por sí misma –y totalmente– su propia materia. Recíprocamente, la materia debe producirse como forma absoluta. Esta fusión imposible y perpetuamente indicada de la esencia y de la existencia no pertenece al presente ni al porvenir; indica, más bien, la fusión del pasado, del presente y del porvenir, y se presenta como síntesis-*de-operarse* de la totalidad temporal. Es el valor en tanto que transcendencia; es lo que se llama la *belleza*. La belleza representa, pues, un estado ideal del mundo, correlativo de una realización ideal del para-sí, en que la esencia y la existencia de las cosas se develaría como identidad a un ser que, en esta develación misma, se fundiría consigo mismo en la unidad absoluta del en-sí. Precisamente porque lo bello no es sólo una síntesis trascendente de-operar sino que no puede realizarse excepto en y por una totalización de nosotros mismos, precisamente por eso *queremos* lo bello y captamos el universo como *falto* de belleza, en la medida en que nosotros mismos nos captamos como falta. Pero, así como el en-sí-para-sí no es una posibilidad propia del para-sí, así tampoco lo bello es una potencialidad de las cosas. Lo bello infesta al mundo como un irrealizable. Y, en la medida en que el hombre *realiza* lo bello en el mundo, lo realiza en el modo imaginario. Esto significa que en la intuición estética aprehendo un objeto imaginario a través de una realización imaginaria de mí mismo como totalidad en-sí y para-sí. De ordinario, lo bello, como valor, no es temáticamente explicitado como valor-fuera-de-alcance-del-mundo. Es implícitamente aprehendido en las cosas como una ausencia; se devela implícitamente a través de la *imperfección* del mundo.

Estas potencialidades originarias no son las únicas que caracterizan al *esto*. En efecto: en la medida en que el para-sí tiene-de-ser su ser allende su presente, es develación de un más allá del ser cualificado que viene al esto del fondo del ser. En tanto que el para-sí es allende el cuarto creciente, junto a un ser-allende-el-ser que es la luna llena futura, la luna llena se convierte en potencialidad del cuarto creciente; en tanto que el para-sí es allende el capullo, junto a la flor, la flor es potencialidad del capullo. La develación de estas nuevas potencialidades implica una relación originaria con el pasado. En el pasado se ha descubierto poco a poco el nexo entre cuarto creciente y luna, entre capullo y flor. Y el pasado del para-sí es para el para-sí como saber. Pero este saber no permanece como algo dado e inerte. Está detrás del para-sí, sin duda, incognoscible como tal y fuera de alcance. Pero, en la unidad ek-stática de su ser, a partir de ese pasado el para-sí se hace anunciar lo que él es en porvenir. Mi saber acerca de la luna me escapa en tanto que conocimiento temático. Pero yo *lo soy* y mi manera de ser es –por lo menos en ciertos casos– hacer venir a mí lo que yo no soy ya en la forma de lo que no soy aún. Esta negación del *esto* –que yo he sido–, la soy doblemente: en el modo del no ser ya y del no ser aún. Soy allende el cuarto creciente como posibilidad de una negación radical de la luna como disco pleno, y, correlativamente al retorno de mi negación futura hacia mi presente, la luna llena se vuelve hacia el cuarto creciente para determinarlo en *esto* como negación: ella es lo que le falta, y esto que le falta lo hace ser como cuarto creciente. Así, en la unidad de una misma negación ontológica, atribuyo la dimensión de futuro al cuarto creciente en tanto que tal –en forma de permanencia y de esencia– y lo constituyo como cuarto creciente por la determinante reversión hacia él de aquello que le falta. Así se constituye la gama de las potencialidades, que va desde la permanencia hasta las *potencias*. La realidad-humana, al trascenderse hacia su propia posibilidad de negación, se hace ser aquello por lo cual la negación por trascendencia viene al mundo; por la realidad humana viene la *falta* a las cosas en forma de "potencia", "inconclusión", "aplazamiento", "potencialidad".

Empero, el ser trascendente de la falta no puede tener la naturaleza de la falta ek-stática en la inmanencia. Veámoslo mejor. El en-sí no tiene-de-ser su propia potencialidad en el modo del aún no. La develación del en-sí es originariamente develación de la identidad de indiferencia. El en-sí es lo que es sin ninguna dispersión ek-stática de su ser. No tiene-*de-ser*, pues, su permanencia o su esencia o lo faltante que le falta, como yo tengo-de-ser mi porvenir. Mi surgimiento en el mundo hace surgir correlativamente las potencialidades. Pero estas potencialidades se fijan en su surgimiento mismo; están roídas por la *exterioridad*. Nuevamente encontramos aquí ese doble aspecto de lo trascendente, que, en su ambigüedad misma, ha dado nacimiento al espacio: una totalidad que se desmenuza en relaciones de exterioridad. La potencialidad se revierte desde el fondo del porvenir sobre el *esto* para determinarlo, pero la relación del *esto* como en-sí con su potencialidad es una relación de exterioridad. El cuarto creciente está determinado como *falto*[1] o *privado de,* con respecto a la luna llena. Pero, al mismo tiempo,

---

[1] En el texto, *manquant,* que es lo traducido hasta ahora (cf. segunda parte, cap. I § III) como "faltante". La palabra francesa, en efecto, puede significar "faltante a" (*manquant à*) o "falto de" (*manquant de*); además, se ha visto en el lugar citado la relatividad mutua de lo faltante y lo falto (o "existente"). (N. del T.)

se devela como siendo plenamente lo que es, ese signo concreto en el cielo, que no necesita de nada para ser lo que es. Lo mismo ocurre con aquel capullo, o con esta cerilla, que es lo que es, para la cual su sentido de ser-cerilla permanece exterior, que *puede* sin duda encenderse pero que, actualmente, es este cabo de madera blanca con cabecita negra. Las potencialidades del *esto,* bien que en conexión rigurosa, con él, se presentan como en-sí y son en estado de indiferencia con respecto a él. Este tintero *puede* ser quebrado, arrojado contra el mármol de la chimenea, donde se hará trizas. Pero esta potencialidad está enteramente escindida de él, pues no es sino el correlato trascendente de *mi* posibilidad de lanzarlo contra el mármol de la chimenea. En sí mismo, no es ni quebrable ni inquebrable: *es.* Esto no quiere decir que yo pueda considerar un *esto* fuera de toda potencialidad: por el solo hecho de ser yo mi propio futuro, el *esto* se devela como dotado de potencialidades; captar la cerilla como cabo de madera blanca con cabecita negra no es despojarla de toda potencialidad, sino simplemente conferirle otras nuevas (una nueva permanencia; una nueva esencia). Para que el *esto* estuviera enteramente desprovisto de potencialidades, sería menester que yo fuera un puro presente, lo que es inconcebible. Sólo que el *esto* tiene diversas potencialidades que son *equivalentes,* es decir, están en estado de equivalencia con respecto a él. Pues, en efecto, el esto no tiene-de-*serlas.* Además, mis posibles no son, sino que se posibilizan, porque están roídos desde dentro por mi libertad. Es decir que, cualquiera que sea mi posible, su contrario es igualmente posible. Puedo quebrar este tintero, pero lo mismo puedo guardarlo en una gaveta; puedo apuntar, allende el cuarto creciente, a la luna llena, pero puedo igualmente reclamar la presencia del cuarto como tal. En consecuencia, el tintero se encuentra dotado de posibles equivalentes: ser guardado, en una gaveta, ser quebrado. Este cuarto creciente puede ser una curva abierta en el cielo, o un disco en aplazamiento. A estas potencialidades, que se vuelven hacia el *esto* sin ser sidas por él y sin tener de serlo, las llamaremos *probabilidades,* para señalar que existen en el modo de ser del en-sí. Mis posibles no son: se posibilizan. Pero los probables, en cambio, no se "probabilizan": *son en sí,* en tanto que probables. En este sentido, el tintero *es,* pero su *ser-tintero* es un probable, pues el "tener-de-ser-tintero" del tintero es una pura apariencia que se funde en seguida en relación de exterioridad. Estas potencialidades o probabilidades que son el sentido del ser allende el ser, precisamente porque *son en-sí allende el ser,* son *nadas.* La esencia del tintero *es sida* como correlato de la negación posible del para-sí, pero ella no es el tintero ni tiene-de-serlo; en tanto que es en sí, es negación hipostasiada, reificada, es decir, precisamente, que es un nada, que pertenece a la faja[1] de nada que rodea y determina al mundo. El para-sí revela al tintero como tintero. Pero esta revelación se hace allende el ser del tintero, en ese futuro que no es; todas las potencialidades del ser, desde la permanencia hasta la potencialidad cualificadas, se definen como lo que el ser *no es aún* sin que jamás tenga verdaderamente *de-serlas.* Tampoco aquí el conocimiento agrega ni quita nada al ser; no lo adorna de ninguna cualidad nueva. Sólo hace que haya ser trascendiéndolo hacia una nada que no mantiene con él sino relaciones negativas de exterioridad: este carácter de pura nada de la potencialidad se manifiesta harto claramente en el proceso de las ciencias, que, proponiéndose establecer relaciones de simple exterioridad, suprime radicalmente lo potencial, es decir, la esencia y las potencias. Pero, por otra parte, su necesidad como estructura significativa de la percepción aparece con suficiente nitidez para que huelgue insistir: el conocimiento científico, en efecto, no puede ni superar ni suprimir la estructura potencializadora de la percepción; al contrario, la supone.

Hemos tratado de mostrar cómo la presencia del para-sí al ser devela a éste como *cosa;* y, para claridad de la exposición, hemos debido mostrar sucesivamente las diferentes estructuras de la cosa: el esto y la espacialidad, la permanencia, la esencia y las potencialidades. Va de suyo, empero, que esta exposición sucesiva no corresponde a una prioridad real de algunos de esos momentos sobre los otros: el surgimiento del

---

[1] *Manchon:* literalmente, al "manguito" con que se rodea al antebrazo. (N. del T.)

para-sí hace develarse la cosa con la totalidad de sus estructuras. No hay una de ellas, por otra parte, que no implique a todas las demás: el *esto* no tiene ni siquiera anterioridad lógica sobre la esencia: al contrario, la supone; y, recíprocamente, la esencia es esencia *de* esto. Análogamente, el esto como sercualidad no puede aparecer sino sobre fondo de mundo; pero el mundo es la colección de los *estos*; y la relación desagregativa entre el mundo y los *estos* es la especialidad. No hay aquí, pues, ninguna forma sustancial, ningún principio de unidad que se mantenga *detrás* de los modos de aparición del fenómeno: todo se da de una vez sin primacía. Por las mismas razones, sería erróneo concebir cualquier primacía de lo *representativo*. Nuestras descripciones, en efecto, nos han llevado a poner de relieve la *cosa en el mundo*, y, por este hecho, podríamos caer en tentación de creer que el mundo y la cosa se develan al para-sí en una especie de intuición contemplativa: sólo con posterioridad los objetos serían dispuestos entonces los unos respecto de los otros en un orden práctico de utensilidad. Tal error se evitará si se quiere considerar que el mundo aparece en el interior del circuito de la ipseidad. El mundo es lo que separa al para-sí de sí mismo, o, para utilizar una expresión heideggeriana: es aquello a partir de lo cual la realidad-humana se hace anunciar lo que ella es. Este proyecto hacia sí del para-sí, que constituye la ipseidad, no es en modo alguno reposo contemplativo. Es una falta, como hemos dicho, pero no una falta *dada*: es una falta que tiene-de-ser por sí misma su propia falta. Ha de comprenderse bien, en efecto, que una falta *constatada* o falta en-sí, se desvanece en exterioridad; lo hemos señalado en las páginas precedentes. Pero un ser que se constituye a sí mismo como falta no puede determinarse sino ahí, en *aquello* que le falta y que él *es*; en suma, por un arrancamiento perpetuo a sí hacia el sí que él tiene-de-ser. Esto significa que la falta no puede ser por sí misma su propia falta sino como *falta denegada*: el único nexo propiamente *interno* de lo que está falto de... con lo que le falta es la denegación. En efecto: en la medida en que el ser que está falto de... *no es* lo que le falta, captamos en él una negación. Pero, si esta negación no ha de desvanecerse en pura exterioridad –y, con ella, toda posibilidad de negación en general–, su fundamento está en la necesidad que tiene el ser falto de..., de *ser* lo que le falta. Así, el fundamento de la negación es negación de negación. Pero esta negación-fundamento no es algo *dado*, así como no lo es la falta de la cual ella es un momento esencial; esa negación-fundamento es como, teniendo-de-ser; el para-sí se hace ser, en la unidad fantasma "reflejo-reflejante", su propia falta, es decir, se proyecta hacia ella denegándola. Sólo como falta *de-suprimir* puede la falta ser falta interna para el para-sí, y el para-sí no puede realizar su propia falta sino teniendo-de-serla, es decir, siendo proyecto hacia su supresión. Así, la relación entre el para-sí y su porvenir nunca es estática ni dada: sino que el porvenir viene al presente del para-sí para determinarlo en su meollo mismo, en tanto que el para-sí está ya allá en el porvenir como su supresión. El para-sí no puede ser falta *aquí* si no es *allá* supresión de la falta; pero una supresión que él tiene-de-ser en el modo del no serlo. Esta relación originaria permite luego verificar empíricamente faltas particulares como faltas *padecidas* o *soportadas*. Ella es fundamento, en general, de la afectividad; y se intentará explicarla psicológicamente instalando en el psiquismo esos ídolos y fantasmas que se denominan *tendencias* o *apetitos*. Estas tendencias o estas fuerzas a las que se inserta por violencia en la psique no son comprensibles en sí mismas, pues el psicólogo las da como existentes en sí, es decir, que su carácter mismo de *fuerzas* está contradicho por su íntimo reposo de indiferencia, y su unidad se dispersa en pura relación de exterioridad. No podemos captarlas sino a título de proyección en el en-sí de una relación de ser inmanente del para-sí consigo, y esta relación ontológica es, precisamente, la *falta*.

Pero esta falta no puede ser captada téticamente y conocida por la conciencia irreflexiva (así como tampoco aparece a la reflexión impura y cómplice que la aprehende como objeto psíquico, es decir, como tendencia o como sentimiento). No es accesible sino a la reflexión purificadora, de la que no hemos de ocuparnos aquí. Así, pues, en el plano de la conciencia *del* mundo, esa falta no puede aparecerse sino en proyección, como carácter trascendente e ideal. En efecto, si lo que falta al para-sí es presencia ideal a un ser-allende-el-ser, el ser-allende-el-ser es originariamente captado como una falta-del-ser. Así, el mundo se devela como infestado por ausencias de-realizar, y cada *esto* aparece con un cortejo de ausencias que lo indican y determinan. Estas ausencias no difieren, en el fondo, de las potencialidades. Simplemente, les captamos mejor la significación. Así, las ausencias indican el *esto* como *esto*, e, inversamente, el *esto* apunta hacia las ausencias. Siendo cada ausencia ser-allende-el-ser, es decir, en-sí ausente, cada *esto* apunta hacia otro estado de su ser o hacia otros seres. Pero, claro está, esta organización en complejos indicativos se fija y petrifica en en-sí, puesto que de en-sí se trata, todas esas indicaciones mudas y petrificadas, que recaen en la indiferencia del aislamiento al mismo tiempo que surgen, se parecen a la sonrisa de piedra, a los ojos vacíos de una estatua. De modo que las ausencias que aparecen tras las cosas no aparecen como ausencias que *tengan-de-ser-presentificadas* por las cosas. No se puede decir tampoco que se develen como teniendo-de-ser-realizadas *por mí*, puesto que el yo es una estructura trascendente de la psique que aparece sólo a la conciencia reflexiva. Son exigencias puras que se yerguen como "vacíos de-llenar" en medio del circuito de ipseidad. Simplemente, su carácter de "vacíos de-llenar por el para-sí" se manifiesta a la conciencia irreflexiva por una urgencia directa y personal que es *vivida* como tal sin ser referida a *alguno* ni tematizada. En el hecho y por el hecho mismo de vivirlas como pretensiones se revela lo que hemos llamado en otro capítulo su ipseidad. Son las *tareas*; y este mundo es un mundo de *tareas*. Con relación a las tareas, el *esto* que ellas indican es a la vez "esto *de* esas tareas" –es decir, el en-sí único que se determina por ellas y que ellas indican como capaz de *cumplirlas*–, y aquello que en modo alguno tiene-de-*ser* esas tareas, ya que es en la unidad absoluta de la identidad. Esta conexión en el aislamiento, esta relación de inercia en lo dinámico, es lo que llamaremos la relación de medio a fin. Es un ser-para degradado, laminado por la exterioridad, y su idealidad trascendente no puede concebirse sino como correlato del ser-para que el para-sí tiene-de-ser. La cosa, en tanto que reposa a la vez en la quieta beatitud de la indiferencia y, empero, indica allende sí misma tareas de-cumplir que le anuncian lo que ella tiene-de-ser, es el instrumento o utensilio. La relación originaria de las cosas entre sí, la que aparece sobre el fundamento de la relación cuantitativa de los estos, es, pues, la relación de *utensilidad*. Y esta utensilidad no es posterior ni está subordinada a las estructuras antes indicadas: en cierto sentido, las supone; en otro, es supuesta por ellas. La cosa no es primeramente cosa para ser utensilio después; ni es primero utensilio para develarse luego como cosa: es *cosa-utensilio*. Cierto es, empero, que se descubrirá a la indagación ulterior del científico como puramente *cosa*, es decir, despojada de toda utensilidad. Pero ello se debe a que el científico no se cuida de establecer sino las puras relaciones de exterioridad; el resultado de esa indagación científica, por otra parte, es que la cosa misma, despojada de toda instrumentalidad, se evapora para terminar en exterioridad absoluta. Se ve en qué medida hay que corregir la fórmula de Heidegger: ciertamente, el mundo aparece en el circuito de ipseidad, pero siendo este circuito no-tético, la anunciación de lo que soy no puede ser tética tampoco. Ser en el mundo no es escaparse del mundo hacia sí mismo, sino escaparse del mundo hacia un allende el mundo que es el mundo futuro. Lo que el mundo me anuncia es únicamente "mundano". Ello no obsta para que, si la remisión al infinito de los utensilios no remite jamás a un para-sí que yo soy, la totalidad de los utensilios sea el correlato exacto de mis posibilidades. Y, como *soy* mis posibilidades, el orden de los utensilios en el mundo es la imagen proyectada en el en-sí de mis posibilidades, es decir, de aquello que yo soy. Pero no puedo descifrar jamás esta imagen mundana: me adapto a ella en la acción y por la acción; es menester la escisiparidad reflexiva para que pueda ser yo objeto para mí mismo Así, pues, la inautenticidad no es la causa de que la realidad humana se pierda en el mundo; sino que el ser-en-el-mundo, para ella, es perderse radicalmente en el mundo por la develación misma que hace que haya un mundo; es ser remitida sin tregua, sin siquiera la posibilidad de un "y para qué", de utensilio en utensilio, sin otro recurso que la revolución reflexiva. De nada serviría objetarnos que la cadena de los "para qué" pende de los "para quién" *(Worumwillen)*. Ciertamente, el *Worumwillen* nos remite a una estructura del ser que no hemos elucidado aún: el para-otro. Y el "para quién" aparece constantemente tras los instrumentos. Pero ese *para quién*, cuya constitución es diferente del "para qué", no interrumpe la cadena. Es simplemente un eslabón de ella, y no permite, cuando se lo encara en la perspectiva de la instrumentalidad, escapar al en-sí. Ciertamente, esta ropa de trabajo es para el obrero. Pero es para que el obrero pueda reparar el techo sin ensuciarse. ¿Y por qué no debe ensuciarse? Para no gastar en adquisición de ropa la mayor parte de su salario. Pues, en efecto, este salario le es adjudicado como la cantidad mínima de dinero que le permita subvenir a su manutención; y, precisamente, "se mantiene" para poder aplicar su potencia de trabajo a la reparación de techos. ¿Y por qué debe reparar el techo? Para que no llueva en la oficina donde los empleados realizan un trabajo de contabilidad; etc. Esto no significa que debamos captar siempre al prójimo como un instrumento de tipo particular, sino simplemente que, si consideramos al prójimo partiendo del mundo, no por eso escaparemos a la remisión al infinito de los complejos de utensilidad.

Así, en la medida en que el para-sí es su propia falta como denegación, correlativamente a su ímpetu hacia sí mismo, el ser se le devela sobre fondo de mundo como cosa-utensilio, y el mundo surge como fondo indiferenciado de complejos indicativos de utensilidad. El conjunto de esas remisiones carece de significación, pero en el sentido de que no hay siquiera posibilidad de plantear en ese plano el problema de la significación. Se trabaja para vivir y se vive para trabajar. La cuestión del *sentido* de la totalidad "vida-trabajo": "¿Por qué trabajo yo, que vivo? ¿Por qué vivir si es para trabajar?", no puede plantearse sino en el plano reflexivo, ya que implica un descubrimiento del para-sí por sí mismo.

Queda por explicar por qué, como correlato de la pura negación que soy, la utensilidad puede surgir en el mundo. ¿Cómo no soy negación estéril e indefinidamente repetida del *esto* en tanto que puro *esto*? ¿Cómo puede develar esta negación una pluralidad de tareas que son mi imagen, si no soy nada más que la pura nada que tengo-de-ser? Para responder a estas preguntas, ha de recordarse que el para-sí no es pura y simplemente un porvenir que viene al presente. Tiene-de-ser además su pasado en forma del "era". Y la implicación ek-stática de las tres dimensiones temporales es tal, que, si el para-sí es un ser que se hace anunciar por su porvenir el sentido de lo que él era, es también, en el mismo surgimiento, un ser que tiene-de-ser su *será* en la perspectiva de cierto "era" que él rehúye. En este sentido, siempre ha de buscarse la significación de una dimensión temporal *en otra parte*, en otra dimensión; es lo que hemos llamado la *diáspora*; pues la unidad de ser diaspórica no es una pura pertenencia *dada*: es la necesidad de *realizar* la diáspora haciéndose condicionar allá, afuera, en la unidad de sí. Así, pues, la negación que soy y que devela al "esto", tiene-*de-ser* en el modo del "era". Esta pura negación que, en tanto que simple *presencia,* no es, tiene su ser a la zaga de sí, como pasado o facticidad. En tanto que tal, ha de reconocerse que no es jamás negación sin raíces.

Es, al contrario, negación cualificada, si se admite entender por ella que arrastra su cualificación en pos de sí como el ser que ella tiene-de-no-ser en la forma del "era". La negación surge como negación no-tética del pasado, en el modo de la determinación interna, en tanto que se hace negación tética del *esto*. Y el surgimiento se produce en la unidad de un doble "ser para", puesto que la negación se produce a la existencia, en el modo reflejo-reflejante, como negación *del* esto, *para* huir del pasado que ella es, y huye del pasado *para* desprenderse del *esto* huyéndole en su ser hacia el porvenir. Es lo que llamaremos el *punto de vista* del para-sí sobre el mundo. Este punto de vista, asimilable a la facticidad, es cualificación ek-stática de la negación como relación originaria con el en-sí. Pero, por otra parte, y como lo hemos visto, todo lo que el para-sí es, lo es en el modo del "era" como pertenencia ek-stática al mundo. No encuentro *mi* presencia en el futuro, ya que el futuro me entrega el mundo como correlato de una conciencia porvenir; sino que mi ser se me aparece en el pasado, aunque no-temáticamente, en el marco del ser-en-sí, es decir, en relieve en medio del mundo. Sin duda, este ser es todavía conciencia de..., es decir, para-sí; pero es un para-sí fijado en en-sí y, por consiguiente, es una conciencia *del* mundo descaecida en medio del mundo. El sentido del realismo, del naturalismo y del materialismo está en el pasado: estas tres filosofías son descripciones del pasado como si fuera presente. El para-sí es, pues, doble huida del mundo: escapa a su propio ser-en-medio-del-mundo como presencia a un mundo del cual huye. Lo posible es el libre término de la huida. El para-sí no puede huir hacia un trascendente que él no es, sino sólo hacia un trascendente que él es. Esto quita toda posibilidad de detención a esa huida perpetua; si cabe usar de una imagen vulgar, pero que hará captar mejor mi pensamiento, recuérdese al asno que va arrastrando un carricoche en pos de sí y que procura atrapar una zanahoria fijada al extremo de un palo sujeto a las varas. Todo esfuerzo del asno para coger la zanahoria tiene por efecto hacer avanzar el coche entero y la zanahoria misma, que permanece siempre a igual distancia del asno. Así corremos tras un posible que nuestra propia carrera hace aparecer, que no es sino nuestra carrera y que se define por eso mismo como fuera de alcance. Corremos hacia nosotros mismos y somos, por eso mismo, el ser que no puede alcanzarse. En cierto sentido, la carrera está desprovista de significación, ya que el término no es dado nunca, sino inventado y proyectado a medida que corremos hacia él. Y, en otro sentido, no podemos denegarle esa significación que ella rechaza, pues, pese a todo, el posible es el sentido del para-sí: pero, más bien, la huida tiene y no tiene sentido.

Ahora bien: en esa misma huida del pasado que soy hacia el porvenir que soy, el porvenir se prefigura con respecto al pasado al mismo tiempo que confiere a éste todo su sentido. El porvenir es el pasado preterido-trascendido, como un en-sí dado, hacia un en-sí que sería su propio fundamento, es decir, que sería en tanto que yo tendría-de-serlo. Mi posible es la libre recuperación de mi pasado en tanto que esta recuperación puede salvarlo fundándolo. Huyo del ser sin fundamento que yo era hacia el acto fundador que no puedo ser sino en el modo del *seré*. Así, el posible es la falta que el para-sí se hace ser, es decir, lo que falta a la negación presente en tanto que es negación *cualificada (*o sea, negación que tiene su cualidad fuera de sí, en el pasado). En tanto que tal, el posible mismo está cualificado. No a título de algo *dado,* que sería su propia cualidad en el modo del en-sí, sino como indicación de esa recuperación que fundaría la cualificación ek-stática que el para-sí *era.* Así, la sed es tridimensional: es huida presente de un estado de vacío que el para-sí era. Y esa misma huida confiere al estado *dado* su carácter de vacío o de falta: en el pasado, la falta no podría ser falta, pues lo *dado* no puede "faltar" a menos que sea trascendido hacia... por un ser que sea su propia trascendencia. Pero esa huida es huida hacia..., y este "hacia" le da su sentido. En tanto que tal, la huida es *falta que se hace a sí misma,* es decir, a la vez constitución, en el pasado, de lo dado como falta o potencialidad, y libre recuperación de lo dado por un para-sí que se hace ser falta bajo la forma "reflejo-reflejante", es decir, como conciencia de falta. Y ese *hacia qué* la falta huye de sí misma, en tanto que se hace condicionar en su ser-falta por aquello que le falta, es la posibilidad que ella es de ser sed que no ha de ser ya falta, es decir, sed-repleción. El posible es indicación de repleción, y el valor, como ser-fantasma que rodea y penetra de parte a parte al parasí, es la indicación de una sed que sería a la vez *dada* –como lo "era"– y recuperada –como el juego del "reflejo-reflejante" la constituye ek-státicamente–. Se trata, como se ve, de una plenitud que se determina a sí misma como sed. Esa relación ekstática pasado-presente provee al esbozo de esa plenitud con la estructura "sed" como su sentido, y el posible que soy debe proveerle la densidad misma, su carne de plenitud, como reflexión. Así, mi presencia al ser, que lo determina en *esto,* es negación del esto *en tanto que* yo soy también *falta, cualificada allá-al-lado del esto.* Y, en la medida en que mi posible es presencia posible al ser allende el ser, la cualificación de mi posible devela un ser-allende-el-ser como el ser cuya copresencia es copresencia rigurosamente conexa a una repleción porvenir. Así se devela en el mundo la *ausencia* como ser de-realizar, en tanto que este ser es correlativo del ser-posible *que me falta.* El vaso de agua aparece como debiendo-ser-bebido, es decir, como correlato de una sed captada no-téticamente y en su ser mismo como debiendo ser colmada. Pero estas descripciones, todas las cuales implican una relación con el futuro del mundo, serán más claras si mostramos ahora cómo, sobre el fundamento de la negación originaria, el tiempo del mundo o tiempo universal se devela a la conciencia.

IV

El tiempo del mundo

El tiempo universal viene al mundo por el Para-sí. El en-sí no dispone de temporalidad, precisamente porque es en-sí y la temporalidad es el modo de ser unitario de un ser que está perpetuamente a distancia de sí para sí. El Para-sí, al contrario, es temporalidad, pero no es conciencia *de* temporalidad excepto cuando se produce a sí mismo en la relación "reflexivo-reflexo". En el modo irreflexivo, descubre la temporalidad *en* el ser, es decir, afuera. La temporalidad universal es *objetiva*.

A) *El Pasado*

El "esto" no aparece como un presente que tenga luego de-hacerse pasado y que previamente era futuro. Este tintero, desde que lo percibo, tiene ya en su existencia sus tres dimensiones temporales En tanto que lo capto como permanencia, es decir, como esencia, es ya en futuro, aunque yo no le esté presente en mi presencia actual sino como por-venir-a-mí-mismo. Y, al mismo tiempo, no puedo captarlo sino como habiendo ya sido ahí, en el mundo, en tanto que yo mismo estaba ya ahí como presencia. En este sentido, no existe "síntesis de recognición", si se entiende por ello una operación progresiva de identificación que, por organización sucesiva de los "ahoras", confiera una *duración* a la cosa percibida. El Para-sí dispone el estallido de su temporalidad todo a lo largo del en-sí develado como a lo largo de un inmenso muro monótono del cual no se ve fin. Soy esta negación original que tengo-de-ser, en el modo del aún no

y del ya, allá-al-lado del ser que es lo que es. Así, pues, si suponemos una conciencia que surja en un mundo inmóvil, allá-al-
lado de un ser único que sea inmutablemente lo que es, este ser
se develaría con un pasado y un porvenir de inmutabilidad que
no necesitarían ninguna "operación" de síntesis y que se iden-
tificarían con sus develaciones respectivas. La *operación* sólo
sería necesaria si el Para-sí tuviera, a la vez, que retener y constituir su propio pasado. Pero, por el simple hecho de que él *es*
su propio pasado así como su propio porvenir, la develación
del en-sí no puede ser sino temporalizada. El "esto" se devela
temporalmente, no porque se refracte a través de una forma *a
priori* del sentido interno, sino porque se devela a una develación
cuyo propio ser es temporalización. Empero, la a-temporalidad del ser está *representada* en su develación misma: en tanto
que captado por y en una temporalidad que se temporaliza, el
esto aparece originariamente como temporal; pero, en tanto que
es lo que es, deniega *ser* su propia temporalidad, y solamente
refleja el tiempo; además, devuelve la relación ek-stática interna –que está en la fuente de la temporalidad– como una pura
relación objetiva de exterioridad. La permanencia, como tran-
sacción entre la identidad intemporal y la unidad ek-stática de
temporalización, aparecerá, pues, como el puro deslizamiento de
instantes en-sí, pequeñas nadas separadas unas de otras y reunidas por una relación de simple exterioridad, en la superficie de
un ser que conserva una inmutabilidad atemporal. No es verdad,
pues, que la intemporalidad del ser se nos escape; al contrario,
está *dada en el tiempo* y funda la manera de ser del tiempo
universal.

Así, pues, en tanto que el Para-sí "era" lo que es, el utensilio o la cosa se le aparece como habiendo *ya* sido ahí. El Para-
sí no puede ser presencia al *esto* sino como presencia que *era*;
toda percepción es en sí misma, y sin ninguna "operación",
un reconocimiento. Y lo que se revela a través de la unidad
ek-stática del Pasado y del Presente es un ser idéntico. No se
lo capta como siendo *el mismo* en el pasado y en el presente,
sino como siendo *él*.

La temporalidad no es más que un órgano de visión.
Empero, el esto *ya era* ese *él* que es. Así, aparece como tenien-

do un pasado. Sólo que el esto deniega *ser* ese pasado; solamente lo *tiene*. La temporalidad, en tanto que captada objetivamente, es, pues, un puro fantasma, pues no se da ni como temporalidad del Para-sí ni tampoco como temporalidad que el en-sí tiene-de-ser. Al mismo tiempo, el pasado trascendente, siendo en-sí a título de trascendencia, no podría ser como lo que el Presente tiene-de-ser, y se aísla en un fantasma de *Selbstständigkeit*. Y como cada momento del Pasado es un "haber-sido Presente", ese aislamiento prosigue en el interior mismo del Pasado. De suerte que el *esto* inmutable se devela a través de un parpadeo y un fraccionamiento al infinito de en-síes fantasmas. Así se me revelan ese vaso o esta mesa: no duran; *son*; y el tiempo fluye sobre ellos. Sin duda, se dirá que no *veo* sus cambios. Pero esto es introducir inoportunamente un punto de vista científico. Este punto de vista, no justificado por nada, es contradicho por nuestra propia percepción: *la* pipa, *el* lápiz, todos estos seres que se entregan íntegramente en cada uno de sus "perfiles" y cuya permanencia es totalmente indiferente a la multiplicidad de los perfiles, son también, aunque develándose en la temporalidad, trascendentes a toda temporalidad. La "cosa" existe de un trazo, como "forma", es decir como un todo no afectado por ninguna de las variaciones superficiales y parasitarias que podemos ver en ella. Cada *esto* se devela con una ley de ser, la cual determina su *umbral*, es decir, el nivel de cambio en que el esto dejará de ser lo que es para, simplemente, no ser más. Y esa ley de ser que expresa la "permanencia" es una estructura inmediatamente develada de su esencia; determina una potencialidad-límite del esto: la de desaparecer del mundo. Volveremos sobre ello. Entonces, el Para-sí capta la temporalidad *sobre* el ser, como un puro reflejo que juega en la superficie del ser sin posibilidad alguna de modificarlo. El científico fija en concepto esta nihilidad absoluta y fantasmal del tiempo, con el nombre de homogeneidad. Pero la captación trascendente y sobre el en-sí de la unidad ek-stática del Para-sí temporalizante se opera como aprehensión de una forma vacía de unidad temporal, sin ningún ser que funde esta unidad *siéndola*. Así, pues, aparece, en el plano Presente-Pasado, esa curiosa unidad de la dispersión absoluta que es la temporalidad externa, en que cada antes y cada después es un "en-sí" aislado de los otros por su exterioridad de indiferencia y en que, sin embargo, esos instantes son reunidos en la unidad de ser de un mismo ser, ser común o Tiempo que no es sino la dispersión misma concebida como necesidad y sustancialidad. Esta naturaleza contradictoria no podría *aparecer* sino sobre el doble fundamento del Para-sí y el En-sí. A partir de aquí, para la reflexión científica, en tanto que ésta aspira a hipostasiar la relación de exterioridad, el En-sí será concebido –es decir, pensado en vacío– no como una trascendencia encarada a través del tiempo, sino como un contenido que pasa de instante en instante; o, mejor aún, como una multiplicidad de contenidos mutuamente exteriores y rigurosamente *semejantes* entre sí.

Hasta ahora, hemos intentado la descripción de la temporalidad universal en la hipótesis de que nada viene del ser, salvo su inmutabilidad intemporal. Pero, precisamente, del ser viene *algo*: lo que, a falta de nombre mejor, llamaremos aboliciones y apariciones. Estas apariciones y aboliciones deben ser objeto de una elucidación puramente metafísica y no ontológica, pues no se podría concebir la necesidad de ellas ni a partir de las estructuras de ser del Para-sí ni a partir de las del En-sí: su existencia es la de un hecho contingente y metafísico. No sabemos exactamente lo que viene del ser en el fenómeno de aparición, ya que tal fenómeno es ya propio de un esto temporalizado. Empero, la experiencia nos enseña que hay surgimientos y aniquilaciones de diversos *estos* y, como ahora sabemos que la percepción devela al En-sí y, fuera del En-sí, *nada*, podemos considerar al en-sí como el fundamento de esos surgimientos y aniquilaciones. Vemos claramente, además, que el principio de identidad, como ley de ser del en-sí, exige que la abolición y la aparición sean totalmente exteriores al en-sí aparecido o abolido; si no, el en-sí sería y no sería a la vez. La abolición no puede ser ese descaecimiento de ser que es un *fin*. Sólo el Para-sí puede conocer esos descaecimientos, porque él es para sí mismo su propio fin. El ser, cuasi-afirmación en que el afirmante está empastado por lo que se afirma, existe sin finitud interna, en la tensión propia de su "afirmación – sí-mismo". Su "hasta entonces" le es totalmente exterior. Así, la abolición no significa la necesidad de un *des-*

pués, que no puede manifestarse sino en un mundo y para un en-sí, sino de un *cuasi-después*. Este cuasi-después puede expresarse así: el ser en-sí no puede operar la mediación entre él mismo y su nada. Análogamente, las apariciones no son *aventuras* del ser apareciente. Esa anterioridad a sí mismo que la aventura supondría no puede encontrarse sino en el Para-sí, del cual tanto la aparición como el fin son aventuras internas. El ser es lo que es. Es, sin "ponerse a ser", sin infancia ni juventud: lo aparecido no es su propia novedad; es de entrada ser, sin relación con un antes que él tuviera-de-ser en el modo del *no serlo* y en que tendría-de-ser como pura ausencia. Aquí también encontramos una cuasi-sucesión, es decir, una exterioridad completa de lo aparecido con respecto a su nada.

Pero para que esta exterioridad absoluta sea dada en la forma del "hay", es necesario ya un mundo; es decir, el surgimiento de un Para-sí. La exterioridad absoluta del En-sí con respecto al En-sí hace que la nada misma que es el casi-antes de la aparición o el casi-después de la abolición no pueda siquiera encontrar lugar en la plenitud del ser. Sólo en la unidad de un mundo y sobre fondo de mundo puede aparecer un *esto* que *no era*, puede develarse esa relación-de-ausencia-de-relación que es la exterioridad; la nada de ser que es la anterioridad con respecto a un aparecido que "no era" no puede venir sino retrospectivamente, a un mundo, por un Para-sí que es su propia nada y su propia anterioridad. Así, el surgimiento y la aniquilación del *esto* son fenómenos ambiguos: lo que viene al ser por el Para-sí es, también en este caso, una pura nada, el no-ser-aún y el no-ser-ya. El ser considerado no es el fundamento de ello, ni tampoco lo es el mundo como totalidad captada *antes* o *después*. Pero, por otra parte, en tanto que el surgimiento se devela en un mundo por un Para-sí que es su propio antes y su propio después, la aparición se da primeramente como una aventura; captamos el *esto* aparecido como siendo ya ahí en el mundo como su propia ausencia, en tanto que nosotros éramos ya presentes a un mundo en que él estaba ausente. Así, la cosa puede surgir de su propia nada. No se trata de una perspectiva conceptual de la mente, sino de una estructura originaria de la percepción. Las experiencias de la

Gestalttheorie muestran claramente que la pura aparición es captada siempre como surgimiento dinámico; lo aparecido *viene corriendo* al ser, desde el fondo de la nada. Tenemos aquí, al mismo tiempo, el origen del "principio de causalidad". El ideal de la causalidad no es la negación de lo aparecido en tanto que tal, como lo quiere un Meyerson, ni tampoco la asignación de un nexo permanente de exterioridad entre dos fenómenos. La causalidad primera es la captación de lo aparecido antes que aparezca, como siendo ya ahí en su propia nada para preparar su aparición. La causalidad es simplemente la captación primera de la temporalidad de lo aparecido como modo ek-stático de ser. Pero el carácter *aventuroso* del acaecimiento, como la constitución ek-stática de la aparición, se desagregan en la percepción misma; quedan fijados el antes y el después en su nada-en-sí, y lo aparecido en su indiferente identidad; el no-ser de lo aparecido en el instante anterior se devela como plenitud indiferente del ser existente en este instante; la relación de causalidad se desagrega en pura relación de exterioridad entre "estos" anteriores a lo aparecido y lo aparecido mismo. Así, la ambigüedad de la aparición y la desaparición proviene de que éstas se dan, como el mundo, como el espacio, como la potencialidad y la utensilidad y como el propio tiempo universal, con el aspecto de totalidades en perpetua desagregación.

Tal es, pues, el pasado del mundo, hecho de instantes homogéneos y unidos mutuamente por una pura relación de exterioridad. Por su pasado, como ya lo hemos advertido, el Para-sí se funde en el En-sí. Al Pasado, el Para-sí convertido en En-sí se revela como siendo en medio del mundo: *es*, ha perdido su trascendencia. Y, por este hecho, su ser se preterifica *en* el tiempo: no hay ninguna diferencia entre el Pasado del Para-sí y el pasado del mundo que le fue copresente, excepto que el Para-sí tiene-de-ser su propio pasado. Así, no hay sino *un* Pasado, que es pasado del ser o Pasado *objetivo en* el cual yo era. Mi pasado es pasado en el mundo, pertenencia que soy, que rehúyo hacia la totalidad del ser pasado. Esto significa que hay coincidencia, para una de las dimensiones temporales, entre la temporalidad ek-stática que tengo-de-ser y el tiempo del mundo como pura nada dada. Por el Pasado pertenezco a la temporalidad universal, y me hurto a ella por el presente y el futuro.

B) *El Presente*

El Presente del Para-sí es presencia al ser y, en tanto que tal, no es. Pero es develación *del* ser. El ser que aparece a la Presencia se da como *siendo en Presente*. Por esta razón el Presente se da antinómicamente como no siendo cuando es vivido, y como siendo la medida única del Ser en tanto que se devela como siendo lo que es en Presente. No que el ser no rebalse al Presente, pero esta sobreabundancia de ser no puede ser captada sino a través del órgano de aprehensión que es el Pasado, es decir, como lo que no es ya. Así, ese libro sobre mi mesa *es* en presente y *era* (idéntico a sí mismo) en el Pasado. Así, el Presente se devela a través de la temporalidad originaria como el ser universal, y al mismo tiempo no es nada –nada más que el ser–; es puro deslizamiento a lo largo del ser, pura nada.

Las precedentes reflexiones parecerían indicar que nada viene del ser al presente salvo su ser. Sería olvidar que el ser se devela al Para-sí ora como inmóvil, ora como en movimiento, y que las nociones de movimiento y reposo están en relación dialéctica. Pero el movimiento no puede derivarse ontológicamente de la naturaleza del Para-sí ni de su relación fundamental con el En-sí, ni de lo que podemos descubrir originariamente en el fenómeno del Ser. Sería concebible un mundo sin movimiento. Por cierto, no podría contemplarse la posibilidad de un mundo sin cambio, salvo a título de posibilidad puramente formal, pero el cambio no es el movimiento. El cambio es alteración de la cualidad del *esto;* se produce, como hemos visto, en bloque, por surgimiento o desagregación de una forma. El movimiento supone, al contrario, la permanencia de la quiddidad. Si un *esto* debiera a la vez ser trasladado de un lugar a otro y sufrir durante esa traslación una alteración radical de su ser, esta alteración sería negadora del movimiento, pues no habría ya nada que estuviera en movimiento. El movimiento es puro cambio de lugar de un *esto* que permanece en los demás respectos inalterado, como lo muestra suficientemente el postulado de la homogeneidad del espacio. El movimiento, que no podría deducirse de ninguna característica de los existentes en presencia, que fue negado por la ontología eleática y que, en la ontología cartesiana, ha necesitado el famoso recurso al "papirotazo", tiene, pues, el valor exacto de un hecho; participa enteramente de la contingencia del ser y debe aceptarse como un dato. Por cierto, veremos en seguida que es menester un Para-sí para que "haya" movimiento, lo que hace particularmente difícil la asignación exacta de lo que en el movimiento puro viene del ser; pero está fuera de duda, en todo caso, que el Para-sí, aquí como en otros casos, *no agrega nada* al ser; en este, como en otros casos, es el puro Nada sobre fondo del cual se destaca el movimiento. Pero si, por la naturaleza misma del movimiento, nos está vedado intentar su *deducción,* por lo menos es posible, y aun necesario, hacer una *descripción* de él. ¿Qué ha de concebirse como *sentido* del movimiento?

Se cree que el movimiento es simple *afección* del ser porque el móvil, *después* del movimiento, vuelve a encontrarse tal como era anteriormente. A menudo se ha dado como un principio el que la traslación no deforma la figura trasladada, a tal punto parecía evidente que el movimiento se sobreagregaba al ser sin modificarlo; y es verdad, como hemos visto, que la quiddidad del esto permanece inalterada. Nada más típico de esa concepción que la resistencia con que chocaron teorías como la de Fitzgerald sobre la "contracción" o la de Einstein sobre las "variaciones de la masa", porque parecían atacar más particularmente lo que constituye el ser del móvil. De ahí procede, evidentemente, el principio de la relatividad del movimiento, que se comprende a maravilla si éste es una característica exterior del ser y si ninguna modificación intraestructural lo determina. El movimiento se convierte entonces en una relación a tal punto *externa* del ser con su entorno, que resulta equivalente decir que el ser está en movimiento y su entorno en reposo, o, recíprocamente, que el entorno está en movimiento y el ser considerado está en reposo. Desde este punto de vista, el movimiento no aparece ni como un ser ni como un modo de ser, sino como una relación enteramente desustancializada.

Pero el hecho de que el móvil sea idéntico a sí mismo al partir y al llegar, es decir, en las dos estasis que encuadran el movimiento, nada prejuzga acerca de lo que ha sido mientras era *móvil*. Tanto valdría decir que el agua que hierve en un autoclave no sufre ninguna transformación durante la ebullición, so pretexto de que presenta las mismas características cuando está fría y después de enfriada. El que se pueda asignar diferentes posiciones sucesivas al móvil durante su movimiento y que en cada posición aparezca semejante a sí mismo tampoco debe detenernos, pues esas posiciones definen el espacio recorrido y no el movimiento mismo. Al contrario, esta tendencia matemática a tratar el móvil como un ser en reposo al que se desplaza a lo largo de una línea sin sacarlo de su reposo, está en el origen de las aporías eleáticas.

Así, la afirmación de que el ser permanece inmutable en su ser, ya esté en reposo, ya en movimiento, debe aparecérsenos como un mero postulado, que no podríamos aceptar sin crítica. Para someterlo a ella, volvamos sobre los argumentos eleáticos, y en especial sobre el de la flecha. La flecha, se nos dice, cuando pasa por la posición AB "es" ahí exactamente como lo sería una flecha en reposo, con el extremo puntiagudo en A y el extremo opuesto en B. Esto parece evidente, si se admite que el movimiento se superpone al ser y, en consecuencia, nada viene a discriminar si el ser está en movimiento o en reposo. En una palabra: si el movimiento es un accidente del ser, el movimiento y el reposo son indiscernibles. Los argumentos que se acostumbra oponer a la más célebre de las aporías eleáticas, la de Aquiles y la Tortuga, no tienen peso aquí. En efecto: ¿para qué objetar que los eleatas han contado con la división al infinito del espacio sin tener igualmente en cuenta la del tiempo? Aquí no se trata de *posición* ni de instante, sino de *ser*. Nos aproximamos a una concepción correcta del problema cuando respondemos a los eleatas que ellos consideran no el movimiento sino el espacio que lo subtiende. Pero nos limitamos entonces a indicar la cuestión sin resolverla: ¿qué ha de ser, en efecto, el ser del móvil, para que su quiddidad permanezca inalterada, y, sin embargo, sea distinto en su ser de un ser en reposo?

Si intentamos poner en claro nuestras resistencias a los argumentos de Zenón, advertimos que éstos tienen por origen cierta concepción natural del movimiento: admitimos que la flecha "pasa" por AB, pero nos parece que *pasar* por un lugar no puede ser equivalente a *permanecer,* es decir, a *ser allí.* Sólo que, en general, cometemos una grave confusión, pues estimamos que el móvil no hace sino *pasar* por AB (o sea, que nunca *es allí*) y, a la vez, seguimos suponiendo que, en sí mismo, *es.* De esta suerte, a la vez sería en sí y no sería en AB. Tal el origen de la Aporía eleática: ¿cómo podría la flecha no *ser* en AB, si, en AB, la flecha *es?* Dicho de otro modo: para evitar la aporía eleática, ha de renunciarse al postulado generalmente admitido según el cual el ser en movimiento conserva su ser-en-sí. Estar sólo pasando por AB, es ser-de-paso. ¿Qué es pasar? Es a la vez ser en un lugar y no serlo. En ningún momento puede decirse que el ser de paso *es* allí, so pena de detenerlo bruscamente; pero tampoco podría decirse que no es, ni que *no es allí,* ni que es *en otra parte.* Su relación con el lugar no es una relación de *ocupación.* Pero hemos visto antes que el *lugar* de un "esto" en reposo era su relación de exterioridad con el fondo, en tanto que esa relación puede desmoronarse en multiplicidad de relaciones externas con otros "estos" cuando el fondo mismo se desagrega en multiplicidad de formas.[1] El fundamento del espacio es, pues, la exterioridad recíproca que viene al ser por el Para-sí y cuyo origen es que el ser es lo que es. En una palabra, el ser define su lugar revelándose a un Para-sí como indiferente a los demás seres. Y esta indiferencia no es sino su identidad misma, su ausencia de realidad ek-stática, en tanto que captada por un Para-sí que es ya presencia a otros "estos". Por el simple hecho, pues, de que el *esto* es lo que es, *ocupa* un lugar, *es* en un lugar, es decir, es puesto en relación por el Para-sí con los demás estos como *no teniendo relaciones con ellos.* El espacio es la nada de relación captada como relación por el ser que es su propia relación. El hecho de *pasar* por un lugar en vez de ser allí no puede interpretarse, pues, sino en términos de ser. Esto significa que, estando el lugar

[1] Sección II, cap. III.

fundado por el ser, el ser no es ya bastante para fundar su lugar: lo esboza solamente; sus relaciones de exterioridad con los demás "estos" no pueden ser establecidas por el Para-sí, porque es necesario que éste las establezca a partir de un esto que *es*. Pero sin embargo, esas relaciones no pueden aniquilarse, porque el ser a partir del cual se establecen no es una pura nada. Simplemente, en el "ahora" mismo en que se las establece ese ser es ya exterior a ellas, es decir que, en simultaneidad con la develación de esas relaciones, se develan *ya* nuevas relaciones de exterioridad cuyo fundamento es el esto considerado y que están con las primeras en relación de exterioridad. Pero esta exterioridad continua de las relaciones espaciales que definen el lugar del ser no puede hallar su fundamento sino en el hecho de que el *esto* considerado es exterior a sí mismo. En efecto, decir que el *esto* pasa por un lugar significa que ya no es allí cuando es allí todavía, es decir, que está, con respecto a sí mismo, no en una relación ek-stática de ser sino en una pura relación de exterioridad. Así, hay "lugar" en la medida en que el "esto" se devela como exterior a los demás "estos". Y hay *paso* por ese lugar en la medida en que el ser no se resume ya en esa exterioridad sino que, al contrario, le es ya exterior. Así, el movimiento es el ser de un ser que es exterior a sí mismo. La única cuestión metafísica que se plantea con ocasión del movimiento es la de la exterioridad a sí. ¿Qué hemos de entender por ello?

En el movimiento, el ser no cambia *en nada* cuando pasa de A a B. Esto significa que su *cualidad,* en tanto que representa al ser que se devela como *esto* al Para-sí, no se transforma en otra cualidad. El movimiento no es en modo alguno asimilable al devenir; no altera la cualidad en su *esencia,* así como tampoco la *actualiza.* La cualidad permanece exactamente lo que es: lo que cambia es su manera de ser. Esta bola roja que rueda sobre la mesa de billar no deja de *ser* roja, pero ese rojo que ella *es,* no lo es de la misma manera que cuando estaba en reposo: ese rojo permanece en suspenso entre la abolición y la permanencia. En efecto: en tanto que ya en B es exterior a lo que era en A, hay aniquilación del rojo; pero, en tanto que vuelve a encontrarse en C, una vez pasado B, es exterior a esa aniquilación misma. Así escapa al ser por la abolición, y a la abolición por el ser. Se encuentra, pues, una categoría de "estos" en el mundo, de los cuales es propio no ser jamás sin que por eso sean nadas. La única relación que el Para-sí pueda captar originariamente en esos *estos* es la relación de exterioridad a sí. Pues siendo la exterioridad el *nada*, es necesario que haya un ser que sea a sí mismo su propia relación para que haya "exterioridad a sí". En una palabra, nos es imposible definir en puros términos de En-sí lo que se revela a un Para-sí como exterioridad-a-sí. Esta exterioridad no puede descubrirse sino para un ser que es ya para sí mismo *allí* lo que es *aquí,* es decir, para una conciencia. Esta exterioridad-a-sí, que aparece como una pura enfermedad del ser, es decir, como la imposibilidad que existe para ciertos estos de ser a la vez ellos mismos y su propia nada, ha de señalarse por algo que sea como un *nada en el mundo,* es decir, como un nada sustantificado. En efecto no siendo la exterioridad-a-sí en modo alguno ek-stática, la relación del móvil consigo mismo es pura relación de indiferencia y no puede descubrirse sino a un testigo. Es una abolición que no puede hacerse y una aparición que tampoco se puede hacer. Ese nada que mide y significa la exterioridad-a-sí es la *trayectoria,* como constitución de exterioridad en la unidad de un mismo ser. La trayectoria es la línea que se traza, es, decir, una brusca apariencia de unidad sintética en el espacio, una simulación que se desmorona en seguida en multiplicidad infinita de exterioridad. Cuando el *esto* está en reposo, el espacio *es;* cuando está en movimiento, el espacio *se engendra o deviene.* La trayectoria *no es* nunca, ya que es *nada:* se desvanece en seguida en puras relaciones de exterioridad entre diversos lugares, es decir, en la simple exterioridad de indiferencia o espacialidad. El movimiento *no es* tampoco; es el menor-ser de un ser que no puede conseguir ni abolirse ni ser completamente; es el surgimiento, en el seno mismo del en-sí, de la exterioridad de indiferencia. Ese puro vacilamiento de ser es aventura contingente del ser. El Para-sí no puede captarlo sino a través del ék-stasis temporal y en una identificación ek-stática y permanente del móvil consigo mismo. Esta identificación no supone operación alguna y, en particular, ninguna "síntesis de recognición"; no es nada más, para el Para-sí, que la unidad de ser ek-stática del Pasado con el Presente. Así, la identificación *temporal* del móvil consigo mismo, a través de la posición constante de su propia exterioridad, hace que la trayectoria se devele, es decir, que surja el espacio en la forma de un devenir evanescente. Por el movimiento, el espacio se engendra en el tiempo; el movimiento traza la línea, como trazado de la exterioridad a sí. La línea se desvanece al mismo tiempo que el movimiento, y ese fantasma de unidad temporal del espacio se funde continuamente en el espacio intemporal, es decir, en la pura multiplicidad de dispersión que *es* sin devenir.

El Para-sí es, en el presente, presencia al ser. Pero la identidad eterna de lo permanente no permite captar esa presencia como un reflejo sobre las cosas, ya que nada viene a diferenciar lo que es de lo que era en la permanencia. La dimensión *presente* del tiempo universal sería, pues, incaptable, si no hubiera el movimiento. El movimiento determina en presente puro al tiempo universal. En primer lugar, porque se revela como vacilamiento *presente:* ya, en pasado, no es nada más que una línea evanescente, una estela que se deshace; en el futuro, no es en absoluto, al no poder ser su propio proyecto; es como la progresión constante de una grieta en la pared. Por otra parte, su ser tiene la ambigüedad incaptable del instante, pues no podría decirse ni que es ni que no es; además, apenas aparece cuando ya está trascendido y es exterior a sí. Simboliza perfectamente, pues, con el Presente del Para-sí: la exterioridad a sí del ser que no puede ni ser ni no ser remite al Para-sí la imagen –proyectada en el plano del En-sí– de un ser que tiene-de-ser lo que no es y tiene-de-no-ser lo que es. Toda la diferencia es la que separa la exterioridad a sí –en que el ser no es para ser su propia exterioridad, pero "es ser", al contrario, por la identificación de un testigo ek-stático– del puro ék-stasis temporalizante, en que el ser tiene de ser lo que no es. El Para-sí se hace anunciar su Presente por el móvil; es su propio presente en simultaneidad con el movimiento actual; y el movimiento estará encargado de *realizar* el tiempo universal, en tanto que el Para-sí se hace anunciar su propio presente por el presente del móvil. Esta realización pondrá de relieve la exterioridad recíproca de los instantes, puesto que el presente del móvil se define –a causa de la naturaleza misma del movimiento– como exterioridad a su propio pasado y exterioridad a esta exterioridad. La división al infinito del tiempo está fundada en esta exterioridad absoluta.

C) *El Futuro*

El futuro originario es posibilidad de esa presencia que tengo de ser, allende lo real, a un en-sí que es allende el en-sí real. Mi futuro entraña como copresencia futura el esbozo de un mundo futuro, y, según hemos visto, lo que se devela al Para-sí que seré es ese mundo futuro y no las posibilidades mismas del Para-sí, sólo cognoscibles por la mirada reflexiva. Siendo mis posibles el sentido de lo que soy, que surge a la vez como un allende el en-sí al cual soy presencia, el futuro del en-sí que se revela a mi futuro está en conexión directa y estrecha con lo real a lo cual soy presencia. Es el en-sí presente modificado, pues mi futuro no es sino mis posibilidades de presencia a un en-sí que habré modificado. Así, el futuro del mundo se devela a mi futuro. Está hecho de la gama de las potencialidades, que va desde la simple permanencia y la esencia pura de la cosa, hasta las potencias. Desde que fijo la esencia de la cosa, captándola como mesa o como tintero, estoy ya allá, en el futuro, primeramente porque su esencia no puede ser sino una copresencia a mi posibilidad ulterior de no-ser-ya-sino-esa-negación; además, porque su permanencia y su utensilidad mismas de mesa o de tintero nos remiten al futuro. Hemos desarrollado lo suficiente estas observaciones para dispensarnos de insistir. Lo único que queremos hacer notar es que toda cosa, desde su aparición como cosa-utensilio, aloja de entrada en el futuro algunas de sus estructuras y propiedades. Desde la aparición del mundo y de los "estos", *hay* un futuro universal. Sólo que, como señalábamos antes, todo "estado" futuro del mundo permanece extraño a él, en plena exterioridad recíproca de indiferencia. Hay *futuros* del mundo que se definen como *even-*

tualidades[1] *y se* convierten en probables autónomos, que no se probabilizan sino que *son,* en tanto que probables, como *"ahoras"* hechos y derechos, con su contenido bien determinado, pero no realizados aún. Estos futuros pertenecen a cada "esto" o colección de "estos", pero están *afuera.* Entonces, ¿qué es el *porvenir* universal? Ha de vérselo como marco abstracto de esa jerarquía de equivalencias que son *los* futuros, continente de exterioridades recíprocas que es él mismo exterioridad, suma de en-síes que es ella misma en-sí. Es decir que, cualquiera que sea el probable que haya de prevalecer, hay y habrá un porvenir, pero, por este hecho, ese porvenir indiferente y exterior al presente, compuesto de "ahoras" indiferentes los unos a los otros y reunidos por la relación sustantificada de antes-después (en tanto que esta relación, vaciada de su carácter ek-stático, no tiene ya sino el sentido de una negación externa), es una serie de continentes vacíos reunidos unos con otros por la unidad de la dispersión. En este sentido, ora aparece el porvenir como una urgencia y amenaza, en tanto que pego estrechamente el futuro de un *esto* con su presente por el proyecto de mis propias posibilidades allende lo copresente; ora esa amenaza se desagrega en pura exterioridad y no capto ya el porvenir sino bajo el aspecto de un puro continente formal, indiferente a lo que lo llena y homogéneo con el espacio, en tanto que simple ley de exterioridad; ora el porvenir se descubre como una nada en-sí, en tanto que es dispersión pura allende el ser.

Así, las dimensiones temporales a través de las cuales nos es dado el *esto* intemporal, con su a-temporalidad misma, toman cualidades nuevas cuando aparecen sobre el objeto: el ser-en-sí, la objetividad, la exterioridad de indiferencia, la dispersión absoluta. El Tiempo, en tanto que se descubre a una temporalidad ek-stática que se temporaliza, es doquiera trascendencia a sí y remisión del antes al después y del después al antes. Pero el Tiempo, en tanto que se hace captar sobre el en-sí, no tiene-*de-ser* esa trascendencia a sí, sino que ella es sida en él. La cohesión del Tiempo es un puro fantasma, reflejo objetivo del proyecto

---

[1] *Chances* en el original; en otros contextos hemos traducido por "oportunidades", y más adelante por "eventualidades de azar". (N. del T.)

ek-stático del Para-sí hacia sí mismo y de la cohesión en movimiento de la Realidad humana. Pero esa cohesión no tiene *ninguna razón de ser* si se considera el Tiempo por sí mismo; se desmorona en seguida en una multiplicidad absoluta de instantes que, considerados separadamente, pierden toda naturaleza temporal y se reducen pura y simplemente a la total a-temporalidad del *esto*. Así, el Tiempo es pura nada en-sí que no puede aparentar tener un *ser* sino por el acto mismo en que el Para-sí lo franquea para utilizarlo. Pero este ser es el de una forma singular que se destaca sobre fondo indiferenciado de tiempo y que llamaremos el *lapso*. En efecto, nuestra primera aprehensión del tiempo objetivo es *práctica: al ser* yo mis posibilidades allende el ser copresente, descubro el tiempo objetivo como el correlato en el mundo, de la nada que me separa de mi posible. Desde este punto de vista, el tiempo aparece como forma finita, organizada, en el seno de una dispersión indefinida; el *lapso* es un comprimido de tiempo en el seno de una absoluta descompresión, y esa compresión es realizada por el proyecto de nosotros mismos hacia nuestros posibles. Ese comprimido de tiempo es, ciertamente, una forma de dispersión y de separación, pues expresa en el mundo la distancia que me separa de mí mismo. Pero, por otra parte, como jamás me proyecto hacia un posible sino a través de una serie organizada de posibles dependientes que son lo que tengo-de-ser para ser..., y como la develación no-temática y no posicional de éstos es dada en la develación no-posicional del posible principal hacia el cual me proyecto, el tiempo se me devela como forma temporal objetiva, como escalonamiento organizado de los probables: esta forma objetiva o *lapso* es como la *trayectoria* de mi acto.

Así, el tiempo aparece por *trayectorias*. Pero, tal como las trayectorias espaciales se descomprimen y se desmoronan en pura espacialidad estática, así también la trayectoria temporal se desmorona, desde que no es simplemente vivida, como lo que subtiende[1] objetivamente a mi propio esperarme. En efecto, los probables que se me descubren tienden naturalmente a

---

[1] En el original, seguramente por errata, se lee *sous-entend* ("sobre-entiende") en lugar de *sous-tend* ("subtiende"). (N. del T.)

aislarse en *probables en sí* y a ocupar una fracción rigurosamente separada del tiempo objetivo, el *lapso* se desvanece, y el tiempo se revela como juego iridiscente de nada en la superficie de un ser rigurosamente a-temporal.

V

El conocimiento

Este rápido esbozo de la develación del mundo al Para-sí nos permite concluir. Concederemos al idealismo que el ser del Para-sí es conocimiento del ser, pero agregando que hay un ser de este conocimiento. La identidad entre el ser del Para-sí y el conocimiento no proviene de que el conocimiento sea la medida del ser, sino de que el Para-sí se hace anunciar lo que él es por el en-sí, es decir, de que él es, en su ser, relación con el ser. El conocimiento no es nada más que la presencia del ser al Para-sí, y el Para-sí no es sino el *nada* que realiza esa presencia. Así, el conocimiento es, por naturaleza, ser ek-stático, y se confunde por ello con el ser ek-stático del Para-sí. El Para-sí no es primero para conocer después, y tampoco puede decirse que no es sino en tanto que conoce o que es conocido, puesto que ello haría desvanecerse al ser en una infinitud reglada de conocimientos particulares. Conocimiento es el acaecimiento absoluto y primero constituido por el surgimiento absoluto del Para-sí en medio del ser y allende el ser, a partir del ser que él no es, y como negación de este ser y nihilización de sí. En una palabra, por una inversión radical de la posición idealista, el conocimiento se reabsorbe en el ser: no es ni un atributo ni un accidente del ser, sino que *no hay* sino el ser. Desde este punto de vista, aparece como necesario abandonar enteramente la posición del idealismo y se hace posible encarar la relación entre el Para-sí y el En-sí como una relación ontológica fundamental; hasta podremos, al final de este libro, considerar esa articulación del Para-sí con respecto al En-sí como el esbozo perpetuamente móvil de una cuasi-totalidad que podremos denominar el *Ser*. Desde el punto de vista de esta totalidad, el surgimiento del Para-sí no es sólo el acaecimiento absoluto para el Para-sí, sino también es *algo que ocurre al En-sí*, la única aventura posible del En-sí: todo ocurre, en efecto, como si el Para-sí, por su propia nihilización, se constituyera en "conciencia de...", es decir, por su propia trascendencia escapara a la ley del En-sí, en que la afirmación está empastada por lo afirmado. El Para-sí, por su negación de sí, se convierte en afirmación *del* En-sí. La afirmación intencional es como el reverso de la negación interna; sólo puede haber afirmación por un ser que es su propia nada, y de un ser que no es el ser afirmante. Pero entonces, en la cuasi-totalidad del Ser, la afirmación *le ocurre* al En-sí: la aventura del En-sí es *ser afirmado*. Esta afirmación, que no podía operarse como afirmación *de* sí por el En-sí sin ser destructora de su ser-en-sí, le ocurre al En-sí realizada por el Para-sí: es como un ék-stasis pasivo del En-sí, que lo deja inalterado y que, empero, se efectúa en él y a partir de él. Todo sucede como si hubiera una Pasión del Para-sí, que se perdiera a sí mismo para que la afirmación "mundo" ocurriera al En-sí. Y, por cierto, esta afirmación no existe sino *para* el Para-sí; ella es el propio Para-sí y desaparece con él. Pero no está *en* el Para-sí, pues es el ék-stasis mismo; y, si el Para-sí es uno de sus términos (el afirmante), el otro término, el En-sí, le es *realmente* presente; sólo afuera, sobre el ser, hay un mundo que se me descubre.

Al realista, por otra parte, concederemos que el ser mismo es presente a la conciencia en el conocimiento, y que el Para-sí no agrega *nada* al En-sí, excepto el hecho mismo de que *haya* En-sí, es decir, la negación afirmativa. Hemos asumido la tarea en efecto, de mostrar que el mundo y la cosa-utensilio, el espacio y la cantidad, así como el tiempo universal, son puras nadas sustancializadas que no modifican en nada al ser puro que a través de ellos se revela. En este sentido, todo es dado, todo me es presente sin distancia y en su entera realidad; *nada* de lo que veo viene de mí; no hay *nada* fuera de lo que veo o de lo que ya podría ver. El ser está doquiera en torno de mí; parece que puedo tocarlo, asirlo; la *representación*, como acaecimiento psíquico, es una pura invención de los filósofos. Pero de este ser que "me inviste" por todas partes y del que *nada* me separa, estoy separado precisamente por *nada,* y este *nada,* por ser la nada, es infranqueable. "Hay" ser porque soy negación del ser, y la mundanidad, la espacialidad, la cantidad, la utensilidad, la temporalidad, sólo vienen al ser porque soy negación del ser; no agregan nada al ser, son puras condiciones nihilizadas del "hay", no hacen sino realizar el *hay.* Pero estas condiciones que *no son nada,* me separan más radicalmente del ser que como lo harían deformaciones prismáticas, a través de las cuales podría aún esperar descubrirlo. Decir que hay ser no es nada, y, empero, es operar una total metamorfosis, puesto que *no hay* ser sino para un Para-sí. El ser no es *relativo* al Para-sí ni en su cualidad propia ni en su ser, y con ello evitamos el relativismo kantiano; pero lo es en su "hay", puesto que en su negación interna el Para-sí afirma lo que no puede afirmarse, y conoce al ser *tal cual es,* cuando el "tal cual es" no podría pertenecer al ser. En este sentido, el Para-sí es presencia inmediata al ser y se desliza a la vez como distancia infinita entre él mismo y el ser. Pues el conocer tiene por ideal el ser-lo-que-se-conoce, y por estructura originaria el no-ser-lo-conocido. Mundanidad, espacialidad, etc., no hacen sino expresar este no ser... Así, me encuentro yo por doquiera entre mí y el ser, como un nada que *no es* el ser. El mundo es humano. Se advierte la particularísima posición de la conciencia: el ser está doquiera, contra mí, en torno mío, pesa sobre mí, me asedia, y soy perpetuamente remitido de ser en ser; esta mesa que está ahí es ser y *nada más;* esa roca, ese árbol, aquel paisaje; ser y si no, *nada.* Quiero captar este ser y no encuentro ya sino mi *yo.* Pues el conocimiento, intermediario entre el ser y el no-ser, me remite al ser absoluto, y, si pretendo el conocimiento subjetivo, me remite a mí mismo cuando creo captar lo absoluto. El sentido mismo del conocimiento es lo que no es y no es lo que es, pues, para conocer el ser tal cual es, sería preciso ser ese ser; pero no hay "tal cual es" sino porque no soy el ser al cual conozco, y, si me convirtiera en él, el "tal cual es" se desvanecería y no podría ya ni siquiera ser pensado. No se trata aquí ni de un escepticismo –que supone precisamente que el "tal cual es" pertenece al ser–, ni de un relativismo. El conocimiento nos pone en presencia de lo absoluto, y hay una verdad del conocimiento. Pero esta verdad, aunque nos entrega nada más y nada menos que lo absoluto, permanece estrictamente humana.

Quizás asombre que hayamos tratado el problema del conocer sin plantear la cuestión del cuerpo y los sentidos, ni referirnos una sola vez a ella. No entra en nuestro propósito desconocer o descuidar el papel del cuerpo. Pero importa ante todo, en ontología como en cualquier otro terreno, observar un orden riguroso del discurso. Y el cuerpo, cualquiera que fuere su función, aparece ante todo como algo *conocido*. No podría, pues, referir a él el conocimiento ni tratarlo antes de haber definido el conocer, ni derivar de él de ningún modo o manera el conocer en su estructura fundamental. Además, el cuerpo –nuestro cuerpo– tiene como carácter particular ser esencialmente lo *conocido por el prójimo*: lo que conozco es el cuerpo de los otros, y lo esencial de lo que *sé* de mi cuerpo proviene de la manera en que los otros lo ven. Así, la naturaleza de *mi* cuerpo me remite a la existencia del prójimo y a mi ser-para-otro. Descubro con él, para la realidad humana, otro modo de existencia tan fundamental como el ser-para-sí, y al cual denominaré el ser-para-otro. Si quiero describir de manera exhaustiva la relación del hombre con el ser, es menester ahora que aborde el estudio de esta nueva estructura de mi ser: el Para-otro. Pues la realidad humana debe ser en su ser, en un solo y mismo surgimiento, para-sí-para-otro.

TERCERA PARTE

El para-otro

CAPÍTULO I

La existencia del prójimo

I

El problema

Hemos descrito la realidad humana partiendo de las conductas negativas y del Cogito. Siguiendo este hilo conductor,
hemos descubierto que la realidad humana es-para-sí. ¿Es esto
todo lo que ella es? Sin salir de nuestra actitud de descripción
reflexiva, podemos encontrarnos con modos de conciencia
que parecen indicar, sin dejar de ser en sí mismos estrictamente para-sí, un tipo de estructura ontológica radicalmente diverso. Esta estructura ontológica es *mía*; mis cuidados versan
sobre *mí*; y, sin embargo, esa cura o cuidado "para-mí" me descubre un ser que es *mi* ser sin ser-para-mí.

Consideremos, por ejemplo, la vergüenza. Se trata de un
modo de conciencia cuya estructura es idéntica a todas las
que hemos descrito precedentemente. Es conciencia no posicional (de) sí como vergüenza, y, en cuanto tal, es un ejemplo
de lo que los alemanes llaman *erlebnis* [vivencia]; es accesible
a la reflexión. Además, su estructura es intencional; es aprehensión vergonzosa *de* algo y ese algo soy *yo*. Tengo vergüenza de lo que *soy*. La vergüenza realiza, pues, una relación íntima
de mí conmigo mismo: he descubierto por la vergüenza un
aspecto de *mi* ser. Empero, aunque ciertas formas complejas y
derivadas de la vergüenza puedan aparecer en el plano reflexivo, la vergüenza no es originariamente un fenómeno de reflexión. En efecto, cualesquiera que fueren los resultados que
puedan obtenerse en la soledad por la *práctica* religiosa de la
vergüenza, la vergüenza, en su estructura primera, es vergüenza *ante alguien*. Acabo de hacer un gesto desmañado o vulgar:
este gesto se me pega, yo no lo juzgo ni lo censuro, simplemente lo vivo, lo realizo en el modo del para-sí. Pero he aquí

que de pronto levanto la cabeza: alguien estaba allí y me ha visto. Realizo de pronto toda la vulgaridad de mi gesto, y tengo vergüenza. Por cierto, mi vergüenza no es reflexiva, pues la presencia del prójimo a mi conciencia, así sea a la manera de un catalizador, es incompatible con la actitud reflexiva: en el campo de mi reflexión no puedo encontrar jamás sino la conciencia que es mía. Y el prójimo es el mediador indispensable entre mí y mí mismo: tengo vergüenza de mí *tal como me aparezca* al prójimo. Y, por la aparición misma de un prójimo, estoy en condiciones de formular un juicio sobre mí mismo como sobre un objeto, pues al prójimo me aparezco como objeto. Empero, este objeto aparecido al prójimo no es una vana imagen en la mente de otro. Esta imagen, en efecto, sería enteramente imputable a ese prójimo y no podría "tocarme". Podría sentir irritación o cólera ante ella como ante un mal retrato mío, que me prestara una fealdad o una ruindad de expresión que no tengo, pero no podría alcanzarme hasta los tuétanos: la vergüenza es, por naturaleza, *reconocimiento*. Reconozco que *soy* como el prójimo me ve. No se trata, empero, de la comparación entre lo que soy para mí y lo que soy para los demás, como si encontrara en mí, en el modo de ser del Parasí, un equivalente de lo que soy para el prójimo. En primer lugar, esta comparación no se encuentra en nosotros a título de operación psíquica concreta: la vergüenza es un estremecimiento inmediato que me recorre de pies a cabeza sin ninguna preparación discursiva. Además, tal comparación es imposible: no puedo poner en relación lo que soy en la intimidad sin distancia, sin retroceso, sin perspectiva, del Para-sí, con ese ser injustificable y en-sí que soy para otro. No hay aquí ni patrón ni tabla de correspondencias. La noción misma de *vulgaridad* implica, por otra parte, una relación intermonádica. Uno no es vulgar a solas. Así, el prójimo no solamente me ha revelado lo que yo soy, sino que además me ha constituido según un tipo de ser nuevo que debe soportar cualificaciones nuevas. Ese ser no estaba en potencia en mí antes de la aparición del prójimo, pues no habría podido hallar lugar en el Para-sí; y, aun si place dotarme de un cuerpo enteramente constituido *antes* que este cuerpo sea para los otros, no podría alojarse en él en potencia mi vulgaridad o mi desmaño, pues éstas son significaciones y, como tales, trascienden el cuerpo y remiten a la vez a un testigo capaz de comprenderlas y a la totalidad de mi realidad humana. Pero este nuevo ser que aparece *para* otro no reside *en* el otro: yo soy responsable de él, como lo muestra a las claras el sistema educativo consistente en "avergonzar" a los niños por lo que *son*. Así, la vergüenza es vergüenza *de sí* ante otro; estas dos estructuras son inseparables. Pero, a la vez, necesito del prójimo para captar en pleno todas las estructuras de mi ser: el Para-sí remite al Para-otro. Así, pues, si queremos captar en su totalidad la relación de ser entre el hombre y el ser-en-sí, no podemos contentarnos con las descripciones esbozadas en los precedentes capítulos de esta obra: debemos responder a dos preguntas mucho más temibles: en primer lugar, la de la existencia del prójimo; después, la de mi relación de ser con el *ser* del prójimo.

II

El escollo del solipsismo

Es curioso que el problema de los Otros no haya inquietado nunca de veras a los realistas. En la medida en que para el realista se "da todo", le parece, sin duda, que se da el prójimo también. En medio de lo real, en efecto, ¿qué hay más real que el prójimo? Es una sustancia pensante de la misma esencia que yo, la cual no podría desvanecerse en cualidades secundarias y cualidades primarias, y cuyas estructuras esenciales encuentro en mí. Empero, en la medida en que el realismo procura dar razón del conocimiento por una acción del mundo sobre la sustancia pensante, no se ha cuidado de establecer una acción inmediata y recíproca de las sustancias pensantes entre sí: ellas comunican por intermedio del mundo; entre la conciencia ajena y la mía, mi cuerpo, como cosa del mundo, y el cuerpo del otro son los intermediarios necesarios. El alma ajena está, pues, separada de la mía por toda la distancia que separa ante todo mi alma de mi cuerpo, y luego mi cuerpo del cuerpo ajeno, y, por último, el cuerpo del otro de su propia alma. Y, si no es verdad que la relación entre el Para-sí y el cuerpo sea una relación de exterioridad (problema que hemos de tratar más adelante), por lo menos es evidente que la relación de mi cuerpo con el cuerpo del prójimo es una relación de pura exterioridad indiferente. Si las almas están separadas por sus respectivos cuerpos, son distintas, como ese tintero es distinto de este libro; es decir, no se puede concebir ninguna presencia inmediata de la una a la otra. Y, aun si se admite una presencia inmediata de mi alma al cuerpo ajeno, queda todavía todo el espesor de un cuerpo para que su alma me sea alcanzada. Así, pues, si el realismo funda su certeza sobre la presencia "en persona" de la cosa espaciotemporal a mi conciencia, no podría postular la misma evidencia para la realidad del alma ajena, puesto que, como el propio realismo lo confiesa, esta alma no se da en persona a la mía: es una ausencia, una significación; el cuerpo apunta a ella sin entregarla; en una palabra: en una filosofía fundada en la intuición, no tengo intuición alguna del alma ajena. Ahora bien: si no se juega con las palabras, esto significa que el realismo no deja lugar alguno a la intuición *del prójimo:* de nada serviría decir que, por lo menos, nos es dado el cuerpo del prójimo, y que este cuerpo es cierta presencia del otro o de una parte de él. Es verdad que el cuerpo pertenece a la totalidad que llamamos "realidad humana", como una de sus estructuras. Pero, precisamente, no es *cuerpo del hombre* sino en tanto que existe en la unidad indisoluble de esta totalidad, como el órgano no es órgano viviente sino en la totalidad del organismo. La posición del realista, al entregarnos el cuerpo no como implicado en la totalidad humana, sino aparte, como una piedra o un árbol o un trozo de cera, ha matado el cuerpo tan exactamente como el escalpelo del fisiólogo que separa un trozo de carne de la totalidad del ser vivo. Lo que está presente a la intuición realista no es *el cuerpo del prójimo,* sino *un* cuerpo. Un cuerpo que, sin duda, tiene aspectos y una "ἕξις" particulares, pero que pertenece, empero, a la gran familia de los cuerpos. Si es verdad que para un realismo espiritualista el alma es más fácil de conocer que el cuerpo, el cuerpo será más fácil de conocer que el alma ajena.

A decir verdad, el realista se cuida muy poco de este problema, pues tiene por segura la existencia del prójimo. Por eso, la psicología realista y positivista del siglo XIX, dando por concedida la existencia de mi prójimo, se preocupa exclusivamente de establecer los medios que tengo para conocer esa existencia y descifrar sobre el cuerpo los matices de una conciencia que me es extraña. El cuerpo, se dirá, es un objeto cuya ἕξις requiere una interpretación particular. La hipótesis que mejor da razón de sus comportamientos es la de una conciencia análoga a la mía, cuyas diferentes emociones refleja su cuerpo. Queda por explicar *cómo* establecemos esa hipótesis: se nos dirá ora que por analogía con lo que sé de mí mismo, ora que la experiencia nos enseña a descifrar, por ejemplo, la coloración súbita de un rostro como preanuncio de golpes y gritos furiosos. Se reconocerá de grado que estos procedimientos sólo pueden darnos del prójimo un conocimiento *probable*: siempre queda como probable que el prójimo no sea sino un cuerpo. Si los animales son máquinas, ¿por qué no lo sería también el hombre que veo pasar por la calle? ¿Por qué no sería válida la hipótesis radical de los behavioristas? Lo que capto en ese rostro no es sino el efecto de ciertas contracciones musculares, y éstas a su vez no son sino el efecto de un influjo nervioso cuyo trayecto me es conocido. ¿Por qué no reducir el conjunto de esas reacciones a reflejos simples o condicionados? Pero la mayoría de los psicólogos permanece convencida de la existencia del prójimo como realidad totalitaria de la misma estructura que la suya propia. Para ellos, la existencia del prójimo es segura y el conocimiento que de ella tenemos es probable. Se ve el sofisma del realismo. En realidad, es menester invertir los términos de esa afirmación, y reconocer que, si el prójimo no nos es accesible sino por el conocimiento que de él tenemos y si ese conocimiento es sólo conjetural, entonces la existencia del prójimo es sólo conjetural también, y el papel de la reflexión crítica consiste en determinar su grado exacto de probabilidad. Así, por una curiosa inversión, por haber puesto la realidad del mundo exterior, el realista se ve forzado a volcarse al idealismo cuando encara la existencia del prójimo. Si el cuerpo es un objeto real que actúa realmente sobre la sustancia pensante, el prójimo se convierte en pura representación, cuyo *esse* es un simple *percipi*, es decir, cuya existencia es medida por el conocimiento que de ella tenemos. Las teorías más modernas de la *einfühlung*, de la *simpatía* y de las formas no hacen sino perfeccionar la descripción de nuestros medios de presentificar al prójimo, pero no colocan el debate en su verdadero terreno: que el prójimo sea primeramente *sentido* o que aparezca en la experiencia como una forma singular previa a todo hábito y en ausencia de toda inferencia analógica, sigue en pie que el objeto significante y sentido, la forma expresiva, remiten pura y simplemente a una totalidad humana cuya existencia permanece pura y simplemente conjetural.

Si el realismo nos remite así al idealismo, ¿no es más avisado colocarnos inmediatamente en la perspectiva idealista y crítica? Ya que el prójimo es "mi representación", ¿no vale más interrogar a esta representación en el interior de un sistema que reduzca el conjunto de los objetos a una agrupación conexa de representaciones y que mida toda existencia por el conocimiento que de ella tomo?

Encontraremos, sin embargo, poco auxilio en un Kant: preocupado, en efecto, por establecer las leyes-universales de la subjetividad, que son las mismas para todos, no ha abordado la cuestión de las *personas*. El sujeto es solamente la esencia común de esas personas, y no podría permitirnos determinar su multiplicidad, así como la esencia de hombre, para Spinoza, no permite determinar la de los hombres concretos. Parece, pues, que Kant hubiera situado el problema del prójimo entre los problemas ajenos a su crítica. Empero, observémoslo mejor: el prójimo, como tal, es dado en nuestra experiencia; es un objeto, y un objeto particular. Kant se ha colocado en el punto de vista del sujeto puro para determinar las condiciones de posibilidad no sólo de un objeto en general, sino de las diversas categorías de objetos: el objeto físico, el objeto matemático, el objeto bello o feo, y el que presenta caracteres teleológicos. Desde este punto de vista, se ha podido reprochar lagunas a su obra y querer, por ejemplo, siguiendo a un Dilthey, establecer las condiciones de posibilidad del objeto histórico; es decir, intentar una crítica de la razón histórica. Análogamente, si verdad es que el prójimo representa un tipo particular de objeto que se descubre a nuestra experiencia, es necesario, en la propia perspectiva de un kantismo riguroso, preguntarse cómo es posible el conocimiento del prójimo, es decir, establecer las condiciones de posibilidad de la experiencia de los otros.

Sería, en efecto, totalmente erróneo asimilar el problema del prójimo al de las realidades numéricas. Por cierto, si existen "prójimos" y si son semejantes a mí, la cuestión de su existencia inteligible puede plantearse para ellos como la de mi existencia numérica se plantea para mí; por cierto, también, la misma respuesta valdrá para mí y para ellos: esa existencia numérica puede ser sólo pensada, no concebida. Pero, cuando encaro al prójimo en mi experiencia cotidiana, no encaro en modo alguno una realidad numérica, así como no capto ni encaro mi realidad inteligible cuando tomo conocimiento de mis emociones o de mis pensamientos empíricos. El prójimo es un fenómeno que remite a otros fenómenos: a una cólera-fenómeno que él siente contra mí, a una serie de pensamientos que se le aparecen como fenómenos de su sentido íntimo: lo que encaro en el prójimo no es nada más que lo que encuentro en mí mismo. Sólo que estos fenómenos son radicalmente distintos de todos los demás.

En primer lugar, la aparición del prójimo en mi experiencia se manifiesta por la presencia de formas organizadas, tales como la mímica y la expresión, los actos y las conductas. Estas formas organizadas remiten a una unidad organizadora que se sitúa por principio fuera de nuestra experiencia. La cólera del prójimo, en tanto que aparece a su sentido íntimo y se deniega por naturaleza a mi apercepción, constituye la significación y es quizá la causa de la serie de fenómenos que capto en mi experiencia con el nombre de expresión o de mímica. El prójimo, en cuanto unidad sintética de sus experiencias y en cuanto voluntad tanto como en cuanto pasión, viene a organizar *mi* experiencia. No se trata de la pura y simple acción de un número incognoscible sobre mi sensibilidad, sino de la constitución, en el campo de mi experiencia, por un ser que no soy yo, de grupos conexos de fenómenos. Y estos fenómenos, a diferencia de todos los demás, no remiten a experiencias posibles sino a experiencias que, por principio, están fuera de mi experiencia y pertenecen a un sistema que me es inaccesible. Pero, por otra parte, la condición de posibilidad de toda experiencia es que el sujeto organice sus impresiones en sistema conexo. Así, no encontramos en las cosas "sino lo que ya hemos puesto". El prójimo no puede, pues, aparecernos sin contradicción como organizando nuestra experiencia: habría sobredeterminación del fenómeno. ¿Podemos utilizar aún aquí la causalidad? Esta cuestión es muy apta para destacar el carácter ambiguo del Otro en una filosofía kantiana. En efecto, la causalidad no podría vincular entre sí sino fenómenos. Pero, precisamente, la cólera que el prójimo experimenta es un fenómeno, y la expresión furiosa que yo percibo es otro fenómeno. ¿Puede haber entre ambos un nexo causal? Sería conforme a su naturaleza fenoménica: y, en este sentido, no me vedo considerar la rojez del rostro de Pablo como el efecto de su cólera: ello forma parte de mis afirmaciones corrientes. Pero, por otra parte, la causalidad no tiene sentido a menos que vincule fenómenos de *una misma* experiencia y contribuya a constituirla. ¿Puede servir de puente entre dos experiencias radicalmente separadas? Ha de notarse aquí que, al utilizarla a este título, le haríamos perder su naturaleza de unificación *ideal* de las apariciones empíricas: la causalidad kantiana es unificación de los momentos de *mi* tiempo en la forma de la irreversibilidad. ¿Cómo admitir que unifique mi tiempo y el del otro? ¿Qué relación temporal establecer entre la decisión de expresarse, fenómeno aparecido en la trama de la experiencia ajena, y la expresión, fenómeno de *mi* experiencia? ¿La simultaneidad? ¿La sucesión? Pero, ¿cómo puede un instante de *mi* tiempo estar en relación de sucesión o de simultaneidad con un instante del tiempo ajeno? Aun si una armonía preestablecida y, por otra parte, incomprensible en la perspectiva kantiana, hiciera corresponderse instante por instante ambos tiempos, no por eso dejarían de ser *dos* tiempos sin relación, ya que, para cada uno de ellos, la síntesis unificativa de los momentos es un acto del sujeto. La universalidad de los tiempos, en Kant, no es sino la universalidad de un concepto; significa sólo que cada temporalidad debe poseer una estructura definida; que las condiciones de posibilidad de una experiencia temporal son válidas para todas las temporalidades. Pero esta identidad de la esencia temporal no impide la diversidad incomunicable de los tiempos, así como la identidad de la esencia hombre no impide la diversidad incomunicable de las conciencias humanas. Así, siendo la relación de las conciencias impensable por naturaleza, el concepto de *prójimo* no podría *constituir* nuestra experiencia: será preciso acomodarlo, junto con los conceptos teleológicos, entre los conceptos *reguladores*. El prójimo pertenece, pues, a la categoría de los "como si"; es una hipótesis *a priori* que no tiene otra justificación sino la unidad que ella permite operar en nuestra experiencia, y no podría ser pensada sin contradicción. En efecto: si es posible concebir, a título de pura ocasión del conocimiento, la acción de una realidad inteligible sobre nuestra sensibilidad, no es ni siquiera pensable, al contrario, que un fenómeno, cuya realidad es estrictamente relativa a su aparición en la experiencia ajena, obre *realmente* sobre un fenómeno de *mi experiencia*. Y aun si admitiéramos que la acción de un inteligible se ejerza a la vez sobre mi experiencia y sobre la ajena (en el sentido de que la realidad inteligible afectara al prójimo en la misma medida en que me afectara a mí), no dejaría de ser radicalmente imposible establecer, ni aun postular, un paralelismo y una tabla de correspondencia entre dos sistemas que se constituyen espontáneamente.[1]

Pero, por otra parte, ¿la cualidad de concepto regulador conviene al concepto de prójimo? No se trata, en efecto, de establecer una unidad más fuerte entre los fenómenos de mi experiencia por medio de un concepto puramente formal que permitiría sólo descubrimientos de detalle en los objetos que se me aparecen. No se trata de una suerte de hipótesis *a priori* que no trascienda el campo de mi experiencia e incite a indagaciones nuevas en los límites mismos de ese campo. La percepción del objeto-prójimo remite a un sistema coherente de representaciones, y este sistema *no es el mío*. Ello significa que

---

[1] Aun si admitimos la metafísica kantiana de la naturaleza y la tabla de los principios estatuida por Kant, sería posible concebir físicas radicalmente diferentes partiendo de esos principios.

el prójimo no es, en mi experiencia, un fenómeno que remite a mi experiencia, sino que se refiere por principio a fenómenos situados fuera de toda experiencia posible para mí. Y, por cierto, el concepto de prójimo permite descubrimientos y previsiones en el interior de mi sistema de representaciones, permite ceñir mejor la trama de los fenómenos: gracias a la hipótesis de *los otros* puedo prever *tal* gesto a partir de *tal* expresión. Pero este concepto no se presenta como esas nociones científicas (los imaginarios, por ejemplo) que intervienen en el curso de un cálculo de física como instrumentos, sin estar presentes en el enunciado empírico del problema y para ser eliminados de los resultados. El concepto de prójimo no es puramente instrumental: lejos de existir *para* servir a la unificación de los fenómenos, ha de decirse, al contrario, que ciertas categorías de fenómenos parecen no existir sino *para* él. La existencia de un sistema de significaciones y experiencias radicalmente distinto del mío es el marco fijo hacia el cual *indican*, en su flujo mismo, series diversas de fenómenos. Y ese marco, por principio exterior a mi experiencia, se llena poco a poco. Ese *prójimo* cuya relación conmigo no podemos captar y que jamás es dado, nosotros lo constituimos poco a poco como objeto concreto: no es el instrumento que sirve para prever un acaecimiento de mi experiencia, sino que los acaecimientos de mi experiencia sirven para constituir el prójimo en tanto que prójimo, es decir, en tanto que sistema de representaciones fuera de alcance, como un objeto concreto y cognoscible. Lo que encaro constantemente *a través de* mis experiencias son los sentimientos del prójimo, las ideas del prójimo, las voliciones del prójimo, el carácter del prójimo. Pues, en efecto, el prójimo no es solamente aquel que veo, sino aquel *que me ve*. Encaro al prójimo en tanto que éste es un sistema conexo de experiencias fuera de alcance, en el cual yo figuro como un objeto entre los otros. Pero, en la medida en que me esfuerzo por determinar la naturaleza concreta de ese sistema de representaciones y el lugar que en él ocupo a título de objeto, trasciendo radicalmente el campo de mi experiencia: me ocupo en una serie de fenómenos que, por principio, no podrán ser jamás accesibles a mi intuición, y, por consiguiente, sobrepaso los derechos de mi conocimiento; busco vincular entre sí experiencias que no serán jamás mis experiencias y, por ende, ese trabajo de construcción y unificación no puede servir de nada para la unificación de mi propia experiencia: en la medida en que el prójimo es una ausencia, escapa a la *naturaleza*. No podría, pues, calificarse lo de *prójimo* de concepto regulador. Por cierto, ideas como la de Mundo, por ejemplo, se hurtan también por principio a mi experiencia; pero al menos se refieren a ella, y no tienen sentido sino por ella. El prójimo, al contrario, se presenta, en cierto sentido, como la negación radical de mi experiencia, ya que es aquel para quien soy no sujeto sino objeto. Me esfuerzo, pues, como sujeto de conocimiento, por determinar como objeto al sujeto que niega mi carácter de sujeto y me determina él mismo como objeto.

Así, el *otro* no puede ser, en la perspectiva idealista, considerado ni como concepto constitutivo ni como concepto regulador de mi conocimiento. Es concebido como *real*, y sin embargo no puede concebir su relación real conmigo; lo construyo como objeto, y sin embargo no me es entregado por la intuición; lo pongo como *sujeto*, y sin embargo lo considero a título de objeto de mis pensamientos. No quedan, pues, sino dos soluciones para el idealista: o bien desembarazarse enteramente del concepto del otro y probar que es inútil para la constitución de mi experiencia; o bien afirmar la existencia real del prójimo, es decir, poner una comunicación real y extraempírica entre las conciencias.

La primera solución es conocida con el nombre de solipsismo: empero, si se la formula, en conformidad con su denominación, como afirmación de mi *soledad* ontológica, es pura hipótesis metafísica, perfectamente injustificada y gratuita, pues equivale a decir que fuera de mí *nada* existe; trasciende, pues, el campo estricto de mi experiencia. Pero si se presenta, más modestamente, como denegación de abandonar el terreno sólido de la experiencia, como una tentativa posible de no hacer uso del concepto de prójimo, es perfectamente lógica y permanece en el plano del positivismo crítico; y, aunque se oponga a las tendencias más profundas de nuestro ser, toma su justificación de las contradicciones de la noción de los *Otros* considerada en la perspectiva idealista. Una psicología que se pretende exacta y objetivamente, como el *behaviourism* de Watson, no hace, en suma, sino adoptar el solipsismo como hipótesis de trabajo. No se tratará de negar la presencia, en el campo de mi experiencia, de objetos que podremos denominar "seres psíquicos", sino sólo de practicar una suerte de ἐποχή acerca de la existencia de sistemas de representación organizados por un sujeto situado fuera de mi experiencia.

Frente a esta solución, Kant y la mayoría de los postkantianos siguen afirmando la existencia del prójimo. Pero no pueden remitirse sino al buen sentido o a nuestras tendencias profundas para justificar su afirmación. Sabido es que Schopenhauer trata al solipsista de "loco encerrado en un *blockhaus* inexpugnable". He ahí una confesión de impotencia. Pues, en efecto, por la posición de la existencia ajena, se hacen saltar de súbito los marcos del idealismo y se recae en un realismo metafísico. En primer lugar, al poner una pluralidad de sistemas cerrados que no pueden comunicar sino desde afuera, restablecemos implícitamente la noción de sustancia. Sin duda, esos sistemas son no-sustanciales, ya que son simples sistemas de representaciones. Pero su exterioridad recíproca es exterioridad *en sí*; es sin ser conocida; no captamos ni siquiera sus efectos de manera segura, ya que la hipótesis solipsista permanece siempre posible. Nos limitamos a poner esa nada en-sí como un hecho absoluto: no es relativa, en efecto, a nuestro conocimiento del prójimo, sino que, al contrario, condiciona ese conocimiento. Así, pues, aun si las conciencias no son sino puras conexiones conceptuales de fenómenos, aun si la regla de su existencia es el *percipere* y el *percipi*, ello no quita que la *multiplicidad* de esos sistemas relacionales sea multiplicidad en-sí y los transforme inmediatamente en sistemas en sí. Pero, además, si pongo que mi experiencia de la cólera ajena tiene por correlato en otro sistema una experiencia subjetiva de cólera, restituyo el sistema de la imagen verdadera, de que Kant había puesto tanto cuidado en liberarse. Por cierto, se trata de una relación de conveniencia entre dos fenómenos: la cólera percibida en los gestos y la mímica y la cólera aprehendida como realidad fenoménica del sentido íntimo; y no de una relación entre un fenómeno y una cosa en sí. Pero ello no quita que el criterio de la verdad es allí la conformidad entre el pensamiento y su objeto, y no el acuerdo de las representaciones entre sí. En efecto: precisamente porque allí se descarta todo recurrir al número, el fenómeno de la cólera experimentada es al de la cólera verificada como lo *real objetivo* es a su imagen. El problema es, efectivamente, el de la representación adecuada, ya que hay algo *real* y un modo de aprehensión de ese algo real. Si se tratara de mi propia cólera, podría, en efecto, considerar sus manifestaciones subjetivas y sus manifestaciones fisiológicas y objetivamente verificables como dos series de efectos de una misma causa, sin que una de las series representara la *verdad* o la *realidad* de la cólera y la otra solamente su efecto o su imagen. Pero si una de las series de fenómenos reside en el prójimo y la otra en mí, la una funciona como la realidad de la otra, y el esquema realista de la verdad es el único aquí aplicable.

Así, hemos abandonado la posición realista del problema porque ella concluía necesariamente en el idealismo; nos hemos situado deliberadamente en la perspectiva idealista y nada hemos ganado, pues ésta, inversamente, en la medida en que rechaza la hipótesis solipsista, concluye en un realismo dogmático y totalmente injustificado. Veamos si podemos comprender esta brusca inversión de las doctrinas y extraer de esta paradoja alguna enseñanza que facilite el correcto planteo de la cuestión.

En el origen del problema de la existencia ajena hay una presuposición fundamental: el prójimo, en efecto, es *el otro*, es decir, el yo que *no soy* yo; captamos aquí, pues, una negación como estructura constitutiva del ser-otro. La presuposición común al idealismo y al realismo es que la negación constituyente es negación de exterioridad. El prójimo es aquel que no es yo y que yo no soy. Este *no* indica una nada como elemento de separación *dado* entre el prójimo y yo mismo. Entre el prójimo y yo mismo *hay* una nada de separación. Esta nada no tiene su origen en mí ni en el prójimo ni en una relación recíproca entre el otro y yo, sino que, al contrario, es originariamente el fundamento de toda relación entre el otro y yo, como ausencia primera de relación. Pues, en efecto, el otro se me aparece empíricamente con ocasión de la percepción de un cuerpo y este cuerpo es un en-sí exterior a mi cuerpo; el tipo de relación que une y separa esos dos cuerpos es la relación especial como la relación de las cosas que no tienen relación entre sí, como la exterioridad pura en tanto que dada. El realista que cree captar *al prójimo* a través de su cuerpo estima, pues, hallarse separado de él como un cuerpo de otro cuerpo, lo que significa que el sentido ontológico de la negación contenida en el juicio "No soy Pablo" es del mismo tipo que el de la negación contenida en el juicio "La mesa no es la silla". Así, siendo la separación de las conciencias imputable a los cuerpos, hay como un espacio original entre las conciencias diversas, es decir, precisamente, una nada *dada,* una distancia absoluta, pasivamente padecida. El idealismo, por cierto, reduce mi cuerpo y el cuerpo ajeno a sistemas objetivos de representación. Mi cuerpo, para Schopenhauer, no es sino "el objeto inmediato". Pero no-por eso se suprime la distancia absoluta entre las conciencias. Un sistema total de representaciones –es decir, cada mónada– no puede ser limitado sino por sí mismo, y no podría mantener relación sino consigo mismo. El sujeto cognoscente no puede ni limitar a otro sujeto ni hacerse limitar por él. Está aislado por su plenitud positiva y, por consiguiente, entre él y otro sistema igualmente aislado se mantiene una separación *espacial* como el tipo mismo de la exterioridad. Así, es siempre *el espacio* lo que separa implícitamente mi conciencia de la del prójimo. Y ha de agregarse que el idealista, sin darse cuenta, recurre a un "tercer hombre" para hacer aparecer esa negación de exterioridad. Pues, como hemos visto, toda negación externa, en tanto que no está constituida, por sus propios términos, requiere un testigo que la ponga. Así, para el idealista *como* para el realista, se impone una conclusión: por el hecho de que el prójimo se nos revela en un mundo espacial, un espacio, real o ideal, nos separa de él.

Esta presuposición entraña una grave consecuencia: en efecto, si he de ser, con respecto al prójimo, en el modo de la exterioridad de indiferencia, el surgimiento o la abolición del prójimo no me afectará en mi ser, así como un En-sí no es afectado por la aparición o la desaparición de otro En-sí. Por consiguiente, desde el momento que el prójimo no puede obrar sobre mi ser por medio de su ser, la única manera en que pueda revelárseme es apareciendo a mi conocimiento como *objeto*. Pero ha de entenderse por ello que debo constituir al prójimo como la unificación que mi espontaneidad impone a una diversidad de impresiones, es decir, que soy aquel que constituye al prójimo en el campo de su experiencia. El prójimo no podría ser para mí, entonces, sino una *imagen,* aun cuando, por otra parte, toda la teoría del conocimiento edificada por mí procure rechazar esa noción de imagen; y sólo un testigo exterior a la vez a mí mismo y al prójimo podría comparar la imagen con el modelo y decidir si es verdadera. Ese testigo, por otra parte, para ser autorizado, no debería estar a su vez, con respecto a mí y al prójimo, en una relación de exterioridad, pues si no, no nos conocería sino por imágenes. Sería necesario que, en la unidad ek-stática de su ser, estuviera a la vez *aquí*, sobre mí, como negación *interna* de mí mismo, y *allá*, sobre el otro, como negación *interna* de él. Así, este recurso a Dios, que se encontraría en Leibniz, es pura y simplemente recurso a la negación de interioridad; esto es lo que la noción teológica de *creación* disimula: Dios a la vez es y no es yo mismo y el prójimo, puesto que nos crea. Conviene, en efecto, que Dios *sea* yo mismo para captar mi realidad sin intermediario y en una evidencia apodíctica, y que no sea yo, para mantener su imparcialidad de testigo y para poder allá ser y no ser el prójimo. La imagen de la creación es aquí la más adecuada, pues en el acto creador veo hasta el fondo aquello que estoy creando –pues lo que estoy creando soy yo– y, empero, lo que he creado se opone a mí encerrándose en sí mismo en una afirmación de objetividad. Así, la presuposición espacializadora no nos deja opción: ha de recurrirse a Dios o caerse en un probabilismo, que deja la puerta abierta al solipsismo. Pero esa concepción de un Dios que *es* sus criaturas nos hace caer en una nueva dificultad: la que manifiesta el problema de las sustancia en el pensamiento postcartesiano. Si Dios es yo y es el prójimo, ¿qué garantiza, entonces, mi existencia propia? Si la creación ha de ser *continua,* permanezco siempre en suspenso entre una existencia distinta y una fusión panteísta en el Ser Creador. Si la creación es un acto original y si me he encerrado contra Dios, nada garantiza ya a Dios mi existencia, pues ya no está unido a mí sino por una relación de exterioridad, como el escultor a la estatua terminada y, una vez más, no puede conocerme sino por imágenes. En tales condiciones, la noción de Dios, a la vez que nos revela la negación de interioridad como el único nexo posible entre conciencias, patentiza toda su insuficiencia: Dios no es ni necesario ni suficiente como garante de la existencia del otro; además, la existencia de Dios como intermediario entre yo y el prójimo supone ya la presencia, en conexión de interioridad, de un prójimo a mí mismo, puesto que Dios, estando dotado de las cualidades esenciales de un Espíritu, aparece como la quintaesencia del prójimo, y debe poder estar ya en conexión de interioridad conmigo mismo para que un fundamento real de la existencia del prójimo sea válido para mí. Parece, pues, que una teoría positiva de la existencia del prójimo debiera poder a la vez evitar el solipsismo y prescindir del recurso a Dios, si encarara mi relación originaria con el prójimo como una negación de interioridad, es decir, como una negación que pone la distinción originaria entre el prójimo y yo en la exacta medida en que ella me determina por medio del prójimo y determina al prójimo por medio de mí. ¿Es posible encarar la cuestión en este aspecto?

III

Husserl, Hegel, Heidegger

Parece que la filosofía de los siglos XIX y XX haya comprendido que no se podía evitar el solipsismo si se empezaba por encarar el yo y el prójimo al modo de dos sustancias separadas: toda unión de esas sustancias, en efecto, ha de tenerse por imposible. Por eso el examen de las teorías modernas nos revela un esfuerzo por captar en el seno mismo de las conciencias un nexo fundamental y trascendente con respecto al prójimo, nexo que sería constitutivo de cada conciencia en su surgimiento mismo. Pero, si parece abandonarse el postulado de la negación externa, se conserva su consecuencia esencial, es decir, la afirmación de que mi conexión fundamental con el prójimo es realizada por el *conocimiento*.

En efecto: cuando Husserl, en las *Meditaciones cartesianas* y en *Formale und Transzendentale Logik*, se preocupa de refutar el solipsismo, cree lograrlo mostrando que el recurso al prójimo es condición indispensable de la constitución de un mundo. Sin entrar en el pormenor de la doctrina, nos limitaremos a indicar su articulación fundamental: para Husserl, el mundo tal cual se revela a la conciencia es intermonádico. El prójimo no está presente sólo como aparición concreta y empírica, sino como condición permanente de la unidad y riqueza del mundo. Cuando considero, tanto en soledad como en compañía, esta mesa o ese árbol o aquel paño de muro, el prójimo está siempre ahí como un estrato de significaciones constitutivas que pertenecen al objeto mismo que estoy considerando; en suma, como el verdadero garante de su objetividad. Y como nuestro yo psicofísico es contemporáneo del mundo, forma parte del mundo y cae con el mundo bajo la reducción fenomenológica, el prójimo aparece como necesario para la constitución misma de ese yo. Si he de dudar de la existencia de Pedro, mi amigo –o de los otros en general–, en tanto que esa existencia está por principio fuera de mi experiencia, es menester que dude también de mi ser concreto, de mi realidad empírica de profesor dotado de tales o cuales inclinaciones, hábitos y carácter. No hay privilegio para *mi* yo: mi Ego empírico y el Ego empírico del prójimo aparecen al mismo tiempo en el mundo; y la significación general de "prójimo" es necesaria para la constitución de cada uno de esos "ego". Así, cada objeto, lejos de estar, como en Kant, constituido por una simple relación con el *sujeto*, aparece en mi experiencia concreta como polivalente; se da originariamente como dotado de los sistemas de referencia a una pluralidad indefinida de conciencias; lo mismo que con ocasión de las apariciones concretas de Pedro o Pablo, también *en* la mesa o *en* la pared se me descubre el prójimo como aquello a lo cual se refiere perpetuamente el objeto considerado.

Ciertamente, estas ideas señalan un progreso sobre las doctrinas clásicas. Es incontestable que la cosa-utensilio remite desde su descubrimiento a una pluralidad de Para-síes. Volveremos sobre ello. Es verdad también que la significación de "prójimo" no puede provenir de la experiencia ni de un razonamiento por analogía operado con ocasión de la experiencia, sino que, muy por el contrario, la experiencia se interpreta a la luz del *prójimo*. ¿Quiere decir que el concepto de prójimo es *a priori*? Más adelante procuraremos determinarlo. Pero, pese a esas indisputables ventajas, la teoría de Husserl no nos parece sensiblemente diferente de la de Kant. Pues, en efecto, si mi Ego empírico no es más seguro que el del prójimo, Husserl ha conservado el sujeto trascendental, radicalmente distinto de aquél y harto parecido al sujeto kantiano. Y lo que debería demostrarse no es el paralelismo de los "Ego" empíricos, que nadie pone en duda, sino el de los sujetos trascendentales. Pues, en efecto, el prójimo no es *jamás* ese personaje empírico que se encuentra en mi experiencia: es el sujeto trascendental al cual ese personaje remite por naturaleza. Así, el verdadero problema es el de la conexión entre los sujetos trascendentales allende la experiencia. Si se responde que desde el origen el sujeto trascendental remite a otros sujetos *para la constitución* del conjunto noemático, es fácil responder que remite a ellos como a *significaciones*. El prójimo sería allí como una categoría suplementaria que permitiría constituir un mundo, no como un ser real existente allende ese mundo. Sin duda, la "categoría" de prójimo implica, en su propia significación, una remisión del otro lado del mundo a un sujeto, pero esa remisión no podría ser sino hipotética; tiene el puro valor de un contenido de concepto unificador: vale en y por el mundo, sus derechos se limitan al mundo, y el prójimo está fuera del mundo por naturaleza. Husserl, por otra parte, se veda la posibilidad de comprender lo que puede significar el *ser* extramundano del prójimo, ya que define *el ser* como la simple indicación de una serie infinita de operaciones por efectuar. Imposible hacer más claramente del conocimiento la medida del ser. Pero, aun admitiendo que el conocimiento en general mida al ser, el ser del prójimo se mide en su realidad por el conocimiento que el prójimo tiene de sí mismo, no por el que yo tengo de él. Lo que tengo que alcanzar es el prójimo, no en tanto que tengo conocimiento de él, sino en tanto que tengo conocimiento de su sí mismo, lo que es imposible; pues supondría, en efecto, la identificación en interioridad entre mí mismo y el otro. Volvemos a encontrar, pues, esa distinción de principio entre el prójimo y yo, distinción que no proviene de la exterioridad de nuestros cuerpos sino del simple hecho de que cada uno de nosotros existe en interioridad, y de que un conocimiento válido de la interioridad no puede hacerse sino en interioridad, lo que veda, por principio, todo *conocimiento* del prójimo tal como él se conoce, es decir, tal como él es. Husserl, por otra parte, lo ha comprendido, ya que define al "prójimo", tal como se descubre a nuestra experiencia concreta, como una *ausencia*. Pero, al menos en la filosofía de Husserl, ¿cómo tener intuición plena de una ausencia? El prójimo es el objeto de intenciones vacías; el prójimo, por principio, se deniega y huye: la única realidad que queda es, pues, la de *mi* intención: el prójimo es el noema vacío que corresponde a mi apuntar hacia él, en la medida en que aparece concretamente en mi experiencia; es un conjunto de operaciones de unificación y de constitución de mi experiencia, en la medida en que aparece como concepto trascendental. Husserl responde al solipsista que la existencia del prójimo es tan segura como la del mundo –comprendiendo en el mundo de mi existencia psicológica–; pero el solipsista no dice otra cosa: es no menos segura, responderá, pero tampoco más. La existencia del mundo se mide, añadirá, por el conocimiento que de él tengo; no puede ocurrir de otro modo con la existencia del prójimo.

Me había parecido antes poder evitar el solipsismo negando a Husserl la existencia de su "Ego" trascendental.[1] Suponía entonces que ya no quedaba nada en mi conciencia que fuera privilegiado con respecto al prójimo, ya que la había vaciado de su sujeto. Pero, en realidad, aunque sigo persuadido de que la hipótesis de un sujeto trascendental es inútil y nefasta, su abandono no hace avanzar ni un paso la cuestión de la existencia del prójimo. Pues aun si, aparte del Ego empírico, no hubiera *nada más* que la conciencia *de* ese Ego, es decir, un cam-

---

[1] "La transcendance de l'Ego", en *Recherches philosophiques*, 1937.

po trascendental sin sujeto, ello no quitaría que mi afirmación del prójimo postulara y reclamara la existencia allende el mundo de un campo trascendental así; y, por consiguiente, la única manera de evitar el solipsismo sería, también esta vez, probar que mi conciencia trascendental, en su ser mismo, es afectada por la existencia extramundana de otras conciencias del mismo tipo. Así, por haber reducido el ser a una serie de significaciones, el único nexo que Husserl ha podido establecer entre mi ser y el del prójimo es el del *conocimiento*; no puede, pues, evitar mejor que Kant el solipsismo.

Si, sin observar las reglas de la sucesión cronológica, nos confonnarnos a las de una suerte de dialéctica intemporal, la solución que Hegel da al problema, en el primer volumen de la *Fenomenología del espíritu,* nos parecerá realizar un progreso importante sobre la que propone Husserl. La aparición del prójimo no es indispensable ya, en efecto, para la constitución del mundo y de mi "ego" empírico, sino para la existencia misma de mi conciencia como conciencia de sí. En efecto: en tanto que conciencia de sí, el Yo se capta a sí mismo. La igualdad "yo = yo" o "Yo soy yo" y es la expresión de este hecho. En primer término, esta conciencia de sí es pura identidad consigo misma; pura existencia para sí. Tiene la certeza de sí misma, pero esta certeza está aún privada de verdad. En efecto, tal certeza sería verdadera sólo en la medida en que su propia existencia para sí le apareciera como objeto independiente. Así la conciencia de sí es, ante todo, como una relación sincrética y sin verdad entre un sujeto y un objeto aún no objetivado, que es ese sujeto mismo. Siendo su impulsión realizar su concepto haciéndose consciente de sí misma en todos los respectos, tiende a hacerse válida exteriormente dándose objetividad y existencia manifiesta: se trata de explicitar el "Yo soy yo" y de producirse a sí mismo como objeto a fin de alcanzar el último estadio de desarrollo; estadio que, en otro sentido, es, naturalmente, el primer motor del devenir de la conciencia, y que es la conciencia de sí en general que se reconoce en otras conciencias de sí y es idéntica a ellas y a sí misma. El mediador es el *otro.* El otro aparece conmigo, ya que la conciencia de sí es idéntica a sí misma por la exclusión de todo Otro. Así, el hecho primero es la pluralidad de las conciencias, y esta pluralidad se realiza en la forma de una doble y recíproca relación de exclusión. Henos en presencia del nexo de negación por interioridad que reclamábamos poco antes. Ninguna nada externa y en sí separa mi conciencia de la conciencia ajena, sino que yo excluyo al otro por el hecho mismo de ser yo: el otro es lo que me excluye siendo sí mismo, y lo que siendo yo mismo excluyo yo. Las conciencias están llevadas directamente las unas sobre las otras, en una imbricación recíproca de su ser. Esto nos permite, a la vez, definir la manera en que se me aparece el Otro: él es lo que es otro que yo, y por lo tanto se da como objeto inesencial, con un carácter de negatividad. Pero ese Otro es también una conciencia de sí. Tal cual, se me aparece como un objeto ordinario, inmerso en el ser de la vida. Y así, igualmente, aparezco yo al otro: como existencia concreta, sensible e inmediata. Hegel se coloca aquí no en el terreno de la relacion unívoca que va de mí (aprehendido por el *cogito)* al otro, sino en el de la relación recíproca a la que define como "la captación de sí del uno en el otro". En efecto, sólo en tanto que se opone al otro cada cual es absolutamente para sí; afirma contra el otro y frente al otro su derecho de ser individualidad. Así, el *cogito* mismo no podría ser un punto de partida para la filosofía; no podría nacer, en efecto, sino a corrsecuencia de mi propia aparición a mí mismo como individualidad, y esta aparición está condicionada por el reconocimiento del otro. Lejos de plantearse el problema del otro a partir del *cogito,* la existencia del otro, al contrario, hace posible al *cogito* como el momento abstracto en que el yo se capta como objeto. Así, el "momento" que Hegel denomina el *ser para el otro* es un estadio necesario del desarrollo de la conciencia de sí; el camino de la interioridad pasa por el otro. Pero el otro no tiene interés para mí sino en la medida en que es otro Yo, un Yo-objeto para Mí; e, inversamente, en la medida en que él refleja mi Yo, es decir, en tanto que yo soy objeto para él. Por esta necesidad en que estoy de no ser objeto para mí sino allá, en el Otro, debo obtener del otro el *reconocimiento* de mi ser. Pero si mi conciencia *para sí* debe ser mediada consigo misma por otra conciencia, su ser-para-sí –y, por consiguiente, su ser en general– depende del otro. Tal como aparezco al otro, tal soy yo. Además, puesto que el otro es tal que se me aparece y que mi ser depende de él, la manera en que yo me aparezco a mí mismo –es decir, el momento de desarrollo de mi conciencia de mí– depende de la manera en que el otro se me aparece. El valor del reconocimiento de mí por el otro depende del valor del reconocimiento del otro por mí. En este sentido, en la medida en que el otro me capta como ligado a un cuerpo e inmerso en la *vida*, yo mismo no soy sino *un otro*. Para hacerme reconocer por el otro, debo arriesgar mi propia vida. Arriesgar la vida, en efecto, es revelarse como no-ligado a la forma objetiva o a alguna existencia determinada; como no-ligado a la vida. Pero, a la vez, persigo la *muerte* del otro. Quiere decir que quiero hacerme mediar por otro que sea solamente otro, esto es, por una conciencia dependiente cuyo carácter esencial es el de no existir sino para otro. Esto se producirá en el momento mismo en que arriesgue mi vida, pues, en la lucha contra el otro, he hecho abstracción de mi ser sensible *arriesgándolo;* el otro, al contrario, prefiere la vida y la libertad mostrando así que no ha podido ponerse como no-ligado a la forma objetiva. Permanece, pues, ligado a las cosas externas en general, se me aparece y se aparece a sí mismo como *inesencial*. Es el *Esclavo* y yo soy el *Amo*; para él, yo soy la esencia. Así aparece la famosa relación "Amo-esclavo" que debía influir tan profundamente en Marx. No hemos de entrar en los detalles. Bástenos señalar que el Esclavo es la Verdad del Amo; pero este reconocimiento unilateral y desigual es insuficiente, pues la verdad de su certeza de sí es para el Amo conciencia inesencial; no está, pues, cierto de *serlo para sí* en tanto que *verdad*. Para que esta *verdad* se alcance, será menester "un momento en que el amo haga respecto de sí lo que hace respecto del otro, y en que el esclavo haga respecto del otro lo que hace respecto de sí".[1] En este momento aparecerá la conciencia de sí en general, que se reconoce en otras conciencias de sí y es idéntica a ellas y a sí misma.

La intuición genial de Hegel está en hacerme depender del otro *en mi ser*. *Yo soy* –dice– un ser para sí que no es para sí

---

[1] *Fenomenología del espíritu*, pág. 148, edición Cosson.

sino por medio de otro. Así, pues, el otro me penetra en mi propio meollo. Él no podría ser puesto en duda sin dudar yo de mí mismo, puesto que "la conciencia de sí es real solamente en tanto que conoce su eco (y su reflejo) en otro".[1] Y, como la misma duda implica una conciencia que existe para sí, la existencia del otro condiciona mi tentativa de dudar de ella, al mismo título que en Descartes mi existencia condiciona la duda metódica. Así, el solipsismo parece definitivamente fuera de combate. Al pasar de Husserl a Hegel, hemos cumplido un progreso inmenso: en primer lugar, la negación que constituye al prójimo es directa, interna y recíproca; después, interpela y penetra a cada conciencia en lo más profundo de su ser; el problema se plantea al nivel del ser íntimo, del Yo universal y trascendental; dependo en mi ser esencial del ser esencial del prójimo, y, lejos de deber oponerse mi ser para mí a mi ser para otro, el ser-para-otro aparece como una condición necesaria de mi ser para mí mismo.

Sin embargo, esta solución, pese a su amplitud, pese a la riqueza y profundidad de las visiones de detalle en que abunda la teoría del Amo y el Esclavo, ¿logrará satisfacernos?

Ciertamente, Hegel ha planteado la cuestión del ser de las conciencias. Estudia el ser-para-sí y el ser-para-otro, y da cada conciencia como encerrando la *realidad* de la otra. Pero no es menos cierto que ese problema ontológico queda siempre formulado en términos de conocimiento. El gran motor de la lucha de las conciencias es el esfuerzo de cada una por transformar su certeza de sí en *verdad*. Y sabemos que esta verdad no puede alcanzarse sino en tanto que mi conciencia se hace *objeto* para el otro, al mismo tiempo que la del otro se hace *objeto* para la mía. Así, a la cuestión suscitada por el idealismo –¿cómo puede el otro ser objeto para mí?–, Hegel responde permaneciendo en el propio terreno del idealismo: si hay un Yo en verdad para el cual el *otro* es objeto, ello se debe a que hay *otro* para quien el Yo es objeto. También aquí el conocimiento es medida del ser, y Hegel ni siquiera concibe que pueda haber un ser-para-otro no reductible finalmente a un "ser-objeto". Así,

---

[1] *Propedeutik*, pág. 20, primera edición de las Obras Completas.

la conciencia de sí universal que busca desprenderse a través de todas esas fases dialécticas, es asimilable, como él mismo lo confiesa, a una pura forma vacía: el "Yo soy yo". "Esta proposición sobre la conciencia de sí –escribe– está vacía de todo contenido."[1] Y en otro lugar: "(es) el proceso de abstracción absoluta que consiste en trascender toda existencia inmediata y que desemboca en el ser puramente negativo de la conciencia idéntica a sí misma". El término mismo de este conflicto dialéctico, la conciencia de sí universal, no se ha enriquecido a través de sus vicisitudes; al contrario, se ha quedado enteramente despojada, y no es más que el "Yo sé que otro me sabe como yo mismo". Sin duda, para el idealismo absoluto el ser y la conciencia son idénticos. Pero, ¿adónde nos lleva esta asimilación?

En primer lugar, ese "Yo soy yo", pura fórmula universal de identidad, nada tiene en común con la conciencia concreta que hemos tratado de describir en nuestra Introducción. Habíamos establecido allí que el ser de la conciencia (de) sí no podía definirse en términos de conocimiento. El conocimiento comienza con la *reflexión*, pero el juego del "reflejo-reflejante" no es una pareja sujeto-objeto ni siquiera en estado implícito; no depende *en su ser* de ninguna conciencia trascendente, sino que su modo de ser es precisamente estar en cuestión para sí mismo. Mostrábamos después, en el primer capítulo de nuestra segunda parte, que la relación entre reflejo y reflejante no es en modo alguno una relación de identidad y no puede reducirse al "Yo = Yo" o al "Yo *soy* yo" de Hegel. El reflejo se hace no ser el reflejante; se trata de un ser que se nihiliza en su ser y que procura en vano fundirse consigo mismo como *sí*. Si es verdad que esta descripción es la única que permita comprender el hecho originario de conciencia, se juzgará que Hegel no logra dar razón de esa reduplicación abstracta del Yo que da como equivalente de la conciencia de sí. Por último, habíamos logrado eliminar de la pura conciencia irreflexiva el Yo trascendental que la oscurece y habíamos mostrado que la ipseidad, fundamento de la existencia personal, es por completo dife-

---

[1] *Ibídem.*

rente de un Ego o de una remisión del Ego a sí mismo. No podría tratarse, pues, de definir la conciencia en términos de egología trascendental. En una palabra, la conciencia es un ser concreto y *sui generis,* no una relación abstracta e injustificable de identidad; es ipseidad y no sede de un Ego opaco e inútil; su ser es susceptible de alcanzarse por una reflexión trascendental y hay una *verdad* de la conciencia que no depende del prójimo, sino que el *ser* mismo de la conciencia, siendo independiente del conocimiento, preexiste a su *verdad.* En este terreno, como para el realismo ingenuo, el ser mide la verdad, pues la verdad de una intuición reflexiva se mide según su conformidad con el ser: la conciencia *era ahí* antes de ser conocida. Así, pues, si la conciencia se afirma frente al prójimo, ello se debe a que reivindica el reconocimiento de su ser y no el de una verdad abstracta. Mal se concibe, en efecto, que la lucha ardiente y peligrosa del amo y el esclavo tenga por única prenda el reconocimiento de una fórmula tan pobre y abstracta como el "Yo soy yo". Habría, por otra parte, un engaño en esa misma lucha, puesto que el propósito finalmente alcanzado sería la conciencia de sí universal, "intuición del sí existente por sí". Aquí, como siempre, a Hegel debe oponerse Kierkegaard, que representa las reivindicaciones del individuo en tanto que tal. El individuo reclama su cumplimiento como individuo, el reconocimiento de su ser concreto, y no la explicación objetiva de una estructura universal. Sin duda, los *derechos* que reclamo al prójimo ponen la universalidad del *sí mismo;* la respetabilidad de las personas exige el reconocimiento de mi persona como universal. Pero lo que se vuelca en este ser universal y lo llena es mi ser concreto e individual; y para este ser-*ahí* reclamo derechos; lo particular es aquí soporte y fundamento de lo universal; lo universal, en este caso, no podría tener significación si no existiera *a intención* de lo individual.

De dicha asimilación entre ser y conocimiento resultarán también buen número de errores o de imposibilidades. Las resumiremos aquí bajo *dos rúbricas,* es decir, que formularemos contra Hegel una doble acusación de optimismo.

En primer lugar, Hegel nos parece pecar de un optimismo epistemológico. Cree, en efecto, que pueda aparecer la *verdad* de la conciencia de sí, es decir, que pueda ser realizado un acuerdo objetivo entre las conciencias con el nombre de reconocimiento de mí por el prójimo y del prójimo por mí. Este reconocimiento puede ser simultáneo y recíproco: "Yo sé que el prójimo me sabe como sí mismo", y produce *en verdad* la universalidad de la conciencia de sí. Pero el enunciado correcto del problema del prójimo hace imposible este tránsito al universal. En efecto: si el prójimo debe devolverme mi "sí mismo", es menester que por lo menos al término de la evolución dialéctica haya una medida común entre lo que yo soy para él, lo que él es para mí, lo que yo soy para mí y lo que él es para sí. Ciertamente, esta homogeneidad no existe en el punto de partida, como lo admite Hegel: la relación "Amo-Esclavo" no es recíproca. Pero afirma que la reciprocidad ha de poder establecerse. En efecto, desde el punto de partida comete una confusión –tan hábil que parece voluntaria– entre la *objetividad* y la *vida*. El otro, dice, se me aparece como objeto. Pero el objeto es *Yo* en el otro. Y cuando quiere definir mejor esta objetividad, discierne en ella tres elementos:[1] "esa captación de sí del uno en el otro es: 1° El momento abstracto de la identidad consigo mismo. 2° Cada uno, empero, tiene también la particularidad de manifestarse al otro en tanto que objeto externo, en tanto que existencia concreta y sensible inmediata. 3° Cada uno es absolutamente para sí e individual en tanto que opuesto al otro..." Se ve que el momento abstracto de la identidad consigo mismo está dado en el conocimiento del otro. Está dado con otros dos momentos de la estructura total. Pero, cosa curiosa en un filósofo de la Síntesis, Hegel no se ha preguntado si esos tres elementos no reaccionaban uno sobre otro de manera de constituir una forma nueva y refractaria al análisis. Hegel precisa su punto de vista en la *Fenomenología del espíritu,* declarando que el otro aparece primero como inesencial (es el sentido del tercer momento antes citado) y como "conciencia inmersa en el ser de la vida". Pero se trata de una pura coexistencia del momento abstracto y de la *vida*. Basta, pues, que yo o el otro arriesguemos nuestra vida, para que, en el acto mismo de ofre-

[1] *Propedeutik*, pág. 18.

cernos al peligro, realicemos la separación analítica de la vida y la conciencia: "Lo que el otro es para cada conciencia lo es ésta misma para el otro: cada una cumple en ella misma y a su vez, por su actividad propia y por la actividad de la otra, esa pura abstracción del ser para sí... Presentarse como pura abstracción de la conciencia de sí es revelarse como pura negación de su forma objetiva, es revelarse como no ligado a alguna existencia determinada..., es revelarse como no ligado a la vida".[1] Sin duda, Hegel dirá más adelante que, por la experiencia del riesgo y del peligro de muerte, la conciencia de sí aprende que la vida le es tan esencial como la conciencia pura de sí; pero ello es desde un punto de vista muy distinto, y no quita que podamos separar siempre la pura *verdad* de la conciencia de sí, en el otro, de su *vida*. Así, el esclavo capta la conciencia de sí del amo, él es la *verdad* de ella, aun cuando, como lo hemos visto, esta verdad no es adecuada aún.

Pero ¿es lo mismo decir que el prójimo se me aparece por principio como objeto y decir que se me aparece como ligado a alguna existencia particular, como inmerso en la *vida*? Si permanecemos aquí en el plano de las puras hipótesis lógicas, observaremos en primer lugar que el prójimo puede muy bien ser dado a una conciencia en la forma de objeto sin que este objeto esté precisamente ligado a ese objeto contingente que se llama un cuerpo vivo. *De hecho,* nuestra experiencia no nos presenta sino individuos concretos y vivientes; pero, de derecho, ha de hacerse notar que el prójimo es objeto para mí porque es prójimo y no porque aparezca con ocasión de un cuerpo-objeto; si no, recaeríamos en la ilusión espacializante de que antes hablábamos. Así, lo esencial para el prójimo en tanto que prójimo es la objetividad y no la vida. Hegel, por otra parte, había partido de esta comprobación lógica. Pero, si verdad es que la conexión de una conciencia con la vida no deforma en su naturaleza el "momento abstracto de la conciencia de sí", que permanece ahí, inmerso, siempre susceptible de ser descubierto, ¿ocurre lo mismo con la objetividad? En otros términos: puesto que sabemos que una conciencia *es* antes de ser conocida,

---

[1] *Fenomenología del espíritu,* ibíd.

¿una conciencia conocida no es totalmente modificada por el hecho mismo de ser conocida? Aparecer como objeto para una conciencia, ¿es ser conciencia todavía? A esta pregunta es fácil responder: que el ser de la conciencia de sí es tal que en su ser es cuestión de su ser, significa que ella es pura interioridad. Es perpetuamente remisión a un *sí mismo* que ella tiene-de-ser. Su ser se define por el hecho de que ella *es* ese ser en el modo de ser lo que no es y de no ser lo que es. Su ser es, pues, la exclusión radical de toda objetividad: yo soy aquel que no puede ser objeto para mí mismo, aquel que no puede ni aun concebir para sí la existencia en forma de objeto (salvo en el plano del desdoblamiento reflexivo; pero habíamos visto que la reflexión es el drama del ser que no puede ser objeto para sí mismo). Y ello no a causa de una falta de perspectiva o de una prevención intelectual o de un límite impuesto a mi conocimiento; sino porque la objetividad reclama una negación explícita: el objeto es lo que yo me hago no ser, mientras que yo soy aquel que me hago ser. Yo me soy doquiera, no podría hurtarme a mí mismo o, me reátrapo por detrás, y aun si pudiera intentar hacerme objeto, yo sería yo en el meollo de ese objeto que soy, y desde el propio centro de ese objeto tendríade-ser el sujeto que lo mira. Esto es, por otra parte, lo que Hegel presentía al decir que la existencia del otro es necesaria para que yo sea objeto para mí. Pero, al postular que la conciencia de sí se expresa por el "Yo soy yo", es decir, al asimilarla al conocimiento de sí, no atinaba con la consecuencia de esas comprobaciones primeras, ya que introducía en la propia conciencia algo como un objeto en potencia que el prójimo no tenía sino que extraer sin modificarlo. Pero si, precisamente, ser objeto es *no-ser-yo*, el hecho de ser objeto para una conciencia modifica radicalmente la conciencia, no en lo que ella es para sí, sino en su aparición al otro.[1] La conciencia del prójimo es lo que puedo simplemente contemplar y, lo que, por

---

[1] Se ha preferido mantener en la traducción la estructura de la frase original; parece evidente que ha de entenderse así: "para una conciencia, el hecho de ser objeto para otra la modifica radicalmente, no en lo que ella es para sí, sino en su aparición al otro". (N. del T.)

este hecho, se me aparece como puro dato, en vez de ser lo que tiene-de-ser yo. Es lo que se me entrega en el tiempo universal, vale decir, en la dispersión original de los momentos, en vez de aparecérseme en la unidad de su propia temporalización. Pues la única conciencia que pueda aparecérseme en su propia temporalización es la *mía*, y ella no lo puede sino renunciando a toda objetividad. En una palabra, el *para-sí* es incognoscible para el prójimo como para-sí. El objeto que capto con el nombre de prójimo se me aparece en una forma radicalmente *otra*: el prójimo no es *para sí* tal como se me aparece, y yo no me aparezco a mí mismo como soy *para otro*; soy tan incapaz de captarme para mí como soy para otro, como de captar lo que otro es para sí a partir del objeto-prójimo que se me aparece. ¿Cómo podría establecerse, pues, un concepto universal que subsuma con el nombre de conciencia de sí mi *conciencia* para mí y (de) mí y mi *conocimiento* del prójimo? Pero hay más: según Hegel, el otro es objeto y yo me capto como objeto en el otro. Pero una de estas afirmaciones destruye la otra: para que yo pudiera aparecerme a mí mismo como objeto en el otro, sería menester que captara al otro en tanto que sujeto, es decir, que lo aprehendiera en su interioridad. Pero, en tanto que el otro se me aparece como objeto, no podría aparecérseme mi objetividad para él: sin duda, capto que el objeto-otro se *refiere a mí* por intenciones y actos, pero, por el hecho mismo de ser objeto, el espejo-prójimo se oscurece y no refleja ya nada, pues esas intenciones y actos son cosas del mundo, aprehendidas en el Tiempo del Mundo, comprobadas, contempladas, cuya significación es objeto para mí. Así, sólo puedo aparecerme a mí mismo como cualidad trascendente a la cual se refieren los actos e intenciones del prójimo; pero, precisamente, al destruir la objetividad del prójimo mi objetividad para él, me capto en tanto que sujeto interno como aquello a que sus intenciones y actos se refieren. Y debe entenderse esta captación de mí por mí mismo en puros términos de conciencia, no de conocimiento; teniendo-de-ser lo que soy en la forma de conciencia ek-stática (de) mí, capto al prójimo como un objeto que indica hacia mí. Así, el optimismo de Hegel termina en un fracaso: entre el objeto-prójimo y yo-sujeto no hay ninguna medida común, así como no la hay entre la conciencia (de) sí y la conciencia *del* otro. No puedo conocerme *en* otro si el otro es primeramente objeto para mí, y no puedo tampoco captar al otro en su ser verdadero, es decir, en su subjetividad. Ningún conocimiento universal puede extraerse de la relación entre las conciencias. Es lo que llamaremos su separación ontológica.

Pero hay en Hegel otra forma de optimismo, más fundamental. Es lo que conviene llamar optimismo ontológico. Para él, en efecto, la verdad es verdad del Todo. Y se sitúa desde el punto de vista de la verdad, es decir, del Todo, para encarar el problema del otro. Así, cuando el monismo hegeliano considera la relación de las conciencias, no se sitúa en ninguna conciencia particular. Aunque el Todo esté por realizar, está ya ahí como la verdad de todo lo que es verdadero; así, cuando Hegel escribe que toda conciencia, siendo idéntica a sí misma, es otra que el otro, se ha establecido en el todo, fuera de las conciencias, y las considera desde el punto de vista del Absoluto. Pues *las* conciencias son momentos del todo; momentos que son, por sí mismos, *unselbstständig,* y el todo es mediador entre las conciencias. De ahí un optimismo ontológico paralelo al optimismo epistemológico: la pluralidad puede y debe ser trascendida hacia la totalidad. Pero, si Hegel puede afirmar la realidad de este trascender, ella se debe a que lo ha puesto al comienzo. En efecto, ha olvidado su propia conciencia; él *es* el Todo, y, en este sentido, si resuelve tan fácilmente el problema de *las* conciencias, es porque para él no ha habido nunca verdadero problema a este respecto. No se plantea, en efecto, la cuestión de las relaciones de su propia conciencia con la de otro, sino que, haciendo enteramente abstracción de la suya propia, estudia pura y simplemente la relación de las conciencias de los otros entre sí, es decir, la relación entre conciencias que son para él ya objetos, cuya naturaleza, según él, es precisamente ser un tipo particular de objetos –el sujeto-objeto–, y que, desde el punto de vista totalitario en que se coloca, son rigurosamente equivalentes entre sí, aunque cada una esté separada de las otras por un privilegio particular. Pero, si Hegel se olvida de sí, nosotros no podemos olvidar a Hegel. Esto significa que nos vemos remitidos al *cogito*. En efecto: si, como lo hemos establecido, el ser de mi conciencia es rigurosamente irreductible al conocimiento, entonces no puedo trascender mi ser hacia una relación recíproca y universal desde donde pudiera ver como equivalentes a la vez mi ser y el de los otros; al contrario, debo establecerme *en mi ser* y plantear el problema del prójimo a partir de mi ser. En una palabra, el único punto de partida seguro es la interioridad del *cogito*. Con ello ha de entenderse que cada cual ha de poder, partiendo de su propia interioridad, encontrar el ser del prójimo como una trascendencia que condiciona al ser mismo de esa interioridad, lo que implica necesariamente que la multiplicidad de las conciencias es por principio intrascendible, pues bien puedo, sin duda, trascenderme *hacia* un Todo, pero no establecerme en ese Todo para contemplarme y contemplar al prójimo. Ningún optimismo lógico o epistemológico podría, pues, hacer cesar el escándalo de la pluralidad de las conciencias. Hegel ha creído poder hacerlo porque no captó jamás la naturaleza de esa dimensión particular de ser que es la conciencia (de) sí. La tarea que puede proponerse una ontología es la de describir ese escándalo y fundarlo en la naturaleza misma del ser: pero es impotente para trascenderlo y superarlo. Quizá sea posible –como lo veremos mejor dentro de poco– refutar el solipsismo y mostrar que la existencia del prójimo es para nosotros evidente y cierta. Pero, aun cuando hubiéramos hecho participar la existencia del prójimo de la certeza apodíctica del *cogito* –es decir, de mi propia existencia–, no por eso habríamos "trascendido" al prójimo hacia alguna totalidad intermonádica. La dispersión y la lucha de las conciencias quedarán tal cual son: simplemente habremos descubierto su fundamento y su verdadero terreno.

¿Qué nos ha aportado esta larga crítica? Simplemente esto: que mi relación con el prójimo es, ante todo y fundamentalmente, una relación de ser a ser, no de conocimiento a conocimiento, si ha de poder refutarse el solipsismo. Hemos visto, en efecto, el fracaso de Husserl, quien, en este plano particular, mide al ser por el conocimiento, y el de Hegel, que identifica el conocimiento con el ser. Pero hemos reconocido igualmente que Hegel, aunque su visión esté oscurecida por el postulado del idealismo absoluto, supo colocar el debate en su verdadero nivel. Parece que Heidegger, en *Sein und Zeit*, haya aprovechado las meditaciones de sus precursores y se haya compenetrado profundamente de esta doble necesidad: 1º la relación de las "realidades-humanas" ha de ser una relación de ser; 2º esta relación debe hacer depender las "realidades-humanas" las unas de las otras, en su ser esencial. Por lo menos, su teoría responde a ambas exigencias. Con su manera brusca y algo bárbara de cortar los nudos gordianos antes que tratar de desanudarlos, responde a la cuestión planteada con una pura y simple *definición*. Ha descubierto diversos momentos –inseparables, por otra parte, salvo por abstracción– en el "ser-en-el-mundo" que caracteriza a la realidad humana. Esos momentos son "mundo", "ser-en" y "ser". Ha descrito el *mundo* como "aquello por lo cual la realidad humana se hace anunciar lo que es"; el "ser-en" lo ha definido como *Befindlichkeit* y *Verstand*; falta hablar del *ser*, es decir, del modo en que la realidad humana es su ser-en-el-mundo. Es el *Mit-Sein*, nos dice; es decir, el "ser-con". Así, la característica de ser de la realidad-humana es ser su ser *con* los otros. No se trata de un azar; no soy *primeramente* para que una contingencia me haga después *encontrarme* con el prójimo: se trata de una estructura esencial de mi ser. Pero esta estructura no se establece desde afuera y desde un punto de vista totalitario, como en Hegel: ciertamente, Heidegger no parte del *cogito,* en el sentido cartesiano del descubrimiento de la conciencia por ella misma; pero la realidad-humana que se le devela y cuyas estructuras trata de fijar con conceptos, es la suya propia. "Dasein ist je *meines",* escribe. Explicitando la comprensión preontológica que tengo de mí mismo capto el ser-con-otro como una característica esencial de mi ser. En una palabra, descubro la relación trascendente con el prójimo como constituyente de mi propio ser, exactamente como he descubierto que el ser-en-el-mundo medía mi realidad-humana. Siendo así, el problema del prójimo no es ya más que un falso problema: el prójimo no es ya primeramente tal o cual existencia particular con que me encuentro en el mundo, y que no podría ser indispensable para mi propia existencia, ya que yo existía antes de encontrármela, sino que es el término ex-céntrico que contribuye a la constitución de mi ser. El examen de mi ser en tanto que me arroja fuera de mí hacia estructuras que a la vez me escapan y me definen, me devela originariamente el ser del prójimo. Notemos, además, que el tipo de conexión con el prójimo ha cambiado: con el realismo, el idealismo, Husserl y Hegel, el tipo de relación de las conciencias era el *ser-para*: el prójimo se me aparecía y hasta me constituía en tanto que él era *para* mí o que yo era *para* él; el problema era el reconocimiento mutuo de conciencias situadas las unas frente a las otras, que se aparecían mutuamente *en el mundo* y se enfrentaban. El *ser-con* tiene una significación por completo diferente: con no designa la relación recíproca de reconocimiento y de lucha que resultaría de la aparición *en medio* del mundo de una realidad-humana otra que la mía; expresa, más bien, una especie de solidaridad ontológica para la explotación de este mundo. El otro no está ligado originariamente a mí como una realidad óntica que aparece en medio del mundo, entre los "utensilios", como un tipo de objeto particular: en tal caso, estaría ya degradado y la relación que lo uniría conmigo no podría adquirir jamás reciprocidad. El otro no es *objeto*. Permanece, en su conexión conmigo, realidad-humana; el ser por el cual él me determina en su ser es su ser puro captado como "ser-en-el-mundo" –sabido es que "en" debe entenderse en el sentido de "colo", "habito", y no en el de "insum"; ser-en-el-mundo es morar el mundo, no estar enviscado en él–, y me determina en mi "ser-en-el-mundo". Nuestra relación no es una oposición *de frente,* sino más bien una interdependencia *de costado:* en tanto que hago que un mundo exista como complejo de utensilios de que me sirvo a intención de mi realidad humana, me hago determinar en mi ser por un ser que hace que el mismo mundo exista como complejo de utensilios a intención de su propia realidad. No debe entenderse ese *ser-con,* por otra parte, como una pura colateralidad pasivamente recibida de mi ser. Ser, para Heidegger, es ser las propias posibilidades, es hacerse ser. Es, pues, un modo de ser que me hago ser. Tanto es verdad, que soy responsable de mi ser para otro en tanto que lo realizo libremente en la autenticidad o la inautenticidad. En plena libertad y por una elección originaria, realizo, por ejemplo, mi ser-con en la forma del "se" impersonal. Y si se pregunta cómo puede mi "ser-con" existir para-mí, ha de responderse que me hago anunciar por el mundo lo que soy. En particular, cuando soy en el modo de la inautenticidad, del "se", el mundo me devuelve como un reflejo impersonal de mis posibilidades inauténticas en el aspecto de utensilios y complejos de utensilios que pertenecen a "todo el mundo" y que me pertenecen en tanto que soy "todo el mundo": vestidos de confección, transportes en común, parques, jardines, lugares públicos, albergues dispuestos para que *uno cualquiera* pueda refugiarse, etc. Así, me hago anunciar como *uno cualquiera* por el complejo indicativo de utensilios que me indica como un *worumwillen*, y el estado inauténtico –que es mi ser ordinario en tanto que no he realizado la conversión a la autenticidad– me revela mi "ser-con" no como la relación de una personalidad única con otras personalidades igualmente únicas, no como la mutua conexión de "los más irreemplazables de los seres", sino como una total intercambiabilidad de los términos de la relación. La determinación de los términos falta todavía; no soy opuesto al otro, pues no soy yo: tenemos la unidad social del *se*. Plantear el problema en el plano de la incomunicabilidad de los sujetos individuales era cometer un ὕστερον πρότερον, poner el mundo cabeza abajo; la autenticidad y la individualidad han de ganarse: yo no sería mi propia autenticidad a menos que, por influjo de la voz de la conciencia *(Ruf des Gewissens)*, me lanzara hacia la muerte, con resuelta-decisión *(Entschlossenheit)*, como hacia mi posibilidad más propia. En este momento, me develo a mí mismo en la autenticidad y también elevo a los demás conmigo hacia lo auténtico.

La imagen empírica que mejor simbolizaría la intuición heideggeriana no es la de la lucha, sino la del *equipo*. La relación originaria entre el otro y mi conciencia no es el *tú y yo* sino el *nosotros*, y el ser-con heideggeriano no es la posición clara y distinta de un individuo frente a otro individuo, no es el *conocimiento*, sino la sorda existencia en común de los integrantes de un equipo, esa existencia que el ritmo de los remos o los movimientos regulares del timonel harán sensibles a los remeros y que la meta común, por alcanzar la barca o el bote al que hay que pasar y el mundo entero (espectadores, performance, etc.) que se perfila en el horizonte, les *manifestarán*. Sobre el fondo común de esta coexistencia, la brusca develación de mi ser-para-la-muerte me recortará de pronto en una absoluta "soledad en común", elevando al mismo tiempo a los otros hasta esa soledad.

Esta vez se nos ha dado efectivamente lo que pedíamos: un ser que implica en su ser el ser del prójimo. Y, sin embargo, no podríamos consideramos satisfechos. En primer lugar, la teoría de Heidegger nos ofrece más bien la indicación de la solución por encontrar que esa solución misma. Aun cuando admitiéramos sin reservas esa sustitución del "ser-para" por el "ser-con", seguiría siendo para nosotros una simple afirmación sin fundamento. Sin duda, encontramos en nuestro ser ciertos estados empíricos –en particular lo que los alemanes llaman con el término intraducible de *Stimmung*– que parecen revelar una coexistencia de conciencias más bien que una relación de oposición. Pero habría que explicar, precisamente, esa coexistencia. ¿Por qué se convierte ella en el fundamento único de nuestro ser, por qué es el tipo fundamental de nuestra relación con los otros, por qué Heidegger se cree autorizado para pasar de esa comprobación empírica y óntica del ser-con a la posición de la coexistencia como estructura ontológica de mi "ser-en-el-mundo"? ¿Y qué tipo de ser es poseedor de esta coexistencia? ¿En qué medida se ha mantenido la negación que hace al prójimo ser *otro* y que lo constituye como inesencial? Si se la suprime por entero, ¿no iremos a caer en un monismo? Y, si ha de conservársela como estructura esencial de la relación con el prójimo, ¿qué modificación habrá que hacerle sufrir para que pierda el carácter de *oposición* que tenía en el ser-para-otro y adquiera ese carácter de conexión solidarizadora que es la estructura misma del ser-con? ¿Y cómo podremos pasar de ahí a la experiencia concreta del prójimo en el mundo, como cuando veo desde mi ventana a un transeúnte que pasa por la calle? Ciertamente, es tentador concebirme como recortándome por el impulso de mi libertad, por la elección de mis posibilidades únicas, sobre el fondo indiferenciado de lo humano, y acaso esta concepción encierre una parte importante de verdad. Pero, al menos con esa forma, suscita considerables objeciones.

En primer lugar, el punto de vista ontológico coincide aquí con el punto de vista abstracto del sujeto kantiano. Decir que *la* realidad humana –aun si es *mi* realidad humana– "es-con" por estructura ontológica, equivale a decir que es-con por naturaleza, o sea con título esencial y universal. Aun si estuviera probada esta afirmación, no permitiría explicar ningún *ser-con* concreto; en otros términos, la coexistencia ontológica que aparece coma estructura de mi "ser-en-el-mundo" no puede en modo alguno servir de fundamento a un ser-con óntico, como, por ejemplo, la coexistencia que aparece en mi amistad con Pedro o en la pareja que formo con Annie. Lo que debería mostrarse, en efecto, es que el "ser-con-Pedro" o el "ser-con-Annie" es una estructura constitutiva de mi ser-concreto. Pero esto es imposible desde el punto de vista en que se ha situado Heidegger. El otro, en la relación "con" tomada en el plano ontológico, no podría ser concretamente determinado, en efecto, así como no puede serlo la realidad-humana directamente encarada de la cual es el alter-ego: es un término abstracto y, por esto mismo, *unselbstständig*, que no tiene absolutamente en sí el poder de convertirse en *este otro*, Pedro o Annie. Así, la relación del *Mitsein* no nos sirve en modo alguno para resolver el problema psicológico concreto del reconocimiento del prójimo. Hay dos planos incomunicables y dos problemas que exigen soluciones separadas. No es, se dirá, sino uno de los aspectos de la dificultad que experimenta Heidegger para pasar, en general, del plano ontológico al plano óntico, del "ser-en-el-mundo" en general a mi relación con *este* utensilio particular, de mi ser-para-la-muerte, que hace de mi muerte mi posibilidad más esencial, a *esta* muerte "óntica" que tendré, por encuentro con tal o cual existente externo. Pero esa dificultad puede, en rigor, quedar enmascarada en todos los demás casos, pues, por ejemplo, la realidad humana hace que exista un mundo donde una amenaza de muerte que le concierne se disimule; mejor aún: si el inundo es, se debe a que es "mortal", en el sentido en que se dice que es mortal una herida. Pero la imposibilidad de pasar de un plano al otro se hace patente, al contrario, con motivo del problema del prójimo. Pues, en efecto, si en el surgimiento ek-stático de su ser-en-el-mundo la realidad humana hace que exista un mundo, no podría decirse por eso que su ser-con haga surgir otra realidad humana. Ciertamente, soy el ser por el cual "hay" *(es gibt)* ser. ¿Se dirá que soy el ser por el cual "hay" otra realidad-humana? Si se entiende por ello que soy el ser para el cual hay *para mí* otra realidad-humana, es un puro y simple truismo. Si quiere decirse que soy el ser por el cual *hay* otros en general, recaemos en el solipsismo. En efecto, esa realidad humana "con quien" soy, es también "en-el-mundo-conmigo", es el fundamento libre de un mundo (¿y cómo es que este mundo es *mío*? Del ser-con no puede deducirse la identidad de los mundos "en los cuales" las realidades humanas son); o es sus propias posibilidades. Es, pues, *para sí*, sin esperar que yo haga existir su ser en la forma del "hay". Así, puedo constituir un mundo como "mortal", pero no una realidad-humana como ser concreto que es sus propias posibilidades. Mi ser-con captado a partir de "mi" ser no puede considerarse sino como una pura exigencia fundada en *mi* ser, la cual no constituye ninguna prueba de la existencia del prójimo, ningún puente entre mí y el otro.

Más aún: esta relación ontológica entre yo y un prójimo abstracto, por el hecho mismo de que define en general mi relación con el prójimo, lejos de facilitar una relación particular y óntica entre yo y Pedro, hace radicalmente imposible toda conexión concreta entre mi ser y un prójimo singular dado en mi experiencia. En efecto: si mi relación con el prójimo es *a priori*, agota toda posibilidad de relación con él. Relaciones empíricas y contingentes no podrían ser especificaciones ni casos particulares de ella; no hay especificaciones de una ley sino en dos circunstancias: o bien la ley se extrae inductivamente de hechos empíricos y singulares, y aquí no se trata de eso; o bien es *a priori* y unifica la experiencia, como los conceptos kantianos, pero en este caso, precisamente, no tiene alcance sino en los límites de la experiencia: no encuentro en las cosas más que lo que he puesto en ellas. Y la puesta en relación de dos "seres-en-el-mundo" concretos no puede pertenecer a *mi* experiencia: escapa, pues, al dominio del *ser-con*.

[349]

Pero como précisamente la ley *constituye* su propio dominio, excluye *a priori* todo hecho real que no sea construido por ella. La existencia de un tiempo como forma *a priori* de mi sensibilidad me excluiría *a priori* de toda conexión con un tiempo numérico que tuviera los caracteres de un ser. Así, la existencia de un "ser-con" ontológico y, por ende, *a priori*, hace imposible toda conexión óntica con una realidad-humana concreta que surgiera *para-sí* como un trascendente absoluto. El "ser-con" concebido como estructura de mi ser me aísla tan ciertamente como los argumentos del solipsismo. Pues la *trascendencia* heideggeriana es un concepto de mala fe: apunta, ciertamente, a superar el idealismo, y lo logra en la medida en que éste nos presenta una subjetividad en reposo en sí misma que contempla sus propias imágenes. Pero el idealismo así superado no es sino una forma bastarda del idealismo, una especie de psicologismo empiriocriticista. Sin duda, la realidad-humana heideggeriana "existe fuera de sí". Pero precisamente esta existencia fuera de sí es la definición del *sí-mismo*, en la doctrina de Heidegger. No se parece ni al ék-stasis platónico, en que la ex-sistencia es realmente alienación, existencia en otro, ni a la visión en Dios de Malebranche, ni a nuestra propia concepción del ék-stasis y de la negación interna. Heidegger no escapa al idealismo: su huida fuera de sí, como estructura *a priori* de su ser, lo aísla tan ciertamente como la reflexión kantiana sobre las condiciones *a priori* de nuestra experiencia; en efecto: lo que la realidad-humana encuentra al término inaccesible de esa huida fuera de sí es aún el sí: la huida fuera de sí es huida hacia el sí, y el mundo aparece como pura distancia de sí a sí. Vano sería, por consiguiente, buscar en *Sein und Zeit* la superación simultánea de todo idealismo y de todo realismo. Y las dificultades que encuentra el idealismo en general cuando se trata de fundar la existencia de seres concretos semejantes a nosotros que escapan, en tanto que tales, a nuestra experiencia, que no dependen, en su constitución misma, de nuestro *a priori*, surgen también ante la tentativa[1] de Heidegger de hacer salir a la "realidad-humana" de su soledad. Parece

---

[1] En el original, sin duda por errata, se lee "tentación". (N. del T.)

escapar a ellas porque toma el "fuera de sí" ora como "fuera-de-sí-hacia-sí" ora como "fuera-de-sí-hacia-el-otro". Pero la segunda acepción del "fuera-de-sí", que Heidegger desliza solapadamente a vueltas de sus razonamientos, es estrictamente incompatible con la primera: en el propio seno de sus ékstasis, la realidad-humana permanece sola. Pues –y éste será el nuevo provecho que obtengamos del examen crítico de la doctrina heideggeriana– la existencia del prójimo tiene la naturaleza de un hecho contingente e irreductible. Uno se *encuentra* con el prójimo, y no lo constituye. Y si este hecho ha de aparecernos, empero, según el ángulo de la necesidad, no podría ser con la necesidad propia de las "condiciones de posibilidad de nuestra experiencia", o, si se prefiere, con la necesidad ontológica: la necesidad de la existencia del prójimo debe ser, si existe, una "necesidad contingente", es decir, del mismo tipo de la *necesidad de hecho* con que el *cogito* se impone. Si el prójimo ha de poder sernos dado, lo será por una aprehensión directa que deje al mutuo encuentro su carácter de facticidad, como el propio *cogito* deja toda su facticidad a mi propio pensamiento, y que, empero, participe de la apodicticidad del *cogito* mismo, es decir, de su indubitabilidad.

Esta larga exposición doctrinal no habrá sido inútil, pues, si nos permite precisar las condiciones necesarias y suficientes para que sea válida una teoría de la existencia del prójimo.

1) Tal teoría no debe aportar una nueva *prueba* de la existencia del prójimo, un argumento mejor que los otros contra el solipsismo. En efecto: si el solipsismo ha de rechazarse, no puede ser porque sea imposible o, si se prefiere, porque nadie es verdaderamente solipsista. La existencia ajena será siempre dubitable, a menos, precisamente, que dudemos del prójimo sólo en palabras y abstractamente, como puedo escribir sin siquiera poder pensarlo que "dudo de mi propia existencia". En una palabra, la existencia ajena no debe ser una *probabilidad*. La probabilidad, en efecto, no puede concernir sino a los objetos que aparecen en nuestra experiencia o cuyos nuevos efectos pueden aparecer en nuestra experiencia. No hay pro-

babilidad a menos que a cada instante pueda ser posible una convalidación o una invalidación de ella. Si el Prójimo es, por principio y en su "Para-sí", fuera de mi experiencia, la probabilidad de su experiencia como *Otro sí* no podrá ser nunca ni convalidada ni invalidada, no puede ni crecer ni decrecer, ni aun medirse: pierde, pues, su ser mismo de probabilidad para convertirse en pura conjetura de novelista; del mismo modo, como lo ha mostrado Lalande,[1] que una hipótesis sobre la existencia de seres vivos en el planeta Marte permanece puramente conjetural y sin ninguna "probabilidad" de ser verdadera ni falsa en tanto no dispongamos de instrumentos o de teorías científicas que nos permitan hacer aparecer hechos que convaliden o invaliden esa hipótesis. Pero la estructura del prójimo es tal, por principio, que jamás ninguna experiencia nueva podrá concebirse, ninguna teoría nueva vendrá a convalidar o invalidar la hipótesis de su existencia, ningún instrumento vendrá a revelar hechos nuevos que me inciten a afirmar o a rechazar esa hipótesis. Así, pues, si el prójimo no me es inmediatamente presente y si su existencia no es tan segura como la mía, toda conjetura sobre él carece enteramente de sentido. Pero, precisamente, no conjeturo la existencia del prójimo: la afirmo. Una teoría de la existencia ajena, debe, pues, simplemente, interrogarme en mi ser, esclarecer y precisar, el sentido de esa afirmación y, sobre todo, lejos de inventar una prueba, explicitar el fundamento mismo de esa certidumbre. Dicho de otro modo, Descartes no ha *probado* su propia existencia. Pues, en efecto, yo siempre me he sabido existente, no he cesado jamás de practicar el Cogito. Análogamente, mis resistencias al solipsismo –tan vivas como las que podría suscitar una tentativa de dudar del Cogito– prueban que siempre he sabido que el prójimo existía; que siempre he tenido una *comprensión* total, bien que implícita, de su existencia; que esta comprensión "preontológica" encierra una inteligencia más segura y profunda de la naturaleza del prójimo y de su relación de ser con mi ser que todas las teorías que hayan podido construirse fuera de ella. Si la existencia del prójimo no es una vana conjetura,

[1] *Les théories de l'induction et de l'expérimentation.*

una pura novela, se debe a que hay algo como un *cogito* que le concierne. Este cogito debe ser sacado a luz, explicitando sus estructuras y determinando su alcance y sus derechos.

2) Pero, por otra parte, el fracaso de Hegel nos ha mostrado que el único punto de partida era el Cogito cartesiano. Sólo éste, por otra parte, nos establece en el terreno de esa necesidad de hecho que es el de la existencia ajena. Así, lo que, a falta de mejor nombre, llamaremos el Cogito de la existencia ajena, se confunde con mi propio Cogito. Es menester que el Cogito, examinado una vez más, me lance fuera de él hacia los otros, tal como me ha lanzado fuera de él hacia el En-sí; y esto, no revelándome una estructura *a priori* de mí mismo que apunte hacia un prójimo igualmente a *priori*, sino descubriéndome la presencia concreta e indudable de *tal* o *cual* prójimo concreto, como me ha revelado ya mi existencia incomparable, contingente y empero necesaria, y concreta. Así, hemos de pedir al Para-sí que nos entregue el Para-otro; a la inmanencia absoluta hemos de pedir que nos lance a la trascendencia absoluta: en lo más profundo de mí mismo, debo encontrar no *razones de creer* en el prójimo, sino al prójimo mismo como no siendo yo.

3) Y lo que el Cogito debe revelarnos no es un objeto-prójimo. Habría debido reflexionarse desde hace mucho en que quien dice *objeto* dice *probable*. Si el prójimo es objeto para mí, me remite a la probabilidad. Pero la probabilidad se funda únicamente en la congruencia al infinito de nuestras representaciones. El prójimo, no siendo ni una representación ni un sistema de representación ni una unidad necesaria de nuestras representaciones, no puede ser *probable;* no puede, entonces, ser *primeramente* objeto. Así, pues, si es *para nosotros,* no puede serlo ni como factor constitutivo de nuestro conocimiento del mundo ni como factor constitutivo de nuestro conocimiento del yo, sino en tanto que "interesa" a nuestro ser, y ello no en tanto que contribuya *a priori* a constituirlo, sino en tanto que lo interesa concreta y "ónticamente" en las circunstancias empíricas de nuestra facticidad.

4) Si se trata de intentar respecto del prójimo, en cierto modo, lo que Descartes ha intentado respecto de Dios, con esa

extraordinaria "prueba por la idea de perfección" que está íntegramente animada por la intuición de la trascendencia, ello nos obligará a rechazar para nuestra aprehensión del prójimo como prójimo cierto tipo de negación que hemos llamado negación externa. El prójimo debe aparecer al Cogito como *no siendo* yo. Esta negación puede concebirse de dos maneras: o bien es pura negación externa, y separará al prójimo de mí como una sustancia de otra sustancia –en este caso, por definición, toda captación del prójimo es imposible–; o bien será negación interna, lo que significa conexión sintética y activa de dos términos cada uno de los cuales se constituye negándose del otro. Esta relación negativa será, pues, recíproca y de doble interioridad. Ello significa, en primer lugar, que la multiplicidad de "prójimos" no puede ser una *colección* sino una *totalidad* –en este sentido damos la razón a Hegel–, ya que cada prójimo encuentra su ser en el otro; pero también que esa totalidad es tal que es por principio imposible situarse "desde el punto de vista del todo". Hemos visto, en efecto, que ningún concepto abstracto de conciencia puede surgir de la comparación entre mi ser-para-mí-mismo y mi objetividad para el prójimo. Además, esa totalidad –como la del Para-sí– es totalidad destotalizada, pues, siendo la existencia-para otro denegación radical del prójimo, no es posible ninguna síntesis totalitaria y unificadora de los "prójimos".

IV

La mirada

Esa mujer que veo venir hacia mí, ese hombre que pasa por la calle, ese mendigo que oigo cantar desde mi ventana, son para mí *objetos,* no cabe duda. Así, es verdad que por lo menos una de las modalidades de la presencia a mí del prójimo es la *objetividad.* Pero hemos visto que, si esta relación de objetividad es la relación fundamental entre el prójimo y yo, la existencia del prójimo permanece puramente conjetural. Pero es no sólo conjetural sino *probable* que esa voz que oigo sea la de un hombre y no el canto de un fonógrafo, y es infinitamente *probable* que el transeúnte que percibo sea un hombre y no un robot perfeccionado. Esto significa que mi aprehensión del prójimo como objeto, sin salir de los límites de la probabilidad y a causa de esta probabilidad misma, remite por esencia a una captación fundamental del prójimo, en que éste no se me descubrirá ya como objeto sino como "presencia en persona". En una palabra: para que el prójimo sea objeto probable y no un sueño de objeto, es menester que su objetividad no remita a una soledad originaria y fuera de mi alcance, sino a una conexión fundamental en que el prójimo se manifieste de otro modo que por el conocimiento que tengo de él. Las teorías clásicas tienen razón al considerar que todo organismo humano percibido *remite* a algo y aquello a lo que remite es el fundamento y la garantía de su probabilidad. Pero su error es creer que esa remisión indica una existencia separada, una conciencia que esté detrás de sus manifestaciones perceptibles como el número está detrás de la *empfindung* kantiana. Exista o no esta conciencia en estado separado, el rostro que veo no remite a ella; ella no es la *verdad* del objeto probable que percibo. La remisión de hecho a un surgimiento geminado[1] en que el otro es presencia para mí, se da fuera del conocimiento propiamente dicho –así se lo conciba como una forma oscura e inefable, del tipo de la intuición–; en suma, a un "ser-en-pareja-con-el-otro". En otros términos, se ha encarado generalmente el problema del prójimo como si la relación primera por la cual el prójimo se descubre fuera la objetividad, es decir, como si el prójimo se revelara primero –directa o indirectamente– a nuestra percepción. Pero, como esta percepción, por su propia naturaleza, *se refiere* a otra cosa que ella misma y no puede remitir ni a una serie infinita de apariciones del mismo tipo –como lo hace, para el idealismo, la percepción de la mesa o de la silla– ni a una entidad aislada situada por principio fuera de mi alcance, su esencia debe referirse a una relación primera de mi conciencia con la del prójimo, en la cual éste debe serme dado directamente como

---

[1] *Gemellé.* (N. del T.)

sujeto, aunque en conexión conmigo, y que es la relación fundamental, el tipo mismo de mi ser-para-otro.

Empero, no podría tratarse de referirnos a alguna experiencia mística o a algo inefable. El prójimo se nos aparece en la realidad cotidiana, y a la realidad cotidiana se refiere su probabilidad. El problema, pues, se precisa: ¿hay en la realidad cotidiana una relación originaria con el prójimo, que pueda ser constantemente encarada y, por consiguiente, pueda descubrírseme fuera de toda referencia a un incognoscible religioso o místico? Para saberlo, ha de interrogarse más netamente a esa: aparición trivial del prójimo en el campo de mi percepción: puesto que *ella* se refiere a esa relación fundamental, debe ser capaz de descubrirnos, por lo menos con carácter de realidad apuntada, la relación a la cual se refiere.

Estoy en una plaza pública. No lejos de mí hay césped y, a lo largo de él, asientos. Veo a aquel hombre, lo capto a la vez como un objeto y como un hombre. ¿Qué significa esto? ¿Qué quiero decir cuando afirmo de ese objeto que *es un hombre?*

Si debiera pensar que no es sino un muñeco, le aplicaría las categorías que me sirven de ordinario para agrupar las "cosas" espacio-temporales. Es decir, lo captaría como situado "junto a" los asientos, a dos metros veinte del césped, ejerciendo cierta presión sobre el suelo, etc. Su relación con los demás objetos sería del tipo puramente aditivo; esto significa que podría hacerlo desaparecer sin que las relaciones de los otros objetos entre si quedaran notablemente modificadas. En una palabra, ninguna relación nueva aparecería *por él* entre esas cosas de mi universo: agrupadas y sintetizadas *por mi parte* en complejos instrumentales, se desagregarían *de parte de él* en multiplicidades de relaciones de indiferencia. Percibirlo como *hombre, al contrario*, es captar una relación no aditiva entre el asiento y él, es registrar una organización *sin distancia* de las cosas de mi universo en torno de ese objeto privilegiado. Ciertamente, el césped sigue estando a dos metros veinte de él; pero está también vinculado con él, *como césped,* en una relación que trasciende la distancia Y a la vez la contiene. En vez de ser ambos términos de la distancia indiferentes e intercambiables y estar en relación de reciprocidad, la distancia se *despliega desde* el hombre que veo *hasta* el césped, como el surgimiento sintético de una relación unívoca. Se trata de una relación *sin-partes*, dada de golpe y en cuyo interior se despliega una espacialidad que no es *mi* espacialidad, pues, en vez de ser una agrupación *hacia mí* de los objetos, se trata de una orientación *que me huye*. Por cierto, esta relación sin distancia ni partes no es en modo alguno la relación originaria que busco entre el prójimo y yo; en primer lugar, concierne sólo al hombre y a las cosas del mundo; además, es aún objeto de conocimiento: la expresaría, por ejemplo, diciendo que ese hombre *ve* el césped, o que se prepara, pese al cartel que lo prohibe, a andar por él, etc. Por último, conserva un puro carácter de probabilidad: primero, es *probable* que ese objeto sea un hombre; además, así sea seguro que lo es, queda como sólo probable que *vea* el césped en el momento en que yo lo percibo: puede estar pensando en algún negocio sin tomar conciencia neta de lo que lo rodea, puede ser ciego, etc. Empero, esa relación nueva entre el objeto-hombre y el objeto-césped tiene un carácter particular: me es dada a la vez íntegra, ya que está ahí, en el mundo, como un objeto que puedo conocer (se trata, en efecto, de una relación objetiva que expreso diciendo: Pedro ha echado una ojeada a su reloj, Juana ha mirado por la ventana, etc., etc.), y a la vez me escapa íntegramente; en la medida en que el objeto-hombre es el término fundamental de esa relación, en la medida en que ella *va hacia él,* me escapa y no puedo colocarme ya en el centro; la distancia que se despliega entre el césped y el hombre, a través del surgimiento sintético de esa relación primera, es una negación de la distancia que yo establezco –como puro tipo de negación externa– entre esos dos objetos. Se me aparece como una pura *desintegración* de las relaciones que aprehendo entre los objetos de mi universo. Y esta desintegración no es realizada por mí; se me aparece como una relación a la que apunto en vacío a través de las distancias que establezco originariamente entre las cosas. Es como un trasfondo de las cosas que me escapa por principio y que les es conferido desde afuera. Así, la aparición, entre los objetos de *mi* universo, de un elemento de desintegración de ese universo, es lo que llamo la aparición de *un* hombre en mi universo. El prójimo es, ante todo, la fuga permanente de las cosas hacia un término que capto a la vez como objeto a cierta distancia de mí y que me escapa en tanto que despliega en torno suyo sus propias distancias. Pero esa desagregación avanza y se extiende: si existe entre el césped y el prójimo una relación sin distancia y creadora de distancia, existe necesariamente otra entre el prójimo y la estatua que se halla sobre un zócalo *en medio* del césped; entre el prójimo y los grandes castaños que bordean el camino; todo un espacio íntegro se agrupa en torno del prójimo y este espacio está hecho *con mi espacio;* es una reagrupación, a la cual asisto y que me escapa, de todos los objetos que pueblan mi universo. Esta reagrupación no se detiene ahí; el césped es cosa cualificada; es *ese* césped verde que existe para el otro; en este sentido, la cualidad misma del objeto, su verde profundo y crudo, se encuentra en relación directa con aquel hombre; ese verde vuelve hacia el otro un rostro que me escapa. Capto la *relación* entre el verde y el prójimo como una relación objetiva, pero no puedo captar el verde *como* le aparece a él. Así, de pronto, ha aparecido un objeto que me ha robado el mundo. Todo está en su lugar, todo existe siempre para mí, pero todo está recorrido por una huida invisible y fija hacia un objeto nuevo. La aparición del prójimo en el mundo corresponde, pues, a un deslizamiento fijo de todo el universo, a una descentración del mundo, que socava por debajo la centralización operada por mí al mismo tiempo.

Pero el *prójimo* es aún objeto *para mí.* Pertenece a *mis* distancias: el hombre está ahí, a veinte pasos de mí, *me* vuelve la espalda. En tanto que tal, está de nuevo a dos metros veinte del césped, a seis metros de la estatua; con ello, la desintegración de mi universo está contenida en los límites de este universo mismo; no se trata de una fuga del mundo hacia la nada o fuera de sí mismo. Más bien, parecería como horadado en medio de su ser por la boca de un vaciadero, por donde perpetuamente se me escurre. El universo, el escurrirse y el vaciadero, todo está recuperado nuevamente, reatrapado y fijado en objeto: todo eso está ahí *para mí* como una estructura parcial del mundo, aunque se trate, de hecho, de la desintegración total del universo. A menudo, por otra parte, me es permitido contener esas desintegraciones en límites más estrechos: he ahí, por ejemplo, un hombre que lee paseándose. La desintegración del universo representada por él es puramente virtual: tiene oídos que no oyen, ojos que no ven sino su libro. Entre su libro y él capto una relación innegable y sin distancia, del tipo de la que vinculaba hace un momento al paseante con el césped. Pero esta vez la forma se ha encerrado en sí misma; tengo un objeto pleno de captar. En medio del mundo, puedo decir "hombre-leyente" como diría "piedra fría", "lluvia fina"; capto una *gestalt* cerrada cuya *lectura* forma su cualidad esencial y que, por lo demás, ciega y sorda, se deja conocer y percibir como una pura y simple cosa espacio-temporal que parece estar con el resto del mundo en la pura relación de exterioridad indiferente. Simplemente, la cualidad misma "hombre-leyente" como relación entre el hombre y el libro es una pequeña grieta particular de mi universo; en el seno de esa forma sólida y visible, se produce un vaciamiento particular: no es maciza sino en apariencia, su sentido propio es ser, en medio de mi universo, a diez pasos de mí, en el seno de esa masividad, una fuga rigurosamente rellenada y localizada.

Todo ello, pues, no nos hace abandonar en modo alguno el terreno en que el prójimo es *objeto*. Cuando mucho, tenemos que vérnoslas con un tipo de objetividad particular, bastante próxima a la que Husserl designa con el nombre de *ausencia,* sin señalar empero que el prójimo se define, no como la ausencia de una conciencia con relación al cuerpo que veo, sino por la ausencia del mundo que percibo en el seno mismo de mi percepción de ese mundo. El prójimo es, en este plano, un objeto del mundo que se deja definir por el mundo. Pero esta relación de fuga y de ausencia del mundo con relación a mí no es sino probable. Si ella define la objetividad del prójimo, ¿a qué presencia originaria del prójimo se refiere? Podemos responder ahora: si el prójimo-objeto se define en conexión con el mundo como el objeto que *ve lo* que yo veo, mi conexión fundamental con el prójimo-sujeto ha de poder reducirse a mi posibilidad permanente de *ser visto* por el prójimo. En la revelación y por la revelación de mi ser-objeto para otro debo poder captar la presencia de su ser-sujeto. Pues, así como el prójimo es para mí-sujeto un objeto probable, así también puedo descubrirme como convirtiéndome en objeto probable sólo para un sujeto cierto. Esta revelación no puede resultar del hecho de que *mi* universo es objeto para el objeto-prójimo, como si la mirada del prójimo, después de haber vagado por el césped y por los objetos de en torno, viniera, siguiendo un camino definido, a posarse sobre mí. He señalado que yo no podría ser objeto para un objeto: es menester una conversión radical del prójimo, que lo haga escapar a la objetividad. No podría yo, pues, considerar la mirada que otro me lanza como una de las manifestaciones posibles de su ser objetivo: el próji-mo no puede mirar*me* como mira al césped. Y, por otra parte, mi objetividad no puede resultar *para mí* de la objetividad del mundo, ya que, precisamente, yo soy aquel por quien *hay* un mundo; es decir, aquel que, por principio, no puede ser objeto para sí mismo. Así, esa relación que llamo "ser-visto-por-otro", lejos de ser una de las relaciones significadas, entre otras, por la palabra *hombre*, representa un hecho irreductible que no podría deducirse ni de la esencia del prójimo-objeto ni de mi ser-sujeto. Al contrario: si el concepto de prójimo-objeto ha de tener sentido, no puede recibirlo sino de la conversión y degrada-ción de aquella relación originaria. En una palabra, aquello a que se refiere mi aprehensión del prójimo en el mundo como *siendo probablemente* un hombre es mi posibilidad permanen-te de *ser-visto-por-él,* es decir, la posibilidad permanente, para una sujeto que me ve, de sustituirse al objeto visto por mí. El "ser-visto-por-otro" es la *verdad* del "ver-al-otro". Así, la noción de prójimo no podría, en modo alguno, apuntar a una conciencia solitaria y extramundana que no puedo ni siquiera pensar: el hombre se define con relación al mundo y con rela-ción a mí: es ese objeto del mundo que determina un derramarse interno del universo, una hemorragia interna; es el sujeto que se me descubre en esa huida de mí mismo hacia la objetiva-ción. Pero la relación originaria entre mí y el prójimo no es sólo una verdad ausente apuntada a través de la presencia con-creta de un objeto en mi universo; es también una relación concreta y cotidiana de que hago experiencia a cada instante: a cada instante el prójimo *me mira:* nos es fácil, pues, intentar, con ejemplos concretos, la descripción de esa conexión fundamental que debe constituir la base de toda teoría del prójimo; si el prójimo es, por principio, *aquel que me mira,* debemos poder explicitar el sentido de la mirada ajena.

Toda mirada dirigida hacia mí se manifiesta en conexión con la aparición de una forma sensible en nuestro campo perceptivo, pero, al contrario de lo que podría creerse, no está vinculada con ninguna forma determinada. Sin duda, lo que manifiesta *más a menudo* a una mirada es la convergencia hacia mí de dos globos oculares. Pero se daría igualmente con motivo de un roce de ramas, de un ruido de pasos seguido de silencio, de una ventana que se entreabre, del leve movimiento de un cortinado. Durante una operación de asalto, los hombres que se arrastran por el boscaje captan como *mirada de evitar* no dos ojos, sino toda una granja blanca que se recorta contra el cielo en lo alto de una colina. Va de suyo que el objeto así constituido no manifiesta aún la mirada sino con carácter de probable. Es sólo probable que tras el matorral que acaba de agitarse haya alguien emboscado que me acecha... Pero esta probabilidad no ha de retenernos por el momento: volveremos sobre ello; lo que importa ante todo es definir la mirada en sí misma. El matorral, la granja, no son la mirada: representan solamente al *ojo,* pues el ojo no es captado primeramente cómo órgano sensible de visión, sino como soporte de la mirada; no remiten nunca, pues, a los ojos de carne del acechador emboscado tras la cortina, tras una ventana de la granja: por sí solos son ya ojos. Por otra parte, la mirada no es ni una cualidad entre otras del objeto que hace función de ojo, ni la forma total de ese objeto, ni una relación "mundana" que se establezca entre ese objeto y yo. Muy por el contrario, lejos de percibir la mirada *en* los objetos que la manifiestan, mi aprehensión de una mirada vuelta sobre mí aparece sobre fondo de destrucción de los que "me miran": si aprehendo la mirada, dejo de percibir los ojos: éstos están ahí, permanecen en el campo de mi percepción, como puras *presentaciones,* pero no hago uso de ellas: están neutralizados, fuera de juego, no son ya objeto de una tesis; permanecen en el estado de "fuera de circuito" en que se encuentra el mundo para una conciencia que efectúa la reducción fenomenológica prescrita por Husserl. Nunca se encuentran bellos o feos unos ojos ni se nota su color mientras nos miran. La mirada del otro enmascara sus ojos, parece *adelantárseles*. Esta ilusión proviene de que los ojos, como objetos de mi percepción, permanecen a una distancia precisa que se despliegue desde mí hasta ellos –en una palabra, soy presente a los ojos sin distancia, pero ellos están distantes del lugar en que "me encuentro"– mientras que la mirada está a la vez sobre mí sin distancia y me tiene a distancia, es decir, que su presencia inmediata a mí despliega una distancia que me aparta de ella. No puedo, pues, dirigir mi atención a la mirada sin que al mismo tiempo mi percepción se descomponga y pase a segundo plano. Se produce aquí algo análogo a lo que he tratado de mostrar en otro lugar con motivo de lo imaginario[1]; no podemos, decía entonces, percibir e imaginar a la vez; ha de ser una cosa o la otra. Ahora diríamos: no podemos percibir el mundo y captar al mismo tiempo una mirada fija sobre nosotros; ha de ser una cosa o la otra. Pues percibir es *mirar*, y captar una mirada no es aprehender un objeto-mirada en el mundo (a menos que esa mirada no nos esté dirigida), sino tomar conciencia de *ser mirado*. La mirada que manifiestan los *ojos*, de cualquier naturaleza que sean, es pura remisión a mí mismo. Lo que capto inmediatamente cuando oigo crujir las ramas tras de mí no es que *hay alguien,* sino que soy vulnerable, que tengo un cuerpo capaz de ser herido, que ocupo un lugar y que no puedo en ningún caso evadirme del espacio en que estoy sin defensa; en suma, que *soy visto*. Así, la mirada es ante todo un intermediario que remite de mí a mí mismo. ¿De qué naturaleza es este intermediario? ¿Qué significa para mí: ser visto?

Imaginemos que haya llegado, por celos, por interés, por vicio, a pegar la oreja contra una puerta, a mirar por el ojo de una cerradura. Estoy solo y en el plano de la conciencia notética (de) mí. Esto significa, primero, que no hay *yo* para habitar mi conciencia. Nada, pues, a que pueda referir mis actos para calificarlos. No son en absoluto *conocidos*, sino que *yo*

[1] *L'imaginaire*, N. R. F., 1939.

los soy, y por este solo hecho llevan en sí mismos su total justificación. Soy pura conciencia *de* las cosas, y las cosas, tomadas en el circuito de mi ipseidad, me ofrecen sus potencialidades como réplica de mi conciencia no-tética (de) mis posibilidades propias. Esto significa que, tras esa puerta, se ofrece un espectáculo "de-ver", una conversación "de-oír". La puerta, la cerradura, son a la vez instrumentos y obstáculos: se presentan como "de-manejar con precaución"; la cerradura se da como "de-mirar de cerca y algo de costado", etc. Siendo así, "hago lo que tengo-de hacer": ninguna vista trascendente viene a conferir a mis actos un carácter de *cosa dada* sobre la cual pueda ejercerse un juicio: mi conciencia se pega a mis actos, *es* mis actos; éstos están regidos solamente por los fines de-alcanzar y por los instrumentos de-que hacer uso. Mi actitud, por ejemplo, no tiene ningún "afuera", es pura puesta en relación del instrumento (ojo de la cerradura) con el fin por alcanzar (espectáculo de-ver), pura manera de perderme en el mundo, de hacerme beber por las cosas como la tinta por un secante, para que un complejo-utensilio orientado hacia un fin se destaque sintéticamente sobre fondo de mundo. El orden es inverso al orden causal: el fin por alcanzar organiza todos los momentos que lo preceden; el fin justifica los medios, los medios no existen para sí mismos y fuera del fin. El conjunto, por otra parte, no existe sino con relación a un libre proyecto de mis posibilidades: son precisamente los celos, como posibilidad que *soy*, los que organizan ese complejo de utensilidad trascendiéndolo hacia sí mismos. Pero esos celos, yo no los conozco sino que los *soy*. Sólo el complejo mundano de utensilidad podría enseñárselo, si yo contemplara en vez de actuar. Ese conjunto en el mundo, con su doble e inversa determinación –no hay espectáculo de-*ver* tras la puerta sino porque estoy celoso, pero mis celos no son nada sino el simple hecho objetivo de que *hay* un espectáculo de-ver tras la puerta–, es lo que llamaremos *situación*. Esta situación me refleja a la vez mi facticidad y mi libertad; con ocasión de cierta estructura objetiva del mundo que me rodea, me devuelve mi libertad en forma de tareas de-cumplir libremente; no hay en ello constricción alguna, puesto que mi libertad roe mis posibles y, correlativamente, las potencialidades del mundo se indican y se ofrecen solamente. Así, no puedo definirme verdaderamente como *siendo en* situación: en primer lugar, porque no soy conciencia posicional de mí mismo; después, porque soy mi propia nada. En este sentido –y puesto que soy lo que no soy y no soy lo que soy– no puedo ni aun definirme como *siendo* verdaderamente en acto de escuchar tras las puertas; escapo a esta definición provisional de mí mismo por toda mi trascendencia; ése es, como hemos visto, el origen de la mala fe; así, no sólo no puedo *conocerme*, sino que hasta mi propio ser me escapa –aunque yo *sea* ese mismo escaparme a mi ser– y no soy absolutamente nada; no hay nada *ahí* sino una pura nada que rodea y hace resaltar cierto conjunto objetivo que se recorta en el mundo, un sistema real, una acomodación de medios con vistas a un fin.

Pero he aquí que he olido pasos por el corredor: me miran, ¿Qué quiere decir esto? Que soy de pronto alcanzado en mi ser y que aparecen en mis estructuras modificaciones esenciales, que puedo captar y fijar conceptualmente por el *cogito* reflexivo.

En primer lugar, he aquí que existo en tanto que *yo* para mi conciencia irreflexiva. Esta irrupción del yo es, inclusive, lo que más a menudo se ha descrito: *me* veo porque *se* me ve, ha podido escribirse. En esta forma, no es del todo exacto. Pero examinémoslo mejor: en tanto hemos considerado al para-sí en su soledad, hemos podido sostener que la conciencia irreflexiva no podía ser habitada por un yo: el yo no se daba, a título de objeto, sino para la conciencia reflexiva. Pero he aquí que el yo viene a morar la conciencia irreflexiva. Pero la conciencia irreflexiva es conciencia *del* mundo: el papel que no incumbía sino a la conciencia reflexiva: la presentificación del yo, pertenece ahora a la conciencia irreflexiva. Sólo que la conciencia reflexiva tiene el yo directamente por objeto. La conciencia irreflexiva, en cambio, no capta la *persona* directamente y como su *objeto*: la persona es presente a la conciencia *en tanto que es objeto para otro*. Esto significa que tengo de pronto conciencia de mí en tanto que escapo a mí mismo; no en tanto que soy el fundamento de mi propia nada sino en tanto que tengo mi fundamento fuera de mí. No soy para mí sino como pura remisión al otro. Empero, no ha de entenderse esto como que el objeto es el prójimo y que el *ego* presente a mi conciencia es una estructura secundaria o una significación del objeto-prójimo; el prójimo no es aquí objeto, ni puede serlo, como lo hemos mostrado, sin que a la vez el yo deje de ser objeto-para-otro y se desvanezca. Así, no apunto al prójimo como objeto, ni a mi *ego* como objeto para mí mismo; ni siquiera puedo dirigir una intención vacía hacia ese *ego* como hacia un objeto actualmente fuera de mi alcance; en efecto, está separado de mí por una nada que no puedo colmar, puesto que lo capto *en tanto que no es para mí* y que existe por principio para el *otro*; no apunto, pues, a él en tanto que me podría ser dado un día, sino, al contrario, en tanto que por principio me huye y no me pertenecerá jamás. Y, empero, yo lo *soy*, no lo rechazo como una imagen extraña, sino que me es presente como un yo que *soy* sin *conocerlo,* pues lo descubro en la vergüenza (y, en otros casos, en el orgullo). La vergüenza o el orgullo me revela la mirada del prójimo, y a mí mismo en el extremo de esa mirada; me hace *vivir,* no *conocer,* la situación de mirado. Pero la vergüenza, como lo advertíamos al comienzo de este capítulo, es vergüenza de *sí,* es *reconocimiento* de que efectivamente *soy* ese objeto que otro mira y juzga. No puedo tener vergüenza sino de mi libertad en tanto que ésta me escapa para convertirse en objeto *dado.* Así, originariamente, el nexo de mi conciencia irreflexiva con mi *ego*-mirado es un nexo no de conocer sino de ser. Soy, allende todo conocimiento que pueda tener, ese yo que otro conoce. Y este yo que soy, lo soy en un mundo que otro me ha alienado, pues la mirada del otro abraza mi ser y, correlativamente, las paredes, la puerta, la cerradura, todas esas cosas-utensilios en medio de las cuales soy, vuelven hacia el otro un rostro que me escapa por principio. Así, soy mi *ego* para el otro en medio de un mundo que se derrama hacia el otro. Pero no hace mucho habíamos podido llamar hemorragia interna al derramamiento de mi mundo hacia el prójimo-objeto: pues, en efecto, la sangría quedaba restañada y localizada por el hecho mismo de fijar yo como objeto de *mi* mundo ese prójimo hacia el cual este mundo se desangraba; así, ni una gota de sangre se perdía, todo era recuperado, ceñido, localizado, aunque en un ser que yo no podía penetrar. Ahora, al contrario, la huida es sin término, se pierde en el exterior, el mundo se escurre fuera del mundo y yo me derramo fuera de mí; la mirada del otro me hace ser allende mi ser en este mundo, en medio de un mundo que es a la vez *éste* y allende este mundo. Con este ser que yo soy y que la vergüenza me descubre, ¿qué suerte de relaciones puedo mantener?

En primer lugar, una relación de ser. Yo *soy* ese ser. Ni un instante pienso en negarlo; mi vergüenza, lo confiesa. Podré más tarde usar de mala fe para enmascarárselo, pero la mala fe es también una concesión, ya que es un esfuerzo por rehuir el ser que soy. Pero este ser que soy, no lo soy en el modo del "tener-de-ser" ni en el del "era"; no lo fundo yo en su ser; no puedo producirlo directamente, pero tampoco es el efecto indirecto y riguroso de mis actos, como cuando mi sombra, en tierra, o mi reflejo, en el espejo, se agitan en conexión con los gestos que hago. Este ser que yo soy conserva cierta indeterminación, cierta imprevisibilidad. Y estas características nuevas no provienen sólo de que yo no puedo *conocer* al prójimo; provienen también, y sobre todo, de que el prójimo es libre; o, para ser exacto, e invirtiendo los términos, la libertad del prójimo: provienen también, y sobre todo, de que el prójimo es del ser que soy para él. Así, este ser no es mi posible, no está siempre en cuestión en el seno de mi libertad: es, al contrario, el límite de mi libertad, su "otra cara",[1] en el sentido en que se habla de "la otra cara del naipe"; me es dado como un fardo que porto sin poder volverme nunca hacia él para conocerlo, sin siquiera poder sentir su peso; si es comparable a mi sombra, lo es a una sombra que se proyectara sobre una materia móvil e imprevisible y tal que ninguna tabla de referencia me permitiera calcular las deformaciones resultantes de esos movimientos. Sin embargo, se trata efectivamente de *mi* ser y no de mi imagen de mi ser. Se trata de mi ser tal cual se escribe en y por la libertad ajena. Todo ocurre como si yo tuviese una dimensión de ser de la cual estuviera separado por una nada radical; y esta

---

[1] Literalmente "su debajo" (*son "dessous"*). (N. del T.)

nada es la libertad ajena; el prójimo tiene-de-hacer-ser mi ser-para-él en tanto que él tiene-de-ser su ser; así, cada una de mis libres conductas me compromete en un nuevo medio, donde la materia misma de mi ser es la imprevisible libertad de otro. Sin embargo, por mi vergüenza misma, reivindico como mía esa libertad ajena, afirmo una unidad profunda de las conciencias, no esa armonía de las mónadas que se ha tomado a veces por garantía de objetividad, sino una unidad de ser, puesto que acepto y quiero que los otros me confieren un ser que yo reconozco.

Pero la vergüenza me revela que yo *soy* este ser. No en el modo del *era* o del "tener-de-ser", sino *en-sí*. Sólo que no puedo realizar mi "ser-el-que-está-sentado"; cuando más, puede decirse que a la vez lo soy y no lo soy. Basta que otro me mire para que yo sea lo que soy. No para mí mismo, ciertamente: no lograré jamás realizar ese "ser-el-que-está-sentado" que capto en la mirada del otro, pues siempre permaneceré conciencia; sino para el otro. Una vez más la huida nihilizadora del para-sí se fija, una vez más el en-sí se recompone sobre el para-sí. Pero, una vez más, esa metamorfosis se opera *a distancia*: para el otro, *soy el que está sentado* como este tintero *está sobre* la mesa; para el otro, *soy uno inclinado* hacia el ojo de la cerradura como este árbol *es inclinado* por el viento. Así, quedo despejado, para el otro, de mi trascendencia. Pues, en efecto, para quienquiera que se constituye en testigo de ella, es decir, se determina como *no siendo* esa transcendencia, ésta se convierte en trascendencia puramente constatada, transcendencia-dada, es decir, adquiere una naturaleza por el solo hecho de que el *otro*, no por alguna deformación o refracción que le haya impuesto a través de sus categorías, sino por su ser mismo, le confiere un afuera. Si hay un Otro, quienquiera que fuere, dondequiera que esté, cualesquiera que fueren sus relaciones conmigo, sin que actúe siquiera sobre mí sino por el puro surgimiento de su ser, tengo un afuera, tengo una *naturaleza;* mi caída original es la existencia del otro; y la vergüenza es, como el orgullo, la aprehensión de mí mismo como naturaleza, aun cuando esta naturaleza misma me escape y sea incognoscible como tal. No es, hablando propiamente, que me sienta perder mi libertad para convertirme en *cosa*, sino que aquélla está allá, fuera de mi libertad vivida, como un atributo dado de ese ser que soy para el otro. Capto la mirada del otro en el propio seno de mi *acto*, como solidificación y alienación de mis propias posibilidades. En efecto, estas posibilidades que *soy* y que son la condición de mi trascendencia, las siento, por el temor, por la espera ansiosa o prudente, darse en otra parte a otro como debiendo ser trascendidas a su vez por las propias posibilidades de él y el otro, como mirada, no es sino eso: mi trascendencia trascendida. Sin duda, *soy* siempre mis posibilidades, en el modo de la conciencia no-tética (de) esas posibilidades; pero a la vez la mirada me las aliena; hasta entonces, yo captaba téticamente esas posibilidades sobre el mundo y en el mundo, a título de potencialidad de los utensilios; el rincón oscuro, en el corredor, me devolvía la posibilidad de esconderme como una simple cualidad potencial de su penumbra, como un envite de su oscuridad; esa cualidad o utensilidad del objeto le pertenecía sólo a él y se daba como una propiedad objetiva e ideal, señalando su pertenencia real a ese complejo que hemos llamado *situación*. Pero, con la mirada ajena, viene a sobreimponerse a la primera una nueva organización de los complejos. Captarme como visto, en efecto, es captarme como visto *en el mundo* y a partir del mundo. La mirada no me recorta en el universo; viene a buscarme en el seno de mi situación y no capta de mí sino relaciones indescomponibles con los utensilios; si soy visto como sentado, debo ser visto como "sentado-en-una-silla"; si soy captado como inclinado, lo soy como "inclinado-hacia-el-ojo-de-la-cerradura", etc. Pero, a la vez, esa alienación de mí que es el *ser-mirado* implica la alienación del mundo que yo organizo. Soy visto como sentado en esta silla en tanto que yo no la veo, en tanto que es imposible que la vea, en tanto que ella me escapa para organizarse, con otras relaciones y otras distancias, en medio de otros objetos que, análogamente, tienen para mí una faz secreta, en un complejo nuevo y diversamente orientado. Así, yo, que, en tanto que soy mis posibles, soy lo que no soy y no soy lo que soy, he aquí que *soy* alguno. Y eso que soy –y que por principio me escapa–, lo soy *en medio del mundo*, en tanto que me escapa.

Por este hecho, mi relación con el objeto, o potencialidad del objeto, se descompone bajo la mirada ajena y se me aparece en el mundo como mi posibilidad de utilizar el objeto, en tanto que esta posibilidad me escapa por principio, es decir, en tanto que es trascendida por el otro hacia sus propias posibilidades... Por ejemplo, la potencialidad del rincón oscuro se convierte en posibilidad dada de esconderme en el rincón, por el solo hecho de que el otro puede trascenderla hacia su posibilidad de iluminar el rincón con su linterna de bolsillo. Esta posibilidad está ahí, la capto, pero como ausente, como *en el otro*, por mí angustia y por mi decisión de renunciar a ese escondite que es *poco seguro*. Así, mis posibilidades son presentes a mi conciencia irreflexiva en tanto que el otro *me acecha*. Si veo su actitud dispuesta a todo, su mano en el bolsillo, donde tiene un arma, su dedo posado sobre la campanilla eléctrica y presto a dar el alerta, "al menor gesto de mi parte", al centinela, me entero de mis posibilidades desde afuera y por él, al mismo tiempo que las *soy*; algo así como se entera uno objetivamente de su propio pensamiento por el lenguaje mismo, a la vez que lo piensa *para* moldearlo en el lenguaje. Esta tendencia a emprender la fuga, que me domina y me arrastra y que yo *soy*, la leo en esa mirada acechante y en esa otra mirada: el arma que me apunta. El otro me enseña esa tendencia mía, en tanto que la ha previsto y la ha coartado. Me la enseña en tanto que la trasciende y la desarma. Pero yo no capto este mismo trascender, capto simplemente la muerte de mi posibilidad. Muerte sutil; pues mi posibilidad de esconderme sigue siendo aún *mi* posibilidad; en tanto que la *soy*, ella vive siempre; y el rincón oscuro no deja de hacerme señas, de devolverme su potencialidad. Pero si el utensilio se define como el hecho de "poder ser trascendido hacia...", entonces mi posibilidad misma se convierte en utensilidad. Mi posibilidad de esconderme en el rincón se convierte en lo que el otro puede trascender hacia su posibilidad de desenmascararme, de identificarme, de aprehenderme. *Para el otro*, mi posibilidad es a la vez un obstáculo y un medio, como todos los utensilios. Obstáculo, pues lo obligaría a ciertos actos nuevos (avanzar hacia mí, encender su linterna); medio, pues, una vez descubierto en el callejón sin salida, "estoy cogido". En otros términos, todo acto hecho contra el prójimo puede, por principio, ser para él un instrumento que le servirá contra mí. Y capto precisamente al prójimo no en la clara visión de lo que puede hacer con mi acto, sino en un miedo que *vive* todas mis posibilidades como ambivalentes. El prójimo es la muerte oculta de mis posibilidades en tanto que vivo esa muerte como oculta en medio del mundo. La conexión entre mi posibilidad y el utensilio no es ya la de dos instrumentos acomodados externamente uno con otro con vistas a un fin que me escapa. La oscuridad del rincón oscuro y mi posibilidad de esconderme en él son trascendidas *a la vez* por el otro, cuando, antes de haber podido hacer yo un gesto para refugiarme, él alumbra el rincón con su linterna. Así, en la brusca sacudida que me agita cuando capto la mirada ajena, ocurre que, de pronto, vivo una sutil alienación de todas mis posibilidades, que se ordenan lejos de mí, en medio del mundo, con los objetos del mundo.

Pero de esto resultan dos importantes consecuencias. La primera, que mi posibilidad se convierte, fuera de mí, en *probabilidad*. En tanto que el prójimo la capta como roída por una libertad que él no es, de la que él se hace testigo y cuyos efectos calcula, es pura indeterminación en el juego de los posibles, y así precisamente la adivino. Es lo que, más tarde, cuando estamos en conexión directa con el prójimo por medio del lenguaje y nos enteramos poco a poco de lo que piensa de nosotros, podrá a la vez fascinarnos y horrorizarnos: "¡Te juro que lo haré!" –"Puede ser; si tú lo dices, quiero creerlo. Sí, es posible que lo hagas." El sentido mismo de este diálogo implica que el otro está originariamente situado ante mi libertad como ante una propiedad dada de indeterminación, y ante mis posibles como ante probables míos. Es lo que originariamente me siento ser allá, *para otro*, y este esbozo-fantasma de mi ser me alcanza en el meollo de mí mismo, pues, por la vergüenza, la rabia y el miedo, no dejo de asumirme como tal. De asumirme a ciegas, puesto que *no conozco lo* que asumo: simplemente, lo *soy*.

Por otra parte, el conjunto utensilio-posibilidad de mí mismo frente al utensilio se me aparece como trascendido y organizado, en mundo por el prójimo. Con la mirada ajena, la "situación" me escapa, o, para usar de una expresión trivial pero que traduce bien nuestro pensamiento: *ya no soy dueño de la situación.* O, más exactamente, sigo siendo el dueño, pero la situación tiene una dimensión real por donde me escapa, por donde giros imprevistos la hacen *ser* de otro modo que como aparece para mí. Por cierto, puede ocurrir que, en la estricta soledad, ejecute un acto cuyas consecuencias sean rigurosamente opuestas a mis previsiones y deseos: tiendo suavemente una tablita para acercar ese jarrón frágil. Pero el gesto tiene por efecto hacer caer una estatuilla de bronce que hace trizas el jarrón. No hay aquí nada que no habría podido prever de haber sido más cuidadoso, de haber observado la disposición de los objetos, etc., etc.; *nada que me escape por principio.* Al contrario, la aparición del otro hace aparecer en la situación un aspecto no querido por mí, del cual no soy dueño y que me escapa por principio, puesto que es *para el otro.* Es lo que Gide ha llamado felizmente "la parte del diablo". Es el *anverso* imprevisible pero real. El arte de un Kafka se dedicará a describir, en *El proceso* y *El castillo,* esa imprevisibilidad: en cierto sentido, todo lo que hacen K. y el agrimensor les pertenece como propio y, en tanto que actúan sobre el mundo, los resultados son rigurosamente conformes a sus previsiones: son actos logrados. Pero, a la vez, la *verdad* de esos actos les escapa constantemente; tiene por principio un sentido que es su *verdadero* sentido y que ni K. ni el agrimensor conocerán jamás. Sin duda, Kafka quiere alcanzar aquí la trascendencia de lo divino; para lo divino el acto humano se constituye en verdad. Pero Dios no es aquí sino el concepto del otro llevado al límite. Volveremos sobre ello. Esa atmósfera dolorosa y huidiza del Proceso, esa ignorancia que, sin embargo, se vive como ignorancia, esa opacidad total que no puede sino presentirse a través de una translucidez total, no es otra cosa que la descripción de nuestro ser-en-medio-del-mundo-para-otro. Así, pues, la situación, en y por su trascenderse para otro, se fija y organiza en torno de mí en *forma,* en el sentido en que utilizan este término los gestaltistas: hay allí una síntesis dada de la cual soy estructura esencial; y esa síntesis posee a la vez la cohesión ek-stática y el carácter del en-sí. Mi conexión con esa gente que habla y a la que espío está dada de golpe fuera de mí, como un sustrato incognoscible de la conexión que yo mismo establezco. En particular, mi propio *mirar* o conexión sin distancia con esa gente es despojado de su trascendencia por el hecho mismo de ser *mirar-mirado*. La gente que *veo*, en efecto, es fijada por mí en objetos; soy, con respecto a ella, como el prójimo con respecto a mí; al mirarla, mido mi potencia. Pero si otro la ve y me ve, mi mirar pierde su poder: no podría transformar a esa gente en objetos *para el otro*, puesto que son ya objetos de su mirar. Mi mirar manifiesta simplemente una relación en medio del mundo entre el objeto-yo y el objeto-mirado, algo así como la atracción mutua de dos masas a distancia. En torno de ese mirar se ordenan, por una parte, los objetos –la distancia de mí a los mirados *existe* ahora, pero está ceñida, circunscrita y comprimida por mi mirada, el conjunto "distancia-objetos" es como un fondo sobre el cual la mirada se destaca a la manera de un "esto" sobre fondo de mundo–; y por otra parte, mis actitudes, que se dan como una serie de medios utilizados para "sostener" la mirada. En este sentido, constituyo un todo organizado que *es* mirada; soy un objeto-mirada, es decir, un complejo-utensilio dotado de finalidad interna, que puede disponerse a sí mismo en una relación de medio a fin para realizar una presencia a tal o cual objeto allende la distancia. Pero la distancia *me es dada*. En tanto soy mirado, no despliego la distancia: me limito a *franquearla*. La mirada del otro me confiere la espacialidad. Captarse como mirado es captarse como espacializante-espacializado.

Pero la mirada ajena no se capta sólo como espacializante: es además *temporalizante*. La aparición de la mirada ajena se manifiesta para mí por una vivencia que, por principio, me era imposible adquirir en la soledad: la de la simultaneidad. Un mundo para un solo para-sí no puede comprender simultaneidad, sino sólo copresencia, pues el para-sí se pierde fuera de sí doquiera en el mundo y vincula todos los seres por la unidad de su sola presencia. La simultaneidad, en cambio, supone la conexión temporal de dos existentes que no están vinculados por ninguna otra relación. Dos existentes que ejercen uno sobre otro una acción recíproca no son simultáneos, precisamente porque pertenecen al mismo sistema. La simultaneidad no pertenece, pues, a los existentes del mundo; supone la copresencia al mundo de dos presentes encarados como *presencias a*. Es simultánea la presencia de Pedro *al* mundo *con* mi presencia... En este sentido, el fenómeno originario de simultaneidad es que este vaso sea para Pablo *al mismo tiempo* que es para mí. Ello supone, pues, un fundamento de toda simultaneidad que debe ser necesariamente la presencia a mi propia temporalización de un prójimo que se temporaliza. Pero, precisamente, en tanto que el otro *se* temporaliza, *me* temporaliza con él: en tanto que se lanza hacia su tiempo propio, yo me lo aparezco en el tiempo universal. La *mirada del otro*, en tanto que la capto, viene a dar a *mi* tiempo una dimensión nueva. En tanto que presente captado por el otro como *mi* presente, mi presencia tiene un afuera; esta presencia que se presentifica *para mí* se aliena para mí en presente al cual el otro se hace presente; soy arrojado al presente universal, en tanto que el otro se hace ser presencia a mí. Pero el presente universal en que acabo de tomar lugar es pura alienación de mi presente universal; el tiempo físico fluye hacia una pura y libre temporalización que yo no soy; lo que se perfila en el horizonte de esta simultaneidad que vivo es una temporalización absoluta de que me separa una nada.

En tanto que objeto espacio-temporal del mundo, en tanto que estructura esencial de una situación espacio-temporal en el mundo, me ofrezco a las apreciaciones del prójimo. Esto también lo capto por el puro ejercicio del *cogito*: ser mirado es captarse como objeto desconocido de apreciaciones incognoscibles, en particular, de apreciaciones de valor. Pero, precisamente, al mismo tiempo que, por la vergüenza o el orgullo, reconozco lo bien fundado de esas apreciaciones, no ceso de tomarlas por lo que son: un libre trascender de lo dado hacia posibilidades. Un juicio es el acto transcendental de un ser libre. Así, ser visto me constituye como un ser sin defensa para una libertad que no es la mía. En este sentido podemos considerarnos como "esclavos", en tanto que nos aparecemos a otro. Pero esta esclavitud no es el resultado –histórico, y susceptible de superación– de una *vida*, de forma abstracta, de la conciencia. Soy esclavo en la medida en que soy dependiente en mi ser en el seno de una libertad que no es la mía y que es la condición misma de mi ser. En tanto que soy objeto de valores que vienen a calificarme sin que yo pueda obrar sobre esa calificación ni siquiera conocerla, estoy en esclavitud. Al mismo tiempo, en tanto que soy el instrumento de posibilidades que no son mis posibilidades, cuya pura presencia no hago sino entrever allende mi ser y que niegan mi trascendencia para constituirme en un medio hacia fines que ignoro, estoy *en peligro*. Y este peligro no es un accidente, sino la estructura permanente de mi ser-para-otro.

Henos al término de esta descripción. Ha de advertirse primeramente, antes que podamos utilizarla para descubrirnos el prójimo, que *ha sido hecha íntegramente en el plano del cogito*. No hemos hecho sino explicitar el sentido de esas reacciones subjetivas a la mirada del prójimo, que son el miedo (sentimiento de estar en peligro ante la libertad ajena), el orgullo o la vergüenza (sentimiento de ser al fin lo que soy, pero en otra parte, allá, para otro), el reconocimiento de mi esclavitud (sentimiento de la alienación de todas mis posibilidades). Además, esta explicitación no es en modo alguno una fijación conceptual de *conocimientos* más o menos oscuros. Remítase cada cual a su propia experiencia: no hay nadie que no haya sido sorprendido alguna vez en una actitud culpable o simplemente ridícula. La brusca modificación que experimentamos entonces no es provocada en modo alguno por la irrupción de un conocimiento. Es más bien, con mucho, una solidificación y una estratificación bruscas de mí mismo, que deja intactas mis posibilidades y mis estructuras "para-mí", pero que me empuja súbitamente a una nueva dimensión de existencia: la dimensión de lo *no-revelado*. Así, la aparición de la mirada es captada por mí como surgimiento, de una relación ek-stática de ser, uno de cuyos términos soy yo, en tanto que para-sí que es lo que no es y no es lo que es, y cuyo otro término soy también yo, pero fuera de mi alcance, fuera de mi acción, fuera de mi conocimiento. Y este término, estando, precisamente, en conexión con las infinitas posibilidades de un prójimo libre, es en sí mismo síntesis infinita e inagotable de propiedades no-reveladas.

Por la mirada ajena, me *vivo* como fijado en medio del mundo, como un peligro, como irremediable. Pero no *sé* ni *cuál* soy ni cuál es mi sitio en el mundo, ni qué faz vuelve hacia el otro este mundo en que yo soy.

Siendo así, podemos precisar el sentido de ese surgimiento del prójimo en y por su mirada. El prójimo no nos es dado en modo alguno como objeto. La objetivación del prójimo sería el derrumbe de su ser-mirada. Por otra parte, como hemos visto, la mirada ajena es la desaparición misma de sus *ojos* como objetos que manifiestan el mirar. El prójimo no podría ser siquiera objeto apuntado en vacío en el horizonte de mi ser para otro. La objetivación del prójimo, como veremos, es una defensa de mi ser, que me libera precisamente de mi ser para otro confiriendo al otro un ser para mí. En el fenómeno de la mirada, el prójimo es, por principio, lo que no puede ser objeto. Al mismo tiempo, vemos que no podría ser un *término* de la relación entre mí y mí mismo que me hace surgir para mí mismo como el *no-revelado*. El prójimo tampoco podría ser apuntado por mi *atención*: si, en el surgimiento de la mirada ajena, yo *atendiera* a la mirada o al otro, no podría ser sino encarándolos *como objetos,* pues la atención es dirección intencional hacia objetos. Pero no ha de concluirse que el Prójimo sea una condición abstracta, una estructura conceptual de la relación ek-stática: no hay aquí, en efecto, objeto realmente pensado del que aquél pueda ser una estructura universal y formal. El prójimo es, ciertamente, la condición de mi ser-no-revelado. Pero es la condición concreta e individual. No está comprometido en mi ser en medio del mundo como una de sus partes integrantes, pues precisamente es lo que trasciende ese mundo en medio del cual soy como no-revelado; y como tal no podría ser, pues, ni objeto, ni elemento formal y constituyente de un objeto. No puede aparecérseme –según hemos visto– como una categoría unificadora o reguladora de mi experiencia, ya que viene a mí por mutuo encuentro. Entonces, ¿qué es?

En primer lugar, es el ser hacia quien no vuelvo mi atención. Es aquel que me mira y al que yo no miro aún; aquel que me entrega a mí mismo como *no-revelado,* pero sin revelarse él mismo; aquel que me es presente en tanto que me apunta y no en tanto que es apuntado; es el polo concreto y fuera de alcance de mi huida, de la alienación de mis posibles y del derramarse del mundo hacia otro mundo que es *el mismo* y empero incomunicable con éste. Pero no puede ser distinto de esa alienación y de este derrame mismos; él es el sentido y la dirección de éstos, él infesta el derrame, no como un elemento *real* o *categorial*, sino como una presencia que se fija y mundaniza si intento "presentificarla" y que nunca es tan presente y apremiante como cuando me descuido de él. Si estoy íntegramente entregado a mi vergüenza, por ejemplo, el prójimo es la presencia inmensa e invisible que sostiene esta vergüenza y la abarca por todas partes; es el medio de sostén de mi ser-no-revelado. Veamos lo que se manifiesta del prójimo como *no-revelable* a través de mi experiencia vivida de lo no-revelado.

En primer lugar, la *mirada del otro*, como condición necesaria de mi objetividad, es destrucción de toda objetividad para mí. La mirada ajena me alcanza a través del mundo y no es solamente transformación de mí sino también metamorfosis total del *mundo*. Soy mirado en un mundo mirado. En particular, la mirada ajena –que es mirar-mirante y no mirar-mirado– niega mis distancias de los objetos y despliega sus distancias propias. Esa mirada ajena se da inmediatamente como aquello por lo cual la distancia viene al mundo en el seno de una presencia sin distancia. Retrocedo, estoy despojado de mi presencia sin distancia a mi mundo, y provisto de una distancia ajena: heme a quince pasos de la puerta, a seis metros de la ventana. Pero el prójimo viene a buscarme para constituirme a cierta distancia de él. En tanto que el otro me constituye como a seis metros de él, es menester que él sea presente a mí sin distancia. Así, en la experiencia misma de mi distancia de las cosas y del prójimo, experimento la presencia sin distancia del prójimo a mí. Cada cual reconocerá, en esta descripción abstracta, esa presencia inmediata y candente de la mirada ajena que a menudo lo ha llenado de vergüenza. Dicho de otro modo: en tanto que me experimento como mirado, se realiza para mí una presencia transmundana del prójimo: el otro me mira, no en tanto que está "en medio" de *mi* mundo, sino en tanto que viene hacia el mundo y hacia mí con toda su trascendencia, en tanto que no está

[376]

separado de mí por ninguna distancia, por ningún objeto del mundo, ni real ni ideal, por ningún cuerpo del mundo, sino por su sola naturaleza de prójimo. Así, la aparición de la mirada ajena no es aparición *en el mundo:* ni en el "mío" ni en el "ajeno"; y la relación que me une con el prójimo no puede ser una relación de exterioridad en el interior del mundo, sino que, por la mirada ajena, realizo la prueba concreta de que hay un más allá del mundo. El prójimo me es presente sin ningún intermediario, como una trascendencia *que no es la mía.* Pero esa presencia no es recíproca: es menester todo el espesor del mundo para que yo sea presente al otro. Trascendencia omnipresente e incaptable, posada sobre mí sin intermediario en tanto que soy mi ser-no-revelado, y separada de mí por la infinitud del ser, en tanto que soy sumergido por esa mirada en el seno de un mundo completo, con sus distancias y utensilios: tal es la mirada ajena cuando la experimento directamente como mirada.

Pero, además, el prójimo, al fijar mis posibilidades, me revela la imposibilidad en que estoy de ser objeto excepto para otra libertad. No puedo ser objeto para mí mismo, pues soy lo que soy; abandonado a sus propios recursos, el esfuerzo reflexivo hacia el desdoblamiento termina en fracaso: siempre soy reatrapado por mí. Y cuando postulo ingenuamente que es posible que yo sea, sin darme cuenta, un ser objetivo, supongo implícitamente por eso mismo la existencia del prójimo; pues, ¿cómo podría ser yo objeto sino para un sujeto? Así, el prójimo es ante todo para mí el ser para el cual soy objeto, es decir, el ser *por quien* gano mi objetividad. Si he de concebir así sea una sola de mis propiedades en el modo objetivo, ya está dado el prójimo. Y está dado no como un ser de mi universo, sino como sujeto puro. Así, este sujeto puro que, por definición, no puedo *conocer,* es decir, poner como objeto, está siempre *ahí,* fuera de alcance y sin distancia, cuando trato de captarme como objeto. Y al experimentar la mirada, al experimentarme como objetividad no-revelada, experimento directamente y con mi ser la incaptable subjetividad del prójimo.

Al mismo tiempo, experimento su infinita libertad. Pues mis posibles pueden ser limitados y fijados para y por una libertad, y sólo para y por ella. Un obstáculo material no podría fijar mis posibilidades; es sólo *la* ocasión, para mí, de proyectarme hacia otros posibles, a los cuales ese obstáculo no podría conferir un *afuera*. No es lo mismo quedarse en casa porque llueve y quedarse porque se tiene prohibido salir. En el primer caso, me determino a mí mismo a quedarme, en consideración a las consecuencias de mis actos: trasciendo el obstáculo "lluvia" hacia mí mismo y hago de él un instrumento. En el segundo caso, mis posibilidades mismas de salir o quedarme me son presentadas como trascendidas y fijadas, a la vez previstas y prevenidas por una libertad. No es capricho si, a menudo, hacemos del modo más natural y sin descontento lo que nos irritaría si otro nos lo mandara. Pues la orden y la prohibición exigen que experimentemos la libertad ajena a través de nuestra propia esclavitud. Así, en la mirada, la muerte de mis posibilidades me hace la libertad ajena; aquélla no se realiza sino en el seno de esta libertad y yo soy –yo, para mí mismo inaccesible y empero yo mismo– arrojado, dejado ahí, en el seno de la libertad de otro. En conexión con esta experiencia, mi pertenencia al tiempo universal no puede aparecérseme sino como contenida y realizada por una temporalización autónoma; sólo un para-sí que se temporaliza puede arrojarme al tiempo.

Así, por la mirada, experimento al prójimo concretamente como sujeto libre y consciente que hace que haya un mundo al temporalizarse hacia sus propias posibilidades. Y la presencia sin intermediario de ese sujeto es la condición necesaria de todo pensamiento que yo intente formar sobre mí mismo. El prójimo es ese yo mismo de que nada me separa, nada absolutamente excepto su pura y total libertad, es decir, esa indeterminación de sí mismo que sólo él tiene-de-ser para y por sí.

Ahora sabemos ya lo bastante para intentar la explicación de esas resistencias inquebrantables que el buen sentido ha opuesto siempre a la argumentación solipsista. Esas resistencias se fundan, en efecto, sobre el hecho de que el prójimo se me da como una presencia concreta y evidente, que no puedo en modo alguno sacar de mí mismo y que no puede en modo alguno ser puesta en duda ni constituirse en objeto de una reducción fenomenológica ni de ninguna otra "ἐποχή".

En efecto: si se me mira, tengo conciencia *de ser* objeto.

Pero esta conciencia no puede producirse sino en y por la existencia del otro. En esto Hegel tenía razón. Sólo que esta *otra* conciencia y esta *otra* libertad nunca me son *dadas,* ya que, si lo fueran, serían conocidas, y por lo tanto objetos, y dejaría de ser objeto yo. No puedo tampoco extraer el concepto o la representación de ellas desde mi propio fondo. En primer lugar, porque no las "concibo" ni me las "represento"; semejantes expresiones nos remitirían una vez más al "conoce", que por principio se ha puesto fuera de juego. Pero, además, toda experiencia concreta de libertad que puedo operar por mí mismo es prueba de *mi* libertad; toda aprehensión concreta de conciencia es conciencia (de) *mi* conciencia; la noción misma de conciencia no hace sino remitir a *mis* conciencias posibles: en efecto, hemos establecido en nuestra Introducción que la *existencia* de la libertad y de la conciencia precede y condiciona la *esencia* de las mismas; en consecuencia, estas esencias no pueden subsumir sino ejemplificaciones concretas de *mi* conciencia o de *mi* libertad. En tercer lugar, libertad y conciencia ajenas no podrían tampoco ser categorías que sirvieran para la unificación de mis representaciones. Por cierto, como lo ha mostrado Husserl, la estructura ontológica de "mi" mundo reclama que sea también *mundo para otro.* Pero en la medida en que el prójimo confiere un tipo de objetividad particular a los objetos de mi mundo, ya el prójimo está en ese mundo con carácter de objeto. Si es exacto que Pedro, mientras lee frente a mí, da un tipo de objetividad particular a la faz del libro vuelta hacia él, se trata de una faz que puedo por principo ver (aunque me escapa, según hemos visto, en tanto precisamente que es leída), que pertenece al mundo en que estoy y que, por consiguiente, se vincula allende la distancia y por un nexo mágico con el objeto-Pedro. En estas condiciones, el concepto de prójimo puede, en efecto, ser fijado como forma vacía y utilizado constantemente como refuerzo de objetividad para el mundo que es mío. Pero la presencia del prójimo en su mirar-mirante no podría contribuir a reforzar el mundo, sino que, al contrarío, lo desmundaniza, pues hace justamente que el mundo me escape. El escapárseme el mundo, cuando *es relativo* y es escaparse hacia el objeto-prójimo, refuerza la objetividad; el escapárseme el mundo y yo mismo, cuando es absoluto y se opera hacia una libertad que no es la mía, es una disolución de mi conocimiento: el mundo se desintegra para reintegrarse en mundo allá, pero esta desintegración no me es dada, no puedo ni conocerla ni siquiera pensarla. La presencia a mí del prójimo-mirada no es, pues, ni un conocimiento, ni una proyección de mi ser, ni una forma de unificación o categoría. Simplemente *es*, y no puedo derivarla de mí.

Al mismo tiempo, no puedo hacerla caer bajo la ἐποχή fenomenológica. Ésta, en efecto, tiene por finalidad poner el mundo entre paréntesis para descubrir la conciencia transcendental en su realidad absoluta. Que esta operación sea posible o no en general no nos corresponde decirlo aquí. Pero, en el caso que nos ocupa, no podría poner fuera de juego *al prójimo*, pues, en tanto que mirar-mirante, éste no pertenece precisamente al mundo. Tengo vergüenza *de mí ante* otro, decíamos. La reducción fenomenológica debe tener por efecto poner fuera de juego el objeto de la vergüenza, para destacar mejor la vergüenza misma en su absoluta subjetividad. Pero el prójimo no es *el objeto* de la vergüenza: los objetos de ella son mi acto o mi situación en el mundo. Sólo éstos podrían, en rigor, ser "reducidos". El prójimo no es siquiera una condición objetiva de mi vergüenza. Y, empero, es como el ser mismo de ella. La vergüenza es revelación del prójimo, no a la manera en que una conciencia revela un objeto, sino a la manera en que un momento de la conciencia implica lateralmente otro momento, como su motivación. Así hubiésemos alcanzado por medio del *cogito* la conciencia pura y esta conciencia pura no fuese sino conciencia (de ser) vergüenza, la conciencia ajena seguiría infestándola como presencia inaferrable, y se hurtaría por eso a toda reducción. Esto nos muestra suficientemente que el prójimo no debe ser buscado primeramente en el mundo, sino del lado de la conciencia, como una conciencia en la cual y por la cual la conciencia se hace ser lo que ella es. Así como mi conciencia captada por el *cogito* da testimonio indubitable de ella misma y de su propia existencia, ciertas conciencias particulares, por ejemplo la "conciencia-vergüenza", dan al *cogito* testimonio indubitable de ellas mismas y de la existencia del prójimo.

Pero, se dirá, ¿no es, simplemente, que la mirada ajena es

el *sentido* de mi objetividad-para-mí? Con ello recaeríamos en el solipsismo: cuando me integrara yo como objeto al sistema concreto de mis representaciones, el sentido de esta objetivación sería proyectado fuera de mí e hipostasiado como *prójimo*.

Pero ha de advertirse lo siguiente:

1° Mi objectidad para mí no es en modo alguno la explicitación del *Ich bin Ich* de Hegel. No se trata en modo alguno de una identidad formal, y mi ser-objeto o ser-para-otro es profundamente diferente de mi ser-para-mí. En efecto, la noción de *objetividad*, como hacíamos notar en la primera parte, exige una negación explícita. El objeto es lo que no es mi conciencia y, por consiguiente, lo que no tiene los caracteres de la conciencia, puesto que sólo el existente que tiene para mí los caracteres de la conciencia es la conciencia que es *mía*. Así, el yo-objeto-para-mí es un yo que *no es* para mí, es decir, que no tiene los caracteres de la conciencia. Es *conciencia degradada;* la objetivación es una metamorfosis radical y, aun si pudiera verme clara y distintamente como objeto, lo que viera no sería la representación adecuada de lo que soy en mí mismo y para mí, de ese "monstruo incomparable y preferible a todo" de que habla Malraux, sino la captación de mi ser-fuera-de-mí por el otro, es decir, la captación objetiva de mi otro-ser, que es radicalmente diferente de mi ser-para-mí y no remite a éste. Captarme como *malvado*, por ejemplo, no podría ser referirme a lo que soy para mí mismo, pues no soy ni puedo ser malvado para mí. En primer lugar, porque no *soy* malvado para mí mismo así como no "soy" médico o funcionario. Soy, en efecto, en el modo de no ser lo que soy y de ser lo que no soy. La calificación de malvado, al contrario, me caracteriza como un *en-sí*. En segundo lugar, porque, si yo debiera *ser* malvado para mí, sería menester que lo fuera en el modo del *tener-de-serlo*, o sea que debería captarme y quererme malvado. Pero esto significaría que debo descubrirme como queriendo lo que me aparece a mí mismo como lo contrario de mi Bien, y precisamente porque es el Mal o lo contrario de mi Bien. Sería menester, pues, expresamente que Yo quisiera lo contrario de lo que quiero en un mismo momento y según la misma relación, es decir, que me odiara a mí mismo en tanto precisamente que soy yo mismo. Y, para realizar plenamente, en el terreno del para-sí, esa esencia de maldad, sería menester que yo me sumiera como malvado, es decir, que me aprobara por el mismo acto que me hace censurarme. Se ve, pues, que esa noción de maldad no podría tomar en modo alguno su origen de mí en tanto que yo soy yo. Y sería en vano llevar a sus extremos límites el ék-stasis o arrancamiento a mí mismo que me constituye para-mí; no lograría nunca conferirme la maldad ni siquiera concebirla para mí si estoy librado a mis propios recursos. Pues *soy* mi arrancamiento a mí mismo, *soy* mi propia nada; basta que entre mí y mí mismo yo sea mi propio mediador, para que toda objetividad desaparezca. Esa nada que me separa del objeto-yo, no debo *serla;* pues es preciso que haya *presentación* a mí del objeto que soy. Así, yo no podría conferirme ninguna cualidad sin la mediación de un poder objetivador que no es mi propio poder y que no puedo fingir ni forjar. Sin duda, esto no es cosa nueva; se ha dicho hace rato que el prójimo me enseña lo que soy. Pero los mismos que sostenían esta tesis afirmaban, por otra parte, que extraigo de mí mismo el concepto de prójimo, por reflexión sobre mis propios poderes y por proyección o analogía. Permanecían, pues, dentro de un círculo vicioso del que no podían salir. De hecho, el prójimo no puede ser el sentido de mi objetividad, sino que es la condición concreta y trascendente de ella. Pues, en efecto, esas cualidades de "malvado", "celoso", "simpático" o "antipático", etc., etc., no son vanos sueños: cuando uso de ellas para calificar a otro, bien veo que quiero alcanzarlo en su ser. Empero, no puedo vivirlas como realidades mías propias: no se deniegan, si el prójimo me las confiere, a lo que yo soy para mí, pero cuando otro me hace una descripción de mi carácter, no me reconozco; y sin embargo sé que "soy yo". Asumo en seguida a ese extraño que me presentan, sin que deje de ser un extraño. Pues no es una simple unificación de mis representaciones subjetivas, ni un "Yo" que yo soy, en el sentido del *Ich bin Ich,* ni una vana imagen que el prójimo se hace de mí y de cuya responsabilidad es único portador: ese yo, incomparable con el yo que tengo de ser, soy también yo, pero metamorfoseado por un medio nuevo y adaptado a este medio; es un ser, *mi* ser, pero con dimensiones de ser y modalidades enteramente nuevas; soy yo, separado de mí por una nada infranqueable, pues *soy* ese yo, pero no soy esa nada que me separa de mí. Es el yo que yo soy por un ék-stasis último que trasciende todos mis ék-stasis, puesto que no es el ék-stasis que tengo-de-ser. Mi ser para otro es una caída a través del vacío absoluto hacia la objetividad. Y, como esta caída es *alienación*, no puedo hacerme ser para mí mismo como objeto, pues en ningún caso puedo alienarme a mí mismo.

2º El prójimo, por otra parte, no me constituye como objeto para mí, sino *para él*. En otras palabras, no sirve de concepto regulador o constitutivo para *conocimientos* que yo tenga de mí mismo. La presencia del prójimo no hace, pues, "aparecer" el yo-objeto: no capto nada más que un escapar a mí hacia... Aun cuando el lenguaje me haya revelado que el prójimo me tiene por malvado o por celoso, no tendré jamás una intuición concreta de mi maldad o de mis celos. No serán nunca sino nociones fugaces, cuya naturaleza misma será la de escapárseme; no captaré mi maldad, sino que, a propósito de tal o cual acto, me escaparé a mí mismo, sentiré mi alienación y mi derramarme hacia... un ser que sólo podré pensar en vacío como malvado, y que empero me *sentiré* ser, que viviré a distancia por medio de la vergüenza o el miedo.

Así, mi yo-objeto no es ni conocimiento ni unidad de conocimiento, sino malestar, arrancamiento vivido a la unidad ek-stática del para-sí, límite que no puedo alcanzar y que sin embargo soy. Y el otro, por quien ese yo *me adviene,* no es ni conocimiento ni categoría sino el *hecho* de la presencia de una libertad extraña a mí. De hecho, mi arrancamiento a mí mismo y el surgimiento de la libertad ajena son una sola y misma cosa; no puedo sentirlos y vivirlos sino juntos; no puedo ni aun intentar concebirlos el uno sin el otro. El hecho del prójimo es incontestable y me alcanza en mi pleno meollo. Lo realizo por el *malestar;* por él estoy perpetuamente *en peligro* en un mundo que es *este* mundo y que, empero, no puedo más que presentir; y el prójimo no se me aparece como un ser que fuera primero constituido para encontrarse conmigo después, sino como un ser que surge en una relación originaria de ser conmigo y cuya indubitabilidad y *necesidad de hecho* son las de mi propia conciencia.

Subsisten, empero, numerosas dificultades. En particular, conferimos al prójimo, por la vergüenza, una presencia indubitable. Pero hemos visto que es sólo *probable* que el otro me mire. Esa granja que, en la cumbre de la colina, *parece* mirar a los francotiradores, está ciertamente ocupada por el enemigo; pero no es seguro que los soldados enemigos acechen actualmente tras sus ventanas. Ese hombre cuyos pasos oigo tras de mí, no es seguro que me mire; su rostro puede estar desviado, su mirada clavada en tierra o fija en un libro; en fin, de modo general, los ojos que están fijados sobre mí no es seguro que sean ojos; pueden ser solamente "hechos a semejanza" de ojos reales. En una palabra, ¿la mirada no se convierte a su vez en *probable,* por el hecho de que puedo constantemente creerme mirado sin serlo? Y toda nuestra certeza de la existencia ajena, ¿no recobra, por esto mismo, un carácter puramente hipotético?

La dificultad puede enunciarse en estos términos: con ocasión de ciertas apariciones en el mundo que me parecen manifestar una mirada, capto en mí mismo cierto "ser-mirado" con sus estructuras propias, que me remiten a la existencia real del prójimo. Pero puede que me haya engañado: puede que los objetos del mundo que yo tomaba por ojos no fueran ojos; puede que sólo el viento agitara el matorral a mis espaldas; en una palabra, puede ser que esos objetos concretos no manifestaran *realmente* una mirada. ¿Qué se hace, en tal caso, mi certeza de *ser mirado?* Mi vergüenza era, en efecto, *vergüenza ante alguien:* pero ahí no hay nadie. ¿No se convierte, entonces, en *vergüenza ante nadie,* es decir, ya que he puesto a alguien allí donde nadie había, en vergüenza *falsa?*

Esta dificultad no ha de retenernos mucho tiempo, y ni aun la habríamos mencionado si no tuviera la ventaja de hacer progresar nuestra indagación y de señalar más puramente la naturaleza de nuestro ser-para-otro. Ella confunde, en efecto, dos órdenes de conocimientos distintos y dos tipos de ser incomparables entre sí. Hemos sabido siempre que el objeto-en-el-mundo no podía ser sino probable. Esto proviene de su carácter mismo de objeto. Es probable que el transeúnte sea un hombre; y, si vuelve los ojos hacia mí, aunque en seguida experimento con certeza el *ser- mirado,* no puedo trasladar esta certeza a mi experiencia del prójimo-objeto. Tal certeza, en efecto, no me descubre sino el prójimo-sujeto, presencia trascendente al mundo y condición real de mi ser-objeto. En todo caso, no es posible, pues, transferir mi certeza del prójimo-sujeto al prójimo-objeto que fue la ocasión de esa certeza; ni, recíprocamente, desvirtuar la evidencia de la aparición del prójimo-sujeto a partir de la probabilidad constitucional del prójimo-objeto. Más aún: la *mirada*, como lo hemos mostrado, aparece sobre fondo de destrucción del objeto que la manifiesta. Si ese transeúnte gordo y feo que avanza hacia mí con paso saltarín de pronto me mira, adiós su fealdad, su obesidad y sus saltitos: durante el tiempo que me siento mirado, es pura libertad mediadora entre mí y mí mismo. El ser-mirado no puede, pues, *depender* del objeto manifestador de la mirada. Y, puesto que mi vergüenza, captable reflexivamente como vivencia, da testimonio del otro con el mismo título que de ella misma, no he de volver a cuestionarla con motivo de un objeto del mundo que, por principio, puede ser puesto en duda. Tanto valdría dudar de mi propia existencia porque las percepciones que tengo de mi propio cuerpo (cuando veo mi mano, por ejemplo) están sujetas a error. Así, pues, el *ser-mirado,* destacado en toda su pureza, no está ligado al *cuerpo ajeno,* así como mi conciencia de ser conciencia, en la pura realización del cogito, no está vinculada *a mi propio cuerpo;* ha de considerarse la aparición de ciertos objetos en el campo de mi experiencia, en particular la convergencia de los *ojos* ajenos, en mi dirección, como una pura *monición,* como la ocasión pura de realizar mi *ser- mirado,* a la manera en que, para un Platón, las contradicciones del mundo sensible son ocasión para operar una conversión filosófica. En una palabra, lo cierto es que *soy mirado*; lo solamente probable es que la mirada esté ligada a tal o cual presencia intramundana. Esto nada tiene de sorprendente para nosotros, por otra parte, pues, como hemos visto, lo que nos mira nunca son *ojos* sino el prójimo como sujeto. Ello no quita, se dirá, que yo puedo descubrir haberme engañado: heme inclinado hacia el *ojo* de la cerradura; de pronto oigo pasos. Me recorre un estremecimiento de vergüenza: alguien me ha visto. Me yergo, recorro con los ojos el corredor desierto: era una falsa alarma. Respiro. ¿No ha habido en este caso una experiencia que se ha destruido a sí misma?

Observémoslo mejor. ¿Lo que se ha revelado como error ha sido mi ser-objetivo para otro? En modo alguno. La existencia del prójimo está tan lejos de ser puesta en duda, que esa falsa alarma puede muy bien tener por consecuencia hacerme renunciar a mi empresa. Si, al contrario, persevero, sentiré palpitar mi corazón y estaré alerta al menor ruido, al menor crujido de los peldaños. El prójimo, lejos de haber desaparecido con mi primera alarma, está ahora en todas partes, debajo y encima de mí, en las piezas contiguas, y sigo sintiendo profundamente mi ser-para-otro; hasta puede que mi vergüenza no desaparezca: ahora me inclino hacia la cerradura con rostro ruboroso, no dejo ya de *experimentar* mi ser-para-otro; mis posibilidades no cesan de "morir", ni las distancias de desplegarse hacia mí a partir de la escalera donde "podría" haber alguien, a partir de ese rincón oscuro donde "podría" esconderse una presencia humana. Más aún: si me estremezco al menor ruido, si cada crujido me anuncia una mirada, se debe a que soy ya en estado de ser-mirado. ¿Qué es, en suma, lo que ha aparecido engañosamente y se ha destruido de por sí cuando la falsa alarma? No es el prójimo-sujeto, ni su presencia a mí: sino la *facticidad* del prójimo, es decir, la conexión contingente entre el prójimo y un ser-objeto en *mi* mundo. Así, lo dudoso no es el prójimo mismo, sino el *ser-ahí* del prójimo, es decir, ese acaecimiento histórico y concreto que podemos expresar con las palabras: "Hay alguien en esa pieza".

Estas observaciones nos permitirán llegar más lejos. La presencia del prójimo en el mundo no puede derivar analíticamente, en efecto, de la presencia del prójimo-sujeto a mí, puesto que esta presencia originaria es trascendente, es decir, es ser-allende-el-mundo. He creído que otro estaba presente en la pieza, pero me he engañado: no estaba *ahí*; estaba "ausente". ¿Qué es la *ausencia*, pues?

De tomarse la expresión de ausencia en su uso empírico y cotidiano, es claro que no la emplearía para designar cualquier especie de "no-ser-ahí". En primer lugar, si no encuentro mi paquete de tabaco en su sitio de costumbre, no diré que está *ausente,* aunque empero pueda declarar que "debería estar ahí". Pues el sitio de un objeto material o de un instrumento, aunque a veces pueda asignársele con precisión, no deriva de su *naturaleza.* Ésta puede cuando mucho conferirle un lugar; pero el *sitio* de un instrumento se realiza por mí. La realidad-humana es el ser por el cual viene a los objetos un *sitio.* Y sólo la realidad-humana, en tanto que es sus propias posibilidades, puede originariamente ocupar un sitio. Pero, por otra parte, tampoco diré que el Aga-Khan o el Sultán de Marruecos esté ausente de este departamento; pero sí que Pedro, quien permanece de ordinario en él, está ausente de allí por un cuarto de hora. En una palabra, la ausencia se define como un modo de ser de la realidad-humana con relación a los lugares y sitios que ella misma ha determinado por su presencia. La ausencia no es una nada de conexión con un sitio, sino que, al contrario, determino a Pedro con respecto a un sitio determinado declarando que está ausente de él. Por último, no hablaríamos de la ausencia de Pedro con relación a un lugar de la naturaleza, aun cuando tenga costumbre de pasar por él. Pero, en cambio, podré deplorar su ausencia de un picnic que "tiene lugar" en alguna zona donde él nunca ha estado. La ausencia de Pedro se define con relación a un sitio donde debería determinarse él mismo a estar, pero ese sitio mismo está delimitado como sitio, no por el punto ni aun por relaciones solitarias entre el lugar y Pedro mismo, sino por la presencia de otras realidades-humanas. Pedro es ausente con relación a *otros hombres.* La ausencia es un modo de ser concreto de Pedro con relación a Teresa; es un nexo entre realidades humanas, no entre la realidad-humana y el mundo. Sólo con relación a Teresa está Pedro ausente *de este lugar.* La ausencia es, pues, una conexión de ser entre dos o más realidades humanas, la cual requiere necesariamente una presencia fundamental de esas realidades las unas a las otras, y no es, por otra parte, sino una de las concreciones particulares de esta presencia. Estar ausente, para Pedro con respecto a Teresa, es una manera particular de serle presente. La ausencia, en efecto, no tiene significación a menos que todas las relaciones entre Pedro y Teresa queden salvaguardadas: él la ama, es su marido, asegura su subsistencia, etc. En particular, la ausencia supone la conservación de la existencia *concreta* de Pedro: la muerte no es una ausencia. Por este hecho, la *distancia* de Pedro a Teresa nada cambia al hecho fundamental de su presencia recíproca. En efecto, si consideramos esta presencia desde el punto de vista de Pedro, vemos que significa o *bien* que Teresa es existente en medio del mundo como objeto-prójimo, o *bien* que él se siente existir para Teresa como para un *sujeto-prójimo*. En el primer caso, la distancia es hecho contingente y no significa nada con respecto al hecho fundamental de que Pedro es aquel por quien "hay" un mundo como Totalidad, y de que Pedro es presente sin distancia a ese mundo como aquel por quien la distancia existe. En el segundo caso, dondequiera que Pedro se sienta existir para Teresa sin distancia, ella está *a distancia* de él en la medida en que ella lo aleja y despliega una distancia entre ambos; el mundo entero la separa de él. Pero él es sin distancia para ella, en tanto que objeto en el mundo que ella hace llegar al ser. En ningún caso, por consiguiente, el alejamiento podría modificar esas relaciones esenciales. Sea la distancia grande o pequeña, entre Pedro-objeto y Teresa-sujeto y entre Teresa-objeto y Pedro-sujeto hay el espesor infinito de un mundo; entre Pedro-sujeto y Teresa-objeto y entre Teresa-sujeto y Pedro-objeto no hay absolutamente ninguna distancia. Así, los conceptos empíricos de ausencia y presencia son dos especificaciones de una presencia fundamental de Pedro a Teresa y de Teresa a Pedro; no hacen sino expresarla de una u otra manera, y no tienen sentido sino por ella. En Londres, en las Indias, en América, en una isla desierta, Pedro es presente a Teresa que se ha quedado en París; no cesará de serle presente sino a su muerte. Pues un ser no está *situado* por su relación con los lugares, por su grado de longitud y latitud; se sitúa en un espacio humano o entre "del lado de Guermantes" y "del lado de Swann"; y la presencia inmediata de Swann o de la duquesa de Guermantes permite desplegar ese espacio "hodológico" en que él se sitúa. Pero esta presencia tiene lugar en la trascendencia; la presencia a mí en la trascendencia de mi primo que está en Marruecos me permite desplegar entre mí y él ese camino que me sitúa-en-el-mundo y que podría denominarse la ruta de Marruecos. Esta ruta, en efecto, no es sino la distancia entre el prójimo-objeto que podría yo *percibir* en conexión con mi "ser-para" y el prójimo-sujeto que me es presente sin distancia. Así, estoy *situado* por la infinita diversidad de las rutas que me conducen a objetos de *mi* mundo en correlación con la presencia inmediata de los sujetos trascendentes. Y como el mundo me es dado de una vez, con todos sus seres, esas rutas representan sólo el conjunto de los complejos instrumentales que permiten hacer aparecer a título de *esto* sobre fondo de mundo un objeto-prójimo que está ya contenido en él implícita y realmente. Pero estas observaciones pueden generalizarse: no son sólo Pedro, René, Luciano, los ausentes o presentes respecto de mí sobre fondo de presencia originaria; pues no sólo ellos contribuyen a situarme: me sitúo también como europeo con respecto a asiáticos o a negros, como viejo con respecto a jóvenes, como magistrado con respecto a delincuentes, como burgués con respecto a obreros, etc., etc. En una palabra, toda realidad humana es presente o ausente sobre fondo de presencia originaria con respecto a todo hombre viviente. Y esta presencia originaria no puede tener sentido sino como ser-mirado o como ser-mirante, es decir, según que el prójimo sea para mí objeto o que yo sea objeto-para-otro. El ser-para-otro es un hecho constante de mi realidad humana y lo capto con su necesidad de hecho en el menor pensamiento que formo sobre mí mismo. Adonde quiera que vaya, cualquier cosa que haga, no hago sino cambiar mis distancias con respecto al prójimo-objeto, tomar rutas hacia el prójimo. Alejarme, acercarme, descubrir tal o cual objeto-prójimo particular, no es sino efectuar variaciones empíricas sobre el tema fundamental de mi ser-para-otro. El prójimo me es presente doquiera como aquello por lo cual me convierto en objeto. Después de esto, bien puedo engañarme sobre la presencia empírica de un objeto-prójimo con que acabo de encontrarme en mi ruta. Bien puedo creer que es Anny la que viene hacia mí por el camino y descubrir que es una persona desconocida: la presencia fundamental de Anny a mí no queda modificada. Bien puedo creer que hay un hombre acechándome en la penumbra y descubrir que es un tronco de árbol al que tomaba por un ser humano: mi presencia fundamental a todos los hombres, la presencia a mí mismo de todos los hombres, permanece inalterada. Pues la aparición de un hombre como objeto en el campo de mi experiencia no es lo que me enseña que *hay* hombres. Mi certeza de la existencia ajena es independiente de esas experiencias; ella, al contrario, las hace posibles. Lo que me aparece entonces y aquello acerca de lo cual puedo engañarme no es ni el Prójimo ni el nexo real y concreto del Prójimo conmigo, sino *esto* que *puede* representar un hombre-objeto como también no representarlo. Lo sólo probable es la distancia y la proximidad reales del prójimo; es decir, que su carácter de objeto y su pertenencia al mundo que hago develarse no son dudosos, en tanto simplemente que por mi propio surgimiento hago que aparezca un Prójimo. Sólo que esta objetividad se funda en el mundo a título de "prójimo en alguna parte en el mundo"; el prójimo-objeto es cierto como aparición, correlativa a la reasunción de mi subjetividad, pero no es nunca seguro que el prójimo sea *este* objeto. Y, análogamente, el hecho fundamental, mi ser-objeto para un sujeto, es de una evidencia del mismo tipo que la evidencia reflexiva, pero no lo es el hecho de que, en este preciso momento y para un prójimo singular, yo me destaque como *esto* sobre fondo de mundo o permanezca anegado en la indistinción de un fondo. Que yo existo actualmente como objeto para un alemán, cualquiera que fuere, es indudable. Pero ¿acaso existo a título de europeo, de francés, de parisiense, en la indiferenciación de esas colectividades, o a título de *este* parisiense, en torno del cual la población parisiense y la colectividad francesa se organizan de pronto para servirle de fondo? Sobre este punto, no podré obtener jamás sino conocimientos probables, aunque puedan ser infinitamente probables.

Podemos captar ahora la naturaleza de la mirada: hay en toda mirada la aparición de un prójimo-objeto como presencia concreta y probable en mi campo perceptivo, y, con ocasión de ciertas actitudes de ese prójimo, me determino a mí mismo a captar, por la vergüenza, la angustia, etc., mi "ser-mirado". Este "ser-mirado" se presenta como la pura probabilidad de que yo sea actualmente este *esto* concreto, probabilidad que no puede tomar su sentido y su naturaleza propia de probable sino de una certeza fundamental de que el prójimo me es siempre presente en tanto que yo soy siempre *para otro*. La experiencia de mi condición de hombre, objeto para *todos* los otros hombres vivientes, arrojado en la arena bajo millones de miradas y escapándome a mí mismo millones de veces, la realizo concretamente con ocasión del surgimiento de un objeto en *mi* universo, si este objeto me indica que soy probablemente objeto actualmente a título de *esto diferenciado* para una conciencia. Es el conjunto del fenómeno que llamamos *mirada*. Cada mirada nos hace experimentar concretamente –y en la certeza indubitable del *cogito*– que existimos para todos los hombres vivientes, es decir, que hay conciencia(s) para las cuales existo. Ponemos la "s" entre paréntesis[1] para, señalar claramente que el prójimo-sujeto presente a mí en esa mirada no se da en forma de pluralidad; ni tampoco, por otra parte, como unidad (salvo en su relación concreta con *un* prójimo-objeto particular). La pluralidad, en efecto, no pertenece sino a los objetos; viene al ser por la aparición de un Para-sí mundificante. El ser-mirado, haciendo surgir sujeto(s) para nosotros, nos pone en presencia de una realidad no numerada. Desde que *miro,* al contrario, a aquellos que-me miran, las conciencias *otras* se aíslan en multiplicidad. Si, por otra parte, desviándome de la mirada como ocasión de experiencia concreta, trato de pensar *en vacío* la indistinción infinita de la presencia humana y de unificarla bajo el concepto del sujeto infinito que no es jamás objeto, obtengo una noción puramente formal que se refiere a una serie infinita de experiencias místicas de la presencia del prójimo: la noción de Dios como sujeto omnipresente e infinito *para quien* existo. Pero esas dos objetivaciones, la objetivación concreta y enumeradora como la objetivación unificante y abstracta, fallan ambas al querer alcanzar la realidad experimentada, es decir, la presencia prenumérica del prójimo. Lo que hará más concretas estas obser-

---

[1] Aquí adaptamos al español la frase original: *"...qu'il y a (des) consciences pour qui j'existe. Nous méttons 'des' entre parenthèses..."*. Lo mismo en otros casos análogos. (N. del T.)

vaciones será una experiencia que todo el mundo puede llevar a cabo: si nos sucede que aparecemos "en público" para interpretar un papel o para pronunciar una conferencia, no perdemos de vista que somos mirados, y ejecutamos el conjunto de los actos que hemos venido a ejecutar, *en presencia* de la mirada; mejor aún, intentamos constituir un ser y un conjunto de objetos *para* esa mirada. Pero no enumeramos la mirada. En tanto que hablamos, atentos sólo a las ideas que queremos desarrollar, la presencia del prójimo permanece indiferenciada. Sería falso unificarla bajo las rúbricas *la clase, el auditorio,* etc.: no tenemos conciencia, en efecto, de un ser concreto e individualizado, con una conciencia colectiva; éstas son imágenes que podrán servir después para traducir nuestra experiencia y que la traicionarán más que medianamente. Pero tampoco captamos una mirada plural. Se trata, más bien, de una realidad impalpable, fugaz y omnipresente, que realiza frente a nosotros a nuestro Yo no-revelado y que colabora con nosotros en la producción de ese Yo que nos escapa. Si, al contrario, quiero verificar que mi pensamiento ha sido bien comprendido y miro a mi vez al auditorio, veré de pronto aparecer *las* cabezas y *los* ojos. Al objetivarse, la realidad prenumérica del prójimo se ha descompuesto y pluralizado. Pero también ha desaparecido la mirada. Para esa realidad prenumérica y concreta, mucho más que para un estado de inautenticidad de la realidad-humana, conviene reservar el "se" impersonal. Perpetuamente, dondequiera que esté, *se* me mira. El *se* no es captado jamás como objeto: al instante se desagrega.

Así, la mirada nos ha puesto tras la huella de nuestro *ser-para-otro* y nos ha revelado la existencia indubitable de este prójimo para el cual somos. Pero no podría llevarnos más lejos: lo que debemos examinar ahora es la relación fundamental entre el Yo y el Otro, tal como se nos ha descubierto; o, si se prefiere, debemos explicitar y fijar temáticamente ahora todo lo que se comprende en los límites de esa relación original, y preguntarnos cuál es el *ser* de ese ser-para-otro.

Una consideración que ha de ayudarnos en nuestra tarea y que se desprende de las precedentes observaciones es que el ser-para-otro no es una estructura ontológica del Para-sí: no podemos pensar, en efecto, en derivar como una consecuencia de un principio el ser-para-otro del ser-para-sí, ni, recíprocamente, el ser-para-sí del ser-para-otro. Sin duda, nuestra realidad-humana exige ser simultáneamente para-sí y para-otro, pero nuestras actuales investigaciones no encaran la constitución de una antropología. No sería acaso imposible concebir un Para-sí totalmente libre de todo Para-otro, que existiera sin sospechar siquiera la posibilidad de ser un objeto. Sólo que este Para-sí no sería "hombre". Lo que el *cogito* nos revela aquí es simplemente una necesidad de hecho: ocurre —y ello es indubitable— que nuestro ser en conexión con su ser-para-sí es también para-otro; el ser que se revela a la conciencia reflexiva es para-sí-para-otro; el *cogito* cartesiano no hace sino afirmar la verdad absoluta de un *hecho*: el de mi existencia; del mismo modo, el *cogito* algo ampliado de que aquí usamos nos revela como un hecho la existencia del prójimo y mi existencia para otro. Es todo lo que podemos decir. Así, mi ser-para-otro, como el surgimiento de mi conciencia al ser, tiene el carácter de un acaecimiento absoluto. Como este acaecimiento es a la vez historialización —pues me temporalizo como presencia a otro— y condición de toda historia, lo llamaremos historialización antehistórica. Y a este título, a título de temporalización antehistórica de la simultaneidad, lo encararemos aquí. Por antehistórico no entenderemos que sea en un tiempo anterior a la historia —lo que carecería de sentido—, sino que forma parte de esa temporalización original que se historializa haciendo posible la historia. Estudiaremos el ser-para-otro como hecho, como hecho primero y perpetuo, y no como necesidad de esencia.

Hemos visto anteriormente la diferencia que separa la negación de tipo interno de la negación externa. En particular, habíamos notado que el fundamento de todo conocimiento de un ser determinado es la relación original por la cual, en su surgimiento mismo, el Para-sí tiene-de-ser como no siendo *este* ser. La negación que el Para-sí realiza así es negación interna; el Para-sí la realiza en su plena libertad; mejor aún, él *es* esa negación en tanto que se acoge a sí mismo como finitud. Pero la negación lo religa indisolublemente al ser que él no es, y hemos podido escribir que el Para-sí incluye en su ser el ser del objeto que él no es, en tanto que él está en cuestión en su ser como no siendo *este* ser. Estas observaciones son aplicables sin cambio esencial a la relación primera entre el Para-sí y el prójimo. Si hay un Prójimo en general, es menester, ante todo, que yo sea aquel que no es el Otro, y en esta negación misma operada por mí sobre mí yo me hago ser y surge el Prójimo como Prójimo. Esta negación que constituye mi ser y que, como dice Hegel, me hace aparecer como *el Mismo* frente al Otro, me constituye en el terreno de la ipseidad no-tética en *Mí-mismo*. Con ello no ha de entenderse que un *yo* venga a habitar nuestra conciencia, sino que la ipseidad se refuerza surgiendo como negación de otra ipseidad, y que ese refuerzo es captado positivamente como la opción continua de la ipseidad por ella misma, como la *misma* ipseidad y como *esa ipseidad* misma. Sería concebible un Para-sí que tuviera-de-ser su sí sin ser *sí-mismo*. Pero, simplemente, el Para-sí que yo soy tiene de ser lo que él es en forma de denegación del Otro, es decir, como sí-mismo. Así, utilizando las fórmulas aplicadas al conocimiento del No-yo en general, podemos decir que el Para-sí, como sí-mismo, incluye al ser del Prójimo en su ser en tanto que él mismo está en cuestión en su ser como no siendo Prójimo. En otros términos, para que la conciencia pueda no ser Prójimo y, por ende, para que pueda "haber" Prójimo sin que este "no ser...", condición del sí-mismo, sea pura y simplemente objeto de constatación de un testigo "tercer hombre", es menester que la conciencia tenga-de-ser espontáneamente ese *no ser...*; es preciso que se desprenda libremente y se arranque del Prójimo, eligiéndose como una nada que simplemente es Otro que el Otro, y de este modo se reúna consigo en el "sí-mismo". Y ese mismo arrancamiento que es el ser del Para-sí hace que haya un Prójimo. Esto no quiere decir en modo alguno que dé el ser al Otro, sino, simplemente, que le da el *ser-otro*, o condición esencial del "hay". Y va de suyo que, para el Para-sí, el modo de ser-lo-que-no-es-prójimo está íntegramente transido por la Nada; el Para-sí es lo que no es Prójimo en el modo nihilizador del "reflejo-reflejante", el no-ser-prójimo nunca es *dado*, sino perpetuamente escogido en una resurrección perpetua; la conciencia *no puede ser* Prójimo sino en tanto que es conciencia (de) sí misma como no siendo prójimo. Así, la negación interna, aquí como en el caso de la presencia al mundo, es un nexo unitario de ser: es menester que el prójimo sea presente por todas partes a la conciencia y hasta que la atraviese íntegra, para que la conciencia pueda escapar, precisamente *no siendo nada,* a ese prójimo que amenaza enviscarla. Si bruscamente la conciencia *fuera* alguna cosa, la distinción entre sí-mismo y el prójimo desaparecería en el seno de una indiferenciación total.

Sólo que esta descripción pide una adición esencial que modificará radicalmente su alcance. En efecto: cuando la conciencia se realizaba como no siendo tal o cual *esto* en el mundo, la relación negativa no era recíproca: el *esto* apuntado no se hacía no ser la conciencia; ésta se deteminaba en él y por él a no serlo, pero el *esto* permanecía, con respecto a ella, en una pura exterioridad de indiferencia, pues, en efecto, conservaba su naturaleza de *en-sí,* y como *en-sí* se revelaba a la conciencia en la negación misma por la cual el Para-sí se hacía ser negando de sí ser en-sí. Pero, cuando se trata del Prójimo, al contrario, la relación negativa interna es una relación de reciprocidad. El ser que la conciencia tiene-de-no-ser se define como un ser que tiene-de-no-ser esa conciencia. Pues, en efecto, durante la percepción del *esto* en el mundo, la conciencia no difería del *esto* sólo por su individualidad propia, sino también por su modo de ser. Ella era *Para-sí* frente al *En-sí.* En cambio, en el surgimiento del Prójimo, la conciencia no difiere en modo alguno del Otro en cuanto a su modo de ser: el Otro es lo que ella es, es Para-sí y conciencia, remite a posibles que son sus posibles, es sí-mismo por exclusión del Otro; no cabe tratar de oponerse al Otro por una pura determinación numérica. No hay aquí *dos* o *más* conciencias: la numeración supone un testigo externo, en efecto, y es pura y simple constatación de exterioridad. No puede haber Otro para el Para-sí sino en una negación espontánea y prenumérica. El Otro no existe para la conciencia sino como *sí-mismo denegado.* Pero, precisamente porque el Otro es un sí-mismo, no puede ser para mí y por mí sí-mismo denegado sino en tanto que es *sí-mismo que me deniega.* No puedo ni captar ni concebir una conciencia que no me capte. La única conciencia que es sin captarme ni denegarme en modo alguno y que es concebible para mí mismo, no es una conciencia aislada en alguna parte fuera del mundo, sino la mía propia. Así, el otro al que reconozco para denegar serlo, es ante todo *aquel para quien mi Para-sí es*. Aquel que yo me hago no ser, en efecto, no solamente no es yo en tanto que lo niego de mí, sino que, precisamente, me hago no ser un ser que se hace no ser yo.[1] Sólo que esta doble negación es en cierto sentido destructora de sí misma; en efecto: o bien me hago no ser cierto ser, y entonces éste es para mí objeto y yo pierdo mi objectidad para él, caso en el cual el otro deja de ser el Otro-yo, es decir, el sujeto que me hace ser objeto por denegación de ser yo; o bien ese ser es efectivamente el Otro y se hace no ser yo, pero en tal caso me convierto en objeto para él, y él pierde su objectidad propia... Así, originariamente, el Otro es el No-yo-no-objeto. Cualesquiera que fueren los procesos ulteriores de la dialéctica del Otro, si el Otro ha de ser ante todo el Otro, es aquel que, por principio, no puede revelarse sino en el surgimiento mismo por el cual niego yo ser él. En este sentido, mi negación fundamental no puede ser directa, pues no hay nada sobre lo que pueda recaer. Lo que deniego ser, finalmente, no puede ser nada más que esa denegación de ser Yo por la cual el otro me hace objeto; o, si se prefiere, deniego mi Yo denegado; me determino como Yo-mismo por denegación del Yo-denegado; pongo ese yo denegado como Yo-alienado en el surgimiento mismo por el cual me arranco al Prójimo. Pero, en eso mismo, reconozco y afirmo no solamente al Prójimo sino también la existencia de mi Yo-para-otro; pues, en efecto, no puedo *no ser* Otro si no asumo mi ser-ojeto para él. La desaparición del Yo alienado traería consigo la desaparición del Prójimo por desmoronamiento del Yo-mismo. Escapo al Prójimo dejándole mi Yo alienado entre las manos. Pero, puesto que me elijo como arrancamiento al prójimo, asumo y reconozco por mío ese Yo alienado. Mi arrancamiento al

---

[1] Salvo el cuidado de fidelidad expresiva, esta oración hubiera podido parafrasearse así: "Yo me hago no ser un ser (el otro) que no es yo no en tanto que lo niego de mí meramente, sino que además es un ser que se hace él mismo no ser yo". (N. del T.)

Prójimo, es decir, mi Yo-mismo, es por estructura esencial asunción como *mío* de ese Yo que el prójimo deniega; inclusive, no es *sino eso*. Así, ese Yo alienado y denegado es a la vez mi nexo con el prójimo y el símbolo de nuestra separación absoluta. En efecto, en la medida en que soy Aquel que hago que *haya* un Prójimo por la afirmación de mi ipseidad, el Yo-objeto es mío y yo lo reivindico, pues la separación entre el Prójimo y yo mismo nunca es dada, y soy perpetuamente responsable de ella en mi ser. Pero, en tanto que el Prójimo es corresponsable de nuestra separación original, ese Yo me escapa, puesto que es lo que el prójimo se hace no ser. Así, reivindico como *mío* y para mí un yo que me escapa, y, como me hago no ser Prójimo, en tanto que el prójimo es espontaneidad idéntica a la mía, reivindico ese Yo objeto precisamente como Yo-que-me-escapa. Yo *soy* ese Yo-objeto en la medida exacta en que me escapa, y, al contrario, lo denegaría como mío si él pudiera coincidir conmigo mismo en pura ipseidad. Así, mi ser-para-otro, es decir, mi Yo-objeto, no es una imagen recortada de mí que vegeta en una conciencia ajena: es un ser perfectamente real, *mi* ser como condición de mi ipseidad frente al prójimo, y de la ipseidad ajena frente a mí. Es mi *ser-afuera;* no un ser padecido, que haya venido de fuera, sino un afuera asumido y reconocido como afuera *mío*. No me es posible, en efecto, negar de mí al Prójimo sino en tanto que el Prójimo mismo es *sujeto*. Si negara inmediatamente al Prójimo como puro objeto –es decir, como existente en medio del mundo–, no denegaría al *Prójimo,* sino más bien a un objeto que, por principio, no tendría nada en común con la subjetividad; me quedaría indefenso frente a una asimilación total de mí a otro, por no haberme guardado con cautela en el verdadero dominio del prójimo, la subjetividad, que es también *mi* dominio. No puedo mantener al prójimo a distancia sino aceptando un límite de mi subjetividad. Pero este límite no puede venir de mí ni ser pensado por mí, pues no puedo limitarme a mí mismo: si no, sería yo una totalidad finita. Por otra parte, según los términos de Spinoza, el pensamiento no puede ser limitado sino por el pensamiento. La conciencia no puede ser limitada sino por mi conciencia. El límite entre dos conciencias, en tanto que tal, es producido por la conciencia limitante y asumido por la conciencia limitada: he aquí, pues, la que es mi Yo-objeto. Y debemos entenderlo en ambos sentidos del vocablo "límite". De parte del limitante, en efecto, el límite es captado como el contenido que me contiene y me ciñe; la faja de vacío que me exceptúa como totalidad, poniéndome fuera de juego; por parte del limitado, es a todo fenómeno de ipseidad como el límite matemático es a la serie que tiende hacia él sin alcanzarlo nunca; todo el ser que tengo-de-ser es a su límite como la asíntota a la recta. Así, soy una totalidad destotalizada e indefinida, contenida en una totalidad finita que la ciñe a distancia y que soy yo fuera de mí sin poder jamás ni realizarla ni alcanzarla siquiera. Una buena imagen de mis esfuerzos por captarme *a mí mismo* y de la inanidad de esos esfuerzos estaría dada por esa esfera de que habla Poincaré, esfera cuya temperatura decrece del centro a la superficie: seres vivientes procuran llegar hasta la superficie de la esfera partiendo del centro, pero el descenso de temperatura produce en ellos una contracción continuamente creciente; tienden a hacerse infinitamente planos a medida que se acercan a la meta y, por este hecho, están separados de ella por una distancia infinita. Empero, ese límite fuera de alcance que es mi Yo-objeto no es ideal: es un ser real. Este ser no es *en-sí*, pues no se ha producido en la pura exterioridad de indiferencia; pero tampoco es *para-sí*, pues no es el ser que tengo de ser nihilizándome. Es, precisamente, mi *ser-para-otro*, ese ser descuartizado entre dos negaciones de origen opuesto y sentido inverso; pues el prójimo *no es* ese Yo del cual tengo intuición, y *yo no tengo la intuición* de aquel Yo que yo soy. Empero, este Yo, producido por el uno y asumido por el otro, toma su realidad absoluta del hecho de ser él la única separación posible entre dos seres fundamentalmente idénticos en cuanto a su modo de ser y que son inmediatamente presentes uno al otro, puesto que, pudiendo la conciencia ser limitada sólo por la conciencia, ningún término medio es concebible entre ambos.

A partir de esta presencia a mí del prójimo-sujeto en y por mi objetividad asumida, podemos comprender la objetivación del Prójimo como segundo momento de mi relación con el Otro. En efecto, la presencia del Prójimo, allende mi límite no revelado puede servir de motivación para mi recuperación de mí mismo en tanto que libre ipseidad. En la medida en que me niego como Prójimo y en que el Prójimo se manifiesta primeramente, no puede manifestarse sino como Prójimo, es decir, como sujeto allende mi límite, o sea como aquello que me limita. Nada puede limitarme, en efecto, sino el Prójimo. "Éste aparece, pues, como aquello que, en su plena libertad y en su libre proyección hacia sus posibles, me pone fuera de juego y me despeja de mi trascendencia, denegando "hacer con" (en el sentido del alemán *mit-machen)*. Así, debo captar primera y únicamente, de las dos negaciones, aquella de que no soy responsable, aquella que no viene a mí por mí. Pero, en la captación misma de esta negación, surge la conciencia (de) mí como yo mismo, es decir, puedo adquirir una conciencia explícita (de) mí en tanto que soy también responsable de una negación del prójimo que es mi propia posibilidad. Es la explicitación de la segunda negación, la que va de mí al otro. A decir verdad, ella ya estaba ahí, pero enmascarada por la otra, puesto que se perdía para hacer que la otra apareciera. Pero precisamente la otra es motivo para que la nueva negación aparezca: pues, si hay un Prójimo que me pone fuera de juego poniendo mi trascendencia como puramente contemplada, ello se debe a que me arranco al Prójimo asumiendo mi límite. Y la conciencia (de) este arrancamiento o conciencia (de ser) *el mismo* con respecto al Otro es conciencia (de) mi libre espontaneidad. Por ese arrancamiento mismo que pone al otro en posesión de mi límite, ya arrojo al Otro fuera de juego. Así, pues, en tanto que tomo, conciencia (de) mí mismo como de una de mis libres posibilidades, y en que me proyecto hacia mí mismo para realizar esta ipseidad, he aquí que soy responsable de la existencia del prójimo: yo soy quien hace, por la afirmación misma de mi libre espontaneidad, que *haya* un Prójimo y no simplemente una remisión infinita de la conciencia a sí misma. El prójimo se encuentra, pues, puesto fuera de juego, como aquello que está en mi mano no ser,[1] y, por ello, su trascendencia no es ya tras-

---

[1] Aquí la sintaxis francesa permite dar a la frase mayor precisión que en español, entiéndase: "como si estuviera en mi mano, de mí dependiera, *no* ser el Prójimo". (N. del T.)

cendencia que *me trasciende* hacia él mismo, sino trascendencia contemplada, circuito de ipseidad simplemente *dado*. Y como no puedo realizar a la vez las dos negaciones, la negación nueva, aunque teniendo por motivación a la otra, la enmascara a su vez: el Prójimo se me aparece como presencia degradada. Esto hace que el Otro y yo seamos corresponsables de la existencia del Otro, pero ello por dos negaciones tales que no puedo experimentar una sin que inmediatamente enmascare a la otra. Así, el Prójimo se convierte ahora en aquello que yo limito en mi proyección misma hacia el no-ser-Prójimo. Naturalmente, ha de comprenderse aquí que la motivación de ese tránsito es de orden afectivo. Nada impediría, por ejemplo, que yo permaneciera fascinado por ese No-revelado con su más allá, si no realizara precisamente ese No-revelado en el temor, en la vergüenza o en el orgullo. Y, precisamente, el carácter afectivo de estas motivaciones da razón de la contingencia empírica de esos cambios de punto de vista. Pero esos sentimientos mismos no son nada más que nuestra manera de experimentar afectivamente nuestro ser-para-otro. El temor, en efecto, implica que me aparezco a mí mismo como amenazado a título de presencia en medio del mundo, no a título de Para-sí que hace que haya un mundo. Lo que está en peligro en el mundo es el objeto que *soy yo* y, como tal, a causa de su indisoluble unidad de ser con el ser que tengo-de-ser, puede traer, con su propia ruina, la ruina del Para-sí que tengo-de-ser. El temor es, pues, descubrimiento de mi ser-objeto con ocasión de la aparición de otro objeto en mi campo perceptivo. Remite al origen de todo temor, que es el descubrimiento temeroso de mi objectidad pura y simple en tanto que trascendida, y trascendida por posibles que no son los míos. Escaparé al temor arrojándome hacia mis propios posibles, en la medida en que considere mi objectidad como inesencial. Ello no es posible excepto si me capto en tanto que soy responsable del ser ajeno. El prójimo se convierte entonces en *aquello que me hago no ser*, y sus posibilidades son posibilidades que deniego y que puedo simplemente contemplar, o sea, mortiposibilidades. Así, trasciendo mis posibilidades presentes, en tanto que las encaro como pudiendo siempre ser trascendidas por las posibilidades ajenas, pero trasciendo también las posibilidades ajenas, considerándolas desde el punto de vista de la única cualidad del prójimo que no sea posibilidad suya propia –su carácter mismo de prójimo, en tanto que yo hago que haya Prójimo–, y considerándolas como posibilidades de trascenderme a mí tales que yo puedo siempre trascenderlas a mi vez hacia posibilidades nuevas. Así, al mismo tiempo, he reconquistado mi ser-para-sí por mi conciencia (de) mí como centro de irradiación perpetua de infinitas posibilidades, y he transformado las posibilidades ajenas en mortiposibilidades afectándolas todas del carácter de *no-vivido-por-mí*, es decir, de *simplemente dado*.

Análogamente, la vergüenza no es sino el sentimiento original de tener mi ser *afuera*, comprometido en otro ser y, como tal, sin defensa alguna, iluminado por la luz absoluta que emana de un puro sujeto; es la conciencia de ser irremediablemente lo que siempre he sido: "en aplazamiento", es decir, en el modo del "no-aún" o del "no-ya". La vergüenza pura no es sentimiento de ser tal o cual objeto reprensible; sino, en general, de ser un objeto, o sea de *reconocerme* en ese ser degradado, dependiente y fijado, que soy para otro. La vergüenza es sentimiento de *caída original,* no del hecho de que haya cometido tal o cual falta, sino simplemente del hecho de que estoy "caído" en el mundo, en medio de las cosas, y de que necesito de la mediación ajena para ser lo que soy. El pudor y, en particular, el temor de ser sorprendido en estado de desnudez, no son sino una especificación simbólica de la vergüenza original: el cuerpo simboliza en este caso nuestra objectidad sin defensa. Vestirse es disimular la propia objectidad, es reclamar el derecho de ver sin ser visto, es decir, de ser puro sujeto. Por eso el símbolo bíblico de la caída, después del pecado original, es el hecho de que Adán y Eva "conocen estar desnudos". La reacción a la vergüenza consistirá justamente en captar como objeto al que captaba *mi* propia objectidad. Entonces, en efecto, el Prójimo se me aparece como objeto, su subjetividad se convierte en una simple *propiedad* del objeto considerado, y se degrada y define como "conjunto de propiedades *objetivas* que por principio se hurtan a mí". El prójimo-objeto "tiene" una subjetividad como esta caja tiene "un interior". Y, con ello, me *recupero*: pues no puedo ser *objeto para un objeto*. No niego que el Prójimo permanezca en conexión conmigo por su "interior", pero su conciencia de mí, siendo conciencia-objeto, se me aparece como pura interioridad sin eficacia; es una propiedad, entre otras, de ese "interior", algo comparable a una película impresionable en la cámara oscura de un aparato fotográfico. En tanto que hago que haya un Prójimo, me capto como fuente libre del conocimiento que el Prójimo tiene de mí, y el Prójimo se me aparece *afectado* en su ser por ese conocimiento que tiene de mi ser, en tanto que lo he *afectado* a él del carácter de Prójimo. Este conocimiento toma entonces un carácter *subjetivo*, en el nuevo sentido de *relativo*, es decir, que permanece en el sujeto-objeto como una cualidad relativa al ser-prójimo de que yo lo he afectado. Es un conocimiento que ya no me *toca*: es una imagen *de mí en él*. Así, la subjetividad se ha degradado en interioridad, la libre conciencia en pura ausencia de principios, las posibilidades en propiedades y el conocimiento por el cual el prójimo me alcanza en mi ser, en pura *imagen* de mí en la "conciencia" ajena. La vergüenza motiva la reacción que la trasciende y suprime, en tanto que encierra en sí una comprensión implícita y no tematizada del poder-ser-objeto del sujeto para el que soy objeto. Y esa comprensión implícita no es otra que la conciencia (de) mi "ser-yo-mismo", es decir, de mi ipseidad reforzada. En efecto, en la estructura expresada por el "Me avergüenzo de mí mismo", la vergüenza supone un yo-objeto para el otro, pero también una ipseidad que tiene vergüenza y que está imperfectamente expresada por el "me" de la fórmula. Así, la vergüenza es aprehensión unitaria de tres dimensiones: *"Yo me avergüenzo de mí ante otro"*.

Si una de estas dimensiones desaparece, la vergüenza desaparece también. Empero, si concibo el "se" impersonal, sujeto ante el cual tengo vergüenza, en tanto que no puede convertirse en objeto sin dispersarse en una pluralidad de prójimos, si lo pongo como unidad absoluta del sujeto que no puede en modo alguno hacerse objeto, pongo con ello la eternidad de mi ser-objeto y perpetúo mi vergüenza. Es la vergüenza ante Dios, es decir, el reconocimiento de mi objetividad ante un sujeto que no puede jamás convertirse en objeto; al mismo tiempo, *realizo* en lo absoluto e hipostasio mi objectidad; mejor aún, pongo mi ser-objeto-para-Dios como más real que mi Para-sí; existo alienado y me hago enseñar por mi defuera lo que debo ser. Es el origen del temor ante Dios. Las misas negras, las profanaciones de hostias, las asociaciones demoníacas, etc., son otros tantos esfuerzos por conferir carácter de objeto al Sujeto absoluto. Queriendo el Mal por el Mal mismo, intento contemplar la transcendencia divina –cuya posibilidad propia es el Bien– como transcendencia puramente dada, a la cual trasciendo hacia el Mal. Entonces "hago sufrir" a Dios, "lo irrito", etc. Esas tentativas, que implican el *reconocimiento* absoluto de Dios como sujeto que no puede ser objeto, llevan en sí mismas su contradicción y están en perpetuo fracaso.

La actitud orgullosa no excluye la vergüenza original. Hasta se edifica sobre el terreno de la vergüenza fundamental o vergüenza de ser objeto. Es un sentimiento ambiguo: en la actitud orgullosa, reconozco al prójimo como sujeto por el cual la objectidad viene a mi ser, pero me reconozco además como responsable de mi objectidad: pongo el acento sobre mi responsabilidad y la asumo. En cierto sentido, la actitud orgullosa es ante todo resignación: para estar orgulloso de *ser eso* es menester que me haya primeramente resignado a *no ser sino eso*. Se trata, pues, de una primera reacción a la vergüenza, y es ya una reacción de huida y de mala fe, pues, sin dejar de mantener al prójimo como sujeto, trato de captarme como *afectando* al Prójimo por mi objectidad. En una palabra, hay dos actitudes auténticas: aquella por la cual reconozco al Prójimo como el sujeto por el cual advengo a la objectidad, y es la vergüenza; y aquella por la cual me capto como el proyecto libre por el cual el Prójimo adviene al ser-prójimo, y es el orgullo, o afirmación de mi libertad frente al Prójimo-objeto. Pero la actitud orgullosa –o vanidad– es un sentimiento sin equilibrio y de mala fe: intento, en la vanidad, obrar sobre el Prójimo en tanto que soy objeto; pretendo usar de esta belleza o esta fuerza o este ingenio que él me confiere en tanto que me constituye como objeto, para afectarlo pasivamente, de rebote, con un sentimiento de admiración o de amor. Pero exijo además que el Prójimo experimente ese sentimiento en tanto que sujeto, es decir, como libertad. Es, en efecto, la única manera de conferir objetividad absoluta a mi fuerza o mi belleza. Así, el sentimiento que exijo al Prójimo lleva en sí mismo su propia contradicción, pues debo afectar con él al prójimo en tanto que éste es libre. Tal sentimiento se experimenta en el modo de la mala fe y su desarrollo interno lo conduce a la desagregación. En efecto: para gozar de mi ser-objeto, que he asumido, intento recuperarlo *como objeto*; y como el Prójimo es la clave de él, trato de apoderarme del Prójimo para que me entregue el secreto de mi ser. Así, la vanidad me lleva a apoderarme del Prójimo y a constituirlo como un objeto, para hurgar en el seno de este objeto a fin de descubrir en él mi objetidad propia. Pero es matar la gallina de los huevos de oro. Al constituir al Prójimo como objeto, me constituyo como imagen en el meollo mismo del Prójimo-objeto; de ahí la desilusión de la vanidad: en esa imagen que he querido captar para recuperarla y fundirla con mi ser, *no me reconozco ya*, y debo, quieras que no, imputarla al Prójimo como una de sus propiedades subjetivas; liberado, pese a mí, de mi objetidad, quedo solo frente al Prójimo-objeto, en mi incalificable ipseidad, que tengo-de-ser sin poder jamás ser dispensado de mi función.

Vergüenza, temor y vanidad son, pues, mis reacciones originarias; no son sino las diversas maneras de reconocer al Prójimo como sujeto fuera de alcance, e implican una comprensión de mi ipseidad que puede y debe servirme de motivación para constituir al Prójimo en objeto.

Este Prójimo-objeto que se me aparece de pronto no queda como una pura abstracción objetiva. Surge ante mí con sus significaciones particulares. No es solamente el objeto cuya libertad es una *propiedad* como trascendencia trascendida; es también el "colérico" o "alegre" o "atento", "simpático" o "antipático", "avaro", "impulsivo", etc. Pues, en efecto, al captarme a mí mismo como tal mí mismo, hago que el Prójimo-objeto exista en medio del mundo. Reconozco su trascendencia, pero la reconozco no como trascendencia trascendente sino trascendencia trascendida. Aparece ésta, pues, como un trascender los utensilios hacia ciertos fines, en la exacta medida en que yo, en un proyecto unitario de mí mismo, trasciendo esos fines, esos utensilios y ese mismo trascender por otro, los utensilios hacia los fines. Pues, en efecto, jamás me capto abstractamente como pura posibilidad de ser yo mismo, sino que vivo mi ipseidad en su proyección concreta hacia tal o cual fin: no existo sino como *comprometido* y no tomo conciencia (de) ser sino como tal. Al mismo título, no capto al Prójimo-objeto sino en un concreto y *comprometido* trascender su trascendencia. Pero, recíprocamente, el comprometimiento del Prójimo, que es su modo de ser, se me aparece, en tanto que trascendido por mi trascendencia, como comprometimiento *real*, como *enraizamiento*. En una palabra, en tanto que existo *para-mí*, mi "comprometimiento" en una situación debe comprenderse en el sentido en que se dice: "estoy comprometido para con fulano, me he comprometido a devolver ese dinero", etc. Y este comprometimiento caracteriza también al Prójimo-sujeto, puesto que éste es otro yo-mismo. Pero este comprometimiento objetivado, cuando capto al Prójimo como objeto, se degrada y se convierte en un comprometimiento-objeto, en el sentido en que se dice: "el ejército estaba (compro) metido en un desfiladero", "el cuchillo está metido profundamente en la herida". Ha de comprenderse, en efecto, que el ser-en-medio-del-mundo que viene al Prójimo *por mí* es un ser real. No es una pura necesidad subjetiva la que me lo hace conocer como existente en medio del mundo. Por otra parte, sin embargo, el Prójimo no se ha perdido por sí mismo en ese mundo. Sino que yo lo hago perderse en medio del mundo que es mío, por el solo hecho de que él es para mí aquel que yo no tengo-de-ser, o sea, por el solo hecho de que lo mantengo fuera de mí como realidad puramente contemplada y trascendida hacia mis propios fines. Así, la objetividad no es la pura refracción del Prójimo a través de mi conciencia: ella adviene al Prójimo por mí como una calificación real: yo hago que el Prójimo sea en medio del mundo. Lo que capto, pues, como caracteres reales del Prójimo es un ser-en-situación: en efecto, lo organizo en medio del mundo en tanto que él organiza el mundo hacia sí mismo; lo capto como la unidad objetiva de utensillos y de obstáculos. Hemos explicado en la segunda parte de esta obra[1] que la totalidad de los utensilios es el correlato exacto de mis posibilidades. Como *soy* mis posibilidades, el orden de los utensilios en el mundo es la imagen de mis posibilidades, es decir, de lo que soy, proyectada en el en-sí. Pero, como imagen mundana, no puedo descifrarla jamás, sino que me adapto a ella en y por la acción. El prójimo, en tanto que es sujeto, se encuentra análogamente *comprometido en su imagen*. Pero, al contrario, en tanto que lo capto como objeto, lo que me salta a los ojos es esa imagen mundana: el prójimo se convierte en instrumento que se define por su relación con todos los demás instrumentos, es un orden de *mis* utensilios que se halla enclavado en el orden impuesto a esos utensilios por mí: captar al Prójimo es captar ese orden-enclave y referirlo a una ausencia central o "interioridad"; es definir esta ausencia como un escurrimiento congelado de los objetos de *mi* mundo hacia un objeto definido de *mi* universo. Y el sentido de ese escurrirse me está proporcionado por esos objetos mismos: la disposición del martillo y los clavos, del cincel y el mármol, en tanto que trasciendo esta disposición sin ser fundamento de ella, define el sentido de esa hemorragia intramundana. Así, el mundo me anuncia al Prójimo en su totalidad como totalidad. Por cierto, el anuncio permanece ambiguo: pero porque capto el orden del mundo hacia el Prójimo como totalidad indiferenciada sobre fondo de la cual aparecen algunas estructuras explícitas. Si me fuera posible explicitar todos los complejos-utensilios en tanto que están vueltos hacia el Prójimo, es decir, si pudiera captar no sólo el sitio que ocupan el martillo y los clavos en ese complejo de utensilidad, sino también la calle, la ciudad, la nación, etc., habría definido explícita y totalmente el ser ajeno como objeto. Si me engaño sobre una intención del Prójimo, no es en modo alguno porque refiera su gesto a una subjetividad fuera de alcance: esta subjetividad en sí y por sí no tiene ninguna medida común con el gesto, pues es trascendencia para sí, trascendencia intrascendible; sino porque yo organizo el mundo entero en torno de ese gesto de otro modo que como de hecho se organiza. Así, el Prójimo, por el solo

[1] Segunda parte, cap. III, § III.

hecho de que aparece como objeto, se me da por principio como totalidad, se extiende íntegro a través del mundo como potencia mundana de organización sintética de este mundo. Simplemente, no puedo explicitar esa organización sintética, así como no puedo explicitar el mundo mismo en tanto que es *mi* mundo. Y la diferencia entre el Prójimo-sujeto –o sea el Prójimo tal como es para-sí– y el Prójimo-objeto no es una diferencia de todo a parte o de oculto a revelado; pues el Prójimo-objeto es, por principio, un todo coextensivo a la totalidad subjetiva; nada está oculto, y, en tanto que los objetos remiten a otros objetos, puedo acrecentar indefinidamente mi conocimiento del Prójimo explicitando indefinidamente sus relaciones con los demás utensilios del mundo; y el-ideal del *conocimiento* del Prójimo queda como la explicación exhaustiva del sentido de derrame del mundo. La diferencia de principio entre el Prójimo-objeto y el Prójimo-sujeto proviene únicamente del hecho de que el Prójimo-sujeto no puede en modo alguno ser conocido ni siquiera concebido como tal: no hay problema del conocimiento del Prójimo-sujeto, y los objetos del mundo no remiten a su subjetividad: se refieren sólo a su objectidad en el mundo como sentido –trascendido hacia mi ipseidad– del escurrirse intramundano. Así, la presencia del Prójimo a mí como lo que constituye mi objectidad es experimentada como una totalidad-sujeto; y, si me vuelvo hacia esa presencia para captarla, aprehendo de nuevo al Prójimo como totalidad: una totalidad objeto coextensiva a la totalidad del mundo. Esta aprehensión se hace de golpe: vengo al Prójimo-objeto a partir del mundo íntegro. Pero nunca sino relaciones singulares sobresaldrán en relieve como *formas* sobre fondo de mundo. En torno de ese hombre a quien no conozco y que está leyendo en el subterráneo, el mundo entero es presente. Y no es sólo su cuerpo –como objeto en el mundo– lo que lo define en su ser: es también su tarjeta de identidad, la dirección del tramo de subterráneo en que ha subido, el anillo que lleva en el dedo. No a título de *signos* de lo que él es –esta noción de signo nos remitiría, en efecto, a una subjetividad que no puedo ni siquiera concebir y en la cual, precisamente, él no es, propiamente hablando, nada, puesto que él es lo que no es y no es lo que es–, sino a título de características reales de su ser. Si solamente *sé* que *es* en medio del mundo, en Francia, en París, leyendo, no puedo, al no ver su tarjeta de identidad, sino *suponer* que es un extranjero (lo que significa: suponer que está sometido a un control, que figura en tal o cual lista de la prefectura, que es menester hablarle en holandés o en italiano para obtener de él tal o cual gesto, que el correo internacional se encamina hacia él por tal o cual vía postal con cartas que llevan tal o cual timbre, etc.). Empero, esa tarjeta de identidad me es dada por principio en medio del mundo. No me escapa: desde que ha sido creada, se ha puesto a existir para mí. Simplemente, existe en estado implícito, al igual que cada punto de un círculo que veo como forma conclusa, y sería menester cambiar la totalidad presente de mis relaciones con el mundo para hacerla aparecer como un *esto* explícito sobre fondo de universo. Del mismo modo la cólera del Prójimo-objeto, tal cual se manifiesta a mí a través de sus gritos, sus pataleos y gestos amenazadores no es el *signo* de una cólera subjetiva y oculta: no remite a nada sino a otros gestos y otros gritos. Ella define al Otro, ella *es* el Otro. Ciertamente, puedo engañarme y tomar por una verdadera cólera lo que no es sino una irritación simulada. Pero sólo puedo engañarme con relación a otros gestos y a otros actos objetivamente captables: no me engaño si capto el movimiento de la mano como intención *real* de golpear. Es decir, que me engaño si lo interpreto en función de un gesto objetivamente advertible pero que no se efectuará. En una palabra, la cólera objetivamente captada es una disposición del mundo en torno de una presencia-ausencia intramundana. ¿Es decir que haya de darse la razón a los behavioristas? Ciertamente no; pues los behavioristas, si bien interpretan al hombre a partir de su situación, han perdido de vista su característica principal, que es la trascendencia-trascendida. El prójimo, en efecto, es el objeto que no puede ser limitado para sí mismo, es el objeto que no se comprende sino a partir de su fin. Sin duda, el martillo y la sierra no se comprenden tampoco de otro modo: uno y otra se captan por su respectiva función; pero es, justamente, porque son ya humanos. No puedo comprenderlos sino en tanto que me remiten a una organización-utensilio de que el Prójimo es centro, en tanto que forman parte de un complejo íntegramente trascendido hacia un fin que yo trasciendo a mi vez. Así, pues, si puede compararse el Prójimo con una máquina, es en tanto que la máquina, como hecho humano, presenta ya el vestigio de una trascendencia-trascendida, en tanto que los telares, en una tejeduría, no se explican sino por los tejidos que producen; el punto de vista del behaviorismo debe invertirse, y esta inversión dejará intacta, por lo demás, la objetividad del prójimo, porque lo primariamente objetivo –llamémoslo significación, al modo de los psicólogos franceses e ingleses; intención, a la manera de los fenomenólogos; trascendencia, como Heidegger, o forma, como los Gestaltistas– es el hecho de que el Prójimo no puede definirse sino por una organización totalitaria del mundo y es la clave de esta organización. Así, pues, si retomo del mundo al Prójimo para definirlo, esto no proviene de que el mundo me haga comprender al prójimo, sino de que el objeto-Prójimo no es nada más que un centro de referencia autónomo e intramundano de *mi* mundo. Así, el miedo objetivo que podemos aprehender cuando percibimos al Prójimo-objeto no es el conjunto de las manifestaciones fisiológicas de desconcierto que vemos o que medimos con el esfigmógrafo o el estetoscopio: el miedo es la huida, el desmayo. Y estos fenómenos mismos no se nos entregan como pura serie de *gestos* sino como trascendencia-trascendida: la huida o el desmayo no es solamente esa carrera desenfrenada a través de las zarzas, ni aquella pesada caída sobre las piedras del camino: es un trastornarse total de la organización-utensilio que tenía por centro al prójimo. Ese soldado que huye tenía aún hace un momento al prójimo-enemigo al extremo de su fusil. La distancia del enemigo a él estaba medida por la trayectoria de su bala y yo también podía captar y trascender esa distancia como distancia que se organizaba en torno del centro "soldado". Pero he ahí que arroja su fusil al foso y huye. En seguida la presencia del enemigo lo circunda y lo oprime; el enemigo, al que tenía a distancia por la trayectoria de las balas, salta sobre él, en el instante mismo en que la trayectoria se desmorona; a la vez, ese país-de-fondo al que defendía y contra el cual se respaldaba como contra un muro, gira de pronto, se abre en abanico y se convierte en el allá adelante, en el horizonte acogedor hacia el cual corre a refugiarse. Todo esto es algo que yo compruebo objetivamente, y *eso* precisamente es lo que capto como *miedo*. El miedo no es otra cosa que una conducta mágica tendiente a suprimir por vía de encantamiento los objetos aterradores que no podemos mantener la distancia.[1] Y justamente a través de sus resultados captamos el miedo, pues éste se nos da como un nuevo tipo de hemorragia intramundana del mundo: el tránsito del mundo a un tipo de existencia mágico.

Ha de repararse, sin embargo, en que el Prójimo no es objeto cualificado para mí sino en la medida en que yo puedo serlo para él. El prójimo se objetivará, pues, como una parcela no individualizada del "se" impersonal o como un "ausente", puramente representado por sus cartas y sus noticias o como un éste presente de hecho, según que yo mismo haya sido para él elemento del "se" o "querido ausente" o un *éste* concreto. Lo que decide en cada caso acerca del tipo de objetivación del prójimo y de sus cualidades es a la vez mi situación en el mundo y su situación, es decir, los complejos-utensilios que cada uno por su parte hemos organizado él y yo, y los diferentes *estos* que aparecen a uno y otro sobre fondo de mundo. Todo ello nos devuelve, naturalmente, a la facticidad. Mi facticidad y la facticidad del prójimo deciden si el Prójimo puede *ver*me o si yo puedo ver a *tal o cual* Prójimo. Pero este problema de la facticidad sale de los marcos de esta exposición general: lo encararemos en el curso del capítulo siguiente.

Así, experimento la presencia del Prójimo como cuasi-totalidad de los sujetos en mi ser-objeto-para-Otro, y, sobre el fondo de esa totalidad, puedo experimentar más particularmente la presencia de un sujeto concreto, sin poder, empero, especificarla como *tal o cual* Prójimo. Mi reacción de defensa a mi objetividad hará comparecer al Prójimo ante mí a título de *tal o cual objeto*. A este título, se me aparecerá como un "éste", es decir, que su cuasi-totalidad subjetiva se degrada convirtiéndose en totalidad-objeto coextensiva a la totalidad del mundo. Esta

---

[1] Cf. nuestra *Esquisse d'une théorie phénoménologique des émotions*.

totalidad se me revela sin referencia a la subjetividad del Prójimo: la relación entre el Prójimo-sujeto y el Prójimo-objeto no es en modo alguno comparable con la que se acostumbra establecer, por ejemplo, entre el objeto de la física y el de la percepción. El Prójimo-objeto se me revela como lo que él *es*, *y* no remite sino a sí mismo. Simplemente, el Prójimo-objeto es tal como se me aparece, en el plano de la objectidad en general y en su ser-objeto; ni siquiera es concebible que pueda yo referir un conocimiento cualquiera que de él tenga a su subjetividad tal como la experimento con ocasión de la mirada. El Prójimo-objeto no es más que objeto, pero mi captación de él incluye la comprensión de que podré siempre y por principio hacer de él otra *experiencia* colocándome en otro plano de ser; esa comprensión está constituida, por una parte, por el *saber* de mi experiencia pasada, que, por lo demás es, como lo hemos visto, el puro pasado (fuera de alcance, y que yo tengo-de-ser) de esa experiencia; y, por otra parte, por una aprehensión implícita de la dialéctica del otro; el otro es actualmente lo que me hago no ser. Pero, aunque por el momento me libro de él y le escapo, permanece en torno suyo la posibilidad permanente de que *se haga* otro. Empero, tal posibilidad, presentida en una especie de molestia y de coerción que constituye la especificidad de mi actitud frente al prójimo-objeto, es, propiamente hablando, *inconcebible*: en primer lugar, porque no puedo concebir posibilidad que no sea *mi posibilidad* ni aprehender trascendencia sino trascendiéndola, es decir, captándola como transcendencia transcendida; y además, porque esa posibilidad presentida no es la posibilidad del prójimo-objeto: las posibilidades del prójimo-objeto son mortiposibilidades que remiten a otros aspectos objetivos del prójimo; la posibilidad propia de captarme como objeto, siendo posibilidad del prójimo-sujeto, no es actualmente para mí posibilidad de nadie: es posibilidad absoluta –que tiene su fuente en sí misma– del surgimiento, sobre fondo de aniquilación total del prójimo-objeto, de un prójimo-sujeto al que experimentará a través de mi objetividad-para-él. Así, el prójimo-objeto es un instrumento explosivo que manejo con aprensión, porque presiento en torno de él la posibilidad permanente de que *se lo* haga estallar y, con tal estallido, experimente yo de pronto la fuga fuera de mí del mundo y la alienación de mi ser. Mi cuidado constante es, pues, contener al prójimo en su objetividad, y mis relaciones con el prójimo-objeto están hechas esencialmente de ardides destinados a hacerlo permanecer objeto. Pero basta una mirada del otro para que todos esos artificios se derrumben y yo experimente de nuevo la transfiguración del otro. Así, soy remitido de transfiguración en degradación y de degradación en transfiguración, sin poder nunca ni formarme una visión de conjunto de esos dos modos de ser del prójimo –pues cada uno de ellos se basta a sí mismo y no remite sino a sí mismo–, ni atenerme firmemente a uno de ellos –pues cada uno tiene una inestabilidad propia y se desmorona para que el otro surja de entre sus ruinas–; no hay sino los muertos que sean perpetuamente objetos sin convertirse en sujetos jamás; pues morir no es perder la propia objetividad en medio del mundo: todos los muertos están ahí, en el mundo, en torno nuestro; sino que es perder toda posibilidad de revelarse como sujeto a un prójimo.

En este nivel de nuestra indagación, una vez elucidadas las estructuras esenciales del ser-para-otro, nos tentará, evidentemente, plantear la pregunta metafísica: "¿Por qué hay otros?" La existencia de los otros, como hemos visto, no es, en efecto, una consecuencia que pueda derivar de la estructura ontológica del Para-sí. Es un acaecimiento primero, ciertamente, pero de orden *metafísico,* es decir, que depende de la contingencia del ser. A propósito de tales existencias metafísicas se plantea, por esencia, la cuestión del *por qué.*

Sabemos, por lo demás, que la respuesta al por qué no puede sino referirnos a una contingencia original, pero aun así hace falta probar que el fenómeno metafísico que consideramos es de una contingencia irreductible. En tal sentido, la ontología nos parece poder definirse como la explicación de las estructuras de ser del existente tomado como totalidad, y definiremos más bien la metafísica como la inquisición[1] de la existencia del existente. Por eso, en virtud de la contingencia

[1] *Mise en question:* literalmente, "la puesta en cuestión o en (forma de) pregunta", significando a la vez "cuestionar" e "inquirir". (N. del T.)

absoluta del existente, estamos ciertos de que toda metafísica debe culminar en un "es esto" o sea en una intuición directa de esa contingencia.

¿Es posible plantear la cuestión de la existencia de los otros? Esta existencia, ¿es un hecho irreductible, o debe ser derivada de una contingencia fundamental? Tales son las preguntas previas que podemos formular a nuestra vez al metafísico que inquiere sobre la existencia de los otros.

Examinemos más de cerca la posibilidad de la cuestión metafísica. Lo que ante todo nos aparece es que el ser-para-otro representa el tercer ék-stasis del para-sí. El primer ék-stasis, en efecto, es el proyecto tridimensional del para-sí hacia un ser que él tiene-de-ser en el modo del no serlo. Representa la primera fisura, la nihilización que el propio para-sí tiene-de-ser, el arrancamiento del para-sí a todo lo que él es, en tanto que este arrancamiento es constitutivo de su ser. El segundo ék-stasis o ék-stasis reflexivo es arrancamiento a ese arrancamiento primero. La escisiparidad reflexiva corresponde a un vano esfuerzo por tomar un punto de vista sobre la nihilización que el para-sí tiene-de-ser, a fin de que esa nihilización, como fenómeno simplemente dado, sea nihilización-*que-es*. Pero, al mismo tiempo, la reflexión quiere recuperar ese arrancamiento, al que intenta contemplar como dato puro, afirmando de sí que ella *es* esa nihilización-que-es. La contradicción es flagrante: para poder captar mi trascendencia, me sería menester trascenderla. Pero, precisamente, mi propia transcendencia no puede sino transcender; yo la *soy*, y no puedo servirme de ella para constituirla como trascendencia trascendida: estoy condenado a ser perpetuamente mi propia nihilización. En una palabra, la reflexión *es* lo reflexo. Empero, la nihilización reflexiva es más avanzada que la del puro para-sí como simple conciencia (de) sí. En efecto, en la conciencia (de) sí los dos términos de la dualidad "reflejado-reflejante" tenían tal incapacidad para presentarse separadamente, que la dualidad permanecía perpetuamente evanescente y cada término, al ponerse para el otro, *se convertía en* el otro. Pero en el caso de la reflexión no ocurre lo mismo, puesto que el "reflejo-reflejante" reflexo, existe para un "reflejo-reflejante" reflexivo. Lo reflexo y lo reflexivo tienden cada uno, pues, a la independencia, y el *nada* que los separa tiende a dividirlos más profundamente de lo que la nada que el para-sí tiene-de-ser separa al reflejo del reflejante. Empero, ni lo reflexivo ni lo reflexo pueden segregar esa nada separadora; si no, la reflexión sería un para-sí autónomo que vendría a asestarse sobre lo reflexo, y ello sería suponer una negación de exterioridad como condición previa de una negación de interioridad. No puede haber reflexión si ésta no es íntegramente un *ser,* un ser que tiene-de-ser su propia nada. Así, el ék-stasis reflexivo se encuentra en el camino de un ék-stasis más radical: el ser-para-otro. El término último de la nihilización, el polo ideal, debiera ser, en efecto, la negación externa, es decir, una escisiparidad en-sí o exterioridad espacial de indiferencia. Con respecto a esta negación de exterioridad, los tres ék-stasis se disponen en el orden que acabamos de exponer; pero no pueden alcanzarla en modo alguno, sino que esa negación permanece, por principio, ideal: en efecto, el para-sí no puede realizar de sí, con respecto a un ser cualquiera, una negación que sea en sí, so pena de dejar al mismo tiempo de ser-para-sí. La negación constitutiva del ser-para-otro es, pues, una *negación interna,* una nihilización que el para-sí tiene-de-ser, lo mismo que la nihilización reflexiva. Pero aquí la escisiparidad afecta a la negación misma: no es ya sólo que la negación desdobla al ser en reflejado y reflejante y por ella la pareja reflejado-reflejante se desdobla a su vez en (reflejado-reflejante) reflejado y en (reflejo-reflejante) reflejante; sino que además la propia negación se desdobla en dos negaciones internas e inversas, cada una de las cuales es negación de interioridad y que, sin embargo, están separadas una de la otra por una incaptable nada de exterioridad. En efecto, cada una de ellas, agotándose en el negar que un Para-sí sea el otro, y comprometida íntegramente en ese ser que ella tiene-de-ser, no dispone ya de sí misma para negar de sí ser la negación inversa. Aquí, de pronto, aparece lo *dado,* no como resultante de una identidad de ser-en-sí, sino como una suerte de fantasma de exterioridad que ninguna de las negaciones tiene-de-ser, y que, sin embargo, las separaba. A decir verdad, ya encontrábamos esbozada esta inversión negativa en el ser reflexivo. En efecto, el reflexivo como testigo es profundamente alcanzado en su ser por su propia reflexividad, y por este hecho, en tanto que se hace reflexivo, apunta a no ser lo reflexo. Pero, recíprocamente, lo reflexo es conciencia (de) sí como conciencia refleja *de* tal o cual fenómeno trascendente. Decíamos que lo reflexo se sabe mirado. En este sentido, apunta, por su parte, a no ser lo reflexivo, puesto que toda conciencia se define por su negatividad. Pero esta tendencia a un doble cisma era recogida y ahogada por el hecho de que, pese a todo, lo reflexivo tenía-de-ser lo reflexo y lo reflexo tenía-de-ser lo reflexivo. La doble negación permanecía evanescente. En el caso del tercer ék-stasis, asistimos a una como escisiparidad reflexiva más avanzada. Las consecuencias pueden sorprendemos: por una parte, puesto que las negaciones se efectúan en interioridad, el prójimo y yo no podemos venir uno al otro desde afuera. Es menester que haya un *ser* "yo-prójimo" que tenga-de-ser la escisiparidad recíproca del para-otro, exactamente como la totalidad "reflexivo-reflexo" es un ser que tiene-de-ser su propia nada; es decir, que mi ipseidad y la del prójimo son estructuras de una misma totalidad de ser. Así, Hegel parece tener razón: el punto de vista del ser, el *verdadero* punto de vista, es el punto de vista de la totalidad. Todo ocurre como si mi ipseidad frente a la ajena fuera producida y mantenida por una totalidad que llevara al extremo su propia nihilización; el ser para otro parece ser la prolongación de la pura escisiparidad reflexiva. En este sentido, todo ocurre como si los otros y yo fuéramos señal del vano esfuerzo de una totalidad de para-sí por recuperarse y por implicar lo que ella *tiene-de-ser* en el modo puro y simple del en-sí; ese esfuerzo por recuperarse como objeto, llevado aquí hasta el límite, es decir, mucho más allá de la escisión reflexiva, produciría el resultado inverso del fin hacia el cual se proyectaría esa totalidad: por su esfuerzo por ser conciencia *de* sí, la totalidad-para-sí se constituiría frente *al* sí como conciencia-sí que no tiene-de-ser el sí de que es conciencia; y, recíprocamente, el sí-objeto, para *ser*, debería experimentarse a sí mismo como *sido* por y para una conciencia que él no tiene-de-ser si quiere ser. Así nacería el cisma del para-otro; y esta división dicotómica se repetiría al infinito para constituir *las* conciencias como migajas de un despedazamiento radical. "Habría" *otros* a consecuencia de un fracaso inverso del fracaso reflexivo. En la reflexión, en efecto, si no logro captarme como objeto sino sólo como cuasi-objeto, se debe a que soy el objeto que quiero captar; tengo-de-ser la nada que me separa de mí: no puedo escapar a mi ipseidad ni adoptar punto de vista sobre mí mismo; así, no logro realizarme como ser ni captarme en la forma del "hay"; la recuperación fracasa porque el recuperante es para sí mismo el recuperado. En el caso del ser-para-otro, al contrario, la escisiparidad es llevada más allá: el (reflejo-reflejante) reflejado se distingue radicalmente del (reflejo-reflejante) reflejante, y por eso puede ser objeto para sí mismo. Pero esta vez la recuperación fracasa porque el recuperado *no es* el recuperante. Así, la totalidad que no es lo que es siendo lo que no es, por un esfuerzo radical de arrancamiento a sí produciría doquiera su ser como un en-otra-parte: el espejeo de ser-en-sí de una totalidad quebrada, siempre en otra parte, siempre a distancia, jamás en sí mismo, y empero mantenido siempre en el ser por el perpetuo despedazamiento de esa totalidad; tal sería el ser de los otros y el de mí mismo como otro.

Pero, por otra parte, *en simultaneidad con* mi negación de mí mismo, el prójimo niega de sí mismo ser yo. Ambas negaciones son igualmente indispensables para el ser-para-otro y no pueden ser reunidas por ninguna síntesis. No porque una nada de exterioridad las haya separado en el origen, sino más bien porque el en-sí recobraría cada una respecto de la otra, por el solo hecho de que cada una *no es* la otra sin tener-de-no-serla. Hay aquí como un límite del para-sí que viene del propio para-sí pero que, en tanto que límite, es independiente del para-sí: encontramos algo así como la *facticidad,* y no podemos concebir cómo la totalidad de que hace poco hablábamos habrá podido, en el propio seno del arrancamiento más radical, producir en su ser una nada que ella no tiene-de-ser en modo alguno. Parece, en efecto, que esa nada se haya deslizado en dicha totalidad para quebrarla, como en el atomismo de Leucipo el no-ser se desliza en la totalidad de ser parmenídea para hacerla estallar en átomos. Esa nada representa, pues, la negación de toda totalidad sintética a partir de la cual se pretendiera comprender la pluralidad de conciencias. Sin duda, es incaptable, puesto que no es producida ni por el otro ni por mí ni por un intermediario, pues hemos establecido que las conciencias se experimentan mutuamente sin intermediario. Sin duda, adondequiera dirijamos la vista, no encontramos como objeto de la descripción sino una pura y simple negación de interioridad. Y empero, esa nada está ahí, en el hecho irreductible de que hay *dualidad* de negaciones. No es, ciertamente, el *fundamento* de la multiplicidad de conciencias, pues, si preexistiera a esta multiplicidad, haría imposible todo *ser-para*-otro; ha de concebírsela, al contrario, como expresión de esa multiplicidad: aparece con ella. Pero, como no hay *nada* que pueda fundarla, ni conciencia particular ni totalidad despedazada en conciencias, aparece como contingencia pura e irreductible, como el *hecho de que no basta que yo niegue de mí al prójimo para que el prójimo exista, sino que es necesario además que el prójimo me niegue de sí mismo en simultaneidad con mi propia negación.* Es, pues, la *facticidad* del ser-para-otro.

Así, llegamos a esta conclusión contradictoria: el ser-para-otro no puede ser excepto si *es sido* por una totalidad que se pierde para que él surja, lo que nos conduciría a postular la existencia y la pasión del *espíritu:* pero, por otra parte, ese ser-para-otro no puede existir excepto si comporta un incaptable no-ser de exterioridad que ninguna totalidad, así fuera el *espíritu,* puede producir ni fundar. En cierto sentido, la existencia de una pluralidad de conciencias no puede ser un hecho primero y nos remite a un hecho originario de arrancamiento a sí que sería propio del espíritu; así, la pregunta metafísica: "¿Por qué *hay* las conciencias?" recibiría una respuesta. Pero, en otro sentido, la facticidad de esa pluralidad parece ser irreductible, y el espíritu, si se lo considera a partir del *hecho* de la pluralidad, se desvanece; la pregunta metafísica carece entonces de sentido: hemos encontrado la contingencia fundamental y no podemos responder sino por un "es así". De este modo, el ékstasis original se profundiza: parece que no pueda hacer su parte a la nada. El para-sí nos apareció como un ser que existe en tanto que no es lo que es y que es lo que no es. La totalidad ek-stática del espíritu no es simplemente totalidad destotalizada, sino que se nos aparece como un ser quebrado del cual no puede decirse que exista ni que no exista. Así, nuestra descripción nos ha permitido satisfacer las condiciones previas que habíamos planteado a toda teoría sobre la existencia del prójimo: la multiplicidad de las conciencias nos aparece como una *síntesis* y no como una *colección;* pero es una síntesis cuya totalidad es inconcebible.

    ¿Quiere decir que este carácter antinómico de la totalidad es irreductible? O, desde un punto de vista superior, ¿podemos hacerlo desaparecer? ¿Debemos afirmar que el espíritu es *el ser que es y no es,* tal como habíamos afirmado que el para-sí es lo que no es y no es lo que es? La pregunta carece de sentido. Supondría, en efecto, que tengamos la posibilidad de *adoptar un punto de vista* sobre la totalidad, es decir, considerarla desde afuera. Pero es imposible, pues precisamente existo como yo mismo sobre el fundamento de esa totalidad y en la medida en que estoy comprometido en ella. Ninguna conciencia, así fuera la de Dios, podría "ver el reverso", es decir, captar la totalidad en tanto que tal. Pues, si Dios es conciencia, se integra en la totalidad. Y si, por su naturaleza, es un ser *allende la conciencia,* es decir, un en-sí que sea fundamento de sí mismo, la totalidad no puede aparecérsele sino como *objeto,* y entonces no puede captar la desagregación interna de ésta como esfuerzo subjetivo de recuperación de sí; o como *sujeto,* y entonces, como él *no es* este sujeto, no puede sino experimentarlo sin conocerlo. Así, no es concebible ningún punto de vista sobre la totalidad: la totalidad no tiene un "afuera", y la cuestión misma del sentido de su *reverso* carece de significación. No podemos ir más lejos.

    Hemos llegado al término de esta exposición. Hemos averiguado que la existencia del prójimo es experimentada con evidencia en y por el hecho de mi objetividad. Y hemos visto también que mi reacción a mi propia alienación para otro se traduce por la aprehensión del prójimo como objeto. En suma, el prójimo puede existir para nosotros en dos formas: si lo experimento con evidencia, no puedo conocerlo; y si lo conozco, si actúo sobre él, no alcanzo sino su ser-objeto y su existencia probable en medio del mundo; no es posible ninguna síntesis de estas dos formas. Pero no podemos detenernos aquí: ese objeto que el prójimo es para mí y ese objeto que yo soy para el prójimo se manifiestan *como cuerpos*. ¿Qué es mi cuerpo, pues? ¿Qué es el cuerpo ajeno?

El cuerpo

El problema del cuerpo y de sus relaciones con la conciencia se ve a menudo oscurecido por el hecho de empezarse por considerar el cuerpo como una *cosa* dotada de sus leyes propias y capaz de ser definida desde afuera, mientras que la conciencia se alcanza por el tipo de intuición íntima que le es propia. En efecto: si, después de haber captado *mi* conciencia en su interioridad absoluta, trato, por una serie de actos reflexivos, de unirla a cierto objeto viviente constituido por un sistema nervioso, un cerebro, glándulas, órganos digestivos, respiratorios y circulatorios, cuya materia es analizable químicamente en átomos de hidrógeno, carbono, ázoe, fósforo, etc., encontraré insuperables dificultades: pero estas dificultades provienen de que intento unir mi conciencia no a *mi* cuerpo sino al cuerpo *de los otros*. En efecto: el cuerpo cuya descripción acabo de esbozar no es *mi* cuerpo tal cual es *para mí*. No he visto ni veré jamás mi cerebro ni mis glándulas endocrinas. Sino que, simplemente, de lo que he observado yo, hombre, al ver disecar cadáveres de hombres, de lo que he leído en tratados de fisiología, concluyo que mi cuerpo está constituido exactamente como todos los que se me han mostrado en una mesa de disección o cuya representación en colores he contemplado en los libros. Sin duda, se me dirá que los médicos que me han curado, los cirujanos que me han operado, han podido hacer la experiencia directa de este cuerpo que no conocía por mí mismo. No lo niego, y no pretendo estar desprovisto de cerebro, corazón o estómago. Pero importa ante todo escoger el *orden* de nuestros conocimientos: partir de las experiencias que los médicos han podido hacer sobre mi cuerpo es partir de mi cuerpo *en medio del mundo* y tal como es para otro. Mi cuerpo, tal cual es *para mí*, no se me aparece en medio del mundo. Sin duda, he podido ver yo mismo en una pantalla, durante una radioscopia, la imagen de mis vértebras; pero yo estaba, precisamente, *afuera*, en medio del mundo; captaba un objeto enteramente constituido, como un *esto* entre otros *estos*, y sólo por un razonamiento lo reducía a ser el *mío:* era mucho más mi *propiedad* que mi *ser.*

Verdad es que veo y toco mis piernas o mis manos. Y nada impide concebir un dispositivo sensible tal que un ser viviente pueda ver uno de sus ojos mientras el ojo visto dirige su mirada sobre el mundo. Pero ha de notarse que, también en este caso, soy *el otro* con respecto a mi ojo: lo capto como órgano sensible constituido en el mundo de tal y cual manera, pero no puedo "verlo vidente", es decir, captarlo en tanto que me revela un aspecto del mundo. O bien es cosa entre las cosas, o bien es aquello por lo cual las cosas se me descubren. Pero no caben las dos posibilidades a la vez. Análogamente, *veo* mi mano tocar los objetos, pero no la *conozco* en su acto de tocarlos. Es la razón de principio por la cual la famosa "sensación de esfuerzo" de Maine de Biran no tiene existencia real. Pues mi mano me revela la resistencia de los objetos, su dureza o blandura, y no se me revela *ella misma*. Así, no veo mi mano de otro modo que como veo este tintero. Despliego una distancia de mí a ella y esa distancia viene a integrarse en las distancias que establezco entre todos los objetos del mundo. Cuando un médico coge mi pierna enferma y la examina, mientras, semiincorporado en mi lecho, lo miro hacer, no hay ninguna diferencia de naturaleza entre la percepción visual que tengo del cuerpo del médico y la que tengo de mi propia pierna. Más aún: ambas no se distinguen sino a título de estructuras diferentes de una misma percepción global; y no hay diferencia de naturaleza entre la percepción que de *mi* pierna tiene el médico y la que tengo yo mismo en ese momento. Sin duda, cuando me toco la pierna con el dedo, siento que mi pierna es tocada. Pero este fenómeno de doble sensación no es esencial: el frío, una inyección de morfina pueden hacerlo desaparecer; esto basta para mostrar que se trata de dos órdenes de realidad esencialmente diversos. Tocar y ser tocado, sentir que se toca y sentirse tocado, he aquí dos especies de fenómenos que se intenta en vano reunir con el nombre de "doble sensación". De hecho son radicalmente distintos, y existen en dos planos incomunicables. Cuando me toco la pierna, por otra parte, o cuando la veo, la trasciendo hacia mis propias posibilidades; por ejemplo, para ponerme los pantalones, o para renovar una compresa sobre mi llaga. Sin duda, puedo al mismo tiempo disponer mi pierna de modo de poder "trabajar" más cómodamente en ella. Pero esto no quita el hecho de que la trasciendo hacia la pura posibilidad de "curarme" y de que, por consiguiente, le soy presente sin que ella *sea yo* ni yo *sea ella*. Lo que así hago ser es la *cosa* "pierna" y no la pierna como *posibilidad que soy* de caminar, correr o jugar al fútbol. Así, en la medida en que mi cuerpo indica mis posibilidades en el mundo, verlo, tocarlo, es transformar esas posibilidades que son mías en mortiposibilidades. Tal metamorfosis ha de traer consigo necesariamente una *ceguera* total en cuanto a lo que es el cuerpo como posibilidad viviente de correr, bailar, etc. Ciertamente, el descubrimiento de mi cuerpo como objeto es sin duda una revelación de su ser. Pero el ser que así se me revela es su *ser-para-otro*. Que esta confusión conduce a absurdos puede verse claramente con motivo del famoso problema de la "visión invertida". Conocida es la cuestión que plantean los fisiologistas: "¿Cómo podemos enderezar los objetos que se pintan invertidos sobre nuestra retina?" Conocida es también la respuesta de los filósofos: "No hay problema. Un objeto está derecho o invertido con relación al resto del universo. Percibir todo el universo invertido no significa nada, pues sería menester que estuviera invertido con relación a algo." Pero lo que nos interesa en particular es el origen de ese falso problema: el haber querido vincular mi conciencia de los objetos con el cuerpo *del otro*. He ahí la bujía, el cristalino que sirve de lente, la imagen invertida sobre la pantalla de la retina. Pero, precisamente, la retina entra aquí en un sistema físico: es *pantalla* y sólo eso; el cristalino es *lente* y nada más que lente; ambos son homogéneos en su ser a la bujía que completa el sistema. Hemos escogido, pues, deliberadamente el punto de vista físico, es decir, el punto de vista desde afuera, de la exterioridad, para estudiar el problema de la visión; hemos considerado un ojo muerto en medio del mundo visible para dar razón de la visibilidad de ese mundo. ¿Cómo asombrarse, después, de que la conciencia, que es interioridad absoluta, se niegue a dejarse vincular con ese objeto? Las relaciones que establezco entre un cuerpo ajeno y el objeto exterior son relaciones *realmente* existentes, pero tienen por ser el ser del para-otro; suponen un centro de derramamiento intramundano cuyo conocimiento es una propiedad *mágica* de la especie "acción a distancia". Desde el origen, se colocan en la perspectiva del otro-objeto. Así, pues, si queremos reflexionar sobre la naturaleza del cuerpo, ha de establecerse en nuestras reflexiones un orden que sea conforme al orden del ser: no podemos seguir confundiendo los planos ontológicos y debemos examinar sucesivamente el cuerpo en tanto que ser-para-sí y en tanto que ser-para-otro; y, para evitar absurdos del género de la "visión invertida", nos compenetraremos de la idea de que esos dos aspectos del cuerpo, hallándose en dos planos de ser diferentes e incomunicables, son mutuamente irreductibles. El ser-para-sí debe ser íntegramente cuerpo e íntegramente conciencia: no puede estar *unido* a un cuerpo. Análogamente, el ser-para-otro es íntegramente cuerpo; no hay "fenómenos psíquicos" que hayan de unirse a un cuerpo; no hay nada *detrás* del cuerpo; sino que el cuerpo es íntegramente "psíquico". Ahora estudiaremos esos dos modos de ser de cuerpo.

I

El cuerpo como ser-para-sí: la facticidad

Parece, a primera vista, que nuestras precedentes observaciones se oponen a los datos del *cogito* cartesiano. "El alma es más fácil de conocer que el cuerpo", decía Descartes. Y por ello entendía hacer una distinción radical entre los hechos de pensamiento, accesibles a la reflexión, y los hechos del cuerpo, cuyo conocimiento debe ser garantido por la bondad divina. Y, de hecho, parece primeramente que la reflexión no nos descubre sino puros hechos de conciencia. Sin duda, se encuentran en ese plano fenómenos que parecen comprender en sí alguna conexión con el cuerpo: el dolor "físico", el desagrado, el placer, etc. Pero estos fenómenos no por eso dejan de ser *puros hechos de conciencia*: se tenderá, pues, a considerarlos como *signos*, como afecciones de la conciencia *con ocasión* del cuerpo, sin darse cuenta de que con ello se ha expulsado irremediablemente al cuerpo de la conciencia y de que ningún nexo podrá ya reunir ese cuerpo que es ya cuerpo-para-otro con la conciencia que, se pretende, lo manifiesta.

De modo que no hay que partir de allí, sino de nuestra relación primera con el en-sí: de nuestro ser-en-el-mundo. Sabido es que no hay, por una parte, un para-sí y, por otra, un mundo, como dos todos cerrados cuyo modo de comunicación habrá que indagar después. Sino que el para-sí es por sí mismo relación con el mundo al negar de sí mismo ser el ser, hace que haya un mundo, y, trascendiendo esta negación hacia sus propias posibilidades, descubre los "estos" como cosas-utensilios.

Pero cuando decimos que el para-sí es-en-el-mundo, que la conciencia es conciencia *del* mundo, hay que guardarse de comprender que el mundo exista frente a la conciencia como una multiplicidad indefinida de relaciones recíprocas sobre las cuales aquélla sobrevuele sin perspectiva y que contemple sin punto de vista. *Para mí,* este vaso está a la izquierda de la jarra, un poco hacia atrás; *para Pedro* está a la derecha, un poco hacia adelante. Ni siquiera es concebible que una conciencia pueda sobrevolar el mundo de tal suerte que el vaso le sea dado como *a la vez* a derecha e izquierda y hacia adelante y hacia atrás de la jarra. Ello no a consecuencia de una estricta aplicación del principio de identidad, sino porque tal fusión de la derecha y la izquierda, del adelante y el atrás, motivaría el desvanecimiento total de los *estos* en el seno de una indistinción primitiva. Igualmente, si la pata de la mesa disimula a mis ojos los arabescos del tapiz, no es a consecuencia de alguna finitud e imperfección de mis órganos visuales, sino porque un tapiz que no estuviera ni disimulado por la mesa ni bajo ella ni encima ni a un costado no tendría ya con ella relación de ninguna clase y no pertenecería ya al "mundo" en que *hay* una mesa: el en-sí que se manifiesta con el aspecto del *esto* retornaría a su identidad de indiferencia; el espacio mismo, como pura relación de exterioridad, se desvanecería. La constitución del espacio como multiplicidad de relaciones recíprocas no puede operarse, en efecto, sino desde el punto de vista abstracto de la ciencia; tal constitución no puede ser vivida, ni siquiera es representable; el triángulo que trazo en el pizarrón para ayudarme en mis razonamientos abstractos está necesariamente a la derecha del círculo tangente a uno de sus lados, en la medida en que *está* en el pizarrón. Y mi esfuerzo consiste en trascender las características concretas de la figura trazada con tiza sin tener en cuenta ya su orientación con respecto a mí, así como no la tengo del espesor de las líneas o de la imperfección del dibujo.

Así, por el solo hecho de que *hay* un mundo, este mundo no podría existir sin una orientación unívoca con relación a mí. El idealismo ha insistido justamente sobre el hecho de que la relación constituye al mundo. Pero, como se colocaba en el terreno de la ciencia newtoniana, concebía esa relación como relación de reciprocidad. No alcanzaba así sino los conceptos abstractos de exterioridad pura, de acción y reacción, etc., y por eso mismo no daba con el mundo y no hacía sino explicitar el concepto-límite de objetividad absoluta. Este concepto se reducía, en suma, al de *mundo desierto* o de "mundo sin los hombres", es decir, a una contradicción, puesto que si hay un mundo, es por la realidad humana. Así, el concepto de objetividad, que apuntaba a reemplazar el en-sí de la verdad dogmática por una pura relación de conveniencia recíproca entre representaciones, se destruye a sí mismo si se lo lleva hasta sus últimas consecuencias. Los progresos de la ciencia, por otra parte, han conducido a rechazar esa noción de objetividad absoluta. Lo que un Broglie se ha visto llevado a llamar "experiencia" es un sistema de relaciones unívocas de donde el observador no está excluido. Y si la microfísica ha de reintegrar el observador al seno del sistema científico, no es a título de pura subjetividad –noción que no tendría más sentido que la de objetividad pura–, sino como una relación original con el mundo, como un sitio, como aquello hacia lo cual se orientan todas las relaciones consideradas. Así, por ejemplo, el principio de indeterminación de Heisenberg no puede ser considerado ni como una invalidación ni como una convalidación del postulado determinista. Simplemente, en lugar de ser pura conexión entre las cosas, incluye en sí la relación original entre el hombre y las cosas y su sitio en el mundo. Esto lo muestra bien, por ejemplo, el hecho de que no pueden hacerse crecer en cantidades proporcionales las dimensiones de cuerpos en movimiento sin cambiar sus relaciones de velocidad. Si examino primero a simple vista y después al microscopio el movimiento de un cuerpo hacia otro, me parecerá cien veces más rápido en el segundo caso, pues, aunque el cuerpo en movimiento no se haya acercado en mayor proporción al cuerpo hacia el que se desplaza, ha recorrido en el mismo tiempo un espacio cien veces mayor. Así, la noción de velocidad nada significa si no es velocidad con respecto a dimensiones dadas de cuerpos en movimiento. Pero somos nosotros quienes decidimos de esas dimensiones por nuestro propio surgimiento en el mundo, y es menester, en efecto, que decidamos de ellas, pues si no, no *serían* en modo alguno. Así, son relativas no al conocimiento que de ellas tenemos sino a nuestro comprometimiento primero en el seno del mundo. Esto lo expresa perfectamente la teoría de la relatividad: un observador situado en el interior de un sistema no puede determinar por ninguna experiencia si el sistema está en movimiento o en reposo. Pero esta relatividad no es un "relativismo": no concierne al *conocimiento;* mejor aún, implica el postulado dogmático según el cual el conocimiento nos entrega *lo que es.* La relatividad de la ciencia moderna apunta *al ser.* El hombre y el mundo *son* seres relativos y el principio de su ser *es* la relación. Se sigue de ello que la relación primera va de la realidad-humana al mundo. Surgir, para mí, es desplegar mis distancias a las cosas y por ese hecho hacer que haya cosas. Pero, por consiguiente, las cosas son precisamente "cosas-que-existen-a-distancia-de-mí". Así, el mundo me devuelve esa relación unívoca que es mi ser y por la cual hago que él se revele. El punto de vista del conocimiento puro es contradictorio: no hay sino el punto de vista del conocimiento *comprometido*. Lo que equivale a decir que el conocimiento y la acción no son sino dos faces abstractas de una relación original y concreta. El espacio real del mundo es el espacio que Lewin denomina "hodológico". Un conocimiento puro, en efecto, sería conocimiento sin punto de vista y, por ende, conocimiento de un mundo situado por principio fuera del mundo. Pero esto no tiene sentido: el ser cognoscente no sería sino conocimiento, puesto que se definiría por su objeto y su objeto se desvanecería en la indistinción total de relaciones recíprocas. Así, el conocimiento no puede ser sino surgimiento comprometido en un punto de vista determinado que se *es*.[1] Ser, para la realidad humana, es *ser-ahí*; es decir, "ahí en esa silla", "ahí, junto a aquella mesa", "ahí, en la cumbre de esa montaña, con tales dimensiones, tal orientación, etc." Es una necesidad ontológica.

Pero es preciso entenderse. Pues esa necesidad aparece entre dos contingencias: por una parte, en efecto, si bien es necesario que yo sea en forma de ser-ahí, es enteramente contingente que yo sea, puesto que no soy el fundamento de mi ser; por otra parte, si bien es necesario que mi ser esté comprometido en tal o cual punto de vista, es contingente que sea precisamente en este o aquel punto de vista, con exclusión de cualquier otro. Esta doble contingencia, que encierra una necesidad, es lo que hemos llamado la *facticidad* del para-sí. La hemos descrito en nuestra segunda parte. Hemos mostrado allí que el en-sí nihilizado y sumido en el acaecimiento absoluto que es la aparición del fundamento o surgimiento del para-sí, permanece en el seno del para-sí como su continigencia original. Así, el para-sí está sostenido por una perpetua contingencia que él retoma por cuenta propia y se asimila sin poder suprimirla jamás. En ninguna parte el para-sí la encuentra en sí mismo, en ninguna parte puede captarla y conocerla, ni siquiera por el cogito reflexivo, pues él la trasciende siempre hacia sus propias posibilidades y no encuentra en sí mismo la nada que él tiene-de-ser. Empero, esa contingencia no deja de infestarlo y hace que me capte a la vez

---

[1] *Que l'on est*, o sea "que se es" en el sentido de que "uno lo es". (N. del T.)

como totalmente responsable de mi ser y como totalmente injustificable. Pero el mundo me devuelve la imagen de esta injustificabilidad en la forma de la unidad sintética de sus relaciones unívocas conmigo. Es absolutamente necesario que el mundo me aparezca *en orden*. En este sentido, este orden *soy yo*, es esa imagen de mí que describíamos en el último capítulo de nuestra segunda parte. Pero es por completo contingente que sea *este* orden. Así, el orden aparece como acomodación necesaria e injustificable de la totalidad de los seres. Ese orden absolutamente necesario y totalmente injustificable de las cosas del mundo, ese orden que soy yo en tanto que mi surgimiento lo hace necesariamente existir, y que me escapa en tanto que no soy ni el fundamento de mi ser ni el fundamento de *tal* ser, es el cuerpo tal cual es en el plano del Para-sí. En este sentido, podría definirse el cuerpo como *la forma contingente que la necesidad de mi contingencia toma*. No es otra cosa que el para-sí; no es un en-sí *en* el para-sí, pues entonces fijaría todo. Sino que es el hecho de que el para-sí no es su propio fundamento, en tanto que ese hecho se traduce por la necesidad de existir como ser contingente comprometido en medio de los seres contingentes. En tanto que tal, el cuerpo no se distingue de la *situación* del para-sí, puesto que, para el para-sí, existir o situarse son una sola y misma cosa; y se identifica, por otra parte, con el mundo íntegro, en tanto que el mundo es la situación total del para-sí y la medida de su existencia. Pero una situación no es un puro dato contingente: muy por el contrario, no se revela sino en la medida en que el para-sí la trasciende hacia sí mismo. Por consiguiente, el cuerpo-para-sí no es nunca un dato que yo pueda conocer: es ahí, doquiera, como lo trascendido; no existe sino en tanto que le escapo nihilizándome; es lo que nihilizo. Es el en-sí trascendido por el para-sí que nihiliza y recaptura al para-sí en ese mismo trascender. Es el hecho de que soy mi propia motivación sin ser mi propio fundamento; el hecho de que no soy nada sin tener-de-ser lo que soy y, empero, en tanto que tengo-de-ser lo que soy, soy sin tener-de-serlo. En cierto sentido, pues, el cuerpo es una característica necesaria del para-sí: no es verdad que sea el producto de una decisión arbitraria de un demiurgo, ni que la unión del alma y del cuerpo sea el acercamiento contingente de dos sustancias radicalmente distintas; sino, al contrario, de la naturaleza misma del para-sí deriva necesariamente que el para-sí sea cuerpo, es decir, que su escaparse nihilizador al ser se haga en la forma de un comprometimiento en el mundo. Empero, en otro sentido, el cuerpo manifiesta mi contingencia, e inclusive no es *sino* esta contingencia: los racionalistas cartesianos tenían razón cuando se asombraban ante esta característica; en efecto, el cuerpo representa la individuación de mi comprometimiento en el mundo. Y tampoco erraba Platón cuando daba el cuerpo como *lo que individualiza al alma*. Sólo que sería vano suponer que el alma pueda arrancarse a esta individuación separándose del cuerpo por la muerte o por el pensamiento puro, pues el alma *es* el cuerpo en tanto que el para-sí *es* su propia individuación.

Captaremos mejor el alcance de estas observaciones si intentamos aplicarlas al problema del conocimiento sensible.

El problema del conocimiento sensible se ha planteado con ocasión de la aparición en medio del mundo de ciertos objetos a los que llamamos *sentidos*. Hemos comprobado primeramente que el Prójimo tenía ojos y, por consiguiente, los técnicos disecadores de cadáveres aprendieron la estructura de esos objetos; distinguieron la córnea del cristalino y el cristalino de la retina. Establecieron que el objeto cristalino se clasificaba en una familia de objetos particulares: las lentes, y que podían aplicarse al objeto de su estudio las leyes de óptica geométrica concernientes a las lentes. Disecciones precisas, operadas a medida que los instrumentos quirúrgicos se perfeccionaban, nos han enseñado que un fascículo de nervios parte de la retina para desembocar en el cerebro. Hemos examinado al microscopio los nervios de los cadáveres y hemos determinado exactamente el trayecto de esos haces, su punto de partida y su punto de llegada. El conjunto de tales conocimientos concernía, pues, a cierto objeto espacial llamado ojo; implicaba la existencia del espacio y del mundo; implicaba, además, que podemos *ver* ese ojo, tocarlo, es decir, que estamos provistos nosotros mismos de un punto de vista sensible sobre las cosas. Por último, entre nuestro conocimiento del ojo y el ojo mismo, se interponían todos nuestros conocimientos técnicos (el arte de construir escalpelos y bisturíes) y científicos (por ejemplo, la óptica geométrica, que permite construir y utilizar microscopios). En suma, entre yo y el ojo que diseco, se interpone el mundo íntegro tal cual lo hago aparecer por mi propio surgimiento. Posteriormente, un examen más a fondo nos ha permitido establecer la existencia de terminaciones nerviosas diversas en la periferia de nuestro cuerpo. Hasta hemos llegado a obrar separadamente sobre algunas de esas terminaciones y a realizar experiencias sobre sujetos vivientes. Nos hemos encontrado entonces en presencia de dos objetos del mundo: por una parte, el excitante; por otra parte, el corpúsculo sensible o la terminación nerviosa libre que excitábamos. El excitante era un objeto físico-químico, corriente eléctrica, agente mecánico o químico, cuyas propiedades conocíamos con precisión y al que podíamos hacer variar de duración o intensidad de manera definida. Se trataba, pues, de dos objetos mundanos y su relación intramundana podía ser comprobada por nuestros propios sentidos o por medio de instrumentos. El conocimiento de esta relación suponía, una vez más, todo un sistema de conocimientos científicos y técnicos; en suma, la existencia de un mundo y nuestro surgimiento original en el mundo. Nuestras informaciones empíricas nos han permitido, además, concebir una relación entre "el interior" del otro-objeto y el conjunto de aquellas comprobaciones objetivas. Hemos aprendido, en efecto, que actuando sobre ciertos sentidos "provocábamos una modificación" en la conciencia del otro. La hemos aprendido *por medio del lenguaje,* es decir, por reacciones significativas y objetivas del otro. Un objeto físico: el excitante; un objeto fisiológico: el sentido; un objeto psíquico: el Otro; manifestaciones objetivas de significación: el lenguaje; tales son los términos de la relación objetiva que hemos querido establecer. Ninguno de ellos podía permitirnos salir del mundo de los objetos. Ocurrió también que sirviéramos de sujeto para las investigaciones del fisiólogo o del psicólogo. Si nos prestábamos a alguna experiencia de ese tipo, nos encontrábamos de pronto en un laboratorio y percibíamos una pantalla más o menos iluminada, o bien experimentábamos pequeñas sacudidas eléctricas, o bien nos rozaba un objeto que no podíamos determinar muy exactamente, pero cuya presencia global captábamos en medio del mundo y contra nosotros. Ni un instante estábamos aislados del mundo: todos esos acaecimientos sucedían para nosotros en un laboratorio, en medio de París, en el cuerpo sur del edificio de la Sorbona; permanecíamos en presencia del *Prójimo*, y el sentido mismo de la experiencia exigía que pudiéramos comunicar con él por medio del lenguaje. De tiempo en tiempo, el experimentador nos preguntaba si la pantalla nos parecía más o menos iluminada, si la presión que se ejercía sobre nuestra mano nos parecían más o menos fuerte, y respondíamos, es decir, dábamos informaciones objetivas sobre cosas que aparecían en medio de nuestro mundo. Quizás un experimentador inhábil nos ha preguntado si "nuestra sensación de luminosidad era más o menos fuerte, más o menos intensa". Esta expresión no habría tenido sentido alguno para nosotros, puesto que estábamos en medio de objetos, observándolos, de no habérsenos enseñado de larga data a llamar "sensación de luminosidad" a la luz objetiva tal como se nos aparece en el mundo en un instante dado. Respondíamos, pues, que la sensación de luminosidad era, por ejemplo, menos intensa; pero entendíamos con ello que la pantalla estaba, *en nuestra opinión*, menos iluminada. Y ese "en nuestra opinión" no correspondía a nada real, pues captábamos *de hecho* la pantalla como menos iluminada, salvo a un esfuerzo por no confundir la objetividad del mundo *para nosotros* con una objetividad más rigurosa, resultado de medidas experimentales y del mutuo acuerdo de las mentes. Lo que, en todo caso, no podíamos *conocer* era cierto objeto que el experimentador observaba entre tanto y que era nuestro órgano visual o ciertas terminaciones táctiles. El resultado obtenido no podía ser, pues, al fin de la experiencia, otra cosa que una relación establecida entre dos series de *objetos*: los que se nos revelaban durante la experiencia y los que se revelaban al mismo tiempo al experimentador. La iluminación de la pantalla pertenecía a *mi* mundo; mis ojos como órganos objetivos pertenecían al mundo del experimentador. El nexo entre ambas series pretendía ser, pues, como un puente entre dos mundos; en ningún caso podía ser una tabla de correspondencia entre lo subjetivo y lo objetivo.

¿Por qué, en efecto, se llamaría subjetividad al conjunto de los objetos luminosos o ponderosos u odoríferos tales como se me aparecían *en ese laboratorio, en París, un día de febrero,* etc.? Y si, pese a todo, debíamos considerar ese conjunto como subjetivo, ¿por qué reconocer la objetividad al sistema de objetos que se revelaban simultáneamente al experimentador en ese mismo laboratorio, ese mismo día de febrero? No hay aquí dos raseros, dos medidas: en ninguna parte encontramos algo que se dé como puramente *sentido,* como vivido para mí sin objetivación. Aquí, como siempre, soy consciente *del* mundo y, sobre fondo de mundo, *de* ciertos objetos trascendentes; como siempre, trasciendo lo que me es revelado hacia la posibilidad que yo tengo-de-ser; por ejemplo, hacia la de responder correctamente al experimentador y permitir el éxito de la experiencia. Sin duda, esas comparaciones pueden dar ciertos resultados objetivos: por ejemplo, puedo comprobar que el agua tibia me parece fría cuando sumerjo en ella la mano después de haberla sumergido en agua caliente. Pero tal comprobación, que se designa pomposamente como "ley de relatividad de las sensaciones", no concierne en modo alguno a las sensaciones. Se trata de una cualidad del objeto que me es revelada: el agua tibia *es* fría cuando sumerjo en ella mi mano caliente. Simplemente, una comparación entre esa cualidad objetiva del agua y una información igualmente objetiva –la que me da el termómetro– me revela una contradicción. Esta contradicción motiva de mi parte una libre elección de la objetividad verdadera. Llamaré subjetividad a la objetividad que no he elegido. En cuanto a las *razones* de la "relatividad de las sensaciones", un examen más a fondo me las revelará en ciertas estructuras objetivas y sintéticas a las que llamaré *formas (Gestalt).* La ilusión de Müller-Lyer, la relatividad de los sentidos, etc., son otros tantos nombres dados a leyes objetivas concernientes a las estructuras de esas formas. Tales leyes no nos informan sobre *apariencias,* sino que se refieren a estructuras sintéticas. Yo no intervengo allí sino en la medida en que mi surgimiento en el mundo hace nacer *el establecimiento de relaciones* entre los objetos. Como tales, éstos se me revelan en tanto que *formas.* La objetividad científica consiste en considerar las estructuras aparte, aislándolas del todo que integran: entonces aparecen con otras características. Pero en ningún caso salimos del mundo existente. Igualmente, se mostrará que el llamado "umbral de sensación" o la llamada especificidad de los sentidos se reduce a puras determinaciones de los objetos en tanto que tales.

Sin embargo, se ha querido que esa relación objetiva entre excitante y órgano sensible se trascendiera a sí misma hacia una relación entre lo *objetivo* (excitante-órgano sensible) y lo subjetivo (sensación pura), estando lo subjetivo definido por la acción que ejercería sobre nosotros el excitante por intermedio del órgano sensible. El órgano sensible se nos aparece afectado por el excitante: las modificaciones protoplasmáticas y físico-químicas que aparecen en el órgano sensible, en efecto, no son producidas por ese órgano mismo: le vienen *de afuera.* Por lo menos, así lo afirmamos para permanecen fieles al principio de inercia, que constituye a la naturaleza íntegra en exterioridad. Así, pues, cuando establecemos una correlación entre el sistema objetivo excitante-órgano sensorial que percibimos actualmente y el sistema subjetivo que es para nosotros el conjunto de las propiedades internas del otro-objeto, nos es forzoso admitir que la nueva modalidad que acaba de aparecerse en esa subjetividad, en conexión con la excitación del sentido, está también producida por otra cosa que ella misma. En efecto: si se produjera espontáneamente, estaría escindida de todo nexo con el órgano excitado, o, si se prefiere, la relación que pudiera establecer entre una y otra sería *cualquiera.* Concebiremos, pues, una unidad objetiva correspondiente a la mínima y más breve de las excitaciones perceptibles y la denominaremos sensación. Dotaremos a esta unidad de la propiedad de *inercia,* es decir, que será pura exterioridad, ya que, concebida a partir del *esto,* participará de la exterioridad del en-sí. Esta exterioridad proyectada al meollo de la sensación, la alcanza casi en su existencia misma: la razón de su ser y la ocasión de su existencia están fuera de ella. Es, pues, *exterioridad a sí-misma.* Al mismo-tiempo, su razón de ser no reside en algún hecho "interior" de naturaleza igual a la suya, sino en un objeto real, el excitante, y en el cambio que afecta a otro objeto real, el órgano sensible. Empero, como resulta inconcebible que cierto ser, existente en cierto plano de ser e incapaz de sostenerse en el ser por sí solo, pueda ser determinado a existir por un existente que se mantiene en un plano de ser radicalmente distinto, concibo, para sostener la sensación y para proveerla de ser, un medio homogéneo a ella y constituido también en exterioridad. Es el medio al que llamo *mente* y a veces hasta *conciencia*. Pero concibo a esta conciencia como conciencia *del Otro*, es decir, como objeto. Sin embargo, como las relaciones que quiero establecer entre el órgano sensible y la sensación deben ser universales, postulo que la conciencia así concebida debe ser también *mi* conciencia, no *para el otro*, sino *en sí*. De este modo he determinado una suerte de espacio interno en el cual ciertas figuras llamadas sensaciones se forman con ocasión de excitaciones exteriores. Siendo ese espacio pasividad pura, declaro que *padece* sensaciones. Pero con ello no entiendo solamente que ese espacio es el medio interno que sirve a las sensaciones de matriz. Me inspiro entonces en una visión biológica del mundo, que tomo de mi concepción objetiva del órgano sensorial considerado, y pretendo que ese espacio interno *vive* su sensación. Así, la "vida" es una conexión mágica que establezco entre un medio pasivo y un modo pasivo de ese medio. La mente no produce sus propias sensaciones y, por este hecho, ellas le permanecen *exteriores;* pero, por otra parte, él se las apropia viviéndolas. La unidad de lo "vivido" y lo "viviente" no es ya, en efecto, yuxtaposición espacial ni relación de contenido a continente: es una inherencia mágica. La mente y sus propias sensaciones aun permaneciendo distinta de ellas. Así, la sensación se convierte en un tipo particular de objeto: inerte, pasivo y simplemente vivido. Henos, pues, obligados a darle la subjetividad absoluta. Pero hay que entenderse en cuanto a la palabra subjetividad. Aquí no significa pertenencia a un sujeto, es decir, a una ipseidad que se motiva espontáneamente. La subjetividad del psicólogo es de especie muy diferente: al contrario, manifiesta la inercia y la ausencia de toda trascendencia. Es subjetivo lo que no puede salir de sí mismo. Y, precisamente, en la medida en que la sensación, siendo pura exterioridad, no puede ser sino una impresión en la mente, en la medida en que ella no es sino sí-misma, sino esa figura que un remolino ha formado en el espacio psíquico, no es trascendencia: es lo pura y simplemente padecido, la simple determinación de nuestra receptividad; es subjetividad porque no es en modo alguno *presentativa* ni *representativa*. Lo subjetivo del Prójimo-objeto es pura y simplemente una cajita cerrada. La sensación está dentro de la cajita.

Tal la noción de *sensación*. Es patente su absurdo. En primer lugar, es puramente inventada. No corresponde a nada de lo que experimento en mí mismo o en el prójimo. Jamás hemos captado sino el universo objetivo; todas nuestras determinaciones personales suponen el mundo y surgen como relaciones con el mundo. La sensación supone, por su parte, que el hombre sea ya en el mundo, ya que está dotado de órganos sensibles, pero aparece en él como pura cesación de sus relaciones con el mundo. Al mismo tiempo, esa pura "subjetividad" se da como la base necesaria sobre la cual será preciso reconstruir todas esas relaciones trascendentes que su aparición acaba de hacer desaparecer. Así, encontramos estos tres momentos de pensamiento: 1° Para establecer la sensación, ha de partirse de cierto realismo: se toma como válida nuestra percepción del Prójimo, de los sentidos del prójimo y de los instrumentos inductores; 2° Pero, al nivel de la sensación, todo ese realismo desaparece: la sensación, pura modificación padecida, no nos da información sino sobre nosotros mismos: es algo "vivido"; 3° Y, sin embargo, pongo a la sensación como base de mi conocimiento del mundo externo. Esta base no podría ser el fundamento de un contacto *real* con las cosas: no nos permite concebir una estructura intencional de la mente. Deberemos llamar *objetividad* no a una conexión inmediata con el ser sino a ciertos grupos de sensaciones pegadas que presenten mayor permanencia o mayor regularidad o que estén más acordes con el conjunto de nuestras representaciones. En particular, así es como deberemos definir nuestra percepción del Prójimo, de los órganos sensibles del Prójimo y de los instrumentos inductores: se trata de formaciones subjetivas de particular coherencia, y eso es todo. En este nivel, no podría tratarse de explicar mi sensación por el órgano sensible tal cual lo percibo en el prójimo o en mí mismo, sino, al contrario, explico al órgano sensible como cierta asociación de mis sensaciones. Se advierte el inevitable círculo. Mi percepción de los sentidos del prójimo me sirve de fundamento para una explicación de las sensaciones, y en particular de las *mías*; pero recíprocamente, mis sensaciones así concebidas constituyen la única *realidad* de mi percepción de los sentidos del Prójimo. Y en este círculo, el mismo objeto: el órgano sensible del Prójimo, no tiene ni la misma naturaleza ni la misma verdad en cada una de sus apariciones. Primero es *realidad*, y, precisamente por serlo, fundamenta una doctrina que la contradice. En *apariencia,* la estructura de la teoría clásica de la sensación es exactamente la del argumento cínico del Mentiroso, en que justamente porque el cretense dice la verdad resulta que miente. Pero, además, como acabamos de verlo, una sensación es subjetividad pura. ¿Cómo se pretende que construyamos un objeto con la subjetividad? Ningún agrupamiento sintético puede conferir cualidad objetiva a lo que es, por principio, algo vivido. Si ha de haber percepción de objetos en el mundo, es menester que estemos, desde nuestro surgimiento mismo, en presencia del mundo y de los objetos. La sensación, noción híbrida entre lo subjetivo y lo objetivo, concebida a partir del objeto y aplicada en seguida al sujeto, existencia bastarda de la cual sería imposible decir si existe de hecho o de derecho, es un puro ensueño de psicólogos y debe ser deliberadamente rechazada de toda teoría seria sobre las relaciones entre el mundo y la conciencia.

Pero, si la sensación no es más que una palabra, ¿qué se hacen los sentidos? Se reconocerá sin duda que no encontramos jamás en nosotros mismos esa impresión fantasma y rigurosamente subjetiva que es la sensación; se confesará que no captamos nunca sino *el* verde de este cuaderno, de ese follaje, y jamás la sensación de verde ni aun el "cuasi-verde" puesto por Husserl como la materia hilética que la intención anima en verde-objeto; y se admitirá sin dificultad la convicción de que, suponiendo posible la reducción fenomenológica –lo que está por demostrarse–, ésta nos pondría frente a objetos puestos entre paréntesis como puros correlatos de actos posicionales, pero no frente a residuos impresionales. Pero ello no quita que *los sentidos* permanecen. *Veo* el verde, *toco* este mármol pulimentado y frío. Un accidente puede privarme de un sentido íntegro: puedo perder la vista, volverme sordo, etc. ¿Qué es, pues, un sentido que no nos da sensación?

La respuesta es fácil. Comprobemos, ante todo, que el *sentido* está doquiera y es doquiera inaferrable. Este tintero, ahí sobre la mesa, me es dado inmediatamente en forma de una *cosa* y sin embargo me es dado *por la vista*. Esto significa que su presencia es presencia visible y que tengo conciencia de que me es presente como visible, es decir, conciencia (de) verlo. Pero la vista, al tiempo que es *conocimiento* del tintero, se hurta a todo conocimiento: no hay conocimiento de la vista. Ni aun la reflexión nos dará conocimiento tal. Mi conciencia reflexiva, en efecto, me dará un conocimiento *de* mi conciencia refleja del tintero, pero no la de una actividad sensorial. En este sentido debe tomarse la célebre fórmula de Auguste Comte: "El ojo no puede verse a sí mismo". Sería admisible, en efecto, que otra estructura orgánica, una disposición contingente de nuestro aparato visual permitiera a un tercer ojo *ver* nuestros dos Ojos mientras ven. ¿No puedo ver y tocar mi mano mientras ella toca? Pero tomaría entonces el punto de vista del otro sobre mis sentidos: vería yo ojos-objetos; no puedo ver el ojo vidente, no puedo tocar la mano en tanto que toca. Así, el sentido, en tanto que es para mí, es algo incaptable: no es la colección infinita de mis sensaciones, puesto que no encuentro jamás sino objetos del mundo; por otra parte, si adopto sobre mi conciencia un punto de vista reflexivo, encontraré mi conciencia *de* tal o cual cosa-en-el-mundo, no de una actividad develadora o constructora. Y, sin embargo, el sentido está ahí: *hay* vista, tacto, oído.

Pero si, por otra parte, considero el sistema de objetos *visto* que se me aparecen, compruebo que no se me presentan en un orden cualquiera: están *orientados*. Así, pues, no pudiendo definirse los sentidos ni por un acto captable ni por una sucesión de estados vividos, réstanos intentar definirlos por sus objetos. Si la vista no es la suma de las sensaciones visuales, ¿no puede ser el sistema de los objetos vistos? En tal caso, ha de volverse sobre esa idea de *orient*ación que acabamos de señalar e intentar captarla en su significado.

Notemos, en primer lugar, que la orientación es una estructura constitutiva de la cosa. El objeto aparece sobre fondo de mundo y se manifiesta en relación de exterioridad con los otros "estos" que acaban de aparecer. Así, su develación implica la constitución complementaria de un fondo indiferenciado que es el campo perceptivo total o mundo. La estructura formal de esta relación entre forma y fondo es, pues, necesaria; en una palabra, la existencia de un campo visual o táctil o auditivo es una necesidad: el silencio, por ejemplo, es el campo sonoro de ruidos indiferenciados sobre el cual se destaca el sonido particular en que nos fijamos. Pero el nexo material entre *tal o cual* esto y el fondo es a la vez elegido y dado. Es elegido, en tanto que el surgimiento del para-sí es negación explícita e interna de *tal o cual* esto sobre fondo de mundo: *miro* la taza o el tintero. Es dado, en el sentido de que mi elección se opera a partir de una distribución original de los *estos*, que manifiesta la facticidad misma propia de mi surgimiento. Es necesario que el libro me aparezca a la derecha *o* a la izquierda de la mesa. Pero es contingente que me aparezca precisamente a la izquierda; y, finalmente, soy libre de mirar *el libro* sobre la mesa o *la mesa* que soporta al libro. Esta contingencia entre la necesidad y la libertad de mi elección es lo que llamamos el *sentido*. Implica que el objeto *se me aparezca siempre íntegro a la vez* –veo *el cubo, el tintero, la taza*–, pero que esta aparición tenga lugar siempre en una perspectiva particular, la cual traduce las relaciones del objeto con el fondo de mundo y con los demás *estos*. Oigo siempre la *nota del violín*. Pero es necesario que la oiga *a través de una puerta* o *por la ventana abierta* o en la sala de concierto; si no, el objeto no sería ya en medio del mundo y no se manifestaría ya a un existente-que-surge-en-el-mundo. Pero, por otra parte, si bien es verdad que todos los *estos* no pueden aparecer *a la vez* sobre fondo de mundo y la aparición de algunos de ellos provoca la fusión de otros con el fondo, si bien es verdad que cada *esto* no puede manifestarse sino de una sola manera *a la vez*, bien que existan para él una infinidad de maneras de aparecer, esas reglas de aparición no deben considerarse como subjetivas y psicológicas: son rigurosamente objetivas y emanan de la naturaleza de las cosas. Si el tintero me oculta una porción de mesa, ello no proviene de la naturaleza de mis sentidos, sino de la naturaleza del tintero y de la luz. Si el objeto se empequeñece al alejarse, no ha de explicarse este hecho por quién sabe qué ilusión del observador, sino por las leyes rigurosamente externas de la perspectiva. Así, por tales leyes objetivas, se define un centro de referencia rigurosamente objetivo: el ojo, por ejemplo, en tanto que, en un esquema de perspectiva, es el punto hacia el cual vienen a converger todas las líneas objetivas. Así, el campo perceptivo se refiere a un centro objetivamente definido por esa referencia y situado *en el campo mismo* que se orienta en torno de él. Sólo que ese centro, como estructura del campo perceptivo considerado, nosotros no lo vemos: *lo somos*. Así, el orden de los objetos del mundo nos devuelve perpetuamente la imagen de un objeto que, por principio, no puede ser objeto *para nosotros* puesto que es lo que tenemos de ser. Así, la estructura del mundo implica que no podemos *ver sin ser visibles*. Las referencias intramundanas no pueden efectuarse sino a objetos del mundo y el mundo visto define perpetuamente un objeto visible, al cual remiten sus perspectivas y disposiciones. Este objeto aparece en medio del mundo y al mismo tiempo que el mundo; es siempre dado por añadidura con cualquier agrupación de objetos, ya que se define por la orientación de los mismos: sin él, no habría orientación alguna, pues todas las orientaciones serían equivalentes; dicho objeto es el surgimiento contingente de una orientación en medio de la infinita posibilidad de orientar el mundo; es *esta* orientación elevada al absoluto. Pero, en este plano, ese objeto no existe para nosotros sino a título de indicación abstracta: es lo que todas las cosas me indican y lo que por principio no puedo captar, ya que es lo que yo *soy*. Lo que soy, en efecto, no puede por principio ser objeto para mí en tanto que *lo* soy. El objeto que las cosas del mundo indican y ciñen en su ronda es para sí mismo y por principio un no-objeto. Pero el surgimiento de mi ser, al desplegar las distancias *a partir de un centro*, por el acto mismo de este desplegar, determina un objeto que es él mismo en tanto que se hace indicar por el mundo y del cual, empero, no podría tener yo intuición como objeto, pues yo lo soy, yo, que soy presencia a mí mismo como el ser que es su propia nada. Así, mi ser-en-el-mundo, por el solo hecho de que *realiza* un mundo, se hace indicar a sí mismo como un ser-en-medio-del-mundo por el mundo que él realiza, y no podría ser de otro modo, pues no hay otra manera de entrar en contacto con el mundo sino *siendo del mundo*. Me sería imposible realizar un mundo en que yo no fuera y que fuera puro objeto de una contemplación que lo sobrevolara, sino que, al contrario, es menester que me pierda en el mundo para que el mundo exista y yo pueda trascenderlo. Así, decir que he entrado en el mundo, que he "venido al mundo" o que hay un mundo o que tengo un cuerpo es una sola y misma cosa. En tal sentido, mi cuerpo está doquiera en el mundo: está tanto allá, en el hecho de que el pico de gas disimula al arbusto que crece sobre la acera, como en el hecho de que la buhardilla, allá arriba, está sobre las ventanas del sexto piso, o en el hecho de que el auto que pasa se mueve de derecha a izquierda, detrás del camión, o de que la mujer que cruza la calle parece más pequeña que el hombre sentado en la terraza del café. Mi cuerpo es la vez coextensivo al mundo, está expandido íntegramente a través de las cosas, y al mismo tiempo concentrado en este punto único que ellas todas indican y que yo soy sin poder conocerlo. Esto ha de permitirnos comprender lo que son los sentidos.

Un sentido no es dado *antes* de los objetos sensibles, ¿no es susceptible, en efecto, de aparecerse como objeto a un prójimo? Tampoco es dado *después* de ellos: sería menester entonces suponer un mundo de imágenes incomunicables, simples copias de la realidad, sin que fuera concebible el mecanismo de su aparición. Los sentidos son contemporáneos de los objetos; hasta son las cosas en persona, tales como se nos develan en perspectiva. Representan simplemente una regla objetiva de esa develación. Así, la vista no *produce sensaciones* visuales; no es *afectada* tampoco por rayos luminosos; sino que es la colección de todos los objetos visibles en tanto que las recíprocas relaciones objetivas de éstos se refieren todas a ciertas magnitudes elegidas –y padecidas a la vez– como medidas y a cierto centro de perspectiva. Desde este punto de vista, el sentido no es en modo alguno asimilable a la subjetividad. Todas las variaciones que pueden registrarse en un campo perceptivo son, en efecto, variaciones *objetivas*. En particular, el hecho de que pueda suprimirse la visión "cerrando los párpados" es un hecho *exterior* que no remite a la subjetividad de la apercepción. El párpado, en efecto, es un objeto que es percibido entre los demás objetos, y que me disimula los demás objetos a consecuencia de su relación objetiva con ellos: *no ver ya* los objetos de mi cuarto porque he cerrado los ojos es *ver* la cortina de mi párpado; de la misma manera que, si pongo mis guantes sobre la carpeta de la mesa, *no ver ya* tal o cual diseño de la carpeta es precisamente *ver los guantes*. Análogamente, los *accidentes* que afectan a un sentido pertenecen siempre a la región de los objetos: "veo amarillo" porque tengo icteria o porque llevo anteojos amarillos. En ambos casos, la razón del fenómeno no está en una modificación subjetiva del sentido, ni aun en una alteración orgánica, sino en una relación objetiva entre dos objetos mundanos: en ambos casos vemos "a través" de algo y la *verdad* de nuestra visión es objetiva. Por último, si de una manera o de otra el centro de referencia visual se destruye (destrucción que no puede provenir sino del desarrollo del mundo según sus leyes propias, es decir, que expresa de cierta manera mi facticidad), los objetos visibles no por eso se aniquilan: continúan existiendo *para mí,* pero existen sin ningún centro de referencia como *totalidad visible*, sin aparición de ningún *esto* particular, es decir, en la reciprocidad absoluta de sus relaciones. Así, el surgimiento del para-sí en el mundo hace existir a la vez el mundo como totalidad de las cosas y los sentidos como la manera objetiva en que se presentan las cualidades de las cosas. Lo fundamental es mi relación con el mundo, y esta relación define a la vez el mundo y los sentidos, según el punto de vista en que uno se coloque. La ceguera, el daltonismo, la miopía, representan originariamente *la manera en que hay* un mundo para mí, es decir, que definen mi sentido visual en tanto que éste es la facticidad de mi surgimiento: Por eso mi sentido puede ser conocido y definido objetivamente por mí, pero *en vacío,* partiendo del mundo: basta que mi pensamiento racional y universalizador prolongue en lo abstracto las indicaciones que las cosas me dan a mí mismo acerca de *mi* sentido y que *reconstituya* el sentido a partir de esas señales, como el historiador reconstruye una personalidad histórica según los vestigios que la indican. Pero en tal caso he reconstruido el mundo en el terreno de la pura racionalidad, abstrayéndome del mundo por medio del pensamiento: sobrevuelo el mundo sin ligarme a él, me pongo en la actitud de objetividad absoluta, y el sentido se convierte en un objeto entre los objetos, en un centro de referencia *relativo* que supone él mismo coordenadas. Pero, por eso mismo, establezco en pensamiento la relatividad absoluta del mundo, es decir, que pongo la equivalencia absoluta de todos los centros de referencia. Destruyo, sin siquiera darme cuenta, la mundanidad del mundo. Así, el mundo, al indicar perpetuamente el sentido que yo soy e invitándome a reconstituirlo, me incita a eliminar la ecuación personal que soy, restituyendo al mundo el centro de referencia mundano con respecto al cual el mundo se dispone. Pero, a la vez, me escapo –por el pensamiento abstracto– del sentido que soy, es decir, corto mis vínculos con el mundo, me coloco en estado de simple sobrevuelo y el mundo se desvanece en la equivalencia absoluta de sus infinitas relaciones posibles. El sentido, en efecto, es nuestro ser-en-el-rnundo en tanto que tenemos de serlo en forma de ser-en-medio-del-mundo.

Estas observaciones pueden generalizarse; pueden aplicarse a *mi cuerpo* íntegro, en tanto que centro de referencia total indicado por las cosas. En particular, nuestro cuerpo no es solamente lo que por largo tiempo se ha llamado "la sede de los cinco sentido"; es también el instrumento y la meta de nuestras acciones. Hasta es imposible distinguir la "sensación" de la "acción", según los propios términos de la psicología clásica: es lo que indicábamos cuando hacíamos notar que la realidad no se nos presenta ni como *cosa* ni como *utensilio*, sino como cosa-utensilio. Por eso podemos tomar como hilo conductor, para nuestro estudio del cuerpo en tanto que centro de acción, los razonamientos que nos han servido para develar la verdadera naturaleza de los sentidos.

En efecto: desde que se formula el problema de la acción, se arriesga caer en una confusión de grave consecuencia. Cuando cojo esta lapicera y la mojo en el tintero, actúo. Pero si mira a Pedro que en el mismo instante acerca una silla a la mesa, compruebo que actúa también. Hay aquí, pues, un riesgo muy neto de cometer el error que denunciábamos a propósito de los sentidos, es decir, de interpretar *mi* acción tal cual es *para-sí* a partir de la acción del Otro. Pues, en efecto, la única acción que puedo *conocer* en el tiempo mismo en que ocurre es la acción de Pedro. Veo su gesto y determino al mismo tiempo su fin: acerca una silla a la mesa *para* poder sentarse cerca de esta mesa y escribir la carta que según me ha dicho quería escribir. Así, puedo captar todas las posiciones intermediarias de la silla y del cuerpo que la mueve como organizaciones instrumentales: son medios para llegar a un fin perseguido. El cuerpo del Otro se me aparece aquí, pues, como un instrumento en medio de otros instrumentos. Y no sólo como un utensilio para hacer utensilios, sino también como un *utensilio para manejar utensilios*, en una palabra, como una máquina-utensilio. Si interpreto el papel de *mi* cuerpo con respecto a *mi* acción a la luz de mis conocimientos del cuerpo del otro, me consideraré, pues, como dotado de cierto instrumento de que puedo disponer a gusto y que, a su vez, dispondrá a los otros instrumentos en función de cierto fin que persigo. Así, nos vemos de regreso a la distinción clásica entre alma y cuerpo: el alma utiliza el utensilio que es el cuerpo. El paralelismo con la teoría de la sensación es completo: en efecto, hemos visto que esta teoría partía del conocimiento del sentido del otro y me dotaba luego de sentidos exactamente semejantes a los órganos sensibles que percibía en el prójimo. Hemos visto también la dificultad con que se encuentra inmediatamente tal teoría: la de que entonces percibo el mundo y, singularmente, el órgano sensible ajeno, a través de mi propio sentido, órgano deformante, medio refringente que no puede informarse sino sobre sus propias afecciones. Así, las consecuencias de la teoría destruyen la objetividad del principio mismo que ha servido para establecerla. La teoría de la acción, teniendo estructura análoga, encuentra análogas dificultades; si, en efecto, parto del cuerpo ajeno, lo capto como un instrumento y en tanto que me sirvo yo mismo de él como de un instrumento: puedo, en efecto, *utilizarlo* para lograr fines que no podría alcanzar por mí solo; *comando* sus actos por ruegos o por órdenes; puedo también provocarlos por medio de mis propios actos, y a la vez debo tomar precauciones respecto de un utensilio de manejo particularmente peligroso y delicado. Estoy, con respecto a él, en la actitud compleja del obrero respecto de su máquina-herramienta cuando, simultáneamente, dirige los movimientos y evita ser atrapado. Y, de nuevo, para utilizar del mejor modo en mi interés el cuerpo ajeno tengo necesidad de un instrumento que es mi propio cuerpo, así como, para percibir los órganos sensibles ajenos, tengo necesidad de otros órganos sensibles, los míos propios. Así, pues, si concibo mi cuerpo a imagen del cuerpo del prójimo, es un instrumento en el mundo que debo manejar delicadamente y que es como la clave para el manejo de los demás utensilios. Pero mis relaciones con ese instrumento privilegiado no pueden ser tampoco sino técnicas y necesito de un instrumento para manejar este instrumento, lo que nos remite al infinito. Así, pues, si concibo mis órganos sensibles como los del Otro, requieren un órgano sensible para percibirlos; y si capto mi cuerpo como un instrumento semejante al cuerpo del otro, exige un instrumento que lo maneje; y si nos negamos a concebir este recurso al infinito, entonces nos es preciso admitir la paradoja de un instrumento físico *manejado* por un alma, lo que, como es sabido, hace caer en inextricables aporías. Veamos más bien si podemos intentar, en este caso como en el anterior, restituir al cuerpo su naturaleza para-nosotros. Los objetos se nos develan en el seno de un complejo de utensilidad en que ocupan un *sitio* determinado. Este sitio no está definido por puras coordenadas espaciales, sino con respecto a ejes de referencia prácticos. *El vaso está sobre la mesita* quiere decir que hay que tener cuidado de no hacer caer el vaso si se mueve la mesita. El paquete de tabaco está *sobre* la chimenea; esto quiere decir que hay que franquear una distancia de tres metros si se quiere ir de la pipa al tabaco, evitando ciertos obstáculos, como mesas ratonas, sillones, etc., dispuestos entre la mesa y la chimenea. En este sentido, la percepción no se distingue en modo alguno de la organización práctica de los existentes *en mundo*. Cada utensilio remite a otros utensilios: a aquellos que son sus *claves* y a aquellos de los cuales es *clave*. Pero estas remisiones no serían captadas por una conciencia puramente contemplativa: para una conciencia tal, el martillo no remitiría a los clavos: estaría *junto a* ellos; y aun, la expresión *junto a* pierde todo su sentido si no esboza un camino que va del martillo al clavo y que *debe* ser franqueado. El espacio original que se me descubre es el espacio hodológico; está surcado de caminos y rutas, es instrumental y es la *sede* de los utensilios. Así, el mundo, desde el surgimiento de mi Para-sí, se devela como indicación de actos que hacer, estos actos remiten a otros actos, éstos a otros, y así sucesivamente. Es de notar, empero, que si desde este punto de vista, percepción y acción son indiscernibles, la acción se presenta no obstante como cierta eficacia del futuro la cual supera y transciende lo pura y simplemente percibido. Lo percibido, siendo aquello a lo cual mi Para-sí es presencia, se me revela como copresencia; es contacto inmediato, adherencia presente; me roza. Pero, como tal, se ofrece sin que yo pueda captarlo *en presente*. La cosa percibida es todo promesas y furtivos roces,[1] cada una de las propiedades que promete develarme, cada abandono tácitamente consentido, cada remisión significativa a los demás objetos, compromete el porvenir. Así, soy *en presencia* de cosas que no son sino promesas, allende una *presencia* inefable que no puedo poseer y que es el puro "ser-ahí" de las cosas, es decir, el mío, mi facticidad, mi cuerpo. La taza es ahí, sobre el platillo; me es dada en presente con su fondo que *es ahí*, indicado por todo pero para mí invisible. Y si quiero verlo, es decir, explicitarlo, hacerlo "aparecer-sobre-fondo-de-taza", es menester que coja la taza por el asa y la dé vuelta: el fondo de la taza está al cabo de mis proyectos y es equivalente decir que las otras estructuras de la taza lo indican como un elemento indispensable de ésta, o que ellas me lo indican como la acción que *me hará apropiar* mejor de la taza en su significación. Así, el mundo, como correlato de las posibilidades que soy, aparece, desde mi surgimiento, como el esbozo enorme de todas mis acciones posibles. La percepción se trasciende natu-

---

[1] El giro literario original, que no permite calco, es: "*La chose perçue est prometteuse et frôleuse*". (N. del T.)

ralmente hacia la acción; mejor aún, no puede develarse sino en y por proyectos de acción. El mundo se revela como un *"creux toujours futur"*,[1] porque somos siempre futuros para nosotros mismos.

Empero, ha de advertirse que ese futuro del mundo así develado a nosotros es estrictamente objetivo. Las cosas-instrumentos indican otros instrumentos o bien maneras objetivas de usarlas: el clavo es "de-clavar" de tal o cual manera; el martillo, "de-asir por el mango"; la taza, "de-coger por el asa"; etc. Todas estas propiedades de las cosas se develan inmediatamente, y los gerundivos latinos las traducen a maravilla. Sin duda, son correlatos de proyectos no-téticos que somos, pero se revelan solamente como estructuras del mundo: potencialidades, ausencias, utensilidades. Así, el mundo se me aparece como objetivamente articulado; no remite jamás a una subjetividad creadora sino al infinito de los complejos-utensilios.

Sin embargo, al remitir cada instrumento a otro y éste a otro, todos acaban por indicar un instrumento que es como su *clave* común. Este centro de referencia es necesario, pues si no, al hacerse equivalentes todas las instrumentalidades, el mundo se desvanecería por total indiferenciación de los gerundivos. Cartago es *delenda* para los romanos pero *servanda* para los cartagineses. Sin relación con estos centros, Cartago, no es ya nada, recobra la indiferencia del en-sí, pues los dos gerundivos se anihílan. Empero, ha de verse bien que la *clave* no es nunca *dada* a mí, sino solamente "indicada en hueco". Lo que capto objetivamente en la acción es un mundo de instrumentos que engranan los unos en los otros, y cada uno de ellos, en cuanto captado en el acto mismo por el cual me adapto a él y lo trasciendo, remite a otro instrumento que ha de permitirme utilizarlo. En este sentido, el clavo remite al martillo y el martillo remite a la mano o al brazo que lo utiliza. Pero sólo en la medida en que hago a un prójimo clavar clavos, la mano y el brazo se convierten a su vez en instrumentos que utilizo y trasciendo hacia su potencialidad. En tal caso, la mano ajena me remite al instrumento que me permitirá utilizarla (amenazas-promesas-

---

[1] "Hueco siempre futuro"; hemistiquio de Valéry. (N. del T.)

salario, etc.). El término primero está doquiera presente pero solamente *indicado*: no capto *mi* mano en el acto de escribir, sino solamente la lapicera que escribe; esto significa que utilizo la lapicera para trazar letras, pero no *mi mano* para sostener la lapicera. Con respecto a mi mano, no estoy en la misma actitud utilizadora que con respecto a la lapicera: yo soy mi mano. Es decir, que mi mano es el cese y el punto de llegada de las remisiones. La mano es sólo la utilización de la lapicera. En tal sentido, es a la vez el término incognoscible e inutilizable que indica al instrumento último de la serie "libro de-escribir caracteres de-trazar sobre el papel-lapicera", y, a la vez, la orientación de la serie íntegra: el libro impreso mismo se refiere a ella. Pero no puedo captarla –en tanto, al menos, que actúa– sino como la perpetua remisión evanescente de toda la serie. Así, en un duelo a espada o con garrote, es el garrote lo que vigilo con los ojos y lo que manejo; en el acto de escribir, es la punta de la pluma lo que miro, en conexión sintética con la línea o el cuadriculado trazado sobre la hoja de papel. Pero mi mano se ha desvanecido; está perdida en el sistema complejo de utensilidad para que este sistema exista. Es simplemente el sentido y la orientación del sistema.

Así nos encontramos, al parecer, ante una doble necesidad contradictoria: siendo todo instrumento sólo utilizable –y aun captable– por medio de otro instrumento, el universo es una remisión objetiva indefinida de utensilio en utensilio. En este sentido, la estructura del mundo implica que no podamos insertarnos en el campo de utensilidad sino siendo nosotros mismos utensilio; que no podamos *actuar* sin *ser actuados*. Sólo que, por otra parte, un complejo de utensilidad no puede develarse sino por la determinación de un sentido cardinal de ese complejo, y tal determinación es por cierto práctica y activa: clavar un clavo, sembrar grano. En tal caso, la propia existencia del complejo remite inmediatamente a un centro. Así, este centro es a la vez un utensilio objetivamente definido por el campo instrumental a él referido y a la vez el utensilio que no podemos *utilizar* puesto que nos veríamos remitidos al infinito. Este instrumento que no empleamos, lo *somos*. No nos es dado de otro modo que por el orden utensilio del mundo, por el espacio hodológico, por las relaciones unívocas o recíprocas de las máquinas; pero no podría ser *dado* a mi acción: no tengo-de adaptarme a él ni de adaptarle otro utensilio, sino que él es mi propia adaptación a los utensilios, la adaptación que yo soy. Por eso, si dejamos a un lado la reconstrucción analógica de mi cuerpo según el cuerpo del Prójimo, quedan dos maneras de captar el cuerpo. O bien es *conocido* y definido objetivamente a partir del mundo, pero *en vacío*: basta para ello que el pensamiento racionalista reconstituya el instrumento que soy a partir de las indicaciones dadas por los utensilios que utilizo, pero en tal caso el utensilio fundamental se convierte en un centro de referencia relativo que supone a su vez otros utensilios para ser utilizado, y entonces la instrumentalidad del mundo desaparece, pues para develarse necesita de una referencia a un centro absoluto de instrumentalidad; el mundo de la acción se convierte en el mundo *actuado* de la ciencia clásica, la conciencia sobrevuela un universo de exterioridad y no puede ya *entrar en el mundo* de ninguna manera. O bien el cuerpo es *dado concretamente* y en pleno como la disposición misma de las cosas, en tanto que el Para-sí la trasciende hacia una nueva disposición; en tal caso, está presente en toda acción, aun cuando invisible –pues la acción revela el martillo y los clavos, el freno y el cambio de velocidad, no el pie que frena o la mano que martilla–; es *vivido* y no *conocido*. Esto explica que la famosa "sensación de esfuerzo" por la cual Maine de Biran intentaba responder al desafío de Hume sea un mito psicológico, jamás tenemos la sensación de nuestro esfuerzo, pero no tenemos tampoco las sensaciones periféricas, musculares, óseas, tendinosas, cutáneas, con las cuales se la ha querido reemplazar: percibimos la *resistencia* de las cosas. Lo que percibo cuando quiero llevarme este vaso a la boca no es mi esfuerzo, sino su *pesantez* –es decir su resistencia a entrar en un complejo utensilio– que he hecho yo aparecer en el mundo. Bachelard[1] reprocha con razón a la fenomenología el no tener suficientemente en cuenta lo que él llama "coeficiente de adversidad" de los objetos. Es exacto, y vale tanto para la trascendencia de

[1] Bachelard, *L'Eau et les Rêves*, ediciones José Corti, 1942.

Heidegger como para la intencionalidad husserliana. Pero ha de comprenderse bien que la utensilidad es primera: las cosas revelan su resistencia y su adversidad con relación a un complejo de utensilidad original. El tornillo se revela demasiado grueso para atornillarse en la tuerca; el soporte, demasiado frágil para soportar el peso que quiero sostener; la piedra, demasiado pesada para ser levantada hasta el corte del muro, etc. Otros objetos aparecerán como amenazantes para un complejo-utensilio ya establecido: la tormenta y el granizo para la mies, la filoxera para la viña, el fuego para la casa. Así, paso a paso y a través de los complejos de utensilidad ya establecidos, su amenaza se extenderá hasta el centro de referencia que todos esos utensilios indican, y esa amenaza lo indicará a su vez a través de ellos. En este sentido, todo *medio* es a la vez favorable y adverso, pero en los límites del proyecto fundamental realizado por el surgimiento del Para-sí en el mundo. Así, mi cuerpo es indicado originariamente por los complejos-utensilios y secundariamente por los aparatos destructores. *Vivo* mi cuerpo en peligro tanto en los aparatos amenazantes como en los instrumentos dóciles. Está doquiera: la bomba que destruye *mi* casa abarca también mi cuerpo, en tanto que la casa era ya una indicación de mi cuerpo. Pues mi cuerpo se extiende siempre a través del utensilio que utiliza: está en el extremo del bastón en que me apoyo, contra el suelo; al cabo del telescopio que me muestra los astros; en la silla, en la casa íntegra; pues es mi adaptación a esos utensilios.

Así, al término de estas exposiciones, la sensación y la acción se han reunido y constituyen una unidad. Hemos renunciado a dotarnos *primero* de un cuerpo para estudiar *después* la manera en que captamos o modificamos el mundo a través de él. Al contrario, hemos dado por fundamento de la develación del cuerpo como tal nuestra relación originaria con el mundo, es decir, nuestro propio surgimiento en medio del ser. Lejos de ser el cuerpo *para nosotros* primero y develador de las cosas, son las cosas-utensilios las que, en su aparición originaria, nos indican nuestro cuerpo. El cuerpo no es una pantalla entre nosotros y las cosas: manifiesta solamente la individualidad y la contingencia de nuestra relación originaria con las cosas-utensilios. En este sentido, habíamos definido el sentido y el órgano sensible en general como nuestro ser en el mundo en tanto que tenemos-de-serlo en forma de ser-en-medio-del-mundo. Pero, si soy en medio del mundo, es porque he hecho que haya un mundo trascendiendo el ser hacia mí mismo, y si soy instrumento del mundo, es porque he hecho que haya instrumentos en general por el proyecto de mí mismo hacia mis posibles. Sólo *en un mundo* puede haber un cuerpo, y una relación primera es indispensable para que ese mundo exista. En cierto sentido, el cuerpo es lo que soy inmediatamente; en otro sentido, estoy separado de él por el espesor infinito del mundo; me es dado por un reflujo del mundo hacia mi facticidad, y la condición de ese reflujo perpetuo es un perpetuo trascender.

Podemos ahora precisar la *naturaleza-para-nosotros* de nuestro cuerpo. Las precedentes observaciones nos han permitido concluir, en efecto, que el cuerpo es perpetuamente el *trascendido*. El cuerpo, en efecto, como centro de referencia sensible, es eso *más allá de lo cual* soy en tanto que soy inmediatamente presente al vaso o a la mesa o al árbol lejano que percibo. La percepción, en efecto, no puede efectuarse sino en el lugar mismo en que el objeto es percibido *sin distancia*. Pero, a la vez, despliega las distancias, y aquello con relación a lo cual el objeto percibido indica su distancia como una propiedad absoluta de su ser es el cuerpo. Análogamente, como centro instrumental de los complejos-utensilios, el cuerpo no puede ser sino el *trascendido*: es lo que yo trasciendo hacia una combinación nueva de los complejos y lo que tendré-de-trascender perpetuamente, cualquiera que sea la combinación instrumental a que yo haya llegado, pues toda combinación, desde que mi trascender la fija en su ser, indica al cuerpo como el centro de referencia de su inmovilidad fijada. Así, el cuerpo, siendo el trascendido, es el preter-ido, es el Pasado.[1] Es la presencia inmediata de las cosas "sensibles" al Para-sí, en tanto que esa presencia indica un centro de referencia y está *ya trascen-*

---

[1] La frase "es el preter-ido" ha sido agregada por el traductor, para patentizar en español el tránsito de una idea a la otra. Neto en el original francés: *"Ainsi le corps, étant le dépassé, est le Passé"*. (N. del T.)

dida, sea hacia la aparición de un nuevo *esto,* sea hacia una combinación nueva de cosas-utensilios. En cada proyecto del Para-sí, en cada percepción, el cuerpo es ahí, es el Pasado inmediato en tanto que aflora aún al Presente que le huye. Esto significa que es a la vez *punto de vista* y *punto de partida:* punto de vista, punto de partida que yo soy y que trasciendo a la vez hacia lo que tengo de ser. Pero este punto de vista perpetuamente trascendido y que perpetuamente renace en el meollo del trascender, ese punto de partida que no ceso de franquear y que es yo-mismo siempre a la zaga de mí, es la necesidad de mi contingencia. Necesario, lo es doblemente. Primero, porque es la recuperación continua del Para-sí por el En-sí y el hecho ontológico de que el Para-sí no puede ser sino como el ser que no es su propio fundamento: tener yo un cuerpo es ser el fundamento de mi propia nada y no ser el fundamento de mi ser; yo soy mi cuerpo en la medida en que *soy; no* lo *soy* en la medida en que no soy lo que *soy;* le escapo por mi nihilización. Pero no por eso hago de él un objeto, pues mi perpetuo escapar es escapar de lo que soy. Y el cuerpo es necesario, además, como el obstáculo que hay que trascender para ser en el mundo, es decir, el obstáculo que soy para mí mismo. En tal sentido, no difiere del orden absoluto del mundo, ese orden que hago advenir al ser trascendiéndolo hacia un ser-por-venir, hacia el ser-allende-el-ser. Podemos captar claramente la unidad de ambas necesidades: ser-para-sí es trascender el mundo y hacer que haya un mundo trascendiéndolo. Pero trascender el mundo es precisamente no sobrevolarlo, sino comprometerse en él para emerger de él; es hacerse necesariamente uno mismo *esta* perspectiva del trascender. En tal sentido, la *finitud* es condición necesaria del proyecto original del Para-sí. La condición necesaria para que yo sea, allende un mundo al que hago advenir al ser, es que yo no sea, y que no sea lo que soy; es que, en el meollo de la persecución infinita que soy, haya perpetuamente algo dado e incaptable. Este algo dado que soy sin tener-de-serlo –sino en el modo del no serlo– no puedo ni captarlo ni conocerlo, pues es doquiera retomado y trascendido, utilizado para mis proyectos, asumido. Pero, por otra parte, todo me lo indica, todo lo transcendente, lo esboza en hueco por su trascendencia misma, sin que pueda volverme jamás hacia aquello que se me indica, pues el ser indicado soy yo. En particular, no ha de entenderse lo dado así indicado como puro centro de referencia de un orden estático de las cosas-utensilios: al contrario, su orden dinámico, dependa de mi acción o no, se refiere a eso dado, según reglas, y, por eso mismo, el centro de referencia está definido en su cambio como en su identidad. No podría ser de otro modo, puesto que hago advenir el mundo al ser negando de mí mismo ser el ser, y ya que sólo a partir de mi pasado, es decir, proyectándome allende mi ser propio, puedo negar de mí mismo ser tal o cual ser. Desde este punto de vista, el cuerpo, es decir, eso dado incaptable, es una condición necesaria de mi acción; en efecto: si los fines que persigo pudieran alcanzarse por un puro deseo arbitrario, si bastara desear para obtener y si reglas definidas no determinaran el uso de los utensilios, no podría distinguir nunca en mí mismo el deseo de la voluntad, ni el sueño del acto, ni lo posible de lo real. Ningún pro-yecto de mí mismo sería posible, puesto que bastaría concebir para realizar; por consiguiente, mi ser-para-sí se aniquilaría en la indistinción de presente y futuro. Una fenomenología de la acción mostraría, en efecto, que el acto supone una solución de continuidad entre la simple concepción y la realización, es decir, entre un pensamiento universal y abstracto ("es menester que el carburador del auto *no esté sucio*") y un pensamiento técnico y concreto dirigido sobre *este* carburador tal cual se me aparece con sus dimensiones absolutas y su posición absoluta. La condición de este pensamiento técnico, que no se distingue del acto que dirige, es mi finitud, mi contingencia, en suma: mi facticidad. Y precisamente soy *de hecho* en tanto que tengo un pasado y este pasado inmediato me remite al en-sí primero sobre cuya nihilización surjo por el *nacimiento*. Así, el cuerpo como facticidad es el pasado en tanto que remite originariamente a un *nacimiento*, es decir, a una nihilización primera que me hace surgir del En-sí que soy de hecho sin tener-de-serlo. Nacimiento, pasado, contingencia, necesidad de un punto de vista, condición de hecho de toda acción posible sobre el mundo: tal es el *cuerpo*, tal lo es *para mí*. No es, pues, en modo alguno una adición contingente a mi alma, sino, al contrario, una estructura permanente de mi ser y la condición permanente de posibilidad de mi conciencia como conciencia *del* mundo y como proyecto trascendente hacia mi futuro. Desde este punto de vista, debemos reconocer a la vez que es enteramente contingente y absurdo que yo sea enclenque, hijo de funcionario o de obrero, irascible o perezoso, y que sin embargo es *necesario* que sea *eso* u otra cosa: francés o alemán o inglés, burgués o proletario o aristócrata, etc., enclenque y enfermizo o vigoroso, irascible o de carácter conciliador; precisamente porque no puedo *sobrevolar* el mundo sin que éste se desvanezca. Mi *nacimiento,* en tanto que condiciona la manera en que se me develan los objetos (los objetos de lujo o de primera necesidad son más o menos *accesibles,* ciertas realidades sociales se me aparecen como *vedadas,* hay barreras y obstáculos en mi espacio hodológico); mi *raza* en tanto que indicada por la actitud del Prójimo hacia mí (se revelan como despreciativos o admirativos, como en confianza o en desconfianza); mi *clase* en tanto se revela por la develación de la comunidad social a que pertenezco, en tanto que a ella se refieren los lugares que frecuento; mi *nacionalidad;* mi *estructura fisiológica,* en tanto que los instrumentos la implican por el modo mismo en que se revelan resistentes o dóciles y por su propio coeficiente de *adversidad;* mi *carácter;* mi *pasado* en tanto que todo cuanto he vivido es indicado como mi punto de vista sobre el mundo por el mundo mismo: todo ello, en tanto que lo trasciendo hacia la unidad sintética de mi ser-en-el-mundo, es *mi cuerpo,* como condición necesaria de la existencia de un mundo y como realización contingente de esa condición. Captamos ahora con toda claridad la definición que antes dábamos del cuerpo en su ser-para-nosotros: el cuerpo es la forma contingente que la necesidad de mi contingencia toma. Nunca podemos captar esta contingencia como tal, en tanto que nuestro cuerpo es *para nosotros*; pues somos elección, y el ser es, para nosotros, elegirnos. Aun esta invalidez que padezco, por el hecho mismo de vivirla la he asumido, la trasciendo hacia mis propios proyectos, hago de ella el obstáculo necesario para mi ser y no puedo ser inválido sin elegirme inválido, es decir, elegir la manera en que constituyo mi invalidez (como "intolerable", "humillante", "de-disimular" "de-revelar a todos", "objeto de orgullo", "justificación de mis fracasos", etc., etc.). Pero este cuerpo incaptable es precisamente la necesidad de que *haya una elección,* es decir, que no soy *todo a la vez.* En este sentido, mi finitud es condición de mi libertad, pues no hay libertad sin elección y, así como el cuerpo condiciona la concienia en cuanto pura conciencia del mundo, la hace posible hasta en su libertad misma.

Falta comprender qué es el cuerpo *para mí,* pues, precisamente por ser incaptable, no pertenece a los objetos del mundo, o sea a esos objetos que conozco y utilizo; empero, por otra parte, puesto que no puedo ser nada sin ser conciencia de lo que soy, es menester que el cuerpo se dé de algún modo a mi conciencia. En cierto sentido, es verdad, es lo que indican todos los utensilios que capto y lo aprehendo sin conocerlo en las indicaciones mismas que sobre los utensilios percibo. Pero, si nos limitáramos a esta observación, no podríamos distinguir el cuerpo del telescopio, por ejemplo, a través del cual el astrónomo mira los planetas. En efecto: si definimos el cuerpo como punto de vista contingente sobre el mundo, ha de reconocerse que la noción de punto de vista supone una doble relación: una relación con las cosas *sobre las cuales es* punto de vista, y una relación con el observador *para el cual es* punto de vista. Esta segunda relación es radicalmente diversa de la primera cuando se trata del cuerpo-punto-de-vista; pero no se distingue verdaderamente de la primera cuando se trata de un punto de vista en el mundo (catalejo, mirador, lupa, etc.) que sea un instrumento objetivo distinto del cuerpo. Un paseante que contempla un panorama *desde* un mirador ve tanto el mirador como el panorama: ve los árboles entre las columnas del mirador, el techo del mirador le oculta el cielo, etc. Empero, la "distancia" entre el mirador y él es, por definición, menor que entre sus ojos y el panorama. Y el *punto de vista* puede avecinarse al cuerpo hasta casi fundirse con éste, como se ve, por ejemplo, en el caso del catalejo, los binoculares, el monóculo, etc., que se convierten, por así decirlo, en un órgano sensible suplementario. En el límite –y si concebimos un punto de vista absoluto– la distancia entre éste y aquel para quien es punto de vista se aniquila. Esto significa que sería imposible retroceder para "tomar distancia" y constituir sobre el punto de vista un punto de vista nuevo. Esto, es, precisamente, según hemos observado, lo que caracteriza al cuerpo, instrumento que no puedo utilizar por medio de otro instrumento, punto de vista sobre el cual no puedo ya adoptar punto de vista. Pues, en efecto, sobre la cumbre de esa colina, que llamo precisamente un "hermoso punto de vista", tomo un punto de vista en el instante mismo en que miro el valle, y ese *punto de vista sobre el punto de vista* es mi cuerpo. Pero no podría tomar punto de vista sobre mi cuerpo sin una remisión al infinito. Sólo que, por este hecho, el cuerpo no puede ser *para mí* trascendente y conocido; la conciencia espontánea e irreflexiva no es ya conciencia *del* cuerpo. Sería preciso decir, más bien, sirviéndose del verbo existir como de un transitivo, que la conciencia *existe su cuerpo*. Así, la relación entre el cuerpo-punto-de-vista y las casas es una relación *objetiva*, y la relación entre conciencia y cuerpo es una relación *existencial*. ¿Cómo hemos de entender esta última relación?

En primer lugar, es evidente que la conciencia no puede existir su cuerpo sino como conciencia. Así, pues, *mi* cuerpo es una estructura consciente de mi conciencia. Pero, precisamente porque es el punto de vista sobre el cual no podría haber punto de vista, no hay, en el plano de la conciencia irreflexiva, una conciencia *del* cuerpo. El cuerpo pertenece, pues, a las estructuras de la conciencia no-tética (de) sí. ¿Podemos, sin embargo, identificarlo pura y simplemente con esa conciencia no-tética? Tampoco es posible, pues la conciencia no-tética es conciencia (de) sí en tanto que proyecto libre hacia una posibilidad que es suya, es decir, en tanto que ella es el fundamento de su propia nada. La conciencia no-posicional es conciencia (del) cuerpo como de aquello que ella sobrepasa y nihiliza haciéndose conciencia, es decir, como algo que ella es sin tener-de-serlo y *por sobre lo cual pasa* para ser lo que ella tiene-de-ser. En una palabra, la conciencia (del) cuerpo es lateral y retrospectiva; el cuerpo es aquello *de que se hace caso omiso, lo que se calla*, y es, sin embargo, aquello que ella *es*; la conciencia, inclusive, no es nada más que el cuerpo; el resto es nada y silencio. La conciencia del cuerpo es comparable a la conciencia del *signo*. El signo, por otra parte, es, del lado del cuerpo, una de las estructuras esenciales de éste. Y la conciencia del signo existe, si no, no podríamos comprender la significación. Pero el signo es lo *trascendido hacia la significación,* aquello de que se hace caso omiso en aras del sentido, lo que nunca es captado por sí mismo, aquello más allá de lo cual se dirige perpetuamente la mirada. La conciencia (del) cuerpo, siendo conciencia lateral y retrospectiva de lo que ella es sin tener-de-serlo, es decir, de su incaptable contingencia, de aquello a partir de lo cual ella se hace elección, es conciencia no-tética de la manera en que *es afectada.* La conciencia del cuerpo se confunde con la afectividad original. Pero ha de captarse correctamente el sentido de esta afectividad; y, para ello, es necesaria una distinción. La afectividad, en efecto, tal cual la introspección nos la revela, es ya afectividad *constituida:* es conciencia *del* mundo. Todo odio es odio *a* alguien; toda cólera es aprehensión de alguno como odioso o injusto o culpable; tener simpatía por alguien es "encontrarlo simpático", etc. En estos diversos ejemplos, una "intención" trascendente se dirige hacia el mundo y lo aprehende como tal. Hay ya, pues, un trascender, una negación interna; estamos en el plano de la trascendencia y la elección. Pero Scheler ha señalado que esa "intención" debe diferenciarse de las cualidades afectivas puras. Por ejemplo, si me "duele la cabeza", puedo descubrir en mí una afectividad intencional dirigida hacia mi dolor para "sufrirlo", para aceptarlo con resignación o para rechazarlo, para valorarlo (como injusto o merecido o purificador o humillante, etc.), para huirle. Aquí, la intención misma es afección; es acto puro y ya proyecto, pura conciencia *de* algo. Y no es esta conciencia la que podría considerarse como conciencia (del) cuerpo.

Pero, precisamente, tal intención no puede ser tampoco toda la afectividad. Siendo un trascender, supone algo trascendido. Así lo demuestra, por otra parte, la existencia de lo que Baldwin llama impropiamente los "abstractos emocionales". Este autor, en efecto, ha establecido que podíamos realizar afectivamente en nosotros mismos ciertas emociones sin experimentarlas concretamente. Si, por ejemplo, se me narra algún suceso doloroso que acaba de ensombrecer la vida de Pedro, exclamaré: "¡Cómo ha debido sufrir!". Yo no *conozco* este sufrimiento, y sin embargo tampoco lo *experimento* de hecho. Estos intermediarios entre el conocimiento puro y la verdadera afección son designados por Baldwin con el nombre de "abstractos". Pero el mecanismo de semejante abstracción permanece harto oscuro. ¿*Quién* abstrae? Si, según la definición de Laporte, abstraer es pensar *aparte* estructuras que no pueden *existir* separadas, es preciso o bien asimilar los abstractos emocionales a puros conceptos abstractos de emociones, o bien reconocer que tales abstractos no pueden *existir* en tanto que tales como modalidades reales de la conciencia. En verdad, los pretendidos "abstractos emocionales" son intenciones vacías, puros proyectos de emoción. Es decir, que nos dirigimos hacia el dolor y la vergüenza, nos tendemos hacia ellos; la conciencia se trasciende, pero *en vacío*. El dolor está ahí, objetivo y trascendente, pero le falta la existencia concreta. Valdría más llamar a esas significaciones sin materia *imágenes* afectivas; su importancia para la creación artística y la comprensión psicológica resulta innegable. Pero aquí sólo interesa que lo que las separa de una vergüenza real es la ausencia de lo *vivido*. Existen, pues, cualidades afectivas puras que son superadas y trascendidas por proyectos afectivos. No haremos de ellas, como Scheler, quién sabe qué "hyle" acarreada por el flujo de la conciencia: se trata simplemente, para nosotros, de la manera en que la conciencia *existe* su contingencia; es la textura misma de la conciencia en tanto que ésta trasciende esa textura hacia sus posibilidades propias; es la manera en que la conciencia *existe* espontáneamente y en el modo no-tético; es lo que ella *constituye* tética pero implícitamente como punto de vista sobre el mundo. Puede ser el dolor puro, pero también puede ser el humor como tonalidad afectiva no tética; lo agradable puro o lo desagradable puro; de modo general, todo aquello que se denomina *cenestesia*. Esta "cenestesia" rara vez aparece sin ser trascendida hacia el mundo por un proyecto trascendente del Para-sí; como tal, es muy difícil de estudiar aparte. Empero, existen algunas experiencias privilegiadas en que puede captársela en pureza, particularmente la del dolor llamado "físico". A este experiencia, pues, vamos a dirigirnos para fijar conceptualmente las estructuras de la conciencia (del) cuerpo.

Me duelen los ojos, pero debo terminar esta noche la lectura de una obra filosófica. Leo. El objeto de mi conciencia es el libro y, a través de él, las verdades por él significadas. El cuerpo no es en absoluto captado por sí mismo; es punto de vista y punto de partida: las palabras se deslizan unas tras otras ante mí, yo las *hago deslizar;* las del pie de la página, que no he visto todavía, pertenecen aún a un fondo relativo o "fondo-página" que se organiza sobre el "fondo-libro" y sobre el fondo absoluto o fondo de mundo; pero, desde el fondo de su indistinción, me llaman, poseen ya el carácter de *totalidad desmenuzable,* se dan como "de-hacer-deslizar bajo mi vista". En todo ello, el cuerpo no es dado sino *implícitamente:* el movimiento de mis ojos no aparece sino a la mirada de un observador. Para mí, no capto téticamente sino ese surgimiento fijo de las palabras unas tras otras. Empero, la sucesión de las palabras en el tiempo objetivo es dada y conocida a través de mi temporalización propia. Su movimiento inmóvil me es dado a través de un "movimiento" de mi conciencia; y este "movimiento" de conciencia, pura metáfora que designa una progresión temporal, es exactamente para mí el movimiento de mis ojos: me es imposible distinguir el movimiento de mis ojos con la progresión simétrica de mis conciencias, sin recurrir al punto de vista ajeno. Empero, en el momento mismo en que leo me *duelen los ojos.* Notemos ante todo que este dolor mismo puede ser *indicado* por los objetos del mundo, es decir, por el libro que leo: las palabras pueden arrancarse con mayor dificultad al fondo indiferenciado que constituyen; pueden temblar, bailotear, su sentido puede darse trabajosamente; la frase que acabo de leer puede darse dos, tres veces como "no comprendida", como "de-releer". Pero estas indicaciones mismas pueden faltar; por ejemplo, en el caso en que mi lectura "me absorba" y "me olvide" del dolor (lo que no significa en modo alguno que éste haya desaparecido, puesto que, si llego a tomar conciencia de él en un acto *reflexivo* ulterior, se dará como habiendo sido siempre ahí); y, de todos modos, no es eso lo que nos interesa:

tratábamos de captar la manera en que la conciencia *existe* su dolor. Pero ante todo, se dirá, ¿cómo se da el dolor como *dolor de ojos*? ¿No hay en ello una remisión intencional a un objeto trascendente, a mi cuerpo precisamente en tanto que existe fuera, en el mundo? Es incontestable que el dolor contiene una información acerca de sí mismo: es imposible confundir un dolor de ojos con un dolor del dedo o del estómago. Empero, el dolor está totalmente desprovisto de intencionalidad. Hemos de entendernos: si el dolor se da como dolor "de ojos", no hay en ello ningún misterioso "signo local" ni tampoco conocimiento. Solamente, el dolor *es precisamente los ojos* en tanto que la conciencia "los existe". Y, como tal, se distingue por su esencia misma, no por un criterio ni por nada sobreagregado, de cualquier otro dolor. Por cierto, la denominación dolor *de ojos* supone todo un trabajo constitutivo que hemos de describir. Pero, en el momento en que nos colocamos, no cabe aún considerarlo, pues no está hecho: el dolor no está encarado desde un punto de vista reflexivo, no está referido a un cuerpo-para-otro. Es dolor-ojos o dolor-visión; no se distingue de mi manera de captar las palabras trascendentes. Nosotros lo hemos llamado dolor de ojos, para claridad de la exposición; pero él mismo no está nombrado en la conciencia, pues no es *conocido*. Simplemente, se distingue inefablemente y por su ser mismo de los demás dolores posibles.

Ese dolor, empero, no existe en ninguna parte entre los objetos actuales del universo. No está a derecha ni a izquierda del libro, ni entre las verdades que a través del libro se revelan, ni en mi cuerpo-objeto (el que el prójimo ve, el que puedo siempre tocar parcialmente y parcialmente ver), ni en mi cuerpo-punto-de-vista en tanto que implícitamente indicado por el mundo. No ha de decirse tampoco que está en "sobreimpresión" o, como un armónico, "superpuesto" a las cosas que veo. Son estas imágenes carentes de sentido. Así, pues, no está en el espacio. Pero tampoco pertenece al tiempo objetivo: se temporaliza, y por esta temporalización puede aparecer el tiempo del mundo. Entonces, ¿qué es? Simplemente, la materia translúcida de la conciencia, su *ser-ahí*, su vinculación con el mundo; en una palabra, la contingencia propia del acto de lectura. Existe allende toda atención y todo conocimiento, puesto que se desliza en cada acto de conocimiento y de atención, puesto que es este acto mismo, en tanto que es sin ser fundamento de su ser.

Y sin embargo, aun en ese plano de ser puro, el dolor como vinculación contingente con el mundo no puede ser existido no-temáticamente por la conciencia a menos que sea trascendido. La conciencia dolorosa es negación interna del mundo; pero a la vez ella existe su dolor –es decir, se existe a sí misma– como arrancamiento a sí. El dolor puro, como simplemente vivido, no es alcanzable: pertenecería a la especie de los indefinibles e indescriptibles, que son lo que son. Pero la conciencia dolorosa es proyecto hacia una conciencia ulterior, que sería vacía de todo dolor, es decir, cuya contextura, cuyo ser-ahí, sería no doloroso. Este escaparse *lateral*, este arrancamiento a sí que caracteriza a la conciencia dolorosa, no constituye con todo el dolor como objeto psíquico: es un proyecto no-tético del Para-sí; no nos informamos de él sino por el mundo; por ejemplo, es dado en la manera en que el libro aparece como "debiendo ser leído con ritmo precipitado", en la manera en que las palabras se empujan unas a otras, en una ronda infernal y fija; en la manera en que el universo íntegro está afectado de *inquietud*. Por otra parte –y es lo propio de la existencia corporal–, lo inefable que se quiere rehuir se reencuentra en el seno de ese mismo arrancamiento, y constituirá las conciencias que lo trascienden: es la contingencia misma y el ser de la huida que quiere huirle. En ninguna otra parte tocaremos más de cerca esa nihilización del En-sí por el Para-sí y la recuperación del Para-sí por el En-sí de que se nutre esa nihilización misma.

Sea, se dirá. Pero usted se facilita las cosas escogiendo un caso en que el dolor es precisamente dolor del órgano en función, dolor del ojo mientras mira, o de la mano mientras coge. Pues, al fin y al cabo, puedo sufrir de una herida en el dedo mientras estoy leyendo. En tal caso, sería difícil sostener que mi dolor es la contingencia misma de mi "acto de leer".

Notemos ante todo que, por absorto que esté en mi lectura, no por eso dejo de hacer advenir el mundo al ser; más aún: mi lectura es un acto que implica en su naturaleza misma la existencia del mundo como fondo necesario. Esto no significa en modo alguno que tenga menor conciencia del mundo, sino que tengo conciencia de él *como fondo*. No pierdo de vista los colores, los movimientos que me rodean, no ceso de oír los sonidos; simplemente, se pierden en la totalidad indiferenciada que sirve de fondo a mi lectura. Correlativamente, mi cuerpo no deja de ser indicado por el mundo como el punto de vista total sobre la totalidad mundana; pero es indicado por el mundo como fondo. Así, mi cuerpo no deja de *ser existido* en totalidad en la medida en que es la contingencia total de mi conciencia. Es a la vez lo que la totalidad del mundo como fondo indica y la totalidad que yo existo afectivamente en conexión con la aprehensión objetiva del mundo. Pero, en la medida en que un *esto* particular se destaca como forma sobre fondo de mundo, indica correlativamente hacia una especificación funcional de la totalidad corporal y, al mismo tiempo, mi conciencia existe una forma corporal que se destaca sobre la totalidad-cuerpo existida por ella. El libro es leído, y en la medida en que existo y en que trasciendo la contingencia de la visión, o, si se quiere, de la lectura, los *ojos* aparecen como forma sobre fondo de totalidad corporal. Entiéndase bien que, en este plano de existencia, los ojos no son el órgano sensorial visto por otro, sino sólo la contextura misma de mi conciencia de ver, en tanto que esta conciencia es una estructura de mi conciencia más amplia del mundo. Tener conciencia, en efecto, es siempre tener conciencia del mundo, y así el mundo y el cuerpo son siempre presentes, aunque de modo diverso, a mi conciencia. Pero esta conciencia total del mundo es conciencia del mundo como fondo para tal o cual *esto* particular, y así, tal como la conciencia se especifica en su acto mismo de nihilización, hay presencia de una estructura singular del cuerpo sobre fondo total de corporeidad. En el momento mismo en que estoy leyendo, no ceso, pues, de ser un cuerpo, sentado en tal o cual sillón, a tres metros de la ventana, en condiciones de presión y temperatura dadas. Y en cuanto a ese dolor en mi índice derecho, no dejo de *existirlo* como mi cuerpo en general. Sólo que lo existo en tanto que el dolor se desvanece en el fondo de corporeidad como una estructura subordinada a la totalidad corporal. No es ni ausente ni inconsciente: simplemente, forma parte de esa existencia sin distancia de la conciencia posicional para sí misma. Si en un momento vuelvo las páginas del libro, el dolor de mi índice, sin por eso convertirse en objeto de conocimiento, pasará a la categoría de contingencia existida como forma sobre una nueva organización de mi cuerpo como fondo total de contingencia. Estas observaciones corresponden, por otra parte, a la siguiente observación empírica: mientras se lee, es más fácil "distraerse" de un dolor del índice o de los riñones que de un dolor de ojos. Pues el dolor de ojos *es precisamente mi lectura*, y las palabras que leo me remiten a cada instante a él, mientras que mi dolor del dedo o de los riñones, siendo la aprehensión del mundo como fondo, queda perdido, como estructura parcial, en el cuerpo como aprehensión fundamental del fondo de mundo.

Pero he aquí que ceso de pronto de leer y me absorbo ahora en la *captación* de mi dolor. Esto significa que dirijo sobre mi conciencia presente o conciencia-visión una conciencia reflexiva. Así, la textura actual de mi conciencia refleja –en particular, mi dolor– es aprehendida y *puesta* por mi conciencia reflexiva. Ha de recordarse aquí lo que decíamos de la reflexión: es una captación totalitaria y sin punto de vista, un conocimiento rebalsado por sí mismo, que tiende a objetivarse, a proyectar a distancia el contenido para poder contemplarlo y pensarlo. El movimiento primero de la reflexión es, pues, para trascender la cualidad conciencial pura de dolor hacia un *objeto-dolor*. Así, ateniéndonos a lo que hemos llamado la reflexión cómplice, la reflexión tiende a hacer del dolor algo *psíquico*. Este objeto psíquico aprehendido a través del dolor es el *mal*. Es un objeto que tiene todas las características del dolor, pero es trascendente y pasivo. Es una realidad que posee su tiempo propio: no el tiempo del universo exterior ni el de la conciencia, sino el tiempo psíquico; y puede entonces ser soporte de apreciaciones y determinaciones diversas. Como tal, es distinta de la conciencia misma y aparece a través de ella; permanece mientras la conciencia evoluciona, y esta permanencia misma es condición de la opacidad y pasividad del Mal. Pero, por otra parte, este mal, en tanto que captado a través de la conciencia, tiene todos los caracteres de unidad, interioridad y espontaneidad de la conciencia, pero degradados. Tal degradación le confiere individualidad psíquica. Es decir, en primer lugar, que tiene una cohesión absoluta y sin partes. Además, tiene su duración propia, puesto que está fuera de la conciencia y posee un pasado y un porvenir. Pero esta duración, que no es sino la proyección de la temporalización original, es multiplicidad de interpenetración. Ese mal es "penetrante", "acariciador", etc. Y tales características no tienden sino a traducir la manera en que ese mal se perfila en la duración: son cualidades melódicas. Un dolor que se da por accesos seguidos de cesaciones no es captado por la reflexión como pura alternancia de conciencias dolorosas y conciencias no dolorosas: para la reflexión organizadora, las breves treguas *forman parte* del mal, tal como los silencios forman parte de una melodía. El conjunto constituye el *ritmo y el tempo*[1] del mal. Pero, a la vez que es objeto pasivo, el mal, en tanto que visto a través de una espontaneidad absoluta que es la conciencia, es proyección de esta espontaneidad en el En-sí. En tanto que espontaneidad pasiva, es mágico: se da como prolongándose a sí mismo, como enteramente dueño de su forma temporal. Aparece y desaparece de otro modo que los objetos espacio-temporales: si no veo ya la mesa, se debe a que he vuelto la cabeza; pero, si no siento ya mi mal, se debe a que "se ha ido". De hecho, se produce aquí un fenómeno análogo a lo que los psicólogos de la forma llaman ilusión estroboscópica. La desaparición del mal, burlando los proyectos del para-sí reflexivo, se da como movimiento de retroceso, casi como voluntad. Hay un animismo del mal: se da como un ser vivo dotado de su forma, su propia duración, sus hábitos. Los enfermos tienen con él una suerte de intimidad: cuando aparece, no es como un fenómeno nuevo, sino que, dirá el enfermo, es "mi crisis de la tarde". Así, la reflexión no vincula entre sí los momentos de una misma crisis, sino, allende una jornada entera, vincula las cri-

---

[1] *Allure*; se utiliza aquí el italianismo "tempo" para evitar los equivalentes españoles, eventualmente equívocos, de "aire" o "movimiento". (N. del T.)

sis entre sí. Empero, esta síntesis de recognición tiene un carácter especial: no tiende a constituir un objeto que permanezca existente aun cuando no se dé a la conciencia (al modo de un odio, que permanece "adormecido" o permanece "en lo inconsciente"). En verdad, cuando el mal se va, desaparece definitivamente, "ya no hay" mal. Pero se sigue esta curiosa consecuencia: cuando reaparece, surge, en su pasividad misma, como una especie de generación espontánea. Por ejemplo, se lo siente suavemente "acercarse", helo ahí que "resurge": "ahí está". Así, ni los primeros dolores ni los sucesivos son aprehendidos por sí mismos como textura simple y desnuda de la conciencia refleja: son los "anuncios" del mal o, mejor, el propio mal, que nace lentamente, como una locomotora que se pone lentamente en marcha. Pero, por otra parte, ha de advertirse que constituyo el mal *con* un dolor. Esto no significa en modo alguno que capte el mal como causa del dolor, sino, más bien, ocurre con cada dolor concreto como con una nota en una melodía: es a la vez la melodía entera y un "tiempo" de la melodía. A través de cada dolor, capto el mal entero y, sin embargo, éste las trasciende todas, pues es la totalidad sintética de todos los dolores, el tema que se desarrolla por ellas y a través de ellas. Pero la materia del mal no se parece a la de una melodía: en primer lugar, es algo puramente vivido; no hay distancia alguna entre la conciencia refleja y el dolor, ni entre la conciencia refleja y la conciencia refleja. Resulta de ello que el mal es trascendente pero sin distancia. Está fuera de mi conciencia, como totalidad sintética y ya a punto de estar *en otra parte;* pero, por otro lado, está en ella, penetra en ella por todas sus indentaciones, por todas sus notas, que *son mi conciencia.*

En este nivel, ¿qué se ha hecho *el cuerpo?* Ha habido, notémoslo bien, una especie de escisión con motivo de la proyección refleja: para la conciencia irrefleja, el dolor *era* el cuerpo; para la conciencia refleja, el mal es distinto del cuerpo, tiene su forma propia, viene y se va. Al nivel reflexivo en que nos hemos colocado, es decir, antes de la intervención del para-otro, el cuerpo no es explícita y temáticamente dado a la conciencia. La conciencia refleja es conciencia *del* mal. Sólo que, si el mal tiene una forma que le es propia y un ritmo melódico que le confiere individualidad transcendente, adhiere al para-sí por su materia, puesto que es develado a través del dolor y como la unidad de todos mis dolores del mismo tipo. Es *mío* en el sentido de que yo le doy su materia. Lo capto como sostenido y nutrido por cierto medio pasivo, cuya pasividad es la exacta proyección en el en-sí de la facticidad contingente de los dolores y es *mi* pasividad. No se capta ese medio por sí mismo, sino como se capta la materia de la estatua cuando le percibo la forma, y, sin embargo, es ahí: es la *pasividad roída por el mal*, al cual da mágicamente nuevas fuerzas, como la tierra a Anteo. Es mi cuerpo en un nuevo plano de existencia, es decir, como puro correlato noemático de una conciencia reflexiva. Lo llamaremos *cuerpo psíquico*. No es tampoco en modo alguno *conocido*, pues la reflexión que procura captar a la conciencia dolorosa no es cognoscitiva aún. Es afectividad en su surgimiento originario. Capta efectivamente al mal como un objeto, pero como un objeto afectivo. Uno se dirige primero sobre el propio dolor para odiarlo, para soportarlo con paciencia, para aprehenderlo como intolerable, a veces para amarlo, para regocijarse (si anuncia la liberación, la cura), para valorarlo de alguna manera. Y, por supuesto, lo que se valora es el mal, o, mejor, el mal es lo que surge como correlato necesario de la valoración. El mal no es, pues, conocido, sino *padecido, y el* cuerpo, de modo análogo, se devela por el Mal, y la conciencia lo padece igualmente. Para enriquecer el cuerpo, tal cual se da a la reflexión, con estructuras cognoscitivas, será menester recurrir al *Otro*: no podemos hablar de ello por ahora, pues es preciso haber sacado antes a luz las estructuras del cuerpo-para-otro. Empero, desde luego podemos advertir que ese cuerpo psíquico, siendo la proyección, en el plano del en-sí, de la intracontextura de la conciencia, constituye la materia implícita de *todos* los fenómenos de la psique. Del mismo modo que el cuerpo originario era existido por cada conciencia como su contingencia propia, así el cuerpo psíquico es *padecido* como la contingencia del odio o del amor, de los actos y de las cualidades, pero esta contingencia posee un carácter nuevo: en tanto que existida por la conciencia, era la recuperación de la conciencia por el en-sí; en tanto que padecida, *en* el dolor o el odio a la empresa, es *proyectada en* el en-sí por la reflexión. Representa por ello la tendencia de cada objeto psíquico, allende su cohesión mágica, a desmenuzarse en exterioridad; representa, allende las relaciones mágicas que unen los objetos psíquicos entre sí, la tendencia de cada uno de ellos a aislarse en una insularidad de indiferencia: es, pues, como un espacio implícito que subtiende a la duración melódica de lo psíquico. El cuerpo, en tanto que es la materia contingente e indiferente de todos nuestros acaecimientos psíquicos, determina un *espacio psíquico*. Este espacio no tiene alto ni bajo, derecha ni izquierda, es aún sin partes en tanto que la cohesión mágica de lo psíquico viene a combatir su tendencia al desmenuzamiento de indiferencia. No por eso es menos una característica real de la *psique*: no que la psique esté *unida a* un cuerpo, sino que, bajo su organización melódica, el cuerpo es su sustancia y su perpetua condición de posibilidad. Él es el que aparece desde que *nombramos* lo psíquico; él está en la base del mecanismo y del quimismo metafórico de que usamos para clasificar y explicar los acaecimientos de la psique; a él apuntamos e informamos en las imágenes (conciencias imaginantes) que producimos para apuntar y presentificar sentimientos ausentes; él es, por último, el que motiva y, en cierta medida, justifica teorías psicológicas como la de la inconciencia y problemas como el de la conservación de los recuerdos.

Va de suyo que hemos escogido el dolor psíquico a título de ejemplo y que hay otras mil maneras, contingentes también, de existir nuestra contingencia. En particular, cuando ningún dolor, placer ni desplacer preciso es "existido" por la conciencia, el para-sí no deja de proyectarse allende una contingencia pura y, por así decirlo, no cualificada. La conciencia no cesa de "tener" un cuerpo. La afectividad cenestésica es entonces pura captación no-posicional de una contingencia sin color, pura aprehensión de sí como existencia de hecho. Esta captación perpetua por mí para-sí de un gusto insulso y sin distancia que me acompaña hasta en mis esfuerzos por librarme de él, y que es *mi* gusto, es lo que hemos descrito en otro lugar con el nombre de *Náusea*. Una náusea discreta e incoercible revela perpetuamente mi cuerpo a mi conciencia: puede ocurrir que busquemos lo agradable o el dolor físico para librarnos de ella, pero, desde que el dolor o el agrado son existidos por la conciencia, manifiestan a su vez su facticidad y contingencia, y se develan sobre fondo de náusea. Lejos de tener que comprender este término de *náusea* como una metáfora tomada de nuestros malestares fisiológicos, es, muy al contrario, el fundamento sobre el cual se producen todas las náuseas concretas y empíricas (náuseas ante la carne pútrida, la sangre fresca, los excrementos, etc.) que nos conducen al vómito.

II

El cuerpo-para-otro

Acabamos de describir el ser de mi cuerpo *para-mí*. En este plano ontológico, mi cuerpo es tal como lo hemos descrito y *nada más que eso*. Vano sería buscar en él vestigios de un órgano fisiológico, de una constitución anatómica y espacial. O bien es el centro de referencia indicado en vacío por los objetos-utensilios del mundo, o bien es *la contingencia de que exista el para-sí*; más exactamente, ambos modos de ser son complementarios. Pero el cuerpo conoce las mismas vicisitudes que el propio para-sí: tiene otros planos de existencia. Existe también *para otro*. En esta nueva perspectiva ontológica debemos estudiarlo ahora. Tanto da estudiar la manera en que *mi* cuerpo aparece al prójimo como la manera en que el cuerpo ajeno se me aparece. Hemos establecido, en efecto, que las estructuras de mi ser-para-otro son idénticas a las del ser del otro para mí. Así, pues, partiendo de estas últimas por razones de comodidad, estableceremos la naturaleza del cuerpo-para-otro (es decir, del cuerpo ajeno).

Hemos mostrado en el capítulo anterior que el cuerpo no es lo que manifiesta primeramente al prójimo para mí. En efecto: si la relación fundamental entre mi ser y el ajeno se redujera a la relación entre mi cuerpo y el del otro, sería pura relación de exterioridad. Pero mi conexión con el prójimo es inconcebible si no es una negación interna. Debo captar al prójimo primeramente como aquello para lo cual existo como objeto; la recuperación de mi ipseidad hace aparecer al prójimo como objeto en un segundo momento de la historialización antehistórica; la aparición del cuerpo ajeno no es, pues, el encuentro primero, sino, al contrario, un mero episodio de mis relaciones con el prójimo y, más especialmente, de lo que hemos denominado la objetivación del otro; o, si se quiere, el prójimo existe para mí primeramente y lo capto en su cuerpo *después;* el cuerpo ajeno es para mí una estructura secundaria.

El prójimo, en el fenómeno fundamental de la objetivación del otro, se me aparece como transcendencia transcendida. Es decir que, por el solo hecho de proyectarme hacia mis posibilidades, supero y transciendo su transcendencia, que queda fuera de juego: es una trascendencia-objeto. Capto esta trascendencia en el mundo y, originariamente, como cierta disposición de las cosas-utensilios de *mi* mundo, en tanto que indican *por añadidura* un centro de referencia secundario que es en medio del mundo y que no soy yo. Estas indicaciones no son, a diferencia de las indicaciones que *me indican,* constitutivas de la cosa indicadora: son propiedades laterales del objeto. El prójimo, como hemos visto, no puede ser un concepto constitutivo del mundo. Todas esas indicaciones tienen, pues, una contingencia originaria y el carácter de un *acaecimiento.* Pero el centro de referencia que ellas indican es ciertamente *el otro* como trascendencia simplemente contemplada o trascendida. La disposición secundaria de los objetos me remite ciertamente al prójimo como al organizador o al beneficiario de esa disposición, en suma, a un instrumento que dispone los utensilios con vistas a un fin que él mismo produce. Pero este fin, a su vez, es trascendido y utilizado por mí; está en medio del mundo y puedo servirme de él para mis propios fines. Así, el prójimo es indicado primeramente por las cosas como un instrumento. A mí también me indican las cosas como un instrumento, y soy cuerpo, precisamente, en tanto que me hago indicar por las cosas. Así, pues, las cosas, por sus disposiciones laterales y secundarias, indican al prójimo como cuerpo. El hecho es, incluso, que no conozco utensilios que no se refieran secundariamente al cuerpo del otro. Pero, poco ha, no me era posible adoptar ningún punto de vista sobre mi cuerpo en tanto que éste es designado por las cosas. El cuerpo es, en efecto, el punto de vista sobre el cual no puedo adoptar ningún punto de vista, el instrumento que no puedo utilizar por medio de ningún instrumento. Cuando, por el pensamiento universalizador, intentaba pensarlo en vacío como puro instrumento en medio del mundo, resultaba en seguida el desmoronamiento del mundo en tanto que tal. Al contrario, por el solo hecho de que *yo no soy el otro*, su cuerpo se me aparece originariamente como un punto de vista sobre el cual puedo adoptar un punto de vista, como un instrumento que puedo utilizar con otros instrumentos. Está indicado por la ronda de las cosas-utensilios, pero indica a su vez otros objetos y, finalmente, se integra en *mi* mundo e indica *mi* cuerpo. Así, el cuerpo ajeno es radicalmente diferente de mi cuerpo-para-mí: es el utensilio que yo no soy y que utilizo (o que me resiste, lo que viene a ser lo mismo). Se presenta a mí originariamente con cierto coeficiente objetivo de utilidad y adversidad. El cuerpo ajeno es, pues, el prójimo mismo como trascendencia-instrumento. Las mismas observaciones se aplican al cuerpo ajeno como conjunto sintético de órganos sensibles. No *descubrimos* en y por el cuerpo ajeno la posibilidad que tiene el prójimo de conocernos: esta posibilidad se revela fundamentalmente en y por mi *ser-objeto para* el Prójimo, es decir, que es la estructura esencial de nuestra relación originaria con el prójimo. Y en esta relación originaria, la huida de *mi* mundo hacia el prójimo es igualmente dada. Por la recuperación de mi ipseidad, trasciendo la trascendencia ajena en tanto que ésta es permanente posibilidad de captarme como objeto. Por este hecho, se convierte en trascendencia puramente dada y trascendida hacia mis propios fines, trascendencia que simplemente "es-ahí", y el conocimiento que el prójimo tiene de mí y del mundo se convierte en conocimiento-objeto. Es decir, que es una propiedad dada del prójimo, propiedad que puedo a mi vez *conocer*. A decir verdad, este conocimiento que adquiero permanece vacío, en el sentido de que jamás conoceré *el acto de conocer*: este acto, siendo pura trascendencia, no puede ser captado sino por sí mismo en forma de conciencia no-tética, o por la reflexión nacida de él. Lo que conozco es sólo el conocimiento como *ser-ahí, o,* si se quiere, el *ser-ahí del* conocimiento. Así, esa relatividad del órgano sensorial que se revelaba a mi razón universalizadora pero que no podía ser pensada –cuando se trataba de mi propio sentido– sin determinar el desmoronamiento del mundo, es captada por mí *primeramente* cuando capto al prójimo-objeto y la capto *sin peligro,* puesto que, formando parte el prójimo de mi universo, su relatividad no podría determinar el desmoronarse de este universo mío. Este sentido del prójimo es *sentido conocido como cognoscente.* Se ve cómo a la vez se explica el error de los psicólogos, que definen mi sentido por el sentido del prójimo y que dan al órgano sensible tal cual es para-mí una relatividad que pertenece a su ser-para-otro; y a la vez cómo este error se convierte en verdad si lo restituimos a su nivel de ser después de haber determinado el orden verdadero del ser y el conocer. Así, los objetos de mi mundo indican lateralmente un centro-de-referencia-objeto que es el prójimo. Pero este centro, a su vez, se me aparece desde un punto de vista sin punto de vista que es el mío, que es mi cuerpo o mi contingencia. En una palabra, para utilizar una expresión impropia pero corriente, *conozco al prójimo por los sentidos.* Así como el prójimo es el instrumento que utilizo por medio del instrumento que soy y al que ningún otro instrumento puede utilizar, así también es el conjunto de órganos sensibles que se revelan a mi *conocimiento sensible,* es decir, es una facticidad que se aparece a otra facticidad. De este modo, cabe, en su verdadero lugar dentro del orden del conocer y del ser, un estudio de los órganos sensibles del prójimo tal como son sensorialmente conocidos por mí. Y este estudio tendrá muy en cuenta la función de esos órganos sensibles, *que es conocer.* Pero este conocimiento, a su vez, será puro objeto para mí: de ahí, por ejemplo, el falso problema de la "visión invertida". De hecho, originariamente, el órgano sensorial ajeno no es en modo alguno un instrumento de conocimiento para el prójimo; es, simplemente, el conocer del otro, su puro acto de conocimiento en tanto que este conocimiento existe en el modo del objeto en mi universo.

Sin embargo, no hemos definido aún el cuerpo ajeno sino en tanto que lateralmente indicado por las cosas-utensilios de mi universo. Esto no nos da, a decir verdad, su ser-ahí "de carne y hueso". Por cierto, el cuerpo ajeno está presente doquiera en la indicación misma que de él dan las cosas-utensilios en tanto que se revelan como utilizadas por él y como por él conocidas. Este salón en que espero al dueño de casa me revela, en su totalidad, el cuerpo de su propietario: este sillón es sillón-donde-él-se-sienta, este escritorio es escritorio-en-el-cual-escribe, aquella ventana es ventana por donde entra la luz-que-alumbra-los-objetos-que-él-ve. Así, está esbozado en todas partes, y ese esbozo es esbozo-objeto; un objeto puede venir en cualquier momento a llenarlo con su materia. Pero ello no quita que el dueño de casa "no esté ahí". Está *en otra parte*, está *ausente*.

Pero, justamente, hemos visto que la ausencia es una estructura del *ser-ahí*. Estar ausente es ser-en-otra-parte-en-mi-mundo; es ser ya dado para mí. Desde que recibo una carta de mi primo que está en África, su ser-en-otra-parte me es dado concretamente por las indicaciones mismas de la carta, y ese ser-en-otra-parte es ser-en-alguna-parte, es ya su cuerpo. No se explicaría de otro modo que la carta misma de la mujer amada conmueva sensualmente a su amante: todo el cuerpo de la amada está presente como ausencia en las líneas, en el papel. Pero el ser-en-otra-parte, siendo un *ser-ahí* con respecto a un conjunto concreto de cosas-utensilios en una *situación concreta*, es ya facticidad y contingencia. Lo que define la contingencia de Pedro y la mía no es solamente nuestro *encuentro* de hoy, sino que su ausencia de ayer definía igualmente nuestras contingencias y facticidades. Esta facticidad del ausente está implícitamente dada en esas cosas-utensilios que lo indican: la brusca aparición de aquél no agrega nada a ella. Así, el cuerpo del prójimo es su *facticidad* como utensilio y como síntesis de órganos sensibles en tanto que ella se revela a mi propia facticidad. Me es dada desde que el prójimo existe para mí en el mundo; la presencia o ausencia del otro no cambia nada en ella.

Pero he aquí que Pedro aparece, entra en mi cuarto. Esta aparición no cambia en nada la estructura fundamental de mi relación con él: es contingencia, pero tal como también lo era su ausencia. Los objetos lo indican a mí: la puerta que abre indica una presencia humana al desplazarse ante él, lo mismo que el sillón donde se sienta, etc.; pero los objetos no dejaban de indicarlo durante su ausencia. Ciertamente, yo existo para él, él me habla; pero yo existía igualmente ayer, cuando me enviaba ese telegrama, que ahora está sobre mi escritorio, para anunciarme su venida. Empero, hay algo de nuevo: el hecho de que se aparece ahora sobre fondo de mundo como un *esto* que puedo mirar, captar, utilizar directamente. ¿Qué significa ello? En primer lugar, que la facticidad del otro, es decir, la contingencia de su ser, es ahora *explícita* en vez de estar implícitamente contenida en las indicaciones laterales de las cosas-utensilios. Esta facticidad es precisamente la que él *existe* en y por su para-sí; la que él vive perpetuamente por la náusea como captación no-posicional de una contingencia que él es, como pura aprehensión de sí en tanto que existencia de hecho. En una palabra, es su *cenestesia*. La aparición del prójimo es develación del gusto de su ser como existencia inmediata. Sólo que no capto yo ese gusto como él lo capta. La náusea, para él, no es conocimiento; es aprehensión no tética de la contingencia que él *es*; es un trascender esta contingencia hacia posibilidades propias del para-sí; es contingencia existida, contingencia padecida y denegada. Esa misma contingencia –y nada más– es lo que capto ahora. Sólo que yo *no* soy esa contingencia. La trasciendo hacia mis propias posibilidades, pero este trascender es transcendencia *de otro*. Me es enteramente dada y sin apelación; es irremediable. El para-sí ajeno se arranca a esta contingencia y la trasciende perpetuamente. Pero, en tanto que yo trasciendo la trascendencia ajena, la fijo; ella no es ya un recurso contra la facticidad; muy por el contrario, participa de la facticidad a su vez, y emana de ella. Así, nada viene a interponerse entre la contingencia pura del prójimo como *gusto para sí* y mi conciencia. Lo que capto es precisamente *ese* gusto tal como es existido. Sólo que, por el solo hecho de mi alteridad, ese gusto aparece como un *esto* conocido y dado en medio del mundo. Ese cuerpo ajeno me es dado como el en-sí puro del ser del otro: un en-sí entre otros en-síes, al que trasciendo hacia mis posibilidades. Ese cuerpo ajeno se revela, pues, por dos características igualmente contingentes: es aquí y podría ser en otra parte, es decir, las cosas-utensilios podrían disponerse de otro modo con respecto a él; indicándolo de otra manera, las distancias entre la silla y él podrían ser otras; es como esto y podría ser de otro modo, es decir, capto su contingencia original en la forma de una configuración objetiva y contingente. Pero, en realidad, ambos caracteres constituyen uno solo. El segundo no hace sino presentificar, explicitar para mí el primero. Ese cuerpo ajeno es el hecho puro de la presencia del otro en *mi* mundo como un ser-ahí que se traduce por un ser-como-esto. Así, la existencia misma del prójimo como prójimo-para-mí implica que se revela como utensilio dotado de la propiedad de conocer, y que esta propiedad de conocer está ligada a una existencia objetiva cualquiera. Es lo que llamaremos la necesidad ajena de ser contingente para m͞í. Desde que *hay* un prójimo, debe concluirse, pues, que es un instrumento dotado de órganos sensibles cualesquiera. Pero estas consideraciones no hacen sino señalar la necesidad abstracta del prójimo de tener un cuerpo. Ese cuerpo ajeno, en tanto que yo me lo encuentro, es la develación, como objeto-para-mí, de la forma contingente que la necesidad de esa contingencia asume. Todo prójimo debe tener órganos sensibles, pero no necesariamente *estos* órganos sensibles, no *un rostro,* y, por último, no *este rostro.* Pero rostro, órganos sensibles, presencia, todo ello no es otra cosa que la forma contingente de la necesidad del prójimo de *existirse* como perteneciente a una raza, una clase, un medio, etc., en tanto que esta forma contingente es trascendida por una trascendencia que *no tiene-de existirla.* Lo que es *gusto de sí* para el prójimo se convierte para mí en *carne del otro.* La carne es contingencia pura de la presencia. Está de ordinario enmascarada por la ropa, los afeites, el corte del cabello o de la barba, la expresión, etc. Pero, en el curso de un largo comercio con una persona, llega siempre un instante en que todas esas máscaras se deshacen y en que me encuentro en presencia de la *contingencia pura de su presencia;* en este caso, en un rostro o en los demás miembros de un cuerpo tengo la intuición pura de la carne. Esta intuición no es sólo conocimiento; es aprehensión afectiva de una contingencia absoluta, y esa aprehensión es un tipo particular de *náusea*.

El cuerpo ajeno es, pues, la facticidad de la trascendencia-transcendida en tanto que se refiere a mi facticidad. No capto jamás al prójimo como cuerpo sin captar a la vez, de modo no explícito, mi cuerpo como el centro de referencia indicado por el otro. Pero, igualmente, sería imposible percibir el cuerpo ajeno *como carne* a título de objeto aislado que mantenga con los otros *estos* puras relaciones de exterioridad. Ello no es cierto sino para el *cadáver*. El cuerpo ajeno como carne me es inmediatamente dado como centro de referencia de una situación que se organiza sintéticamente en torno del prójimo, y es inseparable de esta situación; no ha de preguntarse, pues, cómo puede el cuerpo ajeno ser primeramente cuerpo para mí y después entrar en situación: el prójimo me es originariamente dado como *cuerpo en situación*. No hay, pues, por ejemplo, primero cuerpo y acción después, sino que el cuerpo es la contingencia objetiva de la acción ajena. Así encontramos nuevamente, en otro plano, una necesidad ontológica que habíamos señalado con motivo de la existencia de mi cuerpo para mí: la contingencia del para-sí, decíamos, es la recuperación perpetuamente trascendida y perpetuamente renaciente del para-sí por el en-sí sobre fondo de nihilización primera. Aquí, análogamente, un cuerpo ajeno como carne no podría *insertarse* en una situación previamente definida, sino que ese cuerpo es precisamente aquello a partir de lo cual hay situación. Tampoco aquí el cuerpo podría existir sino en y por una trascendencia; sólo que esta trascendencia es, desde luego, trascendida: ella misma es objeto. Así, el cuerpo de Pedro no es primero una mano que pudiera coger luego este vaso: semejante concepción tendería a poner el cadáver en el origen del cuerpo vivo; sino que es el complejo mano-vaso en tanto que la *carne* de la mano señala la contingencia original de ese complejo. Lejos de ser un problema la relación entre el cuerpo y los objetos, no captamos nunca el cuerpo fuera de esa relación. Así, el cuerpo ajeno es *significante*. La significación no es sino un movimiento de trascendencia fijado. Un cuerpo es cuerpo en tanto que esa masa de carne que él *es se* define por la mesa a la que mira, por la silla que coge, por la acera por donde anda, etc. Pero, si llevamos las cosas más lejos, no podría tratarse de agotar las significaciones que constituyen el cuerpo por la referencia a las acciones concertadas, a la utilización racional de los complejos-utensilios. El cuerpo es totalidad de relaciones significativas con el mundo: en este sentido, se define también por referencia al aire que respira, al agua que bebe, a la carne que come. El cuerpo, en efecto, no podría aparecer sin sostener relaciones significantes con la totalidad de lo que es, Como la *acción*, la *vida* es trascendencia trascendida y significación. No hay diferencia de naturaleza entre la acción y la vida concebida como totalidad. La vida representa el conjunto de las significaciones que se trascienden hacia objetos que no son puestos como *estos* sobre fondo de mundo. La vida es el *cuerpo-fondo* del prójimo, por oposición al cuerpo-forma, en tanto que ese cuerpo-fondo puede ser captado, no ya por el para-sí del otro a título implícito y no-posicional, sino precisamente de modo explícito y objetivo por *mí*: aparece entonces como forma significante sobre fondo de universo, pero sin dejar de ser fondo para el prójimo y precisamente *en tanto que fondo*. Pero conviene hacer aquí una distinción importante: el cuerpo ajeno, en efecto, se aparece "a mi cuerpo". Esto significa que hay una facticidad de mi punto de vista sobre el prójimo. En tal sentido, no ha de confundirse mi posibilidad de captar un órgano (brazo, mano) sobre fondo de totalidad corporal, con mi aprehensión explícita del cuerpo ajeno o de ciertas estructuras de ese cuerpo en tanto que vividas por el otro como *cuerpo-fondo*. Sólo en el segundo caso captamos al prójimo como *vida*. En el primer caso, en efecto, puede ocurrir que captemos como fondo lo que para él es forma. Cuando miro su mano, el resto del cuerpo se unifica en fondo. Pero quizá precisamente es su frente o su tórax lo que existe no-téticamente como forma sobre un fondo en que sus brazos y manos se han diluido.

Resulta de ello, claro está, que el cuerpo ajeno es una totalidad sintética para mí. Esto significa: 1° que nunca podré captar el cuerpo ajeno sino a partir de una situación total que lo indique; 2° que no podré percibir aisladamente un órgano cualquiera del cuerpo ajeno y que me hago siempre indicar cada órgano singular a partir de la totalidad de la *carne* o de la *vida*. Así, mi percepción del cuerpo ajeno es radicalmente diversa de mi percepción de las cosas.

1° El prójimo se mueve entre límites que aparecen en conexión inmediata con sus movimientos y que son los términos a partir de los cuales me hago indicar la significación de esos movimientos. Esos límites son a la vez espaciales y temporales. Espacialmente, la significación del gesto actual de Pedro es el vaso situado *a distancia* de él. Así, en mi propia percepción voy del conjunto "mesa-vaso-botella, etc." al movimiento del brazo, para hacerme anunciar lo que es tal movimiento. Si el brazo está visible y el vaso oculto, percibo el movimiento de Pedro a partir de la idea pura de *situación* y a partir de términos apuntados en vacío allende los objetos que me ocultan el vaso, como significación del gesto. Temporalmente, capto siempre el gesto de Pedro en tanto que me es actualmente revelado a partir de términos futuros hacia los cuales tiende. Así, me hago anunciar el presente del cuerpo por su futuro y, más en general aún, por el futuro del mundo. No se podrá comprender nunca el problema psicológico de la percepción del cuerpo ajeno si no se capta ante todo esta verdad de esencia: el cuerpo ajeno es percibido de modo muy diverso que los demás cuerpos; pues, para percibirlo, se va siempre de lo que está fuera de él, en el espacio y el tiempo, a él mismo; se capta su gesto "a contrapelo", por una suerte de inversión del tiempo y del espacio. Percibir al prójimo es hacerse anunciar por el mundo lo que el prójimo es.

2° No percibo jamás un brazo que se eleva a lo largo de un cuerpo inmóvil; percibo a Pedro-que-levanta-la-mano. Y no ha de entenderse con ello que yo refiera por juicio el movimiento de la mano a una "conciencia" que lo provoque, sino que no puedo captar el movimiento de la mano o del brazo sino como una estructura temporal del cuerpo íntegro. Aquí, el todo determina el orden y los movimientos de las partes. Para convencerse de que se trata efectivamente de una percepción originaria del cuerpo ajeno, basta recordar el horror que puede suscitar la visión de un brazo roto, que "no parece pertenecer al cuerpo", o alguna de esas percepciones rápidas en que vemos, por ejemplo, una mano (cuyo brazo está oculto) trepar como una araña a lo largo de una puerta. En estos diversos casos hay desintegración del cuerpo; y esta desintegración es captada como extraordinaria. Conocidas son, por otra parte, las pruebas positivas que con frecuencia han argüido los gestaltistas. Es notable, en efecto, que la fotografía registre un enorme engrosamiento de las manos de Pedro cuando las tiende hacia adelante (porque son captadas por el aparato en sus dimensiones propias y sin conexión sintética con la totalidad corporal), mientras que nosotros percibimos esas mismas manos sin engrosamiento aparente si las miramos a simple vista. En tal sentido, el cuerpo aparece a partir de la situación como totalidad sintética de la *vida* y de la *acción*.

Va de suyo, después de estas observaciones, que el cuerpo de Pedro no se distingue en modo alguno de Pedro-para-mí. Sólo existe para mí el cuerpo del otro, con sus diversas significaciones; ser-objeto-para-otro y ser-cuerpo son dos modalidades ontológicas que constituyen traducciones rigurosamente equivalentes del ser-para-otro del para-sí. De este modo, las significaciones no remiten a un misterioso psiquismo: *son* este psiquismo en tanto que éste es trascendencia-trascendida. Sin duda, hay una criptología de lo psíquico: cierto fenómenos son "oculto". Pero esto no significa en modo alguno que las significaciones se refieran a un "más allá del cuerpo". Se refieren al mundo y a sí mismas. En particular, esas manifestaciones emocionales o, de una manera más general, esos fenómenos llamados de *expresión,* no nos *indican* de ninguna manera una afección oculta y vivida por algún psiquismo que sería el objeto inmaterial de las investigaciones del psicólogo: esos fruncimientos de ceño, ese rubor, ese tartamudeo, ese leve temblor de manos, esas miradas hacia abajo que parecen a la vez tímidas y amenazantes, no *expresan* la cólera, sino que *son* la cólera. Pero ha de entenderse bien: en sí mismo, un puño cerrado no es nada y nada significa. Pero tampoco percibimos nunca *un puño cerrado:* percibimos un hombre que, en cierta situación, cierra el puño. Este acto significante considerado en conexión con el pasado y los posibles, comprendido partiendo de la totalidad sintética "cuerpo en situación", *es* la cólera. Ésta no remite a nada más que a acciones en el mundo (golpear, insultar, etc.), es decir, a nuevas actitudes significantes del cuerpo. No podemos salir de ello: el "objeto psíquico" está enteramente entregado a la percepción, y es inconcebible fuera de estructuras corporales. Si esto no se ha advertido hasta el día de hoy, o si quienes lo han sostenido, como los behavioristas, no han comprendido muy bien ellos mismos lo que querían decir y han suscitado el escándalo en torno, ello se debe a que suele creerse que todas las percepciones son del mismo tipo. De hecho, la percepción debe entregarnos inmediatamente el objeto espacio-temporal. Su estructura fundamental es la negación interna; y me entrega el objeto *tal cual es,* no como una vana imagen de alguna realidad fuera de alcance. Pero, precisamente por eso, a cada tipo de realidad corresponde una nueva estructura de percepción. El cuerpo es el objeto psíquico por excelencia, *el único objeto psíquico.* Pero, si se considera que es trascendencia-trascendida, su percepción no podría, *por naturaleza,* ser del mismo tipo que la de los objetos inanimados. Y no ha de entenderse con ello que se haya enriquecido progresivamente, sino que es originariamente de diversa estructura. Así, no es necesario recurrir al hábito o al razonamiento por analogía para explicar que *comprendamos* las conductas expresivas: éstas se entregan originariamente a la percepción como comprensibles; su sentido forma parte de su ser, como el color del papel forma parte del ser del papel. No es, pues, necesario referirse a otras conductas para comprenderlas, así como tampoco es necesario referirse al color de la mesa, del follaje o de otros papeles para percibir el color de la hoja colocada ante mí.

Empero, el cuerpo ajeno nos es dado inmediatamente como lo que el otro *es.* En tal sentido, lo captamos como lo que es perpetuamente trascendido hacia un objetivo por cada significación particular. Tomemos un hombre que camina. Desde el origen, comprendo su andar a partir de un conjunto espacio-temporal (calle-calzada-acera-negocios-autos, etc.), algunas de cuyas estructuras representan el sentido-por-venir de la marcha. Percibo esta marcha yendo del futuro al presente –aunque el futuro en cuestión pertenezca al tiempo universal y sea un puro "ahora" que aún no es ahí–. La marcha misma, puro devenir incaptable y nihilizador, es el *presente*. Pero este presente es un trascender hacia un término futuro, *algo* que marcha; allende el presente puro e incaptable del movimiento del brazo, intentamos captar el substrato del movimiento. Este substrato, que no captamos jamás tal cual *es*, salvo en el cadáver, está, empero, siempre ahí como lo trascendido, lo preter-ido,[1] el *pasado*. Cuando hablo de un brazo-en-movimiento, considero ese brazo que *estaba en reposo* como sustancia del movimiento. Hemos señalado en nuestra segunda parte que semejante concepción no es sostenible: lo que se mueve no puede ser el brazo inmóvil; el movimiento es una enfermedad del ser. No por eso es menos verdad que el movimiento psíquico se refiere a dos términos, el término futuro de su *terminación* y el término pasado: el órgano inmóvil al cual altera y trasciende. Y percibo, precisamente, el movimiento-del-brazo como una perpetua e incaptable remisión hacia un ser-pasado. Este ser-pasado (el brazo, la pierna, el cuerpo íntegro en reposo), no es visto por mí; no puedo jamás sino entreverlo *a través* del movimiento que lo trasciende y al cual soy presencia, tal como se entrevé un guijarro en el fondo del río, a través del movimiento de las aguas. Empero, esa inmovilidad de ser siempre *trascendida* jamás *realizada*, a la cual me refiero perpetuamente para nombrar *lo que es* en movimiento, es la facticidad pura, la pura *carne*, el puro *en-sí* como pasado perpetuamente preterificado de la trascendencia-trascendida.

Ese puro en-sí que no existe sino a título de *trascendido*, en y por ese trascender, cae en la categoría de *cadáver* si cesa de ser revelado y enmascarado a la vez por la trascendencia-trascendida. A título de *cadáver*, es decir, de *puro pasado de una vida*, de *simple vestigio*, no es tampoco verdaderamente comprensible sino a partir del trascender que ya no lo trasciende: es *lo que ha sido trascendido hacia situaciones perpetuamente renovadas*. Pero, en tanto que, por otra parte, aparece en el presente como puro en-sí, existe con respecto a los demás "estos" en la simple relación de exterioridad indiferente: el cadáver *ya*

---

[1] Como en casos anteriores, "lo preter-ido" es agregado de la traducción. (N. del T.)

no es más en situación. Al mismo tiempo se desmorona, en sí mismo, en una multiplicidad de seres que mantienen mutuamente relaciones de pura exterioridad. El estudio de la exterioridad que subtiende siempre a la facticidad, en tanto que esta exterioridad no es nunca perceptible sino sobre el cadáver, es la *anatomía.* La reconstitución sintética del viviente partiendo de los cadáveres es la *fisiología.* Ésta se ha condenado desde el comienzo a no comprender nada de la vida, puesto que la concibe simplemente como una modalidad particular de la muerte; puesto que ve la divisibilidad al infinito del cadáver como hecho primero y no conoce la unidad sintética del "trascender hacia", por el cual la divisibilidad al infinito es pura y simplemente *pasado.* Aun el estudio de la vida en el ser viviente, aun las vivisecciones, aun el estudio de la vida del protoplasma, aun la embriología o el estudio del huevo, serían incapaces de encontrar la vida: el órgano que se observa está vivo, pero no está fundido en la unidad sintética de *una* vida, sino comprendido partiendo de la anatomía, es decir, partiendo de la muerte. Sería, pues, un error enorme creer que el cuerpo ajeno que se nos devela originariamente es el cuerpo de la anátomo-fisiología. Error no menos grave que el de confundir nuestros sentidos "para nosotros" con nuestros órganos sensoriales para-otro. El cuerpo ajeno es la facticidad de la trascendencia-trascendida en tanto que esta facticidad es perpetuamente *nacimiento,* es decir, que se refiere a la exterioridad de indiferencia de un en-sí perpetuamente trascendido.

Estas consideraciones permiten explicar lo que llamamos el *carácter.* Ha de notarse, en efecto, que el carácter no tiene existencia distinta sino a título de objeto de conocimiento para el prójimo. La conciencia no conoce su propio carácter –a menos de determinarse reflexivamente desde el punto de vista del prójimo–; ella lo existe en pura indistinción, no temáticamente y no téticamente, en el experimentar su propia contingencia y en la nihilización por el cual reconoce y trasciende su propia facticidad. Por eso la pura descripción introspectiva de sí no descubre ningún carácter: el héroe de Proust "no tiene" carácter directamente captable; se entrega primeramente, en cuanto consciente de sí mismo, como un conjunto de reacciones generales y comunes a todos los hombres ("mecanismos" de la pasión, las emociones, orden de aparición de los recuerdos, etc.), en que cada cual puede reconocerse: pues esas reacciones pertenecen a la "naturaleza" general de lo psíquico. Si llegamos (como lo ha intentado Abraham en su libro sobre Proust) a determinar el carácter del héroe proustiano (por ejemplo, a propósito de su debilidad, de su pasividad, de la conexión singular del amor y el dinero en él), lo hacemos interpretando los datos brutos: adoptamos sobre éstos un punto de vista, los comparamos e intentamos extraer relaciones permanentes y objetivas. Pero ello necesita perspectiva: en tanto que el lector, siguiendo la óptica general de la lectura, se identifica con el héroe de la novela, el carácter de "Marcel" le escapa; mejor aún: no existe en ese nivel; sólo aparece si rompo con la complicidad que me une al escritor, si considero el libro no ya como un confidente sino como una confidencia, o, mejor aún: como un *documento*. Ese carácter, pues, no existe sino en el plano del para-otro, y por esa razón las máximas y descripciones de los "moralistas", es decir, de los autores franceses que han emprendido la tarea de construir una psicología objetiva y social, no coinciden jamás con la experiencia vivida del sujeto. Pero, si el carácter es esencialmente *para otro,* no puede distinguirse del cuerpo tal como lo hemos descrito. Suponer, por ejemplo, que el temperamento es *causa* del carácter, que el "Temperamento sanguíneo" es *causa* de la irascibilidad, es poner el carácter como entidad psíquica dotada de todos los aspectos de la objetividad, y sin embargo subjetiva y *padecida* por el sujeto. De hecho, la irascibilidad del prójimo es conocida desde afuera y desde el origen es trascendida por mi trascendencia. En este sentido, no se distingue, por ejemplo, del "temperamento sanguíneo". En ambos casos captamos la misma rojez apoplética, los mismos aspectos corporales, pero trascendemos diversamente esos datos según nuestros proyectos: se tratará del *temperamento* si encaramos esa rojez como manifestación del *cuerpo-fondo,* es decir, escindiéndola de sus nexos con la situación; aun si intentamos comprenderla *a partir del cadáver,* podremos delinear su estudio fisiológico y médico; al contrario, si la encaramos yendo a ella a partir de la situación global, será la cólera misma, o bien una promesa de cólera, o, mejor aún, una cólera en promesa, es decir, una relación permanente con las cosas-utensilios, una potencialidad. Entre el temperamento y el carácter no hay, pues, sino una diferencia de razón, el carácter se identifica con el cuerpo. Es lo que justifica las tentativas de muchos autores para instituir una fisiognómica como base de los estudios caracterológicos y, en particular, los bellos estudios de Kretschmer sobre el carácter y la estructura corpórea. El carácter del prójimo, en efecto, se da inmediatamente a la intuición como conjunto sintético. Esto no significa que podamos en seguida *describirlo*. Requerirá tiempo hacer aparecer estructuras diferenciadas, explicitar ciertos datos que hemos captado inmediatamente de modo afectivo, transformar esa indistinción global que es el cuerpo ajeno en forma organizada. Podremos equivocarnos, y será lícito también recurrir a conocimientos generales y discursivos (leyes empírica o estadísticamente establecidas acerca de otros sujetos) para *interpretar* lo que vemos. Pero, de todos modos, no se trata sino de explicitar y organizar con vistas a la previsión y a la acción del contenido de nuestra intuición primera. Es, sin duda alguna, lo que quieren decir quienes repiten que "la primera impresión no engaña". Desde el primer encuentro, en efecto, el prójimo se da íntegra e inmediatamente, sin velo ni misterio. Llegar a conocer es, en este caso, comprender, desarrollar y apreciar.

Empero, el prójimo es dado así en lo que él *es*. El carácter no difiere de la facticidad, es decir, de la contingencia originaria. Captamos al prójimo como *libre;* hemos señalado antes que la *libertad* es una cualidad objetiva del prójimo como poder incondicionado de modificar situaciones. Ese poder no se distingue del que constituye originariamente al prójimo, que es el poder de hacer que una situación exista en general: poder modificar una situación, en efecto, es hacer precisamente que una situación exista. La libertad objetiva del prójimo no es sino trascendencia-trascendida; es libertad-objeto, como lo hemos establecido. En este sentido, el prójimo aparece como aquel que debe comprenderse a partir de una situación perpetuamente modificada. A esto se debe que el cuerpo sea siempre el *Pasado*. En este sentido, el carácter del prójimo se nos entrega *como lo preter-ido*, lo *trascendido*. Aun la irascibilidad como promesa de cólera es siempre promesa trascendida. Así, el carácter se da como la facticidad del prójimo en tanto que accesible a mi intuición, pero también en tanto que no es sino para ser trascendida. En este sentido, "montar en cólera" es ya trascender la irascibilidad por el hecho mismo de consentirse a ella, es darle un sentido; la cólera aparecerá, pues, como la recuperación de la irascibilidad por la libertad-objeto. Ello no quiere decir que con eso seamos remitidos a una subjetividad, sino sólo que lo que aquí trascendemos es no sólo la facticidad del prójimo sino también su trascendencia; no sólo su ser, es decir, su pasado, sino también su presente y su porvenir. Aunque la cólera ajena se me aparezca siempre como libre-cólera (lo que es evidente, por el hecho mismo de que la *juzgo*), puedo siempre trascenderla, es decir, atizarla o apaciguarla; mejor aún: sólo la capto trascendiéndola. Así, el cuerpo, siendo la facticidad de la trascendencia-trascendida, es siempre cuerpo-que-indica-más-allá-de-sí-mismo: a la vez en el espacio –es la situación– y en el tiempo –es la libertad-objeto–. El cuerpo para otro es el objeto mágico por excelencia. Así, el cuerpo ajeno es siempre "cuerpo-más-que-cuerpo", porque el prójimo me es dado sin intermediario y totalmente en el perpetuo trascender su facticidad. Pero este trascender no me remite a una subjetividad: es el hecho objetivo de que el cuerpo –sea como organismo, como carácter o como utensilio–, no se me aparece jamás sin *entornos*, y debe ser determinado a partir de estos entornos. El cuerpo del prójimo no debe ser confundido con su objetividad. La objetividad del prójimo es su trascendencia como trascendida. El cuerpo es la facticidad de esta trascendencia. Pero corporeidad y objetividad del prójimo son rigurosamente inseparables.

III

La tercera dimensión ontológica del cuerpo

Existo mi cuerpo: tal es su primera dimensión de ser. Mi cuerpo es utilizado y conocido por el prójimo: tal es su segunda dimensión. Pero, en tanto que *soy para otro, el* otro se me devela como el sujeto para el cual soy objeto. Hemos visto que ésta es, inclusive, mi relación fundamental con el prójimo. Existo, pues, para mí como conocido por otro; en particular, como conocido en mi facticidad misma. Existo para mí como conocido por otro a título de cuerpo. Tal es la tercera dimensión ontológica de mi cuerpo. Es la que hemos de estudiar ahora; con ella habremos agotado la cuestión de los modos de ser del cuerpo.

Con la aparición de la mirada ajena tengo la revelación de mi ser-objeto, es decir, de mi trascendencia como trascendida. Un yo-objeto se revela a mí como el ser incognoscible, como la huida-hacia-el-otro, que soy en plena responsabilidad. Pero, si no puedo conocer ni siquiera concebir ese yo en su realidad, por lo menos no dejo de captar algunas de sus estructuras formales. En particular, me siento alcanzado por el otro en mi existencia de hecho; soy responsable de mi ser-ahí-para-otro. Ese *ser-ahí* es precisamente el cuerpo. Así, el encuentro con el prójimo no me alcanza sólo en mi trascendencia: en y por la trascendencia que el prójimo trasciende, la facticidad que mi trascendencia nihiliza y trasciende existe para el prójimo, y, en la medida en que soy consciente de existir para otro, capto mi propia facticidad no ya sólo en su nihilización no-tética, no ya sólo *existiéndola,* sino en su huida hacia un ser-en-medio-del-mundo. El choque del encuentro con el prójimo es una revelación en vacío, para mí, de la existencia de mi cuerpo, afuera, como un en-sí para el otro. Así, mi cuerpo no se da sencillamente como lo pura y simplemente vivido: sino que esto vivido, en el hecho y por el hecho contingente y absoluto de la existencia ajena, se prolonga afuera, en una dimensión de huida que me escapa. La profundidad de ser de mi cuerpo para mí es ese perpetuo "afuera" de mi "dentro" más íntimo. En la medida en que la omnipresencia del prójimo es el hecho fundamental, la objetividad de mi ser-ahí es una dimensión constante de mi facticidad; existo mi contingencia en tanto que la trasciendo hacia mis posibles y en tanto que ella me huye solapadamente hacia un irremediable. Mi cuerpo, es ahí no sólo como el punto de vista que soy, sino también como un punto de vista sobre el cual se adoptan actualmente puntos de vista que yo no podré alcanzar jamás; me escapa por todas partes. Esto significa, en primer lugar, que este conjunto de *sentidos* que no pueden captarse a sí mismos se da como captado en otra parte y por otros. Esta captación que así se manifiesta en vacío no tiene el carácter de una necesidad ontológica; no puede derivársela de la existencia misma de mi facticidad, sino que es un hecho evidente y absoluto; tiene el carácter de una necesidad de hecho. Como mi facticidad es pura contingencia y se me revela no-téticamente como necesidad de hecho, el ser-para-otro de esta facticidad viene a multiplicar la contingencia de esta facticidad: ella se pierde y me huye hacia un infinito de contingencia que me escapa. Así, en el momento mismo en que *vivo* mis sentidos como ese punto de vista íntimo sobre el cual no puedo adoptar ningún punto de vista, el ser-para-otro me infesta: mis sentidos *son*. Para el otro, son como esta mesa o aquel árbol son para mí; son en medio de *algún mundo;* son en y por el derrame absoluto de *mi* mundo hacia el prójimo. Así, la relatividad de mis sentidos, que no puedo pensar abstractamente sin destruir *mi* mundo, es a la vez perpetuamente presentificada a mí por la existencia del otro: pero es una pura e incaptable apresentación Del mismo modo, mi cuerpo es para mí el instrumento que soy y que no puede ser utilizado por ningún instrumento; pero, en la medida en que el prójimo, en el encuentro original, trasciende hacia sus propias posibilidades mi ser-ahí, ese instrumento que soy me es presentificado como instrumento sumido en una serie instrumental infinita, aunque no pueda yo en modo alguno adoptar un punto de vista que sobrevuele la serie. Mi cuerpo, en tanto que alienado, me escapa hacia un ser-utensilio-entre-utensilios, hacia un ser-órgano-sensible-captado-por-órganos-sensibles, y ello con una destrucción alienadora y un desmoronamiento concreto de *mi* mundo, que se derrama hacia el otro y que el otro recaptará en *su* mundo. Por ejemplo, cuando un médico me ausculta, *percibo su oreja*, y, en la medida en que los objetos del mundo me indican como centro de referencia absoluto, esa oreja percibida indica ciertas estructuras como formas que yo existo sobre mi cuerpo-fondo. Esas estructuras son precisamente –y en el surgimiento mismo de mi ser– algo puramente vivido, que yo existo y nihilizo. Así, tenemos en primer lugar la conexión original entre la designación y lo vivido: las cosas percibidas designan aquello que "yo existo" subjetivamente. Pero, desde que capto, sobre el desmoronarse del objeto sensible "oreja", al médico en cuanto que oye los ruidos de mi cuerpo y siente mi cuerpo con el suyo, lo vivido designado se convierte en designado como *cosa fuera de mi subjetividad,* en medio de un mundo que no es el mío. Mi cuerpo es designado como alienado. La experiencia de mi alienación se efectúa en y por estructuras afectivas como la *timidez.* "Sentirse enrojecer", "sentirse transpirar", etc., son expresiones impropias que el tímido usa para explicar su estado: lo que quiere decir con eso es que tiene una conciencia viva y constante de su cuerpo tal como éste es no para él sino *para el otro.* El constante malestar que es captación de la alienación de mi cuerpo como irremediable puede determinar psicosis como la ereutofobia; éstas no son nada más que la captación metafísica y horrorizada de la existencia de mi cuerpo para el otro. Se dice a menudo que el tímido se siente "embarazado por su propio cuerpo". A decir verdad, esta expresión es impropia: no podría sentirme embarazado por mi cuerpo tal como lo existo. Lo que debería embarazarme sería mi cuerpo tal cual es para el otro. Y tampoco esta expresión es feliz, pues no puedo sentirme embarazado sino por una cosa concreta que, presente en el interior de mi universo, me moleste cuando me dispongo a emplear otros utensilios. Aquí, el embarazo es más sutil, pues lo que me molesta está ausente; no encuentro nunca mi cuerpo para otro como un obstáculo; sino que, al contrario, el cuerpo puede ser *molesto* porque no es nunca ahí, porque permanece incaptable. Trato de alcanzarlo, de dominarlo, de servirme de él como de un instrumento –puesto que se da también como *instrumento en un mundo*– para darle el modelado y la actitud convenientes; pero precisamente está por principio fuera de alcance, y todos los actos que cumplo para apropiarme de él me escapan a su vez y se fijan, a distancia de mí, como cuerpo-para-el-otro. Así, debo actuar perpetuamente "a ciegas", tirar al tanteo, sin conocer jamás los resultados de mi tiro. Por eso el esfuerzo del tímido, una vez que haya reconocido lo vano de esas tentativas, consistirá en suprimir su cuerpo-para-el-otro. Cuando desea "dejar de tener cuerpo", "ser invisible", etc., lo que quiere aniquilar no es su cuerpo-para-sí sino esa incaptable dimensión del cuerpo-alienado.

En efecto, atribuimos tanta realidad al cuerpo-para-el-otro como al cuerpo-para-nosotros. Más aún: el cuerpo-para-el–otro *es* el cuerpo-para-nosotros, pero incaptable y alienado. Nos parece entonces que el otro cumple por nosotros una función de que somos incapaces y que, sin embargo, nos incumple: *vernos como somos.* El lenguaje, al revelarnos –en vacío– las principales estructuras de nuestro cuerpo-para-otro (mientras que el cuerpo existido es inefable), nos incita a descargarnos enteramente sobre el prójimo de nuestra pretendida misión. Nos resignamos a vernos por los ojos ajenos; esto significa que intentamos saber de nuestro ser por las revelaciones del lenguaje. Así, aparece todo un sistema de correspondencias verbales, por el cual nos hacemos designar nuestro cuerpo tal cual es para el otro, utilizando estas designaciones para nombrar nuestro cuerpo tal cual es para nosotros. En este nivel se produce la asimilación analógica entre el cuerpo ajeno y el mío. Es necesario, en efecto, para poder pensar que "mi cuerpo es para el prójimo como el cuerpo del prójimo es para mí", haber encontrado al prójimo en su subjetividad objetivante y después como objeto; es menester, para juzgar el cuerpo ajeno como objeto semejante al mío, que aquél me haya sido dado como objeto y que mi cuerpo me haya develado por su parte una dimensión-objeto, jamás la analogía o la semejanza puede constituir *primeramente* el objeto-cuerpo del prójimo y la objetividad de mi cuerpo, sino que, al contrario, ambas objecidades deben existir previamente para que pueda intervenir un principio analógico. Aquí, pues, el lenguaje me enseña las estructuras para otro de mi cuerpo. Es menester comprender, empero, que entre mi cuerpo y mi conciencia que lo existe, el lenguaje con sus significaciones no puede deslizarse en el plano irreflexivo. En este plano, la alienación del cuerpo hacia el prójimo y su tercera dimensión de ser no pueden ser sino experimentadas en vacío; no son sino una prolongación de la facticidad vivida.

Ningún concepto, ninguna intuición cognoscitiva puede vincularse a ello. La objetidad de mi cuerpo para otro no es objeto para mí y no podría constituir mi cuerpo como objeto: es experimentada como huida del cuerpo que existo. Para que los conocimientos que el prójimo posee sobre mi cuerpo y que me comunica por el lenguaje puedan dar a mi cuerpo-para-mí una estructura de tipo particular, es menester que se apliquen a un objeto y que mi cuerpo sea ya objeto para mí. Así, pues, esos conocimientos sólo pueden entrar en juego a nivel de la conciencia reflexiva; no cualificarán a la facticidad en tanto que puramente *existida* por la conciencia no-tética, sino a la facticidad como cuasi-objeto aprehendido por la reflexión. Este estrato conceptual, al insertarse entre el cuasi-objeto y la conciencia reflexiva, llevará a cabo la objetivación del cuasi-cuerpo psíquico. La reflexión, como hemos visto, aprehende la facticidad y la trasciende hacia un irreal cuyo *esse* es un puro *percipi* y al que hemos llamado lo *psíquico*. Lo psíquico está constituido. Los conocimientos conceptuales que adquirimos en nuestra historia y que nos vienen íntegramente de nuestro comercio con el Prójimo producirán un estrato constitutivo del cuerpo psíquico. En una palabra, en tanto que padecemos reflexivamente nuestro cuerpo, lo constituimos en cuasi-objeto por la reflexión cómplice; así, la observación proviene de nosotros mismos. Pero, desde que lo *conocemos,* es decir, desde que lo captamos en una intuición puramente cognoscitiva, lo constituimos por esta intuición misma con los conocimientos del prójimo, es decir, tal como no podría ser nunca por sí mismo para nosotros. Las estructuras cognoscibles de nuestro cuerpo psíquico indican, pues, simplemente y en vacío, la alienación perpetua de éste. En lugar de vivir esta alienación, la constituimos en vacío trascendiendo la facticidad vivida hacia el cuasi-objeto que es el cuerpo-psíquico y trascendiendo a su vez este cuasi-objeto *padecido* hacia caracteres de ser que, por principio, no podrían serme dados, sino que son simplemente significados.

Volvamos, por ejemplo, a nuestra descripción del dolor "físico". Hemos visto cómo la reflexión, al "padecerlo", lo constituía en Mal. Habíamos debido entonces detener allí nuestra descripción, pues nos faltaban los medios para ir más lejos. Ahora podemos proseguir: el Mal que padezco puedo encararlo en su En-sí, es decir, precisamente, en su ser-para-otro. En ese momento lo *conozco*, es decir, lo encaro en su dimensión de ser que me escapa, en la faz que vuelve hacia los Otros, y mi visión se impregna con el saber que me ha aportado el lenguaje, es decir, utilizo conceptos instrumentales que me vienen del Prójimo y que yo no hubiera podido en ningún caso por mí mismo formar y dirigir sobre *mi* cuerpo. *Conozco* mi cuerpo por medio de los conceptos del Prójimo. Pero se sigue de ello que en la propia reflexión adopto el punto de vista del Prójimo sobre mi cuerpo; intento captarlo como si yo fuera Prójimo con respecto a él. Es evidente que las categorías que entonces aplico al Mal lo constituyen *en vacío,* es decir, en una dimensión que me escapa. ¿Por qué hablar entonces de *intuición?* Pues porque, pese a todo, el *cuerpo padecido* sirve de núcleo, de materia, a las significaciones alienadoras que lo trascienden: es ese *Mal* que me escapa hacia características nuevas, a las cuales establezco como límites y esquemas de organización vacíos. Así, por ejemplo, mi Mal, padecido como psíquico, se me aparecerá reflexivamente como mal *del estómago.* Comprendamos bien que el dolor "de estómago" *es* el estómago mismo en tanto que vivido dolorosamente. En tanto que tal, ese dolor no es, antes de la intervención del estrato alienador cognoscitivo, ni signo local ni localización. La gastralgia es el estómago presente a la conciencia como cualidad pura de dolor. En tanto que tal, según hemos visto, el mal se distingue por sí mismo —y sin operación intelectual de identificación o de discriminación— de cualquier otro dolor, de cualquier otro Mal. Sólo que en este nivel "el estómago" es algo inefable, que no podría ser nombrado ni pensado: es sólo esa forma padecida que se destaca sobre fondo de cuerpo-existido. El saber objetivante que trasciende ahora al Mal padecido hacia el *estómago* nombrado, es saber de cierta naturaleza objetiva del estómago: sé que éste tiene forma de gaita, que es un saco, que produce jugos, diastasas, que está envuelto en una túnica muscular de fibras lisas, etc. Puedo saber también —porque un médico me lo haya dicho— que está afectado de úlcera. Y tam-

bién puedo representarme esta úlcera con mayor o menor nitidez. Puedo encararla como algo que roe, como una ligera podre-
dumbre interna; puedo concebirla por analogía con los
abscesos, las erupciones de la fiebre, el pus o los chancros, etc.
Todo ello, por principio, proviene de conocimientos adquiridos por mí de los Otros, o de conocimientos que los Otros tienen de mí. En todo caso, eso no podría constituir mi Mal en
tanto que *gozo* de él sino en tanto que me escapa. El estómago
y la úlcera se convierten en direcciones de fuga, en perspectivas de alienación del objeto de que goza. Entonces aparece un
nuevo estrato de existencia: habíamos trascendido el dolor
vivido hacia el mal padecido; ahora trascendemos el mal hacia
la *Enfermedad*. La Enfermedad, en cuanto *psíquica,* es por
cierto muy diferente de la enfermedad conocida y descrita por el
médico: es un estado. No se trata de microbios ni de lesiones
tisulares, sino de una forma sintética de destrucción. Esta forma *me escapa por principio:* se revela de tiempo en tiempo
por "acceso" de dolor, por "crisis" de mi Mal, pero el resto
del tiempo permanece fuera de alcance, sin desaparecer. Es
entonces objetivamente discernible *para los Otros:* los Otros me
la han enseñado, los Otros pueden diagnosticarla; es presente
para los Otros, aun mientras no tengo conciencia de ella. Es,
pues, en su naturaleza profunda un puro y simple *ser para
otro.* Y cuando no padezco, hablo y me conduzco respecto de
ella como respecto de un objeto que por principio está fuera
de alcance y del cual son depositarios los otros. No bebo vino,
si tengo cólicos hepáticos, para no despertar mis dolores de
hígado. Pero mi objetivo preciso: no despertar mis dolores de
hígado, no se distingue en modo alguno de este otro objetivo:
obedecer a las prohibiciones del médico, que me los ha revelado. Así, el responsable de *mi enfermedad* es otro. Y sin embargo, ese objeto que me viene por los otros conserva caracteres
de espontaneidad degradada que provienen de que lo capto a
través de mi Mal. Nuestra intención no es describir este nuevo
objeto ni insistir sobre sus caracteres de espontaneidad mágica, de finalidad destructora, de potencia maligna, sobre su familiaridad conmigo y sobre sus relaciones concretas con mi ser
(pues es, ante todo, *mi enfermedad*). Sólo queremos hacer

notar que, en la enfermedad misma, el cuerpo es dado; así como éste era el soporte del mal, es ahora la sustancia de la enfermedad, lo destruido por ella, aquello a través de lo cual se extiende esa forma destructora. Así, el estómago lesionado está presente a través de la gastralgia como la materia misma de que esta gastralgia está hecha. Es ahí; es presente a la intuición y lo aprehendo a través del dolor padecido, con sus caracteres. Lo capto como *lo roído*, como "un saco en forma de gaita", etc. No lo veo, ciertamente, pero sé que él es *mi dolor*. De ahí esos fenómenos falsamente llamados "endoscopia". En realidad, el propio dolor no me enseña nada sobre mi estómago, contra lo que pretende Sollier; sino que, por y en el dolor, mi saber constituye un *estómago-para-otro* que se aparece como una ausencia concreta y definida con tantos caracteres objetivos cuantos he podido llegar a conocer, ni más ni menos. Pero, por principio, el objeto así definido es como el polo de alienación de mi dolor; es, por principio, lo que soy sin tener-de-serlo y sin poder trascenderlo hacia otra cosa. Así, tal como un ser-para-otro infesta mi facticidad no-téticamente vivida, igualmente un ser-objeto-para-otro infesta, como una dimensión de escape de mi cuerpo psíquico, la facticidad constituida en cuasi-objeto por la reflexión cómplice. Del mismo modo, la pura náusea puede ser trascendida hacia una dimensión de alienación: me entregará entonces mi cuerpo para otro en su "traza", su "aire", su "fisonomía"; se dará entonces como asqueado *disgusto* de mi rostro, de mi carne demasiado blanca, de mi expresión demasiado fija, etc. Pero hay que invertir los términos: no tengo un asqueado disgusto *de* todo eso, sino que la náusea *es* todo eso como existido no téticamente, y mi conocimiento la prolonga hacia lo que ella es para otro. Mi náusea capta al prójimo como *carne*, precisamente, y en el carácter nauseoso de toda carne.

No hemos agotado, con las precedentes observaciones, la descripción de las apariciones de mi cuerpo. Falta describir lo que llamaremos un tipo *aberrante* de aparición. En efecto, puedo verme las manos, tocarme la espalda, oler mi sudor. En ese caso, mi mano, por ejemplo, se me aparece como un objeto entre otros objetos. Ya no es indicada por los entornos como centro de referencia: se organiza con los entornos en el mundo y, como ellos, indica mi cuerpo como centro de referencia. Forma parte del mundo. Del mismo modo, no es ya el instrumento que no puedo manejar con instrumentos; al contrario, forma parte de los utensilios que descubro en medio del mundo; puedo *utilizarla* por medio de mi otra mano, por ejemplo como cuando golpeo con la diestra sobre mi puño izquierdo que encierra una almendra o una nuez. Mi mano se integra entonces en el sistema infinito de los utensilios-utilizados. Nada hay en este nuevo tipo de aparición que pueda inquietarnos o hacernos volver sobre las consideraciones precedentes. Sin embargo, era necesario mencionarlo. Debe explicarse fácilmente, a condición de situarlo *en su lugar* en el orden de las apariciones del cuerpo, es decir, a condición de que se lo examine en último lugar como una "curiosidad" de nuestra constitución. Esa aparición de mi mano significa simplemente, en efecto, que, en ciertos casos bien definidos, podemos adoptar sobre nuestro cuerpo el punto de vista del prójimo; o, si se quiere, que nuestro propio cuerpo puede aparecérsenos como el cuerpo ajeno. Los pensadores que han partido de esta aparición para constituir una teoría general del cuerpo han invertido los términos del problema y se han expuesto a no comprender en absoluto la cuestión. Ha de observarse, en efecto, que esa posibilidad de *ver* nuestro cuerpo es un puro dato de hecho, absolutamente contingente. No podría deducirse ni de la necesidad para el para-sí de "tener" un cuerpo ni de las estructuras de hecho del cuerpo-para-otro. Se podrían concebir fácilmente cuerpos que no pudieran adoptar ningún punto de vista sobre sí mismos; parece que tal sea el caso de ciertos insectos que, aunque provistos de un sistema nervioso diferenciado y de órganos sensibles, no pueden utilizar ese sistema y esos órganos para conocerse. Se trata, pues, de una particularidad de estructura que debemos mencionar sin intentar deducirla. Tener manos, tener manos que pueden tocarse mutuamente; he ahí dos hechos que se encuentran en el mismo plano de contingencia y que, en cuanto tales, pertenecen o a la pura descripción anatómica o a la metafísica. No podríamos tomarlos como fundamento de un estudio de la corporeidad.

Ha de observarse, además, que esa aparición del cuerpo no nos entrega el cuerpo en tanto que actúa y percibe, sino en tanto que es actuado y percibido. En una palabra, como lo habíamos hecho notar al comienzo de este capítulo, podría concebirse un sistema de órganos visuales que permitiera a un ojo ver el otro. Pero el ojo visto lo sería en tanto que cosa, no en tanto que ser de referencia. Análogamente, la mano que cojo no es captada en tanto que mano cogida, sino en tanto que objeto captable. Así, la naturaleza de *nuestro cuerpo para nosotros* nos escapa enteramente en la medida en que podemos adoptar sobre él el punto de vista del prójimo. Ha de observarse, por lo demás, que, aun si la disposición de los órganos sensibles permite ver el cuerpo tal como aparece al prójimo, esa aparición del cuerpo como cosa-utensilio es muy tardía en el niño: es, en todo caso, posterior a la conciencia (del) cuerpo propiamente dicho y del mundo como complejo de utensilidad; es posterior a la percepción del cuerpo ajeno. El niño sabía desde hacía mucho coger, tirar hacia sí, rechazar, sostener, cuando ha aprendido a coger y ver su mano. Observaciones frecuentes han mostrado que el niño de dos meses no ve su mano como *su* mano. La mira y, si la aleja de su campo visual, vuelve la cabeza y la busca con la mirada como si no dependiera de él volver a colocarla al alcance de su vista. Por una serie de operaciones psicológicas y de síntesis de identificación y recognición logrará establecer tablas de referencias entre el cuerpo-existido y el cuerpo-visto. Y es menester que haya comenzado antes su aprendizaje del cuerpo ajeno. Así, la percepción de mi cuerpo se sitúa, cronológicamente, después de la percepción del cuerpo del prójimo.

Considerada en su lugar y data, en su contingencia original, no se ve que la percepción de mi cuerpo pueda ser ocasión de problemas nuevos. El cuerpo es el instrumento que soy. Es mi facticidad de ser "en-medio-del-mundo" en tanto que la trasciendo hacia mi ser-en-el-mundo. Me es radicalmente imposible, por cierto, adoptar un punto de vista global sobre esa facticidad, pues, si no, cesaría de serla. Pero ¿qué hay de asombroso en el hecho de que ciertas estructuras de mi cuerpo, sin dejar de ser centro de referencias para los objetos del mundo se ordenen, desde un punto de vista radicalmente diverso, a los demás objetos para indicar con ellos tal o cual de mis órganos sensibles como centro de referencia parcial que se destaque como forma sobre el cuerpo-fondo? Que mi ojo se vea a sí mismo es imposible por naturaleza; pero ¿qué hay de asombroso en el hecho de que mi mano toque mis ojos? Si ello se viera con sorpresa, sería porque la necesidad para el para-sí de surgir como punto de vista concreto sobre el mundo habría sido captada a modo de obligación ideal estrictamente reductible a relaciones cognoscibles entre los objetos y a simples reglas para el desarrollo de mis conocimientos, en lugar de ver en ella la necesidad de una existencia concreta y contingente en medio del mundo.

CAPÍTULO III

Las relaciones concretas con el prójimo

No hemos hecho hasta ahora sino describir nuestra relación fundamental con el otro. Esta relación nos ha permitido explicitar las tres dimensiones de ser de nuestro cuerpo. Y, aunque la relación originaria con el prójimo sea primera con respecto a la relación de mi cuerpo con el ajeno, nos ha aparecido claramente que el conocimiento de la naturaleza del cuerpo es indispensable para todo estudio de las relaciones particulares de mi ser con el del prójimo. Éstas suponen, en efecto, de una y otra parte, la facticidad, es decir, nuestra existencia como cuerpos en medio del mundo. No es que el cuerpo sea el instrumento y la causa de mis relaciones con el prójimo; pero constituye la significación de ellas y señala sus límites: como cuerpo-en-situación capto la trascendencia-trascendida del otro, y como cuerpo-en-situación me experimento en mi alienación a favor del otro. Podemos examinar ahora estas relaciones concretas, puesto que estamos al cabo de lo que es nuestro cuerpo. No son simples especificaciones de la relación fundamental: aunque cada una incluya en sí la relación originaria con el prójimo como su estructura esencial y fundamento, son modos de ser enteramente nuevos del para-sí. Representan, en efecto, las diferentes actitudes del para-sí en un mundo en que hay otros. Cada una de ellas presenta, pues, a su manera la relación bilateral: para-sí-para-otro, en-sí. Si llegamos a explicitar, pues, las estructuras de nuestras relaciones más primitivas con el-otro-en-el-mundo, habremos concluido nuestra tarea; nos interrogábamos, en efecto, al comienzo de este trabajo, sobre las relaciones entre el para-sí y el en-sí; pero ahora sabemos que nuestra tarea era más compleja: hay relación entre el para-sí y el en-sí *en presencia del otro.* Cuando hayamos descrito este hecho concreto, estaremos en condiciones de concluir sobre las relaciones fundamentales de esos tres modos de ser y podremos quizás esbozar una teoría metafísica, del ser en general.

El para-sí como nihilización del en-sí se temporaliza como *huida hacia.* En efecto, trasciende su facticidad –o ser *dado* o pasado o cuerpo– hacia el en-sí que él sería si pudiera ser su propio fundamento. Esto se traducirá en términos ya psicológicos –y, por eso mismo, impropios, aunque acaso más claros– diciendo que el para-sí intenta escapar a su existencia de hecho, es decir, a su ser-ahí, como en-sí del cual no es en modo alguno fundamento, y que esa huida ocurre hacia un porvenir imposible y siempre perseguido en que el para-sí fuera en-sí-para-sí, es decir, un en-sí que fuera a sí mismo su propio fundamento. Así, el para-sí es huida y persecución a la vez; a la vez huye al en-sí y lo persigue; el para-sí es perseguidor-perseguido. Pero recordaremos, para aminorar el peligro de una interpretación psicológica de las precedentes observaciones, que el para-sí no es *primero* para intentar *después* alcanzar el ser; en una palabra, no debemos concebirlo como un existente dotado de tendencias, a la manera en que este vaso está dotado de ciertas cualidades particulares. Esa huida perseguidora no es un dato que se agrega por añadidura al ser del para-sí, sino que el para-sí *es* esa huida misma; ésta no se distingue de la nihilización originaria: decir que el para-sí es perseguidor-perseguido es lo mismo que decir que no es lo que es y es lo que no es. El para-sí no es el en-sí ni podría serlo, pero es relación con el en-sí; hasta es la única relación posible con el en-sí; ceñido por el en-sí de todos lados, no le escapa sino porque no es *nada* y está separado de aquél por *nada.* El para-sí es fundamento de toda negatividad y de toda relación; *él es la relación.*

Siendo así, el surgimiento del prójimo alcanza al para-sí en pleno meollo. Por y para otro, la huida perseguidora queda fijada en en-sí. El propio en-sí la reatrapaba ya a medida que se producía; ya esa fuga, a la vez, era negación radical del hecho, posición absoluta del valor, y estaba transida de facticidad de parte a parte: pero al menos, se escapaba por medio de la temporalización; al menos, su carácter de totalidad destotalizada le confería un perpetuo "en otra parte". He aquí que ahora el prójimo hace comparecer ante sí esa totalidad misma y la trasciende hacia su propio en-otra-parte. Esta totalidad es la que se totaliza: para el prójimo, soy irremediablemente lo que soy y mi propia libertad es un carácter dado de mi ser. Así, el en-sí me reatrapa hasta en el futuro y me fija íntegramente en mi propia huida, que se convierte en huida prevista y contemplada, huida *dada*. Pero esta huida fijada no es jamás la huida que soy para mí: es fijada *afuera*. Experimento esta objetividad de mi huida como una alienación que no puedo ni trascender ni conocer. Y, sin embargo, por el solo hecho de que la experimento y de que confiere a mi huida ese en-sí del cual ésta huye, debo volverme hacia ella y tomar *actitudes* a su respecto. Tal es el origen de mis relaciones concretas con el prójimo: están determinadas íntegramente por mis actitudes respecto del objeto que soy para otro. Y, como la existencia ajena me revela el ser que soy, sin que yo pueda ni apropiarme de este ser ni siquiera concebirlo, esa existencia motivará dos actitudes opuestas: el prójimo me *mira* y, como tal, retiene el secreto de mi ser, sabe lo que *soy*; así, el sentido profundo de mi ser está fuera de mí, aprisionado en una ausencia; el prójimo me lleva ventaja. Puedo intentar, pues, en tanto que huyo del en-sí que soy sin fundarlo, negar ese ser que me es conferido desde afuera; es decir, puedo volverme sobre el prójimo para conferirle a mi vez la objetividad, ya que la objetividad del prójimo es destructora de mi objetividad para él. Pero, por otra parte, en tanto que el prójimo como libertad es fundamento de mi ser-en-sí, puedo tratar de recuperar esa libertad y apoderarme de ella, sin quitarle su carácter de libertad: si, en efecto, pudiera asimilarme esa libertad que es fundamento de mi ser-en-sí, sería para mí mismo mi propio fundamento. Trascender la trascendencia ajena o, al contrario, sumar en mí esa transcendencia sin quitarle su carácter de tal, son las dos actitudes primitivas que adopto con respecto al prójimo. Y también en esta conviene entender con prudencia las palabras: no es verdad que yo primero sea y después "trate" de objetivar o de asimilar al otro, sino que, en la medida en que el surgimiento de mi ser es surgimiento en presencia del prójimo, en la medida en que soy huida perseguidora y perseguidor perseguido, soy, en la raíz misma de mi ser, proyecto de objetivación o de asimilación del prójimo. Soy mi experiencia del prójimo: he ahí el hecho originario. Pero esta experiencia del prójimo es ya actitud hacia el prójimo, es decir, que no puedo *ser en presencia de otro* sin ser ese "en-presencia" en la forma del tener-de-serlo. Así, describimos todavía estructuras de ser del para-sí, aun cuando la presencia del prójimo en el mundo sea un hecho absoluto y evidente por sí, pero contingente, es decir, imposible de deducir de las estructuras ontológicas del para-sí.

Esas dos tentativas que soy son opuestas. Cada una de ellas es la muerte de la otra, es decir, que el fracaso de la una motiva la adopción de la otra. Así, no hay dialéctica de mis relaciones con el prójimo, sino círculo, aunque cada tentativa se enriquezca con el fracaso de la otra. Estudiaremos sucesivamente ambas. Pero conviene advertir que, en el seno mismo de cada una, la otra permanece siempre presente, precisamente porque ninguna de las dos puede ser sostenida sin contradicción. Mas aún: cada una de ellas está en la otra y engendra la muerte de ésta; así, no podemos salir jamás del círculo. Conviene no perder de vista estas observaciones al abordar el estudio de esas actitudes fundamentales para con el prójimo. Como tales actitudes se producen y destruyen en círculo, es tan arbitrario comenzar por una como por otra. Empero, puesto que hay que elegir, encararemos primero las conductas por las cuales el para-sí intenta asimilarse la libertad ajena.

I

La primera actitud hacia el prójimo: el amor, el lenguaje, el masoquismo

Todo lo que vale para mí vale para el prójimo. Mientras yo intento liberarme del dominio del prójimo, el prójimo intenta liberarse del mío; mientras procuro someter al prójimo, el prójimo procura someterme. No se trata en modo alguno de relaciones unilaterales con un objeto-en-sí, sino de relaciones recíprocas y mutables. Las descripciones que siguen han de ser encaradas, pues, según la perspectiva del *conflicto*. El conflicto es el sentido originario del ser-para-otro.

Si partimos de la revelación primera del prójimo como *mirada*, hemos de reconocer que experimentamos nuestro incaptable ser-para-otro en la forma de una *posesión*. *Soy* poseído por el prójimo; la mirada ajena modela mi cuerpo en su desnudez, lo hace nacer, lo esculpe, lo produce como *es*, lo ve como nunca jamás lo veré yo. El prójimo guarda un secreto: el secreto de lo que soy. Me hace ser y, por eso mismo, me posee, y esta posesión no es nada más que la conciencia de poseerme. Y yo, en el reconocimiento de mi objectidad, experimento que él tiene esa conciencia. A título de conciencia, el prójimo es para mí a la vez lo que me ha robado mi ser y lo que hace que "haya" un ser que es el mío. Así, tengo la comprensión de esta estructura ontológica: soy responsable de mi ser-para-otro, pero no su fundamento; mi ser-para-otro se me aparece, pues, en forma de algo dado y contingente de que, sin embargo, soy responsable, y el prójimo funda mi ser en tanto que este ser es en la forma del "hay"; pero no es él el responsable, aunque lo funde en plena libertad, en y por su libre trascendencia. Así, en la medida en que me develo a mí mismo como responsable de mi ser, *reivindico* este ser que soy; es decir, quiero recuperarlo, o, en términos más exactos, soy proyecto de recuperación de mi ser. Este ser me es apresentado como *mi ser,* pero a distancia, como la comida a Tántalo, y quiero extender la mano para apoderarme de él y fundarlo por mi libertad misma. Pues, si en cierto sentido mi ser-objeto es insoportable contingencia y pura "posesión" de mí por otro, en otro sentido es como la indicación de que me sería menester recuperarlo y fundarlo para ser yo fundamento de mí mismo. Pero esto no es concebible a menos que me asimile la libertad del otro. Así, mi proyecto de recuperación de mí es fundamentalmente proyecto de reabsorción del otro. Empero, tal proyecto debe dejar intacta la naturaleza del otro. Es decir que: 1° No dejo por eso de afirmar al prójimo, es decir, de negar que yo sea el otro: el otro, siendo fundamento de mi ser, no podría diluirse en mí sin que mi ser-para-otro se desvaneciera. Así, pues, si proyecto realizar la unidad con el prójimo, esto significa que proyecto asimilarme la alteridad del otro en tanto que tal, como mi posibilidad propia. En efecto, se trata, para mí, de hacerme ser adquiriendo la posibilidad de adoptar sobre mí el punto de vista del otro. No se trata, empero, de adquirir una pura facultad abstracta de conocimiento. Lo que proyecto apropiarme no es la pura *categoría* del otro: esta categoría no es ni concebida ni siquiera concebible. Sino que, con ocasión de mi concreto, padecido y sentido experimentar al otro, quiero incorporar en mí a ese otro concreto como realidad absoluta en su alteridad. 2° El otro, al que quiero asimilar, no es en modo alguno el otro-objeto. O, si se prefiere, mi proyecto de incorporación del otro no corresponde en modo alguno a una recuperación de mi para-sí como yo mismo ni a un trascender la trascendencia del otro hacia mis propias posibilidades. No se trata de borrar mi objetividad objetivando al otro, lo que correspondería a *librarme* de mi ser-para-otro; sino, muy por el contrario, quiero asimilar al otro en tanto que otro-mirante, y este proyecto de asimilación comporta un acrecentado reconocimiento de mi ser-mirado. En una palabra, me identifico totalmente con mi ser-mirado para mantener frente a mí la libertad mirante del otro y, como mi ser-objeto es la única relación posible entre el otro y yo, sólo ese ser-objeto puede servirme de instrumento para operar la asimilación a mí de *la otra libertad*. Así, como reacción al fracaso del tercer ék-stasis, el para-sí quiere identificarse con la libertad ajena como fundamento de su ser-en-sí. Ser prójimo para sí mismo –ideal siempre concretamente apuntado en forma de ser para sí mismo *este o aquel prójimo*– es el valor primero de las relaciones con el prójimo; esto significa que mi ser-para-otro es infestado por la indicación de un ser-absoluto que sería sí-mismo en tanto que otro y otro en tanto que sí-mismo, y que, dándose libremente como otro su ser-sí-mismo y como sí-mismo su ser-otro, sería el propio ser de la prueba ontológica, es decir, Dios. Este ideal no podría realizarse sin superar la contingencia originaria de mis relaciones con el prójimo, es decir, el hecho de que no hay ninguna relación de negatividad interna entre la negación por la cual el prójimo se hace otro que yo y la negación por la cual yo me hago otro que el otro. Hemos visto que esta contingencia es insuperable: es el *hecho* de mis relaciones con el prójimo, como mi cuerpo es el *hecho* de mi ser-en-el-mundo. La unidad con el prójimo es, pues, irrealizable de hecho. Lo es también *de derecho*, pues la asimilación del para-sí y del prójimo en una misma trascendencia traería consigo necesariamente la desaparición del carácter de alteridad del prójimo. Así, la condición para que yo proyecte la identificación del prójimo conmigo es que persista mi negación de ser el otro. Por último, ese proyecto de unificación es fuente de *conflicto,* puesto que, mientras me experimento como objeto para el prójimo y proyecto asimilarlo en y por ese experimentar, el prójimo me capta como objeto en medio del mundo y no proyecta en modo alguno asimilarme a sí mismo. Sería necesario, entonces –ya que el ser para otro comporta una doble negación interna–, actuar sobre la negación interna por la cual el prójimo trasciende mi trascendencia y me hace existir para el otro; es decir, *actuar sobre la libertad del prójimo.*

Este ideal irrealizable, en tanto que infesta mi proyecto de mí mismo en presencia del prójimo, no es asimilable al amor en cuanto el amor es una empresa, es decir, un conjunto orgánico de proyectos hacia mis posibilidades propias. Pero es el ideal del amor, su motivo y su fin, su valor propio. El amor como relación primitiva con el prójimo es el conjunto de los proyectos por los cuales apunto a realizar ese valor.

Tales proyectos me ponen en conexión directa con la libertad del prójimo. En este sentido, el amor es conflicto. Hemos señalado, en efecto, que la libertad ajena es fundamento de mi ser. Pero, precisamente porque existo por la libertad ajena, no tengo seguridad ninguna, estoy en peligro en esa libertad; ella amasa mi ser y me *hace ser*, me confiere y me quita valores, y mi ser recibe de ella un perpetuo escaparse pasivo a sí mismo. Irresponsable y fuera de alcance, esa libertad proteiforme en la cual me he comprometido puede comprometerme a su vez en mil diferentes maneras de ser. Mi proyecto de recuperar mi ser no puede realizarse a menos que me apodere de esa libertad y la reduzca a ser libertad sometida a la mía. Simultáneamente, es la única manera en que puedo obrar sobre la libre negación de interioridad por la cual el Otro me constituye en Otro, es decir, por la cual puedo preparar los caminos de una identificación futura entre el Otro y yo. Eso se hará más claro, quizá, si se medita sobre este problema de aspecto puramente psicológico: ¿por qué el amante quiere ser *amado*? Si el Amor, en efecto, fuera puro deseo de posesión física, podría ser en muchos casos fácilmente satisfecho. El héroe de Proust, por ejemplo, que instala a su amante en su casa, puede verla y poseerla a cualquier hora del día, y ha sabido ponerla en total dependencia material, debería verse libre de inquietud. Sin embargo, sabemos que está, al contrario, roído de cuidados. Albertina escapa a Marcelo, aun cuando la tenga al lado, por medio de su conciencia, y por eso él no conoce tregua sino cuando la contempla dormida. Es lo cierto, pues, que el amor quiere cautivar la "conciencia". Pero ¿por qué lo quiere? ¿Y cómo?

La noción de "propiedad", por la cual tan a menudo se explica el amor, no puede ser primera, en efecto. ¿Por qué querría apropiarme del prójimo sino, justamente, en tanto que el Prójimo me hace ser? Pero esto implica, precisamente, cierto modo de apropiación: queremos apoderarnos de la libertad del otro en tanto que tal. Y no por voluntad de poderío: el tirano se ríe del amor; se contenta con el miedo. Si busca el amor de sus súbditos, es por política; y, si encuentra un medio más económico de someterlos, lo adopta en seguida. Al contrario, el que quiere que lo amen no desea el sometimiento del ser amado. No quiere convertirse en objeto de una pasión desbordante y mecánica. No quiere poseer un automatismo y, si se procura humillarlo, basta representarle la pasión del ser amado como el resultado de un determinismo psicológico: el amante se sentirá desvalorizado en su amor y en su ser. Si Tristán e Iseo están enloquecidos por un filtro, interesan menos; y llega a suceder que un sometimiento total del ser amado mate el amor del amante. Se ha sobrepasado la meta: el amante vuelve a la soledad si el amado se transforma en autómata. Así, el amante no desea poseer al amado como se posee una cosa; reclama un tipo especial de apropiación: quiere poseer una libertad como libertad.

Pero, por otra parte, no podría satisfacerse con esa forma eminente de la libertad que es el compromiso libre y voluntario. ¿Quién se contentaría con un amor que se diera como pura fidelidad a la fe jurada? ¿Quién aceptaría oír que le dicen: "Te amo porque me he comprometido libremente a amarte y no quiero desdecirme; te amo por fidelidad a mí mismo"? Así, el amante pide el juramento y el juramento lo irrita. Quiere ser amado por una libertad y reclama que esta libertad, como libertad, no sea ya libre. Quiere a la vez que la libertad del Otro se determine a sí misma a convertirse en amor –y ello no sólo al comienzo de la aventura, sino a cada instante–, y, a la vez, que esa libertad sea cautivada *por ella misma,* se revierta sobre ella misma, como en la locura, como en los sueños, para querer su propio cautiverio. Y este cautiverio ha de ser entrega libre y encadenada a la vez entre nuestras manos. En el amor, no deseamos en el prójimo ni el determinismo pasional ni una libertad fuera de alcance, sino una libertad que *juegue* al determinismo pasional y quede presa de su juego. Para sí mismo, el amante no pide ser *causa* sino ocasión única y privilegiada de esa modificación de la libertad. En efecto, no podría querer ser causa de ella sin sumir inmediatamente al ser amado en medio del mundo como un utensilio trascendible. No es ésta la esencia del amor. En el Amor, al contrario, el amante quiere ser "el mundo entero" para el ser amado: esto significa que se coloca del lado del mundo: él es el que resume y simboliza el mundo, es un *esto* que incluye todos los demás "estos"; es *objeto* y acepta serlo. Pero, por otra parte, quiere ser el objeto en el cual la libertad ajena acepte perderse, el objeto en el cual el otro acepte encontrar, como su facticidad segunda, su ser y su razón de ser; el objeto límite de la transcendencia, aquel hacia el cual la transcendencia del Otro transciende todos los demás objetos, pero al cual no puede en modo alguno trascender. Y, doquiera, desea el círculo de la libertad del Otro; es decir, que a cada instante, en el acto por el cual la libertad del Otro acepta ese límite a su propia trascendencia, esta aceptación esté *ya* presente como móvil de la aceptación considerada. Quiere ser elegido como fin a título de fin ya elegido. Esto nos permite captar a fondo lo que el amante exige del amado: no quiere *actuar* sobre la libertad del Otro, sino existir *a priori* como el límite objetivo de esa libertad; es decir, ser dado a la vez con ella y en su surgimiento mismo como el límite que aquélla debe aceptar para ser libre. Por este hecho, lo que exige es que la libertad ajena quede enviscada, empastada por sí misma: ese límite de estructura es, en efecto, algo *dado*, y la única aparición de lo dado como límite de la libertad significa que la libertad *se hace existir a sí misma* en el interior de lo dado siendo su propia interdicción de trascenderlo. Y esta interdicción es encarada por el amante *a la vez* como vivida, o sea como padecida –en una palabra, como facticidad– y como libremente consentida. Ha de poder ser libremente consentida, puesto que debe identificarse con el surgimiento de una libertad que se elige a sí misma con libertad. Pero ha de ser sólo vivida, puesto que debe ser una imposibilidad siempre presente, una facticidad que refluye sobre la libertad del Otro hasta su meollo; y esto se expresa psicológicamente por la existencia de que la libre decisión de amarme tomada anteriormente por el ser amado se deslice como móvil hechizante *en el interior* de su libre compromiso presente.

Captamos ahora el sentido de tal exigencia: esa facticidad que debe ser límite de hecho para el Prójimo, en mi exigencia de ser amado, y que debe terminar por ser *su propia* facticidad, es *mi* facticidad. En tanto que soy el objeto que el Otro hace venir al ser, debo ser el límite inherente a su transcendencia misma; de manera que el Otro, al surgir al ser, me haga ser como lo intrascendible y absoluto, no en tanto que Para-sí nihilizador, sino como ser-para-otro-en-medio-del-mundo. Así, querer ser amado es infectar al Otro con nuestra propia facticidad, es querer constreñirlo a re-crearnos perpetuamente como la condición de una libertad que se somete y se compromete; es querer a la vez que la libertad funde al hecho y que el hecho tenga preeminencia sobre la libertad. Si este resultado pudiera alcanzarse, resultaría, en primer lugar, que yo estaría *en seguridad* en la conciencia del Otro. Sobre todo, porque el motivo de mi inquietud y vergüenza es captarme y experimentarme en mi ser-para-otro como aquello que siempre puede ser trascendido hacia otra cosa, que es puro objeto de juicios de valor, puro medio, puro utensilio. Mi inquietud proviene de que asumo necesaria y libremente ese ser que otro me hace ser en una absoluta libertad: "¡Sabe Dios qué soy para él! ¡Sabe Dios cómo me piensa!" Esto significa: "Sabe Dios cómo el otro me hace ser", y estoy infestado por ese ser que temo encontrarme un día a la vuelta de un camino, que me es tan extraño, que es sin embargo *mi ser,* sabiendo también que, pese a mis esfuerzos, no me encontraré con él jamás. Pero, si el Otro me ama, me convierto en el *intrascendible,* lo que significa que debo ser el fin absoluto; en este sentido, estoy a salvo de la *utensilidad;* mi existencia en medio del mundo se convierte en el exacto correlato de mi trascendencia-para-mí, puesto que mi independencia queda absolutamente salvaguardada. El objeto que el otro debe hacerme ser es un objeto-trascendencia, un centro de referencia absoluto en torno del cual se ordenen como puros *medios* todas las cosas-utensilios del mundo. Al mismo tiempo, como límite absoluto de la libertad, es decir, de la fuente absoluta de todos los valores, estoy protegido contra toda eventual desvalorización; soy el valor absoluto. Y, en la medida en que asumo mi ser-para-Otro, me asumo como valor. Así, querer ser amado es querer situarse más allá de todo el sistema de valores puesto por el prójimo como la condición de toda valoración y como el fundamento objetivo de todos los valores. Esta exigencia constituye el tema ordinario de las conversaciones entre amantes, sea que, como en *La porte étroite*[1], la que quiere ser amada se identifique con una moral ascética que aspira al trascender de sí mismo y quiera encarar el límite ideal de ese trascender, sea que, más comúnmente, el amante exija que el ser amado le sacrifique en sus actos la moral tradicional, preocupándose de saber si el ser amado traicionaría a sus amigos por él, "robaría, mataría por él", etc. Desde este punto de vista, mi ser debe escapar a la *mirada* del ser amado; o, más bien, debe ser objeto de una mirada de otra estructura: no debo ser visto ya sobre fondo de mundo como un "esto" entre otros *estos,* sino que el mundo debe revelarse a partir de mí. En efecto: en la medida en que el surgimiento de la libertad hace que exista un mundo, debo ser, como condición-límite de este surgimiento, la condición misma del surgimiento de un

---

[1] Novela de Gide. (N. del T.)

mundo. Debo ser aquel cuya función es hacer existir los árboles y el agua, las ciudades y campos, los demás hombres, para dárselos en seguida al otro a que los disponga en mundo, así como la madre, en las sociedades matronímicas, recibe los títulos y el nombre, no para guardarlos, sino para transmitirlos inmediatamente a sus hijos. En cierto sentido, si he de ser amado, soy el objeto por intermedio del cual el mundo existirá para el otro; y, en otro sentido, soy el mundo. En vez de ser un esto que se destaca sobre fondo de mundo, soy el objeto-fondo sobre el cual el mundo se destaca. Así quedo en seguro: no estoy ya transido de finitud por la mirada del otro; el otro no fija ya mi ser simplemente en *lo que soy;* ya no podré ser *mirado* como feo, pequeño, cobarde, puesto que tales caracteres representan necesariamente una limitación de hecho de mi ser y una aprehensión de mi finitud como finitud. Ciertamente, mis posibles quedan como posibilidades trascendidas, como mortiposibilidades; pero tengo todos los posibles; soy todas las mortiposibilidades del mundo; con ello, dejo de ser el ser que se comprende a partir de otros seres o a partir de sus propios actos; sólo que, en la intuición amorosa que exijo, debo ser dado como una totalidad absoluta a partir de la cual deben ser comprendidos todos sus actos propios y todos los seres. Podría decirse, deformando un tanto la célebre fórmula estoica, que "el amado puede dar tres veces la voltereta". El ideal del sabio y el ideal del que quiere ser amado coinciden, en efecto, en que uno y otro quieren ser totalidad-objeto accesible a una intuición global que capte las acciones en el mundo del amado y del sabio como estructuras parciales interpretadas a partir de la totalidad. Y, del mismo modo que la sabiduría se presenta como un estado que ha de alcanzarse por una metamorfosis absoluta, así también la libertad ajena debe metamorfosearse absolutamente para darme acceso al estado de amado.

Esta descripción se encuadraría bastante bien, hasta ahora, en la famosa descripción hegeliana de las relaciones entre el amo y el esclavo. Lo que el amo hegeliano es para el esclavo, el amante quiere serlo para el amado. Pero aquí termina la analogía, pues el amo, en Hegel, no exige sino lateralmente y, por así decirlo, de modo implícito, la libertad del esclavo, mientras que el amante exige *ante todo* la libertad del ser amado. En este sentido, si he de ser amado por el otro, debo ser libremente elegido como amado. Sabido es que, en la terminología corriente del amor, el amado se designa con el término de *el elegido*. Pero esta elección no debe ser relativa y contingente: el amante se irrita y se siente desvalorizado cuando piensa que el amado lo ha elegido *entre otros*: "Entonces, si yo no hubiera venido a esta ciudad, si no hubiera frecuentado la casa de fulano, ¿tú no me habrías conocido, no me habrías amado?" Esta idea aflige al amante: su amor se convierte en amor entre otros amores, limitado por la facticidad del amado y por su propia facticidad, a la vez que por la contingencia de los encuentros: se convierte en *amor en el mundo,* objeto que supone el mundo y que puede a su vez existir para otros. Lo que él exige, lo traduce con estas palabras desmañadas e impregnadas de "cosismo": "Estábamos hechos el uno para el otro"; o bien utiliza la expresión: "almas gemelas", pero ha de interpretarse así: él sabe bien que lo de "estar hechos el uno para el otro" se refiere a una elección originaria. Esta elección puede ser la de Dios, como el ser que es elección absoluta; pero Dios no representa aquí sino el paso al límite en la exigencia de absoluto. En realidad, lo que el amante exige es que el amado haya hecho de él una elección absoluta. Esto significa que el ser-en-el-mundo del amado debe ser un ser-amante. Este surgimiento del amado debe ser libre elección del amante. Y, como el otro es fundamento de mi ser-objeto, exijo de él que el libre surgimiento de su ser tenga por fin único y absoluto su elección de *mí*, es decir, que haya elegido ser para fundar mi objetidad y mi facticidad. De este modo mi facticidad queda *salvada.* Ya no es ese objeto dado impensable e insuperable del cual huyo: es aquello para lo cual el otro se hace existir libremente; es como un fin que él se da. Yo lo he infectado con mi facticidad, pero, ya que ha sido infectado en cuanto libertad, me la devuelve como facticidad recuperada y consentida: el otro es fundamento de esa facticidad para que ésta sea su fin. A partir de ese amor, pues, capto de otro modo mi alienación y mi facticidad propia. Ésta es –en tanto que para-otro– no ya un hecho, sino un derecho. Mi existencia es porque es *llamada.* Esta existencia, en tanto que la asumo, se convierte en pura generosidad. Soy porque me prodigo. Estas amadas venas de mis manos existen por bondad pura. ¡Qué bueno soy por tener ojos, cabellos, cejas, y prodigarlos incansablemente, en un desborde de generosidad, a ese deseo infatigable que el otro se hace libremente ser! En vez de sentirnos, como antes de ser amados, inquietos por esa protuberancia injustificada e injustificable que era nuestra existencia, en vez de sentirnos "de más", sentimos ahora que esa existencia es recobrada y querida en sus menores detalles por una libertad absoluta a la cual al mismo tiempo condiciona y que nosotros mismos queremos con nuestra propia libertad. Tal es el fondo de la alegría del amor, cuando esa alegría existe: sentirnos justificados de existir.

A la vez, si el amado puede amarnos, está presto para ser asimilado por nuestra libertad: pues ese ser-amados que anhelamos es ya la prueba ontológica aplicada a nuestro ser-para-otro. Nuestra esencia objetiva implica la existencia del *otro* y, recíprocamente, la libertad del otro funda nuestra esencia. Si pudiéramos interiorizar todo el sistema, seríamos nuestro propio fundamento.

Tal es, pues, el objetivo real del amante, en tanto que su amor es una empresa, es decir, un proyecto de sí-mismo. Este proyecto debe provocar un conflicto. El amado, en efecto, capta al amante como un otro-objeto entre los otros, es decir, lo percibe sobre fondo de mundo, lo transciende y lo utiliza. El amado es *mirada*. No podría, pues, utilizar su trascendencia para fijar un límite último a sus transcenderes, ni utilizar su libertad para que ésta se cautive a sí -misma. El amado no podría querer amar. El amante, pues, debe seducir al amado; y su amor no se distingue de esta empresa de seducción. En la seducción, no intento en modo alguno descubrir al otro mi subjetividad: no podría hacerlo, por otra parte, sino *mirándolo;* pero, con este mirar, haría desaparecer la subjetividad del otro, esa misma subjetividad que pretendo asimilar. Seducir es asumir enteramente y como un riesgo de-correr mi objectidad para otro; es ponerme bajo su mirada y hacerme mirar por él; es correr el peligro de *ser-visto*, para tomar un nuevo punto de partida y apropiarme del otro en y por mi objectidad. Me niego a abandonar el terreno en que experimento mi objectidad; quiero trabar la lucha en ese terreno mismo haciéndome *objeto fascinante*. Hemos definido la fascinación como *estado* en nuestra segunda parte: es, decíamos, la conciencia no-tética de ser el *nada* en presencia del ser. La seducción apunta a ocasionar en el otro la conciencia de su nihilidad frente al objeto seductor. Por la seducción, apunto a constituirme como una plenitud de ser y a hacerme *reconocer como tal*. Para ello, me constituyo en objeto significante. Mis actos deben *indicar* en dos direcciones. Por una parte, hacia lo que erróneamente se llama subjetividad, que es más bien profundidad de ser objetivo y oculto; el acto no es cumplido sólo por sí, sino que indica una serie indefinida e indiferenciada de otros actos reales y posibles que doy como constitutivos de mi ser objetivo no percibido. Así, intento guiar la transcendencia que me trasciende y remitirla al infinito de mis mortiposibilidades, precisamente para ser el intrascendible, justamente en la medida en que lo único intrascendible es lo infinito. Por otra parte, cada uno de mis actos intenta indicar el máximo espesor de mundo posible y debe presentarme como ligado a las más vastas regiones del mundo, ya sea que yo *presente* el mundo al ser amado e intente constituirme como el intermediario necesario entre él y el mundo, ya sea, simplemente, que manifieste por mis actos potencias variadas al infinito sobre el mundo (dinero, poder, relaciones, etc.). En el primer caso, intento constituirme como un infinito de profundidad; en el segundo, identificarme con el mundo. Por estos diversos procedimientos, me *propongo* como intrascendible. Esa pro-posición no podría bastarse a sí misma; no es sino un asedio del otro; no puede adquirir valor de hecho sin el consentimiento y la libertad del otro, que debe cautivarse reconociéndose como nada frente a mi plenitud absoluta de ser.

Se dirá que estas diversas tentativas de expresión *suponen* el lenguaje. No lo negaremos; diremos más: *son* el lenguaje, o, si se quiere, uno de sus modos fundamentales. Pues, si existen problemas psicológicos e históricos acerca de la existencia, el aprendizaje y la utilización de *tal o cual* lengua particular, no hay ningún problema particular acerca de lo que se llama la invención del lenguaje. El lenguaje no es un fenómeno sobreagregado al ser-para-otro: *es* originariamente el ser-para-otro, es decir, el hecho de que una subjetividad se experimente a sí misma como objeto para el otro. En un universo de puros objetos, el lenguaje no podría ser "inventado" en ningún caso, ya que supone originariamente una relación con otro sujeto; y en la intersubjetividad de los para-otro, no es necesario inventarlo, pues es ya dado en el reconocimiento del prójimo. Por el solo hecho de que, por mucho que yo haga, mis actos libremente concebidos y ejecutados, mis pro-yectos hacia mis posibilidades, tienen afuera un sentido que me escapa y que experimento, *soy* lenguaje. En este sentido –y solamente en éste– Heidegger tiene razón al declarar que *soy lo que digo*.[1] Este lenguaje no es, en efecto, un instinto de la criatura humana constituida; no es tampoco una invención de nuestra subjetividad; pero tampoco ha de reducírselo al puro "ser-fuera-de-sí" del "Dasein". Forma parte de la *condición humana;* es originariamente la posibilidad de que un para-sí experimente su ser-para-otro, y, ulteriormente, el trascender y la utilización de ese experimentar hacia posibilidades que son mis posibilidades, es decir, hacia mis posibilidades de ser para otro esto o aquello. No se distingue, pues, del reconocimiento de la existencia del prójimo. El surgimiento del otro frente a mí como mirada hace surgir el lenguaje como condición de mi ser. Ese lenguaje primitivo no es forzosamente la seducción; veremos otras formas, y, por otra parte, hemos señalado que no hay ninguna actitud primitiva frente al prójimo sino que las actitudes fundamentales se suceden en círculo, cada una implicada por la otra. Pero, inversamente, la seducción no supone ninguna forma anterior de lenguaje: es íntegramente realización del lenguaje. Esto significa que el lenguaje puede revelarse enteramente y de golpe por la seducción como modo de ser primitivo de la expresión. Va de suyo que por lenguaje entendemos todos los fenómenos de

---

[1] La fórmula es de A. de Waelhens: *La philosophie de Martin Heidegger,* Lovaina, 1942, pág. 99. Cf. también el texto de Heidegger allí citado: *"Diese Bezeugung meint nicht hier einen nachträglichen und bei her laufenden Ausdruck des Menschseins, sondern sie macht das Dasein des Menschen mit, usw".* (*Hölderlin und das Wesen der Dichtung,* pág. 6.)

expresión y no la palabra articulada, que es un modo deriva-do y secundario, cuya aparición puede ser objeto de un estu-dio histórico. En particular, en la seducción el lenguaje no apunta a *dar a conocer* sino a, hacer experimentar.

Pero, en esa tentativa primera por encontrar un lenguaje fas-cinante, marcho a ciegas, puesto que me guío sólo por la for-ma abstracta y vacía de mi objetividad para el otro. No puedo ni siquiera concebir qué efecto tendrán mis gestos y actitudes, ya que siempre serán retomados y fundados por una libertad que los trascenderá, y no pueden tener significación a menos que esta libertad se la confiera. Así, el "sentido" de mis expresio-nes me escapa siempre; no sé nunca exactamente si significo lo que quiero significar ni aun si *soy* significante; en este instante preciso, me sería menester leer en el otro; lo que, por princi-pio, es inconcebible. Y, al no saber qué es lo que de hecho expre-so para otro, constituyo mi lenguaje como un fenómeno incompleto de fuga fuera de mí mismo. Desde que me expre-so, no puedo más que conjeturar el sentido de lo que expreso, es decir, el sentido de lo que soy, en suma, puesto que, en esta perspectiva, expresar y ser se identifican. El prójimo es siem-pre ahí, presente y experimentado por mí como aquello que da al lenguaje su sentido. Cada expresión, cada gesto, cada pala-bra es, de mi parte, un experimentar concreto de la realidad alie-nadora del otro. No solamente el psicópata puede decir, como en el caso, por ejemplo, de las psicosis de influencia,[1] "Me roban el pensamiento" sino que el hecho mismo de la expresión es un robo de pensamiento, puesto que el pensamiento necesita el concurso de una libertad alienadora para constituirse como objeto. Por ello, ese primer aspecto del lenguaje –en tanto que yo lo utilizo para otro– es *sagrado*. El objeto sagrado, en efec-to, es un objeto del mundo que indica una trascendencia allen-de el mundo. El lenguaje me revela la libertad del que me escucha en silencio, es decir, su transcendencia.

---

[1] Por otra parte, la psicosis de influencia, como la generalidad de las psicosis, es experiencia exclusiva y traducida por mitos de un gran hecho metafísico: aquí, el caso de la alienación. Un loco no hace jamás sino realizar a su manera la condición humana.

Pero, en el mismo momento, para el otro, permanezco como objeto significante; lo que siempre he sido. No hay ningún camino que, a partir de mi subjetividad, pueda indicar al otro mi trascendencia. Las actitudes, las expresiones y las palabras no pueden indicarle jamás sino otras actitudes, otras expresiones y otras palabras. Así, el lenguaje queda para el prójimo como simple propiedad de un objeto mágico, y como objeto mágico él mismo: es una acción a distancia cuyo efecto el prójimo conoce exactamente. Así, la palabra es *sagrada* cuando la utilizo yo, y *mágica* cuando el otro la oye. De este modo, no conozco mejor mi lenguaje que mi cuerpo para el otro. No puedo oírme hablar ni verme sonreír. El problema del lenguaje es exactamente paralelo al problema del cuerpo, y las descripciones que han sido válidas para un caso lo son para el otro.

Empero, la fascinación, aun si debiera ocasionar en el prójimo un ser-fascinado, no lograría de suyo ocasionar el amor. Uno puede estar fascinado por un orador, por un actor, por un equilibrista; ello no significa que lo ame. No puede uno quitarle los ojos de encima, es verdad; pero el otro sigue destacándose sobre fondo de mundo, y la fascinación no pone el objeto fascinante como término último de la trascendencia; muy al contrario, ella es *trascendencia*. ¿Cuándo, pues, el ser amado se convertirá en amante a su vez?

La respuesta es sencilla: cuando proyecte ser amado. En sí, el Prójimo-objeto no tiene nunca fuerza suficiente para ocasionar el amor. Si el amor tiene por ideal la apropiación del prójimo en tanto que prójimo, es decir, en tanto que subjetividad mirante, este ideal no puede ser proyectado sino a partir de mi encuentro con el prójimo-sujeto, no con el prójimo-objeto. La seducción no puede ornar al prójimo-objeto que intenta seducirme sino con el carácter de objeto *precioso* "de-poseer"; me determinará, quizás, a arriesgar mucho para conquistarlo; pero este deseo de apropiación de un objeto en medio del mundo no puede ser confundido con el amor. El amor no puede nacer en el ser amado, pues, sino en cuanto éste experimenta su propia alienación y fuga hacia el otro. Pero, siendo así, una vez más el ser amado sólo se transformará en amante si proyecta ser amado, es decir, si lo que quiere conquistar no es un cuerpo sino la subjetividad del otro en tanto que tal. El único medio que, en efecto, pueda concebir para realizar tal apropiación es hacerse amar. Así, se nos aparece que amar es, en su esencia, el proyecto de hacerse amar. De ahí una nueva contradicción y un conflicto nuevo: cada uno de los amantes está enteramente cautivo del otro en tanto que quiere hacerse amar por él con exclusión de otro cualquiera; pero, al mismo tiempo, cada uno exige del otro un amor que no se reduzca en modo alguno al "proyecto de ser-amado". Lo que exige, en efecto, es que el otro, sin buscar originariamente hacerse amar, tenga una intuición a la vez contemplativa y afectiva de su amado como el límite objetivo de su propia libertad, como el fundamento ineluctable y elegido de su trascendencia, como la totalidad de ser y el valor supremo. El amor así exigido al otro no puede *pedir* nada: es puro compromiso sin reciprocidad. Pero, precisamente, ese amor no podría existir sino a título de exigencia del amante; y la manera en que éste es cautivado es muy distinta: es cautivo de su exigencia misma, en la medida en que el amor es, en efecto, exigencia de ser amado; es una libertad que quiere ser cuerpo y que exige un afuera; por lo tanto, una libertad que remeda una huida hacia el otro,[1] una libertad que, en tanto que libertad, reclama su alienación. La libertad del amante en su propio esfuerzo por hacerse amar como objeto por el otro se aliena vertiéndose en el cuerpo-para-el-otro, es decir, se produce surgiendo a la existencia con una dimensión de fuga hacia el otro; es perpetua denegación a ponerse como pura ipseidad, pues esta afirmación de sí como sí-mismo traería apareado el desmoronamiento del otro como mirada y el surgimiento del otro-objeto, es decir, un estado de cosas en que la posibilidad misma de ser amado desaparece, puesto que el otro se reduce a su dimensión de objetividad. Esa denegación constituye, pues, a la libertad como dependiente del otro, y el otro como subjetividad se convierte en límite insuperable de la libertad del para-sí, meta y fin supremo en tanto que él retiene la clave de su ser. Nuevamente encontramos aquí el ideal de la empresa amoro-

---

[1] "Remedar" traduce imperfectamente el francés *mimer*, que da la idea de un actor encarnando un papel. (N. del T.)

sa: la libertad alienada. Pero el que aliena su libertad es el que quiere ser amado en tanto que quiere que se lo ame. Mi libertad se aliena en presencia de la pura subjetividad del otro, que funda mi objetividad; no podría alienarse en modo alguno frente al otro-objeto. En esta forma, en efecto, esa alienación del ser amado, con que el amante sueña, sería contradictoria, pues el amado no puede fundar el ser del amante sino trascendiéndolo por principio hacia otros objetos del mundo; así, pues, esta trascendencia no puede constituir a la vez el objeto trascendido por ella como objeto trascendido y como objeto límite de toda trascendencia. Así, en la pareja amorosa, cada uno quiere ser el objeto para el cual la libertad del otro se aliene en una intuición original; pero esta intuición que sería el amor propiamente dicho no es sino un ideal contradictorio del para-sí; de modo que cada uno es alienado sólo en la medida exacta en que exige la alienación del otro. Cada uno quiere que el otro lo ame, sin darse cuenta de que amar es querer ser amado y que así, queriendo que el otro lo ame, quiere solamente que el otro quiera que él lo ame. Así, las relaciones amorosas son un sistema de remisiones indefinidas análogo al puro "reflejo-reflejado" de la conciencia, bajo el signo ideal del *valor* "amor", es decir, de una fusión de las conciencias en que cada una de ellas conservaría su alteridad para fundar a la otra. Pues, en efecto, las conciencias están separadas por una nada que es insuperable por ser a la vez una negación interna de la una por la otra y una nada de hecho entre las dos negaciones internas. El amor es un esfuerzo contradictorio por sobrepasar la negación de hecho conservando al mismo tiempo la negación interna. Exijo que el otro me ame y pongo por obra todo para realizar mi proyecto: pero, si el otro me ama, me decepciona radicalmente por su amor mismo; yo exigía de él que fundara mi ser como objeto privilegiado manteniéndose como pura subjetividad frente a mí; y, desde que me ama, me experimenta como sujeto y se abisma en su objetividad frente a mi subjetividad. El problema de mi ser-para-otro queda, pues, sin solución; los amantes permanecen cada uno para sí en una subjetividad total; nada viene a relevarlos de su deber de hacerse existir cada uno para sí; nada viene a suprimir su contingencia ni a salvarlos de la facticidad. Por lo menos, cada uno de ellos lleva ganado el no estar ya en peligro en la libertad del otro; pero ello de modo muy distinto de como él lo cree: no porque el otro lo haga ser como objeto-límite de su trascendencia, sino porque el otro lo experimenta como subjetividad y no quiere experimentarlo sino como tal. Y, aun así, la ganancia es perpetuamente una componenda inestable:[1] en primer lugar, a cada instante cada una de las conciencias puede liberarse de sus cadenas y contemplar de súbito al otro como *objeto*. Entonces el hechizo cesa, el otro se convierte en un medio entre los medios, y es entonces objeto para el otro, como él lo desea, pero objeto-utensilio, objeto perpetuamente trascendido; la ilusión, el juego de espejos que constituye la realidad concreta del amor, cesa de pronto. Además, en el amor, cada conciencia procura tener su ser-para-otro *puesto a salvo* en la libertad del otro. Esto supone que el otro es allende el mundo como pura subjetividad, como lo absoluto por el cual el mundo llega a ser. Pero basta que los amantes sean *mirados* juntos, por un tercero para que cada uno de ellos experimente la objetivación no sólo de sí mismo sino también del otro. A la vez, el otro ya no es para mí la transcendencia absoluta que me funda en mi ser, sino que es trascendencia-trascendida, no por mí, sino por otro; y mi relación originaria con él, es decir, mi relación de ser amado con respecto al amante, se fija en mortiposibilidad. No es ya la relación experimentada entre un objeto límite de toda trascendencia y la libertad que lo funda, sino un amor-objeto que se aliena íntegramente hacia aquel tercero. Tal es la verdadera razón por la cual los amantes buscan la soledad; la aparición de un tercero, cualquiera que fuere, es destrucción de ese amor. Pero la soledad de hecho (estamos solos en mi cuarto) no es en modo alguno soledad *de derecho*. En realidad, aun si nadie nos ve, existimos para *todas* las conciencias y tenemos conciencia de existir para todas: resulta de ello que el amor como modo fundamental del ser-para-otro tiene en su ser-para-otro la raíz de su destrucción. Acabamos de definir la triple destructibilidad del

---

[1] La perífrasis "componenda inestable" traduce el francés *compromis*. (N. del T.)

amor: en primer lugar es, por esencia, un embaucamiento y una remisión al infinito, puesto que amar es querer que se me ame y, por ende, querer que el otro quiera que yo lo ame. Una comprensión preontológica de ese embaucamiento está dada en el propio impulso amoroso: de ahí la perpetua insatisfacción del amante. Ésta no procede, como a menudo se ha dicho, de la indignidad del ser amado, sino de una comprensión implícita de que la intuición amorosa es, como intuición-fundamento, un ideal inalcanzable. Cuanto más se me ama, más pierdo *mi ser*, pues soy devuelto a mis propias responsabilidades, a mi propio poder ser. En segundo lugar, siempre es posible el despertar del otro; en cualquier momento puede hacerme comparecer como objeto: de ahí la perpetua inseguridad del amante. En tercer lugar, el amor es un absoluto perpetuamente *relativizado* por los otros. Sería menester estar solo en el mundo con el ser amado para que el amor conservara su carácter de eje de referencia absoluto. De ahí la perpetua vergüenza (o la actitud orgullosa, lo que en este caso da lo mismo) del amante.

Así, en vano habré intentado perderme en lo objetivo: mi pasión no habrá servido de nada; el otro me ha devuelto –sea por sí mismo, sea por medio de los otros– a mi injustificable subjetividad. Esta comprobación puede provocar una desesperación total y una nueva tentativa de realizar la asimilación entre otro y yo. Su ideal será inverso del que acabamos de describir: en vez de proyectar absorber al otro conservándole su alteridad, proyectaré hacerme absorber por el otro y perderme en su subjetividad para desembarazarme de la mía. La empresa se traducirá en el plano concreto por la actitud *masoquista*: puesto que el otro es el fundamento de mi ser-para-otro, si descargara en el otro el cuidado de hacerme existir, no sería yo más que un ser-en-sí fundado en su ser por una libertad. Aquí, mi propia subjetividad es considerada como obstáculo para el acto primordial por el cual el otro me fundaría en mi ser; se trata, pues, ante todo de negarla con *mi propia libertad*. Trato entonces de comprometerme íntegramente en mi ser-objeto; deniego ser nada sino objeto, descanso en el otro; como experimento ese ser-objeto en la vergüenza, quiero y amo mi vergüenza como signo profundo de mi objetividad; y, como el otro me capta como objeto por el *deseo actual*,[1] quiero ser deseado, me hago objeto de deseo en la vergüenza. Esta actitud sería bastante similar a la del amor, si, en vez de tratar de existir para el otro como objeto-límite de su trascendencia, no me empeñara, al contrario, en hacerme tratar como un objeto entre otros, como un instrumento de-utilizar: en efecto, se trata de negar *mi* trascendencia, no la del otro. Esta vez no tengo que proyectar cautivarle su libertad, sino, al contrario, deseo que esta libertad sea y se quiera radicalmente libre. Así, cuanto más trascendido me sienta hacia otros fines, más gozaré de la abdicación de mi trascendencia. En el límite, proyecto no ser nada más que un *objeto*, es decir, radicalmente un *en-sí*. Pero, en tanto que una libertad que hubiera absorbido la mía sería el fundamento de ese en sí, mi ser volvería a ser fundamento de sí mismo. El masoquismo, como el sadismo,[2] es asunción de culpabilidad. Soy culpable, efectivamente, por el solo hecho de ser objeto. Culpable hacia mí mismo, puesto que consiento en mi alienación absoluta; culpable hacia el prójimo, pues le doy ocasión de ser culpable, es decir, de *fallir*[3] radicalmente mi libertad como tal. El masoquismo es una tentativa no de fascinar al otro por mi objetividad, sino de hacerme fascinar yo mismo por mi objetividad-para-otro, es decir, hacerme constituir por otro en objeto, de tal suerte que yo capte no-téticamente mi subjetividad como un *nada*, en presencia del en-sí que represento a los ojos del otro. Se caracteriza como una especie de vértigo: no el vértigo ante el precipicio de roca y tierra, sino ante el abismo de la subjetividad ajena.

Pero el masoquismo es y debe ser en sí mismo un fracaso: para hacerme fascinar por mi yo-objeto, sería menester, efectivamente, que pudiera realizar la aprehensión intuitiva de este objeto tal cual es *para el otro*, lo cual por principio es imposible. Así, el yo alienado, lejos de poder yo ni siquiera empezar a fascinarme con él, permanece por principio incaptable. En vano el masoquista se arrastra de rodillas, se muestra en pos-

---

[1] Cf. parágrafo II.
[2] Cf. parágrafo II.
[3] *Manquer*: doble sentido de "marrar" y "frustrar". (N. del T.)

turas ridículas, se hace utilizar como simple instrumento inanimado; sólo *para el otro* será obsceno o simplemente pasivo;
para el otro *padecerá* esas posturas; para sí, está por siempre
condenado *a dárselas él mismo*. Sólo en y por propia trascendencia se dispone como un ser para ser trascendido; y cuanto
más intente gustar, saborear su objetividad, más se verá sumergido por la conciencia de su subjetividad, hasta la angustia.
En particular, el masoquista que paga a una mujer para que
lo azote, la trata como instrumento, y por eso mismo se pone
en trascendencia con respecto a ella. Así, el masoquista termina por tratar al otro como objeto y por trascenderlo hacia su
propia objetividad. Recuérdense, por ejemplo, las tribulaciones
de Sacher-Masoch, que, para hacerse despreciar, insultar, reducir a una posición humillante, se veía obligado a utilizar el
gran amor que le profesaban las mujeres, es decir, a actuar
sobre ellas en tanto que éstas se experimentaban a sí mismas
como un objeto para él. Así, de todas maneras, la objetividad
del masoquista le escapa, y hasta puede ocurrir, y lo más a
menudo ocurre, que, tratando de captar su propia objetividad, encuentre la objetividad del otro, lo que, pese a él, libera
su subjetividad. El masoquismo es, pues, por principio, un
fracaso. Lo cual no puede sorprendernos, si reflexionamos en
que el masoquismo es un "vicio" y que el vicio es, por principio, el amor del fracaso. Pero no hemos de describir aquí las
estructuras propias del vicio. Bástenos señalar que el masoquismo es un perpetuo esfuerzo por aniquilar la subjetividad
del sujeto haciéndola reasimilar por el otro, y que ese esfuerzo va acompañado de la agotadora y deliciosa conciencia del
fracaso, hasta tal punto que el sujeto termina por buscar el
fracaso mismo como su objetivo principal.[1]

[1] En los términos de esta descripción, hay por lo menos una forma
de exhibicionismo que debe clasificarse entre las actitudes masoquistas.
Por ejemplo, cuando Rousseau exhibe a las lavanderas "no el objeto
obsceno, sino el objeto ridículo"; cf. *Confessions*, cap. III.

II

La segunda actitud hacia el prójimo: la indiferencia, el deseo, el odio, el sadismo

El fracaso de la primera actitud hacia el otro puede ser ocasión de adoptar la segunda. Pero, a decir verdad, ninguna de ellas es realmente primera; cada una de ellas es una reacción fundamental al ser-para-otro como situación originaria. Puede ocurrir, pues, que por la imposibilidad misma en que estoy de asimilarme la conciencia del otro, por medio de mi objectidad para él, me vea conducido a volverme deliberadamente hacia el otro para *mirarlo*. En este caso, mirar la mirada ajena es ponerse uno mismo en la propia libertad e intentar, desde el fondo de ésta, afrontar la libertad del otro. Así, el sentido del conflicto buscado consistirá en poner en plena luz la lucha de dos libertades enfrentadas en tanto que libertades. Pero esa intención debe ser inmediatamente defraudada, pues, por el solo hecho de afirmarme en mi libertad frente al otro, hago de él una trascendencia-trascendida, es decir, un objeto. Intentaremos delinear ahora la historia de este fracaso. Está claro el esquema director: sobre el prójimo que me mira, asesto a mi vez mi mirada. Pero no se puede mirar una mirada: desde que miro hacia la mirada, ésta se desvanece y no veo más que unos ojos. En este instante, el otro se convierte en un ser que yo poseo y que reconoce mi libertad. Parecería que he alcanzado mi propósito, puesto que poseo al ser que tiene la clave de mi objectidad y puedo hacerle experimentar mi libertad de mil maneras. Pero, en realidad, todo se ha desmoronado, pues el ser que me queda entre las manos es un prójimo-objeto. En tanto que tal, ha perdido la clave de mi ser objeto y posee de mí una pura y simple imagen que no es nada más que una de sus afecciones objetivas y que no me toca; y, si experimenta los efectos de mi libertad, si puedo actuar sobre su ser de mil maneras y trascender sus posibilidades con todas las mías, ello ocurre en tanto que él es objeto en el mundo y, como tal, no está en condiciones de reconocer mi libertad. Mi decepción es completa, puesto que trato de apropiarme de la libertad del otro y percibo de pronto que no puedo actuar sobre él sino en tanto que esa libertad se ha desmoronado bajo mi mirada. Esta decepción será el móvil de mis tentativas ulteriores de buscar la libertad del otro *a través* del objeto que él es para mí, y de encontrar conductas privilegiadas que pudieran hacerme dueño de esa libertad a través de una apropiación total del cuerpo ajeno. Estas tentativas, como puede suponerse, están por principio destinadas al fracaso.

Pero también puede ocurrir que el "mirar la mirada" sea mi reacción originaria a mi ser-para-otro. Ello significa que puedo, en mi surgimiento al mundo, elegirme como el que mira la mirada ajena y construir mi subjetividad sobre el derrumbe de la ajena. Llamaremos a esta actitud *indiferencia hacia el prójimo*. Se trata, entonces, de una *ceguera* respecto de los otros. Pero el término "ceguera" no debe inducirnos a error: no padezco esa ceguera como un estado; soy mi propia ceguera para con los otros, y esa ceguera incluye una comprensión implícita del ser-para-otro, es decir, de la trascendencia del otro como mirada. Esta comprensión es, simplemente, lo que yo me determino a enmascarar. Practico entonces una especie de solipsismo de hecho; los otros son esas formas que pasan por la calle, esos objetos mágicos capaces de actuar a distancia, sobre los cuales puedo obrar por medio de determinadas conductas. Poco y nada me cuido de ellos; actúo como si estuviera solo en el mundo; rozo "a la gente" como rozo paredes, los evito como evito obstáculos, su libertad-objeto no es para mí sino su "coeficiente de adversidad"; ni imagino siquiera que puedan *mirarme*. Sin duda, tienen algún conocimiento acerca de mí; pero este conocimiento no me toca: se trata de puras modificaciones operadas en su ser, que no pasan de ellos a mí y que están infisionadas por lo que llamamos "subjetividad-padecida" o "subjetividad-objeto", es decir, traducen lo que ellos son, no lo que soy yo, y son efecto de mi acción sobre ellos. Esa "gente" son funciones: el inspector que pica boletos no es nada más que la función de picarlos; el mozo de café no es nada más que función de servir a los parroquianos. Partiendo de esto, será posible utilizarlos lo mejor posible para mis intereses si conozco sus *claves*, esas "palabras-clave" que pueden desencadenar sus mecanismos. De ahí esa psicología "moralista" que nos ha transmitido el siglo XVII francés; de ahí esos tratados del siglo XVIII, como el *Moyen de parvenir*, de Béroalde de Verville; *Les liaisons dangereuses*, de Laclos; el *Traité de l'ambition, de* Hérault de Séchelles, que nos ofrecen un conocimiento *práctico* del otro y el arte de actuar sobre él. En tal estado de ceguera, ignoro, concurrentemente, la subjetividad absoluta del otro como fundamento de mi ser-en-sí y de mi ser-para-el-otro, y en particular de mi "cuerpo para el otro". En cierto sentido, estoy tranquilizado: tengo "descaro", es decir, no tengo conciencia alguna de que la mirada del otro puede fijar mis posibilidades y mi cuerpo; estoy en el estado opuesto al que recibe el nombre de *timidez*. Poseo soltura, no me siento embarazado por mí mismo, pues no estoy *afuera*, no me siento alienado. Ese estado de ceguera puede proseguir largo tiempo, a favor de mi mala fe fundamental; puede extenderse, con interrupciones, durante varios años, durante toda una vida: hay hombres que mueren sin haber sospechado siquiera –salvo durante breves y aterradoras iluminaciones– lo que es el *Otro*. Pero, aun cuando uno esté enteramente sumido en él, no deja de experimentar su insuficiencia. Y, como toda mala fe, ese mismo estado nos da motivos para salir de él: pues la ceguera respecto del otro hace desaparecer, concurrentemente, toda aprehensión vivida de mi *objetividad*. Empero, el Otro como libertad y mi objetividad como yo-alienado *son ahí,* inadvertidos, no tematizados, pero dados en mi comprensión misma del mundo y de mi ser en el mundo. El inspector que pica boletos, aun considerado como mera función, me remite, por su función misma, a un *ser*-afuera, bien que este ser-afuera no sea ni captado ni captable. De ahí un sentimiento perpetuo de falta y de malestar. Pues mi proyecto fundamental hacia el Prójimo –cualquiera que fuere la actitud que yo adopte– es doble: por una parte, se trata de protegerme contra el peligro que me hace correr mi ser-afuera-en-la-libertad-del-Prójimo, y por otra parte, de utilizar al Prójimo para totalizar por fin la totalidad destotalizada que soy, para cerrar el circulo abierto y hacerme ser finalmente el fundamento de mí mismo. Pero, por una parte, la desaparición del Prójimo como mirada me arroja nuevamente a mi injustificable subjetividad y reduce mi ser a esa perpetua persecución-perseguida hacia un En-sí-para-sí incaptable; sin el otro, capto en plenitud y desnudez la terrible necesidad de ser libre que es mi destino, es decir, el hecho de que no puedo entregar a nadie sino a mí mismo el cuidado de hacerme ser, por más que no haya escogido ser y haya *nacido*. Pero, por otra parte, aunque la *ceguera* hacia el Otro me libre en apariencia del temor de estar en peligro en la libertad del Otro, incluye, pese a todo, una comprensión implícita de esa libertad. Me coloca, pues, en el último grado de objetividad en el momento mismo en que puedo creerme subjetividad absoluta y única, puesto que soy visto sin siquiera poder experimentar que soy visto y defenderme, por medio de este experimentar, contra mi "ser-visto". Soy poseído sin poder volverme hacia el que me posee. En el directo experimentar al Prójimo como mirada, me defiendo experimentando al Otro, y me queda la posibilidad de transformar al Otro en objeto. Pero, si el Otro es objeto para mí *mientras me mira,* entonces estoy en peligro sin saberlo. Así, mi *ceguera* es inquietud, porque va acompañada de la conciencia de una "mirada errante" e incaptable que amenaza alienarme sin yo saberlo. Este malestar ha de ocasionar una nueva tentativa de apoderarme de la libertad del Prójimo. Pero esto significa que me volveré hacia el Objeto-Prójimo que me roza y trataré de utilizarlo como instrumento para alcanzar su libertad. Sólo que, precisamente por dirigirme al *objeto* "Prójimo", no puedo pedirle cuentas de su trascendencia y, estando yo mismo en el plano de la objetivación del Prójimo, ni siquiera puedo concebir aquello de que quiero apoderarme. Así, estoy en una actitud irritante y contradictoria respecto de ese objeto que considero: no sólo no puedo obtener de él lo que quiero, sino, además, esa búsqueda provoca una evanescencia del saber mismo concerniente a lo que quiero: me comprometo en una búsqueda desesperada de la libertad del Otro y, de camino, me *encuentro comprometido* en una búsqueda que ha perdido su sentido: todos mis esfuerzos por devolver su sentido a la búsqueda no tienen otro efecto que hacérselo perder más aún y provocarme estupefacción y malestar, exactamente como cuando procuro recobrar el recuerdo de un sueño y este recuerdo se me funde entre los dedos dejándome una vaga e irritante impresión de conocimiento total y sin objeto; exactamente como cuando procuro explicitar el contenido de una falsa reminiscencia, y la explicación misma la hace fundirse en translucidez.

Mi tentativa original de apoderarme de la libre subjetividad del Otro a través de su objetividad-para-mí es el *deseo sexual*. Asombrará quizá ver mencionar al nivel de actitudes primeras que manifiestan simplemente nuestra manera originaria de realizar el Ser-para-Otro un fenómeno que se clasifica de ordinario entre las "reacciones psicofisiológicas". Para la mayor parte de los psicólogos, en efecto, el deseo, como hecho de conciencia, se halla en estricta correlación con la naturaleza de nuestros órganos sexuales y sólo podría comprendérselo en conexión con un estudio profundo de esos órganos. Pero, como la estructura diferenciada del cuerpo (mamífero, vivíparo, etc.) y, por ende, la estructura particular del sexo (útero, trompas, ovarios, etc.) pertenecen al dominio de la contingencia absoluta y no pertenecen en modo alguno a la ontología de la "conciencia" o del *Dasein*, parecería que con el deseo sexual ocurriese lo mismo. Así como los órganos sexuales constituyen una información contingente y particular de nuestro cuerpo, así también el deseo correspondiente sería una modalidad contingente de nuestra vida psíquica, es decir, que no podría describirse sino al nivel de una psicología empírica apoyada en la biología. Esto se ve con harta claridad en el nombre de *instinto sexual* reservado para el deseo y todas las estructuras psíquicas a él referidas. El término de instinto, en efecto, califica siempre a formaciones contingentes de la vida psíquica que tienen el doble carácter de ser coextensivas a toda la duración de esa vida –o, en todo caso, de no provenir de nuestra "historia"– y de no poder ser deducidas, sin embargo, de la esencia de lo psíquico. Por eso las filosofías existenciales no han creído deber preocuparse de la sexualidad. Heidegger, en particular, no alude para nada a ella en su analítica existencial, de suerte que su *Dasein* se nos aparece como asexuado. Sin duda, puede considerarse que, en efecto, para la "realidad humana" es una contingencia especificarse como "masculina" o "femenina"; sin duda, puede decirse que el problema de la diferenciación sexual nada tiene que ver con el de la *Existencia (Existenz),* ya que el hombre o la mujer "existe", ni más ni menos.

Tales razones no son en absoluto convincentes. Que la diferencia sexual pertenezca al dominio de la facticidad, en rigor lo aceptamos. Pero, ¿ha de significar eso que el "Para-sí" sea sexual "por accidente", por la pura contingencia de tener *tal o cual* cuerpo? ¿Podemos admitir que ese inmenso asunto que es la vida sexual venga a la condición humana por añadidura? A primera vista aparece que el deseo y su inverso, el horror sexual, son estructuras fundamentales del ser-para-otro. Evidentemente, si la sexualidad tienen origen en el *sexo* como determinación fisiológica y contingente del hombre, no podrá ser indispensable para el ser del Para-Otro. Pero ¿no hay derecho de preguntarse si el problema no es, quizá, del mismo orden que el que hemos encontrado con motivo de las sensaciones y de los órganos sensibles? El hombre, se dice, es un ser sexual porque posee un sexo. ¿Y si fuera a la inversa? ¿Si el sexo no fuera sino el instrumento y como la *imagen* de una sexualidad fundamental? ¿Si el hombre no poseyera un sexo sino porque es originaria y fundamentalmente un ser sexual, en tanto que ser que existe en el mundo en conexión con otros hombres? La sexualidad infantil precede a la maduración fisiológica de los órganos sexuales; los eunucos no por serlo dejan de desear. Ni muchos ancianos. El hecho de poder *disponer* de un órgano sexual apto para fecundar y procurar goce no representa sino una fase y un aspecto de nuestra vida sexual. Hay un modo de sexualidad "con posibilidad de satisfacción", y el sexo formado representa y concreta esa posibilidad. Pero hay otros modos de la sexualidad en el tipo de la insatisfacción, y, si se tienen en cuenta estas modalidades, ha de reconocerse que la sexualidad, que aparece con el nacimiento, no desaparece sino con la muerte. Por otra parte, jamás la turgencia del pene ni ningún otro fenómeno fisiológico puede explicar ni provocar el deseo sexual, así como tampoco la vasoconstricción o la dilatación pupilar (ni la simple conciencia de estas modificaciones fisiológicas) podrán explicar ni provocar el miedo. En uno como en otro caso, aunque el cuerpo tenga un importante papel que desempeñar, es preciso, para comprender bien, remitirnos al ser-en-el-mundo y al ser-para-otro: deseo a un ser humano, no a un insecto o a un molusco y lo deseo en tanto que él está y yo estoy en situación en el mundo, y en tanto que él es Otro para mí y yo soy *Otro* para él. El problema fundamental de la sexualidad puede, entonces, formularse así: ¿la sexualidad es un accidente contingente vinculado con nuestra naturaleza fisiológica o es una estructura necesaria del ser-para-sí-para-otro? Por el solo hecho de poderse plantear la cuestión en tales términos, a la ontología corresponde decidirla. Y la ontología no podría hacerlo, precisamente, a menos que se preocupe por determinar y fijar la significación de la existencia sexual para el Otro. Ser sexuado, en efecto, significa, en términos de la descripción del cuerpo que hemos intentado en el capítulo anterior, existir sexualmente para un Prójimo que existe sexualmente para mí, dejando bien aclarado que ese Prójimo no es forzosa ni primeramente *para* mí —ni yo para él— un existente *heterosexual* sino sólo un ser sexuado en general. Considerada desde el punto de vista del Para-sí, esa captación de la sexualidad ajena no puede ser la pura contemplación desinteresada de sus caracteres sexuales primarios o secundarios. El prójimo no es sexuado para mí *primeramente* porque yo saque la conclusión, observando la repartición de su sistema piloso, la rudeza de sus manos, el sonido de su voz, su fuerza, de que pertenece al sexo masculino. Estas son conclusiones derivadas que se refieren a un estado primero. La aprehensión primera de la sexualidad del Prójimo, en tanto que vivida y padecida, no puede ser sino el *deseo*: deseando al Otro (o descubriéndome como incapaz de desearlo) o captando su deseo de mí, descubro su sersexuado; y el deseo me descubre *a la vez mi* ser-sexuado y *su* ser-sexuado, *mi* cuerpo y *su* cuerpo como sexo. Henos, pues, remitidos, para captar la naturaleza y la jerarquía ontológica del sexo, al estudio del deseo. ¿Qué es el deseo, pues?

Y, ante todo, ¿hay deseo *de qué*?

Hemos de renunciar de entrada a la idea de que el deseo sea deseo de voluptuosidad o de hacer cesar un dolor. De este estado de inmanencia, no se ve cómo el sujeto podría salir para "fijar" su deseo en un objeto. Toda teoría subjetivista e inmanentista fracasará al querer explicar nuestro deseo *de* una mujer y no simplemente nuestra satisfacción. Conviene, pues, definir el deseo por su objeto trascendente. Empero, sería enteramente inexacto decir que el deseo es deseo de "posesión física" del objeto deseado, si por poseer se entiende aquí tener contacto carnal. Sin duda, el acto sexual libra por un momento del deseo, y puede que en ciertos casos sea explícitamente puesto como el objetivo del deseo, por ejemplo cuando éste es doloroso y fatigante. Pero entonces es menester que el deseo mismo sea el objeto que se pone como "de-suprimir", y ello no podría hacerse sino por medio de una conciencia reflexiva. Pero el deseo es, por sí mismo, irreflexivo; no podría, pues, ponerse a sí mismo como objeto de-suprimir. Sólo un libertino se representa su deseo, lo trata como objeto, lo excita, lo mantiene despierto, difiere la satisfacción, etc. Pero entonces, ha de notarse, lo deseable es el deseo mismo. El error proviene aquí de que se ha aprendido que el acto sexual suprime el deseo. Se ha unido, pues, al deseo un conocimiento; y, por razones exteriores a su esencia (procreación, carácter sagrado de la maternidad, fuerza excepcional del placer provocado por la eyaculación, valor simbólico del acto sexual), se le ha agregado desde afuera la voluptuosidad como su satisfacción normal. Así, el hombre medio no puede, por pereza de espíritu o por conformismo, concebir para su deseo otro fin que la eyaculación. Esto ha permitido concebir el deseo como un instinto cuyo origen y fin son estrictamente fisiológicos, ya que, en el hombre por ejemplo, tendría por causa la erección, y la eyaculación por término final. Pero el deseo no implica en sí, en modo alguno, el acto sexual; no lo pone temáticamente, ni siquiera lo esboza, como se ve cuando se trata del deseo de niños de corta edad o de adultos que ignoran la "técnica" del amor. Análogamente, el deseo no es deseo de ninguna práctica amorosa especial; lo prueba suficientemente la diversidad de estas prácticas, variables con los grupos sociales. De modo general, el deseo no es deseo de *hacer*. El "hacer" interviene después, se agrega desde afuera al deseo y requiere un aprendizaje: hay una técnica amorosa que tiene sus propios fines y medios. El deseo, al no poder ni poner su supresión como su fin supremo ni elegir como objetivo último un acto particular, es pura y simplemente deseo de un objeto trascendente. Nuevamente encontramos aquí esa intencionalidad afectiva de que hablábamos en los capítulos precedentes y que ha sido descrita por Scheler y Husserl. Pero, ¿de qué objeto hay deseo? ¿Se dirá que el deseo es deseo de un *cuerpo?* En cierto sentido, es innegablemente así. Pero hemos de entendernos. En verdad, lo que nos perturba es el cuerpo: un brazo o un seno entrevisto, o acaso un pie. Pero ha de notarse, ante todo, que no deseamos jamás el brazo o el seno descubierto sino sobre el fondo de presencia del cuerpo entero como totalidad orgánica. El cuerpo mismo, como totalidad, puede estar enmascarado: puedo no ver sino un brazo desnudo. Pero el cuerpo está ahí: es aquello a partir de lo cual capto el brazo en cuanto brazo; es tan presente, tan adherente al brazo que veo, como los arabescos del tapiz ocultados por la pata de la mesa son adherentes y presentes a los arabescos que me son visibles. Y mi deseo no se engaña: no se dirige a una suma de elementos fisiológicos sino a una forma total; mejor aún: a una forma *en situación.* La actitud, como luego veremos, hace mucho para provocar el deseo. Pero, con la actitud, se dan los entornos y, en última instancia, el mundo. Y de pronto henos aquí en los antípodas del simple prurito fisiológico: el deseo pone el mundo y desea al cuerpo a partir del mundo, y a la bella mano a partir del cuerpo. Sigue exactamente el proceso, descrito en el capítulo anterior, por el cual captamos el cuerpo del Prójimo a partir de su situación en el mundo. Esto, por otra parte, no puede sorprendernos, pues el deseo no es sino una de las grandes formas que puede adoptar la develación del cuerpo ajeno. Pero, precisamente por eso, no deseamos el cuerpo como puro objeto material: el puro objeto material, en efecto, no está *en situación.* Así, esa totalidad orgánica que es inmediatamente presente al deseo no es deseable sino en cuanto revela no sólo la vida sino también la conciencia adaptada. Empero, como veremos, ese ser-en-situación del Prójimo revelado por el deseo es un tipo enteramente original. La conciencia aquí considerada, además, no es aún sino una *propiedad* del objeto deseado, es decir, que no es nada más que el sentido del escurrimiento de los objetos del mundo, precisamente en tanto que este escurrirse está ceñido, localizado y forma parte de *mi* mundo. Ciertamente se puede desear a una mujer dormida; pero sólo en la medida en que el sueño aparece sobre fondo de conciencia. La conciencia permanece siempre, pues, en el horizonte del cuerpo deseado: constituye su *sentido* y su unidad. Un cuerpo viviente como totalidad orgánica en situación con la conciencia en su horizonte: tal es el objeto al cual *se dirige* el deseo. ¿Y qué quiere de ese objeto el deseo? No podemos determinarlo sin haber respondido a una pregunta previa: ¿*quién* desea?

Sin duda alguna, quien desea *soy yo*, y el deseo es un modo singular de mi subjetividad. El deseo es conciencia, puesto que no puede ser sino como conciencia no-posicional de sí mismo. Empero, no ha de creerse que la conciencia deseante difiera de la conciencia cognoscitiva, por ejemplo, sólo por la naturaleza de su objeto. Elegirse como deseo, para el Para-sí, no es producir un deseo permaneciendo indiferente e inalterado, como la causa estoica produce su efecto: es trasladarse a cierto plano de existencia que no es el mismo, por ejemplo, que el de un Para-sí que se elige como ser metafísico. Toda conciencia, como se ha visto, mantiene cierta relación con su propia facticidad. Pero tal relación puede variar de un modo de conciencia a otro. La facticidad de la conciencia dolorosa, por ejemplo, es facticidad descubierta en una huida perpetua. No ocurre lo mismo con la facticidad del deseo. El hombre que desea *existe* su cuerpo de una manera particular, y con ello se sitúa en un nivel particular de existencia. En efecto, nadie negará que el deseo es algo más que *gana*, clara y translúcida *gana* que apunta a través de nuestro cuerpo a cierto objeto. El deseo se define como *turbación*. Y esta expresión puede servirnos para mejor determinar su naturaleza: se opone un agua túrbida a un agua transparente; una mirada túrbida a una clara mirada. El agua túrbida sigue siendo agua; ha mantenido su fluidez y los demás caracteres esenciales; pero su translucidez está "turbada" por una presencia incaptable que forma cuerpo con ella, que está en todas partes y en ninguna y se da como un empastamiento del agua por ella misma. Ciertamente, se la podrá explicar por la presencia de finas partículas sólidas suspensas en el líquido:

pero esta explicación es la del *científico*. Nuestra captación originaria del agua túrbida nos la entrega como alterada por la presencia de un *algo* invisible, que no se distingue del agua misma y se manifiesta como pura resistencia de hecho. Si la conciencia deseante está *turbada,* se debe a que presenta alguna analogía con el agua túrbida. Para precisar esta analogía, conviene comparar el deseo sexual con otra forma de deseo, por ejemplo, con el hambre. El hambre, como el deseo sexual, supone cierto estado del cuerpo, definido como empobrecimiento de la sangre, secreción salivar abundante, contracciones de las túnicas, etc. Estos diversos fenómenos se clasifican y describen desde el punto de vista del Prójimo. Se manifiestan, para el Para-sí, como pura facticidad. Pero esta facticidad *no compromete* la naturaleza misma del Para-sí, pues el Para-sí huye inmediatamente de ella hacia sus posibles, es decir, hacia cierto estado de hambre-saciada, que, como hemos señalado en nuestra segunda parte, es el En-sí-para-sí del hambre. Así, el hambre es puro trascender la facticidad corporal y, en la medida en que el Para-sí toma conciencia de esta facticidad en forma no-tética, toma conciencia de ella como de una facticidad trascendida y preter-ida. El cuerpo es, en este caso, el *pasado,* el *preter-ido* y *trascendido.* En el deseo sexual puede encontrarse también, ciertamente, esa estructura común a todos los apetitos: un estado del cuerpo. El Otro puede notar diversas modificaciones fisiológicas (erección del pene, turgencia de los pezones, modificaciones del régimen circulatorio, elevación de la temperatura, etc.). Y la conciencia deseante existe esta facticidad: *a partir de ella* –hasta diríamos: *a través de ella*– el cuerpo deseado aparece como deseable. Empero, si nos limitáramos a describirlo así, el deseo sexual aparecería como un *deseo seco y claro,* comparable al deseo de comer o beber. Sería huida pura de la facticidad hacia otros posibles. Pero nadie ignora que un abismo separa el deseo sexual de los demás apetitos. Conocida es la harto célebre fórmula: "Hacer el amor con una linda mujer cuando se tiene gana, como se bebe un vaso de agua helada cuando se tiene sed", y sabido es también todo lo que tiene de insatisfactorio y hasta de escandaloso. Pues no se desea a una mujer manteniéndose uno íntegramente fuera del deseo; el deseo me *pone en compromiso: soy* cómplice de mi deseo. O, más bien, el deseo es íntegramente caída en la complicidad con el cuerpo. No tiene cada cual más que consultar con su propia experiencia: sabido es que en el deseo sexual la conciencia está como empastada; parece que uno se deja invadir por la facticidad, deja de rehuirla y se desliza hacia un consentimiento pasivo al deseo. En otros momentos, parece que la facticidad invade la conciencia en su propia huida y la hace opaca a sí misma. Es como un levantamiento pastoso del *hecho.* Las expresiones que se emplean para designar este deseo señalan suficientemente su especificidad. Se dice que a uno lo *avasalla, lo sumerge,* que uno está *transido* de él. ¿Cabe imaginar las mismas palabras para designar el hambre? ¿Hay idea de un hambre que "sumerja" a uno? Ello no tendría sentido, en rigor, sino para dar cuenta de las impresiones de inanición; pero, al contrario, el más débil deseo sexual ya sumerge. No se lo puede tener a raya, como al hambre, "pensando en otra cosa" y conservándolo apenas, como un signo del cuerpo-fondo, en forma de una tonalidad indiferenciada de la conciencia notética. El *deseo es consentimiento al deseo.* La conciencia, entorpecida y pasmada, se desliza hacia una languidez comparable al sueño. Cada cual ha podido observar, por otra parte, esa aparición del deseo en otro: de pronto, el hombre que desea adquiere una tranquilidad pesada que aterra; sus ojos quedan fijos y como entrecerrados; sus gestos están impregnados de una dulzura densa y pastosa; muchos parecen dormirse. Y, cuando se "lucha contra el deseo", se resiste, precisamente, a esa languidez. Si se logra resistirlo, el deseo, antes de desaparecer, se hará seco y claro, semejante al hambre; y después habrá un "despertar": uno se sentirá lúcido, pero con la cabeza pesada y el corazón palpitante. Naturalmente, todas estas descripciones son impropias: señalan más bien la manera en que interpretamos el deseo. Pero indican, sin embargo, el hecho primero del deseo: en el deseo, la conciencia elige existir su facticidad en otro plano. No la rehúye más, sino que intenta subordinarse a su propia contingencia en cuanto capta otro cuerpo –es decir, otra contingencia– como deseable. En tal sentido, el deseo no es sólo la develación del cuerpo ajeno sino la revelación de mi propio cuerpo. Y ello no en tanto que este cuerpo es *instrumento* o *punto de vista,* sino en tanto que es pura facticidad, es decir, simple forma contingente de la necesidad de mi contingencia. *Siento* mi piel y mis músculos y mi aliento, y los siento no para trascenderlos *hacia* algo, como en la emoción o el apetito, sino como un *datum* vivo e inerte; no simplemente como el instrumento dócil y discreto de mi acción sobre el mundo, sino como una *pasión* por la cual estoy comprometido en el mundo y en peligro en el mundo. El Para-sí *no es* esta contingencia: continúa existiéndola, pero padece el vértigo de su propio cuerpo, o, si se prefiere, este vértigo es precisamente la manera en que el Para-sí existe su cuerpo. La conciencia notética se deja ir al cuerpo, *quiere ser* cuerpo y nada más que cuerpo. En el deseo, el cuerpo, en vez de ser sólo la contingencia de la cual huye el Para-sí hacia posibles que le son propios, se convierte a la vez en el posible más inmediato del Para-sí; el deseo no es sólo deseo del cuerpo ajeno: es, en la unidad de un mismo acto, el pro-yecto no téticamente vivido de encenagarse en el cuerpo; así, el grado último del deseo podrá ser el desvanecimiento como último grado de consentimiento al cuerpo. En este sentido puede decirse que el deseo es deseo de un cuerpo por otro cuerpo. En realidad, es un apetito *hacia* el cuerpo ajeno, apetito vivido como vértigo del Para-sí ante su propio cuerpo; y el ser deseante es la conciencia *que se hace cuerpo.*

Pero, si verdad es que el deseo es una conciencia que se hace cuerpo para apropiarse del cuerpo ajeno captado como totalidad orgánica en situación con la conciencia en horizonte, ¿cuál es la significación del deseo?; es decir: ¿por qué la conciencia se hace –o intenta en vano hacerse– cuerpo, y qué espera del objeto de su deseo? Será fácil responder si se piensa que, en el deseo, me hago carne *en presencia del otro para apropiarme de su carne.* Esto significa que no se trata sólo de asir hombros o flancos o de atraer un cuerpo contra mí: es menester además asirlos con ese instrumento particular que es el cuerpo en tanto que empasta a la conciencia. En tal sentido, cuando asgo esos hombros, podría decirse no sólo que mi cuerpo es un medio para tocar los hombros, sino que los hombros del otro son un medio para mí de descubrir mi cuerpo como revelación fascinante de mi facticidad, es decir, como carne. Así, el deseo es deseo de apropiación de un cuerpo en tanto que esta apropiación me revela mi cuerpo como carne. Pero también el cuerpo de que quiera apropiarme quiero apropiármelo *como carne*. Y esto es lo que ese cuerpo no es primeramente para mí: el cuerpo del Prójimo aparece como forma sintética en acto; según hemos visto, es imposible percibir el cuerpo del Prójimo como carne pura, es decir, a título de objeto aislado que mantiene con los demás *estos* relaciones de exterioridad. El cuerpo del Prójimo es originariamente cuerpo en situación; la carne, al contrario, aparece como *contingencia pura de la presencia*. Está ordinariamente enmascarada por los afeites, la ropa, etc.; y, sobre todo, por los *movimientos:* nada menos "carnal" que una danzarina, así esté desnuda. El deseo es una tentativa para desvestir el cuerpo de sus movimientos como de sus ropas y hacerlo existir como pura carne; es una tentativa de *encarnación* del cuerpo ajeno. En este sentido, las caricias son apropiación del cuerpo del Otro: es evidente que, si las caricias no hubieran de ser sino roces, no podría haber relación entre ellas y el poderoso deseo que pretenden satisfacer; permanecerían en superficie, como miradas, y no podrían *hacerme apropiar* del Otro. Sabido es cuán decepcionante parece la célebre frase: "contacto de dos epidermis". La caricia no quiere ser simple *contacto;* parece que sólo el hombre puede reducirla a contacto, y entonces no alcanza su sentido propio. Pues la caricia no es simple roce: es *modelación*. Al acariciar a otro, hago nacer su carne por mi caricia, bajo mis dedos. La caricia es el conjunto de las ceremonias que *encarnan* al Otro. Pero, se dirá, ¿no estaba encarnado ya? justamente, *no*. La carne ajena no existía explícitamente para mí, puesto que yo captaba el cuerpo del Otro en situación; tampoco existía para él, que la trascendía hacia sus posibilidades y hacia el objeto. La caricia hace nacer al Otro como carne para mí y para él. Y por carne no entendemos una *parte* del cuerpo, como la dermis, el tejido conjuntivo o, precisamente, la epidermis; no se trata tampoco forzosamente del cuerpo "en reposo" o adormecido, aunque a menudo así se revele mejor su carne. La caricia revela la carne desvistiendo al cuerpo de su acción, escindiéndolo de las posibilidades que lo rodean: está hecha para descubrir bajo el acto la trama de inercia —es decir, el puro "ser-ahí"— que lo sostiene: por ejemplo, *asiendo y acariciando* la mano del Otro, descubro bajo la *prehensión* que esa mano es *primeramente* una extensión de carne y hueso que puede ser asida; y, análogamente, mi mirada acaricia cuando descubre, bajo el salto que de primer intento son las piernas de la danzarina, la extensión lunar de los muslos. Así, la caricia no es en modo alguno distinta del deseo: acariciar con los ojos y desear son una y la misma cosa; *el deseo se expresa por la caricia como el pensamiento por el lenguaje.* Precisamente, la caricia revela la carne del Otro como carne a mí mismo *y al otro.* Pero revela esta carne de modo muy particular: empuñar al Otro le revela ciertamente su inercia y su pasividad de trascendencia-trascendida, pero no es acariciarlo. En la caricia no acaricia al Otro mi cuerpo como forma sintética en acción, sino que mi cuerpo de carne hace nacer la carne del otro. La caricia está hecha para hacer nacer por medio del placer el cuerpo del Otro para él y para mí como pasividad *tocada* en la medida en que mi cuerpo se hace carne para tocarlo con su propia pasividad, es decir, acariciándose en él más bien que acariciándolo. Por eso los gestos amorosos tienen una languidez que podría casi decirse estudiada; no se trata tanto de *tomar* una parte del cuerpo del otro como de *llevar* el cuerpo propio contra el cuerpo del otro; no tanto de empujar o tocar, en sentido activo, como de *poner contra.* Parece que *llevo* mi propio brazo como un objeto inanimado y lo *pongo* contra el flanco de la mujer deseada; que mis dedos, a los que *paseo* por su brazo, sean inertes en el extremo de la mano. Así, la revelación de la carne ajena se hace por mi propia carne; en el deseo y en la caricia que lo expresa me encarno para realizar la encarnación ajena; y la caricia, al *realizar* la encarnación del Otro, me descubre mi propia encarnación; el decir, que me hago carne para inducir al Otro a realizar *para-sí* y *para mí* su propia carne, y mis caricias hacen nacer para mí mi carne en tanto que es para otro *carne que lo hace nacer a la carne:* le hago gustar mi carne por la suya para obligarlo a sentirse carne. De esta suerte aparece verdaderamente la *posesión* como *doble encarnación recíproca.* Así, en el deseo hay tentativa de encarnación de la conciencia (es lo que hace poco llamábamos empastamiento de la conciencia, conciencia turbada, etc.) para realizar la encarnación del Otro.

Queda por determinar cuál es el *motivo* del deseo o, si se prefiere, su *sentido*. Pues, si se han seguido las descripciones que aquí hemos intentado, se habrá comprendido hace rato que, para el Para-sí, ser es elegir su manera de ser sobre fondo de una contingencia absoluta de su ser-ahí. El deseo no *llega,* pues, a la conciencia como el calor *llega* al trozo de hierro que aproximo a la llama. La conciencia se elige deseo. Para ello, ciertamente, conviene que tenga un motivo: no deseo a cualquiera en cualquier momento. Pero hemos señalado en la primera parte de este libro que el motivo era suscitado a partir del pasado y que la conciencia, al *volverse* sobre él, le confería su peso y su valor. No hay, pues, diferencia ninguna entre la elección del motivo del deseo y el sentido del surgimiento –en las tres dimensiones ek-státicas de la duración– de una conciencia que se hace deseante. Ese deseo, como las emociones o la actitud imaginante o, en general, todas las actitudes del Para-sí, tiene una significación que lo constituye y lo trasciende. La descripción recién intentada no tendría ningún interés si no hubiera de conducimos al planteo de esta pregunta: ¿por qué la conciencia se nihiliza en forma de deseo?

Una o dos observaciones preliminares nos ayudarán a responderla. En primer lugar, ha de notarse que la conciencia deseante no desea su objeto sobre fondo de mundo inalterado. Dicho de otro modo, no se trata de hacer aparecer lo deseable como cierto "esto" sobre el fondo de un mundo que mantenga sus relaciones instrumentales con nosotros y su organización en complejos de utensilios. Ocurre con el deseo como con la emoción: hemos señalado en otro lugar[1] que la emoción no es la captación de un objeto emocionante en un mundo inalterado: sino que, como corresponde a una modificación global de la conciencia y de sus relaciones con el mundo, se traduce por una alteración radical del mundo. El deseo es, análogamente, una modificación radical del Para-sí, puesto que éste se hace ser en

[1] Cf. nuestra *Esquisse d'une théorie phénoménologique des émotions.*

otro plano de ser, se determina a existir su cuerpo de modo diferente, a hacerse empastar por su facticidad. Correlativamente, el mundo debe advenir al ser para él de una manera nueva: hay un mundo del deseo. Si mi cuerpo, en efecto, no es sentido ya como el instrumento que no puede ser utilizado por ningún instrumento, es decir, como la organización sintética de mis actos en el mundo, y si es vivido como carne, capto los objetos del mundo como remisiones a mi carne. Esto significa que me hago pasivo con respecto a ellos y que se me revelan desde el punto de vista de esta pasividad (pues la pasividad es el cuerpo y el cuerpo no deja de ser punto de vista). Los objetos son entonces el conjunto trascendente por el cual me es revelada mi encarnación. Un contacto es *caricia*, es decir, que mi percepción no es una *utilización* del objeto y un trascender el presente con vistas a un fin; sino que, en la actitud deseante, percibir un objeto es acariciarme en él. Así, soy sensible, más que a la forma del objeto y a su instrumentalidad, a su materia (grumosa, lisa, tibia, grasa, áspera, etc.) y descubro en mi percepción deseante algo como una *carne* de los objetos. Mi camisa frota contra mi piel y yo la siento: ella, que de ordinario es para mí el objeto más lejano, se convierte en el sensible inmediato: el calor del aire, el soplo del viento, los rayos del sol, etc., todo me es presente de cierta manera, como puesto sin distancia sobre mí y revelando mi carne por su carne. Desde este punto de vista, el deseo no es sólo el empastamiento de una conciencia por su facticidad, sino que es, correlativamente, el enviscarse de un cuerpo por el mundo; y el mundo se hace *viscoso*: la conciencia se encenaga en un cuerpo que se encenaga en el mundo.[1] Así, el ideal que aquí se propone es el ser-en-medio-del-mundo; el Para-sí intenta realizar un ser-en-medio-del-mundo como pro-yecto último de su ser-en-el-mundo; por eso la

---

[1] Por supuesto, ha de tenerse en cuenta, aquí como siempre, el coeficiente de adversidad de las cosas. Esos objetos no son sólo "acariciantes"; sino que, en la perspectiva general de la caricia, pueden aparecerse también como "anticaricias", es decir, con una rudeza, una cacofonía, una dureza que, precisamente porque estamos en estado de deseo, nos hieren de manera insoportable.

voluptuosidad está tan a menudo ligada a la muerte –que es también una metamorfosis o "ser-en-medio-del-mundo"–; conocido es, por ejemplo, el tema de la "falsa muerte", tan abundantemente desarrollado en todas las literaturas.

Pero el deseo no es primera ni principalmente una relación con el mundo. El mundo no aparece allí sino como fondo para relaciones explícitas con el *Otro*. De ordinario, el mundo se descubre como mundo del deseo con ocasión de la *presencia* del Otro. Accesoriamente, puede descubrirse como tal con ocasión de la *ausencia* de *tal o cual otro*, o aun con ocasión de la *ausencia* de *todo* otro. Pero ya hemos notado que la ausencia es una relación existencial concreta entre el Otro y yo, que aparece sobre el fondo originario del Ser-para-Otro. Puedo, ciertamente, al descubrir mi cuerpo en soledad, sentirme bruscamente como carne, "sofocarme" de deseo y captar el mundo como "sofocante". Pero este deseo solitario es una llamada hacia *algún* Otro o hacia la presencia del Otro indiferenciado. Deseo revelarme como carne por y para otra carne. Trato de hechizar al Otro y de hacerlo aparecer; y el mundo del deseo indica en hueco al *otro* a quien llamo. Así, el deseo no es en modo alguno un accidente fisiológico, un prurito de nuestra carne que podría hacernos fijar fortuitamente sobre la carne del otro. Sino, muy por el contrario, para que *haya* carne mía y del otro es menester que la conciencia se vuelque previamente en el molde del deseo. Este deseo es un modo primitivo de las relaciones con el prójimo, que constituye al Otro como carne deseable sobre el fondo de un mundo de deseo.

Ahora podemos explicitar el sentido profundo del deseo. En la reacción primordial con respecto al Prójimo, en efecto, me constituyo como mirada. Pero, si miro la mirada para defenderme contra la libertad del Prójimo y trascenderla como libertad, la libertad y la mirada del Otro se desmoronan: veo unos *ojos*, veo un ser-en-medio-del-mundo. Desde ese momento, el Otro se me escapa: quisiera actuar sobre su libertad, apropiarme de ella o, por lo menos, hacerme reconocer como libertad por ello; pero esa libertad está muerta, ya no está para nada *en el mundo* en que encuentro al Otro-objeto, pues su característica es ser trascendente al mundo. Por cierto, puedo *asir* al

Otro, empuñarlo, sacudirlo; puedo, si dispongo de poder, obligarlo a tales o cuales actos, a tales o cuales palabras: pero todo ocurre como si quisiera apoderarme de un hombre que huyera dejándome su capa entre las manos. Poseo su capa, su despojo; no me apoderaré jamás sino de un cuerpo, objeto psíquico en medio del mundo; y, aunque todos los actos de este cuerpo puedan interpretarse en términos de libertad, he perdido enteramente la clave de tal interpretación: no puedo actuar sino sobre una facticidad. Si he conservado el *saber* de una libertad trascendente del Prójimo, es un saber que me irrita en vano indicándome una realidad que está por principio fuera de mi alcance y revelándome a cada instante que la *marro*, que todo cuanto hago lo hago "a ciegas", y toma su sentido en otra parte, en una esfera de existencia de que estoy excluido por principio. Puedo hacer pedir piedad o perdón, pero ignoraré siempre lo que esa sumisión significa para y en la libertad del otro. Al mismo tiempo, por otra parte, mi *saber* se altera: pierdo la exacta comprensión del *ser-mirado*, que es, como sabemos, la única manera en que puedo experimentar la libertad ajena. Así, estoy comprometido en una empresa de la cual he olvidado hasta el sentido. Estoy extraviado frente a ese Otro al que veo y toco y con el que ya no sé qué hacer. Apenas si he conservado el vago recuerdo de cierto *Más-allá* de lo que veo y toco, un Más-allá del cual sé que es precisamente aquello de que quiero apropiarme. Y entonces *me hago deseo*. El deseo es una conducta de hechizo... Se trata, ya que no puedo captar al Otro sino en su facticidad objetiva, de hacer enviscar su libertad en esa facticidad: es preciso hacer que su libertad esté "cuajada"[1] en ella, como se dice de una leche que ha "cuajado"; de modo que el Para-sí del Prójimo acuda a aflorar a la superficie de su cuerpo y se extienda por todo él, para que yo, al tocar ese cuerpo, toque por fin la libre subjetividad del otro. Tal es el verdadero sentido de la palabra *posesión*. Es cierto que quiero *poseer* el cuerpo del Otro; pero quiero poseerlo en tanto que es él mismo un "poseído", o sea en tanto que la concien-

---

[1] El texto francés usa la expresión *prise* ("prendida"), refiriéndola a *crème prise* ("crema a punto"). (N. del T.)

cia del Otro se ha identificado con él. Tal es el imposible ideal del deseo: poseer la trascendencia del otro como pura trascendencia y a la vez como *cuerpo;* reducir al otro a su simple *facticidad,* porque entonces él está en medio del mundo, pero a la vez hacer que esa facticidad sea una apresentación perpetua de su trascendencia nihilizadora.

Pero, a decir verdad, la facticidad del Otro (su puro ser-ahí) no puede darse a mi intuición sin una modificación profunda de mi propio ser. En tanto que trasciendo hacia mis posibilidades propias mi facticidad personal, en tanto que existo mi facticidad en un impulso de huida, trasciendo también la facticidad del Otro como, por otra parte, la pura *existencia de las cosas.* En mi propio surgimiento, las hago emerger a la existencia instrumental; su ser puro y simple queda enmascarado por la complejidad de remisiones indicativas que constituyen su *manejabilidad y su utensilidad.* Coger una lapicera es ya trascender mi ser-ahí hacia la posibilidad de escribir, pero es también trascender la lapicera como simple existente hacia su potencialidad, y a ésta, a su vez, hacia ciertos existentes futuros que son las "palabras-de-ser-trazadas" y, finalmente, el "libro-de-ser-escrito". Por eso el ser de los existentes está ordinariamente velado por su función. Lo mismo ocurre con el ser del Otro: si el Otro se me aparece como sirviente, como empleado, como funcionario o simplemente como el transeúnte al que debo evitar o como esa voz que habla en la pieza contigua y que trato de *comprender* (o, al contrario, que quiero olvidar, pues "me impide dormir"), no me escapa solamente su trascendencia extramundana, sino también su "ser-ahí" como pura existencia contingente en medio del mundo. Pues, justamente, en tanto que lo trato como sirviente o como empleado de oficina, lo trasciendo hacia sus potencialidades (trascendencia-trascendida, mortiposibilidades) por el proyecto mismo por el cual trasciendo y nihilizo mi propia facticidad. Si quiero retornar a su simple presencia y gustarla *como presencia,* es menester que intente reducirme yo a la mía propia. Todo trascender mi ser-ahí es, en efecto, un trascender el ser-ahí del Otro. Y si el mundo está en torno mío como la situación que trasciendo hacia mí mismo, entonces capto al Otro a partir de su *situación,* es decir, va como centro de referencia. Por cierto, el Otro deseado debe ser captado también en situación; deseo a una mujer *en el mundo,* de pie *junto a una mesa,* desnuda *en un lecho o sentada al lado mío.* Pero si el deseo refluye desde la situación sobre el ser que está en situación, lo hace para disolver la situación y corroer las relaciones del Otro en el mundo: el movimiento deseante que va de los "entornos" a la persona deseada es un movimiento aislador, que destruye los entornos y ciñe a la persona considerada para destacar su pura facticidad. Pero, justamente, ello no es posible a menos que cada objeto que me remite a la persona quede fijado en su pura contingencia al mismo tiempo que me la indica; y, por consiguiente, ese movimiento de reversión al ser del Prójimo es movimiento de reversión a mí como puro ser-ahí. Destruyo mis posibilidades para destruir las del mundo y constituir al mundo en "mundo del deseo", es decir, en mundo desestructurado, que ha perdido su sentido y en el cual las cosas resaltan como fragmentos de materia pura, como cualidades brutas. Y, como el Para-sí es elección, ello no es posible a menos que yo me pro-yecte hacia una posibilidad nueva: la de ser "bebido por mi cuerpo como la tinta por un secante", la de resumirme en mi puro ser-ahí. Este proyecto, en tanto que no es simplemente concebido y puesto temáticamente, sino vivido, es decir, en tanto que su realización no se distingue de su concepción, es la turbación. En efecto, las precedentes descripciones no han de comprenderse como si me pusiera deliberadamente en estado de turbación con el propósito de recobrar el puro "ser-ahí" del Otro. El deseo es un pro-yecto vivido que no supone ninguna deliberación previa, sino que comporta en sí mismo su sentido y su interpretación. Desde que me he pro-yectado[1] hacia la facticidad del Otro, desde que quiero apartar sus actos y funciones para alcanzarlo en su carne, me encarno yo mismo, pues no puedo ni querer

---

[1] En el original, *se jeter* (del latín *iacere*); es el verbo que expresa el proyecto" como operación, mientras que *se pro-jeter* (del latín *pro-iicere*) expresa el "proyecto" como estructura; aquí hemos tratado de expresar la diferencia usando para el primer sentido un pasado que incluye el participio perfecto ("pro-yectado"). (N. del T.)

ni aun concebir la encarnación del otro si no es en y por mi propia encarnación; y hasta el esbozo en vacío de un deseo (como cuando uno "desnuda distraídamente a una mujer con la mirada") es un esbozo en vacío de la turbación, pues no deseo sino con mi turbación, y no desnudo al otro sino desnudándome yo mismo; no esbozo la carne del Otro sino esbozando la mía propia.

Pero mi *encarnación* no es únicamente la condición previa de la aparición del Otro *a mis ojos* como carne. Mi objetivo es hacerlo encarnarse *a sus propios ojos* como carne: es preciso que lo arrastre al terreno de la facticidad pura, es preciso que el otro se resuma para sí mismo en pura carne. Así quedaré tranquilizado sobre las posibilidades permanentes de una trascendencia que puede a cada instante trascenderme por todas partes: su trascendencia *no será sino* eso; permanecerá incluida en los límites de un objeto; y además, por este mismo hecho, podré tocarla, palparla, poseerla. Entonces, el otro sentido de mi encarnación –es decir, de mi turbación– es ser un lenguaje hechizante. Me hago carne para fascinar al Otro por mi desnudez y para provocar en él el deseo de mi carne, justamente porque este deseo no será, en el Otro, nada más que una encarnación semejante a la mía. Así, el deseo es un envite al deseo. Sólo mi carne sabe encontrar el camino hacia la carne del otro, y llevo mi carne contra la suya para despertar en él el sentido de la carne. En la caricia, en efecto, cuando deslizo lentamente mi mano inerte contra el flanco del Otro le hago palpar mi carne, cosa que él no puede hacer sin hacerse inerte él mismo; el estremecimiento de placer que entonces lo recorre es precisamente el despertar de su conciencia de carne. Extender mi mano, apartarla o apretarla, es convertirse en cuerpo en acto; pero, a la vez, es hacer desvanecerse mi mano como carne. Dejarla deslizarse insensiblemente a lo largo de su cuerpo, reducirla a un suave roce casi desprovisto de sentido, a una pura existencia, a una pura materia algo sedosa, algo satinada, algo áspera, es renunciar para sí mismo a ser aquel que establece los puntos de referencia y despliega las distancias, es hacerse pura mucosa. En ese momento, se realiza la comunión del deseo: cada conciencia, al encarnarse, ha realizado la encarnación de la otra; cada turbación ha hecho nacer la turbación del otro y se ha incrementado en la misma medida. En cada caricia, siento mi propia carne y la del otro a través de la mía, y tengo conciencia de que esa carne que siento y de que me apropio por mi carne es carne-sentida-por-el-otro. Y no es azar que el deseo, aun apuntando al cuerpo íntegro, lo alcance sobre todo a través de las masas de carne menos diferenciadas, más groseramente inervadas, menos capaces de movimiento espontáneo: a través de los senos, las nalgas, los muslos, el vientre, que son como la imagen de la facticidad pura. Por eso, también, la verdadera caricia es el contacto de dos cuerpos en sus partes más carnales, el contacto de los vientres y los pechos: la mano que acaricia está, pese a todo, demasiado desligada, demasiado próxima a un utensilio perfeccionado. Pero la expansión de las carnes una contra la una y la una por la otra es el verdadero objetivo del deseo.

Empero, el propio deseo está condenado al fracaso. Hemos visto, en efecto, que el coito, que ordinariamente lo termina, no es su objetivo propio. Ciertamente, muchos elementos de nuestra estructura sexual son la traducción necesaria de la naturaleza del deseo; en particular, la erección del pene y del clítoris no es, en efecto, sino la afirmación de la carne por la carne. Es, pues, absolutamente necesario que no se produzca *voluntariamente*, o sea, que no podamos usar de ella como de un instrumento, sino que se trata, al contrario, de un fenómeno biológico y autónomo cuya expansión autónoma e involuntaria acompaña y significa el encenagarse de la conciencia en el cuerpo. Lo que ha de comprenderse bien es que ningún órgano desligado, prensil y unido a músculos estriados puede ser un órgano sexual, un *sexo*: el sexo, si había de aparecer como órgano, no podía ser sino una manifestación de la vida vegetativa. Pero la contingencia reaparece si consideramos que, justamente, *hay* sexos y tales *sexos*. En particular, la penetración del varón en la hembra, aunque conforme a esa encarnación radical que el deseo quiere ser (nótese, en efecto, la pasividad orgánica del sexo en el coito: el cuerpo íntegro avanza y retrocede, *lleva* al sexo hacia adelante o lo retira; las manos ayudan a la introducción del pene; el pene mismo aparece como un instrumento que se maneja, que se introduce, que se retira, que se utiliza y, análogamente, la apertura y la lubricación de la vagina no pueden obtenerse de modo voluntario), queda: como una modalidad perfectamente contingente de nuestra vida sexual. También es una contingencia pura la voluptuosidad sexual propiamente dicha. A decir verdad, es normal que el enviscamiento de la conciencia en el cuerpo tenga su punto de llegada, es decir, una suerte de éxtasis particular en que la conciencia no sea ya sino conciencia (del) cuerpo, y, por consiguiente, conciencia reflexiva *de* la corporeidad. El placer, en efecto –como un dolor demasiado vivo–, motiva la aparición de la conciencia reflexiva que es *atención al placer*. Sólo que el placer es la muerte y el fracaso del deseo. Es la muerte del deseo, porque no es sólo su culminación sino también su término y fin. Esto, por otra parte, no es sino una contingencia orgánica: *ocurre* que la encarnación se manifiesta por la erección y que la erección cesa con la eyaculación. Pero, además, el placer es la esclusa del deseo, porque motiva la aparición de una conciencia reflexiva *de* placer, de la cual el goce se convierte en objeto, es decir, que es *atención a la encarnación del Para-sí reflexivo* y, por lo mismo, olvido de la encarnación del otro. Esto no pertenece ya al dominio de la contingencia. Sin duda, es contingente que el tránsito a la reflexión fascinada se opere con ocasión de ese modo particular de encarnación que es el placer –en efecto, hay muchos casos de tránsito a lo reflexivo sin intervención del placer–, pero lo que constituye un peligro permanente del deseo en tanto que tentativa de encarnación es que la conciencia, al encarnarse, pierda de vista la encarnación del Otro y que su propia encarnación la absorba hasta convertirse en su objetivo último. En tal caso, el placer de acariciar se transforma en placer de ser acariciado; lo que el Para-sí pide es sentir su cuerpo expandirse en él hasta la náusea. Al instante, hay ruptura de contacto y el deseo marra su objetivo. Hasta ocurre a menudo que este fracaso del deseo motive un tránsito al masoquismo, es decir, que la conciencia, captándose en su facticidad, exija ser captada y trascendida como cuerpo-para-otro por la conciencia del Otro: en tal caso, el Otro-objeto se desmorona, aparece el Otro-mirada, y mi conciencia es conciencia pasmada en su carne bajo la mirada del Otro.

Pero, inversamente, el deseo está en el origen de su propio fracaso en tanto que es deseo de *tomar* y de *apropiarse*. No basta, en efecto, que la turbación haga nacer la encarnación del Otro: el deseo es deseo de apropiarse de esa conciencia encarnada. Se prolonga, pues, naturalmente, no ya en *caricias,* sino en actos de prehensión y penetración. La caricia no tenía por objetivo sino impregnar de conciencia y libertad el cuerpo del otro. Ahora, es preciso tomar ese cuerpo saturado, empuñarlo, entrar en él. Pero, por el solo hecho de que en este momento procuro asirlo, arrastrarlo, empuñarlo, morderlo, mi cuerpo deja de ser carne y vuelve a ser el instrumento sintético que *soy yo*: y, a la vez, el *Otro* deja de ser encarnación: vuelve a convertirse en un instrumento en medio del mundo, instrumento que capto a partir de su situación. Su conciencia, que afloraba a la superficie de su piel y que yo intentaba *gustar* con mi carne,[1] se desvanece a mis ojos: no queda sino como un *objeto* entre imágenes-objetos en su interior. Al mismo tiempo, mi turbación desaparece: esto no significa que deje de desear, sino que el deseo ha perdido su materia, se ha hecho *abstracto;* es deseo de manejar y de asir; me encarnizo en asir, pero mi propio encarnizamiento hace desaparecer mi encarnación: ahora trasciendo de nuevo mi cuerpo hacia mis propias posibilidades (en este caso, posibilidad de asir) y análogamente el cuerpo del Prójimo, trascendido hacia sus potencialidades, cae del nivel de *carne* al nivel de puro objeto. Esta situación implica la ruptura de la reciprocidad de encarnación, que era precisamente el objetivo propio del deseo: el Otro puede quedar turbado; puede seguir siendo carne *para él mismo*; y puede comprenderlo: pero es una carne que ya no capto con la mía, una carne que no es ya sino la *propiedad* de un Prójimo-objeto y no la encarnación de un Prójimo-conciencia. Así, soy *cuerpo* (totalidad sintética en situación) frente a una *carne*. Nuevamente me encuentro, o poco menos, en la situación de que justamente intentaba salir por el deseo; es decir, trato de utilizar el obje-

---

[1] "Doña Prouhèze: 'Il ne connaîtra pas le goût que j'ai'." (Claudel, *Le soulier de satin,* jornada segunda).

to-Prójimo para pedirle cuentas de su trascendencia y, precisamente porque es *íntegramente* objeto, me escapa con su transcendencia *íntegra*. Hasta he perdido nuevamente la comprensión neta de lo que busco, y, sin embargo, estoy comprometido en la búsqueda. Asgo y me descubro asiendo, pero lo que asgo en mis manos es *otra cosa* que lo que quería asir; lo siento, y sufro por ello, pero sin ser capaz de decir qué quería asir, pues, junto con mi turbación, me escapa la propia comprensión de mi deseo; soy como un durmiente que, al despertar, se encuentra con las manos crispadas sobre el borde del lecho sin recordar la pesadilla que ha provocado su gesto. Esta situación está en el origen del *sadismo*.

El sadismo es pasión, sequedad y encarnizamiento. Es encarnizamiento porque es el estado de un Para-sí que se capta como comprometido sin comprender *a qué* se compromete, y que persiste en su comprometimiento sin tener clara conciencia del objetivo que se había propuesto, ni un recuerdo preciso del valor que a ese comprometimiento ha atribuido. Es sequedad, porque aparece cuando el deseo se ha vaciado de su turbación. El sádico ha recuperado su cuerpo como totalidad sintética y centro de acción; se ha resituado en la huida perpetua de su propia facticidad; se experimenta frente al otro como pura trascendencia; tiene horror de la turbación *para él*, la considera como un estado humillante; hasta puede que, simplemente, no pueda *realizarla* en él mismo. En la medida en que se encarniza en frío, en que es a la vez encarnizamiento y sequedad, el sádico es un apasionado. Su objetivo es, como el del deseo, captar y someter al Otro, no sólo en tanto que Otro-objeto, sino en tanto que pura trascendencia encarnada. Pero, en el sadismo, se pone el acento sobre la apropiación instrumental del Otro-encarnado. El "momento" del sadismo en la sexualidad es, en efecto, aquel en que el Para-sí encarnado trasciende su propia encarnación para apropiarse de la encarnación del Otro. Entonces, el sadismo es denegación de encarnarse y huida de toda facticidad, y a la vez esfuerzo por apoderarse de la facticidad ajena. Pero, como no puede, ni quiere realizar la encarnación del otro por su propia encarnación, y como, por eso mismo, no tiene otro recurso que el de tratar al Otro como objeto-utensilio, trata de utilizar el cuerpo del Otro como un utensilio para hacer realizar al Otro la existencia encarnada. El sadismo es un esfuerzo por encarnar al Prójimo por la violencia y esa encarnación "a la fuerza" debe ser ya apropiación y utilización del otro. El sádico trata de desnudar al Otro –como el deseo– de sus actos, que lo enmascaran. Trata de descubrir la carne bajo la acción. Pero, mientras el Para-sí del deseo se pierde en su propia carne para revelar al Prójimo el ser carne, el sádico deniega su propia carne a la vez que dispone instrumentos para revelar a la fuerza su carne al Prójimo. El objeto del sadismo es la apropiación inmediata. Pero el sadismo no encuentra sostén, pues no goza solamente de la carne ajena sino, en conexión directa con esta carne, goza de su propia no-encarnación. *Quiere* la no-reciprocidad de las relaciones sexuales; goza de ser potencia apropiadora y libre frente a una libertad cautivada por la carne. Por eso el sadismo quiere presentificar la carne a la conciencia del Prójimo *de otro modo:* quiere presentificarla tratando al Otro como instrumento: la presentifica por el dolor. En el dolor, en efecto, la facticidad invade la conciencia y, finalmente, la conciencia reflexiva es fascinada por la facticidad de la conciencia irreflexiva. Hay, pues, ciertamente una encarnación por medio del dolor. Pero, al mismo tiempo, el dolor es procurado *por medio de instrumentos:* el cuerpo del Para-sí torturador no es ya sino un instrumento para producir dolor. Así, el Para-sí, desde el origen, puede darse la ilusión de apoderarse instrumentalmente de la libertad del Otro, es decir, de verter esa libertad en una carne, sin dejar de ser el que *provoca,* el que empuña, ase, etcétera.

En cuanto al tipo de encarnación que el sadismo quisiera realizar, es precisamente lo que se denomina lo *Obsceno.* Lo obsceno es una *especie* del Ser-para-Otro, que pertenece al *género* de lo desagraciado. Pero no todo lo desagraciado es obsceno. En la *gracia,* el cuerpo aparece como lo psíquico en situación. Revela ante todo su trascendencia, como trascendencia-trascendida; es en acto y se comprende a partir de la situación y del fin perseguido. Cada movimiento se capta, pues, en un proceso perceptivo que va del futuro al presente. Por ello, el acto gracioso tiene, por una parte, la precisión de una máquina bien adaptada y, por otra, la perfecta imprevisibilidad de lo psíquico, puesto que, como hemos visto, lo psíquico es, para el prójimo, el *objeto imprevisible*. El acto gracioso es, pues, a cada instante, perfectamente comprensible en tanto que se considera en él lo *transcurrido*. Mejor aún: esa parte transcurrida del acto está subtendida por una suerte de necesidad estética, que proviene de su perfecta adaptación. Al mismo tiempo, el objetivo por-venir ilumina el acto en su totalidad; pero toda la parte futura del acto permanece imprevisible, aunque se sienta, en el mismo cuerpo en acto, que aparecerá como necesaria y adaptada una vez que transcurra. Esta imagen móvil de la necesidad y de la libertad (como propiedad del Otro-objeto) constituye la gracia propiamente hablando. Bergson ha dado una buena descripción. En la gracia, el cuerpo es el instrumento que manifiesta la libertad. El acto gracioso, en tanto que revela al cuerpo como instrumento de precisión, le da a cada instante su justificación de existir: la mano *es para* asir y manifiesta ante todo su ser-para-asir. En tanto que es captada a partir de una situación que exige la prehensión, aparece como ella misma *exigida* en su ser, como *llamada*. Y, en tanto que manifiesta su libertad por la imprevisibilidad de su gesto, aparece en el origen de su ser: parece producirse a sí misma al llamado justificador de la situación. La gracia figura, pues, la imagen objetiva de un ser que fuera *fundamento de sí mismo para...* La facticidad queda, pues, vestida y enmascarada por la gracia: la desnudez de la carne está íntegramente presente, pero no puede ser *vista*. De modo que la suprema coquetería y supremo desafío de la gracia consiste en exhibir el cuerpo develado, sin otra vestimenta, sin otro velo, que la gracia misma. El cuerpo más gracioso es el cuerpo desnudo cuyos actos lo rodean de una vestimenta invisible hurtando enteramente la carne, aunque la carne esté totalmente presente a los ojos de los espectadores. Lo desagraciado, al contrario, aparece cuando uno de los elementos de la gracia se ve contrariado en su realización. El movimiento puede hacerse *mecánico*. En tal caso, el cuerpo forma siempre parte de un conjunto que lo justifica, pero a título de mero instrumento; su trascendencia-trascendida desaparece y, con ella, desaparece la situación como sobredeterminación lateral de los objetos-utensilios de *mi* universo. Puede también que los actos sean bruscos y violentos; en este caso, se desmorona la adaptación a la situación; la situación queda, pero entre ella y el *Otro* en situación se desliza un como vacío o hiato. En este caso, el Otro permanece libre, pero su libertad no es captada sino como pura *imprevisibilidad* y se parece al *clinamen* de los átomos epicúreos, en suma, a un indeterminismo. Al propio tiempo, siempre queda puesto el fin, y siempre percibimos el gesto del Otro partiendo del porvenir; pero la desadaptación entraña la consecuencia de que la interpretación perceptiva por el porvenir peca siempre por exceso o por defecto: es una interpretación por *más o menos*. Por consiguiente, la justificación del gesto y del ser del Otro es imperfectamente realizada: en el límite, el desmañado es un injustificable: toda su facticidad, que estaba comprometida en la situación, es absorbida por ella y refluye sobre él. El desmañado libera inoportunamente su facticidad y la coloca de pronto a nuestra vista: allí donde esperábamos captar una clave de la situación que emanara espontáneamente de la situación misma, nos encontramos de pronto con la contingencia injustificable de una presencia inadaptada; nos vemos frente a la existencia de un existente. Empero, si el cuerpo está íntegro en el acto, la facticidad no es carne aún. Lo *obsceno* aparece cuando el cuerpo adopta posturas que lo desvisten enteramente de sus actos y que revelan la inercia de su carne. La vista de un cuerpo desnudo, de espaldas, no es obscena. Pero ciertos contoneos involuntarios de la grupa son obscenos. Pues entonces sólo las piernas están en acto en el cuerpo que anda, y la grupa parece un cojín aislado, transportado por ellas, cuyo balanceo es pura obediencia a las leyes de la gravedad. Esa grupa es incapaz de justificarse por la situación; al contrario, es enteramente destructora de toda situación, puesto que tiene la pasividad de la cosa y se hace llevar como una cosa por las piernas. De pronto se descubre como facticidad injustificable; está *de más,* como todo ser contingente. Se aísla en ese cuerpo cuyo sentido presente es la marcha; está desnuda, aun cuando la vele alguna tela, pues no participa ya de la trascendencia-trascendida del cuerpo en acto; su movimiento de oscilación, en vez de interpretarse partiendo del por-venir, se interpreta y conoce a partir del pasado, como un hecho físico. Estas observaciones pueden aplicarse, naturalmente, a los casos en que todo el cuerpo se hace carne, sea por quién sabe qué morbidez de sus gestos que no puede interpretarse por la situación, sea por una deformación de su estructura (proliferación de las células adiposas, por ejemplo) que nos exhibe una facticidad sobreabundante con relación a la presencia efectiva que la situación exige. Y esa carne revelada es específicamente obscena cuando se descubre a alguno que no está en estado de deseo, *sin excitar su deseo.* Una desadaptación particular que destruye la situación al tiempo mismo que la capto y que me entrega la expansión inerte de la carne como una brusca aparición bajo el tenue ropaje de los gestos que la visten, cuando no estoy, con respecto a esa carne, en estado de deseo: he ahí lo que llamaré lo obsceno.

Se ve desde luego el sentido de la exigencia sádica: la gracia revela la libertad como propiedad del Otro-objeto y remite oscuramente, como lo hacen las contradicciones del mundo sensible en el caso de la reminiscencia platónica, a un Más allá trascendente del que no guardamos sino un nebuloso recuerdo y que no podemos alcanzar sino por una radical modificación de nuestro ser, es decir, asumiendo resueltamente nuestro ser-para-Otro. Al mismo tiempo devela y vela la carne del Otro, o, si se prefiere, la devela para velarla en seguida: la carne es, en la gracia, el Otro inaccesible. El sádico apunta a destruir la gracia para constituir *realmente* otra síntesis del Otro: quiere hacer aparecer la carne ajena; en su aparición misma, la carne será destructora de la gracia, y la facticidad reabsorberá la libertad-objeto del Otro. Esta reabsorción no es aniquilamiento: para el sádico, quien se manifiesta como carne es el *Otro-libre;* la identidad del *Otro-objeto* no es destruida a través de estas vicisitudes, pero las relaciones entre carne y libertad se invierten. En la gracia, la libertad contenía y velaba la facticidad; en la nueva síntesis que se quiere operar, la facticidad contiene y enmascara a la libertad. El sádico apunta, pues, a hacer aparecer la carne bruscamente y por violencia, es decir, por el concurso, no de su propia carne, sino de su propio cuerpo como instrumento. Apunta a hacer adoptar al Otro actitudes y posiciones tales que su cuerpo aparezca con el aspecto de lo *obsceno*: así, permanece en el plano de la apropiación instrumental, ya que hace nacer la carne actuando por la fuerza sobre el Otro –y el Otro se convierte en un instrumento entre sus manos–; el sádico *maneja* el cuerpo del Otro, pesa sobre sus hombros para inclinarlo hacia tierra y hacer resaltar la cintura, etc.; y, por otra parte, el objetivo de esta utilización instrumental es inmanente a la utilización misma: el sádico trata al otro como instrumento para hacer aparecer la carne del Otro; el sádico es el ser que aprehende al Otro como el instrumento cuya función es su propia encarnación. El ideal del sádico consistirá, pues, en alcanzar el momento en que el Otro sea ya carne sin dejar de ser instrumento, carne que ha de hacerse nacer de la carne, el momento en que los muslos, por ejemplo, se ofrecen ya en una pasividad obscena y expansiva, y son aún instrumentos a los que se maneja, a los que se separa o incurva, para hacer resaltar más los glúteos y para encarnarlos a su vez. Pero no nos engañemos: lo que el sádico busca con tanto encarnizamiento, lo que quiere amasar entre sus manos y doblar bajo su puño es la libertad del Otro: ella está ahí, en esa carne; ella es esa carne, puesto que hay una facticidad del Otro; de ella, pues, intenta el sádico apropiarse. Así, el esfuerzo del sádico aspira a enviscar al Prójimo en su carne por la violencia y el dolor, apropiándose del cuerpo del Otro por el hecho de que lo trata como carne que haya de hacerse nacer de la carne; pero esa apropiación trasciende el cuerpo de que se apropia, pues no quiere poseerlo sino en tanto que ha enviscado en él la libertad del Otro. Por eso el sádico querrá pruebas manifiestas de ese sometimiento de la libertad del Otro por la carne; aspirará a hacer pedir perdón, obligará al Otro, por la tortura y la amenaza, a humillarse, a renegar de lo que le es más caro. Se ha dicho que era por gusto de dominación, por voluntad de poderío. Pero es una explicación vaga o absurda. Sería necesario explicar primero el gusto de la dominación. Y ese gusto, precisamente, no podría ser anterior al sadismo como fundamento de éste, pues nace, igual que él y en el mismo plano, de la inquietud frente al Otro. En realidad, si el sádico se complace en arrancar un acto de renegación por la tortura, se debe a una razón análoga a la que permite interpretar el sentido del *Amor*. Hemos visto, en efecto, que el Amor no exige la abolición de la libertad del Otro, sino su sometimiento en tanto que libertad, es decir, su sometimiento por ella misma. Análogamente, el sadismo no procura suprimir la libertad de aquel a quien tortura, sino a obligarla a identificarse libremente con la carne torturada. Por eso el momento del placer es, para el verdugo, aquel en que la víctima reniega o se humilla. En efecto, cualquiera que sea la presión ejercida sobre la víctima, el acto de renegación es siempre *libre*, es una producción espontánea, una respuesta a la situación; manifiesta la realidad-humana; cualquiera que haya sido la resistencia de la víctima y por mucho tiempo que haya esperado antes de pedir gracia, habría podido, pese a todo, esperar diez minutos, un minuto, un segundo más. Ella ha *decidido* acerca de en qué momento el dolor se tornaba insoportable. Y la prueba está en que vivirá su acto de renegación, en lo sucesivo, con remordimiento y vergüenza. Así, le es imputable. Pero, por otra parte, el sádico se considera al mismo tiempo como la causa de ese acto. Si la víctima resiste y se niega a pedir gracia, el juego ya no es grato: una vuelta de tuerca más, una torsión suplementaria, y las resistencias acabarán por ceder. El sádico se pone como "dueño de su tiempo". Es calmo, no se apresura; dispone sus instrumentos como un técnico, los prueba unos tras otros, como el cerrajero prueba diversa llaves en una cerradura; goza de esa situación ambigua y contradictoria: por una parte, en efecto, hace el papel de quien dispone pacientemente, en el seno del determinismo universal, de los medios con vistas a un fin que será alcanzado *automáticamente* –como la cerradura se abrirá automáticamente cuando el cerrajero haya dado con la llave "buena"–; por otra parte, ese fin predeterminado no puede realizarse sino por una libre y entera adhesión del Otro. El fin permanece, pues, hasta el cabo y al mismo tiempo, previsible e imprevisible. Así, el objeto realizado es para el sádico ambiguo, contradictorio y sin equilibrio, puesto que es a la vez el efecto riguroso de una utilización técnica del determinismo y la manifestación de una libertad incondicionada. El espectáculo que se ofrece al sádico es el de una libertad que lucha contra la expansión de la carne y que, finalmente, elige libremente hacerse sumergir por la carne. En el momento de renegar, se ha alcanzado el resultado que se buscaba: el cuerpo es íntegramente carne acezante y obscena, mantiene la posición que los verdugos le han dado, no la que habría adoptado por sí mismo; las cuerdas que lo atan lo sostienen como una cosa inerte y, por eso mismo, ha dejado de ser el objeto que se mueve espontáneamente. Y justamente, una libertad, por el acto de renegación, elige identificarse con ese cuerpo; ese cuerpo desfigurado y jadeante es la imagen misma de la libertad quebrantada y sometida.

Estas pocas indicaciones no intentan agotar el problema del sadismo. Queríamos mostrar simplemente que está en germen en el deseo mismo como el fracaso del deseo: en efecto, desde que busco *tomar* el cuerpo de Otro al que he llevado a encarnarse por medio de mi encarnación, rompo la reciprocidad de encarnaciones, trasciendo mi cuerpo hacia sus propias posibilidades y me oriento hacia el sadismo. Así, el sadismo y el masoquismo son los dos escollos del deseo, sea que trascendamos la turbación hacia una apropiación de la carne del Otro, o que, embriagados por nuestra propia turbación, no prestemos ya atención sino a nuestra propia carne y no pidamos al otro nada más sino ser la mirada que nos ayuda a realizar nuestra carne. A causa de tal inconsistencia del deseo y de su perpetua oscilación entre ambos escollos suele darse a la sexualidad "normal" el nombre de "sádico-masoquista".

Sin embargo, el propio sadismo, como la indiferencia ciega y como el deseo, encierra en sí el principio de su fracaso. En primer lugar, hay incompatibilidad profunda entre la aprehensión del cuerpo como carne y su utilización instrumental. Si de la carne hago un instrumento, ella me remite a otros instrumentos y a potencialidades; en suma, a un futuro; está parcialmente justificado su *ser-ahí* por la situación que he creado en torno mío, como la presencia de los clavos y de la estera que he de clavar contra la pared justifica la existencia del martillo. Por eso mismo, su naturaleza de carne, es decir, de facticidad inutilizable, deja lugar a la de cosa-utensilio. El complejo "carneutensilio" que el sádico ha intentado crear se desagrega. Esta desagregación profunda puede estar enmascarada mientras la carne es instrumento para revelar la carne, pues así he constituido un utensilio de fin inmanente. Pero cuando la encarnación está conclusa, cuando tengo efectivamente frente a mí un cuerpo acezante, ya no sé cómo *utilizar* esa carne: ningún objetivo podría serle asignado ya, pues precisamente he hecho aparecer su absoluta contingencia. Ella *es ahí*, y es ahí *para nada*. En este sentido, puedo apoderarme de ella en tanto que es carne; no puedo integrarla en un sistema complejo de instrumentalidad sin que su materialidad de carne, su "carnación", me escape al momento. No puedo sino permanecer suspenso ante ella, en estado de asombro contemplativo, o bien encarnarme a mi vez, dejarme coger por la turbación, para resituarme por lo menos en el terreno en que la carne se descubre a la carne en su entera carnación. Así, el sadismo, en el momento en que su objetivo está por ser logrado, cede lugar al deseo. El sadismo es el fracaso del deseo y el deseo es el fracaso del sadismo. No se puede salir del círculo sino por la satisfacción y la pretendida "posesión física". En ésta, en efecto, se da una nueva síntesis del sadismo y del deseo: la turgencia del sexo manifiesta la encarnación; el hecho de "entrar en…" o de ser "penetrada" realiza simbólicamente la tentativa de apropiación sádica y masoquista. Pero, si el placer permite salir del círculo, lo hace porque a la vez mata el deseo y la pasión sádica sin satisfacerlos.

Al mismo tiempo y en otro plano, el sadismo oculta un nuevo motivo de fracaso. En efecto, trata de apropiarse de la libertad trascendente de la víctima. Pero precisamente esta libertad permanece por principio fuera de alcance. Y cuanto más se encarniza el sádico en tratar al Otro como instrumento, tanto más le escapa esa libertad. No puede actuar sino sobre la libertad como propiedad objetiva del Otro-objeto; es decir, sobre la libertad en medio del mundo, con sus mortiposibilidades. Pero, justamente, siendo su objetivo recuperar su ser-para-otro, lo marra por principio, pues el único Prójimo con el que trata es el Otro en el mundo que, del sádico que se encarniza sobre él, no tiene sino "imágenes en su cabeza".

El sádico descubre su error cuando la víctima lo *mira*, es

decir, cuando él experimenta la alienación absoluta de su ser en la libertad del Otro: realiza entonces no sólo que no ha recuperado su "ser-afuera", sino también que la actividad por la cual trata de recuperarlo es a su vez trascendida y fijada como "sadismo" en cuanto *habitus* y propiedad, con su cortejo de mortiposibilidades; y que esta transformación acaece por y para el Otro al que quiere someter. Descubre entonces que no puede actuar sobre la libertad del Otro, ni aun obligándolo a humillarse y a pedir gracia, pues precisamente en y por la libertad absoluta del Otro viene a existir un mundo en que hay un sádico e instrumentos de tortura y cien pretextos para humillarse y renegar. Nadie ha traducido mejor el poder de la mirada de la víctima sobre sus verdugos que Faulkner en las últimas páginas de *Luz de agosto*. "Gentes de bien" acaban de encarnizarse en el negro Christmas y lo han emasculado. Christmas agoniza:

"Pero el hombre, ahí en el suelo, no se había movido. Yacía allí, con los ojos abiertos, vacíos de todo menos de conocimiento. Algo, una sombra, rodeaba su boca. Durante un largo momento los miró con ojos tranquilos, insondables, intolerables. Después su rostro, su cuerpo, parecieron desmoronarse, encogerse, y, de las ropas desgarradas en torno a las caderas y los costados, la ola comprimida de negra sangre brotó como un suspiro bruscamente exhalado... y, en esa negra explosión, el hombre pareció elevarse y flotar para siempre en la memoria de ellos. Cualesquiera que sean los lugares donde hayan de contemplar los desastres antiguos y las nuevas esperanzas (apacibles valles, arroyos apacibles y tranquilizadores de la vejez, rostros donde niños se reflejen), jamás olvidarán aquello. *Estará siempre ahí, soñador, tranquilo, constante, sin palidecer nunca, sin ofrecer jamás nada amenazador, pero sereno por sí mismo, por sí mismo triunfante.*[1] De nuevo, en la ciudad, levemente ensordecido por los muros, el aullido de la sirena sube hacia su inverosímil crescendo, se pierde más allá de los límites audibles".[2]

Así, esa explosión de la mirada del Prójimo en el mundo del

---

[1] Subrayado nuestro.
[2] *Lumière d'août*, N. R. F., 1935, pág. 385.

sádico hace desmoronarse el sentido y el objetivo del sadismo. Al mismo tiempo, el sadismo descubre que él quería someter *esa libertad* y que sus esfuerzos han sido vanos Henos remitidos una vez más del *ser-mirante* al *ser-mirado;* no salimos de este círculo.

Con las precedentes observaciones no hemos querido agotar la cuestión sexual ni, sobre todo, la de las actitudes hacia el Prójimo. Hemos querido, simplemente, señalar que la actitud sexual es un comportamiento primitivo para con el Prójimo. Va de suyo que este comportamiento implica necesariamente la contingencia originaria del ser-para-otro y la de nuestra propia facticidad. Pero no podríamos admitir que esté sometido desde el origen a una constitución fisiológica y empírica. Desde que "hay" el cuerpo y "hay" *Otro,* reaccionamos con el *deseo,* con el *Amor* y con las actitudes derivadas que hemos mencionado. Nuestra estructura fisiológica no hace sino expresar simbólicamente y en el terreno de la contingencia absoluta la posibilidad permanente que somos de adoptar una u otra de esas actitudes. Así, podríamos decir que el Para-sí es sexual en su propio surgimiento frente al Prójimo y que por él viene al mundo la sexualidad.

No pretendemos, evidentemente, que las actitudes para con el Prójimo se reduzcan a esas actitudes sexuales que acabamos de describir. Si nos hemos extendido largamente sobre ellas, ha sido con dos fines: en primer lugar, porque son fundamentales y, finalmente, todas las conductas complejas de los hombres entre sí no son sino enriquecimientos de esas dos actitudes originarias (y de una tercera, el odio, que describiremos en breve). Sin duda, las conductas concretas (colaboración, lucha, rivalidad, emulación, compromiso, obediencia,[1] etc.) son infinitamente más delicadas de describir, pues dependen de la situación histórica y de las particularidades concretas de cada relación entre el Para-sí y el Otro: pero encierran todas en sí, como su esqueleto, las relaciones sexuales. Y ello no a causa de la exis-

---

[1] Confróntese también el amor maternal, la piedad, la bondad, etcétera.

tencia de cierta *libido* que se deslice por doquiera, sino simplemente porque las actitudes que hemos descrito son los proyectos fundamentales por los cuales el Para-sí *realiza* su ser-para-otro e intenta transcender esa situación de hecho. No es éste el lugar de mostrar lo que la piedad, la admiración, el asco, la envidia, la gratitud, etc., puedan contener de amor y de deseo. Pero cada cual podrá determinarlo remitiéndose a su propia experiencia, así como a la intuición eidética de esas diversas esencias. Ello no significa, naturalmente, que esas diversas actitudes sean simples disfraces adoptados por la sexualidad; sino que ha de entenderse que la sexualidad se integra en ellas como su fundamento y que la incluyen y trascienden como la noción de círculo incluye y trasciende la de segmento en rotación en torno de un extremo fijo. Tales actitudes-fundamento pueden permanecer veladas, como un esqueleto lo está por la carne que lo rodea; inclusive, es lo que de ordinario se produce; la contingencia de los cuerpos, la estructura del proyecto original que soy, la historia que historializo pueden determinar que la actitud sexual permanezca ordinariamente implícita, en el interior de conductas más complejas: en particular, no es frecuente que uno desee explícitamente a los Otros "del mismo sexo". Pero, tras las interdicciones de la moral y los tabúes de la sociedad, permanece la estructura originaria del deseo, por lo menos en esa forma particular de turbación que se denomina repulsión sexual. Y no ha de entenderse tal permanencia del proyecto sexual como si debiera quedar "en nosotros" en estado inconsciente. Un proyecto del Para-sí no puede existir sino en forma consciente. Simplemente, existe como integrado a una estructura particular en la cual se funde. Es lo que los psicoanalistas han sentido cuando han hecho de la afectividad sexual una "tabula rasa" que tomaba todas sus determinaciones de la historia individual. Sólo que no debe creerse que la sexualidad sea originariamente *indeterminada*: en realidad, comporta todas sus determinaciones desde el surgimiento del Para-sí en un mundo donde "hay" Otros. Lo indeterminado, y lo que debe ser fijado por la historia de cada cual, es el tipo de relación con el Otro, con ocasión del cual la actitud sexual (deseo-amor, masoquismo-sadismo) se manifestará en su pureza explícita.

Precisamente porque esas actitudes son originarias las hemos escogido para mostrar el *círculo* de las relaciones con el Prójimo. En efecto, como están integradas en *todas* las actitudes hacia los Otros entrañan en su circularidad la integralidad de las conductas para con el Prójimo. Así como el Amor encuentra su fracaso en sí mismo y el Deseo surge de la muerte del Amor para desmoronarse a su vez y dejar sitio al Amor, así también todas las conductas para con el Otro-objeto comprenden en sí una referencia implícita y velada a un Otro-sujeto, y esa referencia es la muerte de las mismas; sobre la muerte de la conducta hacia el Otro-objeto surge una actitud nueva que apunta a apoderarse del Otro-sujeto, y ésta revela, a su vez, su inconsistencia, y se desmorona para dejar lugar a la conducta inversa. Así, somos indefinidamente remitidos del Otro-objeto al Otro-sujeto y recíprocamente; la carrera no se detiene nunca, y esta carrera, con sus bruscas inversiones de dirección, constituye nuestra relación con el Prójimo. En cualquier momento en que se nos considere, estamos en una u otra de esas actitudes, insatisfechos de la una como de la otra; podemos mantenernos más o menos tiempo en la actitud adoptada, según nuestra mala fe o según las circunstancias particulares de nuestra historia; pero jamás ella se basta a sí misma: indica siempre oscuramente hacia la otra. Pues, en efecto, no podríamos adoptar una actitud consistente hacia el Prójimo a menos que éste nos fuera *a la vez* revelado como sujeto y como objeto, como trascendencia-trascendente y como trascendencia-trascendida, lo que es por principio imposible. Así, sin cesar arrojados del ser-mirada al ser-mirado, cayendo de uno en otro por revoluciones alternas, estamos siempre, cualquiera que sea la actitud adoptada, en estado de inestabilidad con respecto al Prójimo; perseguimos el ideal imposible de la aprehensión simultánea de su libertad y de su objetividad; para usar expresiones de Jean Wahl, estamos con respecto al Otro tan pronto en estado de trascendencia (cuando lo aprehendemos como objeto y lo integramos en el mundo) como en estado de tras-ascendencia (cuando lo experimentamos como una trascendencia que nos trasciende); pero ninguno de esos dos estados se basta a sí mismo; y no podemos situarnos nunca concretamente en un plano de igualdad, es decir, en el plano en que el reconocimiento de la libertad ajena entrañe el reconocimiento de nuestra libertad por parte del Prójimo. El prójimo es, por principio, lo incaptable: me huye cuando lo busco y me posee cuando le huyo. Aun si quisiera yo actuar, según los preceptos de la moral kantiana, tomando por finalidad incondicionada la libertad del Otro, esta libertad se convertiría en trascendencia-trascendida por el solo hecho de hacer yo de ella mi objetivo; y, por otra parte, no podría actuar en provecho de ella sino utilizando al Otro-objeto como instrumento para realizar esa libertad. Será preciso, en efecto, que capte en situación como un objeto-instrumento; y mi único poder al Otro será entonces modificar la situación con respecto al Otro, y al Otro con respecto a la situación. Así, me veo llevado a esta paradoja, escollo de toda política liberal, que Rousseau ha definido con una palabra: debo "obligar" al Otro a ser libre. Esta coerción no por no ejercerse siempre ni con la mayor frecuencia en forma de violencia deja de regular las relaciones mutuas entre los hombres. Si consuelo o tranquilizo, lo hago para desprender la libertad del Prójimo de los temores o dolores que la oscurecen; pero el consuelo o el argumento tranquilizador es la organización de un sistema de medios a fin destinado a *actuar* sobre el Otro y, por consecuencia, a integrarlo a su vez como cosa-utensilio en el sistema. Más aún: el consolador opera una distinción arbitraria entre la libertad, a la que asimila al uso de la Razón y a la búsqueda del Bien, y la aflicción, que le parece el resultado de un determinismo psíquico. Actúa, pues, para separar la libertad de la aflicción, como se separan los dos componentes de un producto químico. Por el solo hecho de considerar la libertad como capaz de tamización, la trasciende y le hace violencia, y no puede, en el terreno en que se coloca, captar esta verdad: la libertad misma *se hace* aflicción, y, por consiguiente, actuar para liberar de la aflicción la libertad es actuar contra la libertad.

No ha de creerse, empero, que una moral del *laisser-faire* y de la tolerancia respetaría mejor la libertad ajena: desde que existo, establezco un límite de hecho a la libertad del Prójimo, *soy* ese límite, y cada uno de mis proyectos traza ese límite en torno del Otro: la caridad, el *laisser-faire,* la tolerancia –o toda actitud abstencionista– es un proyecto de mí mismo que me compromete y compromete al prójimo en su asentimiento. Realizar la tolerancia en torno del Prójimo es hacer que éste sea proyectado por la fuerza a un mundo tolerante. Es quitarle, por principio, esas libres posibilidades de resistencia valerosa, de perseverancia, de afirmación de sí, que hubiera tenido ocasión de desarrollar en un mundo de intolerancia. Lo cual es aún más manifiesto si se considera el problema de la educación: una educación severa trata al niño como instrumento, puesto que intenta plegarlo por la fuerza a valores que él no ha admitido; pero una educación liberal no por usar de otros procedimientos deja de hacer una elección a priori de los principios y valores en nombre de los cuales será tratado el niño. Tratar al niño por persuasión y dulzura no es constreñirlo menos. Así, el respeto de la libertad ajena no es más que una palabra vana: aun si pudiéramos proyectar respetar esa libertad, cada actitud que tomáramos respecto del otro sería una violación de esa libertad que pretendíamos respetar. La actitud extrema, que se daría como total indiferencia frente al otro, no es tampoco solución: estamos ya arrojados al mundo frente al otro: nuestro surgimiento es libre limitación de su libertad, y nada, ni siquiera el suicidio, puede modificar esa situación originaria: cualesquiera que sean nuestros actos, en efecto, los cumplimos en un mundo en que hay ya otros y en que estoy *de más* con respecto a los otros.

En esta situación singular parece tener origen la noción de culpabilidad y pecado. Soy *culpable* frente al otro. Culpable, en primer lugar, cuando, bajo su mirada, experimento mi alienación y desnudez como una caída que debo asumir; es el sentido del famoso: "Conocieron que estaban desnudos", de la Escritura. Culpable, además, cuando a mi vez miro al prójimo, porque, por el solo hecho de mi afirmación de mí, lo constituyo como objeto e instrumento, hago advenir a él esa alienación que él deberá asumir. Así, el pecado original es mi surgimiento en un mundo donde hay otro y, cualesquiera que fueren mis relaciones ulteriores con el otro, no serán sino variaciones sobre el tema original de mi culpabilidad.

Pero esta culpabilidad va acompañada de impotencia, sin que esta impotencia logre lavarme de mi culpabilidad. Hiciere lo que hiciere *en pro* de la libertad del otro, mis esfuerzos, como hemos visto, se reducen a tratarlo como instrumento y a poner su libertad como trascendencia trascendida; pero, por otra parte, cualquiera que fuere el poder coercitivo de que dispongo, no alcanzaré jamás al prójimo sino en su ser-objeto. No podré dar nunca a su libertad sino ocasiones de manifestarse, sin lograr nunca incrementarla ni disminuirla, dirigirla ni apoderarme de ella. Así, soy culpable para con el prójimo en mi ser mismo, porque el surgimiento de mi ser lo dota, pese a él, de una nueva dimensión de ser; e impotente, por otra parte, para aprovechar mi culpa o para repararla.

Un para-sí que, al historializarse, ha hecho la experiencia de estas diferentes vicisitudes, puede determinarse, con pleno conocimiento de la inanidad de sus esfuerzos anteriores, a perseguir la muerte del otro. Esta libre determinación se llama odio. Implica una resignación fundamental: el para-sí abandona su pretensión de realizar la unión con el otro; renuncia a utilizarlo como instrumento para recuperar su ser-en-sí. Quiere, simplemente, recobrar una libertad sin límites de hecho, es decir, desembarazarse de su incaptable ser-objeto-para-el-otro y abolir su dimensión de alienación. Esto equivale a proyectar realizar un mundo en que el otro no exista. El para-sí que odia acepta no ser más que para-sí; instruido por sus diversas experiencias sobre la imposibilidad en que se halla de utilizar su ser-para-otro, prefiere no ser sino una libre nihilización de su ser, una totalidad destotalizada, una persecución que se asigna sus propios fines. El que odia proyecta no ser ya objeto en modo alguno; y el odio se presenta como una posición absoluta de la libertad del para-sí frente al otro. Por eso, en primer lugar, el odio no rebaja al objeto odiado. Pues coloca el debate en su verdadero terreno: lo que odio en el otro no es tal o cual fisonomía, tal o cual extravagancia, tal o cual acción particular, sino su existencia en general, como trascendencia-trascendida. Por eso el odio implica un reconocimiento de la libertad del otro. Sólo que es un reconocimiento abstracto y negativo: el odio no conoce sino al otro-objeto y sobre este objeto se concentra.

Quiere destruir este objeto, para suprimir al mismo tiempo la trascendencia que lo infesta. Esta trascendencia no es sino presentida, como un más-allá inaccesible, como perpetua posibilidad de alienación del para-sí odiante. Así, pues, nunca es *captada por sí misma*, ni tampoco podría serlo sin convertirse en objeto; al contrario, la experimento como un carácter perpetuamente fugitivo del objeto-prójimo, como un aspecto "nodado", "no-hecho", de sus cualidades empíricas más accesibles, como una suerte de monición perpetua, la cual me advierte que "no es ésa la cuestión". Por eso se odia *a través* de lo psíquico revelado, no se odia lo psíquico mismo; y por eso también resulta indiferente que se odie la trascendencia del otro a través de lo que llamamos empíricamente sus vicios o sus virtudes. Lo que odio es la totalidad psíquica íntegra en tanto que me remite a la trascendencia del otro: no me rebajo a odiar tal o cual detalle objetivo particular. Esto es lo que distingue al odiar del detestar. Y el odio no aparece necesariamente a raíz de un mal que acabo de sufrir. Puede nacer, al contrario, allí donde habría derecho de esperar reconocimiento, es decir, con ocasión de un beneficio: la ocasión que solicita al odio es simplemente el acto del prójimo por el cual he sido puesto en estado de *padecer* su libertad. Este acto en sí mismo es humillante; es humillante en tanto que revelación concreta de mi objectidad instrumental frente a la libertad del otro. Esa revelación se oscurece en seguida, se hunde en el pasado y se opaca. Pero, precisamente, me deja el sentimiento de que hay "algo" que destruir para liberarme. A eso se debe, por otra parte, que el reconocimiento esté tan próximo al odio: estar reconocido por un beneficio es reconocer que el otro era enteramente libre al actuar como lo ha hecho. Ninguna obligación, así fuera la del delber, lo ha determinado. Es el total responsable de su acto y de los valores que han presidido el cumplimiento del mismo. Yo no he sido sino el pretexto, la materia sobre la cual su acto se ha ejercido. Partiendo de este reconocimiento, el para-sí puede proyectar el amor o el odio, a su elección: no puede ya ignorar al otro.

La segunda consecuencia de estas observaciones es que el odio es odio de todos los otros en uno solo. Lo que quiero alcanzar simbólicamente al perseguir la muerte de otro es el principio general de la existencia ajena. El otro al que odio representa, de hecho, a *los* otros. Y mi proyecto de suprimirlo es proyecto de suprimir al prójimo en general, es decir, de reconquistar mi libertad no-sustancial de para-sí. En el odio, se da una comprensión de que mi dimensión de ser-alienado es un sometimiento *real* que me viene por los otros. Lo proyectado es la supresión de ese sometimiento. Por eso el odio es un sentimiento *negro*, es decir, un sentimiento que apunta a la supresión de otro y que, en tanto que proyecto, se proyecta conscientemente contra la desaprobación de los otros. El odio que el otro profesa a algún otro es desaprobado por mí; me inquieta y trato de suprimirlo porque, aunque ese odio no se dirige explícitamente contra mí, sé que me concierne y que contra mí se realiza. Y, en efecto, apunta a destruirme, no en cuanto que procure suprimirme, sino en tanto que reclama principalmente mi desaprobación para poder seguir adelante. El odio reclama ser odiado, en la medida en que odiar el odio equivale a un inquieto reconocer la libertad del que odia.

Pero el odio, a su vez, es un fracaso. Su proyecto inicial, en efecto, es suprimir las otras conciencias. Pero, aun si lo lograra, es decir, aun si pudiera abolir al otro en el momento presente, no podría hacer que el otro no hubiera sido. Más aún: la abolición del otro, por ser vivida como el triunfo del odio, implica el reconocimiento explícito de que el prójimo *ha existido*. Siendo así, mi ser-para-otro, al deslizarse al pasado, se convierte en una dimensión irremediable de mí mismo. Es lo que tengo-de-ser como habiéndolo-sido. No podría, pues, liberarme de ello. Por lo menos, se dirá, escapo por el presente y escaparé por lo futuro; pero no. Aquel que una vez ha sido para-otro está contaminado en su ser por el resto de sus días, así haya sido enteramente suprimido el otro: no cesará de captar su dimensión de ser-para-otro como una posibilidad permanente de su ser. No podrá reconquistar lo que ha alienado; hasta ha perdido toda esperanza de actuar sobre esa alienación y volverla en provecho propio, puesto que el otro, destruido, se ha llevado a la tumba la clave de esa alienación. Lo que he sido para el otro queda fijado por la muerte del otro, y lo seré irremediablemente en el pasado; lo seré también, y de la misma manera, en el presente, si persevero en la actitud, los proyectos y el modo de vida que han sido juzgados por el otro. La muerte del otro me constituye como objeto irremediable, exactamente lo mismo que mi propia muerte. Así, el triunfo del odio se transforma, en su propio surgimiento, en fracaso. El odio no permite salir del círculo. Representa, simplemente, la última tentativa, la tentativa de la desesperación. Después del fracaso de esta tentativa, no queda al para-sí sino regresar al círculo y dejarse pelotear indefinidamente entre ambas actitudes fundamentales, de la una a la otra.[1]

III

El "ser-con" (Mitsein) y el "nosotros"

Sin duda, se querrá hacernos observar que nuestra descripción es incompleta, pues no deja lugar a ciertas experiencias concretas en que nos descubrimos no en conflicto con el prójimo sino en comunidad con él. Es verdad que decimos con frecuencia *nosotros*. La existencia misma y el uso de esta forma gramatical remite necesariamente a una experiencia real *del Mitsein*. "Nosotros" puede ser sujeto, y, con esta forma, es asimilable a un plural del "yo". Por cierto, el paralelismo entre gramática y pensamiento es en muchos casos más que dudoso; hasta quizá sería preciso rever por entero la cuestión y estudiar la relación entre lenguaje y pensamiento de una manera completamente nueva. No por eso deja de ser cierto que el "nosotros" sujeto no parece concebible a menos que se refiera, por lo menos, al pensamiento de una pluralidad de sujetos que se capten simultánea y mutuamente como subjetividades, es

---

[1] Estas consideraciones no excluyen la posibilidad de una moral de liberación y salvación. Pero ésta debe alcanzarse al término de una conversión radical, de que no podemos tratar aquí.

decir, como trascendencias-trascendentes y no como trascendencias-trascendidas. Si la palabra "nosotros" ha de ser algo más que un simple *flatus vocis*, denota un concepto que subsume una infinidad, de experiencias posibles. Estas experiencias parecen *a priori* en contradicción con el experimentar mi ser-objeto por parte del prójimo, o con la experiencia del ser-objeto del prójimo para mí. En el "nosotros" sujeto nadie es objeto. El *nosotros* implica una pluralidad de subjetividades que se reconocen mutuamente como tales. Empero, este reconocimiento no constituye el objeto de una tesis explícita: lo explícitamente puesto es una acción común o el objeto de una percepción común. "Nosotros" resistimos, subimos al asalto, condenamos al culpable, miramos tal o cual espectáculo. Así, el reconocimiento de las subjetividades es análogo al de la conciencia no-tética por ella misma; más aún: debe ser operado *lateralmente* por una conciencia no-tética cuyo objeto tético es tal o cual espectáculo del mundo. La mejor ejemplificación del *nosotros* puede sernos dada por el espectador de una representación teatral, cuya conciencia se agota en la captación del espectáculo imaginario, en el prever los sucesos por medio de esquemas anticipativos, poner seres imaginarios, como el héroe, el traidor, la cautiva, etc., y que, sin embargo, en el surgimiento mismo que la hace conciencia *del* espectáculo, se constituye no-téticamente como conciencia (de) ser *co-espectador*. Cada cual conoce, en efecto, la inconfesada molestia que nos oprime en una sala semivacía, o, al contrario, el entusiasmo que se desencadena y robustece en una sala plena y entusiasta. Cierto es, por otra parte, que la experiencia del nosotros-sujeto puede manifestarse en cualquier circunstancia. Estoy en la terraza de un café: observo a los otros parroquianos y me sé observado. Permanecemos aquí en el caso más trivial del conflicto con el prójimo (el ser-objeto del otro para mí, mi ser-objeto para el otro). Pero he aquí que, de pronto, se produce cualquier incidente callejero: por ejemplo, una leve colisión entre un taxi y un triciclo de reparto. En seguida, en el instante mismo en que me convierto en espectador del incidente, me experimento no-téticamente como comprometido en un *nosotros*. Las rivalidades, los leves conflictos anteriores han desaparecido, y las conciencias que proveen la materia del nosotros son precisamente las de todos los parroquianos: *nosotros* miramos el suceso, tomamos partido. Este unanimismo es lo que un Romains ha querido describir en *La vie unanime* o en *Le vin blanc de la Villette*. Henos, pues, de retorno al *Mitsein* heideggeriano. ¿Valía, entonces, la pena haberlo criticado antes?[1]

Sólo haremos notar aquí que nunca se nos ha ocurrido poner en duda la *experiencia del* nosotros. Nos hemos limitado a mostrar que esta experiencia no podía ser el fundamento de nuestra conciencia del prójimo. Está claro, en efecto, que no puede constituir una estructura ontológica de la realidad-humana: hemos probado que la existencia del para-sí en medio de los otros era en el origen un hecho metafísico y contingente. Además, está claro también que el *nosotros* no es una conciencia intersubjetiva, ni un nuevo ser que trascienda y englobe sus partes como un todo sintético, a la manera de la conciencia colectiva de los sociólogos. El *nosotros* es experimentado por una conciencia particular; no es necesario que *todos* los parroquianos del café sean conscientes de ser *nosotros* para que yo me experimente como comprometido en un *nosotros* con ellos. Conocido es este trivial esquema de diálogo: "Nosotros estamos sumamente descontentos." "Pero no, hombre; ¡hable por usted!" Esto implica que haya conciencias aberrantes del nosotros, que no por eso dejen de ser, como tales, conciencias perfectamente normales. Siendo así, es necesario, para que una conciencia tome conciencia de estar comprometida en un nosotros, que las demás conciencias que entran con ella en comunidad le hayan sido dadas previamente de alguna otra manera, es decir, a título de trascendencia-trascendente o de transcendencia-transcendida. El nosotros es una experiencia particular que se produce, en casos especiales, sobre el fundamento del ser-para-el-otro en general. El *ser-para*-el-otro precede y funda al *ser-con*-el-otro.

Además, la filosofía que aspira a estudiar el Nosotros debe tomar sus precauciones y saber de qué está hablando. En efecto, no hay solamente un Nosotros-sujeto; la gramática nos ense-

---

[1] Tercera parte, cap. I.

ña que hay un Nos-complemento, es decir, un Nos-objeto. Según todo lo dicho hasta aquí, es fácil comprender que el Nosotros del "Nosotros los miramos" no puede hallarse en el mismo plano ontológico que el Nos de "ellos nos miran". No puede tratarse, en este caso, de subjetividades *qua* subjetividades. En la frase: *"Me* miran", quiero indicar que me experimento como objeto para el prójimo, como Yo alienado, como trascendencia-trascendida. Si la frase "Ellos nos miran" ha de indicar una experiencia real, es menester que en esta experiencia yo me experimente como comprometido con otros en una comunidad de trascendencias-trascendidas de "Yoes" alienados. El *Nosotros,* en este caso, remite a una experiencia de *ser-objetos en común.* Así, pues, hay dos formas radicalmente diferentes de la experiencia del *Nosotros,* y ambas formas corresponden exactamente al ser-mirante y al ser-mirado que constituyen las relaciones fundamentales entre el Para-sí y el Otro. Conviene estudiar ahora esas dos formas del Nosotros.

A) *El "Nos"-objeto*

Comenzaremos por examinar la segunda de esas experiencias: en efecto, su significación es más fácil de captar, y nos servirá quizá de vía de acceso para el estudio del Otro. Ha de observarse, ante todo, que el Nos-objeto nos precipita al mundo; lo experimentamos por la vergüenza como una alienación comunitaria. Así lo muestra el episodio significativo de unos galeotes que se sofocan de cólera y vergüenza porque una bella dama muy bien puesta acude a visitar el navío y ve sus harapos, su penuria y su miseria. Se trata de una vergüenza y de una alienación comunes. ¿Cómo es posible, pues, experimentarse en comunidad con otros como objetos? Es preciso, para saberlo, volver sobre los caracteres fundamentales de nuestro ser-para-el-Otro.

Hasta ahora hemos encarado el caso simple en que soy solo frente a Otro también solo. En tal caso, lo miro o me mira, trato de trascender su trascendencia o experimento la mía como trascendida y siento mis posibilidades como mortiposibilidades. Formamos una *pareja* y estamos *en situación* el uno respecto del Otro. Pero esta situación no tiene existencia objetiva sino para el uno o para el otro. En efecto, nuestra recíproca relación no tiene *reverso*. Sólo que, en nuestra descripción, no hemos tenido en cuenta el hecho de que mi relación con el Otro aparece sobre el fondo infinito de *mi* relación y de *su* relación con *todos los Otros;* es decir, con la cuasitotalidad de las conciencias. Por este solo hecho, mi relación con *ese* Otro, que experimentaba yo como fundamento de mi ser-para-otro, y la relación del Otro conmigo, pueden a cada instante, según los motivos que intervengan, ser experimentadas como *objetos para los Otros.* Ello se manifestará claramente en el caso de la aparición de un *tercero.* Supongamos, por ejemplo, que el Otro me mira. En este instante, me experimento como enteramente *alienado* y me asumo como tal. Aparece el Tercero. Si me mira, yo los experimento comunitariamente como "Ellos" (ellos-sujeto) a través de mi alienación. Ese "ellos" tiende, según sabemos, hacia el *se* impersonal. Esto no cambia en nada el hecho de que soy mirado; no refuerza nada o casi nada mi alienación original. Pero, si el Tercero mira al Otro que me mira, el problema es más complejo. En efecto, puedo captar al Tercero *no directamente* sino en el Otro, que se convierte en Otro-mirado (por el Tercero). Así, la trascendencia tercera trasciende la trascendencia que me trasciende y con ello contribuye a desarmarla. Se constituye aquí un estado metaestable, que no tardará en descomponerse, sea porque me alío con el Tercero para mirar al Otro, que se transforma entonces en *nuestro* objeto –y entonces hago una experiencia del Nosotros-sujeto de que hablaremos después–, sea porque miro al Tercero y trasciendo así esa tercera trascendencia que trasciende al Otro. En tal caso, el Tercero se convierte en objeto en mi universo, sus posibilidades son mortiposibilidades, y no podría con ello liberarme del Otro. Empero, él mira al Otro que me mira. Se sigue de ello una situación que llamaremos indeterminada y no conclusiva, pues soy objeto para el Otro, que es objeto para el Tercero, que es objeto para mí. Sólo la libertad, al acentuar una u otra de esas relaciones, puede dar una estructura a la situación.

Pero puede ser, también, que el Tercero mire al Otro *al que yo miro*. En este caso, puedo mirar a ambos y, así, desarmar la mirada del tercero. El Tercero y el Otro se me aparecerán entonces como Ellos-objetos. Puedo también captar en el Otro la mirada del Tercero, en la medida en que, sin ver al Tercero, capto en las conductas del Otro que éste se sabe mirado. En este caso, *experimento en el Otro y con motivo del Otro* la trascendencia-trascendente del Tercero. La experimento[1] como una alienación radical y absoluta del Otro. Éste se fuga de mi mundo; no me pertenece más; es objeto para otra trascendencia. No pierde, pues, su carácter de objeto, pero se hace ambiguo: me escapa, no por su trascendencia propia, sino por la trascendencia del Tercero. Por mucho que pueda yo captar en él y de él, ahora es siempre *Otro*; tantas veces Otro cuantos Otros hay para percibirlo y pensarlo. Para reapropiarme del Otro, es menester que yo mire al Tercero y le confiera objectidad. Esto, por una parte, no siempre es posible; por otra, el Tercero mismo puede ser mirado por otros Terceros, es decir, ser indefinidamente Otro que el que yo veo. Resulta de aquí una inconsistencia originaria del Otro-objeto y una carrera al infinito del Para-sí que procura reapropiarse de esa objectidad. Ésta es, como hemos visto, la razón de que los amantes se aíslen. Puedo experimentarme como mirado por el Tercero mientras miro al Otro. En tal caso, experimento mi alienación no-posicionalmente al mismo tiempo que pongo la alienación del Otro. Mis posibilidades de utilizar al Otro como instrumento son experimentadas por mí como mortiposibilidades, y mi trascendencia, que se apresta a trascender al Otro hacia mis fines propios, recae en trascendencia-trascendida. Se me va de la mano. No por eso el Otro se convierte en sujeto, pero yo no me siento ya cualificado para la objectidad. El Otro se convierte en un *neutro*; algo que pura y simplemente es ahí y con lo que no puedo hacer nada. Tal será el caso, por ejemplo, si se me sorprende mientras golpeo a un débil. La aparición del Tercero me "desengancha"; el débil ya no es "de-golpear" ni

---

[1] En el original dice: "Él la experimenta...", etc., lo que no parece tener sentido; ha de suponerse una errata (*il* en lugar de *je*). (N. del T.)

"de-humillar": no es sino existencia pura, nada más; ni siquiera ya "un débil"; o, si vuelve a ser tal, lo será por intermedio del Tercero: *sabré por el Tercero* que *era* un débil ("¿No te da vergüenza, encarnizarte con un débil?", etc.); la cualidad de débil le será conferida a mis ojos por el Tercero, y ella no formará ya parte de *mi* mundo, sino de un universo en que estoy para el Tercero junto con el débil.

Esto nos trae, finalmente, al caso que nos ocupa: estoy comprometido en un conflicto con el Otro. Aparece el Tercero y nos abarca a ambos con su mirada. Experimento correlativamente mi alienación y mi objectidad. Estoy afuera, para el Otro, como objeto en medio de un mundo que no es "el mío". Pero el Otro, al cual yo miraba y que me miraba a su vez, sufre la misma modificación, y descubro esta modificación del Otro en simultaneidad con la que yo experimento. El Otro es objeto en medio del mundo del Tercero. Esta objectidad no es, por otra parte, una simple modificación de su ser *paralela* a la que yo padezco, sino que las dos objectidades vienen a mí y al Otro en una modificación global de la *situación* en que yo estoy y en que se encuentra el Otro. Antes de la mirada del Tercero, había una situación circunscrita por las posibilidades del Otro, en la que yo estaba a título de instrumento, y una situación inversa, circunscrita por mis propias posibilidades, que comprendía al Otro. Cada una de esas situaciones era la muerte del Otro y no podíamos captar una sino objetivando la otra. Con la aparición del Tercero, a la vez experimento que mis posibilidades están alienadas y descubro que las posibilidades del Otro son mortiposibilidades. La situación no desaparece por ello, pero huye de mi mundo y del mundo del Otro, para constituirse en medio de un tercer mundo en forma objetiva: en ese tercer mundo es vista, juzgada, trascendida, utilizada, pero al mismo tiempo se produce una nivelación de las dos situaciones inversas: ya no hay estructura de prioridad que vaya de mí al otro o, inversamente, del Otro a mí, puesto que nuestras posibilidades son igualmente, *para el tercero,* mortiposibilidades. Esto significa que experimento de pronto la existencia, en el mundo del Tercero, de una situación-forma objetiva en que el Otro y yo figuramos a título de estructuras *equivalentes* y *soli-*

darias. El conflicto, en esta situación objetiva, no surge del libre surgimiento de nuestras transcendencias, sino que es comprobado y trascendido por el Tercero como un hecho dado que nos define y nos retiene juntos a mí y al Otro. La posibilidad que tiene el otro de golpearme y la que tengo yo de defenderme, lejos de ser mutuamente excluyentes, se completan y entrañan, se implican una a otra para el Tercero a título de mortiposibilidades, y es precisamente lo que experimento a título no-tético; lo experimento, no lo *conozco*. Así, lo que experimento es un ser-afuera, en que estoy organizado con el Otro en un todo indisoluble y objetivo, un todo en que *no me distingo ya* originariamente del Otro, sino que, solidariamente con éste, concurro a constituir. Y en la medida en que por principio asumo mi ser-afuera para el Tercero, debo asumir análogamente el ser-afuera del Otro; lo que asumo es la comunidad de equivalencia por la cual existo comprometido en una forma que, como el Otro, concurro a constituir. En una palabra, me asumo como comprometido *afuera* en el Otro y asumo al Otro como comprometido *afuera* en mí. Esta asunción fundamental del comprometimiento que llevo delante sin captarlo, ese libre reconocimiento de mi responsabilidad en tanto que incluye la responsabilidad del Otro, es la experiencia del *Nosotros*-objeto. Así, pues, el Nosotros-objeto no es nunca *conocido*, a la manera en que una reflexión nos proporciona el conocimiento, por ejemplo, de nuestro Yo; no es nunca *sentido*, tampoco, a la manera en que un sentimiento nos revela un objeto concreto tal como lo antipático, lo odioso, lo turbador, etc.; ni es simplemente *experimentado,* pues lo experimentado es la pura situación de solidaridad con el otro. El Nosotros-objeto no se descubre sino por la asunción que de la situación he hecho, es decir, por la necesidad en que estoy, en el seno de mi libertad asumente, de asumir *también* al Otro, a causa de la reciprocidad interna de la situación. Así, puedo decir: "Me doy de golpes con el Otro", en ausencia del Tercero. Pero, desde que éste aparece, las posibilidades del Otro y las mías se han nivelado en mortiposibilidades, la relación se hace recíproca, y me veo obligado a experimentar que "nos damos de golpes". En efecto, la fórmula: "yo le doy de golpes y él me da de golpes" sería netamente insuficiente: de hecho, le doy de golpes porque él me los da, y recíprocamente; el proyecto del combate ha germinado en su mente como en la mía, y, para el tercero, se unifica en *un solo* proyecto, común a ese *Ellos-objeto* que él abarca con su mirada y que hasta constituye la síntesis unificadora de ese "Ellos". Así, pues, debo asumirme en tanto que aprehendido por el Tercero como parte integrante del "Ellos". Y este "Ellos" asumido por una subjetividad como su sentido-para-otro se convierte en el Nos. La conciencia reflexiva no podría captar este Nos: su aparición coincide, al contrario, con el desmoronamiento del Nos: el Para-sí se desprende y pone su ipseidad contra *los Otros*. Ha de comprenderse, en efecto, que originariamente la pertenencia al Nosotros-objeto es sentida como una alienación más radical aún del Para-sí, puesto que éste se ve ya obligado a asumir no solamente lo que él es para el Prójimo sino también una totalidad que él no es, aunque forme parte integrante de ella. En este sentido, el Nos es un brusco experimentar la condición humana como comprometida entre los Otros en tanto que *hecho* objetivamente constatado. El Nosotros-objeto, aunque experimentado con ocasión de una solidaridad concreta y centrada en esta solidaridad (estaré avergonzado, muy precisamente, porque *nosotros* hemos sido sorprendidos mientras *nos* golpeábamos), tiene una significación que trasciende la particular circunstancia en que es experimentado, y que apunta a englobar mi pertenencia como objeto a la totalidad humana (menos la conciencia pura del Tercero) captada igualmente como objeto. Corresponde, pues, a una experiencia de humillación y de impotencia: el que se experimenta como constituyendo un *Nos* con los otros hombres se siente enviscado entre una infinidad de existencias extrañas; está alienado radicalmente y sin apelación.

Ciertas situaciones parecen más propias que otras para suscitar la experiencia del nos. En particular, el trabajo en común; cuando varias personas se experimentan como aprehendidas por el tercero mientras laboran solidariamente en un mismo objeto, el sentido mismo del objeto manufacturado remite a la colectividad laborante como a un nos. El gesto que hago, gesto reclamado por el montaje que se ha de efectuar,

[570]

no tiene sentido si no lo precede tal o cual gesto de mi vecino y lo sigue tal o cual otro gesto de otro trabajador. Resulta de ello una forma de "nos" más fácilmente accesible, puesto que la exigencia del propio objeto y sus potencialidades, como su coeficiente de adversidad, remiten al nosotros-objeto de los trabajadores. Nos experimentamos, pues, como aprehendidos a título de nos *a través* de un objeto material "de-crear". La materialidad pone su sello sobre nuestra comunidad solidaria y *nos* aparecemos como una disposición instrumental y técnica de medios cada uno de los cuales tiene su sitio asignado para un fin. Pero, si algunas situaciones parecen así empíricamente más favorables para el surgimiento del nos, no ha de perderse de vista que *toda* situación humana, siendo comprometimiento en medio de los otros, es experimentada como nos desde que aparece el tercero. Si ando por la calle, detrás de ese hombre del cual sólo veo la espalda, tengo con él el mínimo de relaciones técnicas y prácticas que pueda concebirse. Empero, basta que un tercero *me* mire, mire la acera, la mire, para que yo esté ligado a él por la solidaridad del nos: nos paseamos el uno tras del otro por la calle Blomet una mañana de julio. Siempre hay un punto de vista desde el cual diversos para-síes pueden ser unidos en el nos por una mirada. Recíprocamente, así como la mirada no es sino la manifestación concreta del hecho originario de mi existencia para el otro; así, pues, como me experimento existiendo para el otro aun fuera de toda aparición singular de una mirada, así tampoco es necesario que una mirada concreta nos fije y atraviese para que podamos experimentarnos como integrados afuera en un nos. Basta que la totalidad-destotalizada "humanidad" exista, para que una pluralidad cualquiera de individuos se experimente, como un *nos* con respecto a la totalidad o a una parte del resto de los hombres, sean éstos presentes "en carne y hueso" o sean reales pero *ausentes*. Así, siempre puedo captarme, en presencia o en ausencia de terceros, como pura ipseidad a como integrado en un nos. Esto nos lleva a ciertos "nos" especiales, en particular al que se denomina "conciencia de clase". La conciencia de clase es, evidentemente, la asunción de un nos particular, con ocasión de una situación colectiva más netamente estructurada que de ordinario. Poco nos importa definir aquí esa situación; lo único que nos interesará es la naturaleza del nos de la asunción. Si una sociedad, por su estructura económica o política, se divide en clases oprimidas y clases opresoras, la situación de las clases opresoras ofrece a las clases oprimidas la imagen de un tercero perpetuo que las considera y trasciende por su libertad. No es en modo alguno la dureza del trabajo, lo bajo del nivel de vida o los sufrimientos padecidos lo que constituirá en clase a la colectividad oprimida; la solidaridad del trabajo, en efecto, podría –como lo veremos en el parágrafo siguiente– constituir a la colectividad laboriosa en un "nosotros-sujeto", en tanto que ésta –cualquiera que fuere, por lo demás, el coeficiente de adversidad de las cosas– se experimente como trascendiendo los objetos intramundanos hacia sus propios fines; el nivel de vida es cosa relativa, diversamente apreciada según las circunstancias (podrá ser *padecido* o *aceptado* o *reivindicado* en nombre de un ideal común); los sufrimientos padecidos, si se los considera en sí mismos, tienen por efecto antes aislar que reunir a las personas que sufren, y son, en general, fuentes de conflicto. Por último, la pura y simple comparación que los miembros de la colectividad oprimida pueden hacer entre la dureza de su condición y los privilegios de que gozan las clases opresoras no podría bastar en ningún caso para constituir una conciencia de clase; cuando mucho, provocará celos individuales o desesperaciones particulares; no tiene la posibilidad de unificar y de hacer asumir a cada uno la unificación. Pero el conjunto de esos caracteres, en tanto que constituye la *condición* de la clase oprimida, no es simplemente padecido o aceptado. Sería igualmente erróneo, sin embargo, decir que, en el origen, es captado por la clase oprimida como *impuesto* por la clase opresora; al contrario, mucho tiempo hace falta para constituir o para difundir una *teoría* de la opresión. Y esta teoría no tendrá sino un valor *explicativo*. El hecho primero es que el miembro de la colectividad oprimida, que, en cuanto simple persona, está comprometido en conflictos fundamentales con otros miembros de esa misma colectividad (amor, odio, rivalidad de intereses, etc.), capta su condición y la de los demás miembros de esa colectividad como mirada y pensada por conciencias que se le escapan. El "amo", el "señor feudal", el "burgués" o el "capitalista" aparecen no sólo como potentes que comandan, sino también, y ante todo, Como *terceros,* es decir, como aquellos que están fuera de la comunidad oprimida y *para quienes* esta comunidad existe. Así, pues, *para ellos* y *en su libertad* existirá la realidad de la clase oprimida. Ellos la hacen nacer por su mirada. A ellos y por ellos se descubre la identidad de mi condición y la de los otros oprimidos; para ellos existo en situación organizada con otros y mis posibles como mortiposibilidades son rigurosamente equivalentes a los posibles de los otros; para ellos soy *un* obrero, y por y en la revelación de ellos como prójimo-mirada me experimento como uno entre otros. Esto significa que descubro el *nos* en que estoy integrado o "la clase", *afuera,* en la mirada del tercero, y al decir "nos" asumo esta alienación colectiva. Desde este punto de vista, los privilegios del tercero y "nuestras" cargas, "nuestras" miserias, no tienen en primer término sino un valor de *significación;* significan la independencia del tercero con respecto a nosotros; nos presentan más netamente nuestra alienación. Como no por eso son menos *soportados;* como, en particular, nuestra penuria, nuestra fatiga, no son por eso menos *sufridas,* a través de ese sufrimiento padecido experimento mi ser-mirado-como-cosa-comprometida-en-una-totalidad-de-las-cosas. A partir de mi sufrimiento y mi miseria soy colectivamente captado con los otros por el tercero, es decir, a partir de la adversidad del mundo, a partir de la adversidad de mi condición. Sin el tercero, cualquiera que fuere la adversidad del mundo, yo me captaría como trascendencia triunfante; con la aparición del tercero, *yo nos* experimento como captados a partir de las cosas y como cosas vencidas por el mundo. Así, la clase oprimida halla su unidad de clase en el conocimiento que de ella tiene la clase opresora, y la aparición de la conciencia de clase en el oprimido corresponde a la asunción de la vergüenza en un nos-objeto. Veremos, en el parágrafo siguiente, lo que puede ser la "conciencia de clase" para un miembro de la clase opresora. Lo que aquí nos interesa, en todo caso, como lo muestra el ejemplo que acabamos de escoger, es que el experimentarnos como nos-objeto supone experimentar el ser-para-otro, del que aquel experimentar no es sino una modalidad más compleja. Entra, pues, con carácter de caso particular, en el cuadro de nuestras precedentes descripciones. Ese experimentar encierra en sí, por otra parte, una potencia de desagregación, ya que es experimentado por la vergüenza, y el nos se desmorona desde que el para-sí reivindica su ipseidad frente al tercero y lo mira a su vez. Esta reivindicación individual de la ipseidad no es, por lo demás, sino una de las maneras posibles de suprimir el nos-objeto. La asunción del nos, en ciertos casos fuertemente estructurados, como por ejemplo la conciencia de clase implica el proyecto no ya de liberarse del nos por un recobro individual de ipseidad, sino de liberar al nos íntegro por la objectidad, transformándolo en nosotros-sujeto. Se trata, en el fondo, de una variedad del ya descrito proyecto de trasformar al mirante en mirado; es el tránsito ordinario de una de las dos grandes actitudes fundamentales del para-sí respecto del otro. La clase oprimida, en efecto, no puede afirmarse como nosotros-sujeto sino con relación a la clase opresora y a expensas de ésta, es decir, transformándola a su vez en "ellos-objetos". Simplemente, la *persona,* objetivamente comprometida en la clase, apunta a arrastrar la clase entera en y por su proyecto de reversión. En tal sentido, el experimentar del nos-objeto remite al experimentar del nosotros-sujeto, Así como el experimentar mi ser-objeto-para-el-otro me remite a la experiencia del ser-objeto-del-prójimo-para-mí. Análogamente, encontraremos en lo que se llama la "psicología de las masas" arrebatos colectivos (*boufangisme,* etc.) que constituyen una forma particular de amor: la persona que dice "nosotros" retoma entonces, en el seno de la masa, el proyecto original de amor, pero no ya por su propia cuenta: pide al tercero que salve a la colectividad íntegra en su objectidad misma, sacrificando la libertad de aquélla. Aquí, como antes veíamos, el amor defraudado conduce al masoquismo. Es lo que se observa en el caso en que la colectividad se precipita a la servidumbre y exige ser tratada como objeto. Se trata, también en este caso, de los múltiples proyectos individuales de los hombres en la masa: la masa ha sido constituida *como masa* por la mirada del jefe o del orador; su unidad es una unidad-objeto que cada uno de sus miembros lee era la mirada del tercero que la domina, y cada uno hace entonces el proyecto de perderse en esa objetidad, de renunciar por entero a su propia ipseidad para no ser más que un instrumento en las manos del jefe. Pero este instrumento en que quiere fundirse no es ya su puro y simple para-otro personal, sino la totalidad-objetiva-masa. La materialidad monstruosa de la masa y su realidad profunda (aunque sólo experimentadas) son fascinantes para cada uno de sus miembros; cada uno de ellos exige ser anegado en la masa-instrumento por la mirada del jefe.[1]

En esos diferentes casos hemos visto siempre constituirse el nos-objeto a partir de una situación concreta en que se encontraba sumergida una parte de la totalidad-destotalizada "humanidad", con exclusión de otra. No somos *nos* sino a los ojos de los otros, y a partir de la mirada ajena nos asumimos como nos. Pero esto implica que pueda existir un proyecto abstracto e irrealizable del para-sí hacia una totalización absoluta de sí mismo y de *todos* los otros. Este esfuerzo de recuperación de la totalidad humana no puede ocurrir sin poner la existencia de un tercero, distinto por principio de la humanidad y a los ojos del cual ella es íntegramente objeto. Ese tercero, irrealizable, es simplemente el objeto del concepto-límite de alteridad. Es aquello que es tercero con relación a todos los agrupamientos posibles, aquello que en ningún caso puede entrar en comunidad con ninguna agrupación humana; el tercero con respecto al cual ningún ser puede constituirse como tercero; este concepto se identifica con el del ser-mirante que no puede jamás ser mirado, es decir, con la idea de Dios. Pero, caracterizándose Dios como ausencia radical, el esfuerzo por realizar la humanidad como *nuestra* es sin cesar renovado y termina sin cesar en un fracaso. Así, el "nos" humanista –en tanto que nos-objeto– se propone a cada conciencia individual como un ideal inalcanzable, aunque cada uno guarde la ilusión de poder llegar ampliando progresivamente el círculo de las comunidades a las cuales pertenece: ese "nos" humanista queda como un con-

[1] Cf. los múltiples casos de denegación de ipseidad. El para-sí *se rehúsa a emerger en la angustia fuera del Nos.*

cepto vacío, como pura indicación de una extensión posible del uso ordinario del nosotros. Cada vez que utilizamos el "nosotros" en este sentido (para designar la humanidad sufriente, la humanidad pecadora, para determinar un sentido objetivo de la historia considerando al hombre como un objeto que desarrolla sus potencialidades) nos limitamos a indicar cierto experimentar concreto que ha de padecerse *en presencia* del tercero absoluto, es decir, de Dios. Así, el concepto-límite de humanidad (como la totalidad del nosotros-objeto) y el concepto-límite de Dios se implican mutuamente y son correlativos.

B) *El nosotros-sujeto*

El mundo nos anuncia nuestra pertenencia a una comunidad-sujeto; en particular, nos lo anuncia la existencia, en el mundo, de objetos manufacturados. Estos objetos han sido elaborados por hombres para ellos-sujetos, es decir, para una trascendencia no individualizada y no enumerada, que coincide con la mirada indiferenciada a la cual llamábamos anteriormente el "se" impersonal, pues el trabajador –servil o no– trabaja en presencia de una trascendencia indiferenciada y ausente, cuyas libres posibilidades se limitan a esbozar en hueco sobre el objeto trabajado. En este sentido, el trabajador, cualquiera que fuere, experimenta en el trabajo su ser-instrumento para el otro; el trabajo, cuando no está destinado estrictamente a los fines propios del trabajador, es un modo de alienación. La trascendencia alienadora es aquí el consumidor, es decir, el "se" cuyos proyectos el trabajador se limita a prever. Así, pues, cuando empleo un objeto manufacturado, encuentro en él el esbozo de mi propia trascendencia: me indica el gesto de-hacer: debo hacer girar, empujar o tirar. Se trata, por otra parte, de un imperativo hipotético: me remite a un fin que es igualmente del mundo: si quiero sentarme, *si* quiero abrir la caja, etc. Y este fin mismo ha sido previsto, en la constitución del objeto, como fin puesto por una trascendencia cualquiera. Pertenece ahora al objeto como su potencialidad más propia. Así, es verdad que el objeto manufacturado me anuncia a mí mismo como un "se" impersonal, es decir, me devuelve la imagen de mi trascendencia como la de una trascendencia cualquiera. Y si dejo canalizar mis posibilidades por el utensilio así constituido, me experimento a mí mismo como trascendencia cualquiera: para ir de la estación de subte "Trocadero" a "Sèvres-Babylone", "se" transborda en "La Motte-Picquet". Este transbordo está previsto, indicado en los planos, etc.; si transbordo en La Motte-Picquet, soy el "se" que transborda. Por cierto, me diferencio de cada usuario del subterráneo tanto por el surgimiento individual de mi ser como por los fines remotos que persigo. Pero estos fines últimos están sólo en el horizonte de mi acto. Mis fines próximos son los fines del "se", y me capto como intercambiable con cualquiera de mis vecinos. En este sentido, perdemos nuestra individualidad real, pues el proyecto que somos es precisamente el proyecto que son los otros. En este andén del subterráneo no hay sino un solo y mismo proyecto, inscrito desde hace mucho en la materia, a donde viene a verterse una trascendencia viviente e indiferenciada. En la medida en que me realizo en la soledad como trascendencia cualquiera, no tengo sino la experiencia del ser-indiferenciado (si, solo en mi pieza, abro una caja de conservas con el abrelatas adecuado); pero si esa trascendencia indiferenciada proyecta sus proyectos cualesquiera en conexión con otras transcendencias experimentadas como presencias reales e igualmente absorbidas en sus proyectos cualesquiera idénticos a los míos, entonces realizo mi proyecto como uno entre mil proyectos idénticos proyectados por una misma trascendencia indiferenciada; entonces tengo la experiencia de una transcendencia común y dirigida hacia un objetivo único, del cual no soy sino una particularización efímera: me inserto en la gran corriente humana que, infatigablemente, desde que existe un subterráneo, chorrea por los andenes de la estación "La Motte-Picquet-Grenelle". Pero ha de notarse que: 1° Esta experiencia es de orden psicológico y no ontológico. No corresponde en modo alguno a una unificación real de los para-sí considerados. No procede tampoco de un experimentar inmediatamente la trascendencia de esos para-síes en cuanto tal (como en el ser-mirado), sino que, más bien, está motivada por la doble aprehensión objetivadora del objeto trascendido en común y de los cuerpos que rodean al mío. En particular, el hecho de que esté comprometido con los otros en un ritmo común que contribuyo a hacer nacer, es un motivo particularmente solicitador para que me capte a mí mismo como comprometido en un nosotros-sujeto. Es el sentido de la marcha cadenciosa de los soldados, y también el sentido del trabajo ritmado de los equipos. Ha de notarse, en efecto, que en este caso el ritmo emana libremente de mí: es un proyecto que realizo por mi trascendencia; sintetiza un futuro con un presente y un pasado, en una perspectiva de repetición regular; yo mismo produzco el ritmo, pero, a la vez, éste se funde con el ritmo general de trabajo o de marcha de la comunidad concreta que me rodea; no cobra su sentido sino por ella; es lo que experimento, por ejemplo, cuando el ritmo que adopto es "a contratiempo". Empero, el ser envuelto mi ritmo por el ritmo de los otros es aprehendido "lateralmente": no utilizo como instrumento el ritmo colectivo, ni tampoco lo contemplo –en el sentido en que contemplaría, por ejemplo, danzarines en un escenario–, sino que me circunda y arrastra sin ser *objeto* para mí; no lo trasciendo hacia mis posibilidades propias, sino que vierto mi trascendencia en su trascendencia, y mi fin propio –ejecutar determinado trabajo, llegar a determinado lugar– es un fin del "se", que no se distingue del fin propio de la colectividad. Así, el ritmo que hago nacer, nace en conexión conmigo y lateralmente como ritmo colectivo: es *mi* ritmo en la medida en que es el ritmo de los otros, y recíprocamente. Tal precisamente el motivo de la experiencia de nosotros-sujeto: es, finalmente, *nuestro ritmo*. Pero ello no puede ser, como se ve, a menos que previamente, por la aceptación de un fin común y de instrumentos comunes, yo me constituya como trascendencia indiferenciada rechazando mis fines personales más allá de los fines colectivos actualmente perseguidos. Así, mientras que en la experiencia del ser-para-otro el surgimiento de una dimensión de ser concreta y real es la condición del experimentar mismo, la experiencia del nosotros-sujeto es un puro acaecimiento psicológico y subjetivo en una conciencia singular, que corresponde a una modificación íntima de la estructura de esa conciencia, pero que no aparece sobre el fundamento de una relación ontológica concreta con los otros y no realiza ningún *mit-sein*. Se trata solamente de una manera de sentirme en medio de los otros. Sin duda, esta experiencia podrá ser buscada como símbolo de una unidad absoluta y metafísica de todas las trascendencias; parece, en efecto, que suprime el conflicto originario de las transcendencias haciéndolas converger hacia el mundo; en tal sentido, el nosotros-sujeto ideal sería el nosotros de una humanidad que se hiciera señora de la tierra. Pero la experiencia del nosotros permanece en el terreno de la psicología individual y queda como un simple símbolo de la unidad deseable de las trascendencias; no es, en efecto, en modo alguno, aprehensión lateral y real de las subjetividades en tanto que tales por una subjetividad singular; las subjetividades permanecen fuera de alcance y radicalmente separadas. Pero las cosas y los cuerpos, las canalizaciones materiales de mi trascendencia, me disponen para captarla como prolongada y apoyada por las demás transcendencias, sin que yo salga de mí ni los otros salgan de sí; por el mundo aprendo que formo parte de un *nosotros*. Por eso mi experiencia del nosotros-sujeto no implica en modo alguno una experiencia semejante y correlativa en los otros; por eso, también, es tan inestable, pues supone organizaciones particulares en medio del mundo, y desaparece con ellas. A decir verdad, hay en el mundo una multitud de formaciones que me indican como un *cualquiera*: en primer lugar, todos los utensilios, desde las herramientas propiamente dichas hasta los inmuebles, con sus ascensores, sus cañerías de agua o de gas, su electricidad, pasando por los medios de transporte, las tiendas, etc. Cada escaparate, cada vitrina me devuelven mi imagen como trascendencia indiferenciada. Además, las relaciones profesionales y técnicas entre los otros y yo me anuncian también como un cualquiera: para el mozo de café soy *el* parroquiano; para el inspector del subterráneo soy *el* usuario. Hasta el incidente callejero que sobreviene de pronto ante la terraza del café donde estoy sentado me indica también como espectador anónimo y como pura "mirada que *hace existir* al incidente como un afuera". Igualmente, la pieza de teatro a que asisto o la exposición de cuadros que visito indica el anonimato del espectador. Ciertamente, me hago cualquiera cuando me pruebo zapatos o descorcho una botella o entro en un ascensor o río en el teatro. Pero el experimentar esa trascendencia indiferenciada es un acaecimiento íntimo y contingente que no concierne sino a mí. Ciertas circunstancias particulares que proceden del mundo pueden agregar la impresión de ser *nosotros*. Pero no puede tratarse, en todo caso, sino de una impresión puramente subjetiva que sólo a mí me compromete.

2° La experiencia del nosotros-sujeto no puede ser primera, no puede constituir una actitud originaria para con los otros, puesto que, al contrario, supone para realizarse un doble reconocimiento previo de la existencia del prójimo. En efecto: primeramente, el objeto manufacturado no es tal a menos que remita a productores que lo han hecho y a reglas de uso que han sido determinadas por otros. Frente a una cosa inanimada y no laborada, cuyo modo de empleo determino yo mismo, y a la cual yo asigno un uso nuevo (por ejemplo, cuando utilizo una piedra como martillo), tengo conciencia no-tética de mi *persona*, es decir, de mi ipseidad, de mis fines propios y de mi libre inventiva. Las reglas de uso, los "modos de empleo" de los objetos manufacturados, a la vez rígidos e ideales como *tabúes*, me ponen, por estructura esencial, en presencia del otro; y porque el otro me trata como una trascendencia indiferenciada puedo realizarme a mí mismo como tal. Bástennos como ejemplo esos grandes carteles colocados sobre las puertas de una estación, de una sala de espera, donde se han escrito las palabras "salida" y "entrada", o esos dedos indicadores que en los avisos designan un inmueble o una dirección. Se trata siempre de imperativos hipotéticos. Pero aquí la formulación del imperativo deja transparentar claramente al otro que habla y que se dirige directamente a mí. *A mí* está destinada la frase impresa, que representa, efectivamente, una comunicación inmediata del otro a mí: soy *apuntado* por ella. Pero el otro me apunta en tanto que soy trascendencia indiferenciada. Entonces, si para salir tomo la puerta designada como "salida", no uso de ella en la absoluta libertad de mis proyectos *personales*: no constituyo un utensilio por *invención*, no trasciendo la pura materialidad de la cosa hacia mis posibles, sino que entre el objeto y yo se ha deslizado ya una trascendencia humana que guía a mi propia trascendencia; el objeto está ya *humanizado,* significa ya el "reino humano". La "salida" –si la consideramos como pura abertura que da a la calle– es rigurosamente equivalente a la entrada; lo que la designa como salida no es su coeficiente de adversidad o su utilidad visible. No me pliego al objeto mismo cuando lo utilizo como "salida": me acomodo al orden humano; *reconozco* por mi acto mismo la existencia del otro, establezco un diálogo con él. Todo ello ha sido muy bien dicho por Heidegger. Pero la conclusión que olvida extraer es que, para que el objeto aparezca como manufacturado, es menester que el otro sea dado previamente de alguna otra manera. Quien no tuviera ya la experiencia del otro no podría en modo alguno distinguir al objeto manufacturado de la pura materialidad de una cosa no elaborada. Aun si debiera utilizarla conforme al modo de empleo previsto por el fabricante, reinventaría ese modo de empleo y realizaría así la libre apropiación de una cosa natural. Salir por la puerta denominada "salida" sin haber leído el cartel o sin conocer el idioma es ser como el loco de los estoicos, que dice "hay luz" en pleno día, no a consecuencia de una comprobación objetiva sino en virtud de los mecanismos internos de su locura. Así, pues, si el objeto manufacturado remite a los otros y, con ello, a mi trascendencia indiferenciada, se debe a que Yo conozco a los otros ya. Así, la experiencia del nosotros-sujeto se construye sobre el originario experimentar al otro, y no puede ser sino una experiencia secundaria y subordinada.

Pero, además, según hemos visto, captarse como trascendencia indiferenciada, o sea, en el fondo, como pura ejemplificación de la "especie humana", no es todavía aprehenderse como estructura parcial de un nosotros-sujeto. Para ello es menester, en efecto, descubrirse como un *cualquiera* en el seno de cualquier corriente humana. Es preciso, pues, estar rodeado por los otros. Hemos visto también que los otros no son experimentados en modo alguno como sujetos en esa experiencia, ni captados tampoco como objetos. No son puestos *en modo alguno:* ciertamente, parto de su existencia de hecho en el mundo y de la percepción de sus actos. Pero no capto *posicionalmente* su facticidad o sus gestos: tengo una conciencia lateral y no posicional de sus cuerpos como correlatos del mío, de sus actos como expandiéndose en conexión con mis actos, de suerte que no puedo determinar si mis actos hacen nacer los de ellos, o los de ellos los míos. Bastan estas breves observaciones para hacer comprender que la experiencia del nosotros no puede darme a conocer originariamente como otros a los otros que forman parte del nosotros. Muy al contrario, es menester que haya antes algún saber de lo que es el prójimo para que una experiencia de mis relaciones con él pueda ser realizada en forma de "Mitsein". El Mitsein por sí solo sería *imposible* sin previo reconocimiento de lo que es el otro: "soy con...", de acuerdo; pero, ¿con *quién*? Además, aun si esa experiencia fuese ontológicamente primera, no se ve cómo podría pasarse, en una modificación radical de ella, de una trascendencia totalmente indiferenciada a la experiencia de las personas singulares. Si el otro no fuera dado de otro modo, la experiencia del nosotros, al quebrarse, no daría nacimiento sino a la aprehensión de puros objetos-instrumentos en el mundo circunscrito por mi trascendencia.

Estas breves observaciones no pretenden agotar la cuestión del *nosotros*. Apuntan sólo a indicar que la experiencia del nosotros-sujeto no tiene ningún valor de revelación metafísica; depende estrechamente de las diversas formas del para-otro y no es sino un enriquecimiento empírico de algunas de ellas. A esto, evidentemente, ha de atribuirse la extrema inestabilidad de tal experiencia. Aparece y desaparece de modo caprichoso, dejándonos frente a otros-objetos o bien ante un "se" impersonal que nos mira. Aparece como una tregua provisional constituida en el seno del conflicto mismo, no como una solución definitiva del conflicto. En vano se deseará un nosotros humano en el cual la totalidad intersubjetiva tome conciencia de sí misma como subjetividad unificada. Semejante ideal no podría ser más que un ensueño producido por un paso al límite y al absoluto a partir de experiencias fragmentarias y estrictamente psicológicas. Ese mismo ideal, por otra parte, implica el reconocimiento del conflicto de las trascendencias como estado original del ser-para-otro. Esto explica una aparente paradoja: proviniendo la unidad de la clase oprimida de su propio experimentarse como un nos-objeto frente a un *se* indiferenciado que es el tercero o clase opresora, sería tentador creer que, simétricamente, la clase opresora se capta a sí misma como un nosotros-sujeto frente a la clase oprimida. Pero la debilidad de la clase opresora radica en que, aun disponiendo de aparatos de coerción precisos y rigurosos, es en sí misma profundamente anárquica. El "burgués" no se define solamente como cierto "homo œconomicus" dueño del poder y de privilegios precisos en el seno de una sociedad de cierto tipo: se describe desde lo interior como una conciencia que no reconoce su pertenencia a una clase. Su situación, en efecto, no le permite captarse como comprometido en un nosotros-objeto en comunidad con los demás miembros de la clase burguesa. Pero, por otra parte, la naturaleza misma del nosotros-sujeto implica que el burgués no lo experimenta sino en experiencias fugaces y sin alcance metafísico. El "burgués" niega por lo común que haya clases, atribuye la existencia de un proletariado a la acción de agitadores, a incidentes lamentables, a injusticias reparables por medidas de detalle; afirma la existencia de una solidaridad de intereses entre el capital y el trabajo; opone a la solidaridad de clase una solidaridad más vasta, la solidaridad nacional, en que obrero y patrono se integran en un Mitsein que suprime el conflicto. No se trata, como harto a menudo se ha dicho, de una denegación imbécil de ver la situación tal cual es: sino que el miembro de la clase opresora ve frente a él, como un conjunto objetivo "ellos-sujetos", a la totalidad de la clase oprimida, sin realizar correlativamente su propia comunidad de ser con los demás miembros de la clase opresora: las dos experiencias no son en modo alguno complementarias; basta, en efecto, estar solo frente a una colectividad oprimida para captarla como objeto-instrumento y para captarse uno mismo como negación-interna de esa colectividad, es decir, simplemente, como el tercero imparcial. Sólo cuando la clase oprimida, por la rebelión o por un brusco aumento de sus poderes, se pone frente a miembros de la clase opresora como un "se-mirada", los opresores se experimentan como un *nosotros;* pero será en el temor y en la vergüenza, y como un nos-objeto.

Así, pues, no hay ninguna simetría entre la experiencia del nos-objeto y la del nosotros-sujeto. La primera es la revelación de una dimensión de existencia real y corresponde a un simple enriquecimiento del originario experimentar el para-otro. La segunda es una experiencia psicológica realizada por un hombre histórico, sumido en un universo trabajado y en una sociedad de tipo económico definido; no revela nada de particular, es una vivencia puramente subjetiva.

Resulta, pues, que la experiencia del nosotros, aunque real, no es de tal naturaleza que modifique los resultados de nuestras indagaciones anteriores. ¿Se trata del nosotros-objeto? Es directamente dependiente del *tercero*, o sea, de mi ser-para-el-otro, y se constituye sobre el fondo de mi ser-afuera-para-el-otro. ¿Se trata del nosotros-sujeto? Es una experiencia psicológica que supone, de una u otra manera, que la existencia del otro en tanto que tal nos haya sido previamente revelada. Sería vano, pues, que la realidad-humana tratara de salir de este dilema: trascender al otro o dejarse trascender por él. La esencia de las relaciones entre conciencias no es el Mitsein, sino el conflicto.

Al término de esta larga descripción de las relaciones entre el para-sí y el otro, hemos adquirido, pues, esta certeza: el para-sí no es sólo un ser que surge como nihilización del en-sí que él es y negación interna del en-sí que él no es, sino que esa huida nihilizadora es íntegramente recaptada por el en-sí y fijada en en-sí desde que aparece el otro. Sólo el para-sí es trascendente al mundo; es el nada por el cual *hay* cosas. El otro, al surgir, confiere al para-sí un ser-en-sí-en-medio-del-mundo como cosa entre las cosas. Esta petrificación del en-sí por la mirada del otro es el sentido profundo del mito de Medusa. Hemos avanzado, pues, en nuestra investigación: queríamos determinar, en efecto, la relación originaria entre el para-sí y el en-sí. Hemos aprendido, en primer lugar, que el para-sí es nihilización y negación radical del en-sí; ahora comprobamos que es también, por el solo hecho del concurso del otro y sin contradicción ninguna, totalmente en-sí, presente en medio del en-sí. Pero este segundo aspecto del para-sí representa su *afuera*: el para-sí, por naturaleza, es el ser que no puede coincidir con su ser-en-sí.

Estas observaciones podrían servir de base para una teoría general del ser, que es precisamente el objetivo que perseguimos. Empero, es aún demasiado pronto para esbozarla; no basta, en efecto, describir al para-sí como simplemente proyectando sus posibilidades allende el ser-en-sí.

Este proyecto de estas posibilidades no determina estáticamente la configuración del mundo, sino que cambia al mundo a cada instante. Si leemos a Heidegger, por ejemplo, nos llama la atención, desde este punto de vista, la insuficiencia de sus descripciones hermenéuticas. Adoptando su terminología, diremos que ha descrito al Dasein como el existente que trasciende a los existentes hacia el *ser* de éstos. Y el ser, aquí, significa el sentido o la manera de ser del existente. Verdad es que el para-sí es el ser por el cual los existentes revelan sus maneras de ser. Pero Heidegger calla el hecho de que el para-sí no es solamente el ser que constituye una ontología de los existentes, sino también el ser por el cual sobrevienen modificaciones ónticas al existente en tanto que existente. Esta posibilidad perpetua de *actuar*, es decir, de modificar el en-sí en su materialidad óntica, en su "carne", debe ser considerada, evidentemente, como una característica esencial del para-sí; como tal, ha de encontrar su fundamento en una relación originaria entre el para-sí y el en-sí, relación que no hemos sacado a luz todavía. ¿Qué es *actuar*? ¿Por qué actúa el para-sí? ¿Cómo *puede* actuar? Tales son las preguntas a las cuales debemos responder ahora. Tenemos todos los elementos para una respuesta: la nihilización, la facticidad y el cuerpo, el ser-para-otro, la naturaleza propia del en-sí. Conviene interrogarlos nuevamente.

CUARTA PARTE

Tener, hacer y ser

Tener, hacer y ser son las categorías cardinales de la realidad humana. Subsumen en sí todas las conductas del hombre. El *conocer*, por ejemplo, es una modalidad del *tener*. Esas categorías no carecen de conexiones mutuas, y diversos autores han insistido en tales relaciones. Una relación de esta especie ha sido puesta en claro por Denis de Rougemont cuando escribía, en su artículo sobre Don Juan: "Il n'était pas assez pour avoir" [Su ser no era bastante para tener]. Y también se indica una conexión semejante cuando se muestra a un agente moral que hace para hacerse y se hace para ser.

Empero, habiendo triunfado en la filosofía moderna la tendencia antisustancialista, la mayoría de los pensadores ha intentado imitar en el campo de las conductas humanas a aquellos predecesores que habían reemplazado en física la sustancia con el simple movimiento. El objetivo de la moral ha sido largo tiempo el de proveer al hombre con el medio de *ser*. Tal era la significación de la moral estoica o de la Ética de Spinoza. Pero, si el ser del hombre ha de reabsorberse en la sucesión de sus actos, el objetivo de la moral no será ya el de elevar al hombre a una dignidad ontológica superior. En este sentido, la moral kantiana es el primer gran sistema ético que sustituye al ser con el hacer, como valor supremo de la acción. Los héroes de *L'Espoir* están mayormente en el terreno del *hacer*; allí Malraux nos muestra el conflicto entre viejos demócratas españoles, que todavía intentan ser, y los comunistas, cuya moral se resuelve en una serie de obligaciones precisas y circunstanciadas, cada una apuntada a un *hacer* particular. ¿Quién tiene razón? El valor supremo de la actividad humana, ¿es un *hacer* o un *ser*?

Y, cualquiera que fuere la solución adoptada, ¿qué se hace del *tener?* La ontología debe poder informarnos sobre este problema; es, por otra parte, una de sus tareas esenciales, si el para-sí es el ser que se define por la *acción*. No debemos, pues, terminar esta obra sin esbozar en sus grandes rasgos el estudio de la acción en general y de las relaciones esenciales entre el *hacer,* el *ser* y el *tener.*

CAPÍTULO I

Ser y hacer: la libertad

I

La condición primera de la acción es la libertad

Es extraño que se haya podido razonar interminablemente sobre el determinismo y el libre arbitrio, citar ejemplos en favor de una u otra tesis, sin intentar previamente explicitar las estructuras contenidas en la idea misma de *acción*. El concepto de acto contiene, en efecto, muchas nociones subordinadas que hemos de organizar y jerarquizar: actuar es modificar la *figura* del mundo, disponer medios con vistas a un fin, producir un complejo instrumental y organizado tal que, por una serie de encadenamientos y conexiones, la modificación aportada a uno de los eslabones traiga aparejadas modificaciones en toda la serie y, para terminar, produzca un resultado previsto. Pero no es esto aún lo que nos importa. Conviene observar ante todo, en efecto, que una acción es, por principio, *intencional*. El fumador torpe que por descuido ha hecho estallar una santabárbara, no ha *actuado*. En cambio, el obrero que, encargado de dinamitar una cantera, ha obedecido a las órdenes dadas, ha actuado cuando ha provocado la explosión prevista: sabía, en efecto, lo que hacía; o, si se prefiere, realizaba intencionalmente un proyecto consciente. Esto no significa, por cierto, que deban preverse todas las consecuencias de un acto: el emperador Constantino no preveía, al establecerse en Bizancio, que crearía una ciudad de cultura y lengua griegas cuya aparición provocaría ulteriormente un cisma en la Iglesia cristiana y contribuiría a debilitar al imperio romano; empero, ha ejecutado un acto en la medida en que ha realizado su proyecto de crear una nueva residencia en Oriente para los emperadores. La ade-

[591]

cuación del resultado a la intención es en este caso suficiente para que podamos hablar de acción. Pero, si ha de ser así, comprobamos que la acción implica necesariamente como su condición el reconocimiento de un "desiderátum", es decir, de una falta objetiva o bien de una *negatividad.* La intención de suscitar a Roma una rival no puede venir a Constantino sino por la captación de una falta objetiva: a Roma le falta un contrapeso; a esa ciudad todavía profundamente pagana era preciso oponer una ciudad cristiana, que, por el momento, *faltaba.* Crear Constantinopla no puede comprenderse como acto a menos que la concepción de una nueva ciudad haya precedido a la acción misma, o que, por lo menos, esa concepción haya servido de tema organizador a todos los trámites ulteriores. Pero esa concepción no puede ser la pura representación de la ciudad como *posible,* sino la captación de la ciudad en su característica esencial, que es la de ser un posible *deseable* y no realizado. Esto significa que, desde la concepción del acto, la conciencia ha podido retirarse-del mundo pleno en que es conciencia y abandonar el terreno del ser para abordar francamente el del no-ser. Mientras lo que es considerado exclusivamente en su ser, la conciencia es remitida perpetuamente del ser al ser, y no puede encontrar en el ser un motivo para descubrir el no-ser. El sistema imperial, en tanto que su capital es Roma, funciona positivamente y de cierta manera real que se deja develar fácilmente. ¿Se dirá que los impuestos llegan irregularmente, que Roma no está al abrigo de invasiones, que no tiene la situación geográfica conveniente para capital de un imperio mediterráneo amenazado por los bárbaros, que la corrupción de costumbres hace difícil la difusión de la religión cristiana? ¿Cómo no ver que todas estas consideraciones son *negativas,* es decir, que apuntan a lo que no es, no a lo que es? Decir que un 60% de los impuestos previstos han sido recaudados puede pasar, en rigor, por una apreciación positiva de la situación *tal cual es.* Decir que ingresan de modo *irregular,* es considerar la situación a través de una situación puesta como fin absoluto, que, precisamente, *no es.* Decir que la corrupción de costumbres traba la difusión del cristianismo no es considerar esta difusión por lo que es, o sea por una propagación a un ritmo que los informes de los eclesiásticos pueden ponernos en condiciones de determinar; sino que es ponerla en sí misma como insuficiente, esto es como padeciente de una secreta nada. Pero no aparece tal, justamente, a menos que se la trascienda hacia una situación-límite puesta *a priori* como valor; por ejemplo, hacia cierto ritmo de las conversiones religiosas, hacia cierta moralidad de la masa; y esa situación límite no puede concebirse partiendo de la simple consideración del estado real de cosas, pues, así como la niña más bella del mundo no puede dar más de lo que *tiene*[1], así tampoco la situación más miserable puede designarse por sí misma sino como *es*, sin referencia alguna a una nada ideal. En tanto que el hombre está sumido en la situación histórica, ocurre que no llega ni siquiera a concebir las deficiencias y faltas de una organización política o económica determinada; no, como neciamente se dice, porque "está habituado", sino porque la capta en su plenitud de ser y no puede ni siquiera imaginar que pueda ser de otro modo. Pues aquí es menester invertir la opinión general y convenir en que los motivos para que se conciba otro estado de cosas en que a todo el mundo le vaya mejor no es la dureza de una situación o los sufrimientos que ella impone; al contrario, sólo desde el día en que puede concebirse otro estado de cosas una nueva luz ilumina nuestras penurias y sufrimientos y *decidimos* que son insoportables. El obrero de 1830 es capaz de rebelarse si se bajan los salarios, pues concibe fácilmente una situación en que su mísero nivel de vida sea menos bajo que el que se le quiere imponer; pero no se representa sus sufrimientos como intolerables: se acomoda a ellos, no por resignación, sino porque le faltan la cultura y la reflexión necesarias para hacerle concebir un estado social en que esos sufrimientos no existan; entonces, *no actúa*. Dueños de Lyon a raíz de un motín, los obreros de la Croix-Rousse no saben qué hacer con su victoria; vuelven a sus casas, desorientados, y al ejército regular no le cuesta trabajo sorprenderlos. Sus desdichas no les parecen "habituales" sino, más bien, *naturales; son,* eso es todo; constituyen la condición del obrero; no las desprende, no las ve a clara luz y, por consi-

1 Proverbio francés. (N. del T.)

guiente, se las integra en su ser; sufre, sin considerar su sufrimiento ni conferirle valor: sufrir y *ser* son para él la misma cosa; su sufrimiento es el puro tenor afectivo de su conciencia no-posicional, pero él no lo *contempla*. El sufrimiento no podría ser por sí mismo, pues, un *móvil* para sus actos. Exactamente al contrario: cuando haya hecho el proyecto de cambiarlo le parecerá intolerable. Esto significa que deberá haber tomado distancia con respecto al sufrimiento y operado una doble nihilización: por una parte, en efecto, será menester que ponga un estado de cosas ideal como pura nada *presente*; y, por otra, que ponga la situación actual como nada con respecto a ese estado de cosas ideal. Le será preciso concebir una felicidad vinculada a su clase como puro posible –es decir, actualmente como cierta nada–; por otra parte, se volverá sobre la situación presente para iluminarla a la luz de esa nada y para nihilizarla a su vez, declarando: "Yo *no soy* feliz". Se siguen de ello dos importantes consecuencias: 1° Ningún estado de hecho, cualquiera que fuere (estructura política o económica de la sociedad, "estado" psicológico, etc.), es susceptible de motivar por sí mismo ningún acto. Pues un acto es una proyección del para-sí hacia algo que no es, y lo que es no puede por sí mismo determinar lo que no es. 2° Ningún estado de hecho puede determinar a la conciencia a captarlo como negatidad o como falta. Más aún: ningún estado de hecho puede determinar a la conciencia a definirlo y circunscribirlo, pues, como hemos visto, la fórmula de Spinoza: "Omnis determinatio est negatio", sigue siendo profundamente verdadera. Pero toda acción tiene por condición expresa no sólo el descubrimiento de un estado de cosas como "falta de…", es decir, como negatidad, sino también, y previamente, la constitución en sistema aislado del estado de cosas de que se trata. *No hay* estado de hecho –satisfactorio o no– sino por la potencia nihilizadora del para-sí. Pero esta potencia de nihilización no puede limitarse a realizar un simple *retroceso* para tomar distancia respecto del mundo. En efecto: en tanto que la conciencia está "investida" por el ser, en tanto que simplemente padece a lo que es, debe ser englobada en el ser: para que la forma organizada obrero-que-encuentra-natural-su-sufrimiento pueda hacerse objeto de una contemplación revelante, debe ser superada y negada. Esto significa, evidentemente, que sólo por un puro arrancamiento a sí mismo y al mundo puede el obrero poner su sufrimiento como sufrimiento insoportable y, por consiguiente, *hacer de él el móvil* de su acción revolucionaria. Esto implica, pues, para la conciencia, la posibilidad permanente de efectuar una ruptura con su propio pasado, de arrancarse a él para poder considerarlo a la luz de un no-ser y para poder conferirle la significación que *tiene* a partir del proyecto de un sentido que *no tiene*. En ningún caso y de ninguna manera el pasado puede por sí mismo producir un *acto,* es decir, la posición de un fin que se vuelva sobre él para iluminarlo. Es lo que entreveía Hegel cuando escribía que "el espíritu es lo negativo", aunque no parece haberlo recordado al exponer su propia teoría de la acción y la libertad. En efecto: desde que se atribuye a la conciencia ese poder negativo respecto del mundo y de sí misma, desde que la nihilización forma parte integrante de la *posición* de un fin, ha de reconocerse que la condición indispensable y fundamental de toda acción es la libertad del ser actuante.

Así, podemos captar desde el comienzo el defecto de esas discusiones fastidiosas entre deterministas y partidarios de la libertad de indiferencia. Estos últimos se preocupan por encontrar casos de decisión para los cuales no existe ningún motivo anterior, o deliberaciones concernientes a dos actos opuestos, igualmente posibles, cuyos motivos (y móviles) sean rigurosamente del mismo peso. A lo cual, para los deterministas resulta fácil responder que no hay acción sin motivo, y que el gesto más insignificante (levantar la mano derecha más bien que la izquierda, etc.) remite a motivos y móviles que le confieren su significación. No podría ser de otro modo, ya que toda acción ha de ser *intencional;* en efecto: debe tener un fin, y el fin, a su vez, se refiere a un motivo. Tal es, en efecto, la unidad de los tres ék-stasis temporales: el fin o temporalización de mi futuro implica un motivo (o móvil), es decir, indica hacia mi pasado, y el presente es surgimiento del acto. Hablar de un acto sin motivo es hablar de un acto al cual faltara la estructura intencional de todo acto, y los partidarios de la libertad, al buscarla en el nivel del acto en vías de ejecución, no podrían sino terminar por volverla absurda. Pero los deterministas, a su vez, se facilitan demasiado las cosas al detener su investigación en la pura designación del motivo y del móvil. La cuestión esencial, en efecto, está allende la organización compleja "motivo-intención-acto-fin"; debemos, en efecto, preguntarnos cómo puede ser constituido un motivo (o un móvil) como tal. Acabamos de ver que, si no hay acto sin motivo, ello no es de ninguna manera en el sentido en que puede decirse que no hay fenómeno sin causa. Para ser motivo, en efecto, el motivo debe ser *experimentado* como tal. Por cierto, esto no significa que deba ser temáticamente concebido y explicitado, como en el caso de la deliberación. Pero, por lo menos, quiere decir que el para-sí debe conferirle su valor de móvil o de motivo. Como acabamos de ver, esta constitución del motivo como tal no puede remitir a otro existente real y positivo, es decir, a un motivo anterior. Si no, la naturaleza misma del acto, como comprometido intencionalmente en el no-ser, se desvanecería. El móvil no se comprende sino por el fin, es decir, por lo no-existente; el móvil es, pues, en sí mismo una negatidad. Si acepto un salario de miseria, es sin duda por miedo, y el miedo es un móvil. Pero es *miedo de morir de hambre;* es decir, que ese miedo no tiene sentido sino fuera de sí, en un fin puesto idealmente, que es la conservación de una vida a la que capto como "en peligro". Y ese miedo no se comprende, a su vez, sino por relación con el *valor* que implícitamente doy a la vida, es decir, se refiere a ese sistema jerarquizado de objetos ideales que son los valores. Así, el móvil se hace enseñar lo que él mismo es por el conjunto de los seres que "no son", por las existencias ideales y por el porvenir. Así como el futuro se vuelve sobre el presente y el pasado para iluminarlos, así también el conjunto de mis proyectos se vuelve hacia atrás para conferir al móvil su estructura de móvil. Sólo porque escapo al en-sí nihilizándome hacia mis posibilidades puede ese en-sí tomar valor de motivo o de móvil. Motivos y móviles no tienen sentido sino en el interior de un conjunto pro-yectado, que es justamente un conjunto de no-existentes. Y este conjunto es, finalmente, idéntico a mí mismo como trascendencia, soy en tanto que tengo-de-ser yo mismo fuera de mí. Si recordamos el principio que poco ha hemos establecido, según el cual lo que da al sufrimiento del obrero su valor de móvil es la captación de una revolución como posible, debemos concluir que sólo huyendo una situación hacia nuestra posibilidad de modificarla organizamos esa situación en complejos de motivos y de móviles. La nihilización por la cual tomamos distancia con respecto a la situación se identifica con el ék-stasis[1] por el cual nos pro-yectamos hacia una modificación de esa situación misma. Resulta de aquí que es imposible, en efecto, encontrar un acto sin móvil, pero no por ello ha de inferirse que el móvil sea causa del acto: al contrario, es parte integrante de él. Pues, como el proyecto resuelto hacia un cambio no se distingue del acto; el móvil, el acto y el fin se constituyen en un solo surgimiento. Cada una de estas tres estructuras reclama como significación propia a las otras dos. Pero la totalidad organizada de las tres no se explica ya por ninguna estructura singular, y su surgimiento como pura nihilización temporalizadora del en-sí se identifica con la libertad. El acto decide de sus fines y sus móviles, y el acto es expresión de la libertad.

Sin embargo, no podemos quedarnos en estas consideraciones superficiales: si la condición fundamental del acto es la libertad, nos es preciso intentar describir la libertad con mayor precisión. Pero encontramos desde luego una seria dificultad: describir es, de ordinario, una actividad de explicitación que apunta a las estructuras de una esencia singular. Pero la libertad no tiene esencia. No está sometida a ninguna necesidad lógica; de ella debería decirse lo que dice Heidegger del *Dasein* en general: "En ella la existencia precede y determina a la esencia". La libertad se hace acto y por lo común la alcanzamos a través del acto que ella organiza con los motivos, móviles y fines que ese acto implica. Pero, precisamente porque el acto tiene una esencia, se nos aparece como *constituido*; si queremos remontamos a la potencia constitutiva, es menester abandonar toda esperanza de encontrarle una esencia. Ésta, en efecto, exigiría una nueva potencia constitutiva, y así siguiendo, hasta el infinito. ¿Cómo describir, pues, una existencia que se hace perpe-

---

[1] En el original, seguramente por errata, se lee "éxtasis". (N. del T.)

tuamente y que deniega ser encerrada en una definición? La propia denominación de "libertad" es peligrosa si ha de sobrentenderse que la palabra remite a un concepto, como lo hacen ordinariamente las palabras. Indefinible e innombrable, ¿no será también indescriptible la libertad?

Hemos encontrado dificultades análogas cuando queríamos describir el ser del fenómeno y la nada. Pero no nos han detenido. Pues, en efecto, puede haber descripciones que no apuntan a la esencia sino al existente mismo, en su singularidad. Ciertamente, no podría describir una libertad común al otro y a mí; no puedo, pues, considerar una esencia de la libertad. Al contrario, la libertad es fundamento de todas las esencias, puesto que el hombre devela las esencias intramundanas trascendiendo el mundo hacia sus posibilidades propias. Pero se trata, de hecho, de *mi* libertad. Análogamente, por lo demás, cuando he descrito la conciencia, no podía tratarse de una naturaleza común a ciertos individuos, sino sólo de *mi* conciencia singular, que, como mi libertad, está allende la esencia, o –como lo hemos mostrado varias veces– para la cual *ser* es haber sido. Para alcanzar esa conciencia en su existencia misma, disponíamos precisamente de una experiencia particular: el *cogito.* Husserl y Descartes, según lo ha mostrado Gaston Berger[1], piden al *cogito* que les entregue una *verdad de esencia:* en el uno, alcanzaremos la conexión de dos naturalezas simples; en el otro, captaremos la estructura eidética de la conciencia. Pero, si la conciencia debe preceder a su esencia por su existencia, ambos han cometido un error. Lo que puede pedirse al cogito es sólo que nos descubra una necesidad de hecho. También al *cogito* nos dirigiremos para determinar la libertad como libertad, que es la *nuestra,* como pura necesidad de hecho, es decir, como un existente que es contingente pero que *no puedo* no experimentar. Soy, en efecto, un existente que *se entera* de su libertad por sus actos; pero soy también un existente cuya existencia individual y única se temporaliza como libertad. Como tal, soy necesariamente conciencia (de)

---

[1] Gaston Berger, *Le Cogito chez Husserl et chez Descartes,* 1940.

libertad, puesto que nada existe en la conciencia sino como conciencia no-tética de existir. Así, es perpetuamente cuestión de mi libertad en mi ser; mi libertad no es una cualidad sobreagregada o una *propiedad* de mi naturaleza: es, exactísimamente, la textura de mi ser: y, como en mi ser es cuestión de mi ser, debo necesariamente poseer cierta comprensión de la libertad. Esta comprensión es lo que ahora nos proponemos explicitar.

Lo que podrá ayudarnos a alcanzar el meollo de la libertad son las observaciones que hemos hecho a este respecto en el curso de la obra, y que ahora debemos resumir. En efecto, hemos establecido desde nuestro primer capítulo que, si la negación viene al mundo por la realidad-humana, ésta debe ser un ser que puede realizar una ruptura nihilizadora con el mundo y consigo mismo; y habíamos establecido que la posibilidad permanente de esa ruptura se identifica con la libertad. Pero, por otra parte, habíamos comprobado que tal posibilidad permanente de nihilizar lo que soy en forma del "haber sido" implica para el hombre un tipo particular de existencia. Hemos podido determinar entonces, a partir de análisis como el de la mala fe, que la realidad humana es su propia nada. Ser, para el para-sí, es nihilizar el en-sí que él es. En tales condiciones, la libertad no puede ser sino esa nihilización misma. Por ella el para-sí escapa a su ser como a su esencia; por ella es siempre otro que lo que puede *decirse* de él, pues por lo menos el para-sí es aquel que escapa a esa denominación misma, aquel que ya está allende el nombre que se le da o la propiedad que se le reconoce. Decir que el para-sí tiene de ser lo que es, decir que es lo que no es no siendo lo que es, decir que en él la existencia precede y condiciona la esencia, o inversamente, según la fórmula de Hegel, que para él "Wesen ist was gewesen ist", es decir una sola y misma cosa, a saber: el hombre es libre. En efecto: por el solo hecho de tener conciencia de los motivos que solicitan mi acción, esos motivos son ya objetos trascendentes para mi conciencia, están afuera; en vano trataría de asirme a ellos: les escapo por mi existencia misma. Estoy condenado a existir para siempre allende mi esencia, allende los móviles y motivos de mi acto: estoy condenado a ser libre. Esto significa que no podrían encontrarse a mi libertad otros límites que ella misma, o, si se prefiere, que no somos libres de cesar de ser libres. En la medida en que el para-sí quiere enmascararse su propia nada e incorporarse el en-sí como su verdadero modo de ser, intenta también enmascararse su libertad. El sentido profundo del determinismo consiste en establecer en nosotros una continuidad sin falla de existencia en sí. El móvil concebido como hecho psíquico, es decir, como realidad plena y dada, en la visión determinista se articula sin solución de continuidad con la decisión y el acto, que se conciben igualmente como datos psíquicos. El en-sí se ha apoderado de todos esos "datos", el móvil provoca el acto como la causa su efecto; todo es real, todo es pleno. Así, la denegación de la libertad no puede concebirse sino como tentativa de captarse como ser-en-sí; lo uno va de la mano con lo otro; la realidad-humana es un ser al cual en su ser le va su libertad, pues intenta perpetuamente denegarse a reconocerla. Psicológicamente, esto equivale en cada uno de nosotros a un intento de tomar los móviles y motivos como *cosas*. Se intenta conferirles permanencia; se trata de disimularse que su naturaleza y su peso dependen a cada instante del sentido que les damos; se los toma por constantes: esto equivale a considerar el sentido que les dábamos hace un momento o ayer –y que, siendo *pasado,* es irremediable– y extrapolarlo, como carácter fijado, en el presente. Trato de persuadirme de que el movimiento *es* tal como *era*. Así, lo haré pasar de pies a cabeza desde mi conciencia pasada a mi conciencia presente, a la cual habitará. Esto equivale a intentar dar una esencia al para-sí. De la misma manera, se pondrán los fines como trascendencias, lo que no es un error; pero, en lugar de ver en ellos transcendencias puestas y mantenidas en su ser por mi propia transcendencia, se supondrá que me las encuentro al surgir en el mundo: vienen de Dios, de la naturaleza, de "mi" naturaleza, de la sociedad. Estos fines preformados y prehumanos definirán, pues, el sentido de mi acto aun antes que yo lo conciba, así como los motivos, en cuanto puros datos psíquicos, los provocarán sin que yo siquiera me dé cuenta. Motivo, acto, fin, constituyen un "continuo", un *pleno*. Estas tentativas abortadas de sofocar la libertad bajo el peso del ser –tentativas que se desmoronan cuando surge de pronto la angustia ante la libertad–, muestran suficientemente que la libertad coincide en su fondo con la nada que está en el meollo del hombre. La realidad-humana es libre porque *no es suficientemente;* porque está perpetuamente arrancada a sí misma, y lo que ella ha sido está separado por una nada de lo que es y será; y, por último, porque su mismo ser presente es nihilización en la forma del "reflejo-reflejante". El hombre es libre porque no es sí-mismo, sino presencia a sí. El ser que es lo que es no puede ser libre. La libertad es precisamente la nada que *es sida* en el meollo del hombre y que obliga a la realidad-humana a *hacerse* en vez de *ser.* Como hemos visto, para la realidad-humana ser es *elegirse;* nada le viene de afuera, ni tampoco de adentro, que ella pueda *recibir* o *aceptar.* Está enteramente abandonada, sin ayuda ninguna de ninguna especie, a la insostenible necesidad de hacerse ser hasta el mínimo detalle. Así, la libertad no es *un* ser: es el ser del hombre, es decir, su nada de ser. Si se empezara por concebir al hombre como algo pleno, sería absurdo buscar después en él momentos o regiones psíquicas en que fuera libre: tanto valdría buscar vacío en un recipiente previamente colmado. El hombre no puede ser ora libre, ora esclavo: es enteramente y siempre libre, o no lo es.

Estas observaciones pueden conducirnos, si sabemos utilizarlas, a nuevos descubrimientos. Nos permitirán, en primer lugar, poner en claro las relaciones entre la libertad y lo que se llama la "voluntad". Una tendencia bastante difundida, en efecto, tiende a asimilar los actos libres a los actos voluntarios, y a reservar la explicación determinista para el mundo de las pasiones. Es, en suma, el punto de vista de Descartes. La voluntad cartesiana es libre, pero hay "pasiones del alma". Todavía Descartes intentará dar una interpretación fisiológica de las pasiones. Más tarde, se procurará instaurar un determinismo puramente psicológico. Los análisis intelectualistas que un Proust, por ejemplo, ha intentado realizar de los celos o del esnobismo pueden servir de ilustración para esta concepción del "mecanismo" pasional. Sería menester entonces concebir al hombre como libre y determinado a la vez; y, el problema esencial sería el de las relaciones entre esa libertad incondicionada y los procesos determinados de la vida psíquica: ¿cómo dominará aquélla las pasiones, cómo las utilizará en provecho propio? Una sabiduría que viene de antiguo –la sabiduría estoica– enseñará a transigir con las propias pasiones para poder dominarlas, en suma, se aconsejará conducirse respecto de la afectividad como lo hace el hombre respecto de la naturaleza en general, cuando le obedece para mejor gobernarla. La realidad-humana aparece entonces como un libre poder asediado por un conjunto de procesos determinados. Se distinguirán actos enteramente libres, procesos determinados sobre los cuales tiene poder la libre voluntad, y procesos que por principio se hurtan a la voluntad-humana.

Es claro que no podríamos aceptar en modo alguno semejante concepción. Pero intentamos comprender mejor las razones de nuestro rechazo. Hay una objeción que va de suyo y que no perderemos tiempo en desarrollar: la de que tal tajante dualidad es inconcebible en el seno de la unidad psíquica. ¿Cómo concebir, en efecto, un ser que sea *uno* y que, sin embargo, por una parte se constituya como una serie de hechos mutuamente determinados, y, por otra parte, como una espontaneidad que se determina por sí misma a ser y sólo depende de sí misma? *A priori,* esta espontaneidad no sería capaz de ninguna acción sobre un determinismo ya *constituido:* ¿sobre qué podría actuar?, ¿sobre el objeto mismo (el hecho psíquico presente)? Pero, ¿cómo podría modificar un en-sí que, por definición, no es y no puede ser sino lo que es? ¿Actuará sobre la ley misma del proceso? Es contradictorio. ¿Sobre los antecedentes del proceso? Pero esto equivale a actuar sobre el hecho psíquico presente para modificarlo en sí mismo, o a actuar sobre él para modificar sus consecuencias. Y, en ambos casos, encontramos la misma imposibilidad antes señalada. Por otra parte, ¿de qué instrumento dispondría esa espontaneidad? Si la mano puede asir, es porque puede ser asida. La espontaneidad, estando por definición *fuera de alcance,* no puede a su vez *alcanzar:* sólo puede producirse a sí misma. Y, si debiera disponer de un instrumento especial, sería menester concebirlo como una naturaleza intermediaria entre la voluntad libre y las pasiones determinadas, lo que no es admisible. Inversamente, claro está, las pasiones no podrían tener ningún dominio sobre la voluntad. En efecto, es imposible que un proceso determinado actúe sobre una espontaneidad, exactamente como es imposible a los objetos actuar sobre la conciencia. Así, toda síntesis entre ambos tipos de existentes es imposible: no son homogéneos, permanecerá cada uno en su incomunicable soledad. El único nexo que una espontaneidad nihilizadora pueda tener con los procesos mecánicos es el de producirse a sí misma *por negación interna a partir de esos existentes.* Pero entonces, precisamente, ella no será sino en cuanto niegue de sí misma ser esas pasiones. Siendo así, el conjunto del πάθος determinado será captado necesariamente por la espontaneidad como un puro trascendente, es decir, como lo que está necesariamente *afuera,* como lo que *no es* ella. Esta negación interna no tendrá por efecto, pues, sino fundar el πάθος *en el mundo;* aquél existiría, entonces, para una libre espontaneidad que sería a la vez voluntad y conciencia, como un objeto cualquiera en medio del mundo. Esta discusión muestra que son posibles dos y sólo dos soluciones: o bien el hombre está íntegramente determinado (lo que es inadmisible, en particular porque una conciencia determinada, es decir, motivada en exterioridad, se convierte en pura exterioridad ella misma y deja de ser conciencia); o bien el hombre es íntegramente libre.

Pero estas observaciones no son todavía lo que particularmente nos importa. No tienen sino un alcance negativo. El estudio de la voluntad ha de permitirnos, al contrario, adelantarnos más en la comprensión de la libertad. Por eso lo que ante todo reclama nuestra atención es que, si la voluntad ha de ser autónoma, es imposible considerarla como un hecho psíquico *dado,* es decir, en-sí. No podría pertenecer a la categoría de los "estados de conciencia" definidos por el psicólogo. En éste como en todos los demás casos, comprobamos que el estado de conciencia es un mero ídolo de la psicología positiva. La voluntad es necesariamente negatividad y potencia de nihilización, si ha de ser libertad. Pero entonces no vemos ya por qué reservarle la autonomía. Mal se conciben, en efecto, esos agujeros de nihilización que serían las voliciones y surgirían en la trama, por lo demás densa y plena, de las pasiones y del πάθος en general. Si la voluntad es nihilización, es preciso que el conjunto de lo psíquico lo sea también. Por otra parte –y volveremos pronto sobre ello–, ¿de dónde se saca que el "hecho" de pasión o el puro y simple deseo no sean nihilizadores? ¿La pasión no es, ante todo, proyecto y empresa, no pone, justamente, un estado de cosas como intolerable, y no está obligada por eso mismo a tomar distancia con respecto a ese estado y a nihilizarlo aislándolo y considerándolo a la luz de un fin, es decir, de un no-ser? ¿Y la pasión no tiene sus fines propios, que son reconocidos precisamente en el momento mismo en que ella los pone como no-existentes? Y, si la nihilización es precisamente el ser de la libertad, ¿cómo negar la autonomía a las pasiones para otorgársela a la voluntad?

Pero hay más: lejos de ser la voluntad la manifestación única o, por lo menos, privilegiada, de la libertad, supone, al contrario, como todo acaecimiento del para-sí, el fundamento de una libertad originaria para poder constituirse como voluntad. La voluntad, en efecto, se pone como decisión reflexiva con relación a ciertos fines. Pero estos fines no son creados por ella. La voluntad es más bien una manera de ser con respecto a ella: decreta que la prosecución de esos fines será reflexiva y deliberada. La pasión puede poner los mismos fines. Puedo, por ejemplo, ante una amenaza, huir a todo correr, por miedo de morir. Este hecho pasional no deja de poner implícitamente como fin supremo el valor de la vida. Otro comprenderá, al contrario, que es preciso permanecer en el sitio, aun cuando la resistencia parezca al comienzo más peligrosa que la huida: "se hará fuerte". Pero su objetivo, aunque mejor comprendido y explícitamente puesto, es el mismo que en el caso de la reacción emocional; simplemente, los medios para alcanzarlo están más claramente concebidos; unos de ellos se rechazan como dudosos o ineficaces, los otros son organizados con más solidez. La diferencia recae aquí sobre la elección de los medios y sobre el grado de reflexión y explicación, no sobre el fin. Empero, al fugitivo se le dice "pasional", y reservamos el calificativo de "voluntario" para el hombre que resiste. Se trata, pues, de una diferencia de actitud subjetiva con relación a un fin transcendente. Pero, si no queremos caer en el error que denunciábamos antes, considerando esos fines trascendentes como prehumanos y como un límite *a priori* de nuestra trascendencia, nos vemos obligados a reconocer que son la proyección temporalizadora de nuestra libertad. La realidad-humana no puede recibir sus fines, como hemos visto, ni de afuera ni de una pretendida "naturaleza" interior. Ella los elige, y, por esta elección misma, les confiere una existencia trascendente como límite externo de sus proyectos. Desde este punto de vista –y si se comprende claramente que la existencia del *Dasein* precede y condiciona su esencia–, la realidad humana, en y por su propio surgimiento, decide definir su ser propio por sus fines. Así, pues, la posición de mis fines últimos caracteriza a mi ser y se identifica con el originario brotar de la libertad que es mía. Y ese brotar es una *existencia;* nada tiene de esencia o de propiedad de un ser que fuera engendrado juntamente con una idea. Así, la libertad, siendo asimilable a mi existencia, es fundamento de los fines que intentaré alcanzar, sea por la voluntad, sea por esfuerzos pasionales. No podría, pues, limitarse a los actos voluntarios. Al contrario, las voliciones son, como las pasiones, ciertas actitudes subjetivas por las cuales intentamos alcanzar los fines puestos por la libertad original. Por libertad original, claro está, no ha de entenderse una libertad *anterior* al acto voluntario o apasionado, sino un fundamento rigurosamente contemporáneo de la voluntad o de la pasión, que éstas, cada una a su manera, *manifiestan.* Tampoco habrá de oponerse la libertad a la voluntad o a la pasión como el "yo profundo" de Bergson al yo superficial: el para-sí es íntegramente ipseidad y no podría haber "yo-profundo", a menos de entenderse por ello ciertas estructuras trascendentes de la psique. La libertad no es sino la *existencia* de nuestra voluntad o de nuestras pasiones, en cuanto esta existencia es nihilización de la facticidad, es decir, la existencia de un ser que es su ser en el modo de tener de serlo. Volveremos sobre ello. Retengamos, en todo caso, que la voluntad se determina en el marco de los móviles y fines ya puestos por el para-sí en un proyecto trascendente de sí mismo hacia sus posibles. Si no, ¿cómo podría comprenderse la deliberación, que es apreciación de los medios con relación a fines ya existentes?

Si estos fines están ya puestos, lo que queda por decidir en cada instante es la manera en que me conduciré respecto de ellos, o, dicho de otro modo, la actitud que tomaré. ¿Seré voluntario o apasionado? ¿Quién puede decidirlo, sino yo? Si admitiéramos, en efecto, que las circunstancias deciden por mí (por ejemplo, podría mostrarme voluntario frente a un peligro menor, pero, si el peligro crece, caería en lo pasional), suprimiríamos con ello toda libertad: sería absurdo, en efecto, declarar que la voluntad es autónoma cuando aparece, pero que las circunstancias exteriores determinan rigurosamente el momento de su aparición. Pero, ¿cómo sostener, por otra parte, que una voluntad aún inexistente pueda decidir de pronto quebrar el encadenamiento de las pasiones y surgir de pronto sobre los desechos de ese encadenamiento? Semejante concepción llevaría a considerar la voluntad como un *poder* que ora se manifestaría a la conciencia, ora permanecería oculto, pero que poseería en todo caso la permanencia y la existencia "en-sí" de una propiedad. Esto es, precisamente, lo inadmisible; cierto es, sin embargo, que la opinión común considera la vida moral como una lucha entre una voluntad-cosa y pasiones-sustancias. Hay en ello una suerte de maniqueísmo psicológico absolutamente insostenible. De hecho, no basta querer: hay que querer querer. Sea, por ejemplo, una situación dada: puedo reaccionar emocionalmente a ella. Hemos mostrado en otro lugar[1] que la emoción no es una tempestad fisiológica, sino una respuesta adaptada a la situación; es una conducta cuyo sentido y forma, son objeto de una intención de la conciencia que apunta a alcanzar un fin particular por medios particulares. El desvanecimiento, la cataplexia, en el miedo, apuntan a suprimir el peligro suprimiendo la conciencia del peligro. Hay *intención* de perder el conocimiento para abolir el mundo temible en que está comprometida la conciencia y que viene al ser por medio de ésta. Se trata, pues, de conductas mágicas que provocan satisfacciones simbólicas de nuestros deseos y que revelan a la vez un estrato mágico del

---

[1] J.-P. Sartre, *Esquisse d'une théorie phénoménologique des émotions*, Herman, 1939.

inundo. En oposición a tales conductas, la conducta voluntaria y racional encarará técnicamente la situación, rechazará lo mágico y se aplicará a captar las series determinadas y los complejos instrumentales que permiten resolver los problemas. Organizará un sistema de medios basándose en el determinismo instrumental. A la vez, descubrirá un mundo técnico, es decir, un mundo en que cada complejo-utensilio remita a otro complejo más amplio y así sucesivamente. Pero ¿quién me decidirá a elegir el aspecto mágico o el aspecto técnico del mundo? No será el mundo mismo, que para manifestarse espera a ser descubierto. Es preciso, pues, que el para-sí, en su proyecto, elija ser aquel por quien el mundo se revela como mágico o como racional, es decir, que debe, como libre proyecto de sí, darse la existencia mágica o la existencia racional. De la una como de la otra es *responsable;* pues él no puede ser sino si es elegido. Aparece, pues, como el libre fundamento de sus emociones tanto como de sus voliciones. Mi miedo *es* libre y manifiesta mi libertad; he puesto toda mi libertad en mi miedo y me he elegido miedoso en tal o cual circunstancia; en tal o cual otra, existiré como voluntario y valeroso, y habré puesto toda mi libertad en mi valentía. No hay, con respecto a la libertad, ningún fenómeno psíquico privilegiado. Todas mis "maneras de ser" la manifiestan igualmente, puesto que todas ellas son maneras de ser mi propia nada.

Quedará esto mejor señalado aún por la descripción de los llamados "motivos y móviles" de la acción. Hemos esbozado esta descripción en páginas precedentes; conviene ahora volver sobre ella y retomarla más precisamente. ¿No se dice, en efecto, que la pasión es *móvil* del acto, o bien que el acto pasional es aquel que tiene por móvil la pasión? ¿Y no aparece la voluntad como la decisión que sucede a una deliberación con respecto a móviles y motivos? Entonces, ¿qué es un motivo? ¿Qué es un móvil?

Se entiende comúnmente por *motivo* la *razón* de un acto, es decir, el conjunto de consideraciones racionales que lo justifican. Si el gobierno decide una conversión de las rentas, dará sus *motivos*: disminución de la deuda pública, saneamiento de la Tesorería. Igualmente por *motivos* suelen los historiadores explicar los actos de ministros o monarcas; ante una declaración de guerra, se buscarán motivos: la ocasión es propicia, el país atacado está descompuesto por trastornos intestinos, es hora de poner fin a un conflicto económico que amenaza eternizarse. Si Clodoveo se convierte al catolicismo, mientras que tantos reyes bárbaros son arrianos, lo hace porque ve una ocasión para conciliarse los favores del episcopado, omnipotente en Galia, etc. Se advertirá que el motivo se caracteriza así como una apreciación objetiva de la situación. El motivo de la conversión de Clodoveo es el estado político y religioso de la Galia, la relación de fuerzas entre el episcopado, los grandes propietarios y el bajo pueblo; lo que motiva la conversión de rentas es el estado de la deuda pública. Empero, tal apreciación objetiva no puede hacerse sino a la luz de un fin presupuesto y en los límites de un proyecto del para-sí hacia ese fin. Para que la potencia del episcopado se revele a Clodoveo como motivo de una conversión, es decir, para que pueda encarar las consecuencias objetivas que su conversión podría tener, es menester que haya puesto previamente como fin la conquista de la Galia. Si suponemos en Clodoveo otros fines, puede encontrar en la situación del episcopado motivos para hacerse arriano o permanecer pagano. Hasta puede no encontrar en la consideración del estado de la Iglesia motivo alguno para actuar de tal o cual manera: no descubrirá entonces nada a ese respecto, dejará la situación del episcopado en estado de "no-develada", en una oscuridad total. Llamaremos, pues, *motivo* a la captación objetiva de una situación determinada en cuanto esta situación se revela, a la luz de cierto fin, como apta para servir de medio para alcanzarlo.

El móvil, al contrario, es considerado comúnmente como un hecho subjetivo. Es el conjunto de deseos, emociones y pasiones que me impulsan a cumplir determinado acto. El historiador no busca los móviles y no se vale de ellos sino como extremo recurso, cuando los motivos no bastan para explicar el acto considerado. Cuando Ferdinand Lot, por ejemplo, después de haber mostrado que las razones comúnmente invocadas para la conversión de Constantino son insuficientes o erróneas, escribe: "Siendo cosa averiguada que Constantino arriesgaba perderlo todo y, en apariencia, nada tenía que ganar al abrazar el cristianismo, no cabe sino una conclusión: la de que cedió a un impulso súbito, de orden patológico o divino, según se quiera",[1] abandona la explicación por motivos que le parece irrelevantes y prefiere la explicación por los móviles. La explicación debe buscarse entonces en el estado psíquico –y hasta en *el* estado "mental"– del agente histórico. Se sigue de ello, naturalmente, que el suceso se convierte en contingente por entero, puesto que otro individuo, con otras pasiones y otros deseos, habría actuado de modo diferente. El psicólogo, al contrario del historiador, buscará de preferencia los móviles: en efecto, por lo común supone que están "contenidos en" el estado de conciencia que ha provocado la acción. El acto racional ideal sería, pues, aquel para el cual los móviles fueran prácticamente nulos y que estuviera inspirado únicamente por una apreciación objetiva de la situación. El acto irracional o pasional será caracterizado por la proporción inversa. Queda por explicar la relación entre motivos y móviles en el caso trivial en que existen unos y otros. Por ejemplo, puedo adherirme al partido socialista porque estimo que este partido sirve a los intereses de la justicia y de la humanidad, o porque creo que se convertirá en la principal fuerza histórica dentro de los años inmediatamente posteriores a mi adhesión: éstos son motivos. A la vez, puedo tener móviles: sentimiento de piedad o de caridad para con ciertas categorías de oprimidos, vergüenza de estar "du bon côté de la barricade", como dice Gide, o bien complejo de inferioridad, deseo de escandalizar a mis allegados, etc. ¿Qué podrá significarse cuando se afirme que me he adherido al partido socialista a causa de esos motivos y de esos móviles? Se trata, evidentemente, de dos estratos de significaciones radicalmente diversos. ¿Cómo compararlos, cómo determinar la parte de cada uno de ellos en la decisión considerada? Esta dificultad, ciertamente la mayor de las que suscita la distinción corriente entre motivos y móviles, no se ha resuelto nunca; incluso, poca gente la ha entrevisto siquiera; pues equivale, en otra forma, a

---

[1] Ferdinand Lot, *La fin du monde antique et le début du moyen âge*, Renaissance du Livre, 1927, pág. 35.

plantear la existencia de un conflicto entre la voluntad y las pasiones. Pero la teoría clásica, si bien se muestra incapaz de asignar al motivo y al móvil su respectiva influencia propia en el caso sencillo en que ambos concurren a una misma decisión, hallará perfectamente posible explicar y hasta *concebir* un conflicto de motivos y móviles en que cada grupo solicite una decisión particular. Así, pues, todo ha de retomarse desde el principio.

Por cierto, el motivo es objetivo: es el estado de cosas contemporáneo, tal como se devela a una conciencia. Es *objetivo* que la plebe y la aristocracia romanas estaban corrompidas en tiempos de Constantino, o que la Iglesia católica estaba dispuesta a favorecer a un monarca que, en tiempos de Clodoveo, la ayudara a triunfar del arrianismo. Empero, el estado de cosas no puede revelarse sino a un para-sí, ya que, en general, el para-sí es el ser por el cual "hay" un mundo. Más aún: no puede revelarse sino a un para-sí que se elija a sí mismo de tal o cual manera para descubrir las implicaciones instrumentales de las cosas-utensilios. Objetivamente, el cuchillo es un instrumento hecho de una hoja y un mango. Puedo captarlo objetivamente como instrumento para cortar o tajar; pero, a falta de martillo, puedo captarlo, inversamente, como instrumento para martillar: puedo servirme de su mango para hincar un clavo, y esta captación no es menos *objetiva*. Cuando Clodoveo aprecia la ayuda que puede ofrecerle la Iglesia, no es seguro que un grupo de prelados ni aun que un obispo particular lo haya sondeado, ni siquiera que un miembro del clero haya pensado claramente en una alianza con un monarca católico. Los únicos hechos estrictamente objetivos, los que un para-sí cualquiera puede comprobar, son el gran poder de la Iglesia sobre las poblaciones de Galia y la inquietud de la Iglesia acerca de la herejía arriana. Para que estas comprobaciones se organicen en motivo de conversión, es menester aislarlas del conjunto —y, para ello, nihilizarlas— y trascenderlas hacia la potencialidad que les es propia: la potencialidad de la Iglesia objetivamente captada por Clodoveo será la de aportar su apoyo a un rey convertido. Pero tal potencialidad no puede revelarse a menos que se trascienda la situación hacia un estado de cosas que aún no es, en suma, hacia una nada. En una palabra, el mundo no da consejos a menos que se lo interrogue, y no se lo puede interrogar sino para un fin bien determinado. Así, pues, el motivo, lejos de determinar la acción, aparece sólo en y por el proyecto de una acción. En y por el proyecto de instalar su dominación sobre toda la Galia aparece objetivamente a Clodoveo el estado de la Iglesia de Occidente como un motivo para convertirse. En otros términos, la conciencia que recorta el motivo de entre el conjunto del mundo tiene ya su estructura propia, se ha dado fines, se ha proyectado hacia sus posibles y tiene su manera propia de suspenderse a sus posibilidades: esta manera propia de atenerse a sus posibles es aquí la afectividad. Y esa organización interna que la conciencia se ha dado, en forma de conciencia no-posicional (de) sí, es rigurosamente correlativa al recorte de los motivos en el mundo. Si se reflexiona en ello, ha de reconocerse que la estructura interna del para-sí por la cual éste hace surgir en el mundo motivos de actuar es un hecho "irracional" en el sentido histórico del término. En efecto, muy bien podemos comprender racionalmente la utilidad técnica de la conversión de Clodoveo, en la hipótesis de que hubiera proyectado conquistar la Galia. Pero no podemos hacer lo mismo en cuanto a su proyecto de conquista; éste no puede "explicarse". ¿Ha de interpretárselo como un efecto de la *ambición* de Clodoveo? Pero, precisamente, ¿qué es la ambición sino el propósito de conquistar? ¿Cómo se distinguirá la ambición de Clodoveo del proyecto definido de conquistar la Galia? Vano sería, pues, concebir ese proyecto original de conquista como "impulsado" por un móvil preexistente, que sería la ambición. Es muy cierto que la ambición es un móvil, puesto que es enteramente subjetividad. Pero, como no se distingue del proyecto de conquistar, diremos que ese proyecto primero de sus posibilidades, a la luz del cual Clodoveo descubre un motivo para convertirse, es precisamente el *móvil*. Entonces todo se aclara, y podemos concebir las relaciones entre los tres términos: motivos, móviles y fines. Nos las vemos aquí con un caso particular del ser-en-el-mundo: así como el surgimiento del para-sí hace que haya un mundo, así también aquí su ser mismo, en tanto que este ser es puro proyecto hacia un fin, hace que *haya* cierta estructura objetiva del mundo merecedora del nombre de motivo a la luz de aquel fin. El para-sí es, pues, conciencia *de* ese motivo. Pero esta conciencia posicional *del* motivo es, por principio, conciencia no-tética de sí como proyecto hacia un fin. En este sentido, es móvil, o sea que se experimenta a sí misma no-téticamente como proyecto más o menos áspero, más o menos apasionado, hacia un fin, en el momento mismo en que se constituye como conciencia revelante de la organización del mundo en motivos.

Así, motivo y móvil son correlativos, exactamente como la conciencia no-tética (de) sí es el correlato ontológico de la conciencia tética *del* objeto. Así como la conciencia *de* algo es conciencia (de) sí, así también el móvil no es sino la captación del motivo en tanto que esta captación es conciencia (de) sí. Pero se sigue de ello, evidentemente, que el motivo, el móvil y el fin son los tres términos indisolubles del brotar de una conciencia viva y libre que se proyecta hacia sus posibilidades y no se hace definir por ellas.

¿De dónde procede, entonces, que el móvil aparezca al psicólogo como contenido afectivo de un hecho de conciencia, en cuanto ese contenido determina otro hecho de conciencia, o decisión? De que el móvil no es nada más que la conciencia no-tética de sí deslizada al pasado con esta conciencia misma, y deja de ser vivo al mismo tiempo que ella. Desde que una conciencia se preterifica, es lo que tengo-de-ser en la forma del "era". Así, cuando me revierto sobre mi conciencia de ayer, ésta mantiene su significación intencional y su sentido de subjetividad, pero, como hemos visto, está fijada, está afuera, como una cosa, puesto que el pasado es en sí. El móvil se convierte entonces en aquello *de que* hay conciencia. Y puede aparecérseme en forma de *saber*; hemos visto antes, en efecto, que el pasado muerto infesta el presente con el aspecto de un *saber*; puede también que me revierta hacia él para explicarlo y formularlo guiándome por el saber que él es actualmente para mí. En este caso, es objeto de conciencia, es esta conciencia misma *de la cual tengo* conciencia. Aparece, pues –como mis recuerdos en general–, a la vez como *mío* y como trascendente. Estamos por lo común rodeados de esos móviles en que "ya no entramos" porque no sólo tenemos que decidir concretamente el cumplimiento de tal o cual acto, sino también el cumplimiento de las acciones que hemos decidido la víspera, o la prosecución de las empresas en que estamos comprometidos; de modo general, la conciencia, en cualquier momento que se capte a sí misma, se aprehende como comprometida, y esta aprehensión misma implica un saber de los móviles del comprometimiento, o aun una explicación temática y posicional de esos motivos. Va de suyo que la captación del móvil remite en seguida al motivo correlato suyo, puesto que el móvil, aun preterificado y fijado en en-sí, mantiene al menos como significación el haber sido conciencia de un motivo, es decir, descubrimiento de una estructura objetiva del mundo. Pero, como el móvil es *en-sí* y el motivo tiene carácter objetivo, ambos se presentan como una pareja sin diferencia ontológica; hemos visto, en efecto, que nuestro pasado se pierde en medio del mundo. He ahí por qué los tratamos en pie de igualdad y por qué podemos hablar de los motivos y los móviles de una acción, como si pudieran entrar en conflicto o concurrir ambos en una proporción determinada a la decisión.

Sólo que, si el móvil es trascendente, si es únicamente el ser irremediable que tenemos de ser en el modo del "era", si, como todo nuestro pasado, está separado de nosotros por un espesor de nada, no puede actuar a menos que sea *retomado*: por sí mismo, carece de fuerza. Así, pues, por el propio brotar de la conciencia comprometida se conferirá un valor y un peso a los móviles y motivos anteriores. No depende de la conciencia que los móviles y motivos hayan sido, y ella tiene por misión mantenerlos en existencia en el pasado. Yo he querido esto o aquello: esto es lo que permanece irremediable y lo que, incluso, constituye mi esencia, puesto que mi esencia es lo que he sido. Pero sobre el sentido que este deseo, ese temor, aquellas consideraciones objetivas sobre el mundo tienen para mí cuando actualmente me proyecto hacia mis futuros, sólo yo puedo decidir. Y decido, precisamente, por el acto mismo por el cual me pro-yecto hacia mis fines. La retoma de los móviles anteriores –o su rechazo o su apreciación nueva– no se distingue del proyecto por el cual me asigno nuevos fines y por el cual, a la luz de estos fines, me capto como descubriendo un motivo de apoyo en el mundo. Móviles pasados, motivos pasados, motivos y móviles presentes, fines futuros, se organizan en una indisoluble unidad por el surgimiento mismo de una libertad que es allende los motivos, móviles y fines.

Resulta de ello que la deliberación voluntaria es siempre un ilusionismo. En efecto: ¿cómo apreciar motivos y móviles a los cuales precisamente yo confiero su valor antes de toda deliberación y por la elección que hago de mí mismo? Aquí, la ilusión proviene de esforzarse uno por tomar los motivos y los móviles por cosas enteramente transcendentes, a las cuales uno sopesara como pesos y que estuvieran dotadas de un peso como propiedad permanente, mientras que, por otra parte, se quiere ver en ellos contenidos de conciencia; lo que es contradictorio. De hecho, móviles y motivos no tienen sino el peso que les confiere mi proyecto, es decir, la libre producción del fin y del acto conocido por realizar. Cuando delibero, ya el dado está echado. Y, si debo llegar a deliberar, es simplemente porque entra en mi proyecto originario darme cuenta de los móviles *por medio de la deliberación* más bien que por tal o cual otra forma de descubrimiento (por la pasión, por ejemplo, o simplemente por la acción, que revela el conjunto organizado de los motivos y fines, como mi lenguaje me revela mi pensamiento). Hay, pues, una elección de la deliberación como procedimiento que me ha de anunciar lo que proyecto y, por consiguiente, lo que soy. Y la *elección* de la deliberación está organizada con el conjunto móviles-motivos y fin, por la espontaneidad libre. Cuando la voluntad interviene, la decisión ya está tomada; aquélla no tiene otro valor que el de anunciadora.

El acto voluntario se distingue de la espontaneidad no voluntaria en que esta última es conciencia puramente irreflexiva de los motivos a través del puro y simple proyecto del acto. Para el móvil, en el acto irreflexivo, no hay objeto de por sí, sino simple conciencia no-posicional (de) sí mismo. En cambio, la estructura del acto voluntario exige la aparición de una conciencia reflexiva que capte al móvil como cuasi-objeto, o aun que lo intencione como objeto psíquico a través de la conciencia refleja. Para aquélla, el motivo, siendo captado por intermedio de la conciencia refleja, está como separado; para retomar la célebre fórmula de Husserl, la simple reflexión voluntaria, por su estructura de reflexividad, practica la ἐποχή del motivo, lo mantiene en suspenso, lo pone entre paréntesis. Puede esbozarse así una apariencia de deliberación apreciativa, por el hecho de que una nihilización más profunda separa la conciencia reflexiva de la conciencia refleja, o móvil, y por el hecho de que el motivo está en suspenso. Empero, como es sabido, si el *resultado* de la reflexión consiste en ampliar el hiato[1] que separa al para-sí de sí mismo, no es éste, sin embargo, su *objetivo*. El objetivo de la escisiparidad reflexiva es, como hemos visto, *recuperar* lo reflexo de manera de constituir la totalidad irrealizable "En-sí-para-sí", que es el valor fundamental puesto por el para-sí, en el surgimiento mismo de su ser. Luego, si la voluntad es por esencia reflexiva, su objetivo no consiste tanto en decidir qué fin ha de alcanzarse, pues, de todos modos, el dado está echado; la intención profunda de la voluntad recae más bien sobre la *manera* de alcanzar ese fin puesto ya. El para-sí que existe en el modo voluntario quiere recuperarse a sí mismo en tanto que decide y actúa. No sólo quiere ser llevado hacia un fin y ser el que se elige a sí mismo como llevado hacia ese fin: quiere, además, recuperarse en tanto que proyecto espontáneo hacia un fin determinado. El ideal de la voluntad consiste en ser un "en-sí-para-sí" en tanto que proyecto hacia cierto fin: es, evidentemente, un ideal reflexivo, y es el sentido de la satisfacción que acompaña a un juicio como "He hecho lo que he querido". Pero es evidente que la escisiparidad reflexiva en general tiene su fundamento en un proyecto más profundo que ella misma, al cual, a falta de mejor nombre, llamábamos "motivación" en el capítulo III de nuestra segunda parte. Ahora que hemos definido el motivo y el móvil, es necesario dar a ese proyecto por el cual la reflexión está subtendida el nombre de *intención*. En la medida, pues, en que la voluntad es un caso de reflexión, el hecho de situarse para actuar en el plano voluntario reclama por funda-

---

[1] *Faille*; literalmente: "falla" (geológica) que rompe la continuidad de una masa, un filón, etc. (N. del T.)

mento una intención más profunda. No basta al psicólogo describir tal o cual sujeto como realizando su proyecto en el modo de la reflexión voluntaria; es menester, además, que sea capaz de señalarnos la *intención profunda* que hace al sujeto realizar su proyecto en ese modo de la volición más bien que en cualquier otro modo, teniendo bien presente, por otra parte, que cualquier modo de conciencia hubiera traído la misma realización, una vez puestos los fines por un proyecto originario. Así, hemos alcanzado una libertad más profunda que la voluntad, mostrándonos simplemente más *exigentes* que los psicólogos, es decir, planteando la cuestión del *por qué* allí donde ellos se limitan a comprobar el modo de conciencia como volitivo.

Este breve estudio no aspira a agotar la cuestión de la voluntad; al contrario, convendría intentar una descripción fenomenológica de la voluntad en sí misma. No es tal nuestro propósito: esperamos, simplemente, haber mostrado que la voluntad no es una manifestación privilegiada de la libertad, sino un acaecimiento psíquico dotado de una estructura propia, que se constituye en el mismo plano que los demás acaecimientos psíquicos y está sustentado, ni más ni menos que los otros, por una libertad originaria y ontológica.

Al mismo tiempo, la libertad aparece como una totalidad inanalizable: los motivos, móviles y fines, así como también la manera de captar motivos, móviles y fines, son unitariamente organizados en los marcos de esa libertad y deben comprenderse a partir de ella. ¿Significa esto que haya de representarse la libertad como una serie de impulsiones caprichosas, comparables al clinamen epicúreo? ¿Soy libre de querer cualquier cosa en cualquier momento? Y a cada instante, cuando quiero explicar tal o cual proyecto, ¿he de encontrarme siempre con la irracionalidad de una elección libre y contingente? Mientras pareció que el reconocimiento de la libertad tenía por consecuencia estas concepciones peligrosas y en completa contradicción con la experiencia, sanos ingenios se apartaron de la creencia en la libertad: hasta pudo afirmarse que el determinismo –si se cuidaba no confundirlo con el fatalismo– era "más humano" que la teoría del libre arbitrio; en efecto: si bien pone de relieve el riguroso condicionamiento de nuestros actos, por lo menos da la *razón* de cada uno de ellos; y, si bien se limita rigurosamente a lo psíquico y renuncia a buscar un condicionamiento en el universo en conjunto, muestra que la razón de nuestros actos está en nosotros mismos: actuamos como somos, y, a la vez, nuestros actos contribuyen a hacernos.

Consideremos más de cerca, empero, los resultados seguros que nuestro análisis nos ha permitido adquirir. Hemos mostrado que la libertad se identifica con el ser del Para-sí; la realidad humana es libre en la exacta medida en que tiene-de-ser su propia nada. Ella tiene-de-ser esta nada, como hemos visto, en múltiples dimensiones: primero, temporizándose, es decir, siendo siempre a distancia de sí misma, lo que implica que no puede dejarse determinar jamás por su pasado para ejecutar tal o cual acto; segundo, surgiendo como conciencia de algo y (de) sí misma, es decir, siendo presencia a sí misma y no sólo sí-misma, lo que implica que nada existe en la conciencia que no sea conciencia de existir y que, en consecuencia, nada exterior a la conciencia puede motivarla; por último, siendo trascendente, es decir, no algo que *primeramente* sea para ponerse *después* en relación con tal o cual fin, sino, al contrario, un ser que es originariamente pro-yecto, es decir, que se define por su fin.

Así, no entendemos referirnos en modo alguno a algo arbitrario o caprichoso: un existente que, como conciencia, está necesariamente separado de todos los otros, pues éstos sólo están en conexión con él en la medida en que son *para él;* que decide de su pasado en forma de tradición a la luz de su futuro, en vez de dejarse pura y simplemente determinar su presente; y que se hace anunciar lo que él mismo es por *otra cosa que él mismo,* es decir, por un fin que él no es, sino que es proyectado por él del otro lado del mundo; he ahí lo que llamamos un existente libre. Esto no significa en modo alguno que sea libre de levantarme o de sentarme, de entrar o de salir, de huir o de afrontar el peligro, si se entiende por libertad una pura contingencia caprichosa, ilegal, gratuita e incomprensible. Por cierto, cada uno de mis actos, hasta el menor de ellos, es enteramente libre, en el sentido que acabamos de precisar; pero eso no significa que pueda ser un acto *cualquiera,* ni siquiera que sea imprevisible. Empero, se dirá, si no se lo puede comprender *ni* a partir del estado del mundo *ni* a partir del conjunto de mi pasado tomado como cosa irremediable, ¿cómo es posible que no sea gratuito? Veámoslo mejor.

Para la opinión corriente, ser libre no significa solamente elegirse. La elección se llama libre si es tal que hubiera podido ser otra. He salido de excursión con unos camaradas. Al cabo de varias horas de marcha, aumenta mi fatiga y acaba por hacerse muy penosa. Al principio resisto y después, de pronto, me dejo ir, cedo, arrojo mi saco al borde del camino y me dejo caer junto a él. Se me reprochará mi acto y se entenderá por ello que yo era libre, es decir, no sólo que nada ni nadie ha determinado mi acto, sino que hubiera podido resistir más a mi fatiga, hacer como mis compañeros de camino y aguardar el fin de la etapa para descansar. Me defenderé diciendo que estaba *demasiado* cansado. ¿Quién tiene razón? O, más bien, ¿no se ha establecido el debate sobre bases erróneas? No cabe duda de que hubiera podido obrar de otro modo, pero el problema no reside en ello. Debería más bien formularse así: ¿podía yo obrar de otro modo sin modificar sensiblemente la totalidad orgánica de los proyectos que soy, o bien el hecho de resistir a mi fatiga, en vez de quedar como una pura modificación local y accidental de mi comportamiento, no puede producirse sino gracias a una transformación radical de mi ser-en-el-mundo, transformación, por otra parte, posible? En otros términos: hubiera podido obrar de otro modo, sea; pero *¿a qué precio?*

A esta pregunta vamos a responder primero por una descripción *teórica,* que nos permitirá captar el principio de nuestra tesis. Veremos después si la realidad concreta no se muestra más compleja y si, sin contradecir los resultados de nuestra indagación teórica, no nos conducirá a hacerla más flexible y rica.

Notemos, ante todo, que la fatiga por sí misma no podría provocar mi decisión. La fatiga no es –como hemos visto con motivo del dolor físico– sino la manera en que yo existo mi cuerpo. No es primariamente objeto de una conciencia posicional, sino que es la facticidad misma de mi conciencia. Así, pues, si marcho por el campo, lo que se me revela es el mundo en torno, y éste es el objeto de mi conciencia, aquello que transciendo hacia posibilidades que me son propias, como, por ejemplo, las de llegar al atardecer al punto que me había fijado de antemano. Sólo que, en la medida en que capto ese paisaje con mis ojos, que despliegan las distancias; con mis piernas, que trepan las cuestas haciendo aparecer y desaparecer así nuevos espectáculos y obstáculos nuevos; con mi espalda, que lleva la mochila, tengo una conciencia no-posicional (de) este cuerpo –que regula mis relaciones con el mundo y que significa mi comprometimiento en el mundo– en forma de fatiga. Objetivamente, y en correlación con esa conciencia no-tética, las rutas se revelan como interminables, las cuestas como *más duras,* el sol como más ardiente, etc. Pero no *pienso* todavía mi fatiga; no la capto como cuasi-objeto de mi reflexión. Sin embargo, llega un momento en que trato de considerarla y recuperarla: de esta intención misma será preciso dar una interpretación. Tomémosla, entre tanto, por lo que es. No es aprehensión contemplativa de mi fatiga: como hemos visto con motivo del dolor, *yo padezco* mi fatiga. Es decir, que una conciencia reflexiva se dirige sobre mi fatiga para vivirla y conferirle un valor y una relación práctica conmigo mismo. Sólo en este plano la fatiga se me aparecerá como soportable o intolerable. No será jamás nada de eso por sí misma, sino que el Para-sí reflexivo, al surgir, padece la fatiga como intolerable. Aquí se plantea la cuestión esencial: mis compañeros de camino están en tan buena salud como yo; están prácticamente tan entrenados como yo; de suerte que, aunque no sea posible *comparar* acaecimientos psíquicos que se desarrollan en subjetividades diferentes, concluyo por lo común –y los testigos concluyen también, según la consideración objetiva de nuestros cuerpos-para-otro– que ellos están casi "tan fatigados como yo". ¿A qué se debe, entonces, que padezcan su fatiga de otro modo? Se dirá que la diferencia proviene de que "soy un flojo" y ellos no lo son. Pero, aunque esta apreciación tenga un alcance práctico innegable y pueda contarse con ella cuando se trate de decidir si se me invitará o no a otra excursión, no puede satisfacernos en nuestro caso. Como hemos visto, en efecto, ser ambicioso es proyectar conquistar un trono u honores, no es algo *dado* que impulse a la conquista, sino que es la conquista misma. Análogamente, "ser flojo" no puede ser algo dado de hecho; no es sino un nombre aplicado al modo en que padezco mi fatiga. Luego, si quiero comprender en qué condiciones puedo padecer una fatiga como intolerable, no conviene dirigirse a pretendidos datos de hecho, que muestran ser nada más que una elección; es menester examinar la elección misma y ver si no se explica según la perspectiva de una elección más amplia, en que se integre como estructura secundaria. En efecto, si interrogo a uno de los compañeros, me explicará que ciertamente está fatigado, pero que él *ama* su fatiga: se abandona a ella como a un baño; le parece en cierto modo el instrumento privilegiado para descubrir el mundo que lo rodea, para adaptarse a la rudeza rocallosa de los caminos, para descubrir el valor "montañoso" de las cuestas; así también, esa leve insolación de su nuca, ese leve zumbido en sus oídos, le permitirán realizar un contacto directo con el sol. Y el sentimiento del esfuerzo es para él el del cansancio vencido. Pero, como su fatiga no es otra cosa que la pasión que él soporta para que existan al máximo el polvo de los caminos, las quemaduras del sol y la rudeza de las rutas, su esfuerzo, o sea esa suave familiaridad con la fatiga que él ama, a la cual se abandona y a la que, empero, dirige, se da como una manera de apropiarse de la montaña, de padecerla hasta el extremo y ser su vencedor. Veremos en nuestro próximo capítulo el sentido de la palabra "tener" y en qué medida *hacer* es el medio de *apropiarse*. Así, la fatiga de mi compañero es vivida en un proyecto más vasto de confiado abandono a la naturaleza, de consentida pasión para que ella exista al máximo y, al mismo tiempo, de dominación suave y de apropiación. Sólo en y por ese proyecto podrá comprenderse la fatiga y tendrá una significación para él. Pero esta significación y ese proyecto más vasto y profundo son aún *unselbstständig* de por sí. No se bastan a sí mismos; es, suponen, precisamente, una relación particular de mi compañero con su cuerpo por una parte y con las cosas por otra. Es fácilmente comprensible, en efecto, que hay tantas maneras de existir el propio cuerpo como Para-síes hay, aunque, naturalmente, ciertas estructuras originarias sean invariables y constituyan en cada cual la realidad-humana; nos ocuparemos en otro lugar de lo que se ha llamado impropiamente la relación entre individuo y especie y de las condiciones de una verdad universal. Por el momento, podemos comprender, por mil acaecimientos insignificantes, que hay, por ejemplo, cierto tipo de huida ante la facticidad, consistente precisamente en abandonarse a ella, es decir, en suma, a retomarla con confianza y amarla para intentar recuperarla. Este proyecto originario de recuperación es, pues, cierta elección que el Para-sí hace de sí mismo en presencia del problema del ser. Su proyecto sigue siendo una nihilización, pero es una nihilización que se vuelve sobre el en-sí al que nihiliza y que se traduce por una valoración singular de la facticidad. Es lo que expresan especialmente las mil conductas llamadas *de abandono*. Abandonarse a la fatiga, al calor, al hambre y a la sed, dejarse caer con voluptuosidad en una silla o en un lecho, relajarse, tratar de hacerse uno beber por el propio cuerpo, no ya a los ojos de otro, como en el masoquismo, sino en la soledad original del Para-sí: todos estos comportamientos no consienten jamás limitarse a sí mismos, y es algo que ciertamente sentimos, puesto que, en otro, resultan irritantes o atrayentes: su condición es un proyecto inicial de recuperación del cuerpo, es decir, una tentativa de solución del problema del absoluto (del En-sí-para-sí). Esta forma inicial puede limitarse a una tolerancia profunda de la facticidad: el proyecto de "hacerse cuerpo" significará entonces un abandono feliz a mil pequeñas gulas pasajeras, a mil menudos deseos, a mil debilidades. Recuérdese, en el *Ulises* de Joyce, al señor Bloom, que huele con fruición, mientras satisface necesidades naturales, "el olor íntimo que sube desde abajo de él". Pero puede también –y tal es el caso de mi compañero– que, por el cuerpo y por la complacencia para con el cuerpo, el Para-sí busque recuperar la totalidad de lo no-consciente, es decir, todo el universo en tanto que conjunto de *cosas* materiales. En tal caso, la síntesis del en-sí con el para-sí de ese modo buscada será la síntesis cuasi-panteísta de la totalidad del en-sí con el para-sí que lo recupera. El cuerpo es allí instrumento de la síntesis: se pierde en la fatiga, por ejemplo, para que ese en-sí exista al máximo. Y, como es el cuerpo existido por el para-sí como *suyo*, esa pasión del cuerpo coincide, para el para-sí, con el proyecto de "hacer existir" al en-sí. El conjunto de esta actitud –que es la de uno de mis compañeros de camino– puede traducirse por el sentimiento oscuro de una especie de misión: hace esa excursión porque la montaña que va a escalar y los bosques que va a atravesar *existen;* él tiene la misión de ser aquel por quien el sentido de aquéllos será manifestado. Con ello, intenta ser aquel que los funda en existencia. Volveremos en nuestro próximo capítulo sobre esta relación apropiativa del para-sí con el mundo, pues no disponemos aún de los elementos necesarios para elucidarla plenamente. Lo que parece evidente, en todo caso, después de nuestro análisis, es que la manera en que mi compañero *padece* su fatiga exige necesariamente, para ser comprendida, un análisis regresivo que nos conduce hasta un proyecto inicial. Este proyecto que hemos esbozado, ¿es esta vez *selbstständig?* Por cierto que sí, y es fácil convencerse: en efecto, hemos alcanzado, de regresión en regresión, la relación original que el para-sí elige con su facticidad y con el mundo. Pero esa relación original no es nada más que el ser-en-el-mundo mismo del para-sí en tanto que ese ser-en-el-mundo es elección: es decir, que hemos alcanzado el tipo original de nihilización por el cual el para-sí tiene-de-ser su propia nada. Partiendo de aquí, ninguna interpretación puede intentarse, pues supondría implícitamente el ser-en-el-mundo del para-sí, como todas las demostraciones que del Postulado de Euclides se han intentado suponían implícitamente la adopción de ese postulado.

Siendo así, si aplico el mismo método para interpretar la manera en que yo padezco mi fatiga, captaré ante todo en mí una desconfianza para con mi cuerpo –por ejemplo–, una manera de no querer "hacer con él...", de tenerlo en nada, que es simplemente uno de los muchos modos posibles para mí de *existir mi cuerpo.* Descubriré sin dificultad una desconfianza análoga con respecto al en-sí, y, por ejemplo, un proyecto original de recuperar *por medio de los otros* el en-sí al cual nihilizo, lo que me remite a uno de los proyectos, iniciales que enumerábamos en la parte precedente. Entonces, mi fatiga, en vez de ser padecida "con soltura", será aprehendida "con rigidez", como un fenómeno importuno del que quiero librarme, y ello, simplemente, porque encarna mi cuerpo y mi contingencia bruta en medio del mundo, cuando mi proyecto es hacer salvar mi cuerpo y mi presencia en el mundo por las miradas del otro. Yo también soy remitido a mi proyecto original, es decir, a mi ser-en-el-mundo en tanto que este ser es elección.

No se nos oculta hasta qué punto deja que desear el método de este análisis. Pero, en este dominio, todo está por hacer: se trata, en efecto, de extraer las significaciones implicadas por un acto –por *todo* acto– y pasar de ahí a significaciones más ricas y profundas, hasta encontrar la significación que no implica ya otra alguna y que no remite sino a sí misma. Esta dialéctica regresiva es practicada de modo espontáneo por la mayoría de la gente; hasta puede verificarse que, en el conocimiento de sí mismo o del prójimo, se da una comprensión espontánea de la jerarquía de las interpretaciones. Un gesto remite a una *Weltanschauung, y sentimos que es así.* Pero nadie ha intentado extraer sistemáticamente las significaciones implicadas por un acto. Una sola escuela ha partido de la misma evidencia originaria que nosotros: la escuela freudiana. Para Freud, como para nosotros, un acto no puede limitarse a sí mismo: remite inmediatamente a estructuras más profundas. Y el psicoanálisis es el método que permite explicitar esas estructuras. Freud se pregunta, como nosotros, en qué condiciones es posible que tal o cual persona haya cumplido tal o cual acción particular. Y, como nosotros, se niega a interpretar la acción por el momento antecedente, es decir, a concebir un determinismo psíquico horizontal. El acto le parece *simbólico*, es decir, le parece traducir un deseo más profundo, que no podría interpretarse a su vez sino partiendo de una determinación inicial de la libido del sujeto. Sólo que Freud procura constituir así un determinismo vertical. Además, por este sesgo, su concepción remitirá necesariamente al pasado del sujeto. La afectividad, para él, está en la base del acto en forma de tendencias psicofisiológicas. Pero esta afectividad es originariamente, en cada uno de nosotros, una tabla rasa: las circunstancias exteriores y, para decirlo de una vez, la *historia* del sujeto, decidirán si tal o cual tendencia se fijará sobre tal o cual objeto. La situación del niño en medio de su familia determinará en él el nacimiento del complejo de Edipo: en otras sociedades, compuestas de familias de otro tipo –como se ha notado, por ejemplo, entre los primitivos de las islas de Coral del Pacífico–, ese complejo no puede formarse. Además, también circunstancias exteriores decidirán si, en la edad puberal, ese complejo se "liquidará" o permanecerá, al contrario, como polo de la vida sexual. De tal modo, y por intermedio de la historia, el determinismo vertical de Freud permanece centrado en un determinismo horizontal. Por cierto, un acto simbólico expresa un deseo subyacente y coetáneo, así como este deseo manifiesta un complejo más profundo, en la unidad de un mismo proceso psíquico; pero no por eso el complejo deja de preexistir a su realización simbólica, y es el pasado quien lo ha constituido tal cual es, según conexiones clásicas: transferencia, condensación, etc., que encontramos mencionadas no sólo en el psicoanálisis sino en todas las tentativas de reconstrucción determinista de la vida psíquica. En consecuencia, la dimensión del futuro no existe para el psicoanálisis. La realidad humana pierde uno de sus ék-stasis y debe interpretarse únicamente por una regresión hacia el pasado partiendo del presente. Al mismo tiempo, las estructuras fundamentales del sujeto, que son significadas por sus actos, no son significadas *para él,* sino para un testigo objetivo que usa métodos discursivos para explicitar esas significaciones. No se otorga al sujeto ninguna comprensión preontológica de sus actos. Y esto se comprende fácilmente, puesto que, pese a todo, esos actos no son sino un efecto del pasado –que por principio está fuera de alcance–, en vez de tratar de inscribir su objetivo en el futuro.

Así, debemos limitarnos a inspirarnos en el *método* psicoanalítico, es decir, debemos intentar extraer las significaciones de un acto partiendo del principio de que toda acción, por insignificante que sea, no es el simple efecto del estado psíquico anterior y no depende de un determinismo lineal, sino que, al contrario, se integra como estructura secundaria en estructuras globales y, finalmente, en la totalidad que soy. Si no, debería comprenderme o como un flujo horizontal de fenómenos cada uno de los cuales está condicionado en exterioridad por el precedente, o como una sustancia que sustenta el fluir, carente de sentido, de sus modos. Ambas concepciones nos llevarían a confundir el para-sí con el en-sí. Pero, si aceptamos el método del psicoanálisis –y volveremos ampliamente sobre ello en el capítulo siguiente–, debemos aplicarlo *en sentido inverso.* En efecto, concebimos todo acto como fenómeno *comprensible* y rechazamos, como Freud, el "azar" determinista. Pero, en vez de comprender el fenómeno a partir del pasado, concebimos el acto comprensivo como un retorno del futuro hacia el presente. La manera en que padezco mi fatiga no depende en modo alguno del azar de la cuesta que estoy escalando o de la noche más o menos agitada que he pasado: estos factores pueden contribuir a constituir mi fatiga, pero no la manera en que la padezco. Pero nos negamos a ver en ella, con un discípulo de Adler, una expresión del complejo de inferioridad, por ejemplo, en el sentido de que este complejo sea una formación anterior. Que cierta manera rabiosa y rígida de luchar contra la fatiga pueda expresar lo que se llama un complejo de inferioridad, no lo negamos. Pero el propio complejo de inferioridad es un proyecto de mi propio para-sí en el mundo en presencia del Otro. Como tal, es siempre transcendente; y, como tal, manera de elegirse. Esta inferioridad contra la cual lucho y que, empero, reconozco, ha sido *elegida* por mí desde el origen; sin duda, está significada por mis diversas "conductas de fracaso", pero precisamente no es nada más que la totalidad organizada de mis conductas de fracaso, como plan proyectado, como presupuesto general de mi ser, y cada conducta de fracaso es de por sí trascendente, ya que yo trasciendo cada vez lo real hacia mis posibilidades: ceder a la fatiga, por ejemplo, es trascender el camino que he de andar, constituyéndole el sentido de "camino, demasiado difícil de recorrer". Es imposible considerar seriamente el complejo de inferioridad sin determinarlo a partir del futuro y de mis posibilidades. Aun comprobaciones como la de que "soy feo", "soy tonto", etc., son, por naturaleza, anticipaciones. No se trata de la pura comprobación de mi fealdad, sino de la captación del coeficiente de adversidad que presentan las mujeres o la sociedad a mis empresas. Y ello no podría descubrirse sino por y en la elección de esas empresas. Así, el complejo de inferioridad es proyecto libre y global de mí mismo como inferior ante el otro; es la manera en que elijo asumir mi ser-para-otro; la solución libre que doy a la existencia del otro, ese escándalo insuperable. Así, han de comprenderse mis reacciones de inferioridad y mis conductas de fracaso a partir del libre esbozo de mi inferioridad como elección de mí mismo en el mundo. Concedemos a los psicoanalistas que toda reacción humana es, *a priori*, comprensible. Pero les reprochamos haber desconocido precisamente esta "comprensibilidad" inicial al intentar explicar la reacción considerada por medio de una reacción anterior, lo que reintroduce el mecanismo causal: la comprensión debe definirse de otro modo. Es comprensible toda acción como proyecto de sí mismo hacia un posible. Es comprensible, ante todo, en tanto que ofrece un contenido racional inmediatamente captable –deposito mi mochila en el suelo *para* descansar un instante–, es decir, en tanto que captamos inmediatamente el posible proyectado y el fin apuntado por ella. Es comprensible, además, en cuanto el posible considerado remite a otros posibles, éstos a otros, y así sucesivamente hasta la última posibilidad que soy. Y la comprensión se opera en dos sentidos inversos: por un psicoanálisis regresivo se remonta del acto considerado hasta mi posible último; por una progresión sintética, desde este posible último vuelve a descenderse hasta el acto encarado y se capta su integración en la forma total.

Esta forma, a la que denominamos nuestra posibilidad última, no es *un* posible entre otros –así fuere, como lo quiere Heidegger, la posibilidad de morir o de "no realizar ya una presencia en el mundo"–. Toda posibilidad singular, en efecto, se articula en un conjunto. Al contrario, la posibilidad última ha de ser concebida como la síntesis unitaria de todos nuestros posibles actuales: cada uno de estos posibles reside en la posibilidad última en estado indiferenciado, hasta que una circunstancia particular venga a ponerlo de relieve sin suprimir por eso su pertenencia a la totalidad. Hemos señalado, en efecto, en nuestra segunda parte,[1] que la aprehensión perceptiva de un objeto cualquiera se hace sobre *fondo de mundo*. Con ello entendíamos que lo que los psicólogos suelen llamar "percep-

[1] Segunda parte, cap. III.

ción" no puede limitarse a los objetos propiamente "vistos", "oídos", etc., en cierto instante, sino que los objetos considerados remiten por implicaciones y significaciones diversas a la totalidad del existente en sí *a partir de la cual* son aprehendidos. Así, no es cierto que yo pase sucesivamente de esta mesa a la pieza en que estoy, y luego, saliendo, de ahí al vestíbulo, a la escalera, a la calle, para concebir finalmente, como resultado de un paso al límite, el mundo como la suma de todos los existentes. Muy al contrario, no puedo percibir una cosa utensilio cualquiera si no es partiendo de la totalidad absoluta de todos los existentes, pues mi ser primero es ser-en-el-mundo. Así, encontramos en las cosas, en tanto que *hay cosas* para el hombre, un perpetuo llamado hacia la integración, que nos hace descender, para captarlas, desde la integración total, inmediatamente realizada, hasta tal o cual estructura singular, que se interpreta sólo por relación con esa totalidad. Pero si, por otra parte, *hay* un mundo, se debe a que surgimos al mundo de una vez y en totalidad. En efecto, hemos señalado, en el mismo capítulo dedicado a la transcendencia, que el en-sí no es capaz por sí solo de ninguna unidad mundana. Pero nuestro surgimiento es una pasión, en el sentido de que nos perdemos en la nihilización para que el mundo exista. Así, el fenómeno primero del ser en el mundo es la relación originaria entre la totalidad del en-sí o mundo y mi propia totalidad destotalizada: me elijo íntegramente en el mundo íntegro. Y, así como vengo *del* mundo *a* un "esto" particular, vengo de mí mismo, como totalidad destotalizada, al esbozo de una de mis posibilidades singulares, puesto que no puedo captar un "esto" particular sobre fondo de mundo sino con ocasión de un proyecto particular de mí mismo. Pero, en este caso, así como no puedo captar tal o cual "esto" sino sobre fondo de mundo, trascendiéndolo hacia tal o cual posibilidad, así tampoco puedo proyectarme allende el "esto" hacia tal o cual posibilidad sino sobre fondo de mi posibilidad última y total. Así, mi última y total posibilidad como integración originaria de todos mis posibles singulares, y el mundo como la totalidad que viene a los existentes por mi surgimiento al ser, son dos nociones rigurosamente correlativas. No puedo percibir el martillo (es decir, esbozar el "martillar") sino sobre fondo de mundo; pero, recíprocamente, no puedo esbozar el acto de "martillar" sino sobre fondo de la totalidad de mí mismo y a partir de ella.

Así, hemos encontrado el acto fundamental de libertad: y este acto da su sentido a la acción particular que puedo considerar en un momento dado; ese acto, constantemente renovado, no se distingue de mi ser; es elección de mí mismo en el mundo y, al mismo tiempo, descubrimiento del mundo. Esto nos permite evitar el escollo del inconsciente que el psicoanálisis encontraba desde su punto de partida. En efecto: si nada hay en la conciencia que no sea conciencia de ser, se nos podría objetar, es menester que esa elección fundamental sea elección *consciente*; ¿y puede usted afirmar ser consciente, cuando cede a la fatiga, de todas las implicaciones que tal acto supone? Responderemos que somos perfectamente conscientes de ellas. Sólo que esta conciencia misma debe tener por límite la estructura de la conciencia en general y de la elección que hacemos.

En lo que concierne a esta última, ha de insistirse en el hecho de que no se trata, en modo alguno, de una elección deliberada. Y ello no porque sea *menos* consciente o *menos* explícita que una deliberación; sino, al contrario, porque es el fundamento de toda deliberación y, como lo hemos visto, una deliberación requiere una interpretación a partir de una elección originaria. Es preciso, pues, defenderse contra la ilusión que hace de la libertad original una *posición* de motivos y de móviles como *objetos*, y después una *decisión* a partir de estos móviles y motivos. Muy por el contrario, desde que hay motivo y móvil, es decir, apreciación de las cosas y estructuras del mundo, hay ya posición de los fines y, por consiguiente, elección. Pero esto no significa que la elección profunda sea inconsciente; se identifica con la conciencia que tenemos de nosotros mismos. Esta conciencia, como es sabido, sólo puede ser no-posicional: es conciencia-nosotros, puesto que no se distingue de nuestro ser. Y, como nuestro ser es precisamente nuestra elección originaria, la conciencia (de) elección es idéntica a la conciencia que tenemos (de) nosotros. Es menester ser consciente para elegir y es menester elegir para ser consciente. Elección y conciencia son una y la misma cosa. Es lo que han sentido muchos psicólogos cuando declaraban que la conciencia "es selección". Pero, por no haber reducido esta selección a su fundamento ontológico, permanecieron en un terreno en que la selección aparecía como una función gratuita de una conciencia, por otra parte, sustancial. Es, en particular, lo que podría reprocharse a Bergson. Pero, si está bien establecido que la conciencia es nihilización, se comprenderá que el tener conciencia de nosotros mismos y el escogernos a nosotros mismos es una y la misma cosa. Esto explica las dificultades que los moralistas como Gide han encontrado cuando querían definir la pureza de los sentimientos. ¿Qué diferencia hay –preguntaba Gide–[1] entre un sentimiento querido y un sentimiento *experimentado*? A decir verdad, no hay ninguna: "querer amar" y amar se identifican, puesto que amar es elegirse uno mismo como amante tomando conciencia de amar. Si el πάθος es libre, es elección. Hemos señalado lo bastante –en particular en el capítulo acerca de la Temporalidad– que el cogito cartesiano requiere ser ampliado. De hecho, como hemos visto, tomar conciencia (de) sí no significa nunca tomar conciencia del instante, pues el instante no es sino una concepción mental[2] y, aun si el instante existiera, una conciencia que se captara a sí misma en el instante no captaría ya *nada*. No puedo tomar conciencia de mí sino como *tal* hombre comprometido en tal o cual empresa, contando con tal o cual éxito, temiendo tal o cual resultado, y, por el conjunto de estas anticipaciones, esbozando su propia *figura* íntegra. Y así me capto, efectivamente, en este momento en que escribo; no soy la simple conciencia perceptiva de mi mano que traza signos sobre el papel; estoy muy por delante de esta mano, hasta la terminación del libro y hasta la significación del libro –y de la actividad filosófica en general– en mi vida; y en el marco de este proyecto, es decir, en el marco de lo que soy, se insertan ciertos proyectos hacia posibilidades más restringidas, como las de exponer tal o cual idea de tal o cual manera, o cesar de escribir un momento, u hojear una obra en que busco tal o cual referencia, etc. Sólo que sería erróneo creer que a esa elección glo-

---

[1] *Journal des faux monnayeurs.*
[2] En el original: *une vue de l'esprit.* (N. del T.)

bal corresponda una conciencia analítica y diferenciada. Mi proyecto último e inicial –pues es las dos cosas a la vez– es siempre, como veremos, el esbozo de una solución al problema del ser. Pero esta solución no es primero concebida y después realizada: *somos* esa solución, la hacemos existir por nuestro propio comprometimiento y, por lo tanto, sólo podemos captarla viviéndola. Así, somos siempre presentes en integridad a nosotros mismos, pero, precisamente porque somos presentes en integridad, no podemos esperar tener una conciencia analítica y detallada de lo que somos. Esta conciencia, por lo demás, sólo podría ser no-tética.

Pero, por otra parte, el mundo nos devuelve exactamente, por su propia articulación, la imagen de lo que somos. No que podamos –lo hemos visto ya– descifrar esta imagen, es decir, detallarla y someterla a análisis; sino que el mundo se nos aparece necesariamente como nosotros somos; en efecto, trascendiéndolo hacia nosotros mismos lo hacemos aparecer tal cual es. Nosotros elegimos el mundo –no en su contextura en-sí, sino en su significación– al elegirnos. Pues la negación interna, por la cual negando de nosotros ser nosotros el mundo lo hacemos aparecer como mundo, no podría existir sin ser al mismo tiempo proyección hacia un posible. La propia manera en que me confío a lo inanimado, en que me abandono a mi cuerpo –o, al contrario, en que me pongo rígido contra uno y otro– hace aparecer mi cuerpo y el mundo inanimado con valores propios. En consecuencia, también aquí gozo de una plena conciencia de mí mismo y de mis proyectos fundamentales, y, esta vez, esta conciencia es posicional. Sólo que, precisamente por serlo, lo que me entrega es la imagen trascendente de lo que soy. El valor de las cosas, su función instrumental, su proximidad o alejamiento real (que son sin relación con su proximidad y alejamiento espaciales), no hacen nada más que esbozar mi imagen, es decir, mi elección. Mi ropa (uniforme o traje, camisa almidonada o no), cuidada o descuidada, rebuscada o vulgar; mis muebles; la calle en que habito; la ciudad donde resido; los libros de que me rodeo; las diversiones que frecuento; todo cuanto es mío, es decir, en última instancia, el mundo de que tengo perpetuamente conciencia –por lo menos a título de significación implicada por el objeto que miro o que empleo–: todo me enseña a mí mismo mi elección, es decir, mi ser. Pero la estructura de la conciencia posicional es tal que no puedo reducir ese conocimiento a una captación subjetiva de mí mismo, sino que ella me remite a otros objetos que produzco o de que dispongo en conexión con el orden de los precedentes, sin poder advertir yo que así esculpo cada vez más mi figura en el mundo. Así, tenemos plenamente conciencia de la elección que somos. Y, si se objeta que, según tales observaciones, sería menester tener conciencia no de *habernos elegido* sino de *elegirnos*, responderemos que esta conciencia se traduce por el doble "sentimiento" de la angustia y la responsabilidad. Angustia, abandono, responsabilidad, ora en sordina, ora en plena fuerza, constituyen, en efecto, la *cualidad* de nuestra conciencia en tanto que ésta es pura y simple libertad.

No hace mucho planteábamos una cuestión: he cedido a la fatiga, decíamos, y sin duda *hubiera podido* obrar de otra manera, pero, *¿a qué precio?* Estamos ahora en condiciones de responder. Nuestro análisis, en efecto, acaba de mostrarnos que ese acto no era *gratuito*. Por cierto, no se explicaba por un móvil o un motivo concebido como el contenido de un "estado" de conciencia anterior; sino que debía interpretarse a partir de un proyecto original del cual era parte integrante. Siendo así, resulta evidente que no puede suponerse que el acto habría podido modificarse sin suponer al mismo tiempo una modificación fundamental de mi elección original de mí mismo. Esa manera de ceder a la fatiga y dejarme caer al borde del camino expresa cierta rigidez inicial contra mi cuerpo y el en-sí inanimado. La actitud se sitúa en el cuadro de cierta visión del mundo, en que las dificultades pueden parecer "no valer la pena de ser soportadas", y en que, precisamente, el móvil, siendo pura conciencia no-tética y, por consiguiente, proyecto inicial de sí hacia un fin absoluto (cierto aspecto del en-sí-para-sí) es captación del mundo (calor, alejamiento de la ciudad, inanidad de los esfuerzos, etc.) como *motivo* para detener mi marcha. Así, la *posibilidad* de detenerme sólo cobra sentido, *en teoría*, en y por la jerarquía de las posibilidades que soy a partir de la posibilidad última e inicial. Esto no implica que yo *deba necesaria-*

mente detenerme, sino sólo que no puedo rehusar detenerme sino por una conversión radical de mi ser-en-el-mundo, es decir, por una brusca metamorfosis de mi proyecto inicial, vale decir, por otra elección de mí mismo y de mis fines. Esta modificación, por lo demás, siempre es posible. La angustia que, cuando develada, manifiesta nuestra libertad a nuestra conciencia, es testigo de esa modificabilidad perpetua de mi proyecto inicial. En la angustia no captamos simplemente el hecho de que los posibles que proyectamos están perpetuamente roídos por nuestra libertad por venir, sino que además aprehendemos nuestra elección, o sea, nos aprehendemos nosotros mismos como algo *injustificable,* es decir, que captamos nuestra elección como no derivada de ninguna realidad anterior y como, al contrario, debiendo servir de fundamento al conjunto de las significaciones que constituyen la realidad. La injustificabilidad no es sólo el reconocimiento subjetivo de la contingencia absoluta de nuestro ser, sino también la de la interiorización de esa contingencia y de su reasunción por cuenta nuestra. Pues la elección –como veremos–, procedente de la contingencia del en-sí al cual nihiliza, transporta esa contingencia al plano de la determinación gratuita del para-sí por sí mismo. Así, estamos perpetuamente comprometidos en nuestra elección, y somos perpetuamente conscientes de que nosotros mismos podemos invertir bruscamente esa elección y virar en redondo, pues proyectamos el porvenir con nuestro propio ser, y lo roemos perpetuamente con nuestra libertad existencial, anunciándonos a nosotros mismos lo que somos por medio del porvenir, y sin dominio alguno sobre este porvenir, que permanece siempre *posible* sin pasar jamás a la categoría *de real.* Así, estamos perpetuamente sometidos a la *amenaza* de la nihilización de nuestra elección actual, a la amenaza de elegirnos –y, por consiguiente, de volvernos– otros que lo que somos. Por el solo hecho de que nuestra elección es absoluta, es también *frágil,* es, decir, que, al poner por medio de ella nuestra libertad, ponemos al mismo tiempo su posibilidad perpetua de convertirse en un *aquende* preterificado por un allende que seré.

Empero, comprendamos bien que nuestra elección actual es tal que no nos ofrece ningún *motivo* para preterificarla por

medio de una elección ulterior. En efecto, ella crea originariamente todos los motivos y móviles que pueden conducirnos a
acciones parciales; ella dispone el mundo con sus significaciones, sus complejos-utensilios y su coeficiente de adversidad.
Ese cambio absoluto que nos amenaza desde nuestro nacimiento hasta nuestra muerte permanece perpetuamente imprevisible e incomprensible. Aun si encaramos otras actitudes
fundamentales como *posibles,* no las consideramos nunca sino
desde afuera, como comportamientos del Otro. Y, si intentamos
referir a ellas nuestras conductas, no por eso perderán su carácter de exterioridad y de trascendencias-trascendidas; en efecto:
"comprenderlas" sería ya haberlas elegido. Volveremos sobre
este punto.

Además, tampoco debemos representarnos la elección original como "produciéndose de un instante a otro": sería volver a la concepción instantaneísta de la conciencia, de que no
pudo salir un Husserl. Puesto que, al contrario, la que se temporaliza es la conciencia, ha de comprenderse que la elección
original despliega el tiempo y se identifica con la unidad de los
tres ék-stasis. Elegirnos es nihilizarnos, es decir, hacer que un
futuro venga a anunciarnos lo que somos confiriendo un sentido a nuestro pasado. Así, no hay una sucesión de instantes
separados por nadas; como en Descartes, y tales, que mi elección en el instante t no pueda actuar sobre mi elección del instante t_1. Elegir es hacer que surja, con mi comprometimiento,
cierta extensión finita de duración concreta y continua, que es
precisamente la que me separa de la realización de mis posibles originales. Así, libertad, elección, nihilización, temporalización son una y la misma cosa.

Empero, el *instante* no es una vana invención de los filósofos. Ciertamente, no hay instante subjetivo cuando me he comprometido en mi tarea; por ejemplo, en este momento en que
escribo, tratando de captar y de ordenar mis ideas, para mí no
hay instantes, sino sólo una perpetua persecución-perseguida de
mí mismo hacia fines que me definen (la explicación de las
ideas que han de constituir el fondo de la obra), y sin embargo
estamos perpetuamente *amenazados por el instante.* Es decir,
que somos tales por la elección misma de nuestra libertad que

siempre podemos hacer aparecer el instante como ruptura de nuestra unidad ek-stática. ¿Qué es el instante, pues? Acabamos de mostrar que no es posible aislar el instante en el proceso de temporalización de un proyecto concreto. Pero tampoco podría ser asimilado al término inicial o al término final (si ha de existir) de ese proceso. Pues ambos términos son agregados desde el interior a la totalidad del proceso y son parte integrante de él. No tienen, pues, sino una de las características del instante: el término inicial, en efecto, se agrega al proceso del cual es término inicial, en cuanto es *su* comienzo; pero, por otra parte, está limitado por una nada anterior en cuanto es *un* comienzo. El término final se agrega al proceso al cual termina en cuanto es *su* fin: la última nota pertenece a la melodía; pero está seguido por una nada que lo limita en cuanto es *un* fin. El instante, si ha de poder existir, debe estar limitado por una doble nada. Esto no es concebible en modo alguno, según lo hemos mostrado, si debe ser dado como anterioridad a todos los procesos de temporalización. Pero, en el desarrollo mismo de nuestra temporalización, podemos producir instantes si ciertos procesos surgen sobre el desmoronamiento de procesos anteriores. El instante será entonces un comienzo y un fin. En una palabra: si el fin de un proyecto coincide con el comienzo de otro, surgirá una realidad temporal ambigua que estará limitada por una nada anterior en cuanto es comienzo, y por una nada posterior en cuanto es fin. Pero esta estructura temporal sólo sería concreta si el comienzo se da como fin del proceso al cual preterifica. Un comienzo que se da como fin de un proyecto anterior: tal debe ser el instante. No existirá, pues, a menos que seamos para nosotros mismos comienzo y fin en la unidad de un mismo acto. Es, precisamente, lo que se produce en el caso de una modificación radical de nuestro proyecto fundamental. Por la libre elección de esa modificación, en efecto, temporalizamos un proyecto que somos y nos hacemos anunciar por un futuro el ser que hemos elegido; así, el presente puro pertenece a la nueva temporalización como comienzo, y recibe del futuro que acaba de surgir su naturaleza propia de comienzo. Pues sólo el futuro, en efecto, puede revertirse sobre el presente para calificarlo de comienzo; si no, este presente no sería nada más que un presente cualquiera. Así, el presente de la elección pertenece ya como estructura integrada a la nueva totalidad que se esboza. Pero, por otra parte, es imposible que esa elección no se determine *en conexión* con el pasado que ella tiene-de-ser. Hasta es, por principio, decisión de captar como pasado la elección a la cual sustituye. Un ateo convertido no es simplemente un creyente: es un creyente que ha negado de sí el ateísmo, que ha preterificado en sí su proyecto de ser ateo. Así, la nueva elección se da como comienzo en tanto que es un fin, y como fin en tanto que es comienzo; está limitada por una doble nada y, como tal, realiza una ruptura en la unidad ek-stática de nuestro ser. Empero, el instante mismo no es sino una nada, pues, adondequiera dirijamos la vista, no captaremos sino una temporalización continua, que será, según la dirección de nuestra mirada, o bien la serie conclusa que acaba de pasar, arrastrando su término final consigo, o bien la temporalización viva que comienza, y cuyo término final es atrapado y arrastrado por la posibilidad futura.

Así, toda elección fundamental define la dirección de la persecución-perseguida al mismo tiempo que se temporaliza. Esto no significa que *dé un impulso inicial,* ni que haya algo así como una garantía de que puedo servirme mientras me mantenga en los límites de esa elección. Al contrario, la nihilización prosigue de modo continuo y, por consiguiente, es indispensable la reasunción libre y continua de la elección. Sólo que esta reasunción no se efectúa *de instante en instante* mientras reasumo libremente mi elección: pues entonces no hay instante; la reasunción está tan íntimamente agregada al conjunto del proceso que no tiene ni puede tener ninguna significación instantánea. Pero, precisamente por ser libre y perpetuamente reasumida por la libertad, mi elección tiene por límite la libertad misma; es decir, está infestada por el espectro del instante. En tanto que *reasumiré* mi proyecto, la preterificación del proceso se hará en perfecta continuidad ontológica con el presente. El proceso preterificado permanece organizado con la nihilización presente en la forma de un *saber,* es decir, de significación vivida e interiorizada, sin ser nunca *objeto* para la conciencia que se proyecta hacia sus fines propios. Pero, precisamente porque soy libre, tengo siempre la posibilidad de poner como objeto mi pasado inmediato. Esto significa que, mientras que mi conciencia anterior era pura conciencia no-posicional (del) pasado, en tanto que se constituía a sí misma como negación interna del real copresente y se hacía anunciar su sentido por fines puestos como "*re*-asunciones", en cambio, con la nueva elección, la conciencia pone su propio pasado como objeto, es decir, lo *aprecia* y toma sus puntos de referencia con respecto a él. Este acto de objetivación del pasado inmediato se identifica con la nueva elección de otros fines: contribuye a hacer brotar el instante como quiebra nihilizadora de la temporalización.

La comprensión de los resultados obtenidos por este análisis será más fácil para el lector si los comparamos con otra teoría de la libertad, por ejemplo, con la de Leibniz. Para Leibniz, como para nosotros, cuando Adán cogió la manzana hubiera sido *posible* que no la cogiera. Pero para él, como para nosotros, las implicaciones de este gesto son tantas y tan ramificadas, que, finalmente, declarar que hubiera sido posible que Adán no cogiera la manzana equivale a decir que hubiera sido posible otro Adán. Así, la contingencia de Adán se identifica con su libertad, puesto que esta contingencia significa que ese Adán *real* está rodeado por una infinidad de Adanes posibles, cada uno de los cuales, con respecto al Adán real, se caracteriza por una alteración leve o profunda de todos sus atributos, es decir, en definitiva, de su sustancia. Para Leibniz, pues, la libertad exigida por la realidad humana es como la organización de tres nociones diferentes: es libre aquel que: 1° se determina racionalmente a cumplir un acto; 2° es tal que ese acto se comprende plenamente por la naturaleza misma del que lo ha cumplido; 3° es contingente, es decir, existe de tal suerte que hubieran sido posibles otros individuos que cumplieran otros actos con motivo de la misma situación. Pero, a causa de la conexión necesaria de los posibles, otro gesto de Adán sólo hubiese sido posible para y por otro Adán, y la existencia de otro Adán implicaba la de otro mundo. Reconocemos, con Leibniz, que el gesto de Adán compromete a la persona de Adán íntegra, y que otro gesto se hubiera comprendido a la luz y en los marcos de otra personalidad de Adán. Pero Leibniz recae en un necesitarismo enteramente opuesto a la idea de libertad cuando coloca en el punto de partida la fórmula misma de la sustancia de Adán, como una premisa que traerá aparejado el acto de Adán como una de sus conclusiones parciales; es decir, cuando reduce el orden cronológico a una mera expresión simbólica del orden lógico. En efecto, de ello resulta, por una parte, que el acto es rigurosamente necesario en virtud de la propia esencia de Adán, y también la contingencia, que hace posible la libertad, según Leibniz, se encuentra íntegramente contenida en la esencia de Adán. Pero esta esencia no es elegida por Adán mismo, sino por Dios. Así, es verdad que el acto cometido por Adán emana necesariamente de la esencia de Adán, y que en esto depende de Adán mismo y de nadie más, lo que es, ciertamente, una condición de la libertad. Pero la esencia de Adán es, para el propio Adán, algo *dado*: Adán no la ha elegido, no ha podido elegir ser Adán. En consecuencia, no carga en modo alguno con la responsabilidad de su ser. Importa poco, por consiguiente, que se le pueda atribuir, una vez que su ser le es dado, la responsabilidad relativa de su acto. Para nosotros, al contrario, Adán no se define por una esencia, pues la esencia es, para la realidad humana, posterior a la existencia: se define por la elección de sus fines, es decir, por el surgimiento de una temporalización ek-stática que nada tiene en común con el orden lógico. Así, la contingencia de Adán expresa la elección finita que él ha hecho de sí mismo. Pero entonces, aquello por lo cual le es anunciada su *persona* es futuro y no pasado: Adán elige hacerse informar de lo que él es por los fines hacia los cuales se proyecta; es decir, por la totalidad de sus gustos, inclinaciones, odios, etc., en tanto que hay una organización temática y un *sentido* inherente a esa totalidad. No caemos, pues, en la objeción que formulábamos a Leibniz cuando le decíamos: "Ciertamente, Adán ha elegido coger la manzana pero no ha elegido ser Adán". Para nosotros, en efecto, el problema de la libertad se sitúa al nivel de la elección de Adán por él mismo, es decir, de la determinación de la esencia por la existencia. Además, reconocemos con Leibniz que otro gesto de Adán, al implicar otro Adán, implica otro mundo; pero no entendemos por "otro mundo" una organización tal de los composibles que el otro Adán posible encuentre su lugar en él: simplemente, a otro ser-en-el-mundo de Adán corresponderá la revelación de otra faz del mundo. Por último, para Leibniz, el gesto posible del otro Adán, estando organizado en otro mundo posible, preexiste de toda eternidad, en tanto que posible, a la realización del Adán contingente y real. También aquí, para Leibniz, la esencia precede a la existencia, y el orden cronológico depende del orden eterno del lógico. Para nosotros, al contrario, el posible no es sino pura e informe posibilidad de ser otro, en tanto que no es *existido* como posible por un nuevo proyecto de Adán hacia posibilidades nuevas. Así el posible de Leibniz queda eternamente como posible abstracto, mientras que, para nosotros, el posible no aparece sino posibilizándose, es decir, viniendo a anunciar a Adán lo que éste es. Por consiguiente, el orden de la explicación psicológica va en Leibniz del pasado al presente, en la medida en que esta sucesión expresa el orden eterno de las esencias: todo está finalmente fijado en la eternidad lógica, y la única contingencia es la del principio, lo que significa que Adán es un postulado del entendimiento divino. Para nosotros, al contrario, el orden de la interpretación es rigurosamente *cronológico*: no procura en modo alguno *reducir* el tiempo a un encadenamiento puramente lógico (*razón*) o lógico-cronológico (*causa,* determinismo); se interpreta, pues, a partir del futuro. Pero, sobre todo, conviene insistir en que todo nuestro análisis precedente es puramente *teórico*. Sólo *en teoría* otro gesto de Adán no es posible sino en los límites de un trastorno total de los fines por los cuales Adán se elige como Adán. Hemos presentado las cosas de tal modo –y por eso pudimos parecer leibnizianos– sólo para empezar por exponer nuestros puntos de vista con la máxima simplicidad. La realidad es mucho más compleja. Pues, en efecto, el orden de interpretación es puramente cronológico y no lógico: la *comprensión* de un acto a partir de los fines originales puestos por la libertad del para-sí no es una *intelección*. Y la jerarquía descendente de los posibles, desde el posible último e inicial hasta el posible derivado que quiere comprenderse, no tiene nada en común con la serie deductiva que va de un principio a su consecuencia. En primer lugar, la conexión entre el posible derivado (hacerse rígido contra la fatiga o abandonarse a ella) y el posible fundamental no es una conexión de *deductibilidad*: es una conexión de totalidad a estructura parcial. La visión del proyecto total permite "comprender" la estructura singular considerada. Pero los gestaltistas nos han mostrado que la pregnancia de las formas totales no excluye la variabilidad de ciertas estructuras secundarias. Hay ciertas líneas que puedo agregar o quitar a determinada figura sin alterar su carácter específico; hay otras, al contrario, cuyo agregado entraña la desaparición inmediata de la figura dada y la aparición de otra. Lo mismo ocurre en cuanto a la relación entre los posibles secundarios y el posible fundamental o totalidad formal de mis posibles. La significación del posible secundario considerado remite siempre, ciertamente, a la significación total que soy; pero otros posibles habrían podido reemplazar a aquél sin que se alterara la significación total, es decir, habrían podido igualmente indicar a esa totalidad como la forma que permitiera comprenderlos; o, en el orden ontológico de la realización, hubieran podido igualmente ser pro-yectados como medios para alcanzar la totalidad y a la luz de esta totalidad. En una palabra, la comprensión es la interpretación de una conexión de hecho, y no la captación de una necesidad. Así, la interpretación psicológica de nuestros actos debe volver con frecuencia a la noción estoica de los "indiferentes". Para aliviar mi fatiga, es indiferente que me siente al borde del camino o que dé cien pasos más para reposar en el albergue que diviso a la distancia. Esto significa que la captación de la forma compleja y global que he elegido como mi posible último no *basta* para dar razón de la elección de una de las posibilidades más bien que de la otra. Hay en ello no un acto carente de móviles o de motivos, sino una invención espontánea de móviles y motivos, que, aunque situada en el marco de mi elección fundamental, la enriquece en su medida. Del mismo modo, cada "esto" debe aparecer sobre fondo de mundo y en la perspectiva de mi facticidad, pero ni mi facticidad ni el mundo me permiten comprender por qué capto ahora este vaso más bien que ese tintero como forma que se destaca sobre el fondo. Con respecto a estos indiferentes, nuestra libertad es entera e incondicionada. El hecho de elegir un posible indiferente y de abandonarlo después por otro no hará, por otra parte, surgir ningún *instante* como fragmento de la duración: al contrario, esas libres elecciones se integran –aún si son sucesivas y contradictorias– en la unidad de mi proyecto fundamental. Esto no significa en modo alguno que se las deba captar como gratuitas: cualesquiera que fueren, en efecto, se interpretarán siempre a partir de la elección original, y, en la medida en que la enriquecen y concretan, traerán siempre consigo su propio móvil, es decir, la conciencia de su motivo, o, si se prefiere, la aprehensión de la situación como articulada de tal o cual manera.

Lo que, por lo demás, hará particularmente delicada la apreciación rigurosa de la conexión entre el posible secundario y el posible fundamental es que no existe ningún baremo *a priori* al cual referirse para decidir sobre esa conexión. Al contrario, el mismo para-sí elige considerar al posible secundario como significativo del posible fundamental. Allí donde tenemos la impresión de que el sujeto libre vuelve la espalda a su objetivo fundamental, introducimos a menudo el coeficiente de error del observador, es decir, usamos de nuestras balanzas propias para apreciar la relación entre el acto encarado y los fines últimos. Pero el para-sí, en su libertad, no inventa sólo sus fines primarios y secundarios, sino también, a la vez, todo el sistema de interpretación que permite poner en conexión los unos con los otros. En ningún caso, pues, podrá tratarse de establecer un sistema de comprensión universal de los posibles secundarios a partir de los posibles primarios, sino que, en cada caso, el sujeto debe proveer sus piedras de toque y sus criterios personales.

Por último, el para-sí puede tomar decisiones voluntarias en oposición con los fines fundamentales que ha elegido. Estas decisiones no pueden ser sino voluntarias, es decir, reflexivas. En efecto, no pueden provenir sino de un error cometido de buena o de mala fe acerca de los fines que persigo, y tal error no puede cometerse a menos que el conjunto de los móviles que soy sean descubiertos a título de objeto por la conciencia reflexiva. La conciencia refleja, siendo proyección espontánea de sí hacia sus posibilidades, no puede nunca engañarse acerca de sí misma: en efecto, hay que guardarse de llamar error acerca de uno mismo a los errores de apreciación acerca de la situación objetiva, errores que pueden traer en el mundo consecuencias absolutamente opuestas a las que se quería alcanzar, sin que, empero, haya habido desconocimiento de los fines propuestos. La actitud reflexiva, al contrario, entraña mil posibilidades de error, no en la medida en que capta el puro móvil –es decir, la conciencia refleja como cuasi-objeto–, sino en tanto que apunta a constituir a través de la conciencia refleja verdaderos objetos psíquicos que, éstos sí, son objetos solamente probables, como hemos visto en el capítulo III de la segunda parte, y que hasta pueden ser objetos falsos. Me es posible, pues, en función de errores acerca de mí mismo, imponerme reflexivamente, o sea en el plano voluntario, proyectos que contradicen mi proyecto inicial, sin empero modificar fundamentalmente a éste. Así, por ejemplo, si mi proyecto inicial apunta a escogerme como inferior en medio de los otros (lo que se llama complejo de inferioridad), y si la tartamudez, por ejemplo, es un comportamiento que se comprende e interpreta a partir del proyecto primero, puedo, por razones sociales y por un desconocimiento de mi propia elección, decidirme a corregir mi tartamudeo. Incluso puedo *lograrlo*, sin por ello dejar de sentirme y quererme inferior. Me bastará al efecto utilizar medios técnicos para obtener un resultado. Es lo que suele llamarse una reforma voluntaria de uno mismo. Pero tales resultados no harán sino *desplazar* el defecto de que padezco: en su lugar nacerá otro, que expresará a su manera el fin total que persigo. Como esta ineficacia profunda del acto voluntario dirigido sobre uno mismo puede sorprender, analizaremos más de cerca el ejemplo escogido.

Conviene observar, ante todo, que la elección de los fines totales, aunque totalmente libre, no es necesaria ni aun frecuentemente operada con alegría. No ha de confundirse la necesidad en que estamos de elegirnos con la voluntad de poderío. La elección puede operarse con resignación o con malestar; puede ser una huida, puede realizarse de mala fe. Podemos escogernos huidizos, inasibles, vacilantes, etc.; hasta podemos elegir no elegirnos: en estos diferentes casos, hay fines puestos allende una situación de hecho, y la responsabilidad de esos fines nos incumbe: cualquiera que fuere nuestro ser, es elección, y de nosotros depende elegirnos como "grandes" o "nobles" o "viles" o "humillados". Pero si, precisamente, hemos escogido la humillación como textura de nuestro ser, nos realizaremos como humillado, agriado, inferior, etc. No se trata de *datos* desprovistos de significación: el que se realiza como humillado se constituye a sí mismo, con eso, como un *medio* para alcanzar ciertos fines; la humillación elegida puede ser asimilada, por ejemplo, como el masoquismo, a un instrumento destinado a liberarnos de la existencia-para-sí; o puede ser un proyecto de descargarnos a favor de los otros de nuestra libertad angustiosa; nuestro proyecto puede consistir en hacer absorber íntegramente nuestro ser-para-sí por nuestro ser-para-otro. De todos modos, el "complejo de inferioridad" no puede surgir, a menos de estar fundado sobre una libre aprehensión de nuestro ser-para-otro. Este ser-para-otro como *situación* actuará a título de *motivo,* pero para eso es menester que sea descubierto por un *móvil,* que no es sino nuestro libre proyecto. Así, la inferioridad sentida y vivida es el instrumento elegido para hacernos semejantes a una *cosa,* es decir, para hacernos existir como puro afuera en medio del mundo. Pero va de suyo que debe ser vivida conforme a la *naturaleza* que por esa elección le conferimos, es decir, con vergüenza, cólera y amargura. Así, *elegir* la inferioridad no quiere decir contentarse, dulcemente, con una *aurea mediocritas,* sino producir y asumir las rebeliones y la desesperación que constituyen la revelación de esa inferioridad. Por ejemplo, puedo obstinarme en manifestarme en cierto orden de trabajos y obras *porque* soy inferior en él, mientras que en otro dominio podría sin dificultad igualarme al término medio. He elegido este esfuerzo infructuoso precisamente porque es infructuoso: sea porque prefiero ser el último antes que perderme en la masa, sea porque he escogido el desaliento y la vergüenza como el mejor medio de alcanzar el *ser.* Pero va de suyo que no puedo *elegir* como campo de acción el dominio en que soy inferior, a menos que esa elección implique la *voluntad* refleja de ser superior en él. Elegir ser un artista inferior es elegir necesariamente *querer* ser un gran artista: si no, la inferioridad no sería ni padecida ni reconocida: en efecto, elegir ser un modesto artesano no implica en modo alguno la búsqueda de la inferioridad; es un simple ejemplo de la elección de la finitud. Al contrario, la elección de la inferioridad implica la constante realización de un *desvío* entre el fin perseguido por la voluntad y el fin alcanzado. El artista que quiere ser grande y que se elige inferior mantiene intencionalmente ese desvío; es como Penélope, y destruye de noche lo que de día ha hecho. En este sentido, en sus realizaciones artísticas se mantiene constantemente en el plano *voluntario* y despliega por eso una energía desesperada. Pero su voluntad misma es de *mala fe,* es decir, rehúye el reconocimiento de los verdaderos fines elegidos por la conciencia espontánea y constituye objetos psíquicos falsos como *móviles,* para poder deliberar sobre estos móviles y decidirse a partir de ellos (amor a la gloria, amor a la belleza, etc.). La voluntad, aquí, no está en modo alguno opuesta a la elección fundamental, sino, muy al contrario, no se comprende en sus objetivos y en su mala fe de principio sino en la perspectiva de la elección fundamental de la inferioridad. Más aún: si, a título de conciencia reflexiva, constituye de mala fe objetos psíquicos falsos a título de móviles, en cambio, a título de conciencia irreflexiva y no-tética (de) sí, es conciencia (de) ser de mala fe y, por consiguiente, conciencia (del) proyecto fundamental perseguido por el parasí. De este modo, el divorcio entre conciencia espontánea y voluntad no es un dato de hecho puramente constatado; sino que, al contrario, esta dualidad es proyectada y realizada inicialmente por nuestra libertad fundamental, y no se concibe sino en y por la unidad profunda de nuestro proyecto fundamental, que es elegirnos como inferiores. Pero, precisamente, tal divorcio implica que la deliberación voluntaria decide, con mala fe, compensar o enmascarar nuestra inferioridad con obras cuyo objetivo profundo es permitirnos, al contrario, *medir* esa inferioridad. Así, como se ve, nuestro análisis nos permite aceptar los dos planos en que Adler sitúa el complejo de inferioridad: como él, admitimos un reconocimiento fundamental de esa inferioridad y un desarrollo exuberante y mal equilibrado de actos, obras y afirmaciones destinados a compensar o enmascarar ese sentimiento profundo. Pero: 1° Nos negamos a concebir como inconsciente el reconocimiento fundamental: éste está tan lejos de ser inconsciente que hasta constituye la mala fe de la voluntad. Con ello no establecemos entre los dos planos considerados la diferencia entre lo consciente y lo inconsciente, sino la que separa la conciencia irreflexiva y fundamental de la conciencia refleja, su tributaria. 2° El concepto de mala fe –que hemos establecido en nuestra primera parte– nos parece que debe reemplazar a los de censura, represión e inconsciente, que utiliza Adler. 3° La unidad de la conciencia, tal cual se revela al *cogito*, es demasiado profunda para que admitamos esa escisión en dos planos, sin que sea reasumida por una intención sintética más profunda, que reduce un plano al otro y los unifica. De suerte que captamos en el complejo de inferioridad una significación más: no sólo el complejo de inferioridad es reconocido, sino que este reconocimiento es *elección*; no sólo la voluntad trata de enmascarar la inferioridad con afirmaciones inestables y débiles, sino que la voluntad está atravesada por una intención más profunda, que *elige* precisamente la debilidad e inestabilidad de esas afirmaciones con la intención de hacer más sensible esa inferioridad que pretendemos rehuir y que experimentaremos con vergüenza y sentimiento de fracaso. Así, el que sufre de *Menderwertigkeit* ha *elegido* ser el verdugo de sí mismo. Ha elegido la vergüenza y el sufrimiento, lo que no quiere decir que haya de experimentar alegría –muy al contrario– cuando con más violencia se realizan.

Pero no por ser elegidos de mala fe por una voluntad que se produce en los límites de nuestro proyecto inicial, esos nuevos posibles dejan de realizarse en cierta medida *contra* el proyecto inicial. En la medida en que queremos enmascararnos nuestra inferioridad, precisamente para *crearla*, podemos querer suprimir nuestra timidez y nuestro tartamudeo, que manifiestan en el plano espontáneo nuestro proyecto inicial de inferioridad. Emprenderemos entonces un esfuerzo sistemático y reflexivo para hacer desaparecer esas manifestaciones. Hacemos tal tentativa en el estado de ánimo en que se halla el enfermo que acude al psicoanalista para ser curado de ciertos trastornos que ya no puede disimularse más; y, por el solo hecho de entregarse a las manos del médico, afronta el riesgo de ser curado. Pero, por otra parte, corre este riesgo para persuadirse a sí mismo de que en vano ha hecho todo lo posible por curarse, de que, por consiguiente, es incurable. Aborda, pues, el tratamiento psicoanalítico con mala fe y mala voluntad. Todos sus esfuerzos tendrán por objetivo hacerlo fracasar, al tiempo que continúa prestándose voluntariamente a él. Análogamente, los psicasténicos estudiados por Janet *padecen* de una obsesión que mantienen intencionalmente *y quieren* ser curados de ella. Pero, precisamente, su *voluntad* de ser curados tiene por objetivo afirmar esas obsesiones como *padecimientos* y, por consiguiente, realizarlas en toda su violencia. Lo demás es bien conocido: el enfermo no puede confesar sus obsesiones, se revuelca por el suelo, solloza, pero no se decide a hacer la confesión requerida. Sería vano hablar aquí de una lucha de la voluntad contra la enfermedad: esos procesos se desarrollan en la unidad ek-stática de la mala fe, en un ser que es lo que no es y no es lo que es. Análogamente, cuando el psicoanalista está a punto de captar el proyecto inicial del enfermo, éste abandona el tratamiento o comienza a mentir. En vano se explicarán estas resistencias por una rebelión o inquietud inconsciente: ¿cómo podría estar informado el inconsciente de los progresos de la investigación psicoanalítica, a menos de ser, precisamente, una conciencia? Pero, si el enfermo juega la partida hasta el final, es menester que experimente una cura parcial, es decir, que produzca en sí mismo la desaparición de los fenómenos mórbidos que lo han llevado a requerir ayuda médica. Así, habrá elegido el mal menor; habiendo venido para persuadirse de su incurabilidad, se ve obligado –para evitar captar su proyecto en plena luz y, por consiguiente, nihilizarlo y convertirse libremente en otro– a marcharse remedando la curación. Análogamente, los métodos que puedo emplear para curarme del tartamudeo o de la timidez pueden ser puestos en práctica de mala fe. Ello no impide que pueda verme obligado a reconocer su eficacia: en tal caso, la timidez y el tartamudeo desaparecerán; es el mal menor: vendrá a reemplazarlos una seguridad ficticia y voluble. Pero pasa con estas, curaciones como con la curación de la histeria por tratamiento eléctrico. Sabido es que esta medicación puede producir la desaparición de una contractura histérica de la pierna, pero que al poco tiempo se verá reaparecer la contractura en el brazo. Pues la curación de la histeria sólo puede producirse en totalidad, ya que la histeria es un proyecto totalitario del para-sí. Las medicaciones parciales no hacen sino desplazar sus manifestaciones. Así, la curación de la timidez o del tartamudeo es consentida y elegida en un proyecto que se dirige a la realización de otros trastornos, por ejemplo, precisamente, a la realización de una seguridad vana e igualmente desequilibrada. Como, en efecto, el surgimiento de una decisión *voluntaria* halla su móvil en la libre elección fundamental de mis fines, no puede obrar sobre estos fines mismos sino en apariencia: por lo tanto, sólo en el marco de mi proyecto fundamental puede tener eficacia la voluntad, y no puedo "liberarme" de mi "complejo de inferioridad" sino por una modificación radical de mi proyecto, que no podría en modo alguno encontrar sus motivos y móviles en el proyecto anterior, ni siquiera en los padecimientos y vergüenzas que experimento, pues éstos tienen por destino expreso *realizar* mi proyecto de inferioridad. Así, no puedo ni siquiera concebir, mientras estoy "en" el complejo de inferioridad, la posibilidad de salir de él, pues, aun si sueño con salir, este sueño tiene la función precisa de ponerme en condiciones de experimentar aún más la abyección de mi estado, y no puede entonces interpretarse sino en y por la intención inferiorizadora. Sin embargo, en cada momento, capto esta elección inicial como contingente e injustificable; en cada momento, pues, estoy a un punto de considerarla de pronto *objetivamente*, y, por ende, trascenderla y preterificarla haciendo surgir el *instante* liberador. De ahí mi angustia, el temor que tengo de ser de pronto exorcizado, es decir, de volverme radicalmente otro; pero de ahí también el frecuente surgimiento de "conversiones" que me hacen metamorfosear totalmente mi proyecto original. Esas conversiones, que no han sido estudiadas por los filósofos, han inspirado a menudo, en cambio, a los literatos. Recuérdese el *instante* en que el Filoctetes de Gide abandona hasta su odio, que era su proyecto fundamental, su razón de ser y su ser; o el *instante* en que Raskólnikov decide denunciarse. Esos instantes extraordinarios y maravillosos, en que el proyecto anterior se desmorona en el pasado a la luz de un proyecto nuevo que surge sobre las ruinas de aquél y que no hace, aún sino esbozarse, instantes en que la humillación, la angustia, la alegría, la desesperación se alían estrechamente, en que soltamos para asir y asimos para soltar, han podido, a menudo, dar la imagen más clara y conmovedora de nuestra libertad. Pero no son sino una de sus varias manifestaciones.

Así presentada, la "paradoja" de la ineficacia de las decisiones voluntarias parecerá más inofensiva: equivale a decir que, por la voluntad, podemos *construirnos* íntegramente, pero que la voluntad, que preside a esa construcción, halla su sentido en el proyecto original que ella misma puede aparentemente negar; que, por consiguiente, esa construcción tiene una función muy distinta de la que exhibe; y, por último, que no puede alcanzar sino estructuras de detalle, sin poder modificar jamás el proyecto original de donde procede, así como las consecuencias de un teorema no pueden volverse contra el teorema mismo para cambiarlo.

Al término de esta larga discusión, parece que hemos logrado precisar un tanto nuestra comprensión ontológica de la libertad. Conviene ahora retomar en una visión de conjunto los diversos resultados obtenidos:

1° Una primera mirada a la realidad humana nos enseña que, para ella, ser se reduce a hacer. Los psicólogos del siglo XIX, que han mostrado las estructuras motrices de las tendencias, la atención, la percepción, etc., estaban en lo cierto. Sólo que el movimiento mismo es acto. Así, no encontramos nada *dado* en la realidad humana, en el sentido en que el temperamento, el carácter, las pasiones, los principios de la razón, etc., serían elementos *dados,* adquiridos o innatos, existentes a la manera de las cosas. La sola consideración empírica del ser-humano lo muestra como una unidad organizada de conductas o "comportamientos". Ser ambicioso, cobarde o irascible es simplemente conducirse de tal o cual manera en tal o cual circunstancia. Los behavioristas tenían razón al considerar que el único estudio psicológico positivo debía ser el de las conductas en situaciones rigurosamente definidas. Así como los trabajos de Janet y de los gestaltistas nos han puesto en condiciones de descubrir las conductas emocionales, así también debe hablarse de conductas perceptivas, puesto que la percepción no se concibe jamás fuera de una actitud respecto del mundo. Aun la actitud desinteresada del estudioso, como lo ha mostrado Heidegger, es una toma de posición desinteresada respecto del objeto y, por consiguiente, una conducta entre otras. Así, la realidad-humana no es primero para actuar después, sino que para ella ser es actuar, y cesar de actuar es cesar de ser.

2° Pero, si la realidad humana es acción, esto significa, evidentemente, que su determinación a la acción es, a su vez, acción. Si rechazamos este principio y admitimos que puede ser determinada a la acción por un estado anterior del mundo o de ella misma, esto equivaldrá a poner algo *dado* en el origen de la serie. Esos *actos* entonces desaparecen en tanto que actos, para dejar lugar[1] a una serie de *movimientos*. Así, la noción de conducta se destruye por sí misma en Janet y en los behavioristas. La existencia del acto implica su autonomía.

3° Por otra parte, si el acto no es puro *movimiento*, debe definirse por una *intención*. Como quiera que se considere esta intención, no puede ser sino un trascender lo dado hacia un resultado de-obtener. Lo dado, en efecto, siendo pura presencia, no podría salir de sí. Precisamente porque es, es plena y únicamente lo que es. No podría, pues, dar razón de un fenómeno que toma todo su sentido de un resultado por alcanzar, es decir, de algo inexistente. Cuando los psicólogos, por ejemplo, hacen de la tendencia un estado de hecho, no ven que le quitan todo carácter de *apetito* (*adpetitio*). En efecto: si la tendencia sexual puede diferenciarse, por ejemplo, del sueño, no puede ser sino por su fin, y, precisamente, este fin no es. Los psicólogos hubieran debido preguntarse cuál podía ser la estructura ontológica de un fenómeno tal que se hace anunciar lo que es por algo que aún no es. La intención, que es la estructura funda-

---

[1] En el original: *faire face* ("afrontar"), verosímilmente errata por *faire place* ("dejar lugar"). (N. del T.)

mental de la realidad-humana, no puede, pues, en caso alguno, explicarse por algo dado, aun si se pretende que haya emanado de ello. Pero, si se la quiere interpretar por su fin, ha de tenerse cuidado de no conferir a este fin una existencia de cosa *dada*. En efecto: si pudiera admitirse que el fin es dado anteriormente al efecto para alcanzarlo, sería menester entonces conceder a ese fin una especie de ser-en-sí en el seno de su nada y una virtud atractiva de tipo propiamente mágico. Ni aun así, por lo demás, llegaríamos a comprender la conexión entre una realidad humana dada y un fin dado por otra parte, así como no se comprende la conexión entre la conciencia-sustancia y la realidad-sustancia en esas tesis realistas. Si la tendencia o el acto ha de interpretarse por su fin, ello se debe a que la intención tiene como estructura el *poner* su fin fuera de sí. De este modo, la intención se hace ser eligiendo el fin que la anuncia.

4° Siendo la intención elección del fin y revelándose el mundo a través de nuestras conductas, la elección intencional del fin revela el mundo, y el mundo se revela tal o cual (en tal o cual orden) según el fin elegido. El fin, al iluminar el mundo, es un estado *del* mundo por obtenerse y aún no existente. La intención es conciencia tética *del* fin. Pero no puede serlo sino haciéndose conciencia no-tética de su posibilidad propia. Así, mi *fin* puede ser una buena comida, si tengo hambre. Pero esa comida proyectada allende la ruta polvorienta por donde ando, como *sentido* de esta ruta (la cual va *hacia* un hotel donde la mesa está puesta, donde los platos están preparados, donde me esperan, etc.), no puede ser captada sino correlativamente con mi proyecto no-tético hacia mi propia posibilidad de comerla. Así, por un surgimiento doble pero unitario, la intención ilumina el mundo a partir de un fin aún no existente y se define por la elección de su posible. Mi fin es cierto estado objetivo del mundo, mi posible es cierta estructura de mi subjetividad; el uno se revela a la conciencia tética, la otra refluye sobre la conciencia no-tética para caracterizarla.

5° Si lo dado no puede explicar la intención, es menester que ésta realice, por su propio surgimiento, una ruptura con lo dado, cualquiera que éste sea. No podría ser de otro modo; si no, tendríamos una plenitud presente que sucedería, en continuidad, a otra plenitud presente, y no podríamos prefigurar el porvenir. Esta ruptura es, por lo demás, necesaria para la *apreciación* de lo dado. En efecto: jamás lo dado podría ser motivo para una acción, si no fuera apreciado. Pero esta apreciación no puede ser realizada sino por una toma de distancia con respecto a lo dado, por una puesta entre paréntesis de lo dado, lo que supone, justamente, una ruptura de continuidad. Además, la apreciación, si no ha de ser gratuita, debe hacerse a la luz de algo. Y este algo que sirve para apreciar lo dado no puede ser otra cosa que el fin. Así, la intención, en un mismo surgimiento unitario, pone el fin, se elige y aprecia lo dado a partir de ese fin. En tales condiciones, lo dado se aprecia en función de algo que aún no existe; el ser-en-sí es iluminado a la luz del no-ser. Resulta de ello una doble coloración nihilizadora de lo dado: por una parte, éste es nihilizado en cuanto la ruptura con él le hace perder toda eficacia sobre la intención; por otra parte, sufre una nueva nihilización por el hecho de que se le devuelve esa eficacia a partir de una nada: la apreciación. La realidad humana, siendo acto, no puede concebirse sino como ruptura con lo dado, con su ser. Ella es el ser que hace que *haya* algo dado, rompiendo con ello e iluminándolo a la luz de lo aún-no-existente.

6° Esta necesidad de que lo dado no aparezca sino en los marcos de una nihilización que lo revela se identifica con la *negación interna* que describíamos en nuestra segunda parte. Sería vano imaginar que la conciencia pudiera existir sin lo dado: sería entonces conciencia (de) sí misma como conciencia de nada, es decir, la nada absoluta. Pero, si la conciencia existe a partir de lo dado, esto no significa en modo alguno que lo dado la condicione: ella es pura y simple negación de lo dado, existe como desprendimiento de algo existente dado y como comprometimiento[1] hacia cierto fin aún no existente. Pero, además, esa negación interna no puede pertenecer sino a un ser que está en perpetuo retroceso con respecto a sí mismo. Si él

---

[1] En el original, a la oposición lógica "desprendimiento/comprometimiento" corresponde también una oposición lingüística: *dégagement/engagement*. (N. del T.)

no fuera su propia negación, sería lo que es, es decir, algo pura y simplemente dado; por este hecho, no tendría conexión ninguna con ningún otro *datum,* pues que lo dado, por naturaleza, no es sino lo que es. Así quedaría excluida toda aparición de un mundo. Para no *ser* algo dado, es menester que el para-sí se constituya perpetuamente como en retroceso con respecto a sí, es decir, se deje siempre a la zaga de sí mismo como un *datum* que él no es ya. Esta característica del para-sí implica que es el ser que no encuentra *ningún auxilio, ningún punto de apoyo* en lo que él *era.* Al contrario, el para-sí es libre y puede hacer que haya mi mundo porque es *el ser que tiene-de-ser lo que era a la* luz *de lo que será.* La libertad del para-sí aparece, pues, como su ser. Pero, como la libertad no es algo dado ni una propiedad, no puede ser sitio eligiéndose. La libertad del para-sí es siempre *comprometida:* no se trata de una libertad que sea poder indeterminado y preexista a su elección. No nos captamos jamás sino como elección en vías de hacerse.[1] Pero la libertad es simplemente el hecho de que esa elección es siempre incondicionada.

7° Tal elección, que se hace sin punto de apoyo y se dicta a sí misma sus motivos, puede parecer *absurda* y, en efecto, lo es. Pues la libertad es *elección* de su ser, pero no *fundamento* de su ser. Volveremos sobre esta relación entre libertad y facticidad, en el presente capítulo. Por el momento, nos bastará con decir que la realidad-humana puede elegirse como bien lo entienda, pero no puede no elegirse; ni siquiera puede negarse a ser: el suicidio, en efecto, es elección y afirmación de ser. Por este ser que le es *dado,* la libertad participa de la contingencia universal del ser y, por eso mismo, de lo que llamábamos absurdidad. La elección es absurda no porque carezca de razón sino porque no ha habido posibilidad de no elegirse. Cualquiera que fuere, la elección es fundada y reasumida por el ser, pues es la elección que él es. Pero ha de advertirse que esa elección no es absurda en el sentido en que, en un universo racional, surgiera un fenómeno que no estuviera en conexión de *razo-*

---

[1] En el original: *en train de se faire;* un latinismo traduciría exactamente la idea: "elección *in fieri".* (N. del T.)

nes con los demás; sino que es absurda en el sentido de que es aquello por lo cual todos los fundamentos y razones vienen al ser, aquello por lo cual la misma noción de absurdo recibe un sentido. Es absurda en cuanto está allende todas las razones. Así, la libertad no es pura y simplemente la contingencia en tanto que se revierte hacia su ser para iluminarlo a la luz de su fin; es perpetuo escaparse a la contingencia, es interiorización, nihilización y subjetivación de la contingencia, que así modificada, se vierte íntegramente en la gratuidad de la elección.

8° El proyecto libre es fundamental pues es mi ser. Ni la ambición ni la pasión de ser amado ni el complejo de inferioridad pueden considerarse como proyectos fundamentales. Es menester, al contrario, comprenderlos a partir de un primer proyecto, que se reconoce porque ya no puede interpretarse a partir de ningún otro, y es total. Sería necesario un método fenomenológico especial para explicitar ese proyecto inicial. Es lo que llamaremos psicoanálisis existencial, y nos referiremos a él en nuestro próximo capítulo. Desde luego, podemos decir que el proyecto fundamental que soy, es un proyecto que no concierne a mis relaciones con tal o cual objeto particular del mundo sino a mi ser-en-el-mundo en totalidad, y que –puesto que el propio mundo sólo se revela a la luz de un fin– ese proyecto pone como fin cierto tipo de relación con el ser, que el para-sí quiere sostener. Ese proyecto no es instantáneo, pues no puede estar "en" el tiempo. Tampoco es intemporal, para "darse tiempo" después. Por eso rechazamos la "elección del carácter inteligible" de Kant. La estructura de la elección implica necesariamente que sea elección en el mundo. Una elección que se efectuara *a partir de nada* o *contra nada* no sería elección de nada y se nihilizaría como elección. No hay elección sino fenoménica, siempre que se entienda bien que el fenómeno en este caso es lo absoluto. Pero, en su propio surgimiento, la elección se temporaliza, puesto que hace que un futuro venga a iluminar al presente y a constituirlo como presente dando a los "data" en-sí la significación de *preteridad*. Empero, no ha de entenderse con ello que el proyecto fundamental sea coextensivo a la "vida" entera del para-sí. Siendo la libertad ser-sin-apoyo y sin-trampolín, el proyecto, para ser, debe ser constantemente renovado. Me elijo perpetuamente y no puede ser jamás a título de habiendo-sido-elegido; si no, recaería en la pura y simple existencia del en-sí. La necesidad de elegirme perpetuamente se identifica con la persecución-perseguida que soy. Pero, precisamente porque se trata de una *elección,* esta elección, en la medida en que se opera, designa en general como posibles otras elecciones. La posibilidad de estas otras elecciones no es ni explicitada ni puesta, sino vivida en el sentimiento de injustificabilidad, y es lo que se expresa por el hecho de la *absurdidad* de mi elección y, por consiguiente, de mi ser. Así, mi libertad roe mi libertad. Siendo libre, en efecto, proyecto mi posible total, pero con ello pongo mi ser libre y mi posibilidad de nihilizar siempre ese proyecto primero preterificándolo. Así, en el momento en que el para-sí cree captarse y hacerse anunciar por una nada pro-yectada lo que él *es,* se escapa a sí mismo, pues pone con ello su propia posibilidad de ser otro que el que es. Le bastará explicitar su injustificabilidad para hacer surgir el *instante,* es decir, la aparición de un nuevo proyecto sobre el desmoronamiento del anterior. Empero, como este surgimiento de un nuevo proyecto tiene por condición expresa la nihilización del anterior, el para-sí no puede conferirse una existencia nueva: desde que rechaza al pasado el proyecto perimido, tiene de ser ese proyecto en la forma del "era", y esto significa que el proyecto perimido pertenece en adelante a su situación. Ninguna ley de ser puede asignar un número *a priori* a los diferentes proyectos que soy: la existencia del para-sí, en efecto, condiciona su esencia. Al contrario, es preciso consultar la historia de cada cual para hacerse una idea singular acerca de cada para-sí singular. Nuestros proyectos particulares concernientes a la realización en el mundo de un fin particular se integran en el proyecto global que somos. Pero, precisamente porque somos íntegramente elección y acto, esos proyectos parciales no están determinados por el proyecto global: deben ser por sí mismos elecciones, y se deja a cada uno de ellos cierto margen de contingencia, imprevisibilidad y absurdo, aunque cada proyecto, en tanto que se proyecta, siendo especificación del proyecto global con ocasión de elementos particulares de la situación, se comprende siempre con respecto a la totalidad de mi ser-en-el-mundo.

Con estas breves observaciones creemos haber descrito la libertad del para-sí en su existencia originaria. Pero se habrá advertido que esa libertad requiere algo dado, no como su condición, pero sí con más de un título: en primer lugar, la libertad no se concibe sino como nihilización de algo dado (§ 5) y, en la medida en que es negación interna y conciencia, participa (§ 6) de la necesidad que prescribe a la conciencia ser conciencia *de* algo. Además, la libertad es libertad de elegir, pero no libertad de no elegir. No elegir, en efecto, es elegir no elegir. Resulta de ello que la elección es fundamento del ser-elegido, pero no fundamento del elegir. De donde la absurdidad (§ 7) de la libertad. También aquí la libertad nos remite a algo dado, que no es sino la facticidad misma del para-sí. Por último, el proyecto global, aunque esclarece el mundo en su totalidad, puede especificarse con ocasión de tal o cual elemento de la situación y, por consiguiente, de la contingencia del mundo. Todas estas observaciones nos remiten, pues, a un difícil problema: el de las relaciones entre la libertad y la facticidad, y, por otra parte, salen al paso de las objeciones concretas que no dejará de hacérsenos: ¿puedo elegir ser alto, si soy bajo?, ¿tener dos brazos, si soy manco?, etc.; objeciones que se refieren justamente a los "límites" que mi situación de hecho aportaría a mi libre elección de mí mismo. Conviene, pues, examinar otro aspecto de la libertad, su "reverso": su relación con la facticidad.

II

Libertad y facticidad: la situación

El argumento decisivo utilizado por el sentido común contra la libertad consiste en recordarnos nuestra impotencia. Lejos de poder modificar a gusto nuestra situación, parece que no podemos cambiarnos a nosotros mismos. No soy "libre" ni de hurtarme a la suerte de mi clase, nación o familia, ni aun de edificar mi poderío o mi fortuna, ni de vencer mis apetitos más insignificantes o mis hábitos. Nazco obrero, francés, heredosifilítico o tuberculoso. La historia de una vida, cualquiera que fuere, es la historia de un fracaso. El coeficiente de adversidad de las cosas es tal que hacen falta años de paciencia para obtener el ínfimo resultado. Y aun así es preciso "obedecer a la naturaleza para mandar en ella", es decir, insertar mi acción en las mallas del determinismo. Más de lo que parece "hacerse", el hombre parece "ser hecho" por el clima y la tierra, la raza y la clase, la lengua, la historia de la colectividad de que forma parte, la herencia, las circunstancias individuales de su infancia, los hábitos adquiridos, los acontecimientos pequeños o grandes de su vida.

Este argumento nunca ha perturbado profundamente a los partidarios de la libertad humana: Descartes el primero, reconocía a la vez que la voluntad es infinita y que es preciso "tratar de vencernos a nosotros mismos más bien que a la fortuna". Pues conviene aquí efectuar algunas distinciones: muchos de los hechos enunciados por los deterministas no pueden tomarse en consideración. El coeficiente de adversidad de las cosas, en particular, no puede constituir un argumento contra nuestra libertad, pues *por nosotros,* es decir, por la previa posición de un fin, surge ese coeficiente de adversidad. Tal peñasco, que manifiesta una resistencia profunda si quiero desplazarlo, será, al contrario, una ayuda preciosa si quiero escalarle, para contemplar el paisaje. En sí mismo —si es siquiera posible encarar lo que en sí mismo pueda ser— es neutro, es decir, espera ser iluminado por un fin para manifestarse como adversario o como auxiliar. Y no puede manifestarse de la una o de la otra manera sino en el interior de un complejo-utensilio ya establecido. Sin los picos y las grapas, los senderos ya trazados y la técnica de la ascensión, el peñasco no sería ni fácil ni difícil de escalar: la cuestión no se plantearía siquiera, y aquél no sostendría relación de ninguna especie con la técnica del alpinismo. Así, aunque las cosas brutas (lo que Heidegger llama "los existentes brutos") puedan desde el origen limitar nuestra libertad de acción, nuestra misma libertad debe constituir previamente el marco, la técnica y los fines con relación a los cuales las cosas se manifestarán como límites. Hasta si el peñasco se revela como "demasiado difícil de escalar" y si debemos renunciar a la ascensión, notemos que no se ha revelado tal sino por haber sido originariamente captado como "escalable"; así, pues, nuestra libertad misma constituye los límites con que se encontrará después. Por cierto, después de estas observaciones, queda un *residuum* innombrable e impensable que pertenece al en-sí considerado y hace que, en un mundo iluminado por nuestra libertad, tal peñasco será más propicio para el escalamiento y tal otro no. Pero, lejos de ser originariamente ese *residuo* un límite de la libertad, ésta surge como libertad gracias a él, es decir, gracias al en-sí bruto en tanto que tal. El sentido común convendrá con nosotros, en efecto, en que el ser llamado *libre* es el que *puede* realizar sus proyectos. Pero, para que el acto pueda comportar *realización,* conviene que la simple proyección de un fin posible se distinga *a priori* de la realización de ese fin. Si basta concebir para realizar, heme sumido en un mundo semejante al del sueño, en que lo posible no se distingue en modo alguno de lo real. Estoy condenado, entonces, a ver modificarse el mundo al azar de los cambios *de* mi conciencia, y no puedo practicar, con respecto a mi concepción, la "puesta entre paréntesis" y la suspensión del juicio que distinguirán una simple ficción de una elección real. El objeto, al aparecer desde que es simplemente concebido, no será ya ni elegido ni simplemente deseado. Habiéndose abolido la distinción entre el simple *deseo,* la *representación* que yo pudiera elegir y la *elección,* con ella desaparece también la libertad. Somos libres cuando el término último por el cual nos hacemos anunciar lo que somos es un *fin,* es decir, no un existente real, como el que, en nuestra suposición anterior, vendría a satisfacer nuestro deseo, sino un objeto que aún no existe. Pero, entonces, este *fin* no puede ser trascendente a menos que esté separado de nosotros al mismo tiempo que nos es accesible. Sólo un conjunto de existentes reales puede separarnos de ese fin, así como ese fin no puede ser concebido sino como estado por-venir de los existentes reales que de él me separan. El fin no es sino el esbozo de un orden de los existentes, es decir, de una serie de disposiciones de-hacer-tomar a los existentes sobre el fundamento de sus relaciones actuales. En efecto, en virtud de la negación interna el para-sí ilumina a los existentes en sus mutuas relaciones por el fin que él pone, y proyecta este fin a partir de las determinaciones que él capta al existirlo. No hay círculo, como hemos visto, pues el surgimiento del para-sí se efectúa de una vez. Pero, siendo así, el orden mismo de los existentes es indispensable para la propia libertad. Por ellos la libertad es separada y reunida con respecto al fin perseguido por ella, fin que le anuncia lo que ella es. De suerte que las resistencias que la libertad devela en el existente, lejos de constituir para ella un peligro, no hacen sino permitirle surgir como libertad. No puede haber para-sí libre sino en cuanto comprometido en un mundo resistente. Fuera de este comprometimiento, las nociones de libertad, determinismo y necesidad pierden hasta su sentido.

Es necesario, además, precisar, contra el sentido común, que la fórmula "ser libre" no significa "obtener lo que se ha querido" sino "determinarse a querer (en el sentido lato de elegir) por sí mismo". En otros términos, el éxito no importa en absoluto a la libertad. La discusión que el sentido común opone a los filósofos proviene en este caso de un malentendido: el concepto empírico y popular de "libertad", producto de circunstancias históricas, políticas y morales, equivale a "facultad de obtener los fines elegidos". El concepto técnico y filosófico de libertad, único que aquí consideramos, significa sólo: autonomía de la elección. Ha de advertirse, empero, que la elección, siendo idéntica al hacer, supone, para distinguirse del sueño y del deseo, un comienzo de realización. Así, no diremos que un cautivo es siempre libre de salir de la prisión, lo que sería absurdo, ni tampoco que es siempre libre de desear la liberación, lo que sería una perogrullada sin alcance, sino que es siempre libre de tratar de evadirse (o de hacerse liberar), es decir que, cualquiera que fuere su condición, puede pro-yectar su evasión y enseñarse a sí mismo el valor de su proyecto por medio de un comienzo de acción. Nuestra descripción de la libertad, al no distinguir entre el elegir y el hacer, nos obliga a renunciar a la distinción entre intención y acto. No es posible separar la intención del acto, así como no es posible separar el pensamiento del lenguaje que lo expresa; y, así como ocurre que la palabra nos enseña nuestro pensamiento, así también nuestros actos nos enseñan nuestras intenciones, es decir, nos permiten destacarlas, esquematizarlas, hacer de ellas objetos en vez de limitarnos a vivirlas, es decir, a tomar una conciencia no-tética. Esta distinción esencial entre libertad de elección y libertad de obtener ha sido vista, ciertamente, por Descartes, siguiendo a los estoicos. Pone un término a todas las discusiones sobre el "querer" y el "poder", que enfrentan aún hoy a los partidarios y a los adversarios de la libertad.

No por ello deja de ser verdad que la libertad encuentra o parece encontrar límites, en virtud de lo *dado* trascendido o nihilizado por ella. Mostrar que el coeficiente de adversidad de la cosa y su carácter de *obstáculo* (unido a su carácter de utensilio) es indispensable para la existencia de una libertad es servirse de un argumento de doble filo, pues, si bien permite establecer que la libertad no es dirimida por lo dado, indica por otra parte algo así como un condicionamiento ontológico de la libertad. ¿No habría razón para decir, como ciertos filósofos contemporáneos: sin obstáculo no hay libertad? Y, como no podemos admitir que la libertad se cree su obstáculo a sí misma –lo que es absurdo para quienquiera que haya comprendido lo que es una espontaneidad–, parece haber aquí algo como una precedencia ontológica del en-sí sobre el para-sí. Es preciso, pues, considerar las observaciones anteriores como simples tentativas de desbrozar el terreno, y retomar desde el comienzo la cuestión de la facticidad.

Hemos establecido que el para-sí es libre. Pero esto no significa que sea su propio fundamento. Si ser libre significara ser fundamento de sí mismo, sería menester que la libertad decidiera acerca de la *existencia* de su propio ser. Y esta necesidad puede entenderse de dos modos. En primer lugar, sería menester que la libertad decidiera acerca de su ser-libre, es decir, no solamente que fuera elección de un fin, sino que fuera elección de sí misma como libertad. Ello supondría, pues, que la posibilidad de ser-libre y la posibilidad de no serlo existieran igualmente antes de la libre elección de una de ellas, es decir, antes de la libre elección de la libertad. Pero, como entonces sería necesaria una libertad previa que eligiese ser libre, es decir, en el fondo, que eligiese ser lo que ya es, nos veríamos remitidos al infinito, pues ella tendría necesidad de otra libertad anterior que la eligiera, y así sucesivamente. De hecho, somos una libertad que elige pero no elegimos ser libres: estamos condenados a la libertad, como antes hemos dicho; arrojados en la libertad, o, como Heidegger dice, "dejados ahí". Y, como se ve, esta derelicción no tiene otro origen que la existencia misma de la libertad. Así, pues, si la libertad se define como el escapar a lo dado, al hecho, hay el *hecho* de escapar al hecho. Es la facticidad de la libertad.

Pero el hecho de que la libertad no sea su propio fundamento puede ser entendido de otro modo, que conducirá a idénticas conclusiones. Si la libertad, en efecto, decidiera acerca de la existencia de su ser, sería menester no sólo que el ser fuera posible como no-libre, sino también que fuera posible mi inexistencia absoluta. En otros términos, hemos visto que, en el proyecto inicial de la libertad, el fin se revierte sobre los motivos, para constituirlos; pero, si la libertad ha de ser su propio fundamento, el fin deberá, además, revertirse sobre la existencia misma para hacerla surgir. Está claro lo que resultaría de ello: el para-sí se extraería a sí mismo de la nada para alcanzar el fin que se propone. Esta existencia legitimada por su fin sería existencia *de derecho*, no *de hecho*. Y es cierto que, entre las mil maneras que tiene el para-sí de tratar de arrancarse a su contingencia original, hay una consistente en intentar hacerse reconocer por el prójimo como existencia de derecho. No nos atenemos a nuestros derechos individuales sino en el marco de un vasto proyecto que tendería a conferirnos la existencia a partir de la función que cumplimos. Es la razón por la cual el hombre intenta tan a menudo identificarse con su función y procura no ver en sí sino "el presidente de la Cámara de apelación", "el pagador general del tesoro", etc. Cada una de estas funciones tiene su existencia, efectivamente, justificada por su fin. Ser identificado con una de ellas es tomar la existencia propia como salvada de la contingencia. Pero tales esfuerzos por escapar a la contingencia originaria no hacen sino establecer mejor la existencia de ésta. La libertad no puede decidir acerca de su propia existencia por el fin que ha puesto. Sin duda, no existe sino por la elección que hace de un fin, pero no es dueña del hecho de que *haya* una libertad que se hace anunciar por su fin lo que ella es. Una libertad que se produjera por sí misma a la existencia perdería su sentido mismo de libertad. En efecto, la libertad no es un simple poder indeterminado. Si fuera tal, sería nada o en-sí; y sólo por una síntesis aberrante del en-sí y de la nada se la ha podido concebir como un desnudo poder preexistente a sus fines. La libertad se determina por su surgimiento mismo en un "hacer". Pero, como hemos visto, el *hacer* supone la nihilización de algo dado. Se hace algo *de* algo. Así, la libertad es falta de ser con respecto a un ser dado, y no surgimiento de un ser pleno. Y, si la libertad es ese agujero de ser, esa nada de ser que acabamos de decir, supone *todo el ser* para surgir en el meollo del ser como un agujero. No podría, pues, determinarse a la existencia a partir de nada, pues toda producción a partir de la nada sólo podría ser ser-en-sí. Por otra parte, hemos demostrado en la primera parte de esta obra que la nada no puede aparecer en ninguna parte sino en el meollo del ser. Coincidimos aquí con las exigencias del sentido común: empíricamente, no podernos ser libres sino con respecto a un estado de cosas y pese a tal estado de cosas. Se dirá que soy libre con relación al estado de cosas cuando éste no me constriñe. Así, la concepción empírica y práctica de la libertad es enteramente negativa; parte de la consideración de una situación y comprueba que ésta me *deja libre* para perseguir tal o cual fin. Hasta podría decirse que la situación condiciona mi libertad, en el sentido de que la situación *es ahí para no constreñirme*. Quitemos la prohibición de circular por las calles después del toque de retreta: ¿qué puede significar entonces la libertad (que me ha sido conferida, por ejemplo, por medio de un salvoconducto) de pasearme de noche?

Así, la libertad es un menor-ser que supone al ser para sustraerse a él. No es libre de no existir ni de no ser libre. Captaremos en seguida la conexión entre ambas estructuras. En efecto: como la libertad es un escapar al ser, no podría producirse *junto* al ser, como lateralmente y en un proyecto de sobrevuelo: uno no escapa de una cárcel en que no ha sido encerrado. Una proyección de sí al margen del ser no podría en ningún caso constituirse como nihilización de este ser. La libertad es un escapar a un comprometimiento en el ser; es nihilización de un ser que ella *es*. Esto no significa que la realidad-humana exista *primero* para *después* ser libre; simplemente, el surgimiento de la libertad se efectúa por la doble nihilización del *ser que ella es* y del ser en medio del cual es. Naturalmente, la libertad no es este ser en el sentido de ser-en-sí; sino que hace que *haya* este ser que es suyo y que está a su zaga, iluminándolo en sus insuficiencias a la luz del fin elegido por ella: la libertad tiene-*de-ser* a la zaga de sí misma ese ser que ella no ha elegido, y, precisamente en la medida en que se revierte sobre sí misma para iluminarlo hace que ese ser que es suyo aparezca en relación con el *plenum* del ser, es decir, exista en medio del mundo. Decíamos que la libertad no es libre de no ser libre, y que no es libre de no existir. Pues, en efecto, el hecho de no poder no ser libre es la *facticidad* de la libertad, y el hecho de no poder no existir es su *contingencia*. Contingencia y facticidad se identifican: hay un ser que la libertad tiene-de-ser en forma del *no ser...* (es decir, de la nihilización). Existir como el *hecho* de la libertad o tener-de-ser un ser en medio del mundo es la misma cosa, y significa que la libertad es originariamente *relación con lo dado*.

Pero, ¿qué relación? ¿Ha de entenderse con ello que lo dado (el en-sí) condicione la libertad? Veámoslo mejor: lo dado no es ni *causa* de la libertad (puesto que lo dado no puede producir sino lo dado) ni *razón* de ella (puesto que toda "razón" viene al mundo por la libertad). Tampoco es *condición necesaria* de la libertad, puesto que estamos en el terreno de la pura contingencia. Tampoco es una *materia indispensable* sobre la cual haya de ejercerse la libertad, pues ello equivaldría a suponer que la libertad existe como una forma aristotélica o como un Pneuma estoico, ya hecha, y busca una materia en que obrar. Lo dado no entra para nada en la constitución de la libertad, puesto que ésta se interioriza como negación interna de lo dado. Es, simplemente, la pura contingencia que la libertad niega haciéndose elección; es la plenitud de ser que la libertad colorea de insuficiencia y negatividad iluminándola a la luz de un fin que no existe; es *la libertad misma* en tanto que *existe* y que, por mucho que haga, no puede escapar a su propia existencia. El lector ha comprendido que eso dado no es sino el en-sí nihilizado por el para-sí que tiene-de-serlo; el cuerpo, como punto de vista sobre el mundo; el pasado, como *esencia* que el para-sí era: tres designaciones para una misma realidad. Por su retroceso nihilizador, la libertad hace que se establezca un sistema de relaciones desde el punto de vista del fin entre "los" en-síes, o sea entre el *plenum* de ser que se revela entonces como *mundo*, y el ser que ella tiene-de-ser en medio de ese *plenum* y que se revela como *un* ser, como *un* esto que ella tiene-de-ser. Así, por su proyección hacia un fin, la libertad constituye como ser en medio del mundo un *datum* particular que ella tiene-de-ser. La libertad no lo elige, pues sería elegir su propia existencia; sino que, por la elección de su fin, la libertad hace que ese *datum* se revele de tal o cual manera, a tal o cual luz, en conexión con el descubrimiento del mundo mismo. Así, la propia contingencia de la libertad y el mundo que con su propia contingencia rodea a esa contingencia no se le aparecerán sino a luz del fin que ella ha elegido; es decir, no como existentes brutos, sino en la unidad de iluminación de una misma nihilización. La libertad no puede nunca retomar ese conjunto como puro *datum,* pues sería menester que lo hiciera fuera de toda elección, es decir, dejando de ser libertad. Llamaremos *situación* a la contingencia de la libertad en el *plenum* de ser del mundo en tanto que este *datum,* que no está ahí sino *para no constreñir* a la libertad, no se revela a ella sino como *ya iluminado* por el fin elegido. Así, el *datum* no aparece jamás como existente bruto y en-sí al para-sí; se descubre siempre *como motivo,* puesto que no se revela sino a la luz de un fin que lo ilumina. Situación y motivación se identifican. El para-sí se descubre como comprometido en el ser, investido por el ser, amenazado por el ser; descubre el estado de cosas que lo rodea como motivo para una reacción de defensa o de ataque. Pero sólo puede efectuar este descubrimiento porque pone libremente el fin con respecto al cual el estado de cosas es amenazador o favorable. Estas observaciones han de enseñarnos que la *situación,* producto común de la contingencia del en-sí y de la libertad, es un fenómeno ambiguo en el cual es imposible al para-sí discernir el aporte de la libertad y el del existente bruto. En efecto: así como la libertad es un escapar a la contingencia que ella tiene-de-ser para escaparle, así también la situación es libre coordinación y libre cualificación de un *datum* bruto que no se deja cualificar de cualquier manera. Heme aquí al pie de este peñasco que se me aparece como "no escalable". Esto significa que el peñasco se me aparece a la luz de un escalamiento proyectado, proyecto secundario que cobra sentido a partir de un proyecto inicial que es mi ser-en-el-mundo. Así, el peñasco se recorta sobre fondo de mundo por efecto de la elección inicial de mi libertad. Pero, por otra parte, lo que mi libertad no puede decidir es si el peñasco "de-ser-escalado" se prestará o no al escalamiento. Esto forma parte del ser bruto del peñasco. Empero, el peñasco no puede manifestar su resistencia al escalamiento a menos que sea integrado por la libertad en una "situación" cuyo tema general es el escalamiento. Para el simple paseante que cruza el camino y cuyo libre proyecto es pura ordenación estética del-paisaje, el peñasco no se descubre ni como escalable ni como no-escalable: se manifiesta sólo como bello o como feo. Así, es imposible determinar en cada caso particular lo que pertenece a la libertad y lo que pertenece al ser bruto del en-sí. Lo dado en sí como *resistencia* o como *ayuda* no se revela sino a la luz de la libertad pro-yectante. Pero la libertad pro-yectante organiza una iluminación tal que el en-sí se descubre *como es*, es decir, resistente o propicio; teniendo bien en cuenta que la resistencia de lo dado no es directamente asignable como cualidad en-sí de lo dado, sino sólo como indicación, a través de una libre iluminación y una libre refracción, de un incaptable *quid*. Así, pues, sólo en y por el libre surgimiento de una libertad el mundo desarrolla y revela las resistencias que pueden hacer irrealizable el fin proyectado. El hombre sólo encuentra obstáculo en el campo de su libertad. O, mejor aún: es imposible decretar *a priori* lo que corresponde al existente bruto y a la libertad en el carácter de obstáculo de un existente particular. En efecto, lo que es obstáculo para mí no lo será para otro. No hay obstáculo absoluto, sino que el obstáculo revela su coeficiente de adversidad a través de las técnicas libremente inventadas, libremente adquiridas; lo revela también en función del valor del fin puesto por la libertad. Este peñasco no será obstáculo si quiero, a toda costa, llegar a lo alto de la montaña; en cambio, me desalentará si he fijado libremente límites a mis deseos de cumplir la ascensión proyectada. Así, el mundo, por coeficientes de adversidad, me revela la manera en que me atengo a los fines que me asigno; de suerte que nunca puedo saber si me da información sobre él o sobre mí. Además, el coeficiente de adversidad de lo dado no es nunca simple relación con mi libertad como puro brotar nihilizador: es relación iluminada por la libertad entre el *datum* que es el peñasco y el *datum* que mi libertad tiene-de-ser, es decir, entre lo contingente que ella no es y su pura facticidad. A igual deseo de escalar, el peñasco será fácil de trepar para un ascensionista atlético, o difícil para otro, novicio, mal entrenado y de cuerpo endeble. Pero el cuerpo, a su vez, no se revela como bien o mal adiestrado sino con respecto a una libre elección. El peñasco desarrolla con relación a mi cuerpo un coeficiente de adversidad porque yo estoy ahí y he hecho de mí lo que soy. Para el abogado que, en la ciudad, defiende una causa, con el cuerpo disimulado bajo su túnica doctoral, el peñasco no es ni difícil ni fácil de escalar: está fundido en la totalidad "mundo" sin emerger en absoluto. En cierto sentido, yo soy quien elijo mi cuerpo como endeble, confrontándolo con dificultades que hago nacer yo (alpinismo, ciclismo, deportes). Si no he elegido hacer deporte, si permanezco en la ciudad y me ocupo exclusivamente en negocios o en trabajos intelectuales, mi cuerpo no será calificado en modo alguno desde aquel punto de vista. Así comenzamos a entrever la paradoja de la libertad: no hay libertad sino en *situación* y no hay situación sino por la libertad. La realidad-humana encuentra doquiera resistencias y obstáculos que no ha creado ella; pero esos obstáculos y resistencias no tienen sentido sino en y por la libre elección que la realidad-humana *es*. Pero, para mejor captar el sentido de estas observaciones y sacar el provecho que ofrecen, conviene ahora analizar a su luz algunos ejemplos precisos. Lo que hemos llamado facticidad de la libertad es lo dado que ella *tiene-de-ser* y que es iluminado por su proyecto. Eso dado se manifiesta de diversas maneras, aunque en la unidad absoluta de una misma iluminación. Son *mi sitio, mi cuerpo, mi pasado, mi posición*, en tanto que determinada por las indicaciones de los Otros, y *mi relación fundamental con el Prójimo*. Examinaremos sucesivamente, con ejemplos precisos, estas diferentes estructuras de la situación. Pero no ha de perderse de vista que ninguna de ellas se da sola y que, cuando se considera una de ellas aisladamente, sólo se la hace aparecer sobre el fondo sintético de las demás.

A) *Mi sitio*

Mi sitio se define por el orden especial y la naturaleza singular de los "estos" que se me revelan sobre fondo de mundo. Es, naturalmente, el lugar que "habito" (mi "país", con su suelo, su clima, sus riquezas, su configuración hidrográfica y orográfica), pero también, más simplemente, la disposición y el orden de los objetos que actualmente se me aparecen (una mesa, del otro lado de ella una ventana, a la izquierda de la ventana un *bahut*, a la derecha una silla y, tras la ventana, la calle y el mar), y que me indican a mí como la razón misma de su orden. Es imposible que yo no tenga un sitio; de lo contrario, estaría con respecto al mundo en estado de sobrevuelo, y el mundo no se manifestaría ya de ninguna manera, según anteriormente hemos visto. Por otra parte, aunque este sitio actual pueda haberme sido asignado por mi libertad (he "venido" a él), no he podido ocuparlo sino en función del que ocupaba anteriormente, y según caminos trazados por los objetos mismos. Ese lugar anterior me remite a su vez a otro, éste a otro y así sucesivamente, hasta la *contingencia pura de mi sitio*, es decir, hasta aquel sitio mío que ya no refiere a nada de *mí*: el sitio que el nacimiento me asigna. De nada serviría, en efecto, explicar este último sitio por el sitio que ocupaba mi madre cuando me echó al mundo: la cadena está rota; los sitios libremente elegidos por mis padres no pueden valer en modo alguno como explicación de *mis* sitios; y, si se considera uno de ellos en su conexión con mi sitio original –como cuando se dice, por ejemplo: he nacido en Burdeos porque mi padre había sido nombrado funcionario allí; o: he nacido en Tours porque mis abuelos tenían propiedades allí y mi madre buscó refugio junto a ellos cuando, durante su gravidez, se le comunicó la muerte de mi padre–, sólo se hace destacar más aún hasta qué punto *para mí* el nacimiento y el sitio que éste me asigna son cosa contingente. Así, nacer es, entre otras características, *tomar su sitio* o, más bien, de acuerdo con lo que acabamos de decir, *recibirlo.* Y como este sitio original será aquel a partir del cual ocuparé nuevos sitios según reglas determinadas, parece haber en ello una fuerte restricción de mi libertad. La cuestión se enreda, por otra parte, desde que se reflexiona sobre ella: los partidarios del libre arbitrio, en efecto, muestran que a partir de cualquier sitio actualmente ocupado se ofrece a mi elección una infinidad de otros sitios; los adversarios de la libertad insisten en el hecho de que por eso mismo me es denegada otra infinidad de sitios y que, además, los objetos vuelven hacia mí una faz que no he elegido yo y que es excluyente de todas las otras; y agregan que *mi sitio* está demasiado profundamente vinculado con las demás condiciones de mi existencia (régimen alimentario, clima, etc.) para no contribuir a hacer de mí lo que soy. Entre partidarios y adversarios de la libertad, la decisión parece imposible. Pero ello se debe a que el debate no está llevado a su verdadero terreno.

De hecho, si queremos plantear la cuestión como es debido, conviene partir de esta antinomia: la realidad humana recibe originariamente su lugar en medio de las cosas; la realidad humana es aquello por lo cual algo como un sitio viene a las cosas. Sin realidad humana, *no habría* espacio ni sitio; y, sin embargo, esta realidad humana por la cual viene a las cosas su asiento, recibe su sitio entre esas mismas cosas sin ser en modo alguno dueña de ello. A decir verdad, no hay en esto misterio alguno; pero la descripción debe partir de la antinomia, y nos mostrará la exacta relación entre libertad y facticidad.

El espacio geométrico, es decir, la pura reciprocidad de las relaciones espaciales, es una pura nada, según hemos visto. El único asiento concreto que pueda descubrírseme es la extensión absoluta, o sea, justamente, aquel que se define por mi sitio considerado como centro, y para el cual las distancias se cuentan absolutamente desde el objeto hasta mí, sin reciprocidad. Y la única extensión absoluta es la que se despliega a partir de un lugar que *soy* absolutamente. Ningún otro punto podría elegirse como centro absoluto de referencia, sin ser arrastrado al momento a la relatividad universal. *Si hay* una extensión, en los límites de la cual me capte como libre o como no-libre y que se me presente o como auxiliar o como adversa (separadora), no puede ser sino porque ante todo yo *existo mi sitio*, sin elección, pero también sin necesidad, como el puro hecho absoluto de mi *ser-ahí*. Soy *ahí*: no aquí, sino *ahí*. Éste es el hecho absoluto e incomprensible que está en el origen de la extensión y, por consiguiente, de mis relaciones originales con las cosas (con éstas y no con aquellas otras). Hecho de pura contingencia; hecho absurdo.

Sólo que, por otra parte, este sitio *que soy* es una relación. Relación unívoca, sin duda, pero relación al fin. Si me limito a *existir* mi sitio, no puedo estar al mismo tiempo en otra parte para establecer esa relación fundamental; no puedo ni siquiera tener una comprensión oscura del objeto con respecto al cual se define mi sitio. No puedo sino existir las determinaciones interiores que los objetos incaptables e impensables que me rodean pueden provocar en mí sin ya saberlo. A la vez, la realidad misma de la extensión absoluta desaparece, y estoy liberado de todo cuanto se parece a un sitio. Por lo demás, ni libre ni no-libre: puro existente, sin constricción, pero también sin ningún medio de negar la constricción. Para que algo como una extensión definida originariamente como mi sitio venga al mundo y a la vez me defina rigurosamente, no sólo es menester que yo exista mi sitio, es decir, que *tenga-de-ser-ahí*; es menester también que pueda no ser ahí en absoluto para poder ser allá, junto al objeto que se sitúa a diez metros de mí y a partir del cual me hago anunciar mi sitio. La relación unívoca que define a mi sitio se enuncia, en efecto, como relación entre algo que soy y algo que no soy. Esta relación, para revelarse, debe ser establecida. Supone, pues, que estoy en condiciones de efectuar las operaciones siguientes: 1° *escapar a lo que soy y nihilizarlo*, de tal manera que aquello que soy pueda, sin dejar de ser *existido,* revelarse, empero, como término de una relación. Esta relación, en efecto, es dada inmediatamente no en la simple contemplación de los objetos (podría objetársenos, si intentáramos derivar el espacio de la contemplación pura, que los objetos son dados con *dimensiones* absolutas, no con *distancias* absolutas), sino de nuestra acción inmediata ("se nos viene encima", "evitémoslo", "corro en pos de él", etc.), e implica, como tal, una comprensión de lo que soy como ser-ahí. Pero, al mismo tiempo, es preciso definir bien lo que soy a partir del ser-ahí de otros "estos". Soy, como ser-ahí, aquel contra el cual alguien viene corriendo, aquel que tiene todavía una hora que escalar antes de estar en la cima de la montaña, etc. Así, pues, cuando miro la cima del monte, por ejemplo, se trata de un escapar a mí mismo acompañado de un reflujo que opera desde la cúspide de la montaña hacia mi ser-ahí para situarme. Así, debo ser lo que "tengo-de-ser" por el hecho mismo de escapar a ello. Para definirme por mi sitio, importa que primeramente me escape a mí mismo, para ir a poner las coordenadas a partir de las cuales me definiré más estrictamente como centro del mundo. Conviene advertir que mi *ser-ahí* no puede en modo alguno determinar el trascender que ha de fijar y situar las cosas, puesto que es algo *puramente dado,* incapaz de pro-yectar, y, por otra parte, para definirse estrictamente como tal o cual *ser-ahí,* es necesario que el trascender seguido del refluir lo haya determinado ya. 2° *Escapar, por negación interna, a los "estos"-en-medio-del-mundo que no soy y por los cuales me hago anunciar lo que soy.* Descubrirlos y escaparles es el efecto, según hemos visto, de una misma negación. También aquí la negación interna es primera y espontánea con respecto al *datum* como des-cubierto. No cabe admitir que éste *provoque* nuestra aprehensión, sino, al contrario, para que *haya* un "esto" que anuncie sus distancias al Ser-ahí que soy, es menester, precisamente, que yo me le escape por pura negación. Nihilización, negación interna, reversión determinante sobre el ser-ahí que soy: estas tres operaciones se identifican. Son sólo momentos de una trascendencia original que se lanza hacia un fin, nihilizándome, para hacer que el futuro me anuncie lo que soy. Así, mi libertad viene a conferirme *mi* sitio y a definirlo como tal, situándome; sólo porque mi estructura ontológica consiste en no ser lo que soy y ser lo que no soy, puedo estar rigurosamente *limitado* a *este* ser-ahí que soy.

Por otra parte, esta determinación del asiento, que supone la trascendencia íntegra, no puede operarse sino con relación a un fin. Sólo a la luz del fin cobra significación mi sitio. Pues no puedo nunca ser *simplemente ahí:* mi sitio es captado, precisamente, como un *exilio* o, al contrario, como ese lugar natural, tranquilizador y favorito que Mauriac, por comparación con el sitio a que el toro herido vuelve siempre en la arena, llamaba la *querencia:*[1] sólo con relación a lo que proyecto hacer –con relación al mundo en totalidad y, por ende, con todo mi ser-en-el-mundo–, mi sitio se me aparece como un auxiliar o como un impedimento. Estar en su sitio es estar ante todo lejos de... o cerca de... : es decir, que el sitio está dotado de sentido con relación a cierto ser aún no existente, al que quiere alcanzarse. La accesibilidad o la inaccesibilidad de este fin define el sitio. Así, pues, sólo a la luz del no-ser y del futuro puede ser comprendida actualmente mi posición: ser-ahí es no tener más que dar un paso para alcanzar la tetera; poder mojar la pluma en el tintero con sólo extender el brazo; deber volver la espalda a la ventana si quiero leer sin fatigarme la vista; tener que montar mi bicicleta y soportar durante dos horas las fatigas de una siesta tórrida si quiero ver a mi amigo Pedro; tomar el tren y pasarme una noche sin dormir si quiero ver a Anny. Ser-ahí, para uno de las colonias, es estar a veinte días de Francia; o, mejor aún, si es funcionario y espera su viaje pago, estar a seis meses y siete días de Burdeos o de Étaples. Ser-ahí, para un soldado, es estar a ciento diez o ciento veinte días de la orden de baja: el futuro –un futuro pro-yectado– interviene doquiera: es mi vida futura en Burdeos o en Étaples, la liberación futura del soldado, la palabra futura que trazaré con una pluma mojada en tinta; todos esos futuros me significan mi sitio y hacen que yo lo exista con desfallecimiento, impaciencia o nostalgia. Al contrario, si huyo de un grupo de hombres o de la opinión pública, mi sitio está definido por el tiempo que esa

---

[1] En español en el original. (N. del T.)

gente necesitará para descubrirme en el fondo del villorrio en que me he refugiado, para llegar a este villorrio, etc. En tal caso, el aislamiento es lo que me anuncia el lugar como favorable; aquí, estar en su sitio es estar al abrigo.

Esa elección de mi fin se desliza hasta en las relaciones puramente espaciales (alto, bajo; izquierda, derecha; etc.), para darles una significación existencial. La montaña es "aplastante" si me quedo al pie de ella; al contrario, si estoy en la cumbre, es reasumida por el proyecto mismo de mi orgullo y simboliza la superioridad que sobre los otros hombres me atribuyo. El sitio de los ríos, la distancia al mar, etc., entran en juego y están dotados de significación simbólica: constituido a la luz de mi fin, mi sitio me recuerda simbólicamente este fin en todos sus detalles tanto como en sus conexiones de conjunto. Volveremos sobre este punto cuando queramos definir mejor el objeto y el método del psicoanálisis existencial. La relación bruta de *distancia* a los objetos no puede nunca dejarse captar fuera de las significaciones y los símbolos que son nuestra propia manera de constituirla. Tanto más, cuanto que esa relación bruta no tiene en sí misma sentido sino con respecto a la elección de las técnicas que permiten medir y recorrer las distancias. Determinada ciudad sita a veinte kilómetros de mi pueblo y en comunicación con él por medio de un tranvía está mucho más cercana a mí que una cumbre peñascosa situada a cuatro kilómetros pero a dos mil ochocientos metros de altura. Heidegger ha mostrado cómo los cuidados cotidianos asignan a los utensilios sitios que nada tienen que ver con la pura distancia geométrica: mis anteojos, dice, una vez calzados sobre la nariz, están mucho más lejos de mí que el objeto que veo a través de ellos.

Así, pues, ha de decirse que la facticidad de mi sitio no se me revela sino en y por la libre elección que hago de mi fin. La libertad es indispensable para el descubrimiento de mi facticidad. Me enseñan esta facticidad todos los puntos del futuro que proyecto; a partir de este futuro elegido aquélla se me aparece con sus caracteres de impotencia, contingencia, debilidad y absurdo. Me es absurdo y doloroso vivir en Mont-de-Marsan con relación a mi sueño de visitar Nueva York. Pero, recíprocamente, la facticidad es la única realidad que la libertad pueda descubrir; la única que pueda nihilizar por la posición de un fin; la única a partir de la cual tenga sentido poner un fin. Pues si el fin puede iluminar la situación, se debe a que el fin se constituye como modificación proyectada *de* esta situación. El sitio aparece a partir de los cambios que proyecto. Pero *cambiar* implica, justamente, algo de-cambiar, que es justamente mi sitio. Así, *la libertad es la aprehensión de mi facticidad.* Sería absolutamente inútil tratar de definir o describir el "quid" de esta facticidad *antes* que la libertad se revierta sobre ella para captarla como una determinada deficiencia. Mi sitio, antes que la libertad haya circunscrito mi asiento como una falta de determinada especie, "no es", propiamente hablando, absolutamente nada, puesto que la propia extensión a partir de la cual todo sitio se comprende no existe. Por otra parte, la cuestión misma resulta ininteligible, pues comporta un "antes" carente de sentido: en efecto, la libertad misma es la que se temporaliza según las direcciones del antes y el después. No por eso es menos verdad que ese "quid" bruto e impensable es aquello sin lo cual la libertad no podría ser libertad. Es la facticidad misma de mi libertad.

Sólo en el acto por el cual la libertad ha descubierto la facticidad y la ha aprehendido como *sitio,* este sitio así definido se manifiesta como *traba* a mis deseos, como *obstáculo,* etc. ¿Cómo sería posible, si no, que fuera obstáculo? ¿Obstáculo *para qué*? ¿Constricción de *hacer qué*? A un emigrante que se disponía a salir de Francia con destino a la Argentina, a raíz del fracaso de su partido político, se le atribuye la siguiente réplica. Como se le hiciera observar que la Argentina estaba "muy lejos", preguntó: "¿Lejos de qué?" Por cierto, si la Argentina aparece como "lejana" a los que permanecen en Francia, ello es con relación a un proyecto nacional implícito que valora su sitio de franceses. Para el revolucionario internacionalista, la Argentina es un centro del mundo, como cualquier otro país. Pero si, precisamente, hemos constituido previamente la tierra francesa, por un proyecto primero, como nuestro sitio absoluto —y si alguna catástrofe nos obliga a exiliarnos de ella—, con relación a ese proyecto inicial la Argentina aparecerá como "muy lejos", como "tierra de exilio"; con relación a él nos sentiremos expatriados. Así, la libertad misma crea los obstáculos de que padecemos. Ella misma, al poner su fin y al elegirlo como inaccesible o difícilmente accesible hace aparecer nuestro asiento como resistencia insuperable o difícilmente superable a nuestros proyectos. Ella misma, al establecer las conexiones espaciales entre los objetos como primer tipo de relación de utensilidad, al decidir de las técnicas que permiten medir y franquear las distancias, constituye su propia *restricción*. Pero, precisamente, no podría haber libertad sino *restringida*, puesto que la libertad es elección. Toda elección, como veremos, supone eliminación y selección; toda elección es elección de la finitud. Así, la libertad no podría ser verdaderamente libre sino constituyendo la facticidad como su propia restricción. De nada serviría, pues, decir que *no soy libre* de ir a Nueva York por el hecho de ser un modesto funcionario de Mont-de-Marsan. Al contrario, me *situaré* en Mont-de-Marsan con relación a mi proyecto de ir a Nueva York. Mi asiento en el mundo, la relación entre Mont-de-Marsan y Nueva York o la China serían muy distintos si, por ejemplo, mi proyecto fuera convertirme en un cultivador enriquecido de Mont-de-Marsan. En el primer caso, Mont-de-Marsan aparece sobre fondo de mundo en conexión orgánica con Nueva York, Melbourne y Shanghai; en el segundo, emerge sobre fondo de mundo indiferenciado. En cuanto a la importancia *real* de mi proyecto de ir a Nueva York, yo soy el único que decide: puede ser simplemente un modo de elegirme como descontento de Mont-de-Marsan; en tal caso, todo está centrado en torno de Mont-de-Marsan: sencillamente, experimento la necesidad de nihilizar perpetuamente mi sitio, de vivir en perpetuo retroceso con respecto a la ciudad que habito; o bien puede ser un proyecto en que me comprometo íntegramente. En el primer caso, captaré mi sitio como obstáculo insuperable y habré usado simplemente de un sesgo para definirlo indirectamente en el mundo; en el segundo caso, al contrario, los obstáculos no existirán ya: mi sitio no será un punto de amarre, sino un punto de partida: pues para ir *a* Nueva York hace falta, evidentemente, un punto de partida, cualquiera que fuere. Así, en cualquier momento que se considere, me captaré como comprometido en el mundo, en mi sitio contingente. Pero precisamente este comprometimiento da su sentido a mi sitio contingente y es mi libertad. Ciertamente, al nacer *tomo sitio*, pero soy responsable del sitio que tomo. Con esto se ve más claro la conexión inextricable de la libertad y la facticidad en la situación, puesto que, sin la facticidad, la libertad no existiría –como poder de nihilización y de elección– y, sin la libertad, la facticidad no sería descubrimiento y hasta carecería de sentido.

B) *Mi pasado*

Tenemos un pasado. Sin duda, hemos podido establecer que este pasado no determina nuestros actos como el fenómeno anterior determina al fenómeno consecuente; y sin duda hemos mostrado que el pasado carece de fuerza para constituir el presente y prefigurar el porvenir. Pero ello no quita que la libertad, escapando de sí hacia el futuro, no podría darse un pasado a capricho ni, con mayor razón, producirse a sí misma sin pasado. La libertad tiene-de-ser su propio pasado, y este pasado es irremediable; hasta parece, de primera intención, que no pudiera modificarlo en modo alguno: el pasado es lo que es fuera de alcance, lo que a distancia nos infesta sin que podamos siquiera volver la cara para considerarlo. Si no determina nuestras acciones, por lo menos es tal que no podemos adoptar una nueva decisión sino *a partir de él*. Si he seguido los cursos de la escuela naval y he llegado a oficial de marina, en cualquier momento en que me reasumo y considero, estoy comprometido: en el instante mismo en que me capto, estoy de guardia en el puente del navío sobre el cual mando como segundo. Puedo rebelarme de súbito contra este hecho, presentar mi dimisión, decidir suicidarme: estas medidas extremas se toman con ocasión del pasado que es mío; si apuntan a destruirlo, es porque existe, y mis decisiones más radicales no pueden menos de llegar a la adopción de una posición negativa respecto de mi pasado. Pero, en el fondo, es reconocer su inmensa importancia de plataforma y punto de vista; toda acción destinada a arrancarme a mi pasado debe ser concebida ante todo a partir de *ese mismo pasado,* es decir, reconocer que nace *a partir* de ese pasado singular que quiere destruir; nuestros actos nos siguen, dice el proverbio. El pasado es presente y se funde insensiblemente con el presente; es la ropa que he elegido hace seis meses, la casa que he hecho construir, el libro cuya composición he emprendido el invierno último, mi mujer, las promesas que le he hecho, mis hijos: todo lo que *soy,* tengo-de-serlo en el modo del haber-sido. Así, nunca se exagerará la importancia del pasado, puesto que, para mí, "Wesen ist was gewesen ist": ser es haber sido. Pero encontramos nuevamente aquí la paradoja antes señalada: sin pasado, no puedo concebirme; más aún, ni siquiera podría *pensar* nada acerca de mí mismo, puesto que pienso acerca de lo que *soy,* y soy en pasado; pero, por otra parte, soy el ser por el cual el pasado viene a sí mismo y al mundo.

Examinemos más de cerca esta paradoja: la libertad, siendo elección, es cambio. Se define por el fin que pro-yecta, es decir, por el futuro que ella tiene-de-ser. Pero, precisamente porque el futuro es *el-estado-que-no-es-aún* de *aquello que es,* no puede concebirse sino en estrecha conexión con aquello que es. Es imposible que aquello que es ilumine a aquello que no es aún: pues aquello que es es *falta* y, por consiguiente, no puede ser conocido como tal sino a partir de aquello que le falta. El fin es lo que ilumina a aquello que es. Pero, para ir en busca del fin por-venir para hacerse anunciar por él que es aquello que es, es menester estar ya allende de aquello que es, en un retroceso nihilizador que lo haga aparecer claramente, en estado de sistema aislado. Aquello que es sólo cobra sentido, pues, cuando es *trascendido* hacia el porvenir. Aquello que es es, pues, el pasado. Se ve cómo a la vez el pasado es indispensable para la elección del porvenir, a título de "aquello que debe ser cambiado", y, por consiguiente, ningún libre trascender podría efectuarse sino a partir de un pasado; y cómo, por otra parte, esta *naturaleza* misma del pasado le viene al pasado desde la elección original de un futuro. En particular, el carácter irremediable proviene al pasado de mi elección misma del futuro:

el pasado, si es aquello a partir de lo cual concibo y proyecto un estado de cosas nuevo en el futuro, es aquello que es *dejado* y, por consiguiente, lo que está fuera de toda perspectiva de cambio: así, para que sea realizable el futuro, es menester que el pasado sea irremediable.

Muy bien puedo no existir; pero, si existo, no puedo dejar de tener un pasado. Tal es la forma que toma aquí la "necesidad de mi contingencia". Pero, por otra parte, según hemos visto, dos características esenciales califican sobre todo al Para-sí:

1° Nada hay en la conciencia que no sea conciencia de ser;

2° En mi ser es cuestión de mi ser; lo que significa que nada me viene que *no sea elegido*.

Hemos visto, en efecto, que el Pasado que no fuera sino *Pasado* se desmoronaría en una existencia honoraria, en que habría perdido todo nexo con el presente. Para que "tengamos" un pasado es menester que lo mantengamos en existencia por nuestro proyecto mismo hacia el futuro: no recibimos nuestro pasado; pero la necesidad de nuestra contingencia implica que no podemos no elegirlo. Esto es lo que significa el "tener-de-ser uno su propio pasado"; se ve que esta necesidad, aquí encarada desde el punto de vista puramente temporal, no se distingue, en el fondo, de la estructura primera de la libertad, que debe ser nihilización del ser que ella es, y que, por esta nihilización misma, hace que *haya* un ser que ella es.

Pero, si la libertad es elección de un fin en función del pasado, el pasado, recíprocamente, no es lo que es sino con relación al fin elegido. Hay en el pasado un elemento inmutable: he tenido la tos convulsa a los cinco años; y un elemento variable por excelencia: la significación del hecho bruto con relación a la totalidad de mi ser. Pero como, por otra parte, la significación del hecho pasado lo penetra de parte a parte (no puedo "recordar" mi tos convulsa de niño fuera de un proyecto preciso que le define su significación), me es imposible, en última instancia, distinguir la existencia bruta inmutable del sentido variable que ella comporta. Decir "He tenido la tos convulsa a los cuatro años" supone mil pro-yectos, en particular, la adopción del calendario como sistema de referencia de mi existencia individual, y, por lo tanto, una toma de posición originaria con respecto a lo social; la creencia decidida en los relatos que me hacen los terceros acerca de mi infancia, lo que se acompaña, ciertamente, de un respeto o un afecto para con mis padres, que da sentido a esa creencia; etc. El hecho bruto mismo *es*; pero, fuera de los testimonios del prójimo, de la fecha, del nombre técnico de la enfermedad –conjunto de significaciones que dependen de mis proyectos–, ¿qué puede *ser* ese hecho bruto? Así, esa existencia bruta, *aunque necesariamente existente e inmutable,* representa como el objetivo ideal y fuera de alcance de una explicitación sistemática de todas las significaciones incluidas en un recuerdo. Hay, sin duda, una materia "pura" del recuerdo, en el sentido en que habla Bergson del recuerdo puro: pero, cuando se manifiesta, nunca lo hace sino en y por un proyecto que comporta la aparición de esa materia en su pureza.

Ahora bien: la significación del pasado está en estrecha dependencia de mi proyecto presente. Esto no significa en modo alguno que pueda hacer variar a capricho el sentido de mis actos anteriores; sino, al contrario, que el proyecto fundamental que soy decide absolutamente acerca de la significación que puede tener para mí y para los otros el pasado que tengo-de-ser. Yo solo, en efecto, puedo decidir en cada momento sobre el *alcance* del pasado: no discutiendo, deliberando y apreciando en cada caso la importancia de tal o cual acaecimiento anterior, sino que, pro-yectándome hacia mis objetivos, salvo el pasado conmigo y *decido* de su significación por medio de la acción. De aquella crisis mística de mis quince años, ¿quién decidirá si "ha sido" puro accidente de pubertad o, al contrario, primer signo de una conversión futura? Yo, según decida –a los veinte, a los treinta años– convertirme. El proyecto de conversión confiere de una vez a una crisis de adolescencia el valor de una premonición antes no tomada en serio. ¿Quién decidirá de si mi estada en prisión con motivo de un hurto ha sido fructuosa o deplorable? Yo, según que renuncie al robo o me vuelva empedernido. ¿Quién puede decidir sobre el valor de enseñanza de un viaje, sobre la sinceridad de un juramento de amor, sobre la pureza de una intención pasada, etc.? Yo, siempre yo, según los fines por los cuales los ilumino.

Así, todo mi pasado está ahí, perentorio, urgente, imperioso; pero elijo su sentido y las órdenes que él me da, por el proyecto mismo de mi fin. Sin duda, esos compromisos tomados pesan sobre mí; sin duda, el vínculo conyugal otrora asumido, la casa comprada y amueblada el año anterior, limitan mis posibilidades y me dictan mi conducta; pero precisamente por ser tales mis proyectos re-asumo el vínculo conyugal; es decir, precisamente porque no proyecto el rechazo de ese vínculo, porque no hago de él un "vínculo conyugal pasado, preter-ido y trascendido, muerto", sino que, al contrario, mis proyectos, al implicar la fidelidad a los compromisos contraídos o la decisión de llevar una "vida honorable" de marido y de padre, etc., vienen necesariamente a iluminar el juramento conyugal pasado y a conferirle su valor siempre actual. Así, lo apremiante del pasado proviene del futuro. Si de pronto, a la manera del héroe de Schlumberger,[1] modifico radicalmente mi proyecto fundamental y, por ejemplo, busco liberarme de la continuidad de la dicha, mis compromisos anteriores perderán todo su apremio. Ya no estarán ahí sino como esas torres y murallas del Medioevo, que no se pueden negar pero que no tienen otro sentido que recordar, como una etapa anteriormente recorrida, una civilización y un estado de existencia política y económica hoy superados y perfectamente muertos. El futuro decide si el pasado está vivo o está muerto. El pasado, en efecto, es originariamente proyecto, como el surgimiento actual de mi ser. Y, en la medida misma en que es proyecto, es anticipación: su sentido le viene del porvenir que prefigura. Cuando el pasado se desliza íntegramente al pasado, su valor absoluto depende de la convalidación o invalidación de las anticipaciones que él era. Pero, precisamente, de mi libertad actual depende convalidar el sentido de esas anticipaciones tomándolas por su cuenta, es decir, continuarlas anticipando el mismo porvenir que ellas anticipaban, o bien invalidarlas, anticipando simplemente otro porvenir. En este caso, el pasado se desploma como una espera desarmada y embaucada: está "sin fuerzas". Pues la única fuerza del pasado le viene del futuro: cualquiera que sea

---

[1] Schlumberger, *Un homme heureux*, N. R. F.

la manera en que vivo o aprecio mi pasado, no puedo hacerlo sino a la luz de un pro-yecto de mí sobre el futuro. Así, el orden de mis elecciones de porvenir determinará un orden de mi pasado, y este orden nada tendrá de cronológico. Estará, en primer lugar, el pasado *siempre vivo* y siempre convalidado: mi compromiso de amor, tales o cuales contratos de negocios, tal o cual imagen de mí mismo a la que permanezco fiel. Después, estará el pasado ambiguo, que ha cesado, de agradarme y al que mantengo de soslayo. Por ejemplo, el traje que llevo, comprado en una época en que tenía gusto en ir a la moda, me disgusta extremadamente ahora y, por este hecho, el pasado en que lo he "elegido" está verdaderamente muerto; pero, por otra parte, mi proyecto actual de economía exige que continúe llevando ese traje en vez de adquirir otro: con ello, pertenece a un pasado a la vez muerto y vivo, como esas instituciones sociales que, creadas para un fin determinado, han sobrevivido al régimen que las había establecido porque se las ha hecho servir a fines totalmente diversos y a veces hasta opuestos. Pasado vivo, pasado semimuerto, supervivencias, ambigüedades, antinomias: el conjunto de estos estratos de preteridad está organizado por la unidad de mi proyecto. Por este proyecto se instala el sistema complejo de remisiones que hace entrar un fragmento cualquiera de mi pasado en una organización jerarquizada y plurivalente, en que, como en la obra de arte, cada estructura parcial indica, de diversas maneras, otras diversas estructuras parciales y la estructura total.

La decisión acerca del valor, el orden y la naturaleza de nuestro pasado es simplemente, por lo demás, la *elección histórica* en general. Si las sociedades humanas son históricas, no se debe simplemente a que tengan un pasado, sino a que *lo reasumen* a título de *monumento.* Cuando el capitalismo norteamericano decide entrar en la guerra europea de 1914-1918 porque ve en ella la ocasión de fructuosas operaciones, no es *histórico:* es sólo utilitario. Pero cuando, a la luz de sus proyectos utilitarios, reasume las relaciones; anteriores entre los Estados Unidos y Francia; y les da el *sentido* de una deuda de honor que los americanos han de pagar a los franceses, se hace histórico y, en particular, se historializará por la frase famosa:

"¡La Fayette, henos aquí!" Va de suyo que, si una visión diferente de sus intereses actuales hubiera llevado a los Estados Unidos a ponerse del lado de Alemania, no les hubieran faltado elementos pasados que reasumir en el plano monumental: por ejemplo, se hubiese podido imaginar una propaganda basada en la "fraternidad de sangre", que hubiera tenido cuenta esencialmente de la proporción de alemanes en la inmigración americana del siglo XIX. Vano sería considerar esas referencias al pasado como puras empresas publicitarias: en efecto, el hecho esencial es que son *necesarias* para lograr la adhesión de las masas, y, por lo tanto, que éstas exigen un proyecto político que ilumine y justifique su pasado; además, va de suyo que el pasado es *creado* de ese modo: *ha habido* así constitución de un pasado común Francia-América, que *significaba* por una parte los grandes intereses económicos de los norteamericanos y por otra las afinidades *actuales* de dos capitalismos democráticos. Análogamente, se ha visto a las nuevas generaciones, hacia 1938, preocupadas por los acontecimientos internacionales que se preparaban, iluminar bruscamente con una nueva luz el período 1918-1938 y llamarlo, aun antes de que estallara la guerra de 1939, el "período de entre dos guerras". Con eso, el período considerado quedaba constituido en forma-límite, trascendido y renegado, mientras que aquellos que lo habían vivido, pro-yectándose hacia un porvenir en continuidad con su presente y su pasado inmediato, lo habían experimentado como el comienzo de una progresión continua e ilimitada. El proyecto actual decide, pues, acerca de si un determinado período del pasado se halla en continuidad con el presente o si es un fragmento discontinuo del cual uno emerge y que se aleja. Así, sería menester una historia humana *terminada* para que cualquier acontecimiento, por ejemplo la toma de la Bastilla, recibiera un *sentido* definitivo. En efecto, nadie niega que la Bastilla fue tomada en 1789: he aquí el hecho inmutable. Pero ¿ha de verse en ese acontecimiento un motín sin consecuencias, un desencadenamiento popular contra una fortaleza semidesmantelada, que la Convención, preocupada de crearse un pasado publicitario, supo transformar en acción de esplendor? ¿O ha de considerárselo como la primera manifestación de la fuerza popular, por la cual ésta se afirmó, ganó confianza, y se puso en condiciones de operar la marcha sobre Versalles en las "jornadas de Octubre"? Quien quisiera decidir hoy acerca de ello olvidaría que el mismo historiador es *histórico*, es decir, que se historializa al iluminar "la historia" a la luz de sus proyectos y los de su sociedad. Así, ha de decirse que el sentido del pasado social está a perpetuidad "en aplazamiento".

Exactamente como las sociedades, la persona humana tiene un pasado *monumental* y *en aplazamiento*. Este perpetuo poner en cuestión el pasado fue sentido desde antiguo por los sabios; los trágicos griegos lo expresaron con este proverbio que aparece constantemente en sus piezas: "Nadie puede ser llamado feliz antes de su muerte." Y la historialización perpetua del Para-sí es afirmación perpetua de su libertad.

Esto sentado, no ha de creerse que el carácter de "en aplazamiento", propio del pasado, aparezca al Para-sí en forma de aspecto vago o inconcluso de su historia anterior. Al contrario: lo mismo que la elección del Para-sí, expresada por éste a su manera, el Pasado es captado por el Para-sí a cada momento como rigurosamente determinado. Análogamente, el arco de Tito y la columna de Trajano, cualquiera que fuere, por otra parte, la evolución histórica de su sentido, aparecen al romano o al turista que los considera como realidades perfectamente individualizadas. Y, a la luz del proyecto que lo ilumina, el Pasado se revela como absolutamente coercitivo. El carácter de aplazamiento del pasado no es, en efecto, ningún milagro: no hace sino expresar, en el plano de la preterificación y del en-sí, el aspecto pro-yectivo y "en espera" que *tenía* la realidad-humana antes de vertirse al pasado. La realidad-humana, precisamente porque era un libre pro-yecto roído por una imprevisible libertad, se hace, "en pasado", tributaria de los proyectos ulteriores del Para-sí. Al preterificarse, se condena a esperar perpetuamente esa homologación que esperaba recibir de una libertad futura. Así, el pasado está indefinidamente en aplazamiento, porque la realidad-humana "era" y "será" perpetuamente en espera. Y la espera, como el aplazamiento, no hacen sino afirmar más netamente aún la libertad como su constituyente originario. Decir que el pasado del

Para-sí está en aplazamiento, decir que su presente es una espera, decir que su futuro es un libre proyecto, o que no puede ser nada sin tener-de-serlo o que es una totalidad-destotalizada, es una y la misma cosa. Pero, precisamente, ello no implica ninguna indeterminación en mi pasado tal como se me revela actualmente: quiere, simplemente, poner en cuestión los derechos que tenga mi descubrimiento actual de mi pasado a ser definitivo. Pero, así como mi presente es espera de una convalidación o de una invalidación que nada permite prever, así también el pasado, arrastrado en esa espera, es *preciso* en la misma medida en que esa espera es *precisa*. Pero su sentido, aunque rigurosamente individualizado, depende totalmente de esa espera que, a su vez, se pone en dependencia de una nada absoluta, o sea de un libre proyecto que aún no es. Mi pasado es, pues, una proposición concreta y precisa que, *en tanto que tal,* espera ratificación. Ciertamente, una de las significaciones que intenta sacar a luz *El proceso* de Kafka es ese carácter perpetuamente *procesivo* de la realidad humana. Ser libre es estar perpetuamente *en instancia de libertad.* Queda en pie el hecho de que el pasado –de atenernos a nuestra libre elección actual– es, una vez que esa elección lo ha determinado, parte integrante y condición necesaria de mi proyecto. Un ejemplo lo hará comprender mejor. El pasado de un veterano a media paga bajo la Restauración es haber sido un héroe de la retirada de Rusia. Y lo que hemos explicado hasta ahora permite comprender que ese pasado mismo es una libre elección de futuro. Precisamente al elegir no ponerse del lado del gobierno de Luis XVIII y de las nuevas costumbres, al elegir desear hasta el fin el retorno triunfal del Emperador, al elegir incluso conspirar para apresurar este retorno, y preferir una media paga a la paga entera, el viejo soldado de Napoleón se elige un pasado de héroe del Beresiná. Quien hubiera hecho el proyecto de adherirse al nuevo gobierno, no habría elegido, ciertamente, el mismo pasado. Pero, recíprocamente, si el veterano no recibe sino media paga, si vive en una miseria apenas decente, si se agría y desea el retorno del emperador, se debe a que fue un héroe de la retirada de Rusia. Entendámonos: ese pasado no actúa antes de su reasunción constitutiva, y no se trata en modo alguno de determinismo: pero, una vez *elegido* el pasado "soldado del Imperio", las conductas del para-sí *realizan* ese pasado. Inclusive, no hay ninguna diferencia entre elegir ese pasado y realizarlo por medio de las conductas. Así, el para-sí, al esforzarse por hacer de su pasado de gloria una realidad intersubjetiva, la constituye a los ojos de los otros a título de objetividad-para-otro (por ejemplo, informe de los prefectos sobre el peligro que representan esos viejos soldados). Tratado por los otros como tal, el veterano actúa en adelante de modo de hacerse digno de un pasado que ha elegido para compensar su miseria y descaecimiento presentes. Se muestra intransigente, pierde toda oportunidad de obtener una pensión: pues "no puede" desmerecer de su pasado. Así, elegimos nuestro pasado a la luz de cierto fin, pero, desde entonces, se impone y nos devora: no que tenga una existencia *de suyo,* diferente de la que tenemos-de-ser, sino simplemente que: 1°, es la materialización actualmente revelada del fin que somos; 2°, aparece en medio del mundo, para nosotros y para el prójimo; nunca está solo, sino que se sume en el pasado universal y con ello se ofrece a la apreciación del prójimo. Así como el geómetra es libre de generar tal o cual figura que le plazca, pero no puede concebir ninguna que no mantenga al momento infinidad de relaciones con la infinidad de las demás figuras posibles, así también nuestra libre elección de nosotros mismos, al hacer surgir cierto orden apreciativo de nuestro pasado, hace aparecer una infinidad de relaciones de ese pasado con el mundo y con el prójimo, y esa infinidad de relaciones se nos presenta como *una infinidad de conductas de-adoptar,* ya que sólo en futuro apreciamos nuestro propio pasado. Y estamos *constreñidos* a adoptar esas conductas en la medida en que nuestro pasado aparece en el marco de nuestro proyecto esencial. Querer este proyecto es, efectivamente, querer el pasado, y querer este pasado es querer realizarlo por mil conductas secundarias. Lógicamente, las exigencias del pasado son imperativos hipotéticos: "Si quieres tener tal pasado, actúa de tal o cual manera". Pero, como el primer término es elección concreta y categórica, el imperativo también se transforma en imperativo categórico.

Pero, como la fuerza constrictiva de mi pasado es un préstamo tomado a mi elección libre y reflexiva y a la potencia misma que se ha dado esa elección, es imposible determinar *a priori* el poder coercitivo de un pasado. Mi libre elección no decide sólo del contenido del pasado y del orden de este contenido, sino también de la adherencia de mi pasado a mi actualidad. Si, en una perspectiva fundamental que no hemos de determinar aún, uno de mis principales proyectos es el de *progresar*, es decir, estar siempre y a toda costa *más avanzado* por cierta vía de lo que estaba la víspera o una hora antes, este proyecto progresivo entraña una serie de *despegues* con respecto a mi pasado. El pasado es entonces lo que miro desde lo alto de mis progresos, con una suerte de piedad algo desdeñosa; lo que es estrictamente *objeto pasivo* de apreciación moral y de juicio –"¡qué estúpido era entonces!" o "¡qué malvado he sido!"–; lo que no existe sino porque yo puedo desolidarizarme de ello. Yo no entro más en ello ni quiero entrar ya más. No, ciertamente, que el pasado deje de existir, sino que existe sólo como *ese yo que ya no soy*, es decir, *ese ser que tengo-de-ser como un ya que ya no soy*. Su función es ser lo que he elegido de mí para oponérmele, lo que me permite medirme. Un para-sí de este tipo se elige, pues, sin solidaridad consigo mismo, lo que no significa que haya abolido su pasado sino que lo pone para no ser solidario con él, para afirmar, precisamente, su total libertad (lo pretérito es cierto género de comprometimiento con respecto al pasado y cierta especie de tradición). En cambio, hay para-síes cuyo pro-yecto implica la denegación del tiempo y la estrecha solidaridad con el pasado. En su deseo de encontrar terreno sólido, éstos han elegido el pasado como lo que ellos *son*: el resto no es sino fuga indefinida e indigna de tradición. Han elegido *primeramente* la denegación de la huida, es decir, *la denegación de denegar*; el pasado, por consiguiente, tiene por función exigirles fidelidad. Así, se verá a los primeros confesar desdeñosamente y con ligereza una falta cometida, mientras que la misma confesión sería imposible a los otros a menos que cambiaran deliberadamente su proyecto fundamental, y utilizarán entonces toda la mala fe del mundo y todas las escapatorias que puedan inventar para evitar lesionar esa fe en lo que es, que constituye una estructura esencial de su proyecto.

Así, como el asiento, el pasado se integra en la situación cuando el para-sí, por su elección del futuro, confiere a su facticidad pasada un valor, un orden jerárquico y un apremio a partir de los cuales ella *motiva* sus actos y sus conductas.

C) *Mis entornos*

No han de confundirse mis "entornos" con el sitio que ocupo, y sobre el cual hemos hablado anteriormente. Los entornos son las cosas-utensilios que me rodean, con sus coeficientes propios de adversidad y de utensilidad. Por cierto, al ocupar mi sitio fundo el descubrimiento de los entornos y, al cambiar de sitio –operación que, como hemos visto, realizo libremente–, fundo la aparición de contornos nuevos. Pero, recíprocamente, los entornos pueden cambiar o ser cambiados por los otros sin que yo tenga nada que ver en su cambio. Ciertamente, Bergson ha señalado con acierto, en *Materia y memoria*, que una modificación de mi sitio entraña el cambio total de mis entornos, mientras que sería preciso considerar una modificación total y simultánea de mis entornos para que pudiera hablarse de una modificación de mi sitio; y este cambio global de los entornos es inconcebible. Pero ello no quita que mi campo de acción está perpetuamente atravesado por apariciones y desapariciones de objetos en que yo no intervengo para nada. De modo general, el coeficiente de adversidad o de utensilidad de los complejos no depende únicamente de mi sitio, sino de la potencialidad propia de los utensilios. Así, desde que existo, estoy arrojado en medio de existencias diferentes de mí, que desarrollan en torno de mí, en pro y en contra de mí, sus potencialidades. Quiero llegar lo más pronto posible, en mi bicicleta, a la ciudad vecina. Este proyecto implica mis fines personales, la apreciación de mi sitio y de la distancia de éste a la ciudad, y la libre adaptación de los medios *(esfuerzos)* al fin perseguido. Pero revienta una llanta, el sol está demasiado ardiente, el viento sopla de frente, etc., fenómenos todos que no tenía previstos: son los entornos. Por cierto, se manifiestan en y por mi proyecto principal; por éste el viento puede aparecer como viento en contra o como "buen" viento; por éste el sol se revela como calor propicio o incómodo. La organización sintética de esos perpetuos "accidentes" constituye la unidad que los alemanes llaman mi *umwelt* y esta *umwelt* no puede descubrirse sino en los límites de un libre proyecto, es decir, de la elección de los fines que soy. Sería, empero, demasiado simple conformarnos con esta descripción. Si es verdad que cada objeto en torno mío se anuncia en una situación ya revelada y que la suma de estos objetos no puede constituir por sí sola una situación; si es verdad que cada utensilio se destaca sobre fondo de situación en el mundo, no por eso es menos cierto que la transformación brusca o la brusca aparición de un utensilio puede contribuir a un cambio radical de la situación: al reventar la llanta, mi distancia al pueblo vecino cambia de súbito; es una distancia que ahora hay que contar por pasos y no ya por giros de rueda. Puedo adquirir por este hecho la certeza de que la persona a quien quiero ver ya habrá tomado el tren cuando yo llegue, y esa certeza puede traer apareadas otras decisiones de parte mía (volver a mi punto de partida, enviar un telegrama, etc.). Hasta puedo, por ejemplo, si estoy seguro de no poder cerrar con esa persona el trato proyectado, dirigirme a otro y firmar otro contrato. Puede inclusive que abandone enteramente mi tentativa y haya de registrar un fracaso total de mi proyecto; en este caso, diré que *no he podido* prevenir a tiempo a Pedro, entenderme con él, etc. Este reconocimiento explícito de mi *impotencia* ¿no es la confesión más neta de los límites de mi libertad? Sin duda, como lo hemos visto, mi libertad de *elegir* no debe confundirme con mi libertad de *obtener*. Pero ¿no está ahí en juego mi elección misma, puesto que la adversidad de los entornos es precisamente, en muchos casos, ocasión del cambio de mi proyecto?

Antes de abordar el fondo del debate, conviene precisarlo y limitarlo. Si los cambios que sobrevienen a los entornos pueden entrañar modificaciones a mis proyectos, no puede ser sino con dos reservas. La primera es que no pueden traer apareado el abandono de mi proyecto principal, que, al contrario, sirve para medir la importancia de esos cambios. En efecto, si éstos son captados como *motivos* para abandonar tal o cual proyecto, no puede ser sino a la luz de un proyecto más fundamental; si no, no podrían ser en absoluto motivos, ya que el motivo es aprehendido por la conciencia-móvil que es por sí misma libre-elección de un fin. Si las nubes que cubren el cielo pueden incitarme a renunciar a mi proyecto de excursión, se debe a que son captadas en una libre proyección en que el valor de la excursión está vinculado a cierto estado del cielo, lo que remite de paso en paso al valor de una excursión en general, a mi relación con la naturaleza y al sitio que esta relación ocupa en el conjunto de las relaciones que sostengo con el mundo. En segundo lugar, en ningún caso el objeto aparecido o desaparecido puede *provocar* una renuncia a un proyecto, así fuere un proyecto parcial. Es preciso que ese objeto, en efecto, sea aprehendido como una *falta* en la situación original; es preciso, pues, que el *dato* de su aparición o desaparición sea nihilizado, que yo tome distancia "con respecto a él" y, por consiguiente, que decida de mí mismo en su presencia. Como lo hemos mostrado, ni aun las tenazas del verdugo nos dispensan de ser libres. Esto no significa que siempre sea *posible* soslayar la dificultad, reparar la avería, sino simplemente que la *imposibilidad misma* de persistir en cierta dirección debe ser libremente constituida; la imposibilidad viene a las cosas por nuestra libre renuncia, lejos de estar nuestra renuncia provocada por la imposibilidad de la conducta que había de seguirse.

Esto sentado, ha de reconocerse que la presencia de lo dado, también en este caso, lejos de ser un obstáculo a nuestra libertad, es reclamada por la existencia misma de ésta. La libertad es cierta libertad que soy *yo*. Pero ¿qué soy, sino cierta negación interna del en-sí? Sin este en-sí que niego, me esfumaría en nada. En nuestra introducción habíamos indicado que la conciencia puede servir de "prueba ontológica" de la existencia de un en-sí. En efecto, si hay conciencia *de* algo, es preciso originariamente que este "algo" tenga un ser *real*, es decir, *no relativo a la conciencia*. Pero ahora vemos que esa prueba tiene un alcance más amplio: si he de poder *hacer* algo en general, es preciso que ejerza mi acción sobre seres cuya existencia es *independiente* de mi existencia en general y singularmente de mi acción. Mi acción puede *revelarme* aquella existencia, pero no la condiciona. Ser libre es ser-libre-para-cambiar. La libertad implica, pues, la existencia de entornos que cambiar: obstáculos de-franquear, instrumentos de-utilizar. Por cierto, ella los revela como obstáculos, pero no puede sino interpretar por su libre elección el *sentido* del ser de los entornos. Es preciso que éstos sean simplemente ahí, en bruto, para que haya libertad. Ser libre es *ser-libre-para-hacer* y *ser-libre-en-el-mundo*. Pero, si es así, la libertad, al reconocerse como libertad de cambiar, reconoce y prevé implícitamente en su proyecto original la existencia independiente de lo dado sobre lo cual se ejerce. La negación interna revela al en-sí como independiente, y esta independencia constituye al en-sí su carácter de cosa. Pero, entonces, lo que la libertad pone por el simple surgimiento de su ser es su propio carácter de ser como un *quehacer referente a otro que sí*. Hacer es, precisamente, cambiar lo que para existir no necesita de otro que sí, es actuar sobre aquello que, por principio, es indiferente a la acción y puede proseguir sin ella su existencia o su devenir. Sin esta diferencia de exterioridad del en-sí, la noción misma de *hacer* perdería su sentido (lo hemos mostrado antes, con motivo del deseo y la decisión), y, por consiguiente, la propia libertad se desmoronaría. Así, el proyecto mismo de una libertad en general es una elección que implica la previsión y la aceptación de resistencias, de resistencias cualesquiera. No sólo la libertad constituye el marco en que en-síes, por lo demás indiferentes, se revelarán como resistencias, sino que también su propio proyecto, en general, es proyecto de *hacer* en un mundo resistente, por victoria sobre esas resistencias. Todo proyecto libre prevé, al pro-yectarse, el margen de imprevisibilidad debido a la independencia de las cosas, precisamente porque esta independencia es aquello a partir de lo cual se constituye una libertad. Desde que pro-yecto ir al pueblo vecino para verme con Pedro, las rupturas de llantas, el "viento en contra", mil accidentes previsibles e imprevisibles se dan en mi proyecto mismo y constituyen su sentido. Así, la inopinada ruptura de una llanta que trastorna mis proyectos viene a *ocupar su sitio* en un mundo prefigurado por mi elección, pues nunca he cesado, por así decirlo, de *esperarla como inopinada.* Y aun si mi camino ha quedado interrumpido por algo en que estaba a mil leguas de pensar, como una inundación o un alud, en cierto sentido este algo imprevisible estaba previsto: en mi proyecto se dejaba cierto margen de indeterminación "para lo imprevisible", como los romanos reservaban en sus templos un sitio a los dioses desconocidos; y ello no por experiencia de los "duros golpes" o por prudencia empírica, sino por la naturaleza misma de mi proyecto. Así, en cierta manera, puede decirse que la realidad humana no es sorprendida por nada. Estas observaciones nos permiten sacar a luz una nueva característica de la libre elección: todo proyecto de la libertad es *proyecto abierto,* y no proyecto cerrado. Aunque enteramente individualizado, contiene en sí la posibilidad de sus modificaciones ulteriores. Todo proyecto implica en su estructura la comprensión de la *selbstständigkeit* de las cosas del mundo. Esta perpetua previsión de lo imprevisible, como margen de indeterminación del proyecto que soy, permite comprender que el accidente o la catástrofe, en vez de sorprenderme por su carácter nuevo y extraordinario, me agobia siempre con cierto aspecto de "ya visto-ya previsto", por su propia evidencia y una suerte de necesidad fatalista que expresamos con un "tenía que suceder". En el mundo nada hay que asombre o que sorprenda, a menos que nos determinemos nosotros mismos al asombro. Y el tema original del asombro no es que tal o cual cosa particular exista en los límites del mundo, sino, más bien, que haya un mundo en general, es decir, que esté yo arrojado en medio de una totalidad de existentes radicalmente indiferentes a mí. Pues, al elegir un fin, elijo tener relaciones con esos existentes y que esos existentes tengan relaciones entre sí; elijo que entren en combinación para anunciarme lo que soy. Así, la adversidad que las cosas me atestiguan está prefigurada por mi libertad como una de sus propias condiciones, y tal o cual complejo sólo puede manifestar su coeficiente individual de adversidad en una significación libremente proyectada de la adversidad en general.

Pero, como siempre que se trata de la situación, hay que insistir en el hecho de que el estado de cosas descrito tiene un reverso: si la libertad prefigura la adversidad en general, es como una manera de sancionar la exterioridad de indiferencia del en-sí. Sin duda, la adversidad viene a las cosas por la libertad, pero sólo en tanto que la libertad ilumina su propia facticidad como "ser-en-medio-de-un-en-sí-de-indiferencia". La libertad se da las cosas como adversas, es decir, les confiere una significación que las hace cosas; pero será significante sólo asumiendo lo dado mismo, es decir, asumiendo para transcenderlo su exilio en medio de un en-sí indiferente. Recíprocamente, por lo demás, lo dado contingente así asumido no podría sostener ni aun esa significación primera, sostén de todas las demás, "exilio en medio de la indiferencia", sino en y por una libre asunción del para-sí. Tal es, en efecto, la estructura primitiva de la situación, que aquí aparece con toda claridad: la libertad, por su propio trascender lo dado hacia sus fines, hace existir a lo dado como *esto* dado *aquí* –previamente no existían ni esto, ni aquello, ni aquí– y lo dado así *designado* no es formado de un modo cualquiera: es existente bruto, asumido para ser trascendido. Pero la libertad, al tiempo que es un trascender *esto dado aquí*,[1] se elige como *este* trascender *aquí* lo dado. La libertad no es un cualquier trascender cualquier esto dado, sino que, asumiendo lo dado bruto y confiriéndole su sentido, se ha elegido ipso facto: su fin es, precisamente, *cambiar esto dado aquí,* de la misma manera que lo dado aparece como esto dado aquí a la luz del fin elegido. Así, el surgimiento de la libertad es cristalización de un fin *a través de algo dado,* y descubrimiento de algo dado *a la luz* de un fin; ambas estructuras son simultáneas e inseparables. Más adelante veremos, en efecto, que los valores universales de los fines elegidos sólo se extraen por análisis: toda elección es elección de un cambio concreto de-aportar a algo dado concreto. Toda situación es concreta.

Así, la adversidad de las cosas y sus potencialidades en general son iluminadas por el fin elegido. Pero no hay fin sino para

---

[1] *Ce donné-ci.* El demostrativo francés *ceci* o *ce... -ci* incluye una expresión de lugar (*ci = ici* = "aquí"). (N. del T.)

un para-sí que se asume como dejado ahí en medio de la indiferencia. Con esta asunción, no aporta *nada* nuevo a esa derelicción contingente y bruta, salvo una *significación*: hace que *haya* en adelante una derelicción, por el hecho de que esta derelicción es descubierta como situación...

Hemos visto, en el capítulo IV de nuestra segunda parte, que el para-sí, por su surgimiento, hace que el en-sí venga al mundo; de manera más general aún, es la nada por la cual "hay" en-sí, es decir, cosas. Hemos visto también que la realidad en-sí es ahí, a la mano, con sus *cualidades,* sin ninguna deformación ni añadido. Simplemente, estamos separados de ella por las diversas rúbricas de nihilización que instauramos por nuestro propio surgimiento: mundo, espacio y tiempo, potencialidades. Hemos visto, en particular, que, aunque estemos rodeados de *presencias* (este vaso, este tintero, aquella mesa, etc.), estas presencias son incaptables como tales, pues nada entregan de sí sino al cabo de un gesto o de un acto proyectado por nosotros, es decir, en futuro. Ahora podemos comprender el sentido de este estado de cosas: no estamos separados de las cosas por nada, por *nada más que nuestra libertad;* ésta hace que *haya* cosas, con toda la indiferencia, imprevisibilidad y adversidad que tienen, y estamos ineluctablemente separados de ellas, pues aparecen y se revelan como vinculadas entre sí sobre fondo de nihilización. Así, el proyecto de mi libertad no agrega *nada* a las cosas: hace que *haya* cosas, es decir, precisamente, realidades dotadas de un coeficiente de adversidad y de utilizabilidad; hace que estas cosas se descubran *en la experiencia,* es decir, se destaquen sucesivamente sobre fondo de mundo en el curso de un proceso de temporalización; hace, por último, que las cosas se manifiesten como fuera de alcance, independientes, separadas de mí por la nada misma que segrego y que soy. Porque la libertad está condenada a ser libre, es decir, no puede elegirse como libertad, por eso hay cosas, es decir, una plenitud de contingencia en el seno de la cual es ella misma contingencia; por la asunción de esta contingencia y por el trascenderla puede haber a la vez una *elección* y una organización de las cosas en *situación;* la contingencia de la libertad y la contingencia del en-sí se expresan *en situación* por la imprevisibilidad y la adversidad de los entornos. Así, soy absolutamente libre y responsable de mi situación; pero, además, no soy nunca libre *sino en situación*.

D) *Mi prójimo*

Vivir en un mundo infestado por mi prójimo no es solamente poder encontrarme con el Otro a cada vuelta del camino, sino también hallarme comprometido en un mundo cuyos complejos-utensilios pueden tener una significación que no les ha sido primeramente conferida por mi libre proyecto. Es, también, en medio de este mundo dotado *ya* de sentido, tener que ver con una significación que es *mía* y que tampoco me he dado yo, sino que me descubro como "ya poseyéndola". Así, pues, cuando nos preguntamos qué puede significar para nuestra "situación" el hecho original y contingente de existir en un mundo en que también "hay" Otros, el problema así formulado exige que estudiemos sucesivamente tres estratos de realidad que entran en juego para constituir mi situación concreta: los utensilios *ya* significantes (la estación, el semáforo del ferrocarril, la obra de arte, el cartel de movilización), la significación que descubro como *ya mía* (mi nacionalidad, mi raza, mi aspecto físico) y, por último, el Otro como centro de referencia al que esas significaciones remiten.

Todo sería muy simple, en efecto, si perteneciera a un mundo cuyas significaciones se descubrieran simplemente a la luz de mis propios fines. Dispondría, en efecto, de las cosas como utensilios o complejos de utensilidad en los límites de mi propia elección de mí mismo; esta elección haría de la montaña un obstáculo difícil de superar o un punto de vista sobre la campiña, etc.; no se plantearía el problema de qué significación puede tener esa montaña *en sí*, ya que soy aquel por quien las significaciones vienen a la realidad en sí. Este problema se vería también muy simplificado si yo-fuera una mónada sin puertas ni ventanas y supiera solamente, de cualquier modo que fuere, que existen o son posibles otras mónadas, cada una de las cuales confiere a las cosas que veo significaciones nuevas. En tal caso, que es el que los filósofos demasiado a menudo se han limitado a examinar, me bastaría tener por *posibles* otras significaciones y, finalmente, la pluralidad de las significaciones correspondiente a la pluralidad de las conciencias coincidiría sencillamente para mí con la posibilidad siempre abierta de hacer de mí *otra elec*ción. Pero hemos visto que esta concepción monádica ocultaba un secreto solipsismo, precisamente porque confundirá la pluralidad de las significaciones que puedo adjudicar a lo real con la pluralidad de los sistemas significantes cada uno de los cuales remite a una conciencia que yo no soy. Por otra parte, en el terreno de la experiencia concreta, tal descripción monádica se muestra insuficiente; en efecto, existe en "mi" mundo otra cosa que una pluralidad de significaciones posibles: existen significaciones objetivas que se me dan como no teniendo-de-ser sacadas a luz por mí. Yo, por quien las significaciones vienen a las cosas, me encuentro comprometido en un mundo *ya significante,* que me refleja significaciones no puestas por mí. Piénsese, por ejemplo, en la innumerable cantidad de significaciones, independientes de mi elección, que descubro si vivo en una ciudad: calles, casas, tiendas, tranvías y autobuses, placas indicadoras, ruidos de aviso, música de radio, etc. En la soledad, ciertamente, descubría yo el existente bruto e imprevisible: *ese* peñasco, por ejemplo, y me limitaba, en suma, a hacer que *hubiera* un peñasco, es decir, *este* existente *aquí*, y, fuera de él, nada. Pero le confería, por lo menos, su significación de "de-escalar", "de-evitar", "de-contemplar", etc. Cuando, al doblar una esquina, descubro una casa, ya no revelo meramente un existente bruto en el mundo; ya no hago sólo que *haya* un "esto" cualificado de tal o cual manera; sino que la significación del objeto así revelado se me resiste y permanece independiente de mí: descubro que el inmueble es un inquilinato o la administración de la Compañía del gas, o prisión, etc.; la significación es aquí contingente, independiente de mi elección, se presenta con la misma indiferencia que la realidad misma del en-sí: se ha hecho *cosa* y no se distingue de la *cualidad* del en-sí. Análogamente, el coeficiente de adversidad de las cosas se me descubre antes de ser experimentado por mí; multitud de indicaciones me ponen sobre aviso: "Disminuya la velocidad: curva peligrosa". "Cuidado, escuela", "Peligro de muerte", "Excavación a cien metros", etc. Pero estas significaciones, aunque profundamente impresas en las cosas y partícipes de la exterioridad de indiferencia de las mismas –por lo menos en apariencia–, son a la vez indicaciones de conductas que me conciernen de modo directo. Pasaré por las casas de empeño, entraré en *tal o cual* tienda para comprar *tal o cual* utensilio cuyo modo de empleo está indicado con toda precisión en un volante que se entrega al adquirente; usaré después ese utensilio, por ejemplo, una estilográfica, para llenar tal o cual formulario en determinadas condiciones. ¿No encontraré con ello estrechos límites a mi libertad? Si no sigo punto por punto las indicaciones dadas por los otros, no sabré manejarme, me equivocaré de calle, perderé mi tren, etc. Por otra parte, tales indicaciones son casi siempre imperativas: "Entre por aquí", "Salga por aquí"; esto es lo que significan las palabras Entrada y Salida pintadas encima de las puertas. Yo me someto: las indicaciones agregan, al coeficiente de adversidad que hago nacer yo sobre las cosas, un coeficiente de adversidad propiamente humano. Además, si me someto a esa organización, dependo de ella: los beneficios de que me provee pueden agotarse; un trastorno intestinal, una guerra, y he ahí que escasean los productos de primera necesidad, sin que tenga yo nada que ver en ello. Soy desposeído, detenido en mis proyectos, privado de lo necesario para cumplir mis fines. Y, sobre todo, hemos notado ya que los modos de empleo, las designaciones, las órdenes o las prohibiciones, los carteles indicadores, se dirigen a mí en tanto que soy *cualquiera;* en la medida en que obedezco, me inserto en la fila, me someto a los objetivos de una realidad humana *cualquiera* y *los* realizo por medio de técnicas *cualesquiera: soy* modificado, pues, en mi propio ser, puesto que *soy* los fines que he elegido y las técnicas que los realizan; a fines cualesquiera, a técnicas cualesquiera, corresponde una realidad humana cualquiera. Al mismo tiempo, ya que el mundo no se me aparece jamás sino a través de las técnicas que utilizo, el mundo también es modificado. Ese mundo visto a través del uso que hago de la bicicleta, del auto, del tren, para recorrerlo, me descubre un rostro rigurosamente correlativo de los medios que utilizo y, por ende, *el rostro que ofrece a todo el mundo*. De ello se seguirá evidentemente, se dirá, que mi libertad se me escapa por todas partes: no hay ya *situación* como organización de un mundo significante en torno de la libre elección de mi espontaneidad, sino un *estado* que me es impuesto. Es lo que conviene examinar ahora.

Está fuera de duda que mi pertenencia a un mundo habitado tiene el valor de un *hecho*: remite, en efecto, al hecho original de la presencia del prójimo en el mundo, hecho que, como hemos visto, no puede deducirse de la estructura ontológica del para-sí. Y, aunque este hecho no haga sino volver más profundo el enraizamiento de nuestra facticidad, tampoco es deducible a partir de ésta, en tanto que la facticidad expresa la necesidad de la contingencia del para-sí; más bien, ha de decirse que el para-sí *existe de hecho*, o sea que su existencia no puede ser asimilable ni a una realidad engendrada según ley, ni a una libre elección; y, entre las características de hecho de esa "facticidad", es decir, entre las que no pueden ni deducirse ni demostrarse, sino que se "dejan ver" simplemente, hay una que llamamos la existencia-en-el-mundo-en-presencia-de-otros. Si esta característica de hecho debe ser o no reasumida por mi libertad para ser eficaz de un modo cualquiera, es lo que discutiremos un poco más adelante. Lo cierto es que al nivel de las técnicas de apropiación del mundo, del *hecho* mismo de la existencia del otro resulta el hecho de la propiedad colectiva de las técnicas. La facticidad se expresa, pues, en este nivel por el hecho de mi aparición en un mundo que no se me revela sino por técnicas colectivas y ya constituidas, que apuntan a hacérmelo captar en un aspecto cuyo sentido ha sido definido con prescindencia de mí. Tales técnicas determinarán mi pertenencia a las colectividades: a la *especie humana,* a la colectividad nacional, al grupo profesional o familiar. Y hasta importa subrayarlo: fuera de mi ser-para-otro –de que hablaremos luego–, la única manera positiva que tengo de *existir mi pertenencia de hecho* a esas colectividades es el uso que constantemente hago de las técnicas a ellas pertenecientes. La pertenencia a la *especie humana* se define, en efecto, por el uso de técnicas muy elementales y generales: saber caminar, saber asir, saber juzgar sobre el relieve y la magnitud aparente de los objetos percibidos, saber hablar, saber distinguir, en general, lo verdadero de lo falso, etcétera. Pero no poseemos estas técnicas de esta manera abstracta y universal: saber hablar no es saber nombrar y comprender las palabras en general, sino saber hablar cierta lengua y manifestar con ello la pertenencia a la humanidad *en el nivel* de la colectividad nacional. Por lo demás, saber hablar una lengua no es tener un conocimiento abstracto y puro de la lengua tal como la definen los diccionarios y las gramáticas académicas: es hacerla nuestra a través de las deformaciones y las selecciones provinciales, profesionales, familiares. Así, puede decirse que la *realidad* de nuestra pertenencia a lo humano es nuestra *nacionalidad,* y que la realidad de nuestra nacionalidad es nuestra pertenencia a la familia, a la región, a la profesión, etc., en el sentido en que la *realidad* del lenguaje es la lengua y la realidad de la lengua es el dialecto, la jerga, el habla local, etc. Recíprocamente, la *verdad* del dialecto es la lengua, la *verdad* de la lengua es el lenguaje; esto significa que las técnicas concretas por las cuales se manifiesta nuestra pertenencia a la familia, a la localidad, remiten a estructuras más abstractas y generales, que constituyen como su significación y su esencia; y estas estructuras remiten a otras, más generales aún, hasta llegar a la esencia universal y simplicísima de una técnica *cualquiera* por la cual un ser *cualquiera* se apropia del mundo.

Así, ser francés, por ejemplo, no es sino la *verdad* de ser saboyardo. Pero ser saboyardo no es simplemente habitar los altos valles de Saboya: es, entre otras mil cosas, esquiar en invierno, utilizar el esquí como medio de transporte. Y, precisamente, es esquiar según el método francés, no según el del Arlberg o el de los noruegos.[1] Pero, puesto que la montaña y las cuestas nevadas sólo se aprehenden a través de una técnica, es precisamente descubrir el sentido *francés* de las cuestas para esquí: en efecto, según que se utilice el método noruego,

[1] Simplificamos: hay influencias, interferencias de técnica; el método del Arlberg ha prevalecido largo tiempo en Francia. El lector podrá restablecer fácilmente los hechos en su complejidad.

más favorable para cuestas suaves, o el método francés, más favorable para cuestas empinadas, una misma cuesta aparecerá como más suave o más empinada; exactamente como una subida aparecerá al ciclista más o menos empinada según "la haya tomado a velocidad media o a poca velocidad". Así, el esquiador francés dispone de una "velocidad" francesa para bajar por los campos de esquí, y esa velocidad le descubre un tipo particular de pendientes, dondequiera que esté; es decir, que los Alpes suizos o bávaros, el Telemark o el Jura, le ofrecerán siempre un sentido, unas dificultades, un complejo de utensilidad o de adversidad puramente franceses. Fácil sería mostrar, de modo análogo, que la mayor parte de las tentativas para definir la clase obrera se reducen a tomar como criterio la producción, el consumo o determinado tipo de *Weltanschauung,* dependiente del complejo de inferioridad (Marx, Halbwachs, de Man); es decir, en todos los casos, ciertas técnicas de elaboración o de apropiación del mundo, a través de las cuales éste ofrece lo que podríamos llamar su "faz proletaria", con sus oposiciones violentas, sus grandes masas uniformes y desérticas, sus zonas de tinieblas y sus playas de luz, los fines simples y urgentes que lo iluminan.

Ahora bien: es evidente, aunque mi pertenencia a tal o cual clase o nación no emane de mi facticidad como estructura ontológica de mi para-sí, que mi existencia de hecho, es decir, mi nacimiento y mi sitio, entraña mi aprehensión del mundo y de mí mismo a través de ciertas técnicas. Y estas técnicas, que no he elegido yo, confieren al mundo las significaciones que éste tiene. Al parecer no soy yo quien decide, a partir de mis fines, si el mundo se me aparece con las oposiciones simplistas y tajantes del universo "proletario", o con los matices innumerables y alambicados del mundo "burgués". No solamente estoy arrojado frente al existente bruto: estoy arrojado también en un mundo obrero, francés, lorenés o meridional, que me ofrece sus significaciones sin que yo haya hecho nada para descubrirlas.

Veámoslo mejor. Acabamos de mostrar que mi nacionalidad no es sino la *verdad* de mi pertenencia a una provincia, a una familia, a una agrupación profesional. Pero, ¿hemos de detenernos aquí? Si la lengua no es sino la *verdad* del dialecto, ¿es el dialecto la realidad absolutamente concreta? La jerga profesional tal como "se" la habla, el habla local alsaciana tal como un estudio lingüístico y estadístico permiten determinarla en sus leyes, ¿es el fenómeno primero, el que halla su fundamento en el hecho puro, en la contingencia original? Las investigaciones de los lingüistas pueden engañar acerca de esto: sus estadísticas sacan a luz constantes deformaciones fonéticas o semánticas de un tipo dado; permiten reconstituir la evolución de un fonema o de un morfema en un período dado, de suerte que parece que la *palabra* o la *regla sintética* sea una realidad individual, con su significación y su historia. Y, de hecho, los individuos parecen tener poco influjo sobre la evolución de la lengua. Hechos sociales como las invasiones, las grandes vías de comunicación, las relaciones comerciales, parecen ser las causas esenciales de los cambios lingüísticos. Pero ello se debe a que la cuestión no se ha colocado en el verdadero terreno de lo concreto; entonces, uno no recibe sino lo que ha pedido. Desde hace tiempo los psicólogos han hecho notar que la *palabra* no es el elemento concreto del lenguaje –ni aun la palabra del dialecto, ni aun la palabra familiar con sus deformaciones particulares–: la estructura elemental del lenguaje es la *oración*. En efecto: sólo en el interior de la oración puede la palabra recibir una real función designativa; fuera de ella, es apenas una función proposicional, cuando no una pura y simple rúbrica destinada a agrupar significaciones absolutamente dispares. Donde, en el discurso, la palabra aparece sola, toma un carácter "holofrástico", sobre el cual se ha insistido a menudo; ello no significa que pueda limitarse por sí misma a un sentido preciso, sino que está integrada en un contexto como una forma secundaria a una forma principal. La palabra no tiene, pues, sino una existencia puramente *virtual* fuera de las organizaciones complejas y activas en que se integra. No podría existir, pues, "en" una conciencia o en un inconsciente, *antes* del uso que de ella se hace: la oración no está *hecha de palabras*. Y no basta con esto. Paulhan ha mostrado, en *Les fleurs de Tarbes*, que ciertas frases enteras, los "lugares comunes", exactamente como las palabras, no preexisten al empleo que de ellas se hace. Lugares comunes si encaradas desde afuera por el lector, que recompone el sentido del párrafo pasando de una oración a otra, esas frases pierden su carácter trivial y convencional si se coloca uno en el punto de vista del autor, que veía *la cosa misma por expresar* e iba hacia ella por la vía más corta, produciendo un acto de designación o de recreación sin demorarse en considerar los elementos mismos de ese acto. Si es así, ni las palabras, ni la sintaxis, ni las "frases hechas" preexisten al uso que de ellas se hace. Siendo la oración significante la unidad verbal, la oración es un acto constructivo que no se concibe sino por una trascendencia que trasciende y nihiliza lo dado hacia un fin. Comprender la palabra a la luz de la oración es *exactísimamente* comprender cualquier objeto dado a partir de la situación y comprender la situación a la luz de los fines originales. Comprender una oración de mi interlocutor es, en efecto, comprender lo que éste *quiere decir*, o sea adherirme a su movimiento de trascendencia, arrojarme con él hacia posibles, hacia fines, y volver en seguida sobre el conjunto de los medios organizados, para comprenderlos por su función y su objetivo. El lenguaje hablado, por lo demás, se descifra siempre a partir de la situación. Las referencias al tiempo, a la hora, al sitio, a los entornos, a la situación de la ciudad, de la provincia o del país, están dadas antes del habla. Me basta haber leído los diarios y *ver* el buen aspecto y el aire preocupado de Pedro, para comprender el "Esto anda mal" con que me recibe esta mañana. No es su salud lo que "anda mal", puesto que tiene la tez rozagante; ni sus negocios, ni su hogar: lo que anda mal es la situación de nuestra ciudad o de nuestro país. Yo *ya lo sabía*; al preguntarle "¿Cómo anda eso?", esbozaba ya una interpretación de su respuesta; me trasladaba ya a los cuatro puntos del horizonte, presto a *volver* hacia Pedro para comprenderlo. Escuchar el discurso es "hablar con", no simplemente porque uno imita para descifrarlo, sino porque uno se proyecta originariamente hacia los posibles, y la comprensión se establece *a partir del mundo*.

Pero, si la oración preexiste a la palabra, nos vemos remitidos al *discurrente* como fundamento concreto del discurso. Tal o cual palabra bien puede parecer "vivir" por sí misma si se la extrae de oraciones de épocas diversas; pero esta vida prestada se parece a la del cuchillo de los filmes fantásticos, que se hinca por sí mismo en la pera: está formada por la yuxtaposición de instantáneas, es cinematográfica y se constituye en el tiempo universal. Pero, si las palabras parecen vivir cuando se proyecta el filme semántico o morfológico, no llegan hasta constituir oraciones; no son sino los vestigios del paso de las oraciones, así como las rutas no son sino los vestigios del paso de peregrinos o de caravanas. La oración es un proyecto que no puede interpretarse sino a partir de la nihilización de algo dado (aquello mismo que se quiere *designar),* a partir de un fin propuesto (su *designación,* que a su vez supone otros fines con respecto a los cuales no es sino un medio). Si ni lo dado, como tampoco la palabra, pueden determinar la oración, sino que, al contrario, la oración es necesaria para iluminar lo dado y comprender la palabra, entonces la oración es un momento de la libre elección de mí mismo, y como tal es comprendida por mi interlocutor. Si la lengua es la realidad del lenguaje, si el dialecto o la jerga son la realidad de la lengua, la realidad del dialecto es el *acto libre* de designación por el cual me elijo *designante.* Y este acto libre no puede reducirse a un *reunir* palabras. Por cierto, si fuera una simple reunión de palabras conforme a recetas técnicas (las leyes gramaticales), podríamos hablar de límites de hecho impuestos a la libertad del hablante; estos límites estarían señalados por la naturaleza material y fónica de las palabras, por el vocabulario de la lengua utilizada, por el vocabulario personal del hablante (las *n* palabras de que dispone), por el "genio del idioma", etc., etc. Pero acabamos de mostrar que no es así. Recientemente ha podido sostenerse[1] que hay un como orden vivo de las palabras, una vida impersonal del logos; en suma, que el lenguaje es una *Naturaleza* y que el hombre debe servirla para poder utilizarla sobre algunos puntos, como lo hace con la Naturaleza. Pero en tal caso, se ha considerado al lenguaje *una vez muerto,* o sea, una vez que *ha sido hablado,* insuflándosele una vida impersonal y una fuerza y afinidades y repulsiones que, de hecho, han sido tomadas en préstamo a la libertad personal del para-sí hablante. Se ha hecho del lenguaje *una lengua que se habla sola.* Éste es el error que hay que evitar, con respecto al lenguaje

---

[1] Brice-Parain, *Essai sur le* logos *platonicien.*

como con respecto a *todas las demás técnicas.* Si se hace surgir al hombre en medio de técnicas que se aplican solas, en medio de una lengua que se habla sola, de una ciencia que se hace por sí misma, de una ciudad que se construye de por sí según sus leyes propias; si se fijan las significaciones en en-sí conservándoles a la vez una trascendencia humana, entonces se reducirá el papel del hombre al de un piloto que utiliza las fuerzas determinadas de los vientos, las olas y las mareas para dirigir un navío. Pero, de paso en paso, cada técnica, para ser dirigida hacia fines humanos, exigirá otra técnica: por ejemplo, para dirigir un barco es menester hablar. Así llegaremos quizá a la técnica de las técnicas –que se aplicará por sí sola, a su vez–, pero habremos perdido para siempre la posibilidad de encontrarnos con el técnico.

Si, al contrario, nuestro hablar hace que haya palabras, no por eso suprimimos las conexiones *necesarias* y *técnicas* o las conexiones *de hecho* que se articulan en el interior de la frase. Mejor aún: *fundamos* esa necesidad. Pero, para que ésta aparezca, precisamente, para que las palabras mantengan relaciones entre sí, para que se junten –o se rechacen– mutuamente, es menester que estén unidas en una síntesis que no proviene de ellas; suprimamos esta unidad sintética, y el bloque "lenguaje" se desmigaja: cada palabra vuelve a su soledad y pierde al mismo tiempo su unidad, descuartizándose entre diversas significaciones incomunicables. Así, las leyes del lenguaje se organizan en el interior del libre proyecto de la oración; hablando, hago la gramática; la libertad es el único fundamento posible de las leyes del idioma. Por otra parte, ¿para *quién* hay leyes del idioma? Paulhan ha dado los elementos para una respuesta: no para el que habla, sino para el que escucha. El que habla no es sino la elección de una *significación,* y no capta el orden de las palabras sino en tanto que lo *hace.*[1] Las únicas relaciones que el hablante captará en el interior de ese complejo organizado serán específicamente las que él ha establecido. Si,

---

[1] Simplifico, pues también uno puede informarse de su propio pensamiento por la oración que pronuncia; pero ello se debe a que es posible adoptar acerca de ella, en cierta medida, el punto de vista del prójimo, exactamente como acerca de nuestro propio cuerpo.

posteriormente, se descubre que dos o más palabras mantienen entre sí no *una* sino varias relaciones definidas y resulta de ello una multiplicidad de significaciones que se jerarquizan o se oponen en una misma oración, en suma, si se descubre "la parte del diablo", sólo puede ser con estas dos condiciones: 1°, es menester que las palabras hayan sido reunidas y presentadas por una libre conexión significante; 2°, es menester que esta síntesis sea vista *desde afuera*, o sea por *Otro* y en el curso de un desciframiento hipotético de los sentidos posibles de esa conexión. En tal caso, en efecto, cada palabra, captada *previamente* como encrucijada de significaciones, es vinculada con otra palabra captada del mismo modo. Y la conexión será *multívoca*. La captación del sentido *verdadero,* es decir, expresamente querido por el hablante, podrá rechazar a las sombras o asumir de modo subordinado los demás sentidos, pero sin suprimirlos. Así, el lenguaje, libre proyecto *para mí,* tiene leyes específicas *para el otro.* Y estas leyes mismas sólo pueden actuar en el interior de una síntesis original. Se advierte, pues, la gran diferencia que separa el acaecimiento "oración" de un acaecimiento natural. El hecho natural se produce conforme a una ley que él manifiesta, pero que es pura regla exterior de producción, de la cual el hecho considerado no es sino un ejemplo. La "oración" como acaecimiento contiene en sí misma la ley de su organización, y sólo en el interior del libre proyecto de *designar* pueden surgir relaciones legales entre las palabras. En efecto, no puede haber leyes del habla antes de que se hable. Toda habla es libre proyecto de designación que depende de la elección de un para-sí personal y debe interpretarse a partir de la situación global de ese para-sí. Lo primero es la situación, a partir de la cual comprendo el *sentido* de la oración, sentido que no ha de considerarse en sí mismo como algo dado, sino como un fin elegido en un libre trascender ciertos medios. Tal es la única *realidad* con que puedan encontrarse los trabajos del lingüista. A partir de ella, un trabajo de análisis regresivo podrá sacar a luz ciertas estructuras más generales, más simples, que son como esquemas legales. Pero estos esquemas, que valdrán, por ejemplo, como leyes del dialecto, son en sí mismos entes abstractos. Lejos de presidir a la constitución de la oración y de ser el molde en que ésta se vierte, no existen sino en y por esa oración. En tal sentido, la oración aparece como libre invención de sus leyes. Encontramos de nuevo aquí, simplemente, la característica original de toda situación: el libre proyecto de la oración, por su propio trascender lo dado como tal (el aparato lingüístico), hará aparecer lo dado como *esto* dado (estas leyes de sintaxis y de pronunciación dialectales). Pero el libre proyecto de la oración es, precisamente, el propósito de asumir *esto dado aquí;* no es una asunción cualquiera, sino un apuntar hacia un fin aún no existente, a través de medios existentes a los cuales confiere, precisamente, su sentido de medios. Así, la oración es ordenación de palabras que llegan a ser *tales palabras* en virtud de su mismo ordenamiento. Es lo que lingüistas y psicólogos han sentido, y su perplejidad puede servirnos de contraprueba: han creído, en efecto, descubrir un círculo en la elaboración del habla, pues, para hablar, es preciso conocer que el que habla conozca su propio pensamiento. Pero, ¿cómo conocer este pensamiento, a título de realidad explicitada y fijada en conceptos, si no es, justamente, hablándolo? Así, el lenguaje remite al pensamiento, y el pensamiento al lenguaje. Pero ahora comprendemos que no hay círculo, o, más bien, que ese círculo –del cual se ha creído salir inventando puros ídolos psicológicos, como la imagen verbal o el pensamiento sin imágenes ni palabras– no es especial del lenguaje: es la característica de la situación en general. No significa otra cosa que la conexión ek-stática del presente, el futuro y el pasado, es decir, la libre determinación del existente por lo aún-no-existente, y de lo aún-no-existente por el existente. Después de esto, será permitido descubrir esquemas operatorios abstractos que representarán como la verdad legal de la oración: el esquema dialectal, el esquema de la lengua nacional, el esquema lingüístico en general. Pero tales esquemas, lejos de preexistir a la oración concreta, están afectados de *ulselbstständigkeit* y nunca existen sino encarnados, y sostenidos en su propia encarnación, por la libertad. Por supuesto, el lenguaje no es aquí sino el ejemplo de una técnica social y universal. Lo mismo ocurriría con cualquier otra técnica: el hachazo revela el hacha, el martillar revela el martillo. Será dado descubrir, en una carrera particular, el método francés de esquiar, y, en este método, el arte general del esquí como posibilidad humana. Pero este arte humano jamás es nada por sí solo; no existe *en potencia,* sino que se encarna y manifiesta en el arte *actual* y concreto del esquiador. Esto nos permite esbozar una solución acerca de las relaciones entre el individuo y la especie. Sin especie humana no hay verdad, cierto es; no quedaría sino una pululación irracional y contingente de elecciones individuales, a las cuales no podría asignarse ley alguna. Si algo como una verdad existe, capaz de unificar las elecciones individuales, sólo la especie humana puede dárnosla. Pero, si la especie es la verdad del individuo, no puede ser algo *dado* en el individuo, sin incurrirse en contradicción profunda. Como las leyes del lenguaje están sostenidas y encarnadas por el libre proyecto concreto de la frase, así también la especie humana –como conjunto de técnicas propias para definir la actividad de los hombres–, lejos de preexistir a un individuo que la manifieste, como tal o cual caída particular ejemplifica la ley de la caída de los cuerpos, es el conjunto de relaciones abstractas sostenidas por la libre elección individual. El para-sí, para elegirse *persona,* hace que exista una organización interna a la cual trasciende hacia sí mismo, y esta organización técnica interna es en él lo nacional o lo humano.

Muy bien, se nos dirá; pero ha eludido usted el problema. Pues esas organizaciones lingüísticas o técnicas no han sido creadas por el para-sí para alcanzarse a sí mismo: las ha tomado del prójimo. La regla de concordancia del adjetivo[1] no existe, lo admito, fuera de la libre conexión de adjetivos concretos con vistas a un fin de designación particular. Pero, cuando utilizo esa regla, la he aprendido de los otros y me sirvo de ella porque los otros la hacen ser en sus proyectos personales. Mi lenguaje está, pues, subordinado al lenguaje del prójimo y, en última instancia, al lenguaje nacional.

No se nos ocurre negarlo. Por lo demás, no pretendemos presentar al para-sí como libre fundamento de su ser: el para-

[1] En el original: "regla de concordancia de los participios", característica del francés (y del italiano) pero no existente en español. (N. del T.)

sí es libre pero *en condición,* y esta relación entre condición y libertad es lo que tratamos de precisar con el nombre de situación. Lo que acabamos de establecer, en efecto, no es sino una parte de la realidad. Hemos mostrado que la existencia de significaciones que no emanan del para-sí no podría constituir un limite externo de su libertad. El para-sí no es primero hombre para ser sí-mismo después, ni se constituye como sí-mismo a partir de una esencia hombre dada *a priori,* sino que, muy por el contrario, el para-sí mantiene en existencia ciertas características sociales y abstractas que hacen de él *un hombre,* en su esfuerzo por elegirse como sí-mismo personal; y las conexiones necesarias que siguen a los elementos de la esencia hombre sólo aparecen sobre el fundamento de una libre elección; en este sentido, cada para-sí es responsable en su ser de la existencia de una especie humana. Pero nos es necesario aún esclarecer el hecho innegable de que el para-sí no puede elegirse sino allende ciertas significaciones de las que él no es origen. Cada para-sí, en efecto, sólo es para-sí eligiéndose allende la nacionalidad y la especie, así como no habla sino eligiendo la designación allende la sintaxis y los morfemas. Este "allende" basta para asegurar su total independencia con respecto a las estructuras trascendidas por él; pero ello no quita que el para-sí se constituya en *allende* con respecto a *estas* estructuras determinadas. ¿Qué significa esto? Que el para-sí surge en un mundo que es mundo para otros para-síes. Tal es lo *dado.* Y, por eso mismo, como hemos visto, el sentido del mundo le está *alienado.* Esto significa, justamente, que el para-sí se encuentra en presencia de *sentidos* que no vienen al mundo por él. Surge en un mundo que se le da como *ya mirado,* surcado, explorado, laborado en todos los sentidos, y cuya contextura misma está ya definida por estas investigaciones; y, en el acto mismo por el cual despliega su tiempo, se temporaliza en un mundo cuyo sentido temporal está ya definido por otras temporalizaciones: es el hecho de la simultaneidad. No se trata de un límite de la libertad, sino que, más bien, el para-sí debe ser libre *en ese mundo mismo;* debe elegirse, no *ad libitum,* sino teniendo en cuenta esas circunstancias. Pero, por otra parte, el para-sí, al surgir, *no padece* la existencia del otro: está constreñido a manifestársela a sí mismo en forma de una elección. Por una elección, captará al Otro como Otro-sujeto o como Otro-objeto.[1] Mientras el Otro es para él Otro-mirada, no puede tratarse de *técnicas* o de significaciones extrañas; el para-sí se experimenta como objeto en el Universo bajo la mirada del Otro. Pero, desde que el para-sí, trascendiendo al Otro hacia sus fines propios, hace de él una trascendencia-trascendida, lo que era libre trascender lo dado hacia fines se le aparece como conducta significante y dada en el mundo (fijada en en-sí). El Otro-objeto se convierte en un *indicador de fines* y, por su libre proyecto, el Para-sí se arroja en un mundo en que conductas-objetos designan fines. Así, la presencia del Otro como trascendencia-trascendida es reveladora de complejos *dados* de medios a fines. Y, como el fin decide de los medios y los medios deciden del fin, el Para-sí, por su surgimiento frente al Otro-objeto, se hace indicar fines en el mundo; viene a un mundo poblado de fines. Pero si de este modo las técnicas y sus fines surgen a la mirada del Para-sí, ha de observarse que sólo por la libre toma de posición del Para-sí frente al otro aquéllas se convierten en *técnicas*. El Otro, por sí solo, no puede hacer que sus proyectos se revelen como técnicas al Para-sí; y, por este hecho, *para el Otro,* en tanto que se trasciende hacia sus propios posibles, *no existe técnica* sino un *hacer* concreto que se define a partir de su fin individual. El zapatero que echa la suela a un calzado no se siente "en vías de aplicar una técnica": capta la situación como situación que exige tal o cual acción; esa punta de cuero, allí, como cuero que reclama un clavo, etc. El Para-sí *hace surgir* las técnicas en el mundo como *conductas del Otro en tanto que trascendencia-trascendida,* desde que toma posición respecto del Otro. En este momento, y sólo en él, aparecen en el mundo burgueses y obreros; franceses y alemanes; hombres, en fin. Entonces, el Para-sí es responsable de que las conductas del Otro se revelen en el mundo como técnicas. No puede hacer que el mundo en que él surge esté surcado *por tal o cual técnica* (no puede hacerse aparecer en un mundo "capitalista"

---

[1] Veremos más adelante que el problema es más complejo. Por el momento, estas observaciones bastan.

o "regido por la economía natural" o en una "civilización parasitaria"), sino que hace que lo vivido por el Otro como proyecto libre exista *afuera* como técnica, precisamente haciéndose aquel por el cual un afuera viene al Otro. Así, eligiéndose e historializándose en el mundo, el Para-sí historializa al mundo mismo y hace que éste esté *datado* por sus técnicas. Partiendo de esto, precisamente porque las técnicas aparecen como objetos, el Para-sí puede elegir apropiarse de ellas. Al surgir en un mundo en que Pedro y Pablo hablan de cierta manera, toman su derecha cuando van en bicicleta o en auto, etc., y al constituirse en objetos significantes esas libres conductas, el Para-sí hace que haya un mundo en que *se* toma la derecha, en que *se* habla francés, etc.; hace que las leyes internas del acto del Prójimo, que estaban fundadas y sostenidas por una libertad comprometida en un proyecto, se conviertan en reglas objetivas de la conducta-objeto, y estas reglas se hacen universalmente válidas para toda conducta análoga, mientras que el soporte de las conductas o agente-objeto se convierte, por lo demás, en *cualquiera*. Esta historialización, que es efecto de su libre elección, no restringe en modo alguno su libertad; antes al contrario, su libertad está en juego *en ese mundo mismo* y no en otro alguno; con motivo de su existencia en ese mundo el para-sí se pone en cuestión. Pues ser libre no es elegir el mundo histórico en que se surge –lo cual no tendría sentido–, sino elegirse en el mundo, cualquiera que éste sea. En tal sentido, sería absurdo suponer que determinado *estado* de las técnicas sea restrictivo de las posibilidades humanas. Sin duda, un contemporáneo de Duns Escoto ignora el uso del automóvil o del avión, pero no aparece como ignorante sino desde *nuestro* punto de vista, y a *nosotros,* que lo captamos privativamente a partir de un mundo en que existen el avión y el auto. Para él, que no tiene relación de ninguna especie con esos objetos y con las técnicas a ellos referidas, hay en ello como una nada absoluta, impensable e indescubrible. Semejante nada no puede *limitar en modo alguno* al Para-sí que se escoge a sí mismo: no podría ser captada como una falta, de cualquier modo que se la considere. El Para-sí que se historializa en tiempos de Duns Escoto se nihiliza, pues, en el meollo de una plenitud de ser, es decir, de un mundo que, como el nuestro, es *todo lo que puede ser.* Sería absurdo declarar que a los albigenses les faltó la artillería pesada para resistir a Simón de Montfort, pues el señor de Trencavel o el conde de Tolosa se eligieron a sí mismos tales como fueron, en un mundo en que la artillería no tenía ningún lugar; encararon su política en ese mundo, en ese mundo hicieron planes de resistencia militar; se eligieron simpatizantes de los cátaros *en ese mundo*; y, como no fueron sino lo que eligieron ser, *han sido absolutamente* en un mundo tan absolutamente pleno como el de las *Panzerdivisionen* o de la R.A.F. Lo que vale para técnicas tan materiales vale también para técnicas más sutiles: el hecho de existir como un señor de segundo orden del Languedoc en tiempos de Raimundo VI no es *determinante,* si se coloca uno *en el mundo feudal* en que ese señor existe y se elige. Sólo aparece como privativo si se comete el error de considerar esa división entre *Francia* y el Mediodía desde el punto de vista actual de la unidad francesa. El mundo feudal ofrecía al señor vasallo de Raimundo VI posibilidades de elección tan infinitas como las nuestras. Cuestiones absurdas de este tipo se plantean a menudo a la manera de un sueño utópico: ¿qué habría sido Descartes si hubiese conocido la física contemporánea? Es suponer que Descartes posee una naturaleza *a priori* más o menos limitada y alterada por el estado de la ciencia de su tiempo, y que se podría transportar esa naturaleza bruta a la época contemporánea, en que reaccionaría a conocimientos más amplios y precisos. Pero es olvidar que Descartes es lo que eligió ser, es una elección absoluta de sí a partir de un mundo de conocimientos y de técnicas a la vez asumidas e iluminadas por esa elección. Descartes es un absoluto que goza de una data absoluta, y completamente impensable en otra data, pues ha hecho su data al hacerse a sí mismo. Él y no otro ha determinado el estado exacto de los conocimientos matemáticos inmediatamente anteriores a él, no por una vana recensión, que no podría haberse efectuado desde ningún punto de vista ni con relación a ningún eje de coordenadas, sino estableciendo los principios de la geometría analítica, es decir, inventando precisamente el eje de coordenadas que permitiera definir el estado de esos conocimientos. También en este caso, la libre invención y el futuro permiten iluminar el presente; el perfeccionamiento de la técnica con vistas a un fin permite apreciar el estado de la técnica.

Así, cuando el Para-sí se afirma frente al Otro-objeto, descubre a la vez las *técnicas*. Desde entonces, puede apropiárselas, es decir, *interiorizarlas*. Pero, a la vez: 1°, al utilizar una técnica, la trasciende hacia su fin, y está siempre allende la técnica que utiliza; 2°, por el hecho de ser interiorizada, la técnica, que era pura conducta significante y fijada de un Otro-objeto cualquiera, pierde su carácter de técnica y se integra pura y simplemente en un libre trascender lo dado hacia los fines; es reasumida y sostenida por la libertad que la funda, exactamente como el dialecto o la lengua es sostenido por el libre proyecto de la oración. El feudalismo, como relación técnica de hombre a hombre, no existe: no es sino un puro abstracto, sostenido y trascendido por mil proyectos individuales de tal o cual hombre que es vasallo con respecto a su señor. Con ello no entendemos en modo alguno llegar a una especie de nominalismo histórico. No queremos decir que el feudalismo sea la suma de las relaciones entre vasallos y soberanos. Pensamos, al contrario, que es la estructura abstracta de esas relaciones; todo proyecto de un hombre de esa época debe realizarse como un trascender ese momento abstracto hacia lo concreto. No es necesario, pues, generalizar a partir de muchas experiencias de detalle para establecer los principios de la técnica feudal: esta técnica existe necesaria y completamente en cada conducta individual y se la puede sacar a luz en cada caso. Pero no existe en esa conducta sino para ser trascendida. Del mismo modo, el Para-sí no podría ser persona, es decir, elegir los fines que él es, sin ser hombre, miembro de una colectividad nacional, de una clase, de una familia, etc. Pero son estas estructuras abstractas que él sostiene y trasciende por medio de su proyecto. Él se hace francés, meridional, obrero, para ser *sí-mismo* en el horizonte de esas determinaciones. Y, análogamente, el mundo que se le revela aparece como dotado de ciertas significaciones correlativas a las técnicas adoptadas. Aparece como mundo-para-el-francés, mundo-para-el-obrero, etc., con todas las características que pueden adivinarse. Pero estas características no tiene *selbstständigkeit:* es, ante todo, *su* mundo, es decir, el mundo iluminado por sus fines, que se deja descubrir como francés, proletario, etcétera.

Empero, la existencia del Otro aporta un límite de hecho a mi libertad. Pues, en efecto, por el surgimiento del Otro aparecen ciertas determinaciones que *soy* sin haberlas elegido. Heme, en efecto, judío o ario, apuesto o feo, manco, etc. Todo esto, yo lo soy *para el otro,* sin esperanza de aprehender ese sentido que tengo *afuera,* ni, con mayor razón, de modificarlo. Sólo el lenguaje me ha de enseñar lo que soy; y, aun así, *no* será nunca sino como objeto de intención vacía: la intuición de ello me está denegada por siempre jamás. Si mi raza o mi aspecto físico no fuera sino una imagen en el Prójimo o la opinión del Prójimo sobre mí, pronto daríamos cuenta de ello; pero hemos visto que se trata de caracteres objetivos, que me definen en mi ser para otro; desde que una libertad, otra que la mía, surge frente a mí, comienzo a existir en una nueva dimensión de ser y, esta vez, no se trata para mí de conferir un sentido a existentes brutos ni de reasumir por mi cuenta el sentido que otros han conferido a ciertos objetos: yo mismo me veo conferir un sentido y no tengo el recurso de reasumir por mi cuenta ese sentido que tengo, puesto que no podría dárseme sino a título de indicación vacía. Así, cualquier cosa de mí –según esta nueva dimensión– existe a la manera de lo *dado,* por lo menos *para mí,* puesto que este ser que *soy es padecido,* es sin *ser existido.* Lo aprendo y lo padezco en y por las relaciones que mantengo con los otros; en y por las conductas de los otros para conmigo; me encuentro con ese ser en el origen de mil prohibiciones y resistencias con que a cada instante choco: por ser *menor,* no tendré tal o cual derecho; por ser *judío,* en ciertas sociedades, estaré privado de ciertas posibilidades, etc. Empero, no puedo *de ninguna manera* sentirme judío, o menor, o paria; a tal punto, que puedo reaccionar contra esas interdicciones declarando que la raza, por ejemplo, es una pura y simple imaginación colectiva: que sólo existen individuos. Así, me encuentro aquí de pronto con la alienación total de mi persona: soy algo que no he elegido ser: ¿qué resultará de ello para la situación?

Acabamos de encontrar –hemos de reconocerlo– un límite *real* de nuestra libertad, es decir, una manera de ser que se nos impone sin que nuestra libertad sea fundamento de ella. Pero hay que entenderse: el límite impuesto no proviene de la *acción* de los otros. Hemos advertido, en un capítulo precedente, que aun la tortura es incapaz de desposeernos de nuestra libertad: *libremente* cedemos a ella. De manera más general, el hecho de encontrarme en mi camino con una prohibición: "Entrada prohibida a los judíos", "Restaurante judío, entrada prohibida a los arios", etc., nos remite al caso antes encarado (las técnicas colectivas), y esa prohibición no puede tener sentido sino sobre y por el fundamento de mi libre elección. En efecto, según las libres posibilidades elegidas, puedo infringir la prohibición, tenerla por nula, o bien, al contrario, conferirle un valor coercitivo que no puede tener sino por el peso que yo le concedo. Sin duda, conserva íntegramente su carácter de "emanación de una voluntad extraña"; sin duda, tiene como estructura específica *tomarme por objeto* y manifestar con ello una trascendencia que me trasciende. Ello no quita que se encarna en *mi* universo o pierde su fuerza propia de coerción sólo en los límites de mi propia elección y según que yo prefiera en toda circunstancia la vida a la muerte o que, al contrario, estime en ciertos casos particulares la muerte como preferible a ciertos tipos de vida, etc. El verdadero límite de mi libertad está pura y simplemente en el hecho mismo de que otro me capte como otro-objeto y en el hecho, corolario del anterior, de que mi situación deje de ser situación para el otro y se convierta en forma objetiva, en la que existo a título de estructura objetiva. Esta objetivación alienadora de mi situación es el límite constante y específico de mi situación, así como la objetivación de mi ser-para-sí en ser-para-otro es el límite de mi ser. Y precisamente estos dos límites característicos representan las fronteras de mi libertad. En una palabra, por el hecho de la existencia ajena, existo en una situación que *tiene un afuera* y que, por este mismo hecho, tiene una dimensión de alienación que no puedo quitarle en modo alguno, así como no puedo actuar directamente sobre ella. Este límite a mi libertad está puesto, como se ve, por la pura y simple existencia del prójimo, es decir, por *el hecho* de que mi trascendencia existe para una trascendencia. Así, captamos una verdad de gran importancia: hemos visto hace poco, manteniéndonos en el marco de la existencia-para-sí, que sólo mi libertad podía limitar mi libertad; vemos ahora, haciendo entrar en nuestras consideraciones la existencia del otro, que mi libertad, en este nuevo plano, encuentra también sus límites en la existencia de la libertad ajena. Así, cualquiera que sea el plano en que nos coloquemos, los únicos límites que una libertad encuentra, los encuentra en la libertad. Así como el pensamiento, según Spinoza, no puede ser limitado sino por el pensamiento, así tampoco la libertad puede ser limitada sino por la libertad, y su limitación proviene, como finitud interna, del *hecho* de que no puede no ser libertad, es decir, de que se condena a ser libre; y, como finitud externa, del *hecho* de que, siendo libertad, es para otras libertades que la aprehenden libremente a la luz de sus propios fines.

Sentado esto, es menester notar, ante todo, que esa alteración de la situación no representa una falla interna ni la introducción de lo dado como resistencia bruta en la situación tal cual la vivo. Muy al contrario, la alienación no es una modificación interna ni un cambio parcial de la situación; no aparece en el curso de la temporalización; no me la encuentro jamás *en* la situación, y, por consiguiente, no es dada nunca a mi intuición. Sino que, por principio, me escapa; es la exterioridad misma de la situación, es decir, su ser-afuera-para-el-otro. Se trata, pues, de un carácter esencial de toda situación en general; este carácter no podría actuar sobre su contenido, sino que es aceptado y reasumido por aquel mismo que se *pone en situación.* Así, el sentido mismo de nuestra libre elección consiste en hacer surgir una situación que la expresa y una de cuyas características esenciales es ser *alienada,* es decir, existir como forma en sí para el otro. No podemos escapar a esta alienación, pues sería absurdo siquiera pensar en existir de otro modo que en situación. Esta característica no se manifiesta por una resistencia interna, sino, al contrario, se experimenta en y por su incaptabilidad misma. Es, pues, finalmente, no un obstáculo frontal que nuestra libertad encuentra, sino una especie de fuerza centrífuga en su propia naturaleza, una debilidad en su propia pasta, que hace que todo cuanto nuestra libertad emprende tenga siempre una faz no elegida por ella, una faz que le escapa y que, para el otro, será existencia pura. Una libertad que se quisiera libertad no podría sino querer al mismo tiempo ese carácter. Empero, no pertenece a la *naturaleza* de la libertad, puesto que aquí no hay naturaleza; por otra parte, aunque la hubiera, no podría deducírsela, puesto que la existencia de los otros es un hecho por entero contingente; pero venir al mundo como libertad frente a los otros, es venir al mundo como alienable. Si quererse libre es elegir ser en este mundo frente a los otros, el que se quiera tal querrá también la *pasión* de su libertad.

La situación alienada, por otra parte, y mi propio ser-alienado, no son objetivamente captados y constatados por mí; en primer lugar, en efecto, acabamos de ver que, por principio, todo cuanto es alienado no existe sino *para el otro*. Pero, además, una pura constatación, aun si fuera posible, resultaría insuficiente. En efecto, no puedo *experimentar* esa alienación sin *reconocer* al mismo tiempo al otro como transcendencia. Y este reconocimiento, según hemos visto, carecería de sentido si no fuera *libre* reconocimiento de la libertad del otro. Por este libre reconocimiento del prójimo a través de la experiencia de mi alienación, *asumo* mi ser-para-otro, cualquiera que fuere, y lo asumo precisamente porque es mi nexo concreto[1] con el prójimo. Así, no puedo captar al prójimo como libertad sino en el libre proyecto de captarlo como tal (en efecto, siempre queda la posibilidad de que capte libremente al otro como objeto), y el libre proyecto de *reconocimiento* del prójimo no se distingue de la libre asunción de mi ser-para-otro. He aquí, pues, que mi libertad, en cierto modo, recupera sus propios límites, pues no puede captarme como limitado por el prójimo sino en tanto que éste existe para mí, y no puedo hacer que el prójimo exista para mí como subjetividad reconocida sino asumiendo mi ser-para-otro. No hay aquí círculo: por la libre asunción de ese ser-alienado que experimento, hago de súbito que la tras-

---

[1] "Nexo concreto" traduce el francés *trait-d'union,* literalmente "guión" que une palabras en una frase hecha. (N. del T.)

cendencia del prójimo exista para mí en tanto que tal. Sólo reconociendo *la libertad* (cualquiera que fuere el uso que hagan de ella) de los antisemitas y asumiendo este *ser judío* que para ellos soy, sólo así el *ser-judío* aparecerá como límite objetivo externo de la situación; si, al contrario, me place considerarlos como puros *objetos*, mi ser-judío desaparecerá al momento para dejar lugar a la simple conciencia (de) ser libre trascendencia incualificable. Reconocer a los otros y, si soy judío, asumir mi ser-judío son la misma cosa. Así, la libertad del otro confiere límites a mi situación, pero no puedo *experimentar* esos límites a menos que reasuma ese ser-para-el-otro que soy y le dé un sentido a la luz de los fines que he elegido. Ciertamente, esta misma asunción está *alienada*: tiene un afuera; pero por ella puedo experimentar mi ser-afuera como un afuera.

Siendo así, ¿cómo experimentaré los límites objetivos de mi ser: judío, ario, feo, apuesto, rey, funcionario, intocable, etc., cuando el lenguaje me haya informado sobre aquellos que son *mis* límites? No podría ser del mismo modo que *capto* intuitivamente la belleza, la fealdad, la raza del otro, ni tampoco del modo en que tengo conciencia no-tética (de) proyectarme hacia tal o cual posibilidad. No que estos caracteres objetivos hayan de ser necesariamente *abstractos*: unos lo son, otros no. Mi apostura o mi fealdad o la insignificancia de mis rasgos son captables por el otro en su plena concreción, concreción que, precisamente, me será indicada por su lenguaje: hacia ella me tenderé: en vacío. No se trata, pues, en modo alguno de una abstracción, sino de un conjunto de estructuras de las cuales algunas son abstractas, pero cuya totalidad es un concreto absoluto, conjunto que, simplemente, me es indicado como algo que por principio me escapa. Es, en efecto, lo que *soy*; y, como lo hemos notado el comienzo de nuestra segunda parte, el para-sí no puede *ser* nada. Para-mí, no soy profesor o mozo de café, así como tampoco soy apuesto o feo, judío o ario, ingeniero, vulgar o distinguido. Llamaremos a estas características los *irrealizables*. Hay que evitar confundirlos con *imaginarios*. Se trata de existentes perfectamente reales, pero aquellos para quienes esos caracteres son realmente *dados* no *son* esos caracteres; y yo, que los *soy*, no puedo realizarlos: si se me dice que soy *vulgar*, por ejemplo, a menudo he captado en otros, por intuición, la naturaleza de la vulgaridad; así, puedo aplicar la palabra "vulgar" a mi persona. Pero no puedo vincular con mi persona la significación de esa palabra. Hay en ello sólo la indicación de una conexión que operar (pero que no podrá hacerse sino por interiorización y subjetivación de la vulgaridad, o por objetivación de la *persona*, operaciones ambas que entrañan el desmoronamiento inmediato de la realidad de que se trata). Así, estamos rodeados por una infinitud de *irrealizables*. Sentimos a algunos de ellos vivamente, como irritantes ausencias. ¿Quién no ha sentido una profunda decepción al no poder, después de un largo exilio, *realizar* a su retorno que "*está* en París"? Los objetos están ahí y se ofrecen familiares, pero yo no soy más que una ausencia, la pura nada que es necesaria para que *haya* un París. Mis amigos y allegados me ofrecen la imagen de una tierra prometida cuando me dicen: "¡Por fin! ¡Has vuelto! ¡Ya estás en París!"; pero el acceso a esta tierra prometida me está enteramente denegado. Y si la mayoría de la gente merece el reproche de "no medir por un mismo rasero" según se trate de los otros o de ellos mismos; si la mayoría tienden a responder, cuando se sienten culpables de algo que la víspera han reprochado a otros: "Pero no es lo mismo", es que, efectivamente "no es lo mismo". Pues una de las acciones es *objeto dado* de apreciación moral, y la otra es pura trascendencia que lleva en su misma existencia su justificación, ya que su ser es elección. Podremos convencer al autor, por una comparación de los *resultados*, de que ambos actos tienen "afueras" rigurosamente idénticos, pero su más rendida buena voluntad no le permitirá *realizar* esa identidad; de ahí buena parte de las turbaciones de la conciencia moral, en particular la desesperación de no poder despreciarse *verdaderamente* a sí mismo, de no poder realizarse como culpable, de sentir perpetuamente un desvío entre las significaciones expresadas: "*Soy* culpable, he pecado, etc." y la aprehensión real de la situación. En suma, de ahí todas las angustias de la "mala conciencia", es decir, de la conciencia de mala fe que tiene por ideal juzgarse a sí misma, es decir, adoptar sobre sí el punto de vista del otro.

Pero, si algunas especies particulares de *irrealizables* han llamado la atención más que otras, si han sido objeto de descripciones psicológicas, ello no debe cegarnos para ver que los irrealizables son en número infinito, puesto que representan el reverso de la situación.

Sin embargo, los irrealizables no nos son apresentados simplemente como tales; para que tengan el carácter de irrealizables es menester que se develen a la luz de algún proyecto que apunta a realizarlos. En efecto, es lo que advertíamos poco ha, cuando mostrábamos al para-sí *asumiendo* su ser-para-el-otro en y por el mismo acto en que *reconoce* la existencia del otro. Correlativamente, pues, a ese proyecto asuntivo, los irrealizables se revelan como "de-*realizar*". En efecto, ante todo, la asunción se efectúa en la perspectiva de mi proyecto fundamental: no me limito a recibir pasivamente la significación "fealdad", "invalidez", "raza", etc., sino, al contrario, no puedo captar estos caracteres –a simple título de significación– sino a la luz de mis propios fines. Es lo que se expresa –pero invirtiendo completamente los términos– cuando se dice que el hecho de ser de cierta raza puede *determinar* una reacción de orgullo o un complejo de inferioridad. En realidad, la raza, la invalidez, la fealdad, no pueden *aparecer* sino dentro de los límites de mi propia elección de inferioridad o de orgullo;[1] en otros términos, sólo pueden aparecer con una significación que les es conferida por mi libertad; esto significa, una vez más, que *son* para el otro, pero que para mí no pueden ser a menos que yo las *elija*. La ley de mi libertad, que hace que yo no pueda ser sin elegirme, se aplica también aquí: no elijo ser para el otro lo que soy, sino que no puedo intentar ser para mí lo que soy para el otro a menos de elegirme tal como al otro me aparezco, es decir, por una asunción electiva. Un judío no es *primero* judío para estar *después* orgulloso o avergonzado; sino que su orgullo de ser judío, su vergüenza o su indiferencia le revelará su ser-judío; y este ser-judío no es nada fuera de la libre manera de asumirlo. Simplemente, aunque dispongo de una infinidad de maneras de asumir mi ser-para-otro, *no puedo no asumir-*

[1] O de cualquier otra elección de mis fines.

lo: encontramos una vez más esa condena a la libertad que definíamos anteriormente como *facticidad*: no puedo ni abstenerme totalmente con relación a lo que soy (para el otro) –pues *denegar* no es abstenerse, sino otro modo de asumir–, ni padecerlo pasivamente (lo que, en cierto sentido, viene a ser lo mismo); en el furor, el odio, el orgullo, la vergüenza, en el rechazo asqueado o la reivindicación jubilosa, es menester que elija ser lo que soy.

Así, los irrealizables se descubren al para-sí como "irrealizables-de-realizar". No por eso pierden su carácter de *límites*: muy al contrario, se presentan al para-sí como *de-interiorizar*, en forma de límites objetivos y externos. Tienen, pues, un carácter netamente *obligatorio*. No se trata, en efecto, de un instrumento que se descubre como "de-utilizar" en el movimiento del libre proyecto que soy; sino que el irrealizable aparece como límite dado *a priori* a mi situación (puesto que soy tal para el otro) y, por consiguiente, como existente, sin esperar a que le dé yo la existencia; y, *a la vez*, como no pudiendo existir sino en y por el libre proyecto por el cual lo asumiré, asunción que es, evidentemente, idéntica a la organización sintética de todas las conductas que apuntan a *realizar para mí* el irrealizable. Al mismo tiempo, como se da a título de irrealizable, se manifiesta como un más allá de todas las tentativas que puedo hacer por realizarlo. Un *a priori* que para ser requiere mi comprometimiento, a la vez que depende de este comprometimiento únicamente y se pone de entrada allende toda tentativa de realizarlo, ¿qué es sino precisamente un *imperativo*? En efecto, el irrealizable es *de-interiorizar*, es decir, que viene de afuera, como *ya constituido*; pero, precisamente, la *orden*, cualquiera que fuere, se define siempre como una exterioridad reasumida en interioridad. Para que una orden sea orden –y no *flatus vocis* o puro dato de hecho que uno trata simplemente de contornear– es menester que yo la reasuma con mi libertad, haciendo de ella una estructura de mis libres proyectos. Pero, para que sea *orden* y no libre movimiento hacia mis propios fines, es menester que mantenga en el seno mismo de mi libre elección el carácter de *exterioridad*. Es la exterioridad que permanece exterioridad hasta en y por la tentativa del Para-sí para interiorizarla. Tal es, precisamente, la definición del *irrealizable de realizar*, y por eso se da como un imperativo. Pero podemos ir más lejos en la descripción del irrealizable. Éste es, en efecto, *mi* límite. Pero, precisamente por serlo, no puede existir como límite de un ser dado, sino como límite de *mi* libertad. Esto significa que mi libertad, al elegir libremente, se elige sus propios límites; o, si se prefiere, que la libre elección de mis fines, o sea de aquello que soy para mí, comporta la asunción de los límites de esa elección, cualesquiera que fueren. También aquí vemos que la elección es elección de finitud, como lo advertíamos anteriormente; pero, en vez de ser finitud interna, es decir, determinación de la libertad por sí misma, la finitud asumida por la reasunción de los irrealizables es finitud externa: elijo tener un ser a distancia, que limita todas mis elecciones y constituye sus respectivos reversos, es decir, elijo que mi elección sea limitada por otra cosa que ella misma. Así deba irritarme e intentar por todos los medios —como lo hemos visto en la parte precedente de esta obra— recuperar esos límites, la más enérgica de las tentativas de recuperación necesita ser fundada en la libre reasunción como *límites* de los límites que se quiere interiorizar. Así, la libertad retorna por su cuenta y restaura a la situación los límites irrealizables, eligiendo ser libertad limitada por la libertad del otro. En consecuencia, los límites externos de la situación se convierten en *situación-límite,* es decir, que son incorporados a la situación *desde el interior,* como la característica "irrealizable", como "irrealizables de-realizar", como el inverso elegido y huidizo de mi elección; se convierten en un sentido de mi desesperado esfuerzo por *ser,* aun cuando están situados *a priori* allende este esfuerzo; exactamente como la muerte —otro tipo de irrealizable que no hemos de considerar por el momento— se convierte en situación-límite a condición de ser tomada como un *acaecimiento de la vida,* aunque indica hacia un mundo en que mi presencia y mi vida no se realizan más, es decir, hacia un más allá de la vida. El hecho de que *haya* un más allá de la vida, en tanto que sólo cobra sentido por y en mi vida y, empero, permanece irrealizable para mí; el hecho de que haya una libertad más allá de mi libertad, una situación allende mi situación y para la cual lo que vivo como situación es dado como forma objetiva en medio del mundo: he ahí dos tipos de situación-límite que tienen el paradójico carácter de limitar por todas partes mi libertad y de carecer de otro sentido que el que mi libertad les confiere. Para la clase, para la raza, para el cuerpo, para el prójimo, para la función, etc., hay un "ser-libre-para...". Por éste, el Para-sí se proyecta hacia uno de sus posibles, que es siempre, su *posible último*: porque la posibilidad encarada es posibilidad de *verse*, es decir, de ser otro que sí para verse desde afuera. En uno como en otro caso, hay proyección de sí hacia algo "último", que, interiorizado por eso mismo, se convierte en sentido temático y fuera de alcance de posibles jerarquizados. Se puede "ser-para-ser-francés", "ser-para-ser-obrero", un hijo de rey puede "ser-para-reinar". Se trata de límites y de *estados* negadores de nuestro ser, que hemos de asumir, por ejemplo, en el sentido en que el judío sionista asume resueltamente su raza, es decir, asume concretamente y de una vez por todas la *alienación* permanente de su ser; asimismo el obrero revolucionario, por su proyecto revolucionario mismo, asume un "ser-para-ser-obrero". Y podremos hacer notar, como Heidegger –aunque las expresiones "auténtico" e "inauténtico" que éste emplea sean dudosas y poco sinceras a causa de su contenido moral implícito–, que la actitud de denegación y de huida, siempre posible, es, pese a ella misma, libre asunción de aquello mismo que rehúye. Así, el burgués se hace burgués negando que haya clases, como el obrero se hace obrero afirmando que las clases existen y realizando su "ser-en-la-clase" por su actividad revolucionaria. Pero estos límites externos de la libertad, precisamente por ser externos y no interiorizarse sino como irrealizables, no serán nunca un obstáculo *real* para ella, ni un límite padecido. La libertad es total e infinita, lo que no significa que *no tenga* límites sino que *no los encuentra* jamás. Los únicos límites con que la libertad choca a cada instante son los que ella se impone a sí misma y de los cuales hemos hablado, a propósito del pasado, los entornos y las técnicas.

E) *Mi muerte*

Después de haber parecido la muerte lo inhumano por excelencia, puesto que era lo que hay del otro lado del "muro", se ha visto de pronto la posibilidad de considerarla desde un punto de vista opuesto, es decir, como un acaecimiento de la vida humana. Este cambio es perfectamente explicable: la muerte es un *término,* y todo término (sea final o inicial) es un *Janus bifrons:* ora se lo encare como adherente a la nada de ser que limita al proceso considerado, ora, al contrario, se lo descubra como aglutinado a la serie a la que pone término, ser que pertenece a un proceso-existente y en cierto modo constituye su significación. Así, el acorde final de una melodía mira por una faz hacia el silencio, es decir, hacia la nada de sonido que seguirá a la melodía; en cierto sentido está hecho con silencio, puesto que el silencio que seguirá está ya presente en el acorde de resolución como significación de éste; pero, por la otra faz, se adhiere a ese *plenum* de ser que es la melodía considerada: sin él, la melodía quedaría en el aire, y esta indecisión final remontaría contra la corriente, de nota en nota, para conferir a cada una de ellas un carácter inconcluso. La muerte ha sido siempre –con razón o sin ella, pues no podemos determinarlo aún– considerada como el término final de la vida humana. En tanto que tal, era natural que una filosofía preocupada, sobre todo, por precisar la posición humana con respecto a lo inhumano absoluto que la rodea, considerara primeramente a la muerte como una puerta abierta sobre la nada de realidad-humana, ya fuera esta nada, por otra parte, la cesación absoluta de ser o la existencia en una forma no-humana. Así, podríamos decir que ha habido –en correlación con las grandes teorías realistas– una concepción realista de la muerte, en la medida en que ésta aparecería como un contacto inmediato con lo no-humano; con ello, la muerte escapaba al hombre, a la vez que lo moldeaba con lo absoluto no-humano. Era imposible, por supuesto, que una concepción idealista y humanista de lo real tolerara que el hombre se encontrara con lo inhumano, así fuera como su límite. Hubiera bastado entonces, en efecto, situarse desde el punto de vista de este límite para iluminar al hombre con una luz no-humana.[1] La tentativa idealista de *recuperar* la muerte no fue primitivamente obra de filósofos, sino de poetas como Rilke o de novelistas como Malraux. Bastaba considerar a la muerte como término último *perteneciente a la serie*. Si la serie recupera así su *terminus ad quem,* precisamente a causa de ese "ad" que señala su interioridad, la muerte como fin de la vida se interioriza y humaniza; el hombre no puede ya encontrarse sino con lo humano; no hay ya *otro lado* de la vida, y la muerte es un fenómeno humano, es el fenómeno último de la vida, vida todavía. Como tal, influye a contracorriente la vida entera; la vida se limita con vida, se hace, como el mundo einsteniano, "finita pero ilimitada"; la muerte se convierte en el sentido de la vida, como el acorde de resolución es el sentido de la melodía; no hay en ello nada milagroso: es un término de la serie considerada y, como es sabido, cada término de una serie está siempre presente a todos los términos de la misma. Pero la muerte así recuperada no queda como simplemente humana, sino que se hace *mía:* al interiorizarse, se individualiza; ya no es el magno incognoscible que limita a lo humano, sino el fenómeno de *mi* vida personal, que hace de esta vida una vida única, es decir, una vida que no recomienza, en que ya no se recobra lo jugado. Con ello, me vuelvo responsable de *mi* muerte como de mi vida. No del fenómeno empírico y contingente de mi defunción, sino de ese carácter de finitud que hace que mi vida, como mi muerte, sea *mi* vida. En este sentido, Rilke se esfuerza por mostrar que el fin de cada hombre se asemeja a su vida, porque toda la vida individual ha sido preparación de ese fin; en este sentido, Malraux, en *Les conquérants,* muestra que la cultura europea, al dar a ciertos asiáticos el sentido de la muerte propia, los compenetra de pronto de la verdad desesperante y embriagadora de que "la vida es única". A Heidegger estaba reservado dar forma filosófica a esta humanización de la muerte: en efecto, si el *Dasein* no *padece nada,* precisamente porque es proyecto y anticipación, debe ser anticipación y proyecto de su propia muerte como posibilidad de no

[1] Véase, por ejemplo, el platonismo realista de Morgan en *Sparkenbrook.*

realizar más la presencia en el mundo. Así, la muerte se ha convertido en la posibilidad propia del *Dasein;* el ser de la realidad-humana se define como *Sein zum Tode.* En tanto que el *Dasein* decide de su proyecto hacia la muerte, realiza la libertad-para-morir y se constituye a sí mismo como totalidad por la libre elección de la finitud.

Tal teoría, a primera vista, no puede menos de seducirnos: al interiorizar la muerte, sirve a nuestros propios designios; ese límite aparente de nuestra libertad, al interiorizarse, es recuperado por la libertad. Empero, ni la comodidad de tales concepciones ni la incontestable parte de verdad que encierran deben extraviarnos. Es necesario retomar desde el comienzo el examen de la cuestión.

Cierto es que la realidad-humana, por la cual viene la mundanidad a lo real, no podría encontrarse con lo inhumano; el concepto de inhumano mismo es un concepto de hombre. Es menester, pues, abandonar toda esperanza, aun si *en-sí* la muerte fuera un tránsito a un absoluto no-humano, de considerarla como un tragaluz abierto a ese absoluto. La muerte nada nos revela sino acerca de nosotros mismos y desde un punto de vista humano. ¿Significa esto que pertenezca *a priori* a la realidad humana?

Ante todo, ha de advertirse el carácter absurdo de la muerte. En este sentido, toda tentación de considerarla como un acorde de resolución al término de una melodía debe ser rigurosamente apartada. A menudo se ha dicho que estamos en la situación de un condenado entre condenados, que ignora el día de su ejecución, pero que ve ejecutar cada día a sus compañeros de presidio. Esto no es enteramente exacto: mejor se nos debiera comparar a un condenado a muerte que se prepara valerosamente para el último suplicio, que pone todos sus cuidados en hacer buen papel en el cadalso y que, entre tanto, es arrebatado por una epidemia de gripe española. Es lo que ha comprendido la sabiduría cristiana, que recomienda prepararse a morir como si la muerte pudiera sobrevenir *a cualquier hora.* Así, se espera recuperarla metamorfoseándola en *muerte esperada.* En efecto: si el sentido de nuestra vida se convierte en espera de la muerte, ésta, al sobrevenir, no puede sino poner su sello sobre la vida. Es, en el fondo, lo que hay de más positivo en la "resuelta decisión" *(Entschlossenheit)* de Heidegger. Desgraciadamente, son consejos más fáciles de dar que de seguir, no a causa de una debilidad natural de la realidad-humana o de un pro-yecto originario de inautenticidad, sino a causa de la muerte misma. En efecto, uno puede esperar *una* muerte particular, pero no *la* muerte. El juego de prestidigitación de Heidegger es harto fácil de descubrir: comienza por individualizar la muerte de cada uno de nosotros, indicándonos que es la muerte de una *persona,* de un individuo; lo "único que nadie pueda hacer por mí"; luego de lo cual utiliza esta individualidad incomparable que ha conferido a la muerte a partir del *Dasein* para individualizar al *Dasein* mismo: al proyectarse libremente hacia su posibilidad última, el *Dasein* tendrá acceso a la existencia auténtica y se arrancará a la trivialidad cotidiana para alcanzar la unicidad irreemplazable de la persona. Pero en esto hay un círculo: en efecto, ¿cómo probar que la muerte posee esa individualidad y el poder de conferirla? Por cierto, si la muerte se describe como *mi* muerte, puedo aguardarla: es una posibilidad caracterizada y distinta. Pero, la muerte que me herirá, ¿será *mi* muerte? En primer lugar, es perfectamente gratuito decir que "morir es lo único que nadie pueda hacer por mí". O, más bien, hay ahí una evidente mala fe en el razonamiento: si se considera a la muerte, en efecto, como posibilidad última y subjetiva, acaecimiento que no concierne sino al para-sí, es evidente que nadie puede morir por mí. Pero se sigue entonces que ninguna de mis posibilidades, tomada según este punto de vista –que es el del cogito–, sea en una existencia auténtica o en una existencia inauténtica, puede ser proyectada por otro que por mí. Nadie puede amar por mí, si se entiende por ello hacer esos juramentos que son *mis* juramentos, experimentar las emociones (por triviales que fueren) que son *mis* emociones. Y el "*mis*" no concierne aquí en modo alguno a una personalidad conquistada sobre la trivialidad cotidiana (lo que permitiría a Heidegger replicarnos que, precisamente, me es preciso ser "libre para morir" para que un amor que experimento sea *mi* amor y no el amor del "se" en mí), sino, simplemente, esa ipseidad que Heidegger reconoce expresamente a todo *Dasein* —exista en modo auténtico o inauténtico— cuando declara que *Dasein istie meines*. Así, desde este punto de vista, el amor más trivial es, como la muerte, irreemplazable y único: nadie puede amar por mí. Al contrario, si se consideran mis actos en el mundo desde el punto de vista de su función, su eficacia y su resultado, es cierto que el Otro siempre puede hacer lo que yo hago: si se trata de hacer feliz a esa mujer, de salvaguardar su vida o su libertad, de proporcionarle los medios de alcanzar su salvación o, simplemente, de realizar un hogar con ella, de "darle hijos", si es *eso* lo que se llama amar, entonces otro podría amar en lugar mío, hasta podría amar por mí: es el sentido mismo de esos sacrificios, mil veces relatados en las novelas sentimentales, donde se nos muestra al héroe amoroso, que desea la felicidad de la mujer amada, sacrificándose ante su rival porque éste "sabrá amarla mejor que él". Aquí, el rival está explícitamente encargado de *amar por,* pues amar se define simplemente como "hacer feliz por el amor profesado". Lo mismo ocurriría con todas mis conductas. Y mi muerte entrará *también* en esta categoría: si morir es morir para edificar, para dar testimonio, por la patria, etc., cualquiera puede morir en mi lugar; como en la canción, donde se echa a suertes quién debe ser comido. En una palabra, no hay ninguna virtud personalizadora que sea particular a *mi* muerte. Al contrario, ella no se convierte en *mía* a menos que me coloque ya en la perspectiva de la subjetividad: mi subjetividad, definida por el Cogito prerreflexivo, hace de mi muerte algo subjetivo irreemplazable: no es la muerte la que da a mi para-sí la irreemplazable ipseidad. En ese caso, la muerte no podía caracterizarse como mi muerte *por el hecho de ser muerte,* y, por consiguiente, su estructura esencial de muerte no basta para hacer de ella el acaecimiento personalizado y cualificado que puede *esperarse.*

Pero, además, la muerte no podría ser esperada en modo alguno si no se la designa con toda precisión como *mi* condena a muerte (la ejecución que tendrá lugar dentro de ocho días; el término de mi enfermedad, que conozco como próximo y brusco, etc.), pues no es sino la revelación de la absurdidad de toda espera, así sea justamente la de *su* espera. En primer lugar, en efecto, deberían distinguirse cuidadosamente dos sentidos del verbo "esperar", que aquí no han cesado de confundirse:[1] esperar la muerte en el sentido de esperársela uno para alguna vez, no es esperar la muerte en el sentido de aguardarla. Sólo podemos esperar (aguardar) un acaecimiento determinado, que procesos igualmente determinados están en vías de realizar. Puedo esperar (aguardar) la llegada del tren de Chartres, porque sé que ha salido de la estación de Chartres y que cada giro de las ruedas lo acerca a la estación de París. Ciertamente, puede retrasarse, hasta puede producirse un accidente; pero ello no quita que el proceso mismo por el cual se realizará la entrada en la estación se halle *en curso*, y los fenómenos que pueden retardar o suprimir esa entrada significan aquí sólo que el proceso no es sino un sistema relativamente cerrado, relativamente aislado, y está de hecho sumido en un universo de "estructura fibrosa", como dice Meyerson. Así, puedo decir que espero (aguardo) a Pedro y que "no espero que su tren llegue a horario". Pero, precisamente, la posibilidad de mi muerte significa sólo que no soy biológicamente sino un sistema relativamente cerrado, relativamente aislado; sólo señala la pertenencia de mi cuerpo a la totalidad de los existentes. Es del tipo del retardo probable de los trenes, no del tipo de la llegada de Pedro. Está del lado del impedimento imprevisto, *inesperado,* con que siempre hay que *contar* sin hacerle perder por ello su específico carácter de inesperabilidad, pero el que no es posible *esperar* (aguardar), pues se pierde por sí mismo en lo indeterminado. En efecto: admitiendo que los factores se condicionen rigurosamente, lo que ni siquiera está demostrado y que requiere, por lo tanto, una opción metafísica, su número es infinito y sus implicaciones son infinitamente infinitas; su conjunto no

---

[1] El parágrafo siguiente ha tenido que ser adaptado, más que traducido: a la triple significación de "esperar" en español: 1) aguardar; 2) estar en expectativa (= inglés *to expect),* como en "cada cual espera la muerte" o "ya me lo esperaba yo" o "no espero que el tren llegue antes de las diez"; 3) tener esperanza, el francés responde, respectivamente, por: 1) *attendre; 2) s'attendre à; 3) espérer* (que no interviene en el texto). (N. del T.)

constituye un sistema, por lo menos desde el punto de vista considerado: el efecto de que se trata –mi muerte– no puede preverse para ninguna fecha ni, por consiguiente, esperárselo. Quizá, mientras escribo tranquilamente en esta habitación, el estado del universo es tal que mi muerte se ha acercado considerablemente; pero quizás, al contrario, se aleja de modo considerable. Si, por ejemplo, espero (estoy a la expectativa de) una orden de movilización, puedo considerar que mi muerte está cercana, es decir, que las eventualidades de una muerte próxima han aumentado considerablemente; pero puede, justamente, que en ese mismo momento una conferencia internacional se haya reunido en secreto y haya encontrado el medio de prolongar la paz. Así, no puedo decir que el minuto que pasa me aproxime a la muerte. Cierto es que me aproxima a ella si considero, globalmente, que mi vida es limitada. Pero, en el interior de estos límites tan elásticos (puedo morir centenario o mañana, a los treinta y siete años), no puedo saber, en efecto, si me acerca o me aleja de este término. Pues hay una considerable diferencia de *cualidad* entre la muerte al límite de la vejez y la muerte súbita que nos aniquila en la madurez o en la juventud. Esperar la primera es aceptar que la vida sea una empresa *limitada,* una manera entre otras de elegir la finitud y de elegir nuestros fines sobre el fundamento de la finitud. Esperar la segunda sería esperar que mi vida sea una empresa *fallida.* Si no existieran sino muertes por vejez (o por condena explícita), podría *esperar* (aguardar) mi muerte. Pero, precisamente, lo propio de la muerte es que puede siempre sorprender antes del término a aquellos que la esperan para tal o cual fecha. Y si la muerte por vejez puede confundirse con la finitud de nuestra elección y, por consiguiente, ser vivida como el acorde de resolución de nuestra vida (se nos da una tarea y se nos *da tiempo* para cumplirla), la muerte brusca, al contrario, es tal que no se podría en modo alguno esperarla, pues es indeterminada y no cabe aguardarla, por definición, para ninguna fecha: comporta siempre, en efecto, la posibilidad de que muramos por sorpresa antes de la fecha esperada y, por consiguiente, que nuestra espera sea, *como espera,* un engaño; o de que *sobrevivamos* a esa fecha y, como no éramos sino esa espera, nos sobrevivamos a nosotros mismos. Como, por otra parte, la muerte súbita no es cualitativamente diferente de la otra sino en la medida en que *vivimos* la una o la otra; y como biológicamente, o sea desde el punto de vista del universo, no difieren en modo alguno en cuanto a sus causas y a los factores que las determinan, la indeterminación de la una rebota, de hecho, sobre la otra; esto significa que sólo por ceguera o mala fe se puede *esperar* una muerte por vejez. Tenemos, en efecto, todas las eventualidades del azar para morir antes de haber cumplido nuestra tarea o, al contrario, para sobrevivirla. Hay, pues, un número de eventualidades muy débiles para que nuestra muerte se presente, como la de Sófocles, por ejemplo, a la manera de un acorde de resolución. Pero, si es sólo el *azar* lo que decide sobre el carácter de nuestra muerte y, por ende, de nuestra vida, ni aun la muerte que más se parezca a un fin de melodía puede ser esperada como tal: el azar, al decidir, le quita todo carácter de fin armonioso. Un fin de melodía, en efecto, para conferir a ésta su sentido, debe emanar de la melodía misma. Una muerte como la de Sófocles *se parecerá*, pues, a un acorde de resolución, pero no lo *será*, así como el conjunto de letras formado por la caída de unos cubos se parecerá quizás a una palabra sin serlo. Así, esa perpetua aparición del azar en el seno de mis proyectos no puede ser captada como *mi* posibilidad, sino, al contrario, como la nihilización de todas mis posibilidades, nihilización que *no forma parte ya de mis posibilidades*. Así, la muerte no es *mi* posibilidad de no realizar más presencia en el mundo, sino *una nihilización siempre posible de mis posibles, que está fuera de mis posibilidades.*

Esto, por lo demás, puede expresarse de modo algo diferente partiendo de la consideración de las significaciones. Como sabemos, la realidad humana es *significante*. Esto quiere decir que se hace anunciar lo que es por aquello que no es, o, si se prefiere, es *por venir* de sí misma. Así, pues, está perpetuamente comprometida en su propio futuro, y esto nos lleva a decir que espera convalidación de ese futuro. En tanto que futuro, en efecto, el porvenir es prefiguración de un presente que *será*: uno se entrega a las manos de ese presente único que, a título de presente, debe poder convalidar o invalidar la significación prefigurada que soy. Como ese presente será a su vez libre rea-sunción del pasado a la luz de un nuevo futuro, no podríamos determinarlo, sino sólo pro-yectarlo y esperarlo. El sentido de mi conducta actual es el severo apóstrofe que quiero dirigir a una persona que me ha ofendido gravemente. Pero, ¿qué sé yo si ese apóstrofe no se transformará en tímidos balbuceos irri-tados, y si la significación de mi conducta presente no se trans-formará *en el pasado*? La libertad limita a la libertad; el pasado toma del presente su sentido. Así, como lo hemos mostrado, se explica la paradoja de que nuestra conducta actual sea total-mente translúcida (cogito prerreflexivo) y *a la vez* esté total-mente enmascarada por una libre determinación que debemos esperar: el adolescente es perfectamente consciente del sentido místico de sus conductas y a la vez debe remitirse a su futuro íntegro para decidir si está "pasando por una crisis de puber-tad" o si está encaminándose definitivamente hacia la devoción. Así, nuestra libertad ulterior, en tanto que tal, no es nuestra posibilidad actual sino el fundamento de posibilidades que aún no somos; constituye algo así como una opacidad en ple-na translucidez, algo como lo que Barrès llamaba "el misterio a plena luz". De ahí nuestra necesidad de *esperarnos*. Nuestra vida no es sino una larga espera: espera de la realización de nuestros fines, en primer lugar (estar comprometido en una empresa es esperar su éxito); espera, sobre todo, de nosotros mismos (aun si esa empresa se realiza, aun si he sabido hacer-me amar, obtener tal o cual distinción, tal o cual favor, queda por determinar la situación, el sentido y el valor de esa empre-sa misma en mi vida). Ello no proviene de un defecto contin-gente de la "naturaleza" humana, de una nerviosidad que nos impide limitarnos al presente y sea capaz de ser *corregida* por el ejercicio, sino de la naturaleza misma del para-sí, que "es" en la medida en que se temporaliza. Así, hemos de considerar nuestra vida como constituida no sólo de esperas, sino de espe-ras de esperas que esperan esperas a su vez. Tal la estructura misma de la ipseidad: ser sí-mismo es venir a sí. Todas esas espe-ras comportan, evidentemente, una referencia a un término últi-mo que sea *esperado* sin que espere nada a su vez. Un reposo que sea *ser* y no ya espera de ser. Toda la serie está suspendida de ese término último que jamás es *dado,* por principio, y que es el valor de nuestro ser, es decir, evidentemente, una plenitud del tipo "en-sí-para-sí". Por este último término, se efectuaría de una vez por todas la reasunción de nuestro pasado; sabríamos *para siempre* si tal o cual experiencia de juventud ha sido fructuosa o nefasta, si tal o cual crisis de pubertad era capricho o real preformación de mis comprometimientos ulteriores; la curva de nuestra vida quedaría fijada para siempre. En una palabra, se cerraría la cuenta. Los cristianos han tratado de dar a la muerte algo así como ese término último. El R. P. Boisselot, en una conversación privada que sostuvimos, me daba a entender que el "juicio final" era precisamente ese cierre de la cuenta, por el cual ya no puede uno recoger su apuesta y queda por fin *siendo* irremediablemente lo que *ha sido.*

Pero hay aquí un error análogo al que señalábamos antes en Leibniz, aunque situado en el otro extremo de la existencia. Para Leibniz, somos libres, puesto que todos nuestros actos emanan de nuestra esencia. Pero basta que nuestra esencia no haya sido elegida por nosotros para que toda esa libertad de detalle recubra una total servidumbre: Dios ha elegido la esencia de Adán. Inversamente, si el cierre de la cuenta da a nuestra vida su sentido y su valor, poco importa que todos los actos de que está hecha la trama de nuestra vida hayan sido libres: su sentido mismo nos escapa si no elegimos nosotros mismos el momento en que la cuenta ha de cerrarse. Es lo que sentía el libertino autor de una anécdota de que se ha hecho eco Diderot. Dos hermanos comparecen ante el tribunal divino, el día del juicio. El primero dice a Dios: "¿Por qué me has hecho morir tan joven?"; y Dios responde: "Para salvarte. Si hubieras vivido más, habrías cometido un crimen, como tu hermano." Entonces el hermano pregunta a su vez: "¿Por qué me has hecho morir tan viejo?" Si la muerte no es libre determinación de nuestro ser, no puede *terminar* nuestra vida: un minuto de más o de menos, y acaso todo podría cambiar; si este minuto es agregado o quitado a mi cuenta, aun admitiendo que yo use libremente de él, el sentido de mi vida me escapa. La muerte cristiana proviene de Dios: él elige nuestra hora; y, de modo general, sé claramente que, aun si soy yo quien, temporalizándome, hago que haya en general minutos y horas, el minuto de mi muerte no está fijado por mí: las secuencias del universo lo deciden.

Siendo así, no podemos decir ya ni siquiera que la muerte confiere a la vida un sentido desde afuera: un sentido no puede provenir sino de la subjetividad misma. Puesto que la muerte no aparece sobre el fundamento de nuestra libertad, no puede sino *quitar a la vida toda significación*. Si soy espera de esperas de espera y si, de golpe, el objeto de mi espera última y el mismo que espera son suprimidos, la espera recibe retrospectivamente carácter de *absurdo*. Treinta años ha vivido este joven en espera de ser un gran escritor; pero esta espera misma no se bastaba: sería obstinación vanidosa e insensata, o comprensión profunda de su valor, según los libros que escribiera. Su primer libro ha aparecido, pero ¿qué significa por sí solo? Es un libro de principiante. Admitamos que sea bueno: sólo cobra sentido por el porvenir. Si es único, es a la vez inauguración y testamento: el autor no había de escribir sino ese libro, está limitado y ceñido por su obra: no será "un gran escritor". Si la novela ocupa un lugar dentro de una serie mediocre, es un "accidente"; si es seguida por libros mejores, puede ubicar a su autor en primera categoría. Pero he aquí justamente que la muerte sorprende al escritor en el momento mismo en que se examina ansiosamente para saber "si tendrá pasta" para escribir otra obra, en el momento en que se está esperando. Ello basta para que todo caiga en lo indeterminado: no puedo decir que el escritor muerto sea el autor de *un solo libro* (en el sentido de que no tuviera sino un libro que escribir), ni tampoco que ha escrito varios (puesto que, de hecho, ha aparecido uno solo). No puedo decir nada: supongamos a Balzac muerto antes de *Les Chouans;* quedaría como el autor de algunas abominables novelas de aventuras. Pero, por lo mismo, la propia espera que ese joven *fue,* esa espera de ser un gran hombre, pierde toda especie de significación; no es ni encandilamiento tozudo y vanidoso, ni verdadero sentido de su propio valor, puesto que nada jamás decidirá acerca de ello. De nada serviría, en efecto, tratar de decirlo considerando los sacrificios que ha ofrendado a su arte, la vida oscura y ruda que ha consentido en llevar: muchos mediocres han tenido la fuerza de cumplir sacrificios

semejantes. El valor final de esas conductas queda definitivamente en suspenso; o, si se prefiere, el conjunto –conductas
particulares, esperas, valores– cae de pronto en lo absurdo.
Así la muerte no es nunca lo que da a la vida su sentido: es, al
contrario, lo que le quita por principio toda significación. Si
hemos de morir, nuestra vida carece de sentido, porque sus
problemas no reciben ninguna solución y porque la significación
misma de los problemas permanece indeterminada.

Vano sería recurrir al suicidio para escapar a esta necesidad.
El suicidio no puede considerarse como un fin de vida del cual
yo sea el propio fundamento. Siendo acto de mi vida, en efecto, requiere una significación que sólo el porvenir puede conferirle; pero, como es el *último* acto de mi vida, se deniega a sí
mismo ese porvenir, permanece así totalmente indeterminado.
En efecto, si salvo la vida o "fallo", ¿no se juzgará más tarde
mi suicidio como una cobardía? ¿No podrá mostrarme el acontecimiento que eran posibles otras soluciones? Pero, como
estas soluciones no pueden ser sino mis propios proyectos,
sólo pueden aparecer si sigo viviendo. El suicidio es una absurdidad que hace naufragar mi vida en lo absurdo.

Estas observaciones, como se notará, no resultan de la
consideración de la muerte sino, al contrario, de la consideración de la vida: precisamente porque el para-sí es el ser para el
cual en su ser es cuestión de su ser, porque es el ser que reclama siempre un después, no hay lugar alguno para la muerte
en el ser que él es para-sí. ¿Qué podría significar, entonces,
una espera de la muerte, sino la espera de un acaecimiento
indeterminado que reducirá toda espera a lo absurdo, incluida
la de la muerte? La espera de la muerte se destruiría a sí misma, pues sería negación de toda espera. Mi pro-yecto hacia
una muerte es comprensible (suicidio, martirio, heroísmo),
pero no el proyecto hacia *mi* muerte como posibilidad indeterminada de no realizar más presencia en el mundo, pues tal
proyecto sería destrucción de todos los proyectos. Así, la muerte no puede ser mi posibilidad propia; ni siquiera puede ser
una de *mis* posibilidades.

Por otra parte, la muerte, en tanto que puede revelárseme,
no es sólo la nihilización siempre posible de mis posibles –nihi-

lización fuera de mis posibilidades–; no es sólo el proyecto que destruye todos los proyectos y que se destruye a sí mismo, la imposible destrucción de mis esperas: es, además, el triunfo del punto de vista del prójimo sobre el punto de vista *que soy* sobre mí mismo. Es, sin duda, lo que quiere decir Malraux cuando escribe, en *L'Espoir*, que la muerte "transforma la vida en destino". La muerte, en efecto, sólo por su faz negativa es nihilización de mis posibilidades: en efecto, como no soy mis posibilidades sino por nihilización del ser-en-sí que tengo-de-ser, la muerte como nihilización de una nihilización es posición de mi ser como *en-sí*, en el sentido en que, para Hegel, la negación de una negación es afirmación. Mientras el para-sí está "en vida", trasciende su pasado hacia su porvenir y el pasado es lo que el para-sí tiene-de-ser. Cuando el para-sí "cesa de vivir", ese pasado no queda abolido: la desaparición del ser nihilizador no lo toca en su ser, que es del tipo del en-sí: se abisma en el en-sí. Mi vida entera *es*; esto no significa que sea una totalidad armoniosa, sino que ha cesado de ser su propio aplazamiento y que no puede ya cambiarse por la simple conciencia que de sí misma tiene. Al contrario, el sentido de un fenómeno cualquiera de esa vida queda fijado en adelante, no por él mismo, sino por esa totalidad abierta que es la vida detenida. Este sentido, como hemos visto, es, a título primario y fundamental, *ausencia de sentido*. Pero, a título secundario y derivado, mil tornasoles, mil irisaciones de sentidos relativos pueden jugar sobre esa absurdidad fundamental de una vida "muerta". Por ejemplo, cualquiera que haya sido la inanidad última, sigue en pie que la vida de Sófocles ha sido feliz, o la de Balzac prodigiosamente laboriosa, etc. Naturalmente, estas calificaciones generales pueden ceñirse mejor; podemos arriesgar una descripción, un análisis, al mismo tiempo que una narración de esa vida. Obtendríamos así caracteres más distintos; por ejemplo, podremos decir de tal o cual muerto, como Mauriac de una de sus heroínas, que ha vivido como una "desesperada prudente"; podríamos captar el sentido del "alma" de Pascal (es decir, de su "vida" interior) como "suntuoso y amargo", según escribía Nietzsche. Podemos llegar a calificar un episodio de "cobardía" o de "falta de delicadeza", sin perder de vista, empero, que sólo la detención contingente de ese "ser-en-perpetuo-aplazamiento" que es el para-sí vivo permite, sobre el fundamento de una absurdidad radical conferir el sentido relativo al episodio considerado, y que este sentido es una significación *esencialmente provisional,* cuya provisionalidad *ha pasado accidentalmente* a lo definitivo. Pero estas diversas explicaciones del sentido de la vida de Pedro tenían por efecto, cuando Pedro mismo las operaba sobre su propia vida, cambiar la significación y la orientación de ésta, pues toda descripción de la propia vida, cuando intentada por el para-sí, es proyecto de sí allende esa vida y, como el proyecto alterador está al mismo tiempo aglomerado a la vida a la que altera, la propia vida de Pedro metamorfoseaba su sentido temporalizándose continuamente. Pero, ahora que su vida está muerta, sólo *la memoria del* Otro puede impedir que se contraiga[1] a su plenitud de en-sí, cortando todas sus amarras con el presente. La característica de una vida muerta es ser una vida de que se hace custodio el Otro. Esto no significa simplemente que el Otro retenga la vida del "desaparecido" efectuando de ella una reconstitución explícita y cognoscitiva. Al contrario, tal reconstitución no es sino una de las actitudes posibles del otro con respecto a la vida muerta, y, por ende, el carácter de "vida reconstituida" (en el medio familiar, por el recuerdo de los allegados, o en el medio histórico) es un destino particular que señala ciertas vidas con exclusión de otras. Resulta necesariamente de ello que la cualidad opuesta, "vida caída en el olvido", representa también un destino específico y descriptible que adviene a ciertas vidas a partir del otro. Ser olvidado es ser objeto de una actitud del otro y de una decisión implícita del Prójimo. Ser olvidado es, de hecho, ser aprehendido resueltamente y para siempre como elemento fundido en una masa (los "señores feudales del siglo XIII", los "burgueses whigs" del XVIII, los "funcionarios soviéticos" etc.); no es en modo alguno *aniquilarse,* sino perder la existencia personal para ser constituido con otros en existencia colectiva. Esto nos

[1] *Se recroqueville*: "se contraiga arrugándose hacia el centro (como un papel que se quema)". (N. del T.)

muestra a las claras lo que deseábamos probar: que el otro no puede estar *primero* sin contacto con los muertos para *después* decidir (o para que las circunstancias decidan) que tendrá tal o cual relación con ciertos muertos particulares (los que ha conocido en vida, los "grandes muertos", etc.). En realidad, la relación con los muertos –con *todos* los muertos– es una estructura esencial de la relación fundamental que hemos denominado "ser-para-otro". En su surgimiento al ser, el para-sí debe tomar posición con respecto a los muertos; su proyecto inicial los organiza en vastas masas anónimas o en individualidades distintas, y determina el alejamiento o la proximidad absoluta tanto de esas individualidades como de aquellas masas colectivas; despliega, temporalizándose, distancias temporales entre ellas y él, así como despliega las distancias espaciales partiendo de sus entornos; al hacerse anunciar por su propio fin lo que él es, decide sobre la *importancia* propia de las colectividades o de las individualidades desaparecidas: tal o cual grupo, que será estrictamente anónimo y amorfo para Pedro, será específico y estructurado para mí; tal otro, puramente uniforme para mí, dejará aparecer para Juan algunos de sus componentes individuales. Bizancio, Roma, Atenas, la segunda Cruzada, la Convención, otras tantas inmensas necrópolis que puedo ver de lejos o de cerca, es una visión negligente o detallada, según la posición que tomo, la posición que "soy"; hasta tal punto, que no es imposible –por poco que se lo entienda como es debido– definir a una "persona" por sus muertos, es decir, por los sectores de individualización o de colectivización que ha determinado en la necrópolis, por las rutas y senderos que ha trazado, por las enseñanzas que ha decidido hacerse dar, por las "raíces" que en ella ha hundido. Ciertamente, los muertos nos eligen; pero es menester antes que los hayamos elegido. Encontramos nuevamente aquí la relación originaria que une facticidad y libertad; elegimos nuestra actitud hacia los muertos, pero es imposible que no elijamos una. La indiferencia para con los muertos es una actitud perfectamente posible (se encontrarían ejemplos entre los "heimatlos", entre ciertos revolucionarios o entre individualistas); pero esta indiferencia –que consiste en hacer "re-morir" los muertos– es una conducta entre otras con relación a ellos. Así, por su facticidad misma, el para-sí está arrojado a una entera "responsabilidad" para con los muertos: está obligado a decidir libremente la suerte de ellos. En particular, cuando se trata de los muertos que nos rodean, no es posible que no decidamos –explícita o implícitamente– sobre la suerte de sus empresas; esto es manifiesto cuando se trata del hijo que reasume la empresa de su padre o del discípulo que reasume la escuela y las doctrinas de su maestro. Pero, aunque el nexo sea menos claramente visible en buen número de circunstancias, existe igualmente en todos los casos en que el muerto y el vivo considerados pertenecen a la misma colectividad histórica y concreta. Yo, los hombres en general, decidimos sobre el sentido de los esfuerzos y las empresas de la generación anterior, sea que reasumamos y continuemos sus tentativas sociales y políticas, sea que realicemos decididamente una escisión y releguemos a los muertos a la ineficiencia. Como hemos visto, los Estados Unidos de 1917 deciden sobre el valor y el sentido de las empresas de La Fayette. Así, desde este punto de vista, aparece claramente la diferencia entre la vida y la muerte: la vida decide acerca de su propio sentido, porque está siempre en aplazamiento y posee, por esencia, un poder de autocrítica y autometamorfosis que la hace definirse como un "aún no", o ser, si se prefiere, como cambio de lo que ella misma es. La vida muerta tampoco cesa de cambiar, pero no se hace, sino que *es hecha*. Esto significa que, para ella, el dado está echado y padecerá en adelante sus cambios sin ser en modo alguno responsable. No se trata sólo de una totalización arbitraria y definitiva; se trata, además, de una transformación radical: ya nada puede *advenirle* desde el interior; está enteramente cerrada, y nada puede hacerse entrar ya; pero su sentido no deja de ser modificado desde afuera. Hasta la muerte de aquel apóstol de la paz, el sentido de sus empresas (locura o profundo sentido de lo real, éxito o fracaso) estaba entre sus manos; "mientras yo esté ahí, no habrá guerra". Pero, en la medida en que ese sentido trasciende los límites de una simple individualidad, en la medida en que la persona se hace anunciar lo que ella es por una situación objetiva de-realizar (la paz en Europa), la muerte representa una total *desposesión:* el Otro *desposee* al apóstol de la paz del sentido mismo de sus esfuerzos y, por lo tanto, de su ser, encargándose, pese a sí mismo y por su propio surgimiento, de transformar en fracaso o en éxito, en locura o en genial intuición, la empresa misma por la cual la persona se hacía anunciar y que ella era en su ser. Así, la sola existencia de la *muerte* nos aliena íntegros, en nuestra propia vida, en favor del otro. Estar muerto es ser presa de los vivos. Esto significa, pues, que el que intenta captar el sentido de su muerte futura debe descubrirse como futura presa de los otros. Hay, pues, un caso de alienación que no hemos considerado en la sección de esta obra dedicada al Para-Otro: las alienaciones que habíamos estudiado, en efecto, eran las que podemos nihilizar transformando al otro en transcendencia-transcendida, así como podemos nihilizar nuestro *afuera* por la posición absoluta y subjetiva de nuestra libertad; en tanto que vivo, puedo escapar a lo que *soy* para el otro haciéndome revelar, por mis fines libremente puestos, que no *soy* nada y que me hago ser lo que soy; mientras vivo, puedo desmentir lo que, el otro descubre de mí, proyectándome ya hacia otros fines; y, en todo caso, descubriendo que mi dimensión de ser-para-mí es inconmensurable con mi dimensión de ser-para-el-otro. Así, escapo sin cesar a mi afuera y soy sin cesar recobrado por él, sin que, "en tal dudosa lucha", la victoria definitiva pertenezca a uno u otro de esos modos de ser. Pero el *hecho de la muerte*, sin aliarse precisamente con ninguno de los dos adversarios en esa misma lucha, da la victoria final al punto de vista del Otro, transportando la lucha y la prenda de ella a otro terreno, es decir, suprimiendo de súbito a uno de los luchadores. En este sentido, morir es ser condenado, cualquiera que fuere la victoria efímera que se haya alcanzado sobre el Otro, y aun si uno se ha servido del Otro para "esculpir la propia estatua", a no existir ya sino por el Otro y a recibir de él su sentido y el sentido mismo de su victoria. En efecto, si se comparten las concepciones realistas que hemos expuesto en nuestra tercera parte, ha de reconocerse que mi *existencia póstuma* no es la simple supervivencia espectral "en la conciencia del otro" de simples representaciones (imágenes, recuerdos, etc.) que me conciernan. Mi ser-para-otro es un ser real y, si queda entre las manos del prójimo como un manto que le abandono después de mi desaparición, queda a título de dimensión real de mi ser –dimensión convertida en mi dimensión única– y no de espectro inconsistente. Richelieu, Luis XV, mi abuelo, no son en modo alguno la suma de mis recuerdos, ni aun la suma de los recuerdos y conocimientos de todos cuantos han oído hablar de ellos: son seres objetivos y opacos, reducidos simplemente a la sola dimensión de exterioridad. Con tal carácter, proseguirán su respectiva historia en el mundo humano, pero no serán jamás sino trascendencias-trascendidas en medio del mundo; así, la muerte no solamente desarma mis esperas suprimiendo definitivamente la *espera* y dejando en lo indeterminado la realización de los fines que me anuncian lo que soy; sino que también confiere un sentido desde afuera a todo cuanto vivo en subjetividad; reasume toda esa subjetividad que, mientras "vivía", se defendía contra la exteriorización, y la priva de todo sentido subjetivo para entregarla a cualquier significación *objetiva* que al otro le plazca darle. Conviene, empero, advertir que ese "destino" así conferido a *mi vida* queda también en suspenso, en aplazamiento, pues la respuesta a la pregunta: "¿Cuál será, en definitiva, el destino histórico de Robespierre?" depende de la respuesta a esta pregunta previa: "¿Tiene un sentido la historia?"; es decir: "¿la historia debe concluir o solamente *terminarse?*" Esta cuestión no está resuelta, y quizá sea insoluble, pues todas las respuestas que se dan (incluida la respuesta del idealismo: "la historia de Egipto es la historia de la egiptología") son a su vez históricas.

Así, admitiendo que mi muerte pueda descubrirse en mi vida, vemos que no podría ser una pura detención de mi subjetividad, detención que, siendo acaecimiento interior de esa subjetividad, concerniría finalmente sólo a ésta. Si es verdad que el realismo dogmático yerra al ver en la muerte el *estado de muerte,* o sea algo trascendente a la vida, ello no quita que la muerte, tal cual puedo descubrirla como *mía,* compromete necesariamente a otro que yo. En efecto, en tanto que es nihilización siempre posible de mis posibles, está fuera de mis posibilidades, y yo no podría, por consiguiente, esperarla, o sea arrojarme hacia ella como hacia una de mis posibilidades.

No puede, pues, pertenecer a la estructura ontológica del para-sí. En tanto que es el triunfo del otro sobre mí, remite a un hecho, ciertamente fundamental pero totalmente contingente, como hemos visto, que es la existencia del otro. No conoceríamos *esta* muerte si el otro no existiera; no podría ni descubrírsenos ni, sobre todo, constituirse como la metamorfosis de nuestro ser en destino; sería, en efecto, la desaparición simultánea del para-sí y del mundo, de lo subjetivo y de lo objetivo, del significante y de todas las significaciones. Si la muerte, en cierta medida, puede revelársenos como la metamorfosis de estas significaciones particulares que son *mis* significaciones, ello ocurre a consecuencia del hecho de la existencia de otro significante que asegura el relevo de las significaciones y los signos. A causa del otro mi muerte es mi caída fuera del mundo a título de subjetividad, en vez de ser la aniquilación de la conciencia y del mundo. Hay, pues, un innegable y fundamental carácter de *hecho*, es decir, una contingencia radical, en la muerte como en la existencia del prójimo. Esta contingencia la sustrae de antemano a todas las conjeturas ontológicas. Y meditar sobre mi vida considerándola a partir de la muerte sería meditar sobre mi subjetividad tomando sobre ella el punto de vista del otro, lo que, como hemos visto, no es posible.

Así, debemos concluir, contra Heidegger, que la muerte, lejos de ser mi posibilidad propia, es un *hecho contingente* que, en tanto que tal, me escapa por principio y pertenece originariamente a mi facticidad. No puedo ni descubrir mi muerte, ni esperarla, ni adoptar una actitud hacia ella, pues mi muerte es lo que se revela como lo indescubrible, lo que desarma todas las esperas, lo que se desliza en todas las actitudes, y particularmente en las que se adoptaran para con ella, para transformarlas en conductas exteriorizadas y fijadas, cuyo sentido está confiado para siempre a otros que nosotros. La muerte es un puro hecho, como el nacimiento; nos viene desde afuera y nos transforma en afuera. En el fondo, no se distingue en modo alguno del nacimiento, y a esta identidad del nacimiento y la muerte denominamos facticidad.

¿Significa ello que la muerte traza los límites de nuestra libertad? Al renunciar al ser-para-la-muerte, de Heidegger, ¿hemos renunciado para siempre a la posibilidad de dar libremente a nuestro ser una significación de que seamos responsables?

Muy por el contrario, nos parece que la muerte, al descubrírsenos tal cual es, nos libera enteramente de su pretendida coerción. Esto aparecerá más claro, a poco que reflexionemos.

Pero ante todo conviene separar radicalmente las dos ideas, ordinariamente unidas, de muerte y finitud. Parece creerse, por lo común, que la muerte constituye y nos revela nuestra finitud. De esta contaminación resulta que la muerte toma aspecto de necesidad ontológica y que la finitud, al contrario, toma en préstamo a la muerte su carácter de contingencia. Heidegger, en particular, parece haber construido toda su teoría del *Sein-zum-tode* sobre la identificación rigurosa de muerte y finitud; de la misma manera, Malraux, cuando nos dice que la muerte nos revela la unicidad de la vida, parece considerar que precisamente porque morimos somos impotentes para recoger nuestra apuesta y, por ende, finitos. Pero, considerando las cosas un poco más de cerca, se advierte el error: la muerte es un hecho contingente que pertenece a la facticidad; la finitud es una estructura ontológica del para-sí que determina a la libertad y no existe sino en y por el libre proyecto del fin que me anuncia lo que soy. En otros términos, la realidad humana seguiría siendo finita aunque fuera inmortal, porque se *hace* finita al elegirse humana. Ser finito, en efecto, es elegirse, es decir, hacerse anunciar lo que se es proyectándose hacia un posible con exclusión de otros. El acto mismo de libertad es, pues, asunción y creación de la finitud. Si me hago, me hago finito y, por este hecho, mi vida es única. Siendo así, aun cuando fuese inmortal, me sería igualmente vedado "recoger mi apuesta": la irreversibilidad de la temporalidad me lo prohíbe, y esa irreversibilidad no es sino el carácter propio de una libertad que se temporaliza. Ciertamente, si soy inmortal y he debido descartar el posible B para realizar el posible A, volverá a presentárseme la ocasión de realizar el posible descartado. Pero, por el solo hecho de que esta ocasión se presentará *después* de la ocasión rehusada, no será la misma y, entonces, me habré *hecho finito* para la eternidad al descartar irremediablemente la primera ocasión. Desde este punto de vista, tanto el inmortal como el mortal nace múltiple y se hace uno. No por ser temporalmente indefinida, o sea sin límites, la "vida" del inmortal será menos finita en su ser mismo, porque se hace única. La muerte nada tiene que ver; sobreviene "entre tanto", y la realidad humana, al revelarse su propia finitud, no descubre con ella su mortalidad.

Así, la muerte no es en modo alguno una estructura ontológica de mi ser, por lo menos en tanto que éste es para-sí; sólo *el otro* es mortal en su ser. No hay ningún sitio para la muerte en el ser-para-sí; no puede ni esperarla, ni realizarla, ni proyectarse hacia ella; la muerte no es en modo alguno el fundamento de su finitud y, de modo general, no puede ni ser fundada desde adentro como proyecto de la libertad original ni ser recibida de afuera como una cualidad por el para-sí. Entonces, ¿qué es? Nada más que cierto aspecto de la facticidad y del ser para otro, es decir, nada más que algo *dado*. Es absurdo que hayamos nacido, es absurdo que muramos; por otra parte, esta absurdidad se presenta como la alienación permanente de mi ser-posibilidad que no es más *mi* posibilidad, sino la del otro. Es, pues, un límite externo y de hecho de mi subjetividad. Pero, ¿no reconocemos aquí la descripción que hemos intentado en el parágrafo precedente? Este límite de hecho que debemos aseverar, en cierto sentido, puesto que nada nos penetra desde afuera y es menester que, en cierto sentido, *experimentemos* la muerte si hemos de poder siquiera nombrarla, pero que, por otra parte, jamás es *encontrado* por el para-sí, puesto que no es nada propio *de* éste, sino sólo la permanencia indefinida de su ser-para-el-otro, ¿qué es sino, precisamente, uno de los *irrealizables*? ¿Qué es, sino un aspecto sintético de nuestros *anversos*? *Mortal* representa el ser presente que soy para-otro; *muerto* representa el sentido futuro de mi para-sí actual para el otro. Se trata, pues, de un límite permanente de mis proyectos y, como tal, es un límite de-asumir. Es, pues, una exterioridad que permanece exterioridad hasta en y por la tentativa del para-sí de realizarla: es lo que hemos definido antes como el *irrealizable de-realizar*. No hay diferencia de fondo entre la elección por la cual la libertad asume su muerte como límite incaptable e inconcebible de su subjetividad, y la elección por la cual elige ser libertad limitada por el hecho de la libertad del otro. Así, la muerte no es *mi* posibilidad, en el sentido precedentemente definido; es situación límite, como anverso elegido y huidizo de mi elección. Tampoco es *mi* posible, en el sentido de que fuera mi fin propio, el cual me anunciaría mi ser; sino que, por el hecho de ser ineluctable necesidad de existir en otra parte como un afuera y un en-sí, es interiorizada como "última", es decir, como sentido temático y fuera de alcance de los posibles jerarquizados. Así, ella me infesta en el meollo mismo de cada uno de mis proyectos, como reverso ineluctable de éstos. Pero, precisamente como ese "reverso" no es de-asumir como *mi* posibilidad sino como la posibilidad de que no haya para mí más posibilidades, la muerte no *me lesiona*. La libertad que es *mi libertad* permanece total e infinita; no que la muerte no la limite, sino que la libertad no encuentra jamás ese límite; la muerte no es en modo alguno obstáculo para mis proyectos: es sólo un destino de *estos proyectos en otra parte*. No soy "libre para la muerte", sino que soy un libre mortal. Al escapar la muerte a mis proyectos por ser irrealizable, escapo yo mismo a la muerte en mi propio proyecto. Siendo lo que está siempre allende mi subjetividad, en mi subjetividad no hay sitio alguno para ella. Y esta subjetividad no se afirma *contra* la muerte, sino independientemente de ella, aunque esta afirmación sea inmediatamente alienada. No podríamos, pues, ni pensar la muerte, ni esperarla, ni armarnos contra ella; pero también nuestros proyectos son, en tanto que proyectos –no a causa de nuestra ceguera, como dice el cristiano, sino por principio–, independientes de ella. Y, aunque haya innumerables actitudes posibles frente a ese irrealizable "de-realizar por añadidura", no cabe clasificarlas en auténticas e inauténticas, puesto que, justamente, siempre morimos *por añadidura*.

Las diferentes descripciones que hemos efectuado, de mi sitio, mi pasado, mis entornos, mi muerte y mi prójimo no tienen la pretensión de ser exhaustivas, ni aun detalladas. Su objetivo es, simplemente, permitirnos una concepción más clara de lo que es una si*tuación*. Gracias a ellas nos será posible definir más precisamente ese "ser-en-situación" que caracteriza al Para-sí en tanto que responsable de su manera de ser sin ser fundamento de su ser.

1° Soy un existente *en medio de* otros existentes. Pero no puedo "realizar" esta existencia en medio de otros, no puedo captar *como objetos* los existentes que me rodean, ni captarme a mí mismo como existente *rodeado,* ni siquiera dar un sentido a esa noción de *en medio,* excepto si me elijo a mí mismo no en mi ser sino en mi manera de ser. La elección de este fin es elección de un *aún-no-existente.* Mi posición en medio del mundo, definida por la relación de utensilidad o de adversidad entre las realidades que me rodean y mi propia facticidad, es decir, el descubrimiento de los peligros que corro en el mundo, de los obstáculos que en él puedo encontrar, de las ayudas que pueden ofrecérseme, a la luz de una nihilización radical de mí mismo y de una negación radical e interna del en-sí, operadas desde el punto de vista de un fin libremente puesto: eso es lo que llamamos la *situación.*

2° La situación sólo existe en correlación con el trascender lo dado hacia un fin. Es la manera en que lo dado que soy y lo dado que no soy se descubren al Para-sí que soy en el modo de no serlo. Quien dice *situación* dice, pues, "posición aprehendida por el Para-sí que está en situación". Es imposible considerar una situación desde afuera: se fija en *forma en-sí.* En consecuencia, la situación no podría llamarse ni objetiva ni subjetiva, aunque las estructuras parciales de ella (la taza de que me sirvo, la mesa en que me apoyo, etc.) puedan y deban ser rigurosamente objetivas.

La situación no puede ser *subjetiva,* pues no es ni la suma ni la unidad de las *impresiones* que nos causan las cosas: es *las cosas mismas* y yo mismo entre las cosas; pues mi surgimiento en el mundo como pura nihilización de ser no tiene otro efecto que hacer que *haya* cosas, y no agrega *nada.* En este aspecto, la situación delata mi *facticidad,* es decir, el hecho de que las cosas simplemente *son ahí* tal como son, sin necesidad ni posibilidad de ser de otro modo, y de que yo *soy ahí* entre ellas.

Pero tampoco podría ser *objetiva,* en el sentido de algo puramente dado que el sujeto constatara sin estar comprometido en modo alguno en el sistema así constituido. De hecho, la situación, por la significación misma de lo dado (significación sin la cual *no habría* siquiera algo dado) refleja al para-sí su libertad.

Si la situación no es subjetiva ni objetiva, se debe a que no constituye un *conocimiento* ni aun una comprensión afectiva del estado del mundo por un sujeto, sino que es una *relación de ser* entre un para-sí y el en-sí por él nihilizado. La situación es el sujeto íntegro (él no es *nada* más que su situación) y es también la "cosa" íntegra (no *hay* nunca nada más que las cosas). Es el sujeto en cuanto ilumina las cosas por su propio trascender, si así se quiere; o son las cosas en cuanto remiten al sujeto la imagen suya. Es la total facticidad, la contingencia absoluta del mundo, de mi nacimiento, de mi sitio, de mi pasado, de mis entornos, del hecho de mi prójimo; y es mi libertad sin límites como aquello que hace que haya para mí una facticidad. Es esta ruta polvorienta y ascendente, esta ardiente sed que tengo, esta negación de la gente a darme de beber porque no tengo dinero o porque no soy de su país o de su raza; es mi derelicción en medio de estas poblaciones hostiles, con esta fatiga de mi cuerpo que acaso me impedirá alcanzar la meta fijada. Pero es, precisamente, también esta meta u *objetivo*, no en tanto que lo formulo clara y explícitamente sino en cuanto está ahí, doquiera, en torno de mí, como lo que unifica y explica todos esos hechos, los organiza en una totalidad descriptible en vez de hacer de ellos una pesadilla en desorden.

3° Si el para-sí no es nada más que su situación, se sigue de ello que el ser-en-situación define la realidad-humana, dando razón a la vez de su *ser-ahí* y de su *ser-allende*. La realidad humana, en efecto, es *el ser que es siempre allende su ser-ahí*. Y la situación es la totalidad organizada del ser-ahí interpretada y vivida en y por el ser-allende. No hay, pues, situación privilegiada; entendemos con ello que no hay situación en que el peso de lo *dado* sofoque la libertad que lo constituye como tal; ni, recíprocamente, situación en que el para-sí sea *más libre* que en otras. Esto no ha de entenderse en el sentido de esa "libertad interior" bergsoniana de que se mofaba Politzer en *La fin d'une parade philosophique,* y que concluía simplemente reconociendo al esclavo la independencia de la vida íntima y del corazón en medio de sus cadenas. Cuando declaramos que el esclavo es tan libre en sus cadenas como su amo, no queremos referirnos a una libertad que permanezca indeterminada. El esclavo en medio de cadenas es libre *para romperlas;* esto significa que el sentido mismo de sus cadenas se le aparecerá a la luz del fin que haya elegido: permanecer esclavo o arriesgar lo peor para liberarse de la servidumbre. Sin duda, el esclavo no podrá obtener las riquezas y el nivel de vida del amo; pero tampoco son éstos los objetos de sus *proyectos:* no puede sino soñar con la posesión de esos tesoros; su *facticidad* es tal que el mundo se le aparece con otro rostro, y que tiene-de plantear y resolver otros problemas; en particular, le es menester fundamentalmente elegirse en el terreno de la *esclavitud,* y, con ello, dar un sentido a esta oscura coerción. Si elige, por ejemplo, la rebelión, la esclavitud, lejos de ser *previamente* un obstáculo para esa rebelión, sólo por ésta cobra su sentido y su coeficiente de adversidad. Precisamente porque la vida del esclavo que se rebela y muere durante la rebelión es una vida libre, precisamente porque la situación iluminada por un libre proyecto es plena y concreta, precisamente porque el problema urgente y capital de esa vida es: "¿alcanzaré mi objetivo?", por todo eso precisamente la situación del esclavo es *incomparable* con la del amo. Cada una de ellas, en efecto, sólo cobra sentido para el para-sí en situación y a partir de la libre elección de sus fines. La comparación sólo podría ser efectuada por un tercero, y, por consiguiente, no ocurriría sino entre dos formas objetivas en medio del mundo; sería establecida, por lo demás, a la luz del pro-yecto libremente elegido por aquel tercero: no hay ningún punto de vista absoluto en que sea posible colocarse para comparar situaciones diferentes; cada persona no realiza sino, una situación: *la suya.*

4° La situación, estando iluminada por fines pro-yectados sólo a partir del *ser-ahí* al que iluminan, se presenta como eminentemente *concreta.* Ciertamente, contiene y sostiene estructuras abstractas y universales, pero debe comprenderse como el *rostro singular* que el mundo vuelve hacia nosotros, como nuestra oportunidad única y personal. Recordemos este apólogo de Kafka: un mercader acude a defender su causa al castillo; un guardián terrible le impide la entrada. Él no osa avanzar, espera, y muere esperando. A la hora de morir, pregunta al guardián: "¿Por qué era yo el único que esperaba?" Y el guardián le responde: "Porque esta puerta estaba hecha sólo para ti." Tal es el caso del para-sí, con tal de agregar que, además, *cada uno se hace su propia puerta.* Lo concreto de la situación se traduce, en particular, en el hecho de que el para-sí *jamás apunta* a fines abstractos y universales. Sin duda, veremos en el próximo capítulo que el sentido profundo de la elección es universal y que, por ello, el para-sí hace que exista una realidad-humana como especie. Pero es menester *extraer* el sentido que está *implícito*; y para ello nos servirá el psicoanálisis existencial. Una vez extraído, el sentido terminal e inicial del para-sí aparecerá como un *unselbstständig* que para manifestarse necesita de una concreción particular.[1] Pero el fin del para-sí, tal cual es vivido y perseguido en el proyecto por el cual aquél trasciende y funda lo real, se le revela en su concreción como un cambio particular de la situación vivida (romper sus cadenas, ser rey de los francos, libertar a Polonia, luchar por el proletariado). Y no se pro-yectará primeramente luchar por el proletariado en general, sino que el proletariado será encarado a través de tal o cual grupo obrero concreto, al cual pertenece la *persona.* Pues, en efecto, el fin sólo ilumina lo dado porque es elegido como un modo de trascender *esto* dado. El para-sí no surge con un fin *dado ya;* sino que, al "hacer" la situación, él "se hace", e inversamente.

5º La situación, así como no es objetiva o subjetiva, tampoco podría considerarse como el libre efecto de una libertad o como el conjunto de las coerciones padecidas: proviene de la iluminación de la coerción por la libertad que le da su sentido de coerción. Entre los existentes brutos no puede haber conexiones; la libertad funda las conexiones agrupando a los existentes en complejos-utensillos, y ella pro-yecta la *razón* de las conexiones, es decir, su propio fin. Pero, precisamente porque entonces me proyecto hacia un fin a través de un mundo de *conexiones,* me encuentro ahora con secuencias, con series conexas, con complejos, y debo determinarme a actuar según leyes. Estas leyes y la manera en que las utilizo deciden del fracaso o del éxito de mis tentativas. Pero las relaciones legales vienen al mundo por la libertad. Así, la libertad se encadena en el mundo como libre proyecto hacia fines.

[1] Cf. el capítulo siguiente.

6° El Para-sí es temporalización; esto significa que no *es*: "se hace". La *situación* debe dar razón de esa *permanencia sustancial* que suele reconocerse a las personas ("no ha cambiado", "es siempre el mismo", y que la persona experimenta empíricamente en muchos casos. La libre perseverancia en un mismo proyecto, efectivamente, no implica permanencia alguna; muy al contrario, es una perpetua renovación de mi comprometimiento, como hemos visto. Las realidades implicadas e iluminadas por un proyecto que se desarrolla y confirma presentan, al contrario, la permanencia del en-sí, y, en la medida en que nos devuelven nuestra imagen, nos apuntalan con la perennidad que les es propia; hasta es frecuente que confundamos su permanencia con la nuestra. En particular, la permanencia del sitio y los entornos, de los juicios ajenos sobre nosotros, de nuestro pasado, *figura* una imagen degradada de nuestra *perseverancia*. Mientras me temporalizo, soy siempre francés, funcionario o proletario *para el prójimo*. Este irrealizable tiene el carácter de un límite invariable de mi situación. Análogamente, lo que se llama el temperamento o el carácter de una persona, y que no es sino su libre proyecto en tanto que *es-para-Otro*, aparece también, para el Para-sí, como un irrealizable invariante. Alain ha visto bien que el carácter es *juramento*. El que dice: "no soy acomodaticio" contrae un libre comprometimiento a la ira y, a la vez, una libre interpretación de ciertos detalles ambiguos de su pasado. En este sentido no hay carácter: no hay sino un pro-yecto de sí mismo. Pero no ha de desconocerse, sin embargo, el aspecto *dado* del carácter. Verdad es que para el Otro, que me capta como Otro-objeto, *soy* colérico, hipócrita, o franco, cobarde o valeroso. Este aspecto me es devuelto por la mirada del Prójimo: por el hecho de experimentar esa mirada, el carácter, que era libre proyecto vivido y consciente (de) sí, se convierte en un irrealizable *ne varietur* de-asumir. Depende entonces no sólo del Otro sino también de la posición que he adoptado respecto del Otro, y de mi perseverancia en mantener tal posición: mientras me deje fascinar por la mirada del Prójimo, mi carácter figurará a mis propios ojos como irrealizable *ne varietur,* la permanencia sustancial de mi ser, como lo dan a entender las frases triviales y cotidianas del tipo de: "Tengo cuarenta y cinco años y no pueden pretender que cambie ahora". El carácter hasta es, a menudo, lo que el Para-sí intenta recuperar para convertirse en el En-sí-para-sí que proyecta ser. Importa advertir, sin embargo, que esa permanencia del pasado, de los entornos y del carácter no son cualidades *dadas:* sólo se revelan en las cosas en correlación con la continuidad de mi proyecto. Sería inútil que se esperara, por ejemplo, encontrar después de una guerra o de un largo destierro tal o cual paisaje montañoso como inalterado, y fundar sobre la inercia y la permanencia aparente de esas piedras la esperanza de un renacimiento del pasado. Ese paisaje sólo descubre su permanencia a través de un proyecto perseverante: esas montañas tienen un *sentido* en el interior de mi situación; figuran, de un modo u otro, mi pertenencia a una nación en paz, dueña de sí misma, situada en cierto nivel en la jerarquía internacional. Si vuelvo a verlas después de una derrota y durante la ocupación de una parte del territorio, ya no podrían ofrecerme en absoluto el mismo rostro: y ello, porque yo mismo tengo otros pro-yectos, me he comprometido diferentemente en el mundo.

Por último, hemos visto que siempre son de prever trastornos internos de la situación por cambios autónomos de los entornos. Estos cambios jamás pueden *provocar* un cambio de mi proyecto, pero pueden traer apareada, sobre el fundamento de mi libertad, una simplificación o una complicación de la situación. Por ello mismo mi proyecto inicial se me revelará con mayor o menor simplicidad. Pues una persona no es nunca ni simple ni compleja: su situación puede ser uno o lo otro. En efecto, no soy nada más que el proyecto de mí mismo allende una situación determinada, y ese proyecto me prefigura a partir de la situación concreta, así como, por otra parte, ilumina la situación a partir de mi elección. Luego, si la situación en conjunto se ha simplificado, si un alud, un derrumbe o la erosión le han impreso un aspecto tajante o rasgos burdos con oposiciones violentas, yo mismo seré simple, pues mi elección –la elección que soy–, siendo aprehensión de *esa* situación *allí*, no podría ser sino simple. El resurgimiento de nuevas complicaciones tendrá por efecto presentarme una situación complicada, allende la cual me encontrará como complicado. Es lo que cada cual ha podido comprobar, si ha advertido a qué simplicidad casi animal volvían los prisioneros de guerra a causa de la extrema simplificación de su situación, esta simplificación no podía modificar la significación de sus proyectos mismos; pero, sobre el fundamento de la libertad de cada cual, traía apareadas una condensación y uniformación de los entornos, que se constituía en y por una aprehensión más neta, más ruda y más condensada de los fines fundamentales de la persona cautiva. Se trata, en suma, de un metabolismo interno, no de una metamorfosis global que interese también la *forma* de la situación. Empero, son cambios que descubro como cambios "en mi vida", es decir, en los marcos unitarios de un mismo proyecto.

III

Libertad y responsabilidad

Aunque las consideraciones que siguen interesan más bien al moralista, hemos juzgado que no sería inútil, después de nuestras descripciones y argumentaciones, volver sobre la libertad del para-sí y tratar de comprender lo que representa para el destino humano el hecho de esa libertad.

La consecuencia esencial de nuestras observaciones anteriores es que el hombre, al estar condenado a ser libre, lleva sobre sus hombros el peso íntegro del mundo; es responsable del mundo y de sí mismo en tanto que manera de ser. Tomamos la palabra "responsabilidad" en su sentido trivial de "conciencia (de) ser el autor incontestable de un acaecimiento o de un objeto". En tal sentido, la responsabilidad del para-sí es agobiadora, pues es aquel por quien se hace que *haya* un mundo; y, puesto que es también aquel que *se hace ser*, el para-sí, cualquiera que fuere la situación en que se encuentre debe, pues, asumirla enteramente con su coeficiente de adversidad propio, así sea insostenible; debe asumirla con la orgullosa conciencia de ser autor de ella, pues los mayores inconvenientes o las peores amenazas que pueden tocar a mi persona sólo tienen sentido en virtud de mi proyecto y aparecen sobre el fondo del comprometimiento que soy. Es, pues, insensato pensar en quejarse, pues nada ajeno o extraño ha decidido lo que sentimos, vivimos o somos. Esa responsabilidad absoluta no es, por lo demás, aceptación; es simple reivindicación lógica de las consecuencias de nuestra libertad. Lo que me ocurre, me ocurre por mí, y no podría ni dejarme afectar por ello, ni rebelarme, ni resignarme. Por otra parte, todo lo que me ocurre es *mío*; con ello ha de entenderse, en primer lugar, que siempre estoy a la altura de lo que me ocurre, en tanto que hombre, pues lo que ocurre a un hombre por otros hombres o por él mismo no puede ser sino humano. Las más atroces situaciones de la guerra, las más crueles torturas, no crean un estado de cosas inhumano: no hay situación inhumana; sólo por el miedo, la huida y el expediente de las conductas mágicas *decidiré* de lo inhumano; pero esta decisión es humana y me incumbe su entera responsabilidad. La situación es *mía*, además, porque es la imagen de mi libre elección de mí mismo, y todo cuanto ella me presenta es *mío* porque me representa y simboliza. ¿No soy yo quien decide sobre el coeficiente de adversidad de las cosas, y hasta sobre su imprevisibilidad, al decidir de mí mismo? Así, en una vida no hay *accidentes*: un acaecimiento social que de pronto irrumpe y me arrastra, no proviene de afuera; si soy movilizado en una guerra, esta guerra es *mía*, está hecha a mi imagen y la merezco. La merezco, en primer lugar, porque siempre podía haberme sustraído a ella, por la deserción o el suicidio; estos posibles últimos son los que siempre hemos de tener presentes cuando se trata de encarar una situación. Al no haberme sustraído, la he *elegido*: pudo ser por flaqueza, por cobardía ante la opinión pública, porque prefiero ciertos valores a la negación de hacer la guerra (la estima de mis allegados, el honor de mi familia, etc.). De todos modos, se trata de una elección; elección reiterada luego, de manera continua, hasta el fin de la guerra; hemos de suscribir, pues, la frase de J. Romains:[1] "En la guerra no hay víctimas inocentes." Así, pues, si he preferido la guerra a la muerte o al deshonor, todo ocurre como si lleva-

---

[1] J. Romains, *Les hommes de bonne volonté:* "Prélude à Verdun".

ra enteramente sobre mis hombros la responsabilidad de esa guerra. Sin duda, otros la han declarado, y podría incurrirse en tentación de considerarme como mero cómplice. Pero esta noción de complicidad no tiene sino un sentido jurídico; en nuestro caso, es insostenible, pues ha dependido *de mí* que para mí y por mí esa guerra no existiera, y yo he decidido que exista. No ha habido coerción alguna, pues la coerción no puede ejercer dominio alguno sobre una libertad; no tengo ninguna excusa, pues, como lo hemos dicho y repetido en este libro, lo propio de la realidad-humana es ser sin excusa. No me queda, pues, sino reivindicar esa guerra como mía. Pero, además, es *mía* porque, por el solo hecho de surgir en una situación que yo hago ser y de no poder descubrirla sino compremetiéndome en pro o en contra de ella, no puedo distinguir ahora la elección que hago de mí y la elección que hago de la guerra: vivir esta guerra es escogerme por ella y escogerla por mi elección de mí mismo. No cabría encararla como "cuatro años de vacaciones" o de "aplazamiento" o como una "sesión suspendida", estimando que lo esencial de mis responsabilidades está en otra parte, en mi vida conyugal, familiar o profesional: en esta guerra que he escogido, me elijo día por día y la hago mía haciéndome a mí mismo. Si han de ser cuatro años vacíos, mía es la responsabilidad. Por último, como hemos señalado en el parágrafo anterior, cada persona es una elección absoluta de sí a partir de un mundo de conocimiento y de técnicas que esa elección a la vez asume e ilumina; cada persona es un absoluto que goza de una data absoluta, y es enteramente impensable en otra data. Es ocioso, pues, preguntarse qué habría sido yo si no hubiera estallado esta guerra, pues me he elegido como uno de los sentidos posibles de la época que conducía a la guerra insensiblemente: no me distingo de la época misma; ni podría ser transportado a otra época, sin contradicción. Entonces, *soy* esta guerra que delimita y hace comprensible el período que la ha precedido. En este sentido, a la fórmula recién citada: "no hay víctimas inocentes", es menester, para definir más netamente la responsabilidad del para-sí, añadir esta otra: "Cada cual tiene la guerra que merece". Así, totalmente libre, indiscernible del período cuyo sentido he elegido ser, tan profundamente responsable de la guerra como si yo mismo la hubiera declarado, puesto que no puedo vivir nada sin integrarlo a *mi* situación, comprometerme en ello íntegramente y marcarlo con mi sello, debo ser sin remordimiento ni pesar así como soy sin excusa, pues, desde el instante de mi surgimiento al ser, llevo exclusivamente sobre mí el peso del mundo, sin que nada ni nadie pueda aligerármelo.

Empero, esta responsabilidad es de un tipo muy particular. Se me responderá, en efecto, que "no he pedido nacer", lo que es una manera ingenua de poner el acento sobre nuestra facticidad. Soy responsable de todo, en efecto, salvo de mi responsabilidad misma, pues no soy el fundamento de mi ser. Todo ocurre, pues, como si estuviera constreñido a ser responsable. Estoy *arrojado* en el mundo, no en el sentido de que permanezca abandonado y pasivo en un universo hostil, como la tabla que flota sobre el agua, sino, al contrario, en el sentido de que me encuentro de pronto solo y sin ayuda, comprometido en un mundo de que soy enteramente responsable, sin poder, por mucho que haga, arrancarme ni un instante a esa responsabilidad, pues soy responsable hasta de mi propio deseo de rehuir las responsabilidades; hacerme pasivo en el mundo, negarme a actuar sobre las cosas y sobre los Otros es también elegirme, y el suicidio es un modo entre otros de ser-en-el-mundo. Empero, me encuentro con una responsabilidad absoluta, por el hecho de que mi facticidad, es decir, en este caso el hecho de mi nacimiento, es incaptable directamente y hasta inconcebible; pues el hecho de mi nacimiento nunca se me aparece en bruto, sino siempre a través de una reconstrucción pro-yectiva de mi parasí: me avergüenzo, me asombro o me alegro de haber nacido, o, al intentar quitarme la vida, afirmo que vivo y asumo esta vida como mala. Así, en cierto sentido, *elijo* haber nacido. Esta misma elección está íntegramente afectada de facticidad, puesto que no puedo no elegir; pero esa facticidad, a su vez, sólo aparecerá en cuanto yo la trascienda hacia mis fines. Así, la facticidad está doquiera, pero incaptable; no encuentra jamás sino mi responsabilidad, y por eso no puedo preguntar "*¿Por qué* he nacido?", ni maldecir el día de mi nacimiento ni declarar que no he pedido nacer, pues estas diferentes actitudes con respecto al nacimiento, es decir, con respecto al *hecho* de que realizo una presencia en el mundo, no son otra cosa, precisamente, que maneras de asumir con plena responsabilidad el nacimiento y hacerlo *mío*; también aquí, sólo me encuentro conmigo y mis proyectos, de modo que, en última instancia, mi derelicción, es decir mi facticidad, consiste simplemente en que estoy condenado a ser íntegramente responsable de mí mismo. Soy el ser que *es* como ser en cuyo ser es cuestión de su ser. Y este "es" de mi ser es como presente e incaptable.

En tales condiciones, puesto que ningún acaecimiento del mundo puede descubrírseme sino como *ocasión* (ocasión *aprovechada, fallida, descuidada,* etc.), o, mejor aún, puesto que todo cuanto nos ocurre puede ser considerado como una *oportunidad,* es decir, sólo puede aparecérsenos como medio para realizar ese ser de que es cuestión en nuestro ser, y puesto que los otros, como trascendencias-trascendidas, no son tampoco sino *ocasiones* y *oportunidades,* la responsabilidad del para-sí se extiende al mundo entero como mundo-poblado. Así, precisamente, el para-sí se capta a sí mismo en la angustia, es decir, como un ser que no es fundamento ni de su ser ni del ser del otro ni de los en-síes que forman el mundo, pero que está obligado a decidir sobre el sentido del ser, en él y doquiera fuera de él. Quien realiza en la angustia su condición de *ser* arrojado a una responsabilidad que se revierte hasta sobre su misma derelicción, no tiene ya remordimiento, ni pesar, ni excusa; no es ya sino una libertad que se descubre perfectamente a sí misma y cuyo ser reside en ese mismo descubrimiento. Pero, como se ha señalado al comienzo de esta obra, la mayor parte de las veces rehuimos la angustia en la mala fe.

Hacer y tener

I

El psicoanálisis existencial

Si verdad es que la realidad humana, como hemos tratado de establecerlo, se anuncia y se define por los fines que persigue, se hace indispensable el estudio y la clasificación de esos fines. En efecto, en el capítulo anterior hemos considerado al Para-sí sólo según la perspectiva de su libre proyecto, es decir, del impulso por el cual se arroja hacia su fin. Conviene ahora interrogar a este fin mismo, pues *forma parte* de la subjetividad absoluta como límite trascendente y objetivo de ésta. Es lo que ha presentado la psicología empírica, que admite que un hombre particular se define por sus deseos. Pero debemos precavernos contra dos errores: en primer lugar, el psicólogo empírico, al definir al hombre por sus deseos, permanece víctima de un error sustancialista. Ve el deseo como existente *en* el hombre a título de "contenido" de conciencia, y cree que el sentido del deseo es inherente al deseo mismo. Así, evita todo cuanto pudiera evocar la idea de una trascendencia. Pero, si deseo una casa, un vaso de agua, un cuerpo de mujer, ¿cómo podría este cuerpo, ese vaso, aquel inmueble residir en mi deseo, y cómo podría éste ser otra cosa que la conciencia de tales objetos como deseables? Guardémonos, pues, de considerar los deseos como pequeñas entidades psíquicas que habiten la conciencia: son la conciencia misma en su estructura original pro-yectiva y trascendente, en tanto que es por principio conciencia *de* algo.

El otro error, que mantiene profundas conexiones con el primero, consiste en estimar terminada la investigación psicológica una vez que se alcanza el conjunto concreto de los deseos empíricos. Así, un hombre se definirá por el haz de tendencias que haya podido establecer la observación empírica. Naturalmente, el psicólogo no siempre se limitará a efectuar la *suma* de esas tendencias: se complacerá en sacar a luz sus mutuos parentescos, concordancias y armonías, tratará de presentar el conjunto de los deseos como una organización sintética, en que cada deseo actúa sobre los otros e influye sobre ellos. Por ejemplo, un crítico, queriendo esbozar la "psicología" de Flaubert, escribirá que "parece haber conocido como estado normal, en su primera juventud, una exaltación continua producto del doble sentimiento de su grandiosa ambición y de su fuerza invencible... La efervescencia de su sangre joven convirtióse, *pues*, en pasión literaria, como acontece hacia la edad de dieciocho años a las almas precoces que encuentran en la energía del estilo o en las intensidades de una ficción el modo de engañar esa necesidad, que los atormenta, de mucho actuar o de sentir en exceso".[1]

Hay en este pasaje un esfuerzo para reducir la personalidad compleja de un adolescente a unos cuantos deseos primeros, como el químico reduce los cuerpos compuestos a una mera combinación de cuerpos simples. Esos datos primeros serán la ambición grandiosa, la necesidad de actuar mucho o de sentir en exceso; estos elementos, cuando entran en combinación, producen una exaltación permanente. Ésta, nutriéndose –como lo hace notar Bourget en unas frases que no hemos citado– de lecturas copiosas y bien escogidas, tratará de engañarse expresándose en ficciones que la satisfarán simbólicamente y la canalizarán. Y he aquí esbozada la génesis de un "temperamento" literario.

Pero, en primer lugar, semejante *análisis* psicológico parte del postulado de que un hecho individual es producido por la intersección de leyes abstractas y universales. El hecho de explicar –en este caso, las disposiciones literarias del joven Flaubert– se resuelve en una combinación de deseos *típicos* y abstractos, tales como se los encuentra en "el adolescente en general". Lo

---

[1] Paul Bourget, *Essais de psychologie contemporaine: G. Flaubert.*

único concreto es su combinación; en sí mismos son sólo esquemas. Lo abstracto es, pues, por hipótesis, anterior a lo concreto y lo concreto no es sino una organización de cualidades abstractas; lo individual no es sino la intersección de esquemas universales. Pero en el ejemplo elegido vemos claramente que ese postulado –aparte de su absurdidad lógica– no logra explicar lo que constituye precisamente la individualidad del pro-yecto considerado. Que "la necesidad de sentir en exceso" –esquema universal– sea engañada y canalizada convirtiéndose en necesidad de escribir, no es la *explicación* de la "vocación" de Flaubert: al contrario, es lo que sería menester explicar. Sin duda, podrían invocarse mil circunstancias tenues y desconocidas por nosotros, que han moldeado esa necesidad de sentir en forma de necesidad de actuar. Pero, en primer lugar, es renunciar a la explicación y remitirse, precisamente, a lo indescubrible.[1] Además, es relegar lo individual puro, expulsado de la subjetividad de Flaubert, a las circunstancias exteriores de su vida. Por último, la correspondencia de Flaubert demuestra que, mucho antes de la "crisis de adolescencia", desde la más temprana infancia estaba atormentado por la necesidad de escribir.

En cada etapa de la descripción citada encontramos un hiato. ¿Por qué la ambición y el sentimiento de su fuerza producen en Flaubert *exaltación* más bien que una espera tranquila o una sombría impaciencia? ¿Por qué esta exaltación se especifica en deseo de actuar demasiado y de sentir en exceso? O, más bien, ¿a qué viene esa necesidad, aparecida de súbito, por generación espontánea, al fin del parágrafo? ¿Y por qué, en vez de tratar de satisfacerse con actos de violencia, fugas, aventuras amorosas o libertinaje, elige, precisamente, satisfacerse simbólicamente? ¿Por qué esta satisfacción simbólica, que podría, por otra parte, no pertenecer al orden artístico (está también, por ejemplo, el misticismo), se encuentra en la *escritura* más bien que en la pintura o la música? "Yo hubiera podido –escribe Flaubert en algún lugar– ser un gran actor."

---

[1] Como, en efecto, la adolescencia de Flaubert, hasta donde podemos conocerla, no ofrece nada de particular a ese respecto, ha de suponerse la acción de hechos imponderables que escapan por principio al crítico.

¿Por qué no ha intentado serlo? En una palabra, no hemos comprendido nada; hemos visto una sucesión de azares, de deseos que salen armados de punta en blanco unos de otros, sin que sea posible captar su génesis. Los *tránsitos*, los devenires, las transformaciones, nos han sido cuidadosamente velados, y todo se ha reducido a poner orden en esa sucesión invocando secuencias empíricamente verificadas (necesidad de obrar, que precede en el adolescente a la necesidad de escribir), pero, literalmente, ininteligibles. He ahí, sin embargo, lo que se llama hacer psicología. Abramos una biografía al azar: es el género de descripción que encontraremos, más o menos alternada con relatos de acaecimientos exteriores y con alusiones a los grandes ídolos explicativos de nuestra época: herencia, educación, medio, constitución fisiológica. Ocurre, empero, en las mejores de estas obras, que la conexión establecida entre el antecedente y el consecuente o entre dos deseos concomitantes en acción recíproca no se conciba simplemente según el tipo de las secuencias regulares; a veces esa conexión es "comprensible", en el sentido en que Jaspers lo entiende en su tratado general de psicopatología. Pero esta comprensión sigue siendo una captación de conexiones *generales*. Por ejemplo, se captará el nexo entre castidad y misticismo, entre debilidad e hipocresía. Pero seguimos ignorando la relación concreta entre *esa* castidad (*esa* abstinencia con respecto a tal o cual mujer, *esa* lucha contra tal o cual tentación precisa) y el contenido individual del misticismo; exactamente como, por otra parte, la psiquiatría se satisface una vez que ha sacado a luz las estructuras generales de los delirios y no trata de comprender el contenido individual y concreto de las psicosis (por qué ese hombre se cree tal o cual personalidad histórica más bien que cualquier otra; por qué su delirio de compensación se satisface con estas ideas de grandeza más bien que con tales otras, etcétera).

Pero, sobre todo, esas explicaciones "psicológicas" nos remiten finalmente a datos primeros inexplicables. Son los cuerpos simples de la psicología. Se nos dice, por ejemplo, que Flaubert tenía una "grandiosa ambición", y toda la descripción precitada se apoya en esa ambición original. Sea. Pero tal ambición es un hecho irreductible, que no satisface en modo alguno a la mente. Pues la irreductibilidad, en este caso, no tiene otra razón que una negativa a llevar el análisis más lejos. Allí donde el psicólogo se detiene, el hecho encarado se da como primero. Ello explica ese estado tórbido de resignación e insatisfacción en que nos deja la lectura de tales ensayos psicológicos: "Bueno –se dice uno–, Flaubert era ambicioso". Él "era así". Sería tan vano preguntarse por qué era tal como tratar de saber por qué era alto y rubio: al fin y al cabo, en algún momento hay que detenerse; es la contingencia misma de toda existencia real. Este peñasco está cubierto de musgo, aquel otro no lo está; Gustave Flaubert tenía ambición literaria y su hermano Achille no la tenía. Es así. Del mismo modo, deseamos conocer las propiedades del fósforo y tratamos de reducirlas a la estructura de las moléculas químicas que lo componen. Pero ¿por qué hay moléculas de ese tipo? Es así, y se acabó. La psicología de Flaubert consistirá en reducir, si es posible, la complejidad de sus conductas, sentimientos y gustos a algunas *propiedades,* bastante análogas a las de los cuerpos químicos, más allá de las cuales sería una tontería querer remontarse. Y, sin embargo, sentimos oscuramente que Flaubert no había "recibido" su ambición. Ésta es significante y, por ende, libre. Ni la herencia, ni la condición burguesa, ni la educación, pueden dar razón de ella; mucho menos aún las consideraciones psicológicas sobre el "temperamento nervioso" que han estado de moda algún tiempo: el nervio no es *significante;* es una sustancia coloidal que debe describirse en sí misma y que no se trasciende para hacerse anunciar por otras realidades su propio ser: no podría en modo alguno fundar una significación. En cierto sentido, la ambición de Flaubert es un hecho con toda su contingencia –y es verdad que resulta imposible remontarse más allá del hecho–; pero, además, esa ambición *se hace* y nuestra insatisfacción es garantía de que allende la ambición podríamos captar algo más, algo así como una decisión radical que, sin dejar de ser contingente, fuera lo verdaderamente irreductible psíquico. Lo que exigimos –y que jamás se procura darnos– es, pues, algo *verdaderamente* irreductible, es decir, algo irreductible cuya irreductibilidad nos sea *evidente,* y que no se ofrezca como el postulado del psicólogo y su negativa o su incapacidad de ir más lejos, sino que, al ser verificado, produzca en nosotros un sentimiento de satisfacción. Esa exigencia no nos viene de esa incesante persecución de la causa, de esa regresión al infinito que a menudo se ha descrito como constitutiva de la investigación racional, y que, por consiguiente, lejos de ser específica de la indagación psicológica, se encontraría en todas las disciplinas y en todos los problemas. No es la indagación pueril de un "porque" que no dé lugar a ningún otro "¿por qué?", sino, al contrario, es una exigencia fundada sobre una comprensión preontológica de la realidad humana y sobre la negativa conexa a considerar al hombre como analizable y como reductible a datos primeros, a deseos (o "tendencias") determinados, soportados por el sujeto como las propiedades por un objeto. En efecto, si debemos considerarlo como tal, deberemos elegir: *Flaubert,* el hombre, al que podemos amar o detestar, censurar o alabar, que es para nosotros *el otro,* que ataca directamente a nuestro propio ser por el solo hecho de haber existido, sería originariamente un sustrato no cualificado de esos deseos, es decir, una especie de arcilla indeterminada que los recibiría pasivamente; o bien se reducirá al simple haz de esas tendencias irreductibles. En ambos casos, el *hombre* desaparece: no encontramos ya *aquel al cual* ha *ocurrido* tal o cual aventura; o bien, buscando la *persona,* nos encontramos con una sustancia metafísica, inútil y contradictoria, o bien el ser que buscamos se esfuma en una polvareda de fenómenos vinculados entre sí por meras relaciones externas. Pero lo que cada uno de nosotros exige en su propio esfuerzo por comprender al prójimo es, ante todo, que no haya de recurrirse jamás a esa idea de sustancia, inhumana porque está más acá de lo humano; y después, que a pesar de ello el ser considerado no se disuelva en polvo, sino que pueda descubrirse en él esa unidad –de que la sustancia no era más que una caricatura–, la cual ha de ser unidad de responsabilidad, unidad amable u odiosa, execrable o loable, en suma: *personal.* Esa unidad que es el ser del hombre considerado es *libre unificación.* Y la unificación no puede llegar *después* de una diversidad a la cual unifique. *Ser,* para Flaubert como para cualquier sujeto de "biografía", es unificarse en el mundo. La unificación irreductible que debemos hallar, que *es* Flaubert y que pedimos que los biógrafos nos revelen, es, pues, la unificación de un *proyecto original,* unificación que debe revelársenos como un *absoluto no sustancial.* Así, pues, debemos renunciar a los irreductibles de detalle y, tomando como criterio la evidencia misma, no detenernos en nuestra investigación hasta que sea evidente que no podemos ni debemos ir más lejos. En particular, no debemos ya tratar de reconstituir una persona por sus inclinaciones, así como no ha de intentarse, según Spinoza, reconstituir la sustancia o sus atributos por la suma de sus modos. Todo deseo presentado como irreductible es una contingencia absurda y arrastra a la absurdidad a la realidad humana como un todo. Si, por ejemplo, declaro que a uno de mis amigos "le gusta remar", propongo deliberadamente detener la indagación ahí. Pero, por otra parte, constituye así un *hecho* contingente inexplicable, que, si tiene la gratuidad de la decisión libre, no tiene, en cambio, la correspondiente autonomía. No puedo, en efecto, considerar esa inclinación a remar como el proyecto fundamental de Pedro; tiene en sí algo de secundario y derivado. Por poco, los que así describen un carácter por toques sucesivos darían a entender que cada uno de esos toques –cada uno de los deseos considerados– está vinculado a los otros por relaciones de pura contingencia y de simple exterioridad. Los que, al contrario, traten de explicar esa afección, entrarán en la vía de lo que Comte llamaba el *materialismo,* es decir, la explicación de lo superior por lo inferior. Se dirá, por ejemplo, que el sujeto considerado es un deportista, que gusta de los esfuerzos violentos y, además, es un campesino que ama particularmente los deportes al aire libre. Así se colocarán, por debajo del deseo que se quiere explicar, tendencias más generales y menos diferenciadas, que son al deseo, sencillamente, lo que los géneros zoológicos a la especie. De este modo, la explicación psicológica, cuando no decide de pronto detenerse, es ora la *discriminación de* puras relaciones de concomitancia o de sucesión constante, ora una simple clasificación. Explicar la inclinación de Pedro por el remo es hacer de ella un miembro de la familia de las inclinaciones por el deporte al aire libre, y subsumir esa familia en la de las tendencias al deporte en general. Podríamos, por lo demás, encontrar rúbricas aún más generales y más pobres, si clasificáramos el gusto por el deporte como uno de los aspectos del amor al riesgo, que se daría a su vez como una especificación de la tendencia fundamental al juego. Es evidente que esta clasificación pretendidamente explicativa no tiene más valor ni interés que las clasificaciones de la vieja botánica: equivale a suponer, como éstas, la anterioridad de ser de lo abstracto respecto de lo concreto, como si la tendencia al juego existiera primero en general para especificarse luego, por obra de las circunstancias, en amor del deporte, éste en inclinación por el remo, y esta última, en fin, en deseo de remar en tal río determinado, en tales condiciones y en tal estación; y, como ellas, no logra explicar el enriquecimiento concreto que experimenta en cada nivel la tendencia abstracta considerada. ¿Ni cómo crear en un deseo de remar que no sea *sino* deseo de remar? ¿Puede admitirse, verdaderamente, que se reduzca tan simplemente a lo que es? Los moralistas más perspicaces han mostrado un como autotrascenderse del deseo; Pascal, por ejemplo, ha creído descubrir en la caza, el juego de pelota y otras ocupaciones la necesidad de diversión; es decir, sacaba a luz, en una actividad que sería absurda si se la redujera a sí misma, una significación que la trasciende, es decir, una indicación que remite a la realidad del hombre en general y a su condición. Análogamente, Stendhal, pese a sus conexiones con los ideólogos, Proust, pese a sus tendencias intelectualistas y analíticas, han mostrado que el amor o los celos no pueden reducirse al estricto deseo de poseer a *una* mujer, sino que apuntan a apoderarse, *a través* de la mujer, del mundo entero: es el sentido de la cristalización stendhaliana, y precisamente a causa de eso el amor, tal como Stendhal lo describe, aparece como un modo del ser en el mundo, es decir, como una relación fundamental del para-sí con el mundo y consigo mismo (ipseidad) a través de tal mujer particular: la mujer no representa sino un cuerpo conductor situado en el circuito. Tales análisis pueden ser inexactos o incompletamente verdaderos: no por eso dejan de hacernos sospechar otro método que la pura descripción analítica, y, análogamente, las observaciones de los novelistas católicos que en el amor carnal ven en seguida su trascender hacia Dios; en Don Juan, al "eterno insatisfecho"; en el pecado, "el sitio vacío de Dios". No se trata aquí de ir en busca de un abstracto detrás de lo concreto: el impulso hacia Dios no es *menos concreto* que el impulso hacía tal mujer particular. Se trata, al contrario, de recobrar, bajo aspectos parciales e incompletos del sujeto, la verdadera concreción, que no puede ser sino la totalidad de su impulso hacia el ser, su relación original consigo, con el mundo y con el Otro, en la unidad de relaciones *internas* de un proyecto fundamental. Ese impulso no puede ser sino puramente individual y único: lejos de alejarnos de la *persona,* como lo hace, por ejemplo, el análisis de Bourget al constituir lo individual por suma de máximas generales, no nos hará encontrar bajo la necesidad de escribir –y de escribir *estos* libros– la necesidad de actividad en general; sino que, al contrario, rechazando igualmente la teoría de la arcilla dócil y la del haz de tendencias, descubriremos la persona, en el proyecto inicial que la constituye. Por tal razón, se develará con evidencia la irreductibilidad del resultado que se alcance: no porque sea el más pobre y abstracto, sino porque es el más rico: la intuición será aquí captación de una plenitud individual.

La cuestión se plantea, pues, más o menos en estos términos: si admitimos que la persona es una totalidad, no podemos esperar recomponerla por una adición o una organización de las diversas tendencias que hemos descubierto empíricamente en ella. Al contrario, en cada inclinación o tendencia se expresa la persona toda entera, aunque según una perspectiva diferente, algo así como la sustancia spinoziana se expresa íntegra en cada uno de sus atributos. Siendo así, hemos de descubrir en cada tendencia, en cada conducta del sujeto, una significación que la trasciende. Estos celos *datados* y singulares en que el sujeto se historializa con respecto a determinada mujer *significan,* para quien sabe leerlos, la relación global con el mundo por la cual el sujeto se constituye como un sí-mismo. Dicho de otro modo, esa actitud *empírica* es de por sí la expresión de la "elección de un carácter inteligible". Y no hay misterio en que sea así, ni tampoco hay un plano inteligible que podamos sólo pensar, mientras que captaríamos y conceptualizaríamos únicamente el plano de existencia empírica del sujeto: si la actitud empírica *significa* la elección del carácter inteligible, se debe a que *ella misma es* esa elección. En efecto, el carácter singular de la elección inteligible (sobre lo cual volveremos) consiste en que no podría existir sino como la significación trascendente de cada elección concreta y empírica: no se efectúa primero en algún inconsciente o en el plano numérico para expresarse *después* en tal o cual actitud observable; ni siquiera tiene preeminencia *ontológica* sobre la elección empírica, sino que es, por principio, aquello que debe siempre desprenderse de la elección empírica como su *más allá* y como la infinidad de su trascendencia. Así, si remo por el río, no soy nada más –ni aquí ni en otro mundo– que este pro-yecto concreto de remar. Pero este proyecto mismo, en tanto que totalidad de mi ser, expresa mi elección original en condiciones particulares; no es sino la elección de mí mismo como totalidad en esas circunstancias. Por eso hace falta un método especial para extraer esa significación fundamental que el proyecto comporta y que es el secreto individual de su ser-en-el-mundo. Así, pues, intentaremos descubrir y extraer el proyecto fundamental común a las diversas tendencias empíricas de un sujeto *comparándolas* entre sí más bien que sumándolas o recomponiéndolas simplemente: en cada una de ellas está la persona íntegra.

Naturalmente, hay una infinidad de proyectos posibles, como hay una infinidad de hombres posibles. Empero, si debemos reconocer ciertos caracteres comunes y tratar de clasificarlos en categorías más amplias, conviene ante todo instituir encuestas individuales sobre los casos que podamos estudiar más fácilmente. En ellas, nos guiaremos por este principio: no detenernos sino ante la irreductibilidad evidente, es decir, no creer jamás que se ha alcanzado el proyecto inicial hasta que el fin proyectado aparezca como el *ser mismo* del sujeto que consideramos. Por eso no podremos limitarnos a llegar a clasificaciones en "proyecto auténtico" y "proyecto inauténtico de sí mismo" como la que quiere establecer Heidegger. Aparte de que tal clasificación está viciada por una preocupación ética, pese a su autor y en virtud de su misma terminología, se basa, en suma, en la actitud del sujeto hacia su propia muerte. Pero si la muerte es angustiosa y, por consiguiente, podemos rehuir la angustia o arrojarnos resueltamente a ella, es un truismo decir que lo hacemos por apego a la vida. Entonces, la angustia ante la muerte y la resuelta decisión o la huida en la inautenticidad no podrían ser consideradas como proyectos fundamentales de nuestro ser. Al contrario, sólo será posible comprenderlas sobre el fundamento de un primer proyecto de *vivir*, es decir, sobre una elección originaria de nuestro ser. Conviene, pues, en cada caso, trascender los resultados de la hermenéutica heideggeriana hacia un proyecto aún más fundamental. Este proyecto fundamental no debe remitir, en efecto, a ningún otro, y debe ser concebido por sí. No puede, pues, atañer ni a la muerte ni a la vida, ni a ningún carácter particular de la condición humana: el proyecto original de un para-sí *no puede apuntar sino a su propio ser;* el proyecto de ser o deseo de ser o tendencia a ser no proviene, en efecto, de una diferenciación fisiológica o de una contingencia empírica; no se distingue del ser del para-sí. El para-sí, en efecto, es un ser para el cual en su ser es cuestión de su ser en forma de proyecto de ser. *Ser* para-sí es hacerse anunciar lo que se es por un posible, bajo el signo de un valor. Lo posible y el valor pertenecen al ser del para-sí. Pues el para-sí se describe ontológicamente como *falta de ser,* y el posible pertenece al para-sí como *aquello que le falta,* así como el valor infesta al para-sí como la totalidad de ser *fallida.* Lo que en nuestra segunda parte expresábamos en términos de falta, puede expresarse igualmente en términos de *libertad.* El para-sí elige porque es falta; la libertad se identifica con esa falta, pues es el modo de ser concreto de la falta de ser. Ontológicamente, pues, tanto da decir que el valor y el posible existen como límites internos de una falta de ser que no podría existir sino en tanto que falta de ser, o decir que la libertad, al surgir, determina su posible y con ello circunscribe su valor. Así, es imposible remontarse más alto, y se encuentra lo irreductible evidente cuando se alcanza el *proyecto de ser,* pues, evidentemente, no es posible remontarse más alto que *el ser,* y entre proyecto de ser, posible y valor por una parte y el *ser* por la otra, no hay ninguna diferencia. El hombre es fundamentalmente *deseo de ser*, y la existencia de este deseo no tiene que ser establecida por inducción empírica: resulta de una descripción *a priori* del ser del para-sí, puesto que el deseo es falta y el para-sí es el ser que es para sí mismo su propia falta de ser. El proyecto original que se expresa en cada una de nuestras tendencias empíricamente observables es, pues, el *proyecto de ser;* o, si se prefiere, cada tendencia empírica está con el proyecto original de ser en una relación de expresión y de satisfacción simbólicas, tal como, en Freud, lo están las tendencias conscientes con relación a los complejos y a la libido original. Por lo demás, no se trata de que el deseo de ser sea *primero* para hacerse expresar *después* por los deseos *a posteriori*, sino que nada hay fuera de la expresión simbólica que ese deseo encuentra en los deseos concretos. No hay primero *un* deseo de ser y después mil sentimientos particulares, sino que el deseo de ser sólo existe y se manifiesta en y por los celos, la avaricia, el amor del arte, la cobardía, el coraje, las mil expresiones contingentes y empíricas que hacen que la realidad humana no se nos aparezca nunca sino *manifestada* por *este hombre*, por una persona singular.

En cuanto al ser que es objeto de ese deseo, sabemos *a priori* lo que es. El para-sí es el ser que es para sí mismo su propia falta de ser. Y el ser que al para-sí le falta es el en-sí. El para-sí surge como nihilización del en-sí, y esta nihilización se define como proyecto hacia el en-sí: entre el en-sí nihilizado y el en-sí proyectado, el para-sí es nada. Así, el objetivo y el fin de la nihilización que soy es el en-sí. Luego, la realidad humana es deseo de ser-en-sí. Pero el en-sí que ella desea no puede ser puro en-sí contingente y absurdo, comparable de todo punto al que ella encuentra y nihiliza. La nihilización, como hemos visto, es asimilable, en efecto, a una rebelión del en-sí que se nihiliza contra su contingencia. Decir que el para-sí existe su facticidad, como lo hemos visto en el capítulo acerca del cuerpo, equivale a decir que la nihilización es vano esfuerzo de un ser por fundar su propio ser, y que es el retroceso o distanciamiento fundador que produce el ínfimo desnivel por el cual la nada entra en el ser. El ser que es objeto del deseo del para-sí es, pues, un en-sí que fuera su propio fundamento, es decir, que fuera a su facticidad lo que el para-sí es a sus motivaciones. Además, el para-sí, siendo negación del en-sí, no podría desear el puro y simple retorno al en-sí. Aquí, como en Hegel, la negación de la negación no podría reconducirnos a nuestro punto de partida. Al contrario, aquello para lo cual el para-sí reclama el en-sí es la totalidad destotalizada "En-sí nihilizado en para-sí"; en otros términos, el para-sí proyecta *ser en tanto que para-sí* un ser que sea lo que es; el para-sí, en tanto que ser que es lo que no es y que no es lo que es, proyecta ser lo que es; en tanto que conciencia, quiere tener la impermeabilidad y la densidad infinita del en-sí; en tanto que nihilización del en-sí y perpetua evasión de la contingencia y de la facticidad, quiere ser su propio fundamento. Por eso el posible es proyectado en general como aquello que falta al para-sí para convertirse en en-sí-para-sí; y el valor fundamental que preside a este proyecto es, precisamente, el en-sí-para-sí, es decir, el ideal de una conciencia que sea fundamento de su propio ser-en-sí por la pura conciencia que de sí misma toma. A este ideal puede llamarse Dios. Así, puede decirse que lo que mejor hace comprensible el proyecto fundamental de la realidad humana es que el hombre es el ser que proyecta ser Dios. Cualesquiera que fueren después los mitos y los ritos de la religión considerada, Dios es ante todo "sensible al corazón" del hombre como lo que lo anuncia y lo define en su proyecto último y fundamental. Y si el hombre posee una comprensión preontológica del ser de Dios, ésta no le es conferida ni por los grandes espectáculos de la naturaleza ni por la potencia de la sociedad; sino que Dios, valor y objetivo supremo de la trascendencia, representa el límite permanente a partir del cual el hombre se hace anunciar lo que él mismo es. Ser hombre es tender a ser Dios; o, si se prefiere, el hombre es fundamentalmente deseo de ser Dios.

Pero, se dirá, si es así, si el hombre en su surgimiento mismo es conducido hacia Dios como hacia su límite, si no puede elegir ser sino Dios, ¿qué se hace de la libertad? Porque la libertad no es nada más que una elección que se crea sus propias posibilidades, mientras que aquí, al parecer, ese proyecto inicial de ser Dios que "define" al hombre está estrechamente emparentado con una "naturaleza" o una "esencia" humana. Responderemos a ello, precisamente, que si el *sentido* del deseo es, en última instancia, el proyecto de ser Dios, el deseo nunca es *constituido* por ese sentido, sino que, al contrario, representa siempre una *invención particular* de sus fines. Estos fines, en efecto, se persiguen a partir de una situación empírica particular; y hasta es esta persecución misma lo que constituye en *situación* a los entornos. El deseo de ser se realiza siempre como deseo de manera de ser. Y este deseo de manera de ser se expresa a su vez como el sentido de los miríadas de deseos concretos que constituyen la trama de nuestra vida consciente. Así, nos encontramos ante arquitecturas simbólicas muy complejas, que presentan, *por lo menos,* tres grados. En el deseo empírico, puedo discernir una simbolización de un deseo fundamental y concreto que es la *persona* y que representa la manera en que ésta ha decidido que en su ser haya de ser cuestión de ser; y este deseo fundamental, a su vez, expresa, concretamente y en un mundo, en la situación singular que inviste a la persona, una estructura abstracta y significante que es el deseo de ser en general, y que debe considerarse como la *realidad humana en la persona*, lo que constituye su comunidad con el prójimo, lo que permite afirmar que hay una verdad del hombre y no sólo individualidades incomparables. La concreción absoluta y la completez,[1] la existencia como totalidad, pertenecen, pues, al deseo libre y fundamental o *persona*. El deseo empírico no es sino una simbolización de él; a él remite y de él toma su sentido, aun permaneciendo parcial y reductible, pues es el deseo que no puede ser concebido por sí. Por otra parte, el deseo de ser, en su pureza abstracta, es la *verdad* del deseo concreto fundamental, pero no existe a título de realidad. Así, el proyecto fundamental o persona o libre realización de la verdad humana está doquiera, en todos los deseos (con las restricciones indicadas en el capítulo anterior acerca de los "indiferentes", por ejemplo); no se capta jamás

---

[1] *Complétude:* no es neologismo sartreano, pero se vierte aquí por un neologismo en español por ser término necesario en filosofía y psicología. (N del T.)

sino a través de los deseos –así como no podemos captar el espacio sino a través de los cuerpos que lo informan, aunque el espacio sea una realidad singular y no un concepto–; o, si se quiere, es como el *objeto* husserliano, que no se entrega sino por *abschattungen* y que, empero, no se deja absorber por ninguna *abschattung*. Podemos comprender, después de las precedentes observaciones, que la estructura abstracta y ontológica "deseo de ser", si bien representa la estructura fundamental y *humana* de la persona, no puede constituir una traba para su libertad. La libertad, en efecto, como hemos demostrado en el capítulo anterior, es rigurosamente asimilable a la nihilización: el único ser que pueda ser llamado libre es el ser que nihiliza su ser. Sabemos, por lo demás, que la nihilización es *falta de ser*, y no podría ser de otro modo. La libertad es, precisamente, el ser que se hace falta de ser. Pero como el deseo, según hemos establecido, es idéntico a la falta de ser, la libertad sólo podría surgir como ser que se hace deseo de ser, es decir, como proyecto-para-sí de ser *en-sí-para-sí*. Hemos alcanzado aquí una estructura abstracta que no podría considerarse en modo alguno como la naturaleza o esencia de la libertad pues la libertad es existencia, y la existencia, en ella, precede a la esencia; la libertad es surgimiento inmediatamente concreto y no se distingue de su elección, es decir, de la *persona*. Pero la estructura considerada puede llamarse la *verdad* de la libertad, es decir, que es la significación humana de la libertad.

La verdad humana de la persona debe poder establecerse, como lo hemos intentado, por medio de una fenomenología ontológica; la nomenclatura de los deseos empíricos debe ser objeto de investigaciones propiamente psicológicas; la observación y la inducción y, si es preciso, la experimentación, podrán servir para preparar esa lista y para indicar al filósofo las relaciones comprensibles que pueden unir entre sí diferentes deseos o diferentes comportamientos, y para sacar a luz ciertas conexiones concretas entre "situaciones" experimentalmente definidas (que, en el fondo, nacen de las restricciones aportadas, en nombre de la positividad, a la situación fundamental del sujeto en el mundo) y el sujeto de la experiencia.

Pero, para el establecimiento y la clasificación de los deseos fundamentales o *personas,* ninguno de los dos métodos puede convenir. En efecto, no puede tratarse de determinar *a priori* y ontológicamente lo que aparece en toda la imprevisibilidad de un acto libre. Por eso nos limitaremos aquí a indicar muy someramente las posibilidades y perspectivas de tal indagación: el poder un hombre cualquiera ser sometido a ella es lo que pertenece a la realidad humana en general, o, si se prefiere, lo que puede ser establecido por una ontología. Pero la indagación misma y sus resultados están, por principio, enteramente fuera de las posibilidades de una ontología.

Por otra parte, la pura y simple descripción empírica sólo puede darnos nomenclaturas y ponernos en presencia de seudoirreductibles (deseo de escribir o de nadar, amor al riesgo, celos, etc.). En efecto, no sólo importa catalogar conductas, tendencias e inclinaciones, sino que, además, es preciso *descifrarlas,* es decir, saber *interrogarlas.* Esta indagación sólo puede llevarse a cabo según las reglas de un método específico, al cual llamamos psicoanálisis existencial.

El *principio* de este psicoanálisis es que el hombre es una totalidad y no una colección; que, en consecuencia, se expresa íntegro en la más insignificante y superficial de sus conductas; en otras palabras, no hay gusto, tic, acto humano que no sea *revelador.*

El *objeto* del psicoanálisis es *descifrar los* comportamientos empíricos del hombre, es decir, sacar a plena luz las revelaciones que cada uno de ellos contiene y fijarlas conceptualmente.

Su *punto de partida* es la *experiencia;* su *punto de apoyo,* la comprensión preontológica y fundamental que tiene el hombre de la persona humana. Aunque la mayoría de la gente, en efecto, pueda pasar por alto las indicaciones contenidas en un gesto, una palabra o una mímica y equivocarse sobre la revelación que éstos aportan, cada persona humana posee *a priori* el *sentido* del valor revelador de esas manifestaciones y es capaz de descifrarlas, por lo menos si se la ayuda y conduce de la mano. En este como en otros casos, la verdad no se encuentra por azar, no pertenece a un dominio en que haya de buscársela sin haber tenido nunca presciencia de ella, como pueden ir a buscarse las fuentes del Nilo o del Níger. Pertenece *a priori* a la comprensión humana y el trabajo esencial es una hermenéutica, es decir, un desciframiento, fijación y conceptualización.

Su *método* es comparativo: puesto que, en efecto, cada conducta humana simboliza a su manera la elección fundamental que ha de sacarse a luz, y puesto que, a la vez, cada una de ellas enmascara esa elección bajo sus caracteres ocasionales y su oportunidad histórica, la comparación entre esas conductas nos permitirá hacer brotar la revelación única que todas ellas expresan de manera diferente. El primer esbozo de este método nos lo ofrece el psicoanálisis de Freud y de sus discípulos. Por eso conviene desde luego señalar con más precisión en qué medida el psicoanálisis existencial se inspirará en el psicoanálisis propiamente dicho, y en qué medida diferirá radicalmente de él.

Ambos psicoanálisis consideran que todas las manifestaciones objetivamente observables de la "vida psíquica" sostienen relaciones de simbolización a símbolo con estructuras fundamentales y globales que constituyen propiamente la *persona*. Ambos consideran que no hay datos primeros: inclinaciones heredadas, carácter, etc. El psicoanálisis existencial no conoce nada *antes* del surgimiento originario de la libertad humana; el psicoanálisis empírico postula que la efectividad primera del individuo es una cera virgen *antes* de su historia. La libido no es nada fuera de sus fijaciones concretas, sino una posibilidad permanente de fijarse de cualquier modo sobre cualquier objeto. Ambos psicoanálisis consideran al ser humano como una historialización perpetua y procuran descubrir, más bien que datos estáticos y constantes, el sentido, la orientación y las vicisitudes de esa historia. Por ello, ambos consideran al hombre en el mundo y no conciben que pueda interrogarse a un hombre sobre lo que es sin tener en cuenta, ante todo, su *situación*. Las indagaciones psicoanalíticas apuntan a reconstituir la vida del sujeto desde el nacimiento hasta el instante de la curación; utilizan todos los documentos objetivos que puedan hallar: cartas, testimonios, diarios íntimos, informaciones "sociales" de toda especie. Y lo que apuntan a restituir es menos un puro acaecimiento psíquico que un sistema dual[1] de ellos: el acaecimiento crucial de la infancia y la cristalización psíquica en torno de él. También en esto se trata de una *situación*. Cada hecho "histórico" será considerado, desde este punto de vista, a la vez que *factor* de la evolución psíquica y como *símbolo* de la misma. Pues en sí no es nada, y no actúa sino según el modo en que se lo toma; y la manera misma de tomárselo traduce simbólicamente la disposición interna del individuo.

Ambos, el psicoanálisis empírico y el psicoanálisis existencial, buscan una actitud fundamental en situación que no podría expresarse por definiciones simples y lógicas, puesto que es anterior a toda lógica, y que exige ser reconstruida según leyes de síntesis específica. El psicoanálisis empírico trata de determinar el *complejo,* designación que de por sí indica la polivalencia de todas las significaciones conexas. El psicoanálisis existencial trata de determinar la *elección originaria.* Ésta, operándose frente al mundo y siendo elección de la posición en el mundo, es totalitaria, como lo es el complejo; como el complejo, es anterior a la lógica; ella *elige* la actitud de la persona respecto a la lógica y los principios; no se trata, pues, de interrogarla con arreglo a la lógica. Esa elección recoge en una síntesis prelógica la totalidad del existente y, como tal, es el centro de referencia de una infinidad de significaciones polivalentes.

Ambos psicoanálisis consideran que el sujeto no está en posición privilegiada para proceder sobre sí mismo a esas indagaciones. Ambos se presentan como un método estrictamente objetivo, que trata como documentos tanto los datos de la reflexión como los testimonios ajenos. Sin duda, el sujeto *puede* efectuar sobre sí una investigación psicoanalítica. Pero le será preciso renunciar de una vez a todo el beneficio de su posición particular, e interrogarse exactamente como si fuera un prójimo. El psicoanálisis empírico parte, en efecto, del postulado de la existencia de un psiquismo inconsciente que por principio se hurta a la intuición del sujeto. El psicoanálisis existencial rechaza el postulado del inconsciente: el hecho psíquico es, para él, coextensivo a la conciencia. Pero, si el proyecto fundamental

---

[1] *Couple*: "pareja, par". (N. del T.)

es plenamente *vivido* por el sujeto y, como tal, totalmente consciente, ello no significa en modo alguno que deba ser a la vez
conocido por él, sino al contrario; nuestros lectores recorda-
rán quizás el cuidado que hemos puesto en nuestra introducción
para distinguir conciencia y conocimiento. Por cierto, como
también hemos visto, la reflexión puede ser considerada como
un cuasi-conocimiento. Pero lo que en cada instante capta no
es el puro proyecto del para-sí tal como se expresa simbólicamente –y, a menudo, de varias maneras a la vez– por el comportamiento concreto que ella aprehende: lo que capta es el
comportamiento concreto mismo, es decir, el deseo singular y
datado, con la enmarañada frondosidad de su característica.
La reflexión capta a la vez símbolo y simbolización; está, cierto es, constituida íntegramente por una comprensión preontológica del proyecto fundamental; mejor aún: en tanto que la
reflexión es *también* conciencia no tética de sí como reflexión,
es ese mismo proyecto, lo mismo que la conciencia no-reflexiva. Pero no se sigue de ello que disponga de los instrumentos
y técnicas necesarios para aislar la elección simbolizada, ais-
larla en conceptos y sacarla así aislada a plena luz. La reflexión está penetrada de una gran luz, sin poder expresar lo que
esta luz ilumina. No se trata de un enigma no adivinado, como
lo creen los freudianos: todo está ahí, luminoso; la reflexión
de todo goza, todo lo capta. Pero ese "misterio a plena luz" proviene más bien de que ese goce está privado de los medios que
ordinariamente permiten el *análisis* y la *conceptualización*. Es
un goce que capta todo, todo a la vez, sin sombra, sin relieve, sin
relación de magnitud; no porque esas sombras, valores y relieves existan en alguna parte y le estén ocultos, sino más bien porque a otra actitud humana pertenece el establecerlos, y no
podrían existir sino *por y para* el conocimiento. La reflexión,
al no poder servir de base para el psicoanálisis existencial, le
ofrecerá, pues, simplemente, materiales brutos acerca de los
cuales el psicoanalista deberá adoptar la actitud objetiva. Sólo
así podrá *conocer* lo que *ya comprende*. Resulta de ello que
los complejos extirpados de las profundidades inconscientes,
como los proyectos descubiertos por el psicoanálisis existencial, serán aprehendidos *desde el punto de vista del prójimo*. Por

consiguiente, el *objeto* así sacado a luz será articulado según las estructuras de la trascendencia-trascendida, es decir, que su ser será el ser-para-otro; aun si, por otra parte, el psicoanalista y el psicoanalizado son la misma persona. Así, el proyecto sacado a luz por ambos psicoanálisis no podrá ser sino la totalidad de la persona, lo irreductible de la trascendencia, tal como son *en su ser-para-el-otro*. Lo que escapa por siempre a estos métodos de investigación es el proyecto tal cual es para-sí, el complejo en su ser propio. Este proyecto-para-sí no puede ser sino *gozado*: hay incompatibilidad entre la existencia para-sí y la existencia objetiva. Pero el objeto de ambos psicoanálisis no por eso deja de tener la *realidad de un ser*; su conocimiento por el sujeto puede, además, contribuir a *iluminar* la reflexión y ésta puede convertirse entonces en un goce que será cuasi-saber.

Con esto terminan las semejanzas entre ambos psicoanálisis, que, en efecto, difieren en la medida en que el psicoanálisis empírico ha decidido por su cuenta acerca de su instancia irreductible en lugar de dejarla anunciarse por sí misma en una intuición evidente. La libido o la voluntad de poderío, en efecto, constituyen un residuo psicobiológico que no es claro por sí mismo y que no se nos aparece como *debiendo ser* el término irreductible de la indagación. En última instancia, la experiencia establece que el fundamento de los complejos es esa libido o esa voluntad de poderío, y tales resultados de la indagación empírica son enteramente contingentes, y no logran convencer: nada impide concebir *a priori* una "realidad humana" que no se exprese por la voluntad de poderío y cuya libido no constituya el proyecto originario e indiferenciado. Al contrario, la elección a la cual se remontará el psicoanálisis existencial precisamente por ser elección da razón de su contingencia originaria, pues la contingencia de la elección es el reverso de su libertad. Además, en cuanto se funda sobre la *falta de ser* concebida como carácter fundamental del ser, recibe legitimación *como elección*, y sabemos que ya no tenemos que ir más lejos. Cada resultado será, pues, a la vez plenamente contingente y legítimamente irreductible. Por lo demás, será siempre *singular,* es decir, que no alcanzaremos como objetivo último de la investigación y fundamento de todos los comportamientos un término abstracto y general, como por ejemplo la libido, que se diferencie y concrete en complejos y después en conductas de detalle por acción de los hechos exteriores y de la historia del sujeto, sino, al contrario, una elección que permanece única y que es desde el origen la concreción absoluta; las condiciones de detalle pueden expresar o *particularizar* esa elección, pero no podrían ya hacerla más concreta de lo que es. Pues esa elección no es sino el *ser* de cada realidad humana, y es lo mismo decir que una conducta parcial *es* y decir que expresa la elección original de esa realidad humana, puesto que, para la realidad humana, no hay diferencia entre existir y elegirse. Por este hecho, comprendemos que el psicoanálisis existencial no tiene que remontarse desde el "complejo" fundamental, que es precisamente la elección de ser, hasta una abstracción, como la libido, que lo explique. El complejo es elección última, es elección de ser y se *hace tal*. Al sacárselo a luz, se revela cada vez como evidentemente irreductible. Se sigue necesariamente de ello que la libido y la voluntad de poderío no aparecerán al psicoanálisis existencial ni como caracteres generales y comunes a todos los hombres, ni como irreductibles. Cuando mucho, puede que se compruebe, después de una indagación, que en ciertos sujetos expresan, a título de conjuntos particulares, una elección fundamental que no puede reducirse ni a la una ni a la otra. Hemos visto, en efecto, que el deseo y la sexualidad en general expresan un esfuerzo originario del para-sí por recuperar su ser alienado por el prójimo. La voluntad de poderío supone también, originariamente, el ser para otro, la comprensión del otro y la elección de lograr la propia salvación por medio del otro. El fundamento de esta actitud debe estar en una elección primera que permita comprender la asimilación radical del ser-en-sí-para-sí al ser-para-el-otro.

El hecho de que el término último de esta investigación existencial deba ser una *elección* diferencia mejor aún al psicoanálisis cuyo método y rasgos principales esbozamos: con ello, renuncia a suponer una acción mecánica del medio sobre el sujeto considerado. El medio no podría obrar sobre el sujeto sino en la medida exacta en que éste lo comprende, es decir, en que lo transforma en situación. Ninguna descripción objetiva del medio podría servirnos, pues. Desde el origen, el medio concebido como situación remite al para-sí elector, exactamente como el para-sí por su ser en el mundo remite al medio. Al renunciar a todas las causaciones mecánicas, renunciamos a todas las interpretaciones *generales* del simbolismo considerado. Como nuestro objetivo no puede ser establecer leyes empíricas de sucesión, no podríamos constituir una simbólica universal. El psicoanálisis deberá cada vez reinventar una simbólica en función de cada caso particular. Si el ser es una totalidad, no es concebible, en efecto, que puedan existir relaciones elementales de simbolización (heces = oro; acerico = seno, etc.), que mantengan una significación constante en cada caso, es decir, que permanezcan inalteradas cuando se pasa de un sistema significante a otro. Además, el psicoanalista no perderá de vista nunca que la elección es viviente y, por lo tanto, puede siempre ser *revocada* por el sujeto estudiado. Hemos mostrado en el capítulo precedente la importancia del *instante,* que representa los bruscos cambios de orientación y la toma de una posición nueva frente a un pasado inmutable. Siendo así, siempre ha de estarse dispuesto a considerar que los símbolos cambian de significación y a abandonar la simbólica utilizada hasta entonces. Así, el psicoanálisis existencial deberá ser enteramente dúctil y calcarse sobre los menores cambios observables en el sujeto: se trata de comprender lo *individual* y a veces hasta lo instantáneo. El método que haya servido para un sujeto no podrá, por eso, ser utilizado para otro sujeto, ni para el mismo en una época ulterior.

Precisamente porque el objeto de la indagación ha de ser descubrir una *elección* y no un *estado,* el investigador deberá tener siempre presente que su objeto no es algo hundido en las tinieblas del inconsciente, sino una determinación consciente y libre, la cual no es tampoco un habitante de la conciencia, si no que se identifica con la conciencia misma. El psicoanálisis empírico, en la medida en que su método vale más que sus principios, se encuentra a menudo en la vía de un descubrimiento existencial, aunque nunca la recorre hasta el fin. Cuando, en ese modo, se aproxima a la elección fundamental, las resistencias del sujeto se desmoronan de pronto y éste *reconoce* súbitamente la imagen que le es presentada como suya, igual que si se viera en un espejo. Este involuntario testimonio es precioso para el psicoanalista, quien ve en él la señal de que ha alcanzado su objetivo: puede pasar de las investigaciones propiamente dichas a la cura. Pero nada, en sus principios ni en sus postulados iniciales, le permite comprender ni utilizar ese testimonio. ¿De dónde le vendría el derecho de hacerlo? Si en verdad el complejo es inconsciente, es decir, si el signo está separado de lo signifcado por una barrera, ¿cómo podría el sujeto *reconocerlo?* ¿Será que el complejo inconsciente se reconoce a sí mismo? Pero ¿no está privado de *comprensión?* Y, si fuera preciso reconocerle la facultad de comprender los signos, ¿no sería hacer de él entonces un inconsciente consciente? En efecto: ¿qué es comprender, sino tener conciencia de que se ha comprendido? ¿Diremos, al contrario, que quien reconoce la imagen presentada es el sujeto en tanto que consciente? Pero, ¿cómo compara esa imagen con su verdadera afección, si ésta está fuera de su alcance y nunca ha estado en su conocimiento? Cuando mucho, podría juzgar que la explicación psicoanalítica de su caso es una hipótesis *probable,* cuya probabilidad está dada por el número de conductas que es capaz de explicar. El sujeto se encuentra, pues, con respecto a la interpretación, en la posición de un tercero, del psicoanalista mismo, y no tiene respecto de ella posición privilegiada. Y si *cree* en la probabilidad de la hipótesis psicoanalítica, esta simple creencia, que permanece en los límites de su conciencia, ¿puede traer consigo la ruptura de las barreras que bloquean a las tendencias inconscientes? El psicoanalista tiene, sin duda, la imagen oscura de una coincidencia súbita entre lo consciente y lo inconsciente; pero se ha privado de los medios para concebir tal coincidencia de modo positivo.

Empero, la iluminación del sujeto es un hecho. Hay en ello una intuición acompañada de evidencia. El sujeto, guiado por el psicoanalista, hace mucho más que prestar asentimiento a una hipótesis: toca y ve lo que él mismo es. Esto no resulta verdaderamente comprensible a menos que el sujeto no haya dejado nunca de ser consciente de sus tendencias profundas; más aún: a menos que esas tendencias no se distingan realmente de su propia conciencia. En tal caso, como antes hemos visto, la interpretación psicoanalítica no le hace *tomar conciencia,* sino *tomar conocimiento* de su ser. Así, pues, corresponde al psicoanálisis existencial reivindicar como decisiva la intuición final del sujeto.

Esta comparación nos permite comprender mejor qué debe ser un psicoanálisis existencial si ha de poder existir. Es un método destinado a sacar a luz, con una forma rigurosamente objetiva, la elección subjetiva por la cual cada persona se hace persona, es decir, se hace anunciar lo que ella misma es. Como lo que busca es una *elección de ser* al mismo tiempo que un *ser,* debe reducir los comportamientos singulares a las relaciones fundamentales, no de sexualidad o de voluntad de poderío, sino *de ser,* que se expresan en esos comportamientos. Va, pues, guiado desde el origen hacia una comprensión del ser y no debe asignarse otro objetivo que encontrar el ser y la manera de ser del ser frente a ese ser. Le está vedado detenerse antes de alcanzar ese objetivo. Utilizará la comprensión del ser que caracteriza al indagador en tanto que él mismo es realidad humana; y, como trata de extraer al ser de entre sus expresiones simbólicas, deberá reinventar cada vez, sobre las bases de un estudio comparativo de tales conductas, una simbólica destinada a descifrarlas. El criterio del éxito será el número de hechos que su hipótesis permita explicar y unificar, así como la intuición evidente de la irreductibilidad del término alcanzado. A este criterio se agregará, en todos los casos en que sea posible, el testimonio decisivo del sujeto. Los resultados así alcanzados —es decir, los fines últimos del individuo— podrán entonces ser objeto de una clasificación, y sobre la comparación de estos resultados podremos establecer consideraciones generales sobre la realidad humana en cuanto elección empírica de sus propios fines. Las conductas estudiadas por este psicoanálisis no serán solamente los sueños, los actos fallidos, las obsesiones y las neurosis, sino también, y sobre todo, los pensamientos de la víspera, los actos logrados y adaptados, el estilo, etc. Este psicoanálisis aún no ha encontrado su Freud; cuando mucho, puede encontrarse el presentimiento de él en ciertas biografías particularmente logradas. Esperamos dar en otro lugar dos ejemplos, acerca de Flaubert y de Dostoievsky; pero aquí poco nos importa que ese psicoanálisis exista o no; lo importante para nosotros es que sea posible.

II

Hacer y tener: la posesión

Las informaciones que la ontología puede adquirir acerca de las conductas y el deseo deben servir como principios al psicoanálisis existencial. Esto no significa que existan antes de toda especificación deseos abstractos y comunes a todos los hombres, sino que los deseos concretos tienen estructuras cuyo estudio pertenece a la ontología, porque cada deseo, tanto el de comer o de dormir como el de crear una obra de arte, expresan la realidad humana íntegra. Como lo hemos mostrado en otro lugar,[1] en efecto, el conocimiento del hombre debe ser totalitario: los conocimientos empíricos y parciales están, en este terreno, desprovistos de significación. Habremos, pues, dado cima a nuestra tarea si utilizamos los conocimientos adquiridos hasta ahora para echar las bases del psicoanálisis existencial. Con ello, en efecto, debe detenerse la ontología: sus últimos descubrimientos son los principios primeros del psicoanálisis. A partir de ahí, es necesario disponer de otro método, puesto que el objeto es diferente. ¿Qué es, pues, lo que la ontología nos enseña acerca del deseo, en tanto que el deseo es el ser de la realidad humana?

El deseo, según hemos visto, es falta de ser. En cuanto tal, está directamente *llevado sobre* el ser del cual es falta. Este ser, como hemos visto, es el en-sí-para-sí, la conciencia hecha sustancia, la sustancia hecha causa de sí, el Hombre-Dios. Así, el ser de la realidad humana no es originariamente una sustancia sino una relación vivida: los términos de esta relación son el

[1] *Esquisse d'une théorie phénoménologique des émotions.* Herman Paul, 1939.

En-sí originario, fijado en su contingencia y su facticidad, cuya característica esencial es el *ser,* el *existir;* y el En-sí-para-sí o valor, que es como el Ideal del En-sí contingente y se caracteriza como estando allende toda contingencia y toda existencia. El hombre no es ni uno ni otro de estos seres, pues *no es:* él es lo que no es y no es lo que es, es la nihilización del En-sí contingente, en tanto que el sí-mismo de esta nihilización es su huida hacia adelante en dirección del En-sí causa de sí. La realidad humana es puro esfuerzo por hacerse Dios, sin que este esfuerzo tenga ningún sustrato dado, sin que haya *nada* que se esfuerce así. El deseo expresa ese esfuerzo.

Empero, el deseo no está definido solamente con relación al En-sí-causa-de-sí. Es también relativo a un existente bruto y concreto, al que se llama comúnmente objeto del deseo. Este objeto será ora un mendrugo, ora un automóvil, ora una mujer, ora un objeto aún no realizado, y, sin embargo, definido: como cuando el artista desea crear una obra de arte. Así, el deseo expresa, por su estructura misma, la relación del hombre con uno o más objetos en el mundo; y es uno de los aspectos del Ser-en-el-mundo. Desde este punto de vista, parecería que la relación no fuera de tipo único. Sólo por abreviar hablamos de "deseo de algo". De hecho, mil ejemplos empíricos muestran que deseamos *poseer* tal objeto o *hacer* tal cosa o *ser* alguien. Si deseo este cuadro, significa que deseo comprarlo para apropiarme de él. Si deseo escribir un libro o pasearme, significa que deseo *hacer* aquel libro o ese paseo. Si me acicalo, deseo *ser* de buena apariencia; me cultivo *para* ser instruido, etc, Así, de primera intención, las tres grandes categorías de la existencia humana concreta se nos aparecen en su relación original: *hacer, tener, ser.*

Es fácil advertir, sin embargo, que el deseo de hacer no es irreductible. Uno hace el objeto para mantener cierta relación con él. Esta nueva relación puede ser inmediatamente reductible a *tenerlo.* Por ejemplo, tallo una rama en forma de bastón ("hago" un bastón de una rama) para *tener* el bastón. El "hacer" se reduce a un medio para tener. Es el caso más frecuente. Pero puede ocurrir también que mi actividad no aparezca inmediatamente como reductible. Puede parecer gratuita, como en el caso de la investigación científica, el deporte o la creación estética. Empero, en estos diversos casos, el *hacer* tampoco es irreductible. Si creo un cuadro, un drama, una melodía, lo hago para estar en el origen de una existencia concreta. Y esta existencia sólo me interesa en la medida en que el nexo de creación que establezco entre ella y yo me da sobre ella un derecho de propiedad particular. No se trata sólo de que tal cuadro, del cual tengo la idea, exista: es menester además que exista *por mí*. El ideal sería, evidentemente, en cierto sentido, mantenerlo en el ser por una especie de creación continua y de este modo hacerlo *mío* como una emanación perpetuamente renovada. Pero, en otro sentido, es preciso que se distinga radicalmente de mí, para ser *mío* y no *yo*; el peligro estaría, como en la teoría cartesiana de las sustancias, en que su ser se reabsorbiera en mi ser por falta de independencia y objetividad; y, por lo tanto, es menester que exista *en sí*, es decir, que renueve perpetuamente su existencia *por sí mismo*. Así, mi obra se me aparece como una creación continua pero fijada en el en-sí; lleva indefinidamente mi "marca", es decir, es indefinidamente "mi" pensamiento. Toda obra de arte es un pensamiento, una "idea"; sus caracteres son netamente espirituales en la medida en que no es sino una significación. Pero, por otra parte, esta significación, ese pensamiento, que, en cierto sentido, está perpetuamente en acto, como si yo la formara perpetuamente, como si un espíritu –que fuera el *mío*– la concibiera sin descanso, es un pensamiento que se sostiene de por sí en el ser, y no deja de ser en acto mientras actualmente no lo pienso. Estoy, pues, con él en la doble relación de la conciencia que lo *concibe* y de la conciencia que lo *encuentra*. Esta doble relación, precisamente, es lo que expreso cuando lo llamo *mío*. Veremos su sentido cuando hayamos precisado la significación de la categoría de "tener". *Creo* mi obra para mantener esa doble relación en la síntesis de apropiación. En efecto, esta síntesis de ya y de no-yo (intimidad, translucidez del pensamiento; opacidad, indiferencia del en-sí) es el objetivo al cual apunto y que hará precisamente que la obra sea mi propiedad. En este sentido, no sólo las obras estrictamente artísticas serán objeto de mi apropiación, sino que también ese bastón que he tallado de una rama me pertenecerá doblemente: en primer lugar, como un objeto de uso que está a mi disposición y que poseo como poseo mis ropas o mis libros; en segundo lugar, como mi obra. Así, los que prefieren rodearse de objetos usuales fabricados por ellos mismos cultivan un refinado sentido de apropiación, pues reúnen en un solo objeto y en un solo sincretismo la apropiación por creación y la apropiación por goce. Encontramos la unidad del mismo proyecto, desde el caso de la creación artística hasta el del cigarrillo que "es mejor cuando uno mismo se lo arma". Encontraremos también este proyecto con motivo de un tipo de propiedad especial que es como su degradación y al que se llama *lujo*, pues, como veremos, el lujo no designa una cualidad del objeto poseído sino una cualidad de la posesión.

Otro acto de apropiarse es –como lo hemos mostrado en el preámbulo de esta cuarta parte– el *conocer*. Por eso la investigación científica no es sino un esfuerzo de apropiación. La verdad descubierta, como la obra de arte, es *mi* conocimiento: es el noema de un pensamiento, que sólo se descubre cuando formo el pensamiento y que, por este hecho, aparece en cierto modo como mantenido en existencia por mí. Por mí se revela una faz del mundo, y a mí se me revela. En este sentido, soy creador y poseedor. No que considere como pura representación el aspecto del ser que he descubierto, sino porque, muy al contrario, este aspecto que sólo se descubre por mí *es*, real y profundamente. Puedo decir que lo *manifiesto,* en el sentido en que Gide nos dice que "debemos siempre manifestar": pero, en el carácter de *verdad* de mí pensamiento, es decir, en su objetividad, encuentro una independencia análoga a la de la obra de arte. Ese pensamiento que formo y que recibe de mí la existencia prosigue al mismo tiempo por sí solo esa existencia en la medida en que es *pensamiento de todos*. Es doblemente *yo*, puesto que es el mundo en cuanto se me descubre y soy yo en los demás, yo formando mi pensamiento con la mente del otro; y está doblemente cerrado contra mí puesto que es el ser que yo no soy (en cuanto que se me revela) y es pensamiento de todos: desde su aparición, pensamiento destinado al anónimo. Esta síntesis de yo y no-yo puede expresarse también con el término de *mío*. Pero, además, en la idea misma de descubrimiento o de revelación está incluida una idea de goce apropiativo. La vista es goce; ver es *desflorar*. Si se examinan las comparaciones habitualmente utilizadas para expresar la relación entre cognoscente y conocido, se advierte que muchas de ellas se presentar, como una especie de *violación por la vista*. El objeto no conocido se da como inmaculado, como virgen, comparable a una *blancura*: aún no ha "entregado" su secreto, el hombre no se lo ha "arrancado" todavía. Todas las imágenes insisten sobre la ignorancia en que el objeto está respecto de las indagaciones y los instrumentos que apuntan a él: él es inconsciente de ser conocido, se ocupa de lo suyo sin percibir la mirada que lo espía, como una mujer sorprendida en su baño por un transeúnte. Imágenes más sordas y precisas, como la de las "invioladas profundidades" de la naturaleza evocan más netamente el coito. A la naturaleza se le arrancan sus velos, se la devela (cf. *El velo de Tais,* de Schiller); toda investigación comprende siempre la idea de una desnudez que se pone al aire apartando los obstáculos que la cubren, como Acteón aparta las ramas para ver mejor a Diana en el baño. Y, por otra parte, el conocimiento es una caza. Bacon lo llama caza de Pan. El investigador es el cazador que sorprende una desnudez blanca y la viola con su mirada. Así, el conjunto de tales imágenes nos revela algo que llamaremos el *complejo de Acteón.* Además, tomando como hilo conductor esta idea de caza, descubrimos otro símbolo de apropiación, quizá más primitivo todavía: pues se caza para comer. La curiosidad, en el animal, es siempre sexual o alimentaria. Conocer es comer con los ojos.[1] Podemos advertir aquí, en efecto, en lo que concierne al conocimiento por los sentidos, un proceso inverso del que se revelaba a propósito de la obra de arte. Acerca de ésta, señalábamos la relación de emanación fijada que mantiene con el espíritu. El espíritu la produce continuamente y, sin embargo, ella se mantiene de por sí y como indiferente a esa producción. La misma relación existe tal cual en el acto de conocimiento, pero sin excluir su inversa: en el conocer, la conciencia atrae a sí su objeto y se lo incorpora; el conocimiento es asimi-

---

[1] Para el niño, conocer es comer efectivamente: quiere *gustar* lo que ve.

lación. Las obras francesas de epistemología pululan de metáforas alimentarias (absorción, digestión, asimilación). Así, hay un movimiento de disolución que va del objeto al sujeto cognoscente. Lo conocido se transforma en mí, se convierte en mi pensamiento y, con ello, admite recibir su existencia de mí solo. Pero ese movimiento de disolución queda fijado desde el momento que lo conocido permanece en el mismo sitio, indefinidamente absorbido, comido, e indefinidamente intacto; íntegramente digerido y, sin embargo, íntegramente afuera, indigesto como un guijarro. Se observará la importancia que tiene en las imaginaciones ingenuas el símbolo de lo "digerido indigesto", como el guijarro en el estómago del avestruz o Jonás en el vientre de la ballena. Ello señala un sueño de asimilación no destructiva. Lo malo está –como lo advertía Hegel– en que el deseo destruye su objeto. (En este sentido, decía aquél, el deseo es deseo de comer.) En reacción contra esta necesidad dialéctica, el Para-sí sueña con un objeto que sea enteramente asimilado por mí, que sea yo sin disolverse en mí, manteniendo su estructura de *en-sí,* pues justamente lo que deseo, es *ese* objeto, y si lo como no lo tengo más: no me encuentro ya sino conmigo mismo. Esta imposible síntesis de la asimilación y la integridad conservada del objeto asimilado converge, en sus raíces más profundas, con las tendencias fundamentales de la sexualidad. La "posesión" carnal, en efecto, nos ofrece la imagen irritante y seductora de un cuerpo perpetuamente poseído y perpetuamente nuevo, sobre el cual la posesión no deja ningún vestigio. Esto lo simboliza profundamente la cualidad de "liso" o de "pulido". Lo que es liso puede tomarse y palparse sin que por eso deje de ser impenetrable, sin que deje de huir, como el agua, bajo la caricia apropiativa. Por eso se insiste tanto, en las descripciones eróticas, sobre la blancura lisa del cuerpo de la mujer. Lisa: que se reconstituye bajo la caricia, como se reconstituye el agua al paso de la piedra que la ha atravesado. Y al mismo tiempo, según hemos visto, el sueño del amante es identificarse con el objeto amado manteniéndole a la vez su individualidad: que el otro sea yo, sin dejar de ser otro. Esto precisamente encontramos en la investigación científica: el objeto conocido, como el guijarro en el estómago del avestruz, está íntegramente en mí, asimilado, transformado en mí mismo, es íntegramente yo; pero, a la vez, es impenetrable, intransformable, íntegramente liso, en una desnudez indiferente de cuerpo amado y vanamente acariciado. Permanece afuera: conocer es comer de-fuera, sin consumir. Se ven las corrientes sexuales y alimentarias que se funden e interpenetran para constituir el complejo de Acteón y el complejo de Jonás. Se ven las raíces digestivas y sensuales que se reúnen para dar nacimiento al deseo de conocer. El conocimiento es a la vez *penetración* y caricia *de superficie,* digestión y contemplación a distancia de un objeto indeformable, producción de un pensamiento por creación continua y constatación de la total independencia objetiva de ese pensamiento. El objeto conocido es *mi pensamiento como cosa.* Y es precisamente lo que deseo profundamente cuando me pongo a indagar: captar mi pensamiento como cosa y la cosa como pensamiento mío. La relación sincrética que funde juntas tendencias tan diversas no podría ser sino una relación de *apropiación.* Por eso el deseo de conocer, por desinteresado que pueda parecer, es una relación de apropiación. El *conocer* es una de las formas que puede adoptar el *tener.*

Falta considerar un tipo de actividad que suele presentarse como enteramente gratuito: la actividad de *juego* y las "tendencias" a ella referentes. ¿Puede descubrirse en el deporte una tendencia apropiativa? Por cierto, ha de observarse ante todo que el juego, en oposición a la seriedad, parece la actitud menos posesiva, pues quita a lo real su realidad. Hay seriedad cuando se parte del mundo y se atribuye más realidad al mundo que a uno mismo; por lo menos, cuando uno se confiere a sí mismo una realidad en la medida en que pertenece al mundo. No por azar el materialismo es serio; ni tampoco por azar se lo encuentra siempre y doquiera como la doctrina de elección del revolucionario. Pues los revolucionarios son serios. Se conocen primero a partir del mundo que los aplasta, y quieren cambiar ese mundo aplastante. En ello, se encuentran acordes con sus viejos adversarios, los poseyentes, que también se conocen y aprecian a sí mismos a partir de su posición en el mundo. Así, todo pensamiento serio está espeso de mundo y se coagula: es una dimisión de la realidad humana en favor del mundo. El hombre serio es "del mundo", no tiene ningún recurso ya en sí mismo; ni siquiera encara ya la posibilidad de *salir* del mundo, pues se ha dado a sí mismo el tipo de existencia del peñasco, la consistencia, la inercia, la opacidad del ser-en-medio-del-mundo. Va de suyo que el hombre serio entierra en el fondo de sí mismo la conciencia de su libertad; es de *mala fe*, y esta mala fe apunta a presentarlo a sus propios ojos como una consecuencia: para él, todo es consecuencia y jamás hay principio; por eso está tan atento a las consecuencias de sus actos. Marx ha puesto el dogma primero de la seriedad al afirmar la prioridad del objeto sobre el sujeto; el hombre es serio cuando se toma por un objeto.

El juego, en efecto, como la ironía kierkegaardiana, libera la subjetividad. ¿Qué es el juego sino una actividad cuyo origen primero es el hombre, cuyos principios pone el hombre mismo, y que no puede tener consecuencias sino según los principios previamente puestos? Desde que un hombre se capta como libre y quiere usar de su libertad, cualquiera que fuere, por lo demás su angustia, su actividad es de juego: él mismo es, en efecto, el primer principio; escapa a la natura naturada, pone él mismo el valor y las reglas de sus actos y no consiente en pagar sino según las reglas que él mismo ha puesto y definido. De ahí, en cierto sentido, la "poca realidad" del mundo. Parece, pues, que el hombre que juega, aplicado a descubrirse como libre en su propia acción, no podría cuidarse en modo alguno de *poseer* un ser del mundo. Su objetivo, al que apunta a través de los deportes, el mimo o el juego propiamente dicho, es alcanzarse a sí mismo como cierto ser, precisamente el ser del cual es cuestión en su ser. Empero, estas observaciones no tienen por efecto mostrarnos que el deseo de *hacer* sea, en el juego, irreductible. Al contrario, nos enseñan que el deseo de hacer se reduce en él a cierto deseo de ser. El acto no es por sí mismo su propio objetivo; tampoco representa su objetivo y sentido profundo su fin explícito: el acto tiene por función manifestar y presentificar *a sí misma* la libertad absoluta que es el propio ser de la persona. Este tipo particular de proyecto que tiene como fundamento y objetivo la libertad merecería un estudio especial. En efecto, se diferencia radicalmente de todos los demás en cuanto apunta a un tipo de ser radicalmente diverso. Sería menester, en efecto, explicar dilatadamente sus relaciones con el proyecto de ser-Dios, que nos ha parecido ser la estructura profunda de la realidad humana. Pero es un estudio que no podemos emprender aquí, pues pertenece a una *Ética* y supone previamente definidos la naturaleza y el papel de la reflexión purificadora (nuestras descripciones sólo han apuntado hasta el momento a la reflexión "cómplice"), y supone además una toma de posición forzosamente *moral* con respecto a los valores que infestan al Para-sí. De cualquier modo, queda establecido que el deseo de juego es fundamentalmente deseo de ser. Así, las tres categorías: "ser", "hacer", "tener", se reducen, en este como en los demás casos, a dos: el "hacer" es puramente transitivo. Un deseo no puede ser, en su fondo, sino deseo *de ser* o deseo *de tener*. Por otra parte, es raro que el juego esté exento de toda tendencia apropiativa. Dejo a un lado el deseo de realizar una *performance* de batir un *record,* que puede actuar como estimulante del deportista; ni siquiera hablo del deseo "de tener" un hermoso cuerpo, músculos armoniosos, deseo que depende del de apropiarse uno objetivamente de su propio ser-para-otro. Estos deseos no siempre intervienen ni, por lo demás, son fundamentales. Pero en el acto deportivo mismo hay una componente apropiativa. El deporte, en efecto es la libre transformación de un medio del mundo en elemento sustentador de la acción. En ello es, como el arte, creador. Sea un campo de nieve: verlo es poseerlo ya. En sí mismo, ya es captado por la vista como símbolo del ser.[1] Representa la exterioridad pura, la espacialidad radical; su indiferenciación, monotonía y blancura manifiestan la absoluta desnudez de la sustancia; es el en-sí que no es sino en-sí, el ser del fenómeno que se manifiesta de pronto fuera de todo fenómeno. Al mismo tiempo, su inmovilidad *sólida* expresa la permanencia y la resistencia objetiva, la opacidad y la impenetrabilidad del En-sí. Este primer goce intuitivo, empero, no puede bastarme. Ese en-sí puro, semejante al *plenum* absoluto e inteligible de la extensión cartesiana, me fascina

---

[1] Véase el parágrafo III.

como la pura aparición del no-yo; lo que quiero entonces es precisamente que ese en-sí esté conmigo en una relación de emanación, sin dejar de ser en sí. Es ya el sentido de los muñecos y las bolas de nieve que hacen los chiquillos: el objetivo es "hacer algo con esa nieve", es decir, imponerle una forma que se adhiera tan profundamente a la materia que ésta parezca existir con vistas a aquélla. Pero si me acerco, si quiero establecer un contacto apropiativo con el campo de nieve, todo cambia: su escala de ser se modifica; existe pulgada por pulgada en vez de existir por grandes espacios; y manchas, briznas y grietas vienen a individualizar cada centímetro cuadrado. A la vez, su solidez se funde en agua: me hundo en la nieve hasta las rodillas; si la cojo en las manos, se me licua entre los dedos, se derrama y nada queda: el en-sí se transforma en nada. Mi sueño de apropiarme de la nieve se desvanece al mismo tiempo. Por otra parte, *no sé qué hacer* con esa nieve que he venido a ver de cerca: no puedo apoderarme del campo, ni siquiera puedo reconstituirlo como esa totalidad sustancial que se ofrecía a mis miradas y que se ha desmoronado brusca y doblemente. El sentido del esquí no es sólo permitirme desplazamientos rápidos y la adquisición de una habilidad técnica, ni es sólo permitirme *jugar* aumentando a mi sabor la velocidad o las dificultades de la carrera: es también permitirme *poseer* ese campo de nieve. Ahora, *hago algo* con él. Esto significa que, por mi propia actividad de esquiador, modifico su materia y su sentido. Por el hecho de que ahora se me aparece, en el curso de mi carrera, como ladera de-descender, recobra una continuidad y unidad que había perdido. Ahora es tejido conjuntivo. Está comprendido entre dos términos; une el punto de partida con el punto de llegada; y como, en el descenso, no lo considero en él mismo, pulgada por pulgada, sino que me fijo siempre en un punto de-alcanzar, allende la posición que ocupo, ya no se desmorona en una infinidad de detalles individuales; está *recorrido hacia* el punto que me he asignado. El recorrido no es sólo una actividad de desplazamiento, sino también, y sobre todo, una actividad sintética de organización y conexión: extiendo ante mí el campo de esquiaje, de la misma manera que el geómetra, según Kant, no puede aprehender una recta sino trazándola. Por otra parte, esa organización es marginal y no focal: el campo de nieve no está unificado en sí mismo y para sí: el objetivo puesto y claramente captado, el objeto de mi atención, es el término de llegada; el espacio nivoso se condensa por debajo, implícitamente; su cohesión es la del espacio blanco comprendido en el interior de una circunferencia, por ejemplo, cuando miro la línea negra del círculo sin atender explícitamente a su superficie. Y, precisamente porque lo mantengo marginal, implícito y sobrentendido, el campo se adapta a mí, lo tengo en la mano, lo trasciendo hacia su fin, como el tapicero trasciende el martillo utilizado hacia su fin, que es clavar un tapiz en la pared. Ninguna apropiación puede ser más completa que esta apropiación instrumental; la actividad sintética de apropiación es aquí una actividad técnica de utilización. La nieve surge como la materia de mi acto, a la manera en que el surgimiento del martillo es pura compleción del martillar. Al mismo tiempo, he elegido cierto punto de vista para aprehender esta pendiente nevada: tal punto de vista es una determinada *velocidad,* que emana de mí, que puedo aumentar o disminuir a mi gusto y gana, y constituye al campo recorrido en un objeto definido, enteramente distinto de lo que sería a otra velocidad. La velocidad organiza los conjuntos a su sabor; tal objeto forma o no forma parte de un grupo particular, según haya yo adoptado tal o cual velocidad (piénsese, por ejemplo, en la Provenza vista "a pie", "en auto", "en tren", "en bicicleta"; ofrece tantos rostros diferentes según que Béziers esté a una hora, a una mañana, a dos días de Narbona, es decir, según que Narbona se aísle y ponga por sí con sus aledaños o se constituya en grupo coherente con Béziers y Sète, por ejemplo. En este último caso, la *relación* de Narbona *con el mar* es directamente accesible a la intuición; en el otro, esa relación es *negada* y sólo puede ser objeto de un concepto puro). Soy, pues, aquel que *informa* al campo de nieve por la libre velocidad que me doy. Pero, a la vez, actúo sobre mi *materia.* La velocidad no se limita a imponer una forma a una materia dada de antemano: ella misma *crea* una materia. La nieve, que se hundía bajo mi peso mientras iba andando, que se fundía en agua cuando intentaba asirla, se solidifica de pronto por acción de mi velocidad;

ahora me lleva. No que se me haya perdido de vista su levedad, su no-sustancialidad, su perpetua evanescencia; muy al contrario, precisamente esa levedad, esta evanescencia, aquella secreta liquidez, son las que me llevan, es decir, se condensan y se funden para llevarme. Pues mantengo con la nieve una relación de apropiación especial: el *deslizamiento*. Esta relación será estudiada con detalle después; pero desde ahora podemos captar su sentido. Al deslizarme, permanezco, se dice, superficial. Esto no es exacto: por cierto, sólo rozo la superficie y este roce mismo merece todo un estudio. Pero no por ello realizo menos una síntesis en profundidad: siento la capa de nieve organizarse hasta lo más profundo de ella misma para sostenerme; el deslizamiento es acción *a distancia,* pues asegura un dominio sobre la materia sin necesidad de hundirme y enviscarme en ella para domarla. Deslizarse es lo contrario de enraizarse. La raíz está ya medio asimilada a la tierra que la nutre, es una concreción viviente de la tierra; no puede utilizar la tierra sino haciéndose tierra, es decir, en cierto sentido, sometiéndose a la materia que quiere utilizar. El deslizamiento, al contrario, realiza una unidad material en profundidad sin penetrar más allá de la superficie: es como un señor temido que no necesita insistir ni levantar la voz para que le obedezcan. Admirable imagen del poder. De ahí el célebre consejo: "Glissez, mortels, n'appuyez pas" ("Deslizaos, mortales, sin presionar"), lo que no significa: "Permaneced superficiales, no profundicéis", sino, al contrario: "Realizad síntesis en profundidad, pero sin comprometeros". Precisamente, el deslizamiento es apropiación, pues la síntesis de sostén realizada por la velocidad sólo es válida para el deslizador y en el tiempo mismo en que se va deslizando. La solidez de la nieve sólo es válida para mí, sólo para mí es sensible: es un secreto que me entrega a mí solo y que ya no es verdadero *detrás de mí*. El deslizamiento realiza, pues, una relación estrictamente individual con la materia, una relación histórica; la materia se recoge y solidifica para llevarme y detrás de mí vuelve a caer, pasmada, en su dispersión. Así, por mi paso, he realizado *para mí* lo único. El ideal del deslizamiento será, pues, un deslizamiento que no deje vestigio: es el deslizamiento sobre agua (barca, lancha de motor y, sobre todo, esquí náutico, que, aunque llegado en último lugar, representa como el límite hacia el cual tendían, desde este punto de vista, los deportes náuticos). El deslizamiento sobre nieve es ya menos perfecto; tras de mí queda un vestigio; me he comprometido, así sea levemente. El deslizamiento sobre el hielo, que lo raya y encuentra una materia ya del todo organizada, es de calidad muy inferior; se salva, pese a todo, pero por otras razones. De ahí la leve decepción que experimentamos siempre cuando miramos los vestigios que nuestros esquíes han dejado en pos de nosotros sobre la nieve: ¡cuánto mejor sería si ésta se reformara a nuestro paso! Por otra parte, cuando nos dejamos deslizar por la pendiente, nos habita la ilusión de no marcarla; pedimos a la nieve comportarse como esa agua que secretamente es. Así, el deslizamiento aparece como asimilable a una creación continua: la velocidad, comparable a la conciencia, y en este caso símbolo de la conciencia[1], hace nacer, mientras dura, en la materia, una cualidad profunda que sólo permanece mientras la velocidad existe; una especie de recogimiento[2] en sí que vence su exterioridad de indiferencia, y que se deshace como una gavilla tras el móvil deslizante. Unificación informadora y condensación sintética del campo de nieve, que se recoge en una organización instrumental, que es *utilizado,* como el martillo o el yunque, y se adapta dócilmente a la acción subtendiéndola y colmándola; acción continua y creadora sobre la *materia* misma de la nieve; solidificación de la *masa nivosa* por acción del deslizamiento; asimilación de la nieve al agua portadora, dócil y sin memoria, y al cuerpo desnudo de la mujer, que la caricia deja intacto y turbado hasta su trasfondo; tal es la acción del esquiador sobre lo real. Pero, al mismo tiempo, la nieve permanece impenetrable y fuera de alcance; en cierto sentido, la acción del esquiador no hace sino desarrollarle sus *potencias;* le *hace dar de sí* lo que ella es capaz de dar: la materia homogénea y sólida sólo le entrega solidez y

[1] Hemos visto, en la tercera parte, la relación del movimiento con el "para sí".

[2] Recogimiento en sí: *rassemblement,* acto de unificarse reuniendo y organizando sus elementos. (N. del T.)

homogeneidad por el acto deportivo, pero esa solidez y homogeneidad permanecen como propiedades florecidas en la materia. La síntesis entre yo y no-yo que la acción deportiva realiza se expresa, como en el caso del conocimiento especulativo y el de la obra de arte, por la afirmación del derecho del esquiador sobre la nieve. Es mi campo de nieve: lo he recorrido cien veces, cien veces he hecho nacer en él, por mi velocidad, esa fuerza de condensación y de sostén; es *mío*.

A este aspecto de la apropiación deportiva deberá agregarse este otro: la dificultad vencida. Es reconocido más generalmente, y apenas insistiremos en él. Antes de bajar la pendiente nevada me ha sido necesario escalarla. Y esta ascensión me ha ofrecido otra cara de la nieve: la resistencia. He sentido su resistencia con mi fatiga, y he podido medir a cada instante los progresos de mi victoria. Aquí, la nieve es asimilada al *otro*, y las expresiones corrientes de "domar", "vencer", "dominar", etc., señalan muy bien que se trata de establecer entre yo y la nieve la relación entre amo y esclavo. Encontraremos este aspecto de la apropiación en la *ascensión*, la *natación*, la carrera de obstáculos, etc. El pico sobre el cual se ha hincado un banderín es un pico del cual uno se ha *apropiado*. Así, un aspecto capital de la actividad deportiva –en particular, de los deportes al aire libre– es la conquista de esas masas enormes de agua, tierra y aire que parecen *a priori* indomables e inutilizables; en cada caso, se trata de poseer no el elemento por sí mismo, sino el tipo de existencia en-sí que se expresa por medio de él: bajo las especies de la nieve, quiere uno poseer la homogeneidad de la sustancia; bajo las especies de la tierra o de la roca, uno quiere apropiarse de su permanencia intemporal, etc., etc. El arte, la ciencia, el juego, son actividades de apropiación, ya total, ya parcialmente, y aquello de que quieren apropiarse, allende el objeto concreto sobre el cual se ejercen, es el ser mismo, el ser absoluto del en-sí.

De este modo, la ontología nos enseña que el deseo es originariamente deseo *de ser* y que se caracteriza como libre falta de ser. Pero nos enseña además que el deseo es solución con un existente concreto en medio del mundo, y que este existente es concebido según el tipo del en-sí; nos enseña que la relación del para-sí con ese en-sí deseado es la apropiación. Estamos, pues, en presencia de una doble determinación del deseo; por una parte, éste se determina como deseo de ser cierto ser que es el *en-sí-para-sí* y cuya existencia es ideal; por otra parte, se determina, en la inmensa mayoría de los casos,[1] como relación con un en-sí contingente y concreto cuya apropiación proyecta. ¿Hay en ello sobredeterminación? ¿Son compatibles ambas características? El psicoanálisis existencial sólo podrá tener certidumbre de sus principios una vez que la ontología haya definido la relación entre esos dos seres: el en-sí concreto y contingente u objeto del deseo, y el en-sí-para-sí o ideal del deseo, y haya explicitado la relación que une la apropiación, como tipo de relación con el en-sí, y el ser mismo, como tipo de relación con el en-sí-para-sí. Es lo que hemos de intentar ahora.

¿Qué es *apropiarse*, o, si se prefiere, qué se entiende por poseer un objeto en general? Hemos visto la reductibilidad de la categoría del *hacer,* que deja traslucir ora el ser, ora el tener; ¿ocurre lo mismo con la categoría del *tener?*

Veo que, en un gran número de casos, poseer un objeto es poder *usar* de él. Empero, no me satisfago con esta definición: en este café, uso de este vaso y este platillo, pero no son míos; inversamente, no puedo "usar" de ese cuadro que cuelga de mi pared, y sin embargo es *mío.* Tampoco importa que en ciertos casos tenga el derecho de *destruir* lo que poseo; sería harto abstracto definir la propiedad por semejante derecho; y, por otra parte, en una sociedad de economía "dirigida", un patrono puede poseer su fábrica sin tener el derecho de cerrarla; en la Roma imperial, el amo poseía su esclavo y no tenía el derecho de darle muerte. Por otra parte, ¿qué significa aquí *derecho* de destruir o de usar? Observo que este derecho me remite a lo social, y que la propiedad parece definirse dentro de los marcos de la vida en sociedad. Pero observo también que el derecho es puramente negativo y se limita a impedir al prójimo destruir o usar lo que me pertenece. Sin duda, se intentará definir la propiedad como una función social. Pero, en primer

---

[1] Salvo en el caso preciso en que es simplemente *deseo de ser:* deseo de ser feliz, de ser fuerte, etcétera.

lugar, de que la sociedad confiera el *derecho* de poseer según ciertos principios, no se sigue que ella cree la relación de apropiación. Cuando mucho, la *legitima.* Muy al contrario, para que la propiedad pueda ser elevada a la jerarquía de *sagrada,* es preciso que exista previamente como relación espontáneamente establecida entre el para-sí y el en-sí concreto. Y, si podemos encarar para el porvenir una organización colectiva más justa, en que la posesión individual cese –por lo menos dentro de ciertos límites– de ser protegida y santificada, ello no significa que el nexo apropiativo cese de existir; puede, en efecto, que permanezca, por lo menos a título de relación *privada* entre el hombre y la cosa. Así, en las sociedades primitivas en que el vínculo conyugal no está aún legitimado y en que la transmisión de las cualidades es todavía matronímica, ese vínculo sexual existe, por lo menos, como una especie de concubinato. Así, pues, hay que distinguir entre posesión y derecho de posesión. Por la misma razón, debo rechazar toda definición del tipo de la proudhoniana: "La propiedad es el robo", pues es tangencial a la cuestión. Puede, en efecto, que la propiedad privada sea el *producto* de un robo, y que el mantenimiento de esa propiedad tenga *por efecto* la expoliación del prójimo. Pero, cualesquiera que fueren sus orígenes y efectos, la propiedad no deja de ser descriptible y definible por sí misma. El ladrón se estima propietario del dinero que ha robado. Se trata, pues, de describir la relación precisa entre el ladrón y el bien robado, así como la del propietario legítimo con la propiedad "honestamente adquirida".

Si considero el objeto que poseo, veo que la cualidad de *poseído* no lo designa como una pura denominación externa que señale su relación de exterioridad comnigo; al contrario, esa cualidad lo define profundamente; se me aparece y aparece a los demás como parte integrante de su ser. Hasta tal punto, que en las sociedades primitivas ciertos hombres pueden definirse diciendo que son *poseídos:* por sí mismos, se dan como *pertenecientes a...* Es lo que señalan también claramente las ceremonias fúnebres primitivas, en que se entierra a los muertos con los objetos que les pertenecen. La explicación racional: "para que puedan servirse de ellos" es, evidentemente, adventicia.

Parece más bien que, en la época en que ese género de costumbres apareció espontáneamente, no resultaba necesario interrogarse a tal respecto. Los objetos tenían la cualidad singular de *ser de* los muertos. Formaban un todo con él, y no era el caso de enterrar al difunto sin sus objetos usuales, como tampoco lo era de enterrarlo, por ejemplo, sin una de sus piernas. El cadáver, la copa en que bebía y el cuchillo que usaba *constituyen un solo muerto*. La costumbre de quemar a las viudas del Malábar se entiende muy bien en cuanto a su principio: la mujer ha sido *poseída;* el muerto la arrastra, pues, en su muerte, y ella está muerta de derecho; no hay sino ayudarla a pasar de esa muerte de derecho a la muerte de hecho. Los objetos que no admiten enterramiento quedan embrujados. El espectro no es sino la materialización concreta del *ser-poseído* propio de la casa y los muebles. Decir que una casa está embrujada es decir que ni el dinero ni el esfuerzo podrán borrar el hecho metafísico y absoluto de *su posesión* por un primer ocupante. Verdad es que los espectros que infestan las mansiones son dioses lares degradados. Pero ¿qué son los dioses lares mismos sino estratos de posesión que se han ido depositando uno a uno sobre los muros y los muebles de la casa? La expresión que designa la relación entre el objeto y su propietario señala claramente la penetración profunda de la apropiación: ser poseído es *ser de...* Esto significa que el objeto poseído está alcanzado *en su ser.* Por otra parte, hemos visto que la destrucción del poseyente entraña la destrucción de derecho del poseído e, inversamente, la supervivencia del poseído entraña la supervivencia de derecho del poseyente. El nexo de posesión es un nexo interno de *ser.* Encuentro al poseyente en y por el objeto que posee. Es, evidentemente, la explicación de la importancia de las *reliquias;* y no entendemos con ello sólo las reliquias religiosas, sino también, y sobre todo, el conjunto de propiedades de un hombre ilustre (Museo Víctor Hugo, "objetos que han pertenecido" a Balzac, a Flaubert, etc.), en las cuales tratamos de volver a encontrarlos; los "recuerdos" de un muerto amado que parecen "perpetuar" su memoria.

Ese nexo interno y ontológico entre lo poseído y el poseyente (que a menudo han intentado materializar costumbres como la de la marca con hierro candente) no podría explicarse por una teoría "realista" de la apropiación. Si es verdad que el realismo se define como una doctrina que hace del sujeto y del objeto dos sustancias independientes dotadas de la existencia para sí y por sí, resulta tan inconcebible la apropiación como el conocimiento, que es una de sus formas: una y otro quedarán como relaciones externas que unen temporariamente el sujeto al objeto. Pero hemos visto que la existencia sustancial debe atribuirse al objeto conocido. Lo mismo ocurre con la propiedad en general: sólo el objeto poseído existe en sí, se define por la permanencia, la atemporalidad en general, la suficiencia de ser; en una palabra, por la sustancialidad. Por ende, la *unselbstständigkeit* ha de ponerse del lado del sujeto poseyente. Una sustancia no podría apropiarse de otra sustancia y, si captamos en las cosas cierta cualidad de *poseídas,* ello se debe a que, originariamente, la relación interna entre el para-sí y el en-sí que es su propiedad tiene origen en la insuficiencia de ser del para-sí. Va de suyo que el objeto poseído no es *realmente* afectado por el acto de apropiación, así como el objeto conocido no es afectado por el conocimiento: permanece intacto (salvo el caso en que lo poseído es un ser humano: un esclavo, una prostituta, etc.). Pero la cualidad de poseído no por ello deja de afectar *idealmente* su significación: en una palabra, su sentido consiste en reflejar esa posesión al para-sí.

Si el poseyente y lo poseído están unidos por una relación interna basada en la insuficiencia de ser del para-sí, se plantea la cuestión de determinar la naturaleza y el sentido de la *pareja* que forman. La relación interna, siendo sintética, en efecto, opera la unificación de poseyente y poseído. Esto significa que ambos constituyen idealmente una realidad única. Poseer es unirse al objeto poseído bajo el signo de la apropiación; querer poseer es querer unirse al objeto por medio de esa relación. Así, el deseo de un objeto particular no es simple deseo *de* ese objeto, sino el deseo de unirse al objeto por una relación interna, de modo de constituir con él la unidad "poseyente-poseído". El deseo de *tener* es, en el fondo, reductible al deseo de estar, con respecto a cierto objeto, en cierta *relación de ser.*

Para determinar esta relación, nos serán muy útiles las

precedentes observaciones sobre las conductas del científico, el artista y el deportista. Hemos descubierto en cada una de esas conductas cierta actitud apropiativa. Y la apropiación, en cada caso, se ha señalado por el hecho de que el objeto se nos aparecía a la vez como emoción subjetiva de nosotros mismos y crear en relación de exterioridad indiferente con nosotros. Lo *mío* se nos ha aparecido, pues, como una relación de ser intermedia entre la interioridad absoluta del *yo* y la exterioridad absoluta del *no-yo*. Es, en un mismo sincretismo, el yo haciéndose no-yo y el no-yo haciéndose yo. Pero es menester describir mejor esta relación. En el proyecto posesivo, encontramos un para-sí "unselbstständig" separado por una nada de la posibilidad que él es. Esta posibilidad es posibilidad de apropiarse del *objeto*. Encontramos, además, un *valor* que infesta al para-sí y que es como la indicación ideal del ser total que se realiza por la unión en identidad entre el posible y el para-sí que es su posible, es decir, en este caso, el ser que se realizaría si yo fuera, en la unidad indisoluble de lo idéntico, yo mismo y mi propiedad. Así, la apropiación sería una relación de ser entre un para-sí y un en-sí concreto, y esta relación estaría infestada por la indicación ideal de una identificación entre ese para-sí y el en-sí poseído.

Poseer es *tener para mí,* es decir, ser el fin propio de la existencia del objeto. Si la posesión es entera y concretamente dada, el poseyente es la *razón de ser* del objeto poseído. Poseo esta estilográfica; ello quiere decir: esta estilográfica existe *para mí,* ha sido hecha *para mí.* Originariamente, por lo demás, yo mismo hago para mí el objeto que quiero poseer. Mi arco, mis flechas, significan objetos que he hecho para mí. La división del trabajo hace palidecer esta relación primera sin eliminarla. El *lujo* es una degradación de ella: poseo, en la forma primitiva del lujo, un objeto que *he hecho hacer* para mí, por gentes *mías* (esclavos, criados nacidos en la casa). El lujo es, pues, la forma de propiedad más próxima a la propiedad primitiva; la que, después de ésta, mejor saca a luz la relación de *creación* que la apropiación constituye originariamente. Esa relación, en una sociedad en que la división del trabajo está llevada al límite, se halla enmascarada pero no suprimida: el objeto que poseo ha sido *comprado* por mí. El dinero representa mi fuerza: es menos una posesión por sí mismo que un instrumento para poseer. Por eso, salvo en el caso particularísimo de la avaricia, el dinero se borra ante su posibilidad de adquisición; es evanescente, está hecho para develar el objeto, la cosa concreta; no tiene sino un ser transitivo. Pero, *a mí*, se me aparece como una fuerza creadora: comprar un objeto es un acto simbólico que vale por crear el objeto. Por eso el dinero es sinónimo de poderío; no sólo porque, en efecto, es capaz de procurarnos lo que deseamos, sino, sobre todo, porque representa la eficacia de mi deseo en tanto que tal. Precisamente porque es trascendido hacia la cosa, trascendido y simplemente *implicado*, representa mi nexo mágico con el objeto. El dinero suprime la conexión *técnica* entre sujeto y objeto y hace al deseo inmediatamente operante, como los deseos de la leyenda. Detengámonos ante una vitrina, con dinero en el bolsillo: los objetos expuestos son ya más que medianamente nuestros. Así, se establece por medio del dinero un nexo de apropiación entre el para-sí y la colección total de los objetos del mundo. Por él, el deseo en cuanto tal es ya informador y creador. Así, a través de una degradación continua, el nexo de creación se mantiene entre el sujeto y el objeto. Tener es, ante todo, *crear.* Y el nexo de propiedad que se establece entonces es un nexo de creación continua: el objeto poseído es insertado por mí en la forma total de *mis* entornos, su existencia está determinada por mi situación y por su integración en esta situación misma. *Mi* lámpara no es solamente esta ampolla eléctrica, esta pantalla, este soporte de hierro forjado: es cierta potencia de iluminar *este* escritorio, estos libros, esta mesa; es cierto matiz luminoso de mi trabajo nocturno, en conexión con mi costumbre de leer o de escribir tarde; es animada, coloreada, definida por el uso que de ella hago; ella *es* este uso, y no existe sino por ello. Aislada de mi escritorio y de mi trabajo, colocada en un lote de objetos en el piso de un salón de ventas, se ha "extinguido" radicalmente; ya no es más *mi* lámpara; ni siquiera es ya una lámpara en general: ha vuelto a la materialidad originaria. Así, soy responsable de la existencia de mis posesiones en el orden humano. Por la propiedad, las elevo a cierto tipo de ser funcional; y mi simple *vida* se me aparece como creadora, justamente porque, por su continuidad, perpetúa la cualidad de *poseído* en cada uno de los objetos de mi posesión: yo traigo al ser, conmigo, la colección de mis entornos. Si se los arranca de mí, mueren, como moriría mi brazo si me lo arrancaran.

Pero la relación original y radical de creación es una relación de emanación. Las dificultades que encuentra la teoría cartesiana de la sustancia sirven para descubrirnos esa relación. Lo que yo creo –si entiendo por crear hacer venir materia y forma a la existencia– soy yo. El drama del creador absoluto, si existiera, sería la imposibilidad de salir de sí, pues su criatura no podría ser sino él mismo: ¿de dónde, si no, sacaría su objetividad y su independencia, puesto que su forma y su materia son *de mí*? Sólo una especie de inercia podría cerrarla frente a mí; pero, para que esta inercia misma pudiera obrar, sería preciso que yo la mantuviera en existencia por una creación continua. Así, en la medida en que me aparezco como *creando* los objetos por la sola relación de apropiación, esos objetos son *yo mismo*. La estilográfica y la pipa, la ropa, el escritorio, la casa, son *yo*. La totalidad de mis posesiones refleja la totalidad de mi ser. Soy lo que *tengo*. *Yo* soy lo tocado cuando toco esta taza, este bibelot. *Soy* la montaña que escalo, en la medida en que la venzo; y, cuando he llegado a la cumbre, cuando he "adquirido", al precio de mis esfuerzos, ese dilatado punto de vista sobre el valle y las cimas de en torno, yo *soy* el punto de vista; el panorama soy yo dilatado hasta el horizonte, pues no existe sino por mí y para mí.

Pero la creación es un concepto evanescente que no puede existir sino por su movimiento. Si se lo detiene, desaparece. En los límites extremos de su acepción, se aniquila; o bien no encuentro sino mi pura subjetividad, o bien encuentro una materialidad desnuda e indiferente que ya no guarda ninguna relación conmigo. La *creación* sólo puede concebirse y mantenerse como tránsito continuo de un término a otro. Es *menester* que, en el mismo surgimiento, el objeto sea totalmente yo y totalmente independiente de mí. Es lo que creemos realizar en la posesión. El objeto poseído, en tanto que poseído, es creación continua; pero, a la vez, permanece ahí, existe por sí, es en-sí; si le vuelvo la espalda, no por eso deja de existir; si me voy, él me *representa* en mi escritorio, en mi cuarto, en *este* sitio del mundo. Desde el origen, es impenetrable. Esta estilográfica es enteramente yo, a tal punto que no la distingo ya del acto de escribir, que es *mi* acto; y, sin embargo, por otra parte es intacta: mi *propiedad* no la modifica; no es sino una relación ideal entre ella y yo. En cierto sentido, gozo de mi propiedad si la trasciendo hacia el uso, pero, si quiero contemplarla, el nexo de propiedad se borra y no comprendo ya qué significa poseer. La pipa está ahí, sobre la mesa, independiente, indiferente. La cojo en mis manos, la palpo, la contemplo *para* realizar la apropiación: pero justamente porque esos gestos están destinados a darme el *goce* de esa apropiación, marran su objetivo y no tengo entre los dedos sino un trozo de madera inerte. Sólo cuando *trasciendo* mis objetos hacia un objetivo, cuando los utilizo, puedo gozar de su posesión. Así, la relación de creación continua incluye, como su contradicción implícita, la independencia absoluta y en sí de los objetos creados. La posesión es una relación mágica: *soy* los objetos que poseo, pero afuera, frente a mí; los creo como independientes de mí; lo que poseo, soy *yo* fuera de mí, fuera de toda subjetividad, como un en-sí que me escapa a cada instante y cuya creación a cada instante perpetúo. Pero, precisamente porque soy siempre fuera de mí, en otra parte, como un incompleto que se hace anunciar su ser por lo que él no es, cuando poseo me alieno en favor del objeto poseído. En la relación de posesión, el término fuerte es la cosa poseída; fuera de ella, nada soy sino una nada poseyente, nada más que pura y simple posesión, un incompleto, un insuficiente, cuya suficiencia y completez están en ese objeto ahí. En la posesión, soy mi propio fundamento en tanto que existo en sí: en efecto, en tanto que la posesión es creación continua, capto al objeto poseído como fundado por mí en su ser; pero en tanto que, por una parte, la creación es emanación, ese objeto se reabsorbe en mí, no es sino yo, y, por otra parte, en tanto que es originariamente en-sí, es no-yo, es yo frente a mí, objetivo, en sí, permanente, impenetrable, existente con respecto a mí en la relación de exterioridad de indiferencia. Así, soy el fundamento de mí mismo en tanto que existo como indiferente y en-sí con relación a mí. Y éste es, precisamente, el proyecto del en-sí-para-sí. Pues este ser ideal se define como un en-sí que, en tanto que para-sí, sea su propio fundamento; o como un para-sí cuyo proyecto original no sea una manera de ser sino un ser, precisamente el ser-en-sí que él es. Se ve que la apropiación no es sino el *símbolo* del ideal del para-sí, o valor. La pareja para-sí poseyente y en-sí poseída vale para el ser que es para poseerse a sí mismo y cuya posesión es su propia creación, es decir, Dios. Así, el poseyente apunta a gozar de su ser en-sí, de su ser-afuera. Por la posesión, recupero un ser-objeto asimilable a mi ser-para-otro. Por eso mismo, el prójimo no podría ya sorprenderme: el ser que él quiere hacer surgir y que es yo-para-el-otro, es ya posesión mía y gozo de él. Así, la posesión es, además, una *defensa contra el otro*. Lo mío soy yo como no-subjetivo, en cuanto soy su libre fundamento.

Empero, nunca se insistirá demasiado en el hecho de que esta relación es *simbólica* e *ideal*. Con la apropiación no satisfago mi deseo originario de ser fundamento de mí mismo, así como el enfermo de Freud no satisface su complejo de Edipo por soñar que un soldado mata al zar (su padre). Por eso la *propiedad* aparece al propietario a la vez como dada de una vez, en lo eterno, y como necesitada de la infinitud del tiempo para realizarse. Ningún gesto de *utilización* realiza verdaderamente el goce apropiativo, sino que remite a otros gestos apropiativos, cada uno de los cuales no tiene sino un valor de encantamiento mágico. Poseer una bicicleta es poder primero mirarla y tocarla luego. Pero el tocar se revela de por sí como insuficiente; lo que hace falta es poder montarla para dar un paseo. Pero este paseo *gratuito* es de por sí insuficiente; sería menester utilizar la bicicleta para excursiones. Y esto nos remite a utilizaciones más largas y completas: a largos viajes a través de Francia. Pero estos mismos viajes se descomponen en mil comportamientos apropiativos, cada uno de los cuales remite a los demás. Por último, como era de prever, ha bastado tender un billete de banco para que la bicicleta me perteneciera; pero me hará falta la vida entera para realizar esa posesión; es, ciertamente, lo que siento al adquirir el objeto: la posesión es una empresa que la muerte hace siempre inconclusa. Ahora captamos su sentido: el de que es imposible realizar la relación simbolizada por la apropiación. En sí, la apropiación no tiene nada de concreto. No es una actividad real (como comer, beber, dormir, etc.) que sirviera por añadidura de símbolo para su deseo particular. Al contrario, sólo existe a título de símbolo; su simbolismo le da su significación, cohesión y existencia. Es imposible, pues, hallar en ella un goce positivo aparte de su valor simbólico: no es sino la indicación de un goce supremo (el del ser que fuera fundamento de sí mismo), goce que siempre está allende todos los comportamientos apropiativos destinados a realizarlo. Precisamente el reconocimiento de la imposibilidad de *poseer* un objeto trae apareado para el para-sí unas violentas ganas de *destruirlo*. Destruir es reabsorber en mí, es mantener con el ser-en-sí del objeto destruido una relación tan profunda como en la creación. Las llamas que incendian la granja a la que he puesto fuego realizan poco a poco la fusión de la granja conmigo mismo: al aniquilarse, la granja se convierte en *mí*. A la vez, encuentro de nuevo la relación de ser de la creación, pero invertida: *soy* el fundamento de la granja que arde; *soy* esta granja, puesto que destruyo su ser. La destrucción realiza –quizá más finamente que la creación– la apropiación, pues el objeto destruido ya no está ahí para mostrarse impenetrable. Tiene la impenetrabilidad y la suficiencia de ser del en-sí que *ha sido*; pero, al mismo tiempo, tiene la invisibilidad y translucidez de la nada que soy, puesto que *ya no es*. Este vaso que he quebrado y que, "estaba" sobre esa mesa, está aún en ella, pero como transparencia absoluta; veo todos los seres a través de él (es lo que los cineastas han intentado representar por medio de la sobreimpresión): se parece a una conciencia, aunque tenga la irreparabilidad del en-sí. Al mismo tiempo, es positivamente mío, porque sólo el hecho de que yo tenga-de-ser lo que era impide aniquilarse al objeto destruido: lo recreo al recrearme; y así, destruir es recrear asumiéndose como único responsable del ser de lo que existía *para todos*. La destrucción debe situarse, pues, entre los comportamientos apropiativos. Por otra parte, muchas conductas apropiativas tienen una estructura, entre otras, de destructividad: utilizar es usar y gastar.[1] Mi bicicleta, cuando la *uso*, es una bicicleta *usada,* es decir, que la creación continua apropiativa se señala por una destrucción parcial. Ese uso de desgaste puede apenar por razones estrictamente utilitarias, pero, en la mayoría de los casos, produce una secreta alegría, casi un goce: pues *proviene de nosotros, que consumimos.* Se advertirá cómo esta expresión de "consumo" designa a la vez una destrucción apropiativa y un goce alimentario. Consumir es aniquilar y comer; es destruir incorporando. Si ando en mi bicicleta, puede fastidiarme el gastar las llantas, pues es difícil conseguir otras; pero la imagen del gozo, imagen que represento con todo mi cuerpo, es la de una apropiación destructiva, de una "creación-destrucción". La bicicleta, al deslizarse, al llevarme, por su movimiento mismo es creada y hecha mía; pero esta creación se imprime profundamente en el objeto por el leve desgaste continuo que le comunica y que es como la marca de fuego del esclavo. El objeto es mío, está usado por mí; el desgaste de lo *mío* es el reverso de mi vida.[2]

Estas observaciones permitirán comprender mejor el sentido de ciertos sentimientos o comportamientos ordinariamente considerados como irreductibles; por ejemplo, la *generosidad.* En efecto, el *don* es una forma primitiva de destrucción. Sabido es que el *potlatch,* por ejemplo, comporta la destrucción de cantidades enormes de mercancías. Estas destrucciones son un desafío al otro; lo encadenan. En este nivel, es indiferente que el objeto sea destruido o dado a otro: de una u otra manera, el *potlatch* es destrucción y encadenamiento del otro. Destruyo el objeto tanto al darlo como al aniquilarlo; le suprimo la cualidad de mío que lo constituía profundamente en su ser, lo saco de mi vista, lo constituyo –con relación a mi mesa, a mi

---

[1] En francés, *user* tiene este doble significado más netamente que en español, lo que obliga a ciertas acomodaciones de traducción. (N. del T.)
[2] Brummell hacía consistir su elegancia en no llevar jamás sino trajes un poco usados. Tenía horror de lo nuevo: lo que es nuevo "endominga", porque no es de nadie.

cuarto– en *ausente:* sólo yo le conservaré el ser espectral y transparente de los objetos *pasados,* porque soy aquel por quien los seres prosiguen una existencia honoraria después de su aniquilación. Así, la generosidad es, ante todo, función destructiva. El furor de dar que en ciertos momentos domina a cierta gente es, ante todo, furor destructivo: *vale* por una actitud de frenesí, por un *amor* acompañado de destrozo de objetos. Pero ese furor de destruir que está en el fondo de la generosidad no es otra cosa que un furor de poseer. De todo cuanto abandono o doy, gozo de una manera superior por el hecho de donarlo; el don es un gozo áspero y breve, casi sexual: dar es gozar posesivamente del objeto donado, es un contacto destructivo-apropiativo. Pero, al mismo tiempo, el don hechiza al que lo recibe, lo obliga a recrear, a mantener en el ser por una creación continua aquello que yo no quiero más, aquello que acabo de poseer hasta la aniquilación y de lo cual no queda finalmente sino una imagen. Dar es someter. Este aspecto del don no nos interesa aquí, pues concierne, sobre todo, a las relaciones con el prójimo. Lo que queríamos señalar es que la generosidad no es irreductible: dar es apropiarse por medio de la destrucción, utilizando esta destrucción para someter al otro. La generosidad es, pues, un sentimiento estructurado por la existencia del prójimo y señala una preferencia por la *apropiación por destrucción.* Con ello nos guía hacia la *nada* mucho más que hacia el en-sí (se trata de una nada de en-sí que, evidentemente, es ella misma en-sí, pero que, en cuanto nada, puede simbolizar con el ser que es su propia nada). Así, pues, si el psicoanálisis existencial encuentra la prueba de la *generosidad* de un sujeto, debe buscar más lejos su proyecto originario y preguntarse por qué el sujeto ha elegido apropiarse por destrucción más bien que por creación. La respuesta a esta pregunta descubrirá la relación originaria con el ser, que constituye la *persona* estudiada.

Estas observaciones no apuntaban sino a sacar a luz el carácter *ideal* del nexo apropiativo y la función simbólica de toda conducta apropiativa. Ha de agregarse que el símbolo no es descifrado por el sujeto mismo. Esto no proviene de que la simbolización se prepare en un inconsciente, sino de la estructura misma del ser-en-el-mundo. En efecto hemos visto en el capítulo dedicado a la trascendencia que el orden de los utensilios en el mundo es la imagen proyectada en el en-sí de mis posibilidades, es decir, de lo que soy, pero que no puedo jamás descifrar esa imagen mundana, puesto que haría falta nada menos que la escisiparidad reflexiva para poder ser yo para mí mismo como un esbozo de objeto. Así, siendo el circuito de la ipseidad no-tético y, por consiguiente, permaneciendo no-temática la anunciación de lo que soy, ese "ser-en-sí" de mí mismo que el mundo me devuelve no puede sino estar enmascarado para mi *conocimiento*. No puedo sino adaptarme en y por la acción aproximativa que la hace nacer. De suerte que poseer no significa en modo alguno saber que se está con el objeto poseído en una relación identificante de creación-destrucción, sino, precisamente, *estar en esa relación*, o, mejor aún, *ser esa relación*. Y el objeto poseído tiene para nosotros una cualidad inmediatamente captable que lo transforma íntegro –la cualidad de ser *mío*–; pero esta cualidad es en sí rigurosamente indescifrable: se revela en y por la acción, manifiesta tener una significación particular, pero se esfuma sin revelar su estructura profunda y su significación desde el momento que queremos tomar distancia con respecto al objeto y contemplarlo. Este retroceso para tomar distancia, en efecto, es por sí mismo destructor del nexo apropiativo: en el instante previo me encontraba comprometido en una totalidad ideal y, precisamente por estar comprometido en mi ser, no podía conocerlo; al instante siguiente, la totalidad se ha roto y no puedo descubrir su sentido sobre los trozos separados que la han compuesto, como se ve en la experiencia contemplativa que sufren ciertos enfermos y a la que se llama despersonalización. Estamos, pues, obligados a recurrir al psicoanálisis existencial para que nos revele en cada caso particular la significación de esa síntesis apropiativa cuyo sentido general y abstracto acabamos de determinar por medio de la ontología.

Queda por determinar en general la significación del objeto poseído. Esta indagación ha de completar nuestros conocimientos sobre el proyecto apropiativo. ¿Qué es, pues, aquello de que tratamos de apropiarnos?

Fácil es ver, por una parte, y en abstracto, que apuntamos originariamente a poseer no tanto la manera de ser del objeto cuanto su ser mismo. En efecto, deseamos apropiarnos del objeto a título de representante concreto del ser-en-sí, es decir, captarnos como fundamento de su ser en tanto que él es idealmente nosotros mismos; y por otra parte, empíricamente, que el objeto apropiado no vale nunca *él solo y de por sí,* ni por su uso individual. Ninguna apropiación singular tiene sentido aparte de sus indefinidas prolongaciones; la estilográfica que poseo vale por todas las estilográficas: en su persona poseo la clase de las estilográficas íntegra. Pero, además, poseo en ella la posibilidad de escribir, de trazar rasgos de determinada forma y color (pues contamino al instrumento mismo y a la tinta de que hago uso): esos rasgos, su color, su sentido, están condensados en ella, así como el papel, su resistencia especial, su olor, etc. Con motivo de *toda* posesión se realiza la síntesis cristalizadora que Stendhal ha descrito para el caso del amor únicamente. Cada objeto poseído, que se destaca sobre fondo de mundo, manifiesta al mundo íntegro, así como la mujer amada manifiesta el cielo, la playa, el mar que la rodeaban cuando apareció. Apropiarse de ese objeto es, pues, apropiarse simbólicamente del mundo. Cada cual puede reconocerlo refiriéndose a su propia experiencia: citaré un ejemplo personal, no para demostrar, sino para guiar la indagación del lector.

Hace algunos años, me vi llevado a decidir que no fumaría más. El conflicto fue rudo; y, en verdad, me significaba menos perder el *gusto* del tabaco que el *sentido* del acto de fumar. Se había producido toda una cristalización: fumaba en el espectáculo, por la mañana mientras trabajaba, por la noche después de cenar, etc., y me parecía que, al dejar de fumar, privaría al espectáculo de su interés, a la cena de su sabor, al trabajo matinal de su vivacidad y frescura. Cualquiera que pudiera ser el acaecimiento inesperado que acudiría a mis ojos, me parecía que quedaría fundamentalmente empobrecido toda vez que no pudiera ya recibirlo fumando. Ser-susceptible-de encontrármelo-mientras-fumo: tal era la cualidad concreta que se había difundido universalmente sobre las cosas. Me parecía que iba a arrancársela y que, en medio de ese empobrecimiento universal, valía un poco menos la pena el vivir. Ahora bien: fumar es una reacción apropiativa destructora. El tabaco es un símbolo del ser "apropiado", ya que es destruido al ritmo de mi aliento en una manera de "destrucción continua", pasa a mi interior y su cambio en mí mismo se manifiesta simbólicamente por la transformación en humo del sólido consumido. La conexión entre el paisaje visto fumando y el pequeño sacrificio crematorio era tal que, como hemos visto, éste era como el símbolo de aquél. Quiere decir, pues, que la reacción de apropiación destructora del tabaco valía simbólicamente por una destrucción apropiativa del mundo entero. A través del tabaco que yo fumaba, el mundo ardía, se fumaba, se reabsorbía en vapor para reincorporarse a mí. Para mantener mi decisión, hube de realizar una especie de descristalización, o sea que, sin darme mucha cuenta, reduje el tabaco a no ser más que él mismo: una hierba que se quema; corté sus nexos simbólicos con el mundo, me persuadí de que nada quitaría a la pieza de teatro, al paisaje, al libro que leía, si los consideraba sin mi pipa; es decir, me volqué a otros medios de posesión de los objetos que el de esa ceremonia sacrificial. Una vez que estuve persuadido de ello, mi malestar se redujo a poca cosa: lamentaba no sentir ya el olor del tabaco quemado, el calor del hornillo entre mis dedos, etc. Pero entonces, mi pesar, desarmado, se hizo soportable.

Así, aquello de que fundamentalmente deseamos apropiarnos en un objeto es su ser y es el mundo. Estos dos fines de la apropiación constituyen, en realidad, uno solo. Procuro poseer, tras el fenómeno, el ser del fenómeno. Pero este ser, muy diferente, según hemos visto, del fenómeno de ser, es el ser-en-sí y no sólo el ser de tal o cual cosa particular. No que haya aquí un tránsito a lo universal, sino que, más bien, el ser considerado en su desnudez concreta se convierte de pronto en el ser de la totalidad. Así, la relación de posesión se nos aparece claramente: poseer es querer poseer el mundo a través de un objeto particular. Y como la posesión se define como esfuerzo por captarse a título de fundamento de un ser en tanto que éste es idealmente nosotros mismos, todo proyecto posesivo apunta a constituir al Para-sí como fundamento del mundo o totalidad concreta del en-sí en tanto que esta totalidad es, como totalidad, el propio para-sí existente en el modo del en-sí. Ser-en-el-mundo es proyectar poseer el mundo, es decir, captar el mundo total como lo que falta al para-sí para convertirse en en-sí-para-sí; es comprometerse en una totalidad, que es precisamente el ideal, o valor, o totalidad totalizada, que sería idealmente constituida por la fusión del para-sí, como totalidad destotalizada que tiene-de-ser lo que es, con el mundo como totalidad del en-sí, que es lo que es. En efecto, ha de comprenderse bien que el para-sí no tiene como proyecto fundar un ser de razón, es decir, un ser al cual primero concibiera –forma y materia– para darle luego la existencia: este ser, en efecto, sería un puro abstracto, un universal; su concepción no podría ser anterior al ser-en-el-mundo, sino que, al contrario, lo supondría, tal como supondría la comprensión preontológica de un ser eminentemente concreto y de antemano presente, que es el "ahí" del ser-ahí primero del para-sí, es decir, el ser del mundo; el para-sí no es para pensar primero lo universal y determinarse luego en función de conceptos; él es su elección, y su elección no puede ser abstracta, pues, si no, sería abstracto el ser mismo del para-sí. El ser del para-sí es una aventura individual y la elección debe ser elección individual de un ser concreto. Esto vale, como hemos visto, para la *situación* en general. La elección del para-sí es siempre elección de la situación concreta en su singularidad incomparable. Pero ello vale también para el sentido ontológico de esa elección. Cuando decimos que el para-sí es proyecto de *ser,* no concibe al ser-en-sí que proyecta ser, como una estructura común a todos los existentes de cierto tipo: su proyecto, como hemos visto, no es en modo alguno una concepción. Lo que él proyecta ser se le aparece como una totalidad eminentemente concreta: es *este* ser. Sin duda, se pueden prever en este proyecto las posibilidades de un desarrollo universalizador; pero a la manera en que se dirá de un amante que ama a todas las mujeres o a la mujer íntegra en una mujer. Ese ser concreto cuyo fundamento el para-sí proyecta ser no puede ser *concebido,* según hemos visto, puesto que es concreto; ni tampoco podría ser *imaginado,* pues lo imaginario es nada, y aquel ser es ser eminentemente. Es menester que *exista,* es decir, que se lo *encuentre,* pero que su encuentro se identifique con la elección que hace el para-sí. El para-sí es un encuentro-elección, es decir, se define como elección de fundar al ser del cual es encuentro. Esto significa que el para-sí, como empresa individual, es elección de *este mundo* como totalidad de ser individual; no lo trasciende hacia una universalidad lógica, sino hacia un nuevo "estado" concreto del mismo mundo, en el cual el ser sería en-sí fundado por el para-sí; es decir, lo trasciende-hacia un ser-concreto-allende-el-ser-concreto-existente. Así, el ser-en-el-mundo es proyecto de posesión de este mundo, y el valor que infesta al para-sí es la indicación concreta de un ser individual constituido por la función sintética de *este* para-sí *aquí* y de *este* mundo *aquí*. El ser, en efecto, dondequiera que sea, de dondequiera que venga y de cualquier modo que se lo considere, ya sea en-sí o para-sí o el ideal imposible del en-sí-para-sí, es, en su contingencia primera, una aventura individual.

Así, podemos definir las relaciones que unen la categoría de ser con la de tener. Hemos visto que el deseo puede ser originariamente deseo de ser o deseo de tener. Pero el deseo de tener no es irreductible. Mientras que el deseo de ser recae directamente sobre el para-sí y proyecta conferirle sin intermediario la dignidad de en-sí-para-sí, el deseo de tener apunta al para-sí sobre, en y a través *del* mundo. El proyecto de tener apunta, por la apropiación del mundo, a realizar el mismo valor que el deseo de ser. Por eso ambos deseos, que pueden distinguirse por análisis, son inseparables en la realidad: no se encuentra deseo de ser sino duplicado por un deseo de tener, y recíprocamente; se trata, en el fondo, de dos direcciones de la atención acerca de un mismo objetivo, o, si se prefiere, de dos interpretaciones de una misma situación fundamental, la una tendiente a conferir el ser al Para-sí sin rodeo, mientras que la otra establece el circuito de ipseidad, es decir, intercala el mundo entre el para-sí y su ser. En cuanto a la situación originaria, es la falta de ser que yo soy, es decir, que me hago ser. Pero, precisamente, el ser del cual me hago falta a mí mismo es rigurosamente individual y concreto: es el ser que *existe ya* y en medio del cual surjo yo como *su* falta. Así, la propia nada que soy es individual y concreta, ya que es *esta* nihilización y no otra.

Todo para-sí es libre elección; cada uno de sus actos, el más insignificante como el más considerable, traduce esa elección y emana de ella: es lo que hemos llamado nuestra libertad. Ahora hemos captado el *sentido* de esa elección: es elección de ser, sea directamente, sea por apropiación del mundo, o, más bien, ambas cosas a la vez. Así mi libertad es elección de ser Dios, y todos mis actos, todos mis proyectos, traducen esa elección y la reflejan de mil y mil maneras, pues hay una infinidad de maneras de ser y de tener. El psicoanálisis existencial tiene por objetivo encontrar, a través de estos proyectos empíricos y concretos, la manera original que cada uno tiene de elegir su ser. Queda por explicar, se dirá, por qué elijo poseer el mundo a través de tal o cual *esto* particular. Podríamos responder que ello precisamente es lo propio de la libertad. Empero, el objeto mismo no es irreductible. Apuntamos a su *ser* a través de su manera de ser, o cualidad. Y la cualidad –en particular la cualidad material: fluidez del agua, densidad de la piedra, etc.–, siendo manera de ser, no hace sino presentificar al ser de determinado modo. Lo que elegimos es, pues, cierto modo en que el ser se descubre y se hace poseer. El amarillo y el rojo, el gusto del tomate o del puré de arvejas, lo rugoso y lo tierno, no son en modo alguno, para nosotros, datos irreductibles: traducen simbólicamente a nuestros ojos cierto modo que tiene el ser de darse, y reaccionamos con disgusto o con deseo, según veamos al ser aflorar de un modo o de otro a la superficie de esos objetos. El psicoanálisis existencial debe extraer el *sentido ontológico* de las cualidades. Sólo así –y no por consideraciones acerca de la sexualidad– se explicarán, por ejemplo, ciertas constantes de las "imaginaciones" poéticas (lo "geológico", en Rimbaud; la fluidez del agua, en Poe) o, sencillamente, *los gustos* de cada uno, esos famosos gustos sobre los que, se dice, no hay que disputar, sin advertir que simbolizan a su manera toda una *Weltanschauung,* toda una elección de ser, y que de ahí proviene la *evidencia* que tienen a los ojos del que los ha hecho suyos. Conviene, pues, esbozar esa tarea particular del psicoanálisis existencial, a título de sugerencia para investigaciones ulteriores. Pues la libre elección no es irreductible al nivel del gusto por lo dulce o lo amargo, etc., sino al nivel de la elección del aspecto del ser que revela *a través de y por* lo dulce, lo amargo, etcétera.

III

De la cualidad como reveladora del ser

Se trata, simplemente, de intentar un psicoanálisis de las *cosas*. Es lo que G. Bachelard ha intentado con mucho talento en su último libro, *El agua y los sueños*. Hay grandes promesas en esta obra; en particular, lo de la "imaginación material" es un verdadero descubrimiento. A decir verdad, este término de *imaginación* no nos conviene aquí, ni tampoco la tentativa de buscar tras las cosas y su materia gelatinosa, sólida o fluida, las "imágenes" que en ellas proyectaríamos. La percepción, como lo hemos mostrado en otro lugar,[1] no tiene nada en común con la imaginación: al contrario, ambas son mutuamente excluyentes. Percibir no es en modo alguno reunir imágenes con sensaciones: estas tesis, de origen asociacionista, son de desterrar enteramente; y, por consiguiente, el psicoanálisis no tiene que indagar imágenes, sino explicitar *sentidos* pertenecientes realmente a las cosas. Sin duda alguna, el sentido "humano" de lo *pegajoso,* lo *viscoso,* etc., no pertenece al en-sí. Pero tampoco, como, hemos visto, le pertenecen las potencialidades, y, sin embargo, éstas son las que constituyen el mundo. Las significaciones *materiales,* el sentido humano de las agujas de nieve, de lo granuloso, lo apretado, lo graso, etc., son tan *reales* como el mundo, ni más ni menos, y venir al mundo es surgir en medio de esas significaciones. Pero se trata, sin duda, de una simple diferencia de terminología; y Bachelard parece ser más osado y mostrar el fondo de su pensamiento cuando en sus cursos habla de psicoanalizar las plantas o cuando intitula una de sus obras *Psicoanálisis del fuego.* Se trata, en efecto, de aplicar *no al sujeto* sino a las cosas un método de desciframiento objetivo que no supone ninguna previa remisión al sujeto mismo. Por ejemplo, cuando quiero determinar la significación objetiva de la nieve, veo, por ejemplo, que funde a ciertas temperaturas, y que esta fusión de la nieve es su muerte. Se trata, simplemente, de una verificación objetiva. Y cuando quiero

[1] *Cf. L'imaginaire,* N. R. F., 1939.

determinar la significación de tal fusión, me es preciso compararla con otros objetos situados en otras regiones de existencia pero igualmente objetivos, igualmente trascendentes: ideas, amistades, personas, de las cuales también puedo decir que *se funden* (el dinero se me *funde* entre las manos;[1] ciertas ideas –en el sentido de significaciones sociales objetivas– crecen como una "bola de nieve" y otras *se funden*);[2] sin duda, obtendríamos de este modo cierta relación que vincula entre sí ciertas formas de ser. La comparación de la nieve fundida con otras fundiciones más misteriosas (por ejemplo, con el contenido de ciertos antiguos mitos: el sastre de los cuentos de Grimm coge un queso entre sus manos, hace creer que es una piedra, y lo aprieta con tanta fuerza que el suero gotea; los asistentes creen que ha hecho gotear una piedra, que le ha exprimido el líquido) puede informarnos sobre una secreta liquidez de los sólidos, en el sentido en que Audiberti, bien inspirado, ha hablado de la secreta negrura de la leche. Esa liquidez, que deberá compararse a su vez con el jugo de las frutas y con la sangre humana –que es también algo como nuestra secreta y vital liquidez– nos remite a cierta posibilidad permanente de lo *compacto granuloso* (con que se designa cierta cualidad de ser del *en-sí puro*) de metamorfosearse en *fluidez homogénea e indiferenciada* (otra cualidad de ser del en-sí puro). Captamos aquí, desde su origen y con toda su significación ontológica, la antinomia de lo continuo y lo discontinuo, polos femeninos y masculinos del mundo, cuyo desarrollo dialéctico veremos después hasta la teoría de los cuantos y la mecánica ondulatoria. Así, podremos llegar a descifrar el sentido secreto de la nieve, que es un sentido ontológico. Pero, en todo ello, ¿dónde está la relación con lo subjetivo o con la imaginación? No hemos hecho

---

[1] De esta serie de ejemplos suprimimos dos; "Je suis en nage, je *fonds* en eau" (estoy nadando y me hundo); y "*Comme* il a maigri, comme il a *fondu*" (¡cómo ha adelgazado!). Hubiera sido inútil violentar la expresión para meter por fuerza en el texto español estos ejemplos franceses, pues ello sólo disimularía el problema que la intraducibilidad implica para la tesis sartreana. (N. del T.)

[2] Recuérdese también la "moneda fundente" de Daladier.

sino comparar estructuras rigurosamente objetivas y formular la hipótesis que puede unificarlas y agruparlas. Por eso el psicoanálisis recae en este caso sobre las cosas mismas y no sobre los hombres. Por eso, también, en este nivel yo desconfiaría más que Bachelard de las imaginaciones materiales de los poetas, así sean Lautréamont, Rimbaud o Poe. Por cierto, es apasionante investigar el "bestiario de Lautréamont". Pero si, en efecto, en tal investigación volvemos a lo subjetivo, no alcanzaremos resultados verdaderamente significativos a menos de considerar a Lautréamont como preferencia originaria y pura de la animalidad[1] y de haber determinado *previamente* el sentido objetivo que la animalidad tiene. En efecto: si Lautréamont *es lo que él mismo prefiere,* es preciso saber previamente cuál es la naturaleza de lo por él preferido. Por cierto, bien sabemos que él "pondrá" en la animalidad algo distinto y más rico de lo que yo pongo. Pero tales enriquecimientos subjetivos que nos informan sobre Lautréamont están polarizados por la estructura objetiva de la animalidad. Por eso el psicoanálisis existencial de Lautréamont supone previamente un desciframiento del sentido objetivo del *animal.* Análogamente, sueño desde hace rato con establecer un *lapidario* de Rimbaud. Pero, ¿qué sentido tendría esto si no hemos establecido previamente la significación de lo geológico en general? Se dirá, sin embargo, que una significación supone al hombre. No decimos otra cosa. Sólo que el hombre, siendo trascendencia, establece lo significante por su surgimiento mismo, y lo significante, a causa de la estructura propia de la trascendencia, es una remisión a otros transcendentes que puede descifrarse sin recurrir a la subjetividad que la ha establecido. La energía potencial de un cuerpo es una cualidad objetiva de éste, que debe ser calculada objetivamente teniendo en cuenta únicamente circunstancias objetivas; y, sin embargo, esa energía no puede venir a habitar un cuerpo sino en un mundo cuya aparición es correlativa a la aparición de un para-sí. Análogamente, se descubrirán por un psicoanálisis rigurosamente objetivo otras potencialidades más

---

[1] De cierta animalidad; es exactamente lo que llama Scheler los *valores vitales.*

profundamente enraizadas en la materia de las cosas pero que permanecen por completo trascendentes, aun cuando corresponden a una elección aún más fundamental de la realidad humana: una elección del *ser*.

Esto nos lleva a precisar el segundo punto en que diferimos de G. Bachelard. Es verdad, en efecto, que todo psicoanálisis debe tener sus principios *a priori*. En particular, debe saber *qué es lo que busca*, pues, si no, ¿cómo podría encontrarlo? Pero, como el objetivo de su investigación no podría ser establecido por el psicoanálisis mismo, so pena de círculo vicioso, es menester que sea objeto de un postulado, o que se lo pida a la experiencia, o que se lo establezca por medio de alguna otra disciplina. La libido freudiana es, evidentemente, un simple postulado; la voluntad de poderío adleriana parece una generalización sin método de los datos empíricos, y ciertamente es menester que sea sin método, puesto que es lo que permite echar las bases de un método psicoanalítico. Bachelard parece atenerse a sus predecesores; el postulado de la sexualidad parece dominar sus investigaciones; otras veces, se nos remite a la *muerte*, al trauma del nacimiento, a la voluntad de poderío; en suma, su psicoanálisis parece más seguro de su método que de sus principios, y sin duda cuenta con los resultados para iluminar el objetivo preciso de la indagación. Pero es tomar el rábano por las hojas: nunca las consecuencias permitirán establecer el principio, así como la suma de los modos finitos no permitirían captar la sustancia. Nos parece, pues, que hayan de abandonarse aquí esos principios empíricos o esos postulados que hacen del hombre, *a priori*, una sexualidad o una voluntad de poderío, y que conviene establecer rigurosamente el objetivo del psicoanálisis partiendo de la ontología. Es lo que hemos intentado en el parágrafo anterior. Hemos visto que la realidad humana, antes de poder describirse como *libido* o como voluntad de poderío, es *elección de ser*, sea directamente, sea por apropiación del mundo. Y hemos visto también que, cuando la elección recae sobre la apropiación, cada *cosa* es elegida, en último análisis, no por su potencial sexual sino según la manera en que *entrega* al ser, la manera en que el ser aflora a su superficie. Un psicoanálisis de las *cosas* y de su *materia* debe preocuparse ante todo, pues, por establecer el modo en que cada cosa es el símbolo *objetivo* del ser y la relación de la realidad humana con él. No negamos que sea preciso descubrir después todo un simbolismo sexual en la naturaleza, pero éste es un estrato reductible que supone previamente un psicoanálisis de las estructuras presexuales. Así, consideraríamos el estudio de Bachelard sobre el agua, rico de visiones ingeniosas y profundas, como un conjunto de sugerencias, como una preciosa colección de materiales que deberían ser utilizados ahora por un psicoanálisis consciente de sus principios.

Lo que la ontología puede enseñar al psicoanálisis, en efecto, es ante todo el origen *verdadero* de las significaciones de las cosas y su relación *verdadera* con la realidad-humana. Sólo ella, en efecto, puede situarse en el plano de la trascendencia y captar de una mirada el ser-en-el-mundo con sus dos términos, porque sólo ella se sitúa originariamente en la perspectiva del *cogito.* También aquí las ideas de facticidad y situación nos permitirán comprender el simbolismo existencial de las cosas. Hemos visto, en efecto, que es teóricamente posible e imposible prácticamente distinguir entre la facticidad y el proyecto que la constituye en situación. Esta comprobación ha de servirnos aquí; en efecto, no ha de creerse, según hemos visto, que el *esto,* en la exterioridad de indiferencia de su ser e independientemente del surgimiento de un para-sí, tenga significación alguna. Por cierto, su *cualidad,* como hemos visto, no es otra cosa que su ser. Lo amarillo del limón, decíamos, no es un modo subjetivo de aprehensión del limón: *es el limón mismo.* Mostrábamos también[1] que el limón íntegro está extendido a través de sus cualidades y que cada una de éstas se extiende a través de las demás; es, justamente, lo que hemos llamado un *esto.* Cada cualidad del ser es todo el ser; es la presencia de su contingencia absoluta, es su irreductibilidad de indiferencia. Empero, desde nuestra segunda parte, insistíamos sobre la inseparabilidad, en la cualidad misma, del proyecto y la facticidad. En efecto, escribíamos: "Para que haya cualidad, es preciso *que haya* ser para una nada que por naturaleza no sea el

---

[1] Segunda parte, cap. III, § III.

ser... ; la cualidad es el ser íntegro que se devela en los límites del *hay*". Así, desde el origen, no podemos poner la significación de la cualidad en la cuenta del ser *en sí*, pues es menester ya el "hay", es decir, la mediación nihilizadora del para-sí, para que haya cualidades. Pero comprendemos fácilmente, a partir de estas observaciones, que la significación de la cualidad señala a su vez algo así como un refuerzo del "hay", puesto que, precisamente, nos apoyamos en ella para trascender el "hay" hacia el ser tal cual es absolutamente y en sí. En cada aprehensión de cualidad hay, en este sentido, un esfuerzo metafísico por escapar a nuestra condición, por perforar la faja de nada del "hay" y penetrar hasta el en-sí puro. Pero, evidentemente, no podemos captar sino la cualidad como símbolo de un ser que nos escapa totalmente, aunque esté totalmente ahí, ante nosotros; en suma, hacer funcionar el ser revelado como símbolo del ser en sí. Esto significa, justamente, que se constituye una nueva estructura del "hay": el estrato significativo, aunque este estrato se revela en la unidad absoluta de un mismo proyecto fundamental. Es lo que llamaremos el tenor metafísico de toda revelación intuitiva del ser; y es lo que precisamente debemos alcanzar y develar por medio del psicoanálisis. ¿Cuál es el tenor metafísico del amarillo, el rojo, lo liso, lo rugoso? ¿Cuál es –cuestión que se planteará *después* de esas otras cuestiones elementales– el coeficiente metafísico del limón, del agua, del aceite, etc.? Otros tantos problemas que el psicoanálisis debe resolver si quiere comprender algún día por qué Pedro gusta de las naranjas y aborrece el agua, por qué come con placer tomates y se niega a comer habas, por qué vomita si se lo obliga a tragar ostras o huevos crudos.

Empero, hemos mostrado también el error que se cometería, por ejemplo, si se creyera que "proyectamos" nuestras disposiciones afectivas sobre la cosa, para iluminarla o colorearla. En primer lugar, en efecto, hemos visto hace rato que un sentimiento no es en modo alguno una disposición interna, sino una relación objetiva y trascendente que se hace indicar por su objeto lo que él mismo es. Pero no es esto todo: un ejemplo nos mostrará que la explicación por la *proyección* (sentido del demasiado célebre "un paisaje es un estado de ánimo") constituye una petición de principio. Sea, por ejemplo, esa cualidad particular llamada lo *viscoso*. Ciertamente, significa para el adulto europeo una multitud de caracteres *humanos y morales* fácilmente reductibles a relaciones de ser. Un apretón de manos es viscoso; es viscosa una sonrisa; un pensamiento, un sentimiento pueden ser viscosos. La opinión común sostiene que he tenido previamente la experiencia de ciertas conductas y de ciertas actitudes morales que me desagradan y a las que condeno, y que, por otra parte, he tenido la intuición sensible de lo viscoso; posteriormente, habría establecido una conexión entre esos sentimientos y la viscosidad, y lo viscoso funcionaría como símbolo de toda una clase de sentimientos y actitudes humanos. Habría, pues, enriquecido lo viscoso proyectando sobre ello mi saber acerca de esa categoría humana de conductas. Pero, ¿cómo aceptar tal explicación por proyección? Si suponemos haber captado primero los sentimientos como cualidades psíquicas puras, ¿cómo podríamos captar su relación con lo viscoso? El sentimiento captado en su pureza cualitativa no podría revelarse sino como cierta disposición puramente inextensa, censurable por su relación con ciertos valores y consecuencias; en ningún caso "formará imagen" si la imagen no ha sido dada antes. Por otra parte, si lo viscoso no está originariamente cargado de un sentido afectivo, si no se da sino como cierta cualidad material, no se ve cómo podría elegírselo jamás para representante simbólico de ciertas unidades psíquicas. En una palabra: para establecer consciente y claramente una relación simbólica entre la viscosidad y la bajeza pegajosa de ciertos individuos, sería menester captar ya la bajeza en la viscosidad y la viscosidad en ciertas bajezas. Se sigue, pues, que la explicación por proyección no explica nada, ya que presupone lo que quería explicar. Por otra parte, aun si escapara a esta objeción de principio, sería para tropezar con otra, proveniente de la experiencia y no menos grave: la explicación por proyección implica, en efecto, que el sujeto proyectante haya llegado por la experiencia y el análisis a cierto conocimiento de la estructura y los efectos de las actitudes a las que llamará viscosas. En esta concepción, en efecto, el recurso a la viscosidad no enriquece en modo alguno, como un *conoci-*

miento, nuestra experiencia de la bajeza humana; cuanto mucho, sirve de unidad temática, de rúbrica figurativa para conocimientos ya adquiridos. Por otra parte, la viscosidad propiamente dicha, y considerada aisladamente, podría parecernos prácticamente perjudicial (porque las sustancias viscosas se pegan a las manos y a los vestidos, porque manchan), pero no *repugnante.* En efecto, no podríamos explicar el asco que inspira sino por contaminación de esa cualidad física con ciertas cualidades morales; habría, pues, como un aprendizaje del valor simbólico de lo viscoso. Pero la observación nos enseña que los niños más pequeños dan muestras ya de repulsión en presencia de lo viscoso, como si esto se hallara *ya* contaminado por lo psíquico; y nos enseña también que los niños *comprenden,* desde que saben hablar, el valor de las palabras "blando", "bajo", etc., aplicadas a la descripción de sentimientos. Todo ocurre como si surgiéramos en un universo en que los sentimientos y los actos están cargados de materialidad, tienen una textura sustancial, son *verdaderamente* blandos, chatos, viscosos, bajos, elevados, etc., y en que las sustancias materiales tienen originariamente una significación psíquica que las hace repugnantes, horribles, atrayentes, etc. Ninguna explicación por proyección o por analogía es admisible para ello. Y, para resumir, es imposible extraer el valor del símbolo psíquico de lo viscoso partiendo de la cualidad bruta del "esto", así como proyectar esa significación sobre el *esto* partiendo de un *conocimiento* de las actitudes psíquicas de que se trata. ¿Cómo ha de concebirse, pues, esa inmensa simbólica universal que se traduce por nuestras repugnancias, odios, simpatías y atracciones para con objetos cuya materialidad debería, por principio, permanecer no significante? Para avanzar en este estudio, es preciso abandonar cierto número de postulados. En particular, no debemos postular ya *a priori* que la atribución de la viscosidad a tal o cual sentimiento sea una imagen y no un conocimiento; nos negaremos también a admitir, antes de información más amplia, que sea lo psíquico lo que permite informar simbólicamente la materia y que nuestra experiencia de la bajeza humana tenga prioridad sobre la captación de lo "viscoso" como significante.

Volvamos al proyecto original. Es proyecto de apropiación. Constriñe, pues, a lo *viscoso* a revelar su ser; siendo apropiativo el surgimiento del para-sí al ser, lo viscoso percibido es "viscoso de-poseer", es decir, que el nexo originario mío con lo viscoso es el proyectar yo ser fundamento de su ser, en tanto que éste es idealmente yo mismo. Desde el origen, pues, lo viscoso aparece como un posible yo-mismo de-fundar; desde el origen aparece *psiquicizado*. Esto no significa en modo alguno que yo lo dote de un alma, a la manera del animismo primitivo, ni de virtudes metafísicas, sino sólo que su materialidad misma se me revela como dotada de una significación psíquica, la cual, por lo demás, es idéntica al valor simbólico que lo viscoso tiene con relación al ser-en-sí. Esta manera apropiativa de *hacer entregar* a lo viscoso todas sus significaciones puede considerarse como un *a priori* formal, aunque sea libre proyecto y se identifique con el propio ser del para-sí; pues, en efecto, no depende originariamente de la manera de ser de lo viscoso, sino sólo de su bruto ser-ahí, de su pura existencia dada en el encuentro, sería semejante para cualquier otro encuentro, en tanto que es simple proyecto de apropiación, en tanto que no se distingue en nada del puro "hay" y es, según se la encare de un modo o del otro, pura libertad o pura nada. Pero precisamente en el marco de este proyecto apropiativo lo viscoso se revela y desarrolla su viscosidad. Esta viscosidad es *ya*, pues –desde la primera aparición de lo viscoso–, respuesta a una pregunta, es ya *don de sí*: lo viscoso aparece ya como el esbozo de una fusión del mundo conmigo; y lo que de él me enseña, su carácter de *ventosa que me aspira*, es ya réplica a una interrogación concreta: responde con su ser mismo, con su manera de ser, con toda su materia. La respuesta que da es plenamente adaptada a la pregunta y a la vez opaca e indescifrable, puesto que rica de toda su indecible materialidad. Es clara en tanto que se adapta exactamente a la pregunta:[1] lo viscoso se deja captar como aquello de que estoy falto, se deja palpar por una inquisición apropiativa; a este esbozo de apropiación deja descubrir su·

---

[1] En el original se lee "respuesta". (N. del T.)

viscosidad. Pero es opaca porque, precisamente, si la forma significante es despertada en lo viscoso por el para-sí, éste acude a llenarla con toda su viscosidad. Nos devuelve, pues, una significación plena y densa, y esta significación nos entrega el *ser-en-sí*, en tanto que lo viscoso es actualmente aquello por lo cual se manifiesta el mundo, y el *esbozo de nosotros mismos*, en cuanto la apropiación bosqueja algo así como un acto fundante de lo viscoso. Lo que entonces se vuelve hacia nosotros como una cualidad objetiva es una *naturaleza* nueva que no es ni material (y física) ni psíquica, sino que trasciende la oposición de lo psíquico y lo físico descubriéndosenos como la expresión ontológica del mundo íntegro; es decir, se ofrece como rúbrica para clasificar todos los *estos* del mundo, trátese de organizaciones materiales o de trascendencias trascendidas. Esto significa que la aprehensión de lo viscoso como tal ha creado a la vez una manera particular de darse el mundo para el en-sí; simboliza el ser a su manera, es decir que, mientras dura el contacto con lo viscoso, para nosotros todo ocurre como si la viscosidad fuera el sentido del mundo íntegro, es decir, el único modo de ser del ser-en-sí, a la manera en que, para los primitivos del clan del lagarto, todos los objetos *son* lagartos. ¿Cuál puede ser, en el ejemplo elegido, el modo de ser simbolizado por lo viscoso? Veo, en primer lugar, que es la homogeneidad y la imitación de la liquidez. Una sustancia viscosa, como la pez, es un fluido aberrante. Nos parece primero manifestar el ser doquiera huidizo y doquiera semejante a sí mismo, que se escapa por todas partes y sobre el cual, sin embargo, es posible flotar; el ser sin peligro y sin memoria que se muda eternamente en sí mismo, sobre el cual no se deja marca y que no podría dejar marca en nosotros, que resbala y sobre el cual se resbala, que puede ser poseído por el deslizamiento (bote, lancha, automóvil, esquí náutico, etc.); y que no posee jamás, ya que rueda sobre uno, el ser que es eternidad y temporalidad infinita, porque es cambio perpetuo sin nada que cambie; y el que mejor simboliza, por esa síntesis de eternidad y temporalidad, una fusión posible del para-sí como pura temporalidad y del en-sí como eternidad pura. Pero en seguida lo viscoso se revela esencialmente como ambiguo y turbio[1], porque en él la fluidez está como retardada; es comportamiento de la liquidez, es decir, representa en sí mismo un triunfo incipiente de lo sólido sobre lo líquido, o sea una tendencia del en-sí de indiferencia, representado por lo sólido puro, a fijar la liquidez, es decir, a absorber al para-sí que debería fundarlo. Lo viscoso es la agonía del agua; se da como un fenómeno en devenir; no tiene la permanencia en el cambio propia del agua, sino, al contrario, representa como un corte que se practica en el curso de un cambio de estado. Esta inestabilidad fija de lo viscoso desanima al deseo de posesión. El agua es más huidiza, pero se la puede poseer en su fuga misma, en tanto que huidiza. Lo viscoso huye con una huida espesa que se parece a la del agua como el vuelo pesado y a ras del suelo de la gallina se parece al vuelo del halcón. Y esa huida misma no puede ser poseída, pues se niega en tanto que huida. Es ya casi una permanencia sólida. Nada atestigua mejor ese carácter turbio y ambiguo de "sustancia entre dos estados" que la lentitud con que lo viscoso se funde consigo mismo: una gota de agua que toca la superficie de una napa es instantáneamente transmutada en napa de agua; no captamos la operación como una absorción casi bucal de la gota por la napa, sino más bien como la espiritualización y desindividualización de un ser singular que se disuelve por sí mismo en el gran todo de donde ha salido. El símbolo de la napa de agua parece desempeñar un papel muy importante en la constitución de los esquemas panteísticos; revela un tipo particular de relación del ser con el ser. Pero, si consideramos lo viscoso, advertimos (aunque haya conservado misteriosamente toda la fluidez, en retardo; no hay que confundirlo con las papillas, en que la fluidez, cabezada, sufre bruscas rupturas, bruscas interrupciones, y la sustancia, tras un esbozo de escurrimiento, se aglomera de pronto en una voltereta) que presenta una histéresis constante en el fenómeno de la transmutación en sí mismo: la miel que fluye de mi cuchara sobre la miel

---

[1] *Louche*; palabra que encierra las ideas de "bizco, avieso, ambiguo, turbio"; la mejor traducción, si no fuera por el molesto equívoco, sería "tuerto", en su sentido (menos usado) de "ojituerto" y de "torcido". (N. del T.)

contenida en el recipiente comienza por esculpir la superficie, se destaca en relieve sobre ella, y su fusión con el todo se presenta como un aplastamiento, un derrumbe, que aparece a la vez como un *desinflarse* (piénsese en la importancia, para la sensibilidad infantil, del hombrecillo de tripa que se "sopla" como vidrio y se desinfla dejando escapar un lamentable gemido) y como la caída, el achatamiento de los senos algo fláccidos de una mujer que se tiende de espaldas. Hay, en efecto, en lo viscoso que se funde en sí mismo, a la vez una resistencia visible, como la denegación del individuo que no quiere anonadarse en la totalidad del ser, y, al mismo tiempo, una blandura llevada a su consecuencia extrema: pues lo *blando* no es sino una anonadación detenida a mitad de camino; lo blando es lo que mejor nos devuelve la imagen de nuestra propia potencia destructiva y de sus límites. La lentitud de la desaparición de la gota viscosa en el seno del todo se da primero como *blandura,* ya que es como una anonadación retardada que parece querer ganar tiempo; pero esta blandura va hasta el fin: la gota se encenaga en la napa viscosa. De este fenómeno nacerán diversos caracteres de lo viscoso: en primer lugar, es lo *blando* al tacto. Si echamos agua al suelo, *corre;* si echamos una sustancia viscosa, se estira, se aplasta, es *blanda;* si tocamos lo viscoso, no huye: cede. Hay en la inaferrabilidad misma del agua una dureza implacable que le da un secreto sentido de *metal:* en última instancia, es tan incompresible como el acero. Lo viscoso es compresible. Da de entrada, pues, la impresión de un ser al que se puede *poseer.* Doblemente: su viscosidad, su adherencia a sí, le impide huir, y puedo por ende cogerlo entre las manos, separar una cantidad de miel o de pez del resto del tarro y con ello *crear* un objeto individual por creación continua; pero, a la vez, la blandura de esa sustancia, que se me plasma entre las manos, me da la impresión de que *destruyo* perpetuamente. Es una buena imagen de la destrucción-creación. Lo viscoso es *dócil.* Sólo que, en el momento mismo en que creo poseerlo, he ahí que, por un curioso viraje, es *él* quien me posee. Aquí aparece su carácter esencial: su blandura hecha ventosa. Si el objeto que tengo en la mano es sólido, puedo soltarlo cuando me plazca; su inercia simboliza para mí mi poder cabal; yo lo fundo, pero él no me funde: es el Para-sí que recoge en su seno al En-sí y lo eleva a la dignidad de En-sí, sin compromiso, permaneciendo siempre como poder asimilador y creador: es el Para-sí que absorbe al En-sí. En otros términos, la posesión afirma la primacía del Para-sí en el ser sintético "En-sí-Para-sí". Pero lo viscoso invierte los términos: el Para-sí queda envuelto en *compromiso.* Aparto las manos, quiero soltar lo viscoso, pero se me adhiere, me bombea, me aspira; su modo de ser no es ni la inercia tranquilizadora de lo sólido, ni un dinamismo como el del agua, que se agota en su huida; es una actividad blanda, babosa y femenina de aspiración; vive oscuramente entre mis dedos y siento como un vértigo: me atrae a él como podría atraerme el fondo de un abismo. Hay como una fascinación táctil de lo viscoso. No soy ya dueño de *detener* el proceso de apropiación: éste continúa. En cierto sentido, es como una docilidad suprema de lo poseído, una fidelidad perruna que *se da* aun cuando no se quiera más de ella; y, en otro sentido, bajo esa docilidad, hay una taimada apropiación del poseyente por el poseído. Vemos aquí el símbolo que bruscamente se descubre: hay posesiones venenosas; hay posibilidad de que el En-sí absorba al Para-sí; es decir, de que un ser se constituya a la inversa del "En-sí-Para-sí", de modo que el En-sí atraiga al Para-sí a su contingencia, a su exterioridad de indiferencia, a su existencia sin fundamento. En ese instante capto de pronto la trampa de lo viscoso: es una fluidez que me retiene y me pone en compromiso; no puedo *deslizarme* sobre lo viscoso, pues todas sus ventosas me retienen; él tampoco puede deslizarse sobre mí, pero se agarra como una sanguijuela. Empero, el deslizamiento no está simplemente *negado,* como por lo sólido, sino *degradado:* lo viscoso parece prestarse e invitarme a él, pues una napa viscosa en reposo no es sensiblemente distinta de una capa de líquido muy denso; sólo que es una trampa: el deslizamiento es *succionado* por la sustancia resbaladiza y deja vestigios sobre mí. Lo viscoso aparece como un líquido visto en una pesadilla y tal que todas sus propiedades, animándose con una especie de vida, se volvieran contra mí. Lo viscoso es el desquite del En-Sí.

Desquite dulzón y femenino, que se simbolizará en otro plano por la cualidad de *lo azucarado*. Por eso lo azucarado, como *dulzor* –dulzor indeleble, que permanece indefinidamente en la boca y sobrevive a la deglución–, completa a la perfección la esencia de lo viscoso. Lo viscoso azucarado es el ideal de lo viscoso: simboliza la muerte azucarada del Para-sí (la avispa que se mete en el dulce y se ahoga en él). Pero, a la vez, lo viscoso soy *yo*, por el solo hecho de que he esbozado una apropiación de la sustancia viscosa. Esta succión de lo viscoso que siento sobre mis manos esboza una como *continuidad* entre la sustancia viscosa y yo. Estas largas y blandas columnas de sustancia que caen de mí hasta la napa viscosa (como cuando, por ejemplo, tras haber sumergido la mano en miel, la retiro) simbolizan como un derrame de mí mismo hacia lo viscoso. Y la histéresis que advierto en la fusión de la base de esas columnas con la napa simboliza como la resistencia de mi ser a la absorción del En-sí. Si me meto en el agua, me sumerjo y me dejo llevar, no experimento molestia alguna, pues no tengo en ningún grado temor de diluirme: permanezco un sólido en medio de su fluidez. Si me hundo en lo viscoso, siento que voy a perderme, es decir, a diluirme haciéndome viscoso, precisamente porque lo viscoso está en instancia de solidificación. Lo *pastoso* presentaría, desde este punto de vista, el mismo aspecto que lo viscoso, pero no fascina, no pone en compromiso, porque es inerte. Hay, en la aprehensión misma de lo viscoso, sustancia pegajosa, comprometedora y sin equilibrio, algo como la aprensión de una *metamorfosis*. Tocar algo viscoso es arriesgarse a diluirse en viscosidad.

Esta dilución es de por sí aterradora, porque es absorción del Para-sí por el En-sí como tinta por un secante. Pero, *además*, es aterrador que, sobre metamorfosearse uno, en cosa, sea precisamente una metamorfosis *en* viscosidad. Aun si pudiera concebir una licuefacción de mí mismo, es decir, una transformación de mi ser en agua, no me sentiría afectado sobremanera, pues el agua es el símbolo de la conciencia: su movimiento, su fluidez, esa solidaridad no solidaria de su ser, su perpetua fuga, etc., todo en ella me recuerda al Para-sí; hasta tal punto que los primeros psicólogos que han señalado el carácter de *duración* de la conciencia la han comparado con gran frecuencia a un río. El río es lo que mejor evoca la imagen de la interpenetración constante de las partes de un todo y de su perpetua disociabilidad y disponibilidad. Pero lo viscoso ofrece una imagen horrible: es horrible de por sí, para una conciencia, *hacerse viscosa*. Pues el ser de lo viscoso es adherencia blanda, con ventosas por todas partes, solidaridad y complicidad taimada de cada una con las otras, esfuerzo vago y blando de cada una por individualizarse, seguido de una recaída en un achatamiento vaciado de individualidad, pues por todas partes la ha succionado la sustancia. Una conciencia que se *hiciera viscosa* quedaría, pues, transformada por empastamiento de sus ideas. Desde nuestro surgimiento en el mundo tenemos esa aprensión de una conciencia que quisiera lanzarse hacia el futuro, hacia un proyecto de sí, y se sintiera, en el momento mismo en que tuviera conciencia de llegar, taimadamente, invisiblemente retenida por la succión del pasado, con lo que debería asistir a su lenta dilución en ese pasado del que huye, a la invasión de su proyecto por mil parásitos, hasta perderse finalmente por completo a sí misma. De esta horrible condición, el "robo del pensamiento" en ciertas psicosis de influencia nos da la mejor imagen. Pero, ¿qué es lo que traduce en el plano ontológico ese temor, sino precisamente la huida del Para-sí ante el En-sí de la facticidad, es decir, precisamente, la temporalización? El horror de lo viscoso es el horror de que el tiempo pudiera volverse viscoso, de que la facticidad pudiera progresar continua e insensiblemente hasta absorber al Para-sí que "la existe". Es el temor, no de la muerte, ni del En-sí puro, ni de la nada, sino de un tipo de ser particular, que no tiene más existencia real que el *En-sí-Para-sí* y que está solamente *representado* por lo viscoso: un ser ideal al que repruebo con todas mis fuerzas y que me infesta como el *valor* me infesta en mi ser; un ser ideal en que el En-sí no fundado tiene prioridad sobre el Para-sí, y al que llamaremos un *Antivalor.*

Así, en el proyecto apropiativo de lo viscoso, la viscosidad se revela de pronto como símbolo de un antivalor, es decir, de un tipo de ser no realizado pero amenazante, que infesta perpetuamente la conciencia como el peligro constante que ella rehúye y, por este hecho, transforma de pronto el proyecto de apropiación en proyecto de huida. Ha aparecido algo que no resulta de ninguna experiencia anterior, sino sólo de la comprensión preontológica del En-sí y del Para-sí, y que es propiamente el *sentido* de lo viscoso. En cierto sentido, es una experiencia, pues la viscosidad es un descubrimiento intuitivo; en otro sentido, es como la invención de una aventura del ser. A partir de allí aparece para el Para-sí cierto peligro nuevo, un modo de ser amenazante y de-evitar, una categoría concreta con que se encontrará doquiera. Lo viscoso no simboliza ninguna conducta psíquica, *a priori:* manifiesta cierta relación del ser consigo mismo, y esta relación está originariamente *psiquicizada,* porque la he descubierto en un esbozo de apropiación y la viscosidad me ha devuelto mi imagen. Así, pues, estoy enriquecido, desde mi primer contacto con lo viscoso, con un esquema ontológico válido, allende la distinción de lo psíquico y de lo no-psíquico, para interpretar el sentido de ser de todos los existentes de cierta y determinada categoría, categoría que surge, por lo demás, como un marco vacío *antes* de la experiencia de las diferentes especies de viscosidad. Yo la he proyectado al mundo por mi proyecto original frente a lo viscoso; es una estructura objetiva del mundo al mismo tiempo que un antivalor; es decir, determina un sector en que vendrán a colocarse los objetos viscosos. Desde ese momento, cada vez que un objeto manifieste para mí esa relación de ser, ya se trate de un apretón de manos, de una sonrisa o de un pensamiento, será captado por definición como viscoso; es decir que, allende su contextura fenoménica, se me aparecerá como constituyente, junto con la pez, las gomas, las mieles, etc., del gran sector ontológico de la viscosidad. Recíprocamente, en la medida en que el *esto* de que quiero apropiarme representa al mundo entero, lo viscoso, desde mi primer contacto intuitivo, se me aparece rico de una multitud de significaciones oscuras y de remisiones que lo trascienden. Lo viscoso se descubre de por sí como "mucho más que lo viscoso"; desde su aparición, trasciende todas las distinciones entre lo psíquico y lo físico, entre el existente bruto y las significaciones del mundo: es un sentido posible del ser. La primera experiencia que puede el niño hacer de lo viscoso lo enriquece, pues, psicológica y moralmente: no tendrá necesidad de esperar la adultez para descubrir ese género de bajeza aglutinante al que se llama figuradamente "viscoso"; ésta se encuentra ahí, junto a él, en la viscosidad misma de la miel o la goma. Lo que decíamos de lo viscoso vale para todos los objetos que rodean al niño: la simple revelación de sus materias le amplía el horizonte hasta los extremos límites del ser y lo dota a la vez de un conjunto de *claves* para descifrar el ser de todos los hechos humanos. Esto no significa que *conozca* en el origen las "fealdades" de la vida, los "caracteres", o, al contrario, las "bellezas" de la existencia. Simplemente, está en posesión de todos los *sentidos de ser* de los cuales fealdades y bellezas, conductas, rasgos psíquicos, relaciones sexuales, etc., no serán jamás sino ejemplificaciones particulares. Lo pegajoso, lo pastoso, lo vaporoso, etc., los agujeros en tierra o en arena, las cavernas, la luz, la noche, etc., le revelan modos de ser prepsíquicos y presexuales que se pasará después la vida explicitando. No hay niño "inocente". En particular, reconocemos, con los freudianos, las innumerables relaciones que ciertas materias y formas que rodean a los niños mantienen con la sexualidad. Pero con ello no entendemos que un instinto sexual ya constituido las haya cargado de significaciones sexuales. Nos parece, al contrario, que esas materias y esas formas son captadas de por sí, y descubren al niño modos de ser y relaciones con el ser del Para-sí, que iluminarán y modelarán su sexualidad. Para no citar sino un ejemplo, a muchos psicoanalistas ha llamado la atención el atractivo que ejercen sobre el niño toda clase de *agujeros* (agujeros en la arena, en la tierra, grutas, cavernas, anfractuosidades), y han explicado ese atractivo sea por el carácter anal de la sexualidad infantil, sea por el *shock* prenatal, sea, inclusive, por un presentimiento del acto sexual propiamente dicho. No podríamos aceptar ninguna de estas explicaciones. La del "trauma del nacimiento" es en extremo fantasiosa. La que asimila el agujero al órgano sexual femenino supone en el niño una experiencia que no puede tener o un presentimiento que no puede justificarse. En cuanto a la sexualidad "anal" del niño, no pensamos en negarla, pero para que pudiera iluminar y cargar de simbolismo los agujeros que encuentra en el campo perceptivo, sería menester que el niño captase su ano como agujero; más aún: sería menester que la captación de la esencia del agujero, del orificio, correspondiera a la sensación que su ano le produce. Pero hemos mostrado suficientemente el carácter subjetivo del "cuerpo para mí" para que se comprenda la imposibilidad de que el niño capte una parte cualquiera de su cuerpo como estructura objetiva del universo. Sólo para el prójimo el ano aparece como orificio; no podría ser vivido como tal, pues ni aun los cuidados íntimos que la madre presta al niño podrían descubrírselo en ese aspecto: el ano, zona erógena, zona de dolor, no está provisto de terminaciones nerviosas táctiles. Al contrario, por medio del prójimo –por las palabras que la madre emplea para designar el cuerpo del niño– aprende éste que su ano es un *agujero*. Por lo tanto, la naturaleza objetiva del agujero percibido en el mundo iluminará para él la estructura objetiva y el sentido de la zona anal, y dará un *sentido* trascendente a las sensaciones erógenas que el niño se limitaba hasta entonces a *existir*. De por sí mismo, el *agujero* es el símbolo de un modo de ser que el psicoanálisis existencial debe esclarecer. No podemos insistir en ello ahora. Se ve al punto, sin embargo, que el agujero se presenta originariamente como una nada "de-llenar" con mi propia carne: el niño no puede abstenerse de poner su dedo o todo el brazo en un agujero. Éste me presenta, pues, la imagen vacía de mí mismo; no tengo sino meterme en él para hacerme existir en el mundo que me espera. El ideal del agujero es, pues, la excavación que se moldeará cuidadosamente sobre mi carne, de manera que, ajustándome penosamente y adaptándome estrechamente a ella, contribuiré a hacer existir la plenitud de ser en el mundo. Así, tapar el agujero es originariamente hacer el sacrificio de mi cuerpo para que exista la plenitud de ser, es decir, sufrir la pasión del Para-sí para moldear, hacer perfecta y salvar la totalidad del En-sí.[1] Captamos así, en su origen, una de las tendencias más fundamentales de la realidad humana: la tendencia *a llenar*. Encontraremos también

---

[1] Debería notarse también la importancia de la tendencia inversa, la de cavar agujeros, que exigiría de por sí un análisis existencial.

esta tendencia en el adolescente y en el adulto: buena parte de nuestra vida se pasa tapando agujeros, llenando vacíos, realizando y fundando simbólicamente lo pleno. El niño reconoce, desde sus primeras experiencias, que él mismo tiene orificios. Cuando se pone el dedo en la boca, trata de tapar los agujeros de su cara, espera que el dedo se funda con los labios y el paladar y tape el orificio bucal, como se tapa con cemento la grieta de la pared. Busca la densidad, la plenitud uniforme y esférica del ser parmenídeo; y, si se chupa el dedo, lo hace precisamente para diluirlo, para transformarlo en una pasta gomosa que obture el agujero de su boca. Esta tendencia es, ciertamente, una de las más fundamentales entre las que sirven de cimientos al acto de comer: la comida es el "cemento" que obturará la boca; comer es, entre otras cosas, taponarse. Sólo a partir de aquí podemos pasar a la sexualidad: la obscenidad de las partes sexuales femeninas es la de toda *abertura*: es un *llamado de ser*, como lo son, por otra parte, todos los agujeros; en sí, la mujer llama a una carne extraña que debe transformarla en plenitud de ser por penetración y dilución. E, inversamente, la mujer siente su condición como un llamado, precisamente porque está "agujereada". Es el verdadero origen del complejo adleriano. Sin duda alguna, el sexo es boca, boca voraz que traga el pene –lo que bien puede traer consigo la idea de castración: el acto amoroso es castración del hombre–; pero el sexo, es, ante todo, agujero. Se trata, pues, aquí de un aporte *presexual* que se convertirá en uno de los componentes de la sexualidad como actitud humana empírica y compleja, pero que, lejos de encontrar su origen en el ser-sexuado, nada tiene en común con la sexualidad fundamental cuya naturaleza hemos explicado en el libro III. Ello no quita que la experiencia del agujero, cuando el niño ve la realidad, incluya el presentimiento ontológico de la experiencia sexual en general; el niño tapa el agujero con su propia carne, y el agujero, antes de toda especificación sexual, es una espera obscena, un llamado de carne.

Se captará la importancia que ha de asumir, para el psicoanálisis existencial, la elucidación de esas categorías existenciales, inmediatas y concretas. Captamos a partir de ahí proyectos generalísimos de la realidad humana. Pero lo que principalmente interesa al psicoanalista es determinar el proyecto libre de la persona singular a partir de la relación individual que lo une a esos diferentes símbolos del ser. Puedo gustar de los contactos viscosos; espantarme de los agujeros; etc. Esto no significa que lo viscoso, lo graso, el agujero, etc., hayan perdido para mí su significación ontológica general, sino que, al contrario, a causa de esa significación me determino de tal o cual manera con respecto a esas cosas. Si lo viscoso es el símbolo de un ser en que el para-sí es absorbido por el en-sí, ¿qué soy entonces yo, que, al contrario de los demás, gusto de lo viscoso? ¿A qué proyecto fundamental de mí mismo me veo remitido si quiero explicar ese gusto por un en-sí encenagante y turbio? Así, los *gustos* no quedan como datos irreductibles; si se los sabe interrogar, nos revelan los proyectos fundamentales de la persona. Hasta las preferencias alimentarias tienen un sentido. Se advertirá esto si se reflexiona en que cada gusto se presenta, no como un *datum* absurdo que se debiera disculpar, sino como un valor evidente. Si me place el gusto del ajo, me parece irracional que a otros pueda no placerle. Comer, en efecto, es apropiarse por destrucción, es, al mismo tiempo, *taponarse* con cierto ser. Y este ser es dado como una síntesis de temperatura, densidad y sabor propiamente dicho. En una palabra, esta síntesis significa *cierto ser*; y cuando comemos no nos limitamos, por el gusto, a *conocer* ciertas cualidades de ese ser: al gustarlas, nos apropiamos de ellas. El gusto es asimilación; el diente revela, por el acto mismo de mascar, la densidad del cuerpo al que transforma en bolo alimentario. Así, la intuición sintética del alimento es en sí misma destrucción asimiladora; me revela el ser con el que voy a hacer mi carne. Siendo así, ora acepte, ora rechace con repulsión, la totalidad del alimento me propone cierto modo de ser del ser que acepto o que rechazo. Esta totalidad está organizada como una forma, en la cual las cualidades de densidad y temperatura, más sordas, se borran tras el sabor propiamente dicho que las *expresa*. Lo "azucarado", por ejemplo, *expresa* lo viscoso, cuando comemos una cucharada de miel o de melaza, como una función analítica expresa una curva geométrica. Esto significa que todas las cualidades que no son el sabor propiamente dicho, reunidas, fundidas, enclavadas en el sabor, representan como la *materia* de éste. (En este bizcocho con chocolate que primero resiste al diente y después cede de pronto y se desmenuza, su resistencia primero y su desmenuzamiento después *son* chocolate.) Por otra parte, esas cualidades se unen a ciertas características temporales del sabor, es decir, a su modo de temporalización. Ciertos gustos se dan de pronto, otros son como cohetes con retardo, otros se entregan por etapas, algunos se atenúan lentamente hasta desaparecer, y otros se desvanecen en el momento mismo en que uno cree apoderarse de ellos. Estas cualidades se organizan con la densidad y la temperatura; expresan, además, en otro plano, el aspecto visual del alimento. Si como un postre rosado, el gusto es rosado; el leve perfume azucarado y la untuosidad de la crema de manteca *son* lo rosado. Así, comemos rosado, vemos azucarado. Se comprende que, con ello, el sabor recibe una arquitectura compleja y una materia diferenciada: esta materia estructurada –la cual nos apresenta un tipo de ser singular– es lo que podemos o asimilar o rechazar con náuseas, según nuestro proyecto original. No es, pues, en modo alguno indiferente gustar de las ostras o de diversos moluscos, de los caracoles o de las langostas, por poco que sepamos desentrañar la significación existencial de tales alimentos. De modo general, no hay gusto ni inclinación irreductibles. Al psicoanálisis existencial corresponde compararlos y clasificarlos. Aquí, la ontología nos abandona: simplemente nos ha permitido determinar los fines últimos de la realidad humana, sus posibilidades fundamentales y el valor que la infestan. Cada realidad humana es a la vez proyecto directo de metamorfosear su propio Para-sí en En-sí-Para-sí, y proyecto de apropiación del mundo como totalidad de ser-en-sí, bajo las especies de una cualidad fundamental. Toda realidad humana es una pasión, por cuanto proyecta perderse para fundar el ser y para constituir al mismo tiempo el En-sí que escape a la contingencia siendo fundamento de sí mismo, el *Ens causa sui* que las religiones llaman Dios. Así, la pasión del hombre es inversa de la de Cristo, pues el hombre se pierde en tanto que hombre para que Dios nazca. Pero la idea de Dios es contradictoria, y nos perdemos en vano: el hombre es una pasión inútil.

Conclusión

I

En-sí y Para-sí: lineamientos metafísicos

Ahora nos es dado concluir. Desde nuestra introducción, habíamos descubierto la conciencia como un llamado de ser, y habíamos mostrado que el *cogito* remitía inmediatamente a un ser-en-sí *objeto* de la conciencia. Pero, después de descubrir el En-sí y el Para-sí, nos había parecido difícil establecer un nexo entre ambos, y habíamos temido caer en un dualismo insuperable. Este dualismo nos amenaza, además, de otra manera: en efecto, en la medida en que puede decirse que el Para-sí es, nos encontrábamos frente a dos modos de ser radicalmente distintos: el del Para-sí que tiene de ser lo que es, es decir, que es lo que no es y que no es lo que es, y el del En-sí, que es lo que es. Nos preguntábamos entonces si el descubrimiento de estos dos tipos de ser no terminaba en el establecimiento de un hiato que escindiera al Ser, como categoría general perteneciente a todos los existentes, en dos regiones incomunicables, en cada una de las cuales la noción de Ser debía ser tomada en una acepción originaria y singular.

Nuestras investigaciones nos han permitido responder a la primera de esas preguntas: el Para-sí y el En-sí están reunidos por una conexión sintética que no es otra que el propio Para-sí. El Para-sí, en efecto, no es sino la pura nihilización del En-sí; es como un agujero de ser en el seno del Ser. Conocida es la amena ficción con que ciertos divulgadores acostumbran ilustrar el principio de conservación de la energía: si ocurriera, dicen, que uno solo de los átomos constituyentes del universo se aniquilara, resultaría una catástrofe que se extendería al universo entero, y sería, en particular, el fin de la Tierra y del sistema estelar. Esta imagen puede servirnos: el Para-sí aparece como una leve nihilización que tiene origen en el seno del Ser; y basta esta nihilización para que una catástrofe total *ocurra* al En-sí. Esa catástrofe es el mundo. El Para-sí no tiene otra realidad que la de ser la nihilización del ser. Su única cualificación le viene de ser nihilización del En-sí individual y singular, y no de un ser en general. El Para-sí no es la nada en general, sino una privación singular; se constituye en privación de *este ser*. No cabe, pues, que nos interroguemos sobre la manera en que el para-sí puede unirse al en-sí, ya que el para-sí no es en modo alguno una sustancia autónoma. En tanto que nihilización, *es sido* por el en-sí; en tanto que negación interna, se hace anunciar por el en-sí lo que él no es, y, por consiguiente, lo que tiene-de-ser. Si el cogito conduce necesariamente fuera de sí, si la conciencia es una cuesta resbaladiza en que no es posible instalarse sin encontrarse al punto precipitado afuera, sobre el ser-en-sí, ello se debe a que la conciencia no tiene de por sí ninguna suficiencia de ser como subjetividad absoluta, y remite ante todo a la cosa. No hay ser para la conciencia fuera de esa obligación precisa de ser intuición revelante de algo. ¿Y esto qué significa, sino que la conciencia es lo *Otro* de Platón? Recuérdense las bellas descripciones que el Extranjero del "Sofista" da de eso otro, que no puede ser captado sino "como en sueños": que no tiene otro ser que su ser-otro, es decir, no goza sino de un ser prestado; que, considerado en sí mismo, se desvanece y sólo recobra una existencia marginal si se fija la mirada en el ser; que se agota en su ser otro que sí mismo y otro que el ser. Hasta parece que Platón haya visto el carácter dinámico que presentaba la alteridad de lo otro con respecto a sí mismo, pues en ciertos textos ve en ello el origen del movimiento. Pero podía haber llevado las cosas aún más lejos; hubiera visto entonces que lo otro o no-ser relativo no podía tener una apariencia de existencia sino a título de conciencia. Ser otro que el ser es ser conciencia (de) sí en la unidad de los ék-stasis temporalizadores. ¿Y qué puede ser la alteridad, en efecto, sino el *chassé-croisé* de reflejo y reflejante que hemos descrito en el seno del para-sí, ya que la única manera en que lo otro puede existir como otro es la de ser conciencia (de) ser otro? La alteridad, en efecto, es negación interna, y sólo una conciencia puede constituirse como negación interna. Cualquier otra concepción de la alteridad equivaldría a ponerla como un en-sí, es decir, a establecer entre ella y el ser una relación externa, que requeriría la presencia de un testigo para comprobar que el otro es otro que el en-sí. Por lo demás, lo otro no puede ser otro sin emanar del ser; en ello, es relativo al en-sí; pero tampoco podría ser otro sin *hacerse otro*: de lo contrario, su alteridad se convertiría en algo dado, o sea en un *ser* capaz de ser considerado en-sí. En tanto que es relativo al en-sí, lo otro está afectado de facticidad; en tanto que se hace a sí mismo, es un absoluto. Es lo que señalábamos al decir que el para-sí no es fundamento de su ser-como-nada-de-ser, sino que funda perpetuamente su nada-de-ser. Así, el para-sí es un absoluto *unselbstständig*, lo que hemos llamado un absoluto no sustancial. Su realidad es puramente *interrogativa*. Si puede preguntar y cuestionar, se debe a que él mismo está siempre *en cuestión*; su ser nunca es *dado*, sino *interrogado*, ya que está siempre separado de sí mismo por la nada de la alteridad; el para-sí está siempre en suspenso porque su ser es un perpetuo aplazamiento. Si pudiera alcanzarlo alguna vez, la alteridad desaparecería al mismo tiempo, y, con ella, desaparecerían los posibles, el conocimiento, el mundo. Así, el problema *ontológico* del conocimiento se resuelve por la afirmación de la primacía ontológica del en-sí sobre el para-sí. Pero ello para hacer nacer inmediatamente una interrogación metafísica. El surgimiento del para-sí a partir del en-sí no es, en efecto, comparable en modo alguno a la génesis *dialéctica* de lo Otro de Platón a partir del ser. Ser y otro, en efecto, para Platón son *géneros*. Pero hemos visto que, al contrario, el ser es una aventura individual. Y, análogamente, la aparición del para-sí es el acaecimiento absoluto que viene al ser. Cabe aquí, pues, un problema metafísico, que podría formularse de este modo: ¿Por qué el para-sí surge a partir del ser? Llamamos metafísico, en efecto, el estudio de los procesos individuales que han dado nacimiento a *este* mundo como totalidad concreta y singular. En este sentido, la metafísica es a la ontología lo que a la sociología la historia. Hemos visto que sería absurdo preguntarse por qué el ser es otro; que la pregunta sólo tendría sentido en los límites de un para-sí, y que inclusive supone la prioridad ontológica de la nada sobre el ser, cuando, al contrario, hemos demostrado la prioridad del ser sobre la nada; tal pregunta no podría plantearse sino a consecuencia de una contaminación con una pregunta exteriormente análoga y, sin embargo, muy diversa: ¿por qué *hay* ser? Pero sabemos ahora que ha de distinguirse cuidadosamente entre ambas preguntas. La primera carece de sentido: todos los "porqués", en efecto, son posteriores al ser, y lo suponen. El ser es, sin razón, sin causa y sin necesidad; la definición misma del ser nos presenta su contingencia-originaria. A la segunda hemos respondido ya, pues no se plantea en el terreno metafísico sino en el ontológico: "hay" ser porque el para-sí es tal que haya ser. El carácter de *fenómeno* viene al ser por medio del para-sí. Pero, si las preguntas, sobre el origen del ser o sobre el origen del mundo carecen de sentido o reciben una respuesta en el propio sector de la ontología, no ocurre lo mismo con el origen del para-sí. El para-sí, en efecto, es tal que tiene el derecho de revertirse sobre su propio origen. El ser por el cual el porqué llega al ser tiene derecho de plantearse su propio porqué, puesto que él mismo es una interrogación, un porqué. A esta pregunta, la ontología no podría responder, pues se trata de explicar un acaecimiento y no de describir las estructuras de un ser. Cuanto mucho, la ontología puede hacer notar que la nada que *es sida* por el en-sí no es un simple vacío desprovisto de significación. El sentido de la nada de la nihilización consiste en ser sida para fundar el ser. La ontología nos provee de dos informaciones que pueden servir de base para la metafísica: la primera es que todo proceso de fundamento de sí es ruptura del ser-idéntico del en-sí, toma de distancia del ser con respecto a sí mismo y aparición de la presencia a sí o conciencia. Sólo haciéndose para-sí el ser podría aspirar a ser causa de sí. La conciencia como nihilización del ser aparece, pues, como un estadio de una progresión hacia la inmanencia de la causalidad, es decir, hacia el ser causa de sí. Sólo que la progresión se para ahí, a consecuencia de la insuficiencia de ser del para-sí. La temporalización de la conciencia no es un progreso ascendente hacia la dignidad de *causa sui,* sino un flujo de superficie cuyo origen es, al contrario, la imposibilidad de ser causa de sí. De este modo, el *ens causa sui* queda como lo *fallido,* como la indicación de un trascender imposible *en altura,* que condiciona por su misma no-existencia el movimiento horizontal de la conciencia; así, la atracción vertical que la luna ejerce sobre el océano tiene por efecto el desplazamiento horizontal que es la marca. La otra indicación que la metafísica puede extraer de la ontología es que el parasí es *efectivamente* perpetuo proyecto de fundarse a sí mismo en tanto que ser y perpetuo fracaso de ese proyecto. La presencia a sí con las diversas direcciones de su nihilización (nihilización ek-stática de las tres dimensiones temporales, nihilización geminada de la pareja reflejo-reflejante) representa el primer surgimiento de ese proyecto; la reflexión representa la reduplicación del proyecto, que se revierte sobre sí mismo para fundarse por lo menos en tanto que proyecto, y la agravación del hiato nihilizador por el fracaso de ese proyecto mismo; el "hacer" y el "tener", categorías cardinales de la realidad humana, se reducen de modo inmediato o mediato al proyecto de ser; por último, la pluralidad de los unos y los otros *puede* interpretarse como una última tentativa de fundarse, tentativa que termina en la separación radical entre el ser y la conciencia de ser.

Así, la ontología nos enseña: 1°, que si el en-sí debiera fundarse, no podría ni siquiera intentarlo salvo haciéndose conciencia; es decir, que el concepto de *causa sui* lleva consigo el de presencia a sí, es decir, el de la descompresión de ser nihilizadora; 2°, que la conciencia es *de hecho* proyecto de fundarse a sí misma, es decir, proyecto de alcanzar la dignidad del en-sí-para-sí o en-sí-causa-de-sí. Pero no podríamos valernos de ello. Nada permite afirmar, en el plano ontológico, que la nihilización del en-sí en para-sí tenga por significación, desde el origen y en el seno mismo del en-sí, el proyecto de ser causa de sí. Muy al contrario, la ontología choca aquí con una contradicción profunda, puesto que la posibilidad de un fundamento viene al mundo por el para-sí. Para ser proyecto de fundarse *a sí mismo,* sería menester que el en-sí fuera originariamente presencia a sí, es decir, que fuera ya conciencia. La ontología se limitará, pues, a declarar que *todo ocurre como si* el en-sí, en un proyecto de fundarse a sí mismo, se diera la modificación del para-sí. A la metafísica corresponde formar las *hipótesis* que permitirán concebir ese proceso como el acaecimiento absoluto que viene a coronar la aventura individual que es la existencia del ser. Va de suyo que tales hipótesis quedarán como hipótesis, pues no podríamos alcanzar ni convalidación ni invalidación ulterior de ellas. Lo que constituirá la *validez* de las mismas será sólo la posibilidad que nos den de unificar los datos de la ontología. Esta unificación no deberá constituirse, naturalmente, en la perspectiva de un devenir histórico, puesto que la temporalidad viene al ser por el para-sí. No tendría, pues, sentido alguno preguntarse qué era el ser *antes* de la aparición del para-sí. Pero no por eso la metafísica debe renunciar a intentar determinar la naturaleza y el sentido de ese proceso antehistórico, fuente de toda historia, que es la articulación de la aventura individual (o existencia del en-sí) con el acaecimiento absoluto (o surgimiento del para-sí). En particular, al metafísico corresponde la tarea de decidir si el movimiento es o no una primera "tentativa" del en-sí para fundarse, y cuáles son las relaciones entre el movimiento como "enfermedad del ser" y el para-sí como enfermedad más profunda, llevada hasta la nihilización.

Falta encarar el segundo problema que hemos formulado desde nuestra introducción: si el en-sí y el para-sí son dos modalidades del *ser*, ¿no hay un hiato en el seno mismo de la idea de ser, y su comprensión no se escinde en dos partes incomunicables, por el hecho de que su extensión está constituida por dos clases radicalmente heterogéneas? ¿Qué hay de común, en efecto, entre el ser que es lo que es y el ser que es lo que no es y no es lo que es? Lo que puede ayudarnos aquí, sin embargo, es la conclusión de nuestras precedentes indagaciones; en efecto, acabamos de mostrar que el en-sí y el para-sí no se yuxtaponen. Al contrario, el para-sí sin el en-sí es algo así como un abstracto: no podría existir, tal como no puede existir un color sin forma o un sonido sin altura y timbre; una conciencia que no fuera conciencia *de* nada sería un nada absoluto. Pero, si la conciencia está ligada al en-sí por una relación *interna*, ¿no quiere decir que se articula con aquél para constituir una totalidad, y no pertenece a esta totalidad la denominación de realidad *o ser*? Sin duda, el para-sí es nihilización; pero, a título de nihilización, *es;* y es en unidad *a priori* con el en-sí. De este modo, los griegos solían distinguir la realidad cósmica, a la que denominaban τό πάτ de la totalidad constituida por ésta y por el vacío que la rodeaba, totalidad a la que llamaban τò ὅλον. Por cierto, hemos podido llamar al para-sí un nada y declarar que no hay "fuera del en-sí *nada,* sino un reflejo de este nada, que es polarizado y definido por el en-sí en tanto que es precisamente la nada de *este en-sí"*. Pero, aquí como en la filosofía griega, se plantea una cuestión: ¿a qué llamaremos *real,* a qué atribuiremos el *ser*? ¿Al cosmos, o a lo que antes denominábamos τò ὅλον? ¿Al en-sí puro, o al en-sí rodeado de esa faja de nada que hemos designado con el nombre de para-sí?

Pero, si hubiéramos de considerar al ser total como constituido por la organización sintética del en-sí y del para-sí, ¿no iremos a darnos nuevamente contra la dificultad que queríamos evitar? Ese hiato que descubríamos en el concepto de ser, ¿no hemos de encontrárnoslo ahora en el existente mismo? ¿Qué definición dar, en efecto, de un existente que, en tanto que en-sí, sería lo que es y, en tanto que para-sí, sería lo que no es?

Si queremos resolver estas dificultades, es menester darnos cuenta de lo que exigimos de un existente para considerarlo como una totalidad: es preciso que la diversidad de sus estructuras sea mantenida en una síntesis unitaria, de suerte que cada una de ellas, encarada aparte, no sea sino un abstracto. Por cierto, la conciencia encarada aparte no es sino una abstracción; pero el en-sí mismo no necesita del para-sí para ser; la "pasión" del para-sí hace sólo que "haya" un en-sí. Sin la conciencia, el *fenómeno* del en-sí es ciertamente un abstracto, pero su *ser* no lo es.

Si quisiéramos concebir una organización sintética tal que el para-sí fuera inseparable del en-sí y, recíprocamente, el en-sí estuviera indisolublemente ligado al para-sí, sería menester concebirla de tal suerte que el en-sí recibiera su existencia de la nihilización que hace tomar conciencia de él. ¿Y esto qué significa, sino que la totalidad indisoluble de en-sí y para-sí no es concebible sino en la forma del ser "causa de sí"? Este ser y sólo éste podría valer absolutamente como ese ὅλον de que hablábamos. Y, si podemos plantear la cuestión del ser del para-sí articulado con el en-sí, se debe a que nos definimos *a priori* por una comprensión preontológica del *ens causa sui*. Sin duda, este *ens causa sui* es *imposible*, y su concepto, como hemos visto, implica una contradicción. No por ello es menos cierto que, como planteamos la cuestión de ser del ὅλον situándonos desde el punto de vista del *ens causa sui*, hemos de colocarnos en este punto de vista para examinar las credenciales de ese ὅλον. En efecto: ¿no ha aparecido por el solo hecho del surgimiento del para sí, y el para-sí no es originariamente proyecto de ser causa de sí? De este modo comenzamos a captar la naturaleza de la realidad total. El ser total, aquel cuyo concepto no esté escindido por un hiato y que, empero, no excluya al ser nihilizante-nihilizado del para-sí, aquel cuya existencia sea síntesis unitaria del en-sí y de la conciencia, ese ser ideal sería el en-sí fundado por el para-sí e idéntico al para-sí que lo funda, es decir, el *ens causa sui*. Pero, precisamente porque nos situamos en el punto de vista de este ser ideal para juzgar al ser *real* que llamamos ὅλον, comprobamos que lo real es un esfuerzo abortado por alcanzar la dignidad de causa-de-sí. Todo ocurre como si el mundo, el hombre y el hombre-en-el-mundo no llegaran a realizar sino un Dios fallido. Todo ocurre, pues, como si el en-sí y el para-sí se presentaran en estado de *desintegración* con respecto a una síntesis ideal. No porque la integración haya *tenido lugar* alguna vez, sino precisamente al contrario, porque es una integración siempre indicada y siempre imposible. Es el perpetuo fracaso que explica a la vez la indisolubilidad del en-sí y el para-sí y su relativa independencia. Análogamente, cuando se quiebra la unidad de las funciones cerebrales, se producen fenómenos que presentan una autonomía relativa y a la vez no pueden manifestarse sino sobre fondo de desagregación de una totalidad. Ese fracaso explica el hiato que encontramos a la vez en el concepto del ser y en el existente. Si es imposible pasar de la noción de ser-en-sí a la de ser-para-sí y reunirlas en un género común, se debe a que el *tránsito de hecho* de una a otra y su reunión no pueden operarse. Sabido es que, para Spinoza y Hegel, por ejemplo, una síntesis detenida antes de la sintetización completa, al fijar los términos en una relativa dependencia a la vez que en una independencia relativa, se constituye inmediatamente en error. Por ejemplo, para Spinoza, la rotación de un semicírculo en torno de su diámetro encuentra su justificación y su sentido en la noción de esfera. Pero, si imaginamos que la noción de esfera esté por principio fuera de alcance, el fenómeno de rotación del semicírculo se hace *falso:* se lo ha decapitado; la idea de rotación y la de círculo dependen una de la otra sin poder unirse en una síntesis que las trascienda y justifique: la una permanece irreductible a la otra. Es precisamente lo que aquí sucede. Diremos, pues, que el "ὅλον" considerado está, como una noción decapitada, en desintegración perpetua. Y a título de conjunto desintegrado se nos presenta en su ambigüedad, es decir, que se puede *ad libitum* insistir sobre la dependencia o sobre la independencia de los seres considerados. Hay aquí un tránsito que no se opera; un cortocircuito. Encontramos de nuevo en este plano la noción de totalidad destotalizada que habíamos visto ya a propósito del para-sí y de las conciencias ajenas. Pero es una tercera especie de destotalización. En la totalidad simplemente destotalizada de la reflexión, lo reflexivo *tenía-de-ser* lo reflexo y lo reflexo tenía de ser lo reflexivo. La doble negación permanecía evanescente. En el caso del para-otro, el (reflejo-reflejante) reflejo se distinguía del (reflejo-reflejante) reflejante en que cada uno *tenía-de-no-ser* el otro. Así, el para-sí y el otro-para-sí constituyen un ser en que cada cual confiere el ser-otro al otro haciéndose otro. En cuanto a la totalidad del para-sí y del en-sí, tiene por característica que el para-sí se hace el *otro* con respecto al en-sí, y que empero el en-sí no es otro que el para-sí en su ser: pura y simplemente, es. Si la relación del en-sí con el para-sí fuera la recíproca de la del para-sí con el en-sí, recaeríamos en el caso de ser-para-otro. Pero, precisamente, no lo es, y esta ausencia de reciprocidad caracteriza al "ὅλον" a que nos estamos refiriendo. En esta medida, no es absurdo plantear, la cuestión de la totalidad. En efecto: cuando estudiábamos el para-sí, comprobábamos la necesidad de que hubiera un ser "yo-prójimo" que tuviera de ser la escisiparidad reflexiva del para-otro. Pero, al mismo tiempo, ese ser "yo-prójimo" se nos aparecía como incapaz de existir a menos que comportara un incaptable no-ser de exterioridad. Nos preguntábamos entonces si el carácter antinómico de la totalidad era en sí mismo un irreductible, y si debíamos poner al espíritu como el ser que es y que no es. Pero se nos apareció que la cuestión de la unidad sintética de las conciencias carecía de sentido, pues suponía que tuviéramos la posibilidad de adoptar un punto de vista sobre la totalidad, mientras que, en cambio, existimos sobre el fundamento de esta totalidad y como comprometidos en ella.

Pero si no podemos "adoptar punto de vista sobre la totalidad", se debe a que el otro, por principio, se niega de mí como yo me niego de él. La reciprocidad de la relación es lo que me veda para siempre captarlo en su integridad. Muy al contrario, en el caso de la negación interna para-sí-en-sí, la relación no es recíproca, y soy a la vez uno de los términos de la relación y la relación misma. Capto al ser, *soy* captación del ser, no soy *sino* captación del ser; y el ser que capto no se pone *contra mí* para captarme a su vez; él es lo que es captado. Simplemente, su *ser* no coincide en modo alguno con su ser-captado. En cierto sentido, pues, puedo plantear la cuestión de la totalidad. Por cierto, existo aquí como *comprometido* en esta totalidad, pero puedo ser *conciencia exhaustiva* de ella, puesto que soy a la vez conciencia *del* ser y conciencia (de) mí. Sólo que esa cuestión de la totalidad no pertenece al sector de la ontología. Para la ontología, las únicas regiones de ser que pueden elucidarse son la del en-sí, la del para-sí y la región ideal de la "causa de sí". Es indiferente para ella considerar al para-sí articulado con el en-sí como una tajante *dualidad* o como un ser desintegrado. A la metafísica toca decidir si será más útil para el conocimiento (en particular para la psicología fenomenológica, la antropología, etc.) tratar de un ser que llamaremos el *fenómeno,* y que estará provisto de dos dimensiones de ser: la dimensión del en-sí y la del para-sí (desde este punto de vista, no habría *sino un* fenómeno: el mundo), como, en la Física einsteniana, resulta ventajoso hablar de un *acontecimiento* concebido como dotado de las dimensiones espaciales y de una dimensión temporal y como localizado en un espacio-tiempo; o si es preferible, pese a todo, mantener la antigua dualidad "conciencia-ser". La única observación que pueda aventurar aquí la ontología es la de que, en el caso en que parezca útil emplear la nueva noción de fenómeno como totalidad desintegrada, sería preciso hablar de ella *a la vez* en términos de inmanencia y de trascendencia. El escollo, en efecto, estaría en caer en el puro inmanentismo (idealismo husserliano) o en el puro trascendentismo que encare al *fenómeno* como una nueva especie de *objeto*. La inmanencia será siempre limitada por la dimensión de en-sí del fenómeno, y la trascendencia por su dimensión de para-sí.

Después de haber decidido acerca de la cuestión del origen del para-sí y de la naturaleza del fenómeno del mundo, la metafísica podrá encarar diversos problemas de primera importancia, y en particular el de la acción. La acción, en efecto, ha de considerarse *a la vez* en el plano del para-sí y en el del en-sí, pues se trata de un proyecto de origen inmanente, que determina una modificación en el ser de lo trascendente. De nada serviría, en efecto, declarar que la acción modifica sólo la apariencia fenoménica de la cosa: si la apariencia fenoménica de una taza puede ser modificada hasta el aniquilamiento de la taza en tanto que tal, y si el ser de la taza no es otro que su *cualidad,* la acción considerada ha de ser susceptible de modificar el ser mismo de la taza. El problema de la acción supone, pues, la elucidación de la eficacia trascendente de la conciencia y nos pone en camino hacia su verdadera relación de ser con el ser. Nos revela también, a raíz de las repercusiones del acto en el mundo, una relación del ser con el ser que, aunque captada en exterioridad por el físico, no es ni la exterioridad pura ni la inmanencia, sino que nos remite a la noción gestaltista de *forma*. A partir de aquí, pues, se podrá intentar una metafísica de la naturaleza.

II

Perspectivas morales

La ontología no puede formular de por sí prescripciones morales. Se ocupa únicamente en lo que es, y no es posible extraer imperativos de sus indicativos. Deja entrever, empero, lo que sería una ética que tomara sus responsabilidades frente a una *realidad humana en situación*. Nos ha revelado, en efecto, el origen y la naturaleza del valor; hemos visto que el valor es la *falta* con respecto a la cual el para-sí se determina en su ser como *falta*. Por el hecho de que el para-sí *existe*, como hemos visto, surge el valor para infestar su ser-para-sí. Se sigue de ello que las diversas tareas del para-sí pueden ser objeto de un psicoanálisis existencial, pues todas ellas apuntan a producir la síntesis fallida de la conciencia y el ser bajo el signo del valor o causa de sí. De este modo, el psicoanálisis existencial es una *descripción moral*, pues nos ofrece el sentido ético de los diversos proyectos humanos; nos indica la necesidad de renunciar a la psicología del interés, así como también a toda interpretación utilitaria de la conducta humana, revelándonos la significación *ideal* de todas las actitudes del hombre. Esas significaciones están allende el egoísmo y el altruismo, y también allende los comportamientos llamados *desinteresados*. El hombre se hace hombre para ser Dios, puede decirse; y la ipseidad, considerada desde este punto de vista, puede parecer un egoísmo; pero, precisamente porque no hay ninguna medida común entre la realidad humana y la causa de sí que ella quiere ser, se puede decir igualmente que el hombre se pierde para que la causa de sí exista. Se encarará entonces toda existencia humana como una pasión; el demasiado célebre "amor propio" no es sino un medio libremente elegido entre otros para realizar esa pasión. Pero el resultado principal del psicoanálisis existencial ha de ser el hacernos renunciar a la *seriedad*. La seriedad tiene como doble característica, en efecto, considerar los valores como datos trascendentes, independientes de la subjetividad humana, y transferir el carácter de "deseable" de la estructura ontológica de las cosas a su simple constitución material. Para la seriedad, en efecto, el *pan*, por ejemplo, es deseable porque *es necesario* vivir (valor escrito en el cielo inteligible) y porque *es* alimenticio. El resultado de la seriedad, la cual, como es sabido, reina sobre el mundo, consiste en hacer que la idiosincrasia empírica de las cosas beba, como un papel secante, sus valores simbólicos; destaca la opacidad del objeto deseado y lo pone en sí mismo como un deseable irreductible. Así, estamos ya en el plano de la moral, pero, concurrentemente, en el de la mala fe; pues es una moral que se avergüenza de sí misma y no osa decir su nombre; ha oscurecido todos sus objetivos para librarse de la angustia. El hombre busca el ser a ciegas, ocultándose el libre proyecto que es esa búsqueda; se hace tal que sea *esperado* por tareas situadas en su camino. Los objetos son exigencias mudas, y él no es en sí nada más que la obediencia pasiva a esas exigencias.

El psicoanálisis existencial va a descubrirle el objetivo real de su búsqueda, que es el ser como fusión sintética del en-sí y el para-sí; va a ponerlo al tanto de su pasión. A decir verdad, hay muchos hombres que han practicado sobre sí este psicoanálisis y no han esperado a conocer sus principios para servirse de él como de un medio de liberación y salvación. Muchos hombres saben, en efecto, que el objetivo de su búsqueda es el ser; y, en la medida en que poseen este conocimiento, desdeñan apropiarse de las cosas por ellas mismas e intentan realizar la apropiación simbólica del ser-en-sí de las cosas. Pero, en la medida en que esta tentativa participa aún de la seriedad, están condenados a la desesperación, pues descubren al mismo tiempo que todas las actividades humanas son equivalentes –pues tienden todas a sacrificar al hombre para hacer surgir la causa de sí– y que todas están destinadas por principio al fracaso. Así, lo mismo da embriagarse a solas que conducir pueblos. Si una de estas actividades prevalece sobre la otra, no será a causa de su objetivo real, sino a causa del grado de conciencia que posea de su objetivo ideal; y, en este caso, ocurrirá que el quietismo del borracho solitario prevalecerá sobre la vana agitación del conductor de pueblos.

Pero la ontología y el psicoanálisis existencial (o la aplicación espontánea y empírica que los hombres han hecho siempre de estas disciplinas) deben descubrir al agente moral que es *el ser por el cual existen los valores.* Entonces su libertad tomará conciencia de sí misma y se descubrirá en la angustia como la única fuente del valor, y como la nada por la cual existe *el mundo.* Desde que la búsqueda del ser y la apropiación del en-sí le sean descubiertas como sus *posibles,* la libertad captará por y en la angustia que no son posibles sino sobre fondo

[841]

de posibilidad de otros posibles. Pero hasta entonces, aunque los posibles pudieran ser escogidos y revocados *ad libitum,* el tema que constituía la unidad de todas las elecciones de posibles era el valor, o presencia ideal del *ens causa sui.* ¿Qué se hará la libertad, si se revierte sobre este valor? ¿Lo llevará consigo, de cualquier modo que obre, y, en su revertirse mismo hacia el en-sí-para-sí, será reatrapada por detrás por ese mismo valor al que quiere contemplar? O bien, por el solo hecho de captarse como libertad con respecto a sí misma, ¿podrá poner un término al reino del valor? ¿Es posible, en particular, que la libertad se tome a sí misma como valor en tanto que fuente de todo valor, o deberá definirse necesariamente con relación a un valor trascendente que la infesta? Y, en el caso de que pueda quererse a sí misma como su propio posible y su valor determinante, ¿en qué sentido ha de entenderse esto? Una libertad que quiere ser libertad es, en efecto, un ser-que-no es-lo-que-es y que-es-lo-que-no-es que elige, como ideal de ser, el ser-lo-que-no-es y el no-ser-lo-que-es. Escoge, pues, no *recuperarse* sino huirse, no coincidir consigo mismo, sino estar siempre a distancia de sí. ¿Cómo ha de entenderse este ser que quiere mantenerse en respeto, que quiere ser a distancia de sí? ¿Se trata de la mala fe, o de otra actitud fundamental? ¿Y puede *vivirse* este nuevo aspecto del ser? En particular, la libertad, al tomarse como fin a sí misma, ¿escapará a toda *situación?* ¿O, al contrario, permanecerá situada? ¿O se situará tanto más precisa e individualmente cuanto más se proyecte en la angustia como libertad en condición, y cuanto más reivindique su responsabilidad a título de existente por el cual el mundo adviene al ser? Todas estas preguntas, que nos remiten a la reflexión pura y no cómplice, sólo pueden hallar respuesta en el terreno moral. Les dedicaremos próximamente otra obra.

Índice terminológico y temático

El traductor ha considerado útil, tanto para una previa aproximación al libro como para ulterior referencia, la compilación del siguiente índice. En él se registran, principalmente, los términos técnicos, o usados con sentido técnico, de la filosofía de Sartre, tal como se han vertido en esta traducción, con su correspondencia francesa cuando es menester, y alemana, cuando pertenecen al léxico de Husserl o de Heidegger. Eventualmente, se indican las razones que justifican el término elegido en español, se proponen otros equivalentes o se señalan los utilizados por otros traductores o por tratadistas.

Se incluyen, además de los propiamente técnicos, otros vocablos cuyo uso en esta traducción era oportuno destacar y justificar ante el lector.

Por último, para que dentro de ciertos límites sirva como índice temático, se ha puesto, cuando oportuno, la referencia a la página en que el término está definido o al menos caracterizado (a veces sólo de paso, pero de manera esclarecedora). No es, pues, un índice analítico completo, ni hay referencia a todos los lugares en que el término aparece; y no dispensa del uso del índice general. Se han omitido las referencias a los numerosos pasajes que el autor dedica al examen crítico de otras filosofías; en cambio, se han registrado cuidadosamente todos los análisis fenomenológicos (quizá lo más importante de la obra sartreana) de que el autor se sirve por vía de ilustración, como los de la angustia, el miedo, *la* nieve, *la* vergüenza, *lo* viscoso, *etc.; tales entradas aparecen destacadas en cursiva.*

Abreviaturas: s = siguiente (s); n = nota de pie de página.

abandono, conductas de, 621

abolición, 295

absoluto, 309, 622, 758, 830-31

abstracción, abstracto, 271s, 277

absurdidad, absurdo, 651s, 713

acción, 442-43, 648, 839

actitud ante el Prójimo-objeto, 441

actitud orgullosa (fierté; así traducida en virtud de estas equivalencias: orgueil, "orgullo (legítimo)"; fierté, "orgullo (legítimo)" u "orgullo jactancioso"; Sartre la toma en esta última acepción, y la hace sinónima de vanité, "vanidad"), 403

actitudes fundamentales, 555

acto, 236-37, 593-94

acto ontológico, 136

actualmente: por no dar lugar a equívoco, se ha traducido así tanto actuellement ("en acto") como présentement ("en el presente")

afectividad, 284, 455-56

afirmación, 308

agua, 818, 821

agujerear, agujeros, 824s

ahoras psíquicos, 240

alejamiento (lointains; Heidegger: Entfernungen), en la expresión "ser de alejamientos", 59

alienación, 383, 711

allá-al-lado-de: ocasionalmente se ha traducido así auprés de, "junto a", para acentuar el ser-afuera del para-sí (corresponde al bei de Heidegger, que Gaos traduce con la preposición "cabe")

amor, 238-39, 501

análogamente, igualmente: en vista de que la "analogía" no interviene en el léxico técnico de Sartre, se han usado libremente estos términos para traducir pareillement, analoguement, etc.

anatomía y fisiología, 480

angustia, 59, 74, 79s, 82, 87, 196, 631-32, 751

aparecer: traduce paraître y apparaître, usados por el autor sin diferencia sensible

aparición, 176

aparición de un hombre en mi mundo, 358

aplazamiento (sursis; se ha preferido "aplazamiento" y no "postergación", no sólo porque así se ha traducido la conocida novela de Sartre, sino porque "postergación" da una idea de "dejar atrás" que no corresponde al sentido del original), 680s

apreciación, 650

apresentación, apresentar (apprésentation, apprésenter: neologismos formados según la analogía de percepción/apercepción, donde el sufijo a- del español corresponde al ad- latino)

apuntar (viser): se ha preferido, como en francés, un término del lenguaje corriente en vez del técnico "intencionar"

anihilar (annihiler); véase: nihilizar, aniquilar, anonadar (anéantir), aniquilación, anonadación (anéantisement); véase: nihilizar

antivalor (anti-valeur), 821-22

arrancamiento a (arrachement à), arrancarse a (s'arracher à)

conversión, 646

cosa, 282, 308

cosificar *(cosifier)*: sinónimo de reificar *(réifier)*

creación, 343-45

creencia, 123s

cristalización (término de Stendhal), 803

cualidad, 236, 808, 814

cuerpo, 428, 440, 452

cuerpo ajeno (del Prójimo), 473

cuerpo psíquico, 465

cuerpo y alma (relación entre), 428, 466

cuidado, cura *(souci)*: ambos términos se han usado, separados o juntos, para esa única palabra francesa, correspondiente a *Sorge* en Heidegger (Gaos traduce siempre por "cura")

cuestión: la expresión *être dans son être question de son être* y otras análogas se han traducido por "serle en su ser cuestión de su ser"; corresponde en Heidegger a *umgehen,* que Gaos vierte por "irle a uno algo en algo"; aquí se ha preferido respetar el sentido en que lo entiende Sartre (véase 36n)

culpabilidad, 558-59

cumplimiento *(accomplissement)*; usado a veces en lugar de repleción (véase)

dado (lo) *(le donné:* aunque a veces la voz francesa puede traducirse por "dato", otras veces señala muy precisamente lo fáctico, el "existente bruto"; se ha mantenido el latín *datum* cuando el autor lo usa), 416, 661

de-: se ha usado esta preposición unida con guión a la palabra siguiente en el sentido del gerundivo latino, por ejemplo: "de-realizar" = "que debe ser realizado"; corresponde a la expresión usual francesa *à réaliser,* etc.; véase: tener-de

defecto de ser *(défaut d'être),* 144; véase: falta

dejado ahí: véase derelicción

deliberación, 614

denegación, denegar *(réfus, réfuser)*: debe entenderse con matiz de "rechazo, rechazar"

densidad del en-sí, 130

deporte, 778

derelicción, estar arrojado, estar dejado ahí (con estas tres expresiones se han vertido los términos franceses *délaissement, être jeté, délaissé,* correspondientes en Heidegger a *Geworfenheit, Geworfensein, geworfen,* que Gaos traduce por "estado de yecto", "ser yecto", "yecto" respectivamente), 659, 751

desalejador *(déséloignant,* correspondiente al *entfernend* de Heidegger), 63

descompresión *(décompression)* del ser, 130

deseo *(désir),* 762, 789s

deseo de ser, 761-62

deseo sexual, 523

deslizamiento (glissement), 787s

desmundanizar *(démondaniser),* correspondiente al *entweltlichen* de Heidegger

desnudez, 401

despegue, despegarse *(décollement, décoller),* 683

motivación, 615

motivo y móvil, 595s, 607-09, 612-13

movimiento, 297, 479, 834

muerte, 179, 218, 412, 723s, 726, 737

muertos, 733

mundificar *(mondifier,* correspondiente al *verweltlichen* de Sartre); "mundificación" (*Verweltilichung*) ha sido traducido por Gaos: "mundanación"

mundo, 164s, 263, 308, 830, 839

mundo del deseo, 539

mundo técnico, 607

nacimiento, 453, 479-80, 665s, 737, 750-51

nada (se ha traducido con "nada" como sustantivo femenino el sustantivo francés *néant,* y con "nada" como adverbio o como sustantivo masculino: "el nada", "un nada", el adverbio o el adverbio sustantivado francés *rien*; empero, Sartre no hace distinción de sentido entre ambos), 58, 59, 72s, 135-36, 261, 308, 325-26, 394, 690, 763,77, 805, 830-31

naturaleza, 367, 817

naturaleza (punto de partida para una metafísica de la), 839

náusea, 467

negación, 60s, 188

negación interna, 253, 395, 414, 649

negatidad *(négatité),* 64

neutro, 601

nieve, 784s

nihilar *(néantir):* ver: nihilización, nihilidad *(néantité)*

nihilización, nihilizar *(néantisation,* *néantiser):* con Virasoro, traducimos estos neologismos franceses por esos neologismos españoles; mantenemos, sin embargo, la diferenciación léxica con otro neologismo: *néantir,* que traducimos por "nihilar", en francés, el participio activo de ambos verbos coincide: *néantisant,* y traducimos siempre por "nihilizador"; para el término francés usual *anéantir,* empleamos generalmente "aniquilar" y, en algún contexto en que la idea es menos fuerte, "anonadar"; los neologismos sartreanos han sido traducidos a menudo por algunos de los verbos indicados; el correspondiente alemán *vernichten,* de Heidegger, es "anular" en Gaos, y "anonadar" en Zubiri (versión de *Qué es metafísica),* 60, 140, 688, 763

no-consciente, 621; cf. inconsciente

noema, noesis: acentuamos así, a través del latín, y no con la acentuación griega "nóêma", "nóêsis"

no-revelado, 375

no-ser *(non être),* a diferencia de: no ser... *(ne-pas être);* el primer término es, en Sartre, sinónimo de "nada"; el segundo, indica el hecho de que algo "no es" tal o cual cosa

no-ser, 44, 58, 830

nosotros-sujeto, nos-objeto *(nous-sujet,* *nous-objet)*

númeno: escribimos así y no, como es usual, noumeno.

objetidad *(objectité):* ("carácter de ser objeto", a diferencia de objetividad

objetividad, objetivo (el sustantivo "objetivo", sinónimo de "meta" y correspondiente al francés *but*, se diferencia netamente, por el contexto, del adjetivo "objetivo"), 266, 339, 409

objeto psíquico, 239

obsceno, 545, 549

odio, 559-60

ojos, 359s

ontología, 412, 589, 828, 831s, 839

oportunidades, eventualidades, eventualidades de azar: las tres expresiones corresponden al término francés *chances,* que no puede traducirse por "probabilidades" ni "posibilidades" pues estas voces tienen en Sartre sentido propio.

orden del mundo, 428

orgullo (orgueil); véase: actitud orgullosa), 403

orientación, 438

original, originario *(original):* se ha usado uno u otro término español por razones más bien estilísticas; el sentido es siempre el del alemán *ursprünglich.*

otro; véase: prójimo

otro (en sentido platónico), 830

padecer *(souffrir)*

para-otro *(pour-autrui)*, para-el-otro *(pour-l'autre)*, 838

para-sí *(pour-soi)*, 135s, 142, 188-89, 212, 252, 287, 293, 450-51, 599, 694, 804, 829-30, 834

pasión (en sentido existencial), 308, 627, 828, 835, 841

pasión del espíritu, 417

pasiones (en sentido psicológico), 601

pastoso, 818

pecado, 558

pecado original, 558

peligro, 374

percepción, 268, 450, 479, 808

percepto *(perceptum)*

perfil *(profil*; lo que en las traducciones de Husserl se han llamado "escorzos": preferimos mantener la terminología de Sartre), 270

permanencia, 276, 293

perseverancia, 745

persona, 708, 766

poner, posición *(poser, position):* debe entenderse en el sentido fuerte, de "tesis" (véase), que tienen en Husserl.

posesión, 499, 538, 803-04

posibilidad, posible, posibilizarse, posibilización *(possibilité, possible, se possibiliser, possibilisation)*, 157-58, 161, 165, 289-90

posibilidad última, 626

posible fundamental, 639

posicional *(positionnel):* sinónimo de tético (véase)

potencialidad *(potencialité)*, 276

presencia a *(présence à*; por razones de comodidad expresiva se ha mantenido la preposición "a", algo latinizante), 187

presencia a sí, 135

presentificar *(présentifier)*

preteridad *(passéité):* se ha preferido esta forma neológica en vez de otra, más torpe: "paseidad" preterición (*dépassement*): véase: trascender

preterido-trascendido *(dépassé)*: véase: trascender

preterificar (*passéifier*)

pretérito *(ce qui est passé)*: se ha usado esta forma en vez de "pasado" como adjetivo; el francés, para el cual este recurso es menos natural, recurre a una perífrasis ("lo que es pasado")

probabilidad, 282s, 370

probabilidad (en sentido epistemológico), 353

procesivo, 681

prójimo (Sartre emplea como sinónimos: *l'autre*, *autrui* y *prochain*, este último sólo en la tercera parte de la obra; aquí se ha traducido por lo general, el primer término por "el otro", y los dos restantes por "prójimo"; *d'autrui* se ha vertido por "ajeno" o "del prójimo"), 322

prójimo-objeto *(autrui-objet)*, 404

prójimo (círculo de relaciones con el), 556

propiedad, 790s

proyectar, proyecto (*projetter*, *projet*); correspondiente al *entworfen* y *Entwurf* de Heidegger

proyecto abierto, 688

proyecto (deseo, tendencia) de ser, 761-62

proyecto fundamental, 654

proyecto fundamental hacia el prójimo, 521

proyecto inicial, 622s

psicoanálisis existencial, 768

psique, psíquico, 233, 236s, 488

psiquicizar *(psychiser)*: entre dos formas inelegantes, se ha preferido la mejor formada: psiqui-cizar, y no "psiquizar"

pudor, 401

punto de vista (*point de vue*), 288-89

realidad, 695

realidad-humana, 136, 77

realizar (*réaliser*; se la ha empleado en español con el doble sentido que le da Sartre, pero que en francés es usual: "efectuar", y "comprender vivencialmente"), 259

recuperación, recuperar (*récupération*, *récupérer*), 401, 415

reflejo (*réflet*), reflexo (*réfléchi*): ha sido imprescindible diferenciar entre "reflejo", acción y efecto de reflejar, y "reflexo", adjetivo: lo que es objeto de reflexión; sin embargo, se usa "reflejo" en este sentido cuando no hay equívoco, por ejemplo, en "conciencia refleja".

reflejo-reflejante, 132

reflexión, 233, 532, 769-80, 837

reflexión pura e impura o cómplice, 227s, 234-35

reificar (*réifier*); véase: cosificar

relación (*rapport*, *relation*), 424, 496

relación existencial, 455s

reliquias, 792

remisión, remitir *(renvoi, renvoyer)*, 167

repleción *(réplétion*, correspondiente en Husserl a la *Erfühlung* de una intención o una intuición; cf. cumplir, llenar), 269

representación, 308

responsabilidad, 631
resuelta-decisión *(résolte-décision)*: corresponde a la *Entschlossenheit* de Heidegger, que Gaos traduce por "resolución" —

sabor, 827
saber, 635
sabio *(sage;* para *savant* se ha utilizado sólo "científico"), 506
sacrificio, 187
sagrado, 512
"se" impersonal *(on;* corresponde al *Man* heideggeriano, que Gaos traduce por "uno"; aquí se ha preferido la traducción indicada, o simplemente "se" cuando no había equívoco), 392, 576
"se" reflexivo *(se réflechi),* 133
sed, 290
seducción, 508s
Selbstständigkeit (como en el texto, se ha mantenido la palabra en alemán; en el contexto heideggeriano, Gaos traduce por "estado de ser en sí mismo"), 223
sensación, 428s
sensación de esfuerzo, 448
separación ontológica entre las conciencias, 342
ser *(être),* 33, 272, 805, 829s, 831
ser-afuera *(être-dehors;* cf. el *Aussein auf* de Heidegger, que Gaos traduce por "ser saliendo de sí hacia"), 397
ser-ahí *(être-là);* corresponde al *Dasein* de Heidegger.
ser-con *(être-avec;* corresponde al *Mitsein* de Heidegger), 344

ser de la conciencia, 336
ser-en-el-mundo, 286
ser-en-medio-del-mundo, 289, 405
ser-en-sí, 36; véase: en-sí
ser-mirado, 367-69; véase: mirada
ser-para, 233-34
ser-para-la-muerte *(être-pour-mourir):* es el *Sein-zum-Tode* de Heidegger, que aquí hemos traducido como lo hace Gaos.
ser-para-otro, 398; véase: para-otro
ser total, 836; véase: totalidad
ser (hacerse ser: *se faire être):* debe entenderse siempre en sentido activo: un ente que se hace a sí mismo ser tal o cual cosa
ser, sentidos de, 824
seriedad *(sprit de sérieux),* 87, 782-83, 840
sexo, 523, 554-55, 781, 823s
sí, sí-mismo *(soi-même;* este sentido impersonal o absoluto se diferencia netamente en francés del reflexivo personal *lui-même;* en español, hemos hecho la diferencia distinguiendo, respectivamente, "sí-mismo" y "sí mismo"; por otra parte, el contexto basta generalmente para precisar la idea, como ocurre cuando se ha usado simplemente "sí"), 133-34,149s; véase: en-sí-para-sí
significación, 408-09, 475, 511, 778
significante *(signifiant):* debe entenderse, no en el sentido de "que tiene significación" sino de que "confiere significación"
signo, 456
simbolismo, símbolos, 773, 813

Índice

PRIMERA PARTE
El problema de la Nada

—